DORIS LESSING

La Cité promise

Doris Lessing

LA CITÉ PROMISE

Les Enfants de la violence (tome III)

roman

Traduit de l'anglais par
MARIANNE VÉRON

Édition originale anglaise :
THE FOUR-GATED CITY
Mac Gibbon & Kee Ltd, Londres
© *Doris Lessing 1969*

Traduction française :
© Éditions Albin Michel, 1981

ISBN 2-245-01566-5

Sélectionné par le C.P.V.

DÉDICACE

Il était une fois un sot, que l'on envoya acheter de la farine et du sel. Il prit un récipient pour transporter ses achats.

« Attention, lui dit l'homme qui l'envoyait, de ne pas mélanger les deux — je les veux séparés. »

Lorsque le commerçant eut rempli le récipient de farine et qu'il entreprit de mesurer la quantité de sel, le sot lui recommanda : « Ne le mélangez pas à la farine ; je vais vous montrer où le mettre. »

Et il retourna le récipient afin que le commerçant pût poser le sel sur le fond retourné.

Bien entendu, la farine tomba par terre.

Mais le sel était en lieu sûr.

Quand le sot revint auprès de l'homme qui l'avait envoyé, il déclara : « Voici le sel.

— Très bien, approuva l'autre, mais où est la farine ?

— Elle devrait être ici », s'étonna le sot en retournant le récipient.

Ce faisant, il renversa le sel avant de s'apercevoir que la farine avait disparu.

Histoire enseignée aux derviches,
extraite de *La Voie des Soufis*, d'IDRIES SHAH.

PREMIÈRE PARTIE

Dans son essence et sa signification, cette côte ne représente pas seulement un équilibre précaire entre des masses de terre et d'eau; elle exprime un changement continu et actuellement en cours, un changement causé par l'évolution vitale des êtres vivants. Peut-être cette compréhension vient-elle plus facilement quand on se tient sur un pont du détroit de Floride, face à l'immensité parsemée d'îles plantées de palétuviers. On pourrait se croire devant une terre rêveuse et baignant dans son passé. Mais sous le pont flotte un jeune plant de palétuvier bien vert, long et mince, dont une extrémité laisse déjà paraître un début de racines qui commencent à s'enfoncer dans l'eau, prêtes à s'agripper fermement au premier haut-fond boueux qu'il rencontrera en chemin. Au fil des ans, les palétuviers comblent les étendues d'eau qui séparent les îles; ils accroissent la terre ferme; ils créent de nouvelles îles. Et les courants qui passent sous le pont, transportant le jeune plant de palétuvier, ne font qu'un avec ceux qui portent le plancton aux coraux occupés à construire un récif au loin des rives, créant un mur dur comme le roc, un mur qui un jour s'ajoutera à la terre ferme. C'est ainsi que se construit cette côte.

RACHEL CARSON : *Le Bord de la mer.*

CHAPITRE PREMIER

Devant elle, Martha voyait une vitre sale dont la partie inférieure était tendue d'un rideau également sale. La porte ouverte révélait un rectangle d'air gris-brun où flottaient des particules d'humidité. Les façades des magasins d'en face n'avaient aucune couleur particulière. Et quant aux caractères autrefois noirs, blancs, bruns ou dorés de leurs enseignes, ils n'étaient plus que d'un brun terne et crasseux. Sur la partie supérieure de la vitre, on pouvait lire à l'envers *Chez Joe Saucisses & Frites*, en lettres écaillées comme du chocolat trop vieux.

Elle était assise devant une toile cirée rosâtre où l'on avait renversé du sucre puis, par-dessus, du thé à l'orange, formant une tache poisseuse où quelqu'un avait tracé le début d'un nom : Daisy Flet... Son épaisse tasse fêlée était blanc-gris, et la cuillère en matière blanchâtre avait perdu son brillant à l'usage pour devenir tellement striée qu'on aurait presque dit une éponge. Quand elle eut bu la moitié de son thé, elle découvrit une tache grasse à l'intérieur de la tasse : une trace de doigt. Une main — appartenant à Iris, à Jimmy ? — s'était si fort agrippée à cette tasse que l'empreinte avait même résisté au thé bouillant, et qu'elle aurait satisfait un enquêteur de police.

A l'autre bout de la salle, devant une autre toile cirée rosâtre, était assise Iris, la mère de Joe, une petite femme grassouillette et couverte de taches. Elle somnolait. Elle portait une blouse de travail si souvent lavée qu'il ne lui restait guère qu'une teinte jaune grisâtre. Il émanait d'elle une odeur aigre et lasse. Le petit homme pâle et rondouillard qui trônait derrière le comptoir dominé par la fontaine à thé, n'était point Joe — Joe était parti faire la guerre et n'était jamais revenu chez lui, car il avait épousé une femme avec un café à Birmingham. Lui, c'était Jimmy, l'associé de la mère de Joe. Jimmy souhaitait épouser Iris, mais elle ne voulait pas se remarier. Une fois lui avait suffi, expliquait-elle. Ils vivaient cependant ensemble, et entendaient bien continuer.

Tous deux « se reposaient » à présent, profitant d'un temps mort dans l'activité du café, après avoir annoncé comme ils eussent placé une pancarte FERMÉ sur la porte qu'ils se reposaient, mais tous deux observaient Martha. Ou plus exactement leur intérêt, ce qu'il en restait d'éveillé, se concentrait sur ce qu'elle allait faire ensuite. Mais ils étaient trop bien élevés pour le laisser paraître. Environ une heure auparavant, elle avait demandé la permission d'employer le téléphone. Mais elle ne l'avait pas encore fait. De temps à autre, ils échangeaient tous deux une remarque avec une indifférence aussi épaisse que s'ils avaient parlé dans leur sommeil, mais Martha avait toute latitude de s'y joindre si elle le désirait, et d'épiloguer sur le temps et l'état de santé de Jimmy, qui l'un comme l'autre laissaient à désirer. Aujourd'hui, il avait mal à l'estomac. En vérité, ils auraient aimé qu'elle leur raconte, ou bien découvrir eux-mêmes, en quoi cet appel téléphonique était si important qu'elle ne pouvait pas l'effectuer pour s'en débarrasser. L'atmosphère de cette petite boîte surchauffée qu'était le café vibrait littéralement d'intérêt, de tact, de curiosité, de compassion-amitié, en bref, de toutes les passions dont Martha s'était libérée pendant ces quelques semaines qu'elle avait passées en Angleterre, et plus précisément à Londres.

Pendant quelques semaines, elle avait vécu dans l'anonymat, sans que personne lui prêtât attention — libre. Jamais encore elle n'avait connu cette liberté. Partout au monde, vivre dans une petite ville signifie se protéger derrière un masque. L'arrivée dans une grande ville, pour ceux qui n'en ont jamais connu, représente d'abord et avant tout la surprise de cette liberté : toutes les pressions disparaissent, personne ne se préoccupe de vous, le masque devient inutile. Et depuis des semaines, elle avait vécu sans limites ni définition, comme un ballon qui erre au gré des courants : personne n'attendait rien d'elle.

Mais depuis qu'elle avait pris la chambre au-dessus du café et qu'elle avait été admise dans l'extraordinaire gentillesse de ce couple, elle avait fait une découverte : « Matty » était reparue. Après combien d'années d'oubli ? « Matty » était à nouveau amusante, enjouée, incompétente avec compétence, libre de toute convention, libre de dire ce que les autres ne disaient pas, et pourtant toujours consciente de cette situation, dont elle faisait une offrande. « Matty » tirait sa liberté de tout ce à quoi les autres devaient se conformer, non point tant par refus que, quand il lui fallait manifester le conformisme souhaité, en se faisant exempter par un acte de gaucherie délibérée — comme une parodie, en s'exécutant comme le ferait une parodie à l'égard de l'action réelle attendue. C'était de l'obséquiosité, en vérité, de la docilité. Exactement, comprenait-elle, comme le bouffon avait acheté le pardon avec sa vessie et ses clochettes ; comme l'esclave s'était humilié pour flatter son maître ; comme elle avait vu un ouvrier africain terrorisé faire le clown devant son père. Et comme, semblait-il, certains prisonniers des récents camps de concentration, accordant plus de prix à la vie qu'à la dignité, s'étaient forcés à bafouer ces points d'honneur et de respect de soi qui avaient auparavant constitué l'essentiel de leur être, afin d'obtenir la faveur des commandants de camp.

Entre « Matty » et ces tristes bouffons, ce n'était qu'une différence de degré. Au cours de sa jeunesse, dans cette ferme du haut veld, elle avait inventé « Matty » pour pouvoir survivre. Mais pourquoi ? Pour s'empêcher de devenir... quoi ? Elle ne pouvait plus s'en souvenir. Mais pendant les quelques années précédant son départ de chez elle (non pas ici, en Angleterre, qu'elle avait autrefois prise pour sa vraie patrie, mais cette ville qu'elle avait quittée), « Matty » avait disparu, car elle n'en avait plus eu besoin. Martha avait oublié « Matty », et il lui était douloureux de l'héberger à nouveau. Mais voilà, exactement comme si elle n'avait jamais cessé, elle se retrouvait prête, à la première sollicitation, à bavarder, s'exclamer, manifester des enthousiasmes séduisants, et se comporter en petit chien adorable et turbulent. Dans cette maison. Avec Jimmy et Iris. (Mais pas avec Stella, au bord du fleuve. Pas du tout.) Ici. Pourquoi ? Depuis déjà plusieurs jours, Martha se trouvait prisonnière de cette personnalité, c'était Martha qui parfois dérangeait « Matty », et non le contraire. Pourquoi ? Aujourd'hui, elle se sentait également prisonnière de ces vêtements qui, à son avis, habillaient quelqu'un d'autre : ni Martha, ni « Matty ».

Pendant les premières semaines de son séjour à Londres, le soleil avait étincelé. Il était curieux qu'à présent elle pût le voir ainsi. Dans un pays où le soleil est toujours si visible, si fort, si présent, nuages, orages, pluies ne font que brièvement dominer et contrôler la présence du soleil ; on ne dit pas : « Aujourd'hui, il y a eu du soleil », car il y en a toujours. Mais après quelques semaines d'Angleterre, elle pouvait dire : « Aujourd'hui, il y a eu du soleil » et, en se remémorant cette autre terre, elle ressentait la vérité de cette affirmation que, là-bas, le soleil brillait toujours. Même au cœur de la nuit, le soleil flamboyait, inondant de sa chaleur toutes les planètes et la terre et la lune, car la terre s'était simplement détournée dans sa course ronde.

Tous les avertissements des habitués quant à l'abomination du climat anglais avaient, pendant ces quelques semaines ensoleillées, semblé des ronchonnements d'envieux, ou bien des exagérations destinées à terroriser les néophytes. Le soleil avait bel et bien brillé, dans l'ensemble, ce n'était évidemment pas l'explosion d'ors que connaissait l'Afrique, mais il avait brillé d'un éclat régulier dans un grand ciel bleu — pas d'un bleu aussi profond, aussi solennel, aussi violent que les cieux sous lesquels elle avait vécu, mais bleu, et presque sans nuages. Martha avait porté les courtes robes multicolores de cette autre garde-robe qu'elle avait failli laisser là-bas. Elle avait exhibé ses bras et ses jambes bronzés, et ses cheveux dorés par cet autre soleil. Exactement comme si elle n'avait pas quitté son pays d'indolence pour toujours, elle s'était laissé porter par ce courant humain, cette marée qui entre et sort de Londres inlassablement parmi ceux qui y sont établis, qui y possèdent une maison et y paient des impôts : les gens de passage, les touristes, ceux qui se demandent s'ils vont s'y établir, ceux qui recherchent leurs ancêtres et leurs racines, les étudiants, les voyageurs, les errants, ceux qui expérimentent, et puis les épaves et les marginaux à qui il faut une grande ville pour se cacher car aucune petite ville ne peut les accepter.

De chambre en chambre, d'hôtel en hôtel, un lit chez un homme dont elle ne pouvait se rappeler le nom bien qu'elle se souvînt de lui avec gratitude, des nuits passées à déambuler en compagnie d'hommes et de femmes aussi joyeusement vagabonds et déracinés qu'elle, des nuits avec Jack — c'était ainsi qu'elle avait vécu pendant ces semaines chaudes et ensoleillées — et puis soudain, depuis deux jours, le ciel s'était affaissé dans un suintement grisâtre, et Martha portait à présent une épaisse jupe avec un chandail, des bas, et un manteau noir qu'avant son départ Mme Van der Bylt lui avait donné par inquiétude (aussi Martha l'avait-elle accepté) en voyant que Martha se refusait à croire que le climat anglais fût vraiment si terrible. Mais la vieille dame avait en vérité donné bien plus qu'un manteau à Martha, quand elle lui avait tendu au moment du départ ce lourd vêtement noir et respectable qui se trouvait à présent *Chez Joe*, sur le dossier d'une chaise en bois peinte d'un jaune pisseux.

Elle l'y avait déposé une heure auparavant. Il fallait qu'elle se lève, et qu'elle dise à Jimmy et à la mère de Joe, Iris : « Je reviens tout de suite. J'ai besoin de faire un tour. » Il le *fallait*. Il *fallait* qu'elle prononce cette phrase, qu'elle enfile son manteau, qu'elle sorte, qu'elle marche un moment pour s'éclaircir les idées et prendre une décision, qu'elle revienne, qu'elle téléphone, et puis qu'elle exécute sa décision. Eh oui, mais pour faire ce qu'il *fallait* faire — et puis il y avait l'ennemie « Matty », tellement plus forte qu'elle ne l'aurait cru.

Martha se leva et deux paires d'yeux, toutes deux d'un bleu délavé et empreintes d'une bienveillance réservée, mais intérieurement à l'affût de sensation, se fixèrent sur elle. Martha enfila le lourd manteau noir qui avait enveloppé Mme Van pendant plusieurs hivers zambéziens, et déclara : « Je vais marcher un peu. » Aussitôt les deux corps se raidirent imperceptiblement sous l'effet de la déception. Puis de la suspicion. Bien sûr, et à fort juste titre : « Matty » n'avait-elle pas passé des semaines chez eux, « charmante » et fantasque passagère débarquée d'un autre monde, n'avait-elle pas même travaillé derrière le comptoir pour payer le loyer de sa chambre au-dessus du café, et toujours à demi bouffonne, ou du moins prête à se laisser taquiner et à avouer son inefficacité, que compensait sa bonne volonté, toujours franche sur ce qu'elle faisait, vis-à-vis de ces hôtes si gentiment avides ? Ils avaient à présent bien le droit de se sentir exclus, rejetés par elle, quand elle leur déclarait froidement — c'était ainsi qu'ils devaient le ressentir : « Je vais marcher un peu. » Cela ne pouvait plus suffire, alors qu'elle leur avait si longtemps exhibé « Matty ». « Ça fait du bien de confier ses soucis à quelqu'un », observa Iris dans l'espoir d'entendre ceux de Martha — inventés, ou du moins amplifiés, pour son seul bénéfice.

Et Martha répondit avec un petit rire triste : « C'est trop compliqué, j'ai besoin de réfléchir un bon coup » et, en repoussant sa chaise, elle se cogna la jambe et s'exclama : « Oh, merde ! »

— Attention à vos bas, mon petit », recommanda la mère de Joe en s'adoucissant aussitôt et en échangeant même des regards attendris avec Jimmy, tandis qu'elle se penchait, toute souriante, pour regarder Martha se frotter la jambe.

Martha poursuivit son massage pendant quelques instants, avec un petit rire haleté où perçait la douleur, jusqu'à ce qu'elle pût s'échapper enfin, ayant payé son tribut, en passant devant le téléphone qu'elle aurait dû employer si elle avait vraiment agi comme il le fallait.

Vaincue, elle sortit. Le ciel sale écrasait la longue rue qui, d'un côté, menait au sud de Londres, et de l'autre au fleuve et à la Cité. Des rangées de maisons à deux ou trois étages, toutes jaunâtres, brunâtres, grisâtres, sinistres, décrépies depuis bien avant la guerre. Humides. Martha resta un moment devant le café où *Chez Joe Saucisses & Frites* semblait souligné par le rideau funèbre du couvre-feu : Iris et Jimmy ne s'étaient pas donné la peine de le démonter. Les magasins qui constituaient le premier niveau de cette longue rue arboraient presque tous un noir terne ; et certaines fenêtres des étages supérieurs laissaient paraître une peinture noire au-dessus ou à côté de leurs cretonnes fanées. La guerre était finie depuis cinq ans. La rue elle-même était déserte, car il avait fallu détourner la circulation à cause d'un grand cratère d'où émergeaient les têtes et les épaules d'ouvriers qui réparaient des conduites d'eau, de gaz ou d'électricité ; un grand trou déchiqueté et béant. Il ne s'agissait pas d'un dommage de guerre ; mais, d'après Iris, les conduites de gaz fuyaient depuis qu'était tombée une bombe, à deux cents mètres de là, et l'on éventrait constamment la rue pour tenter d'y remédier. Une corde délimitait le bord du cratère, avec des lanternes rouges. Martha s'arrêta un moment pour contempler une douzaine d'hommes au travail. L'un d'eux était noir. Il portait un maillot de corps blanchâtre, et un pantalon effrangé. C'était un grand type maigre, dont le visage arborait cette absence d'expression qui caractérise l'accomplissement d'une tâche ingrate — comme les visages de ses compagnons blancs. Les muscles s'animaient en rythme sous la peau grise, sous la peau noire. Les muscles semblaient d'épais grumeaux glissés entre la peau sale et terne et l'os. Aucun de ces corps n'aurait été choisi pour illustrer la beauté de la race humaine, car tous d'une manière ou d'une autre se révélaient déformés : pas un visage qui ne portât des traces d'épuisement, d'angoisse ou de maladie. Tout ce qu'ils avaient de vie, de santé, d'énergie spontanée aisément discernable résidait dans les muscles. Les pelles et les pioches s'enfonçaient dans une lourde terre humide et terne. Une terre jaunâtre, où était enfoui tout un réseau de tuyaux et de câbles. Pas de racines. Aucun arbre ne poussait dans cette rue, aucun : et il ne s'y trouvait donc aucune racine. Jamais encore Martha n'avait vu de terre morte, privée de racines. Depuis combien de temps cette rue était-elle construite ? Depuis environ deux cents ans, d'après Iris, mais elle n'en savait rien. Depuis deux cents ans, cette rue n'avait donc abrité aucune vie ? Combien de temps des racines pouvaient-elles vivre, sous une croûte d'asphalte imperméable à l'air ? Une odeur de gaz se dégageait du cratère, telle une odeur de décomposition, mais il s'y mêlait quelque chose de minéral, un peu comme la senteur aigre d'un puits de mine, quelques heures après une explosion.

Martha prit la direction du fleuve, longeant des façades de boutiques dont chacune était le visage d'une longue salle rectangulaire, comme le café *Chez Joe :* mercerie, épicerie, pharmacie, magasin de fruits et légumes, quincaillerie, poissonnerie, et puis de nouveau pharmacie, épicerie, quincaillerie, épicerie, laverie, café. C'était ainsi dans la ville entière de Londres : des millions de petites boutiques dont chacune occupait le rez-de-chaussée d'une vieille maison. De chaque côté, cet interminable alignement : humide. Taché d'humidité. Sous ses pieds, un béton humide. Ajusté très bas sur la rue, un chapeau de ciel gris. Une surface mouvante, ridée, ondulante, cabrée, agitée, c'est ainsi que nous nous figurons l'eau en parlant de « mer », de « fleuve » ou de « lac ». Et lorsqu'on se tient dans l'eau jusqu'aux cuisses ou à la ceinture, on voit une peau de lumière séparer l'humidité de l'air. Si l'on devait patauger dans la terre d'Afrique, on aurait les jambes entourées de racines : racines d'arbres, épaisses branches enfouies ; vignes pointues et sauvages de la brousse, taillis, grosses touffes de racines herbeuses — tout un enchevêtrement de vie au travail. Enfoncé jusqu'à la ceinture dans une allée anglaise, on s'empêtrerait dans les racines, une énorme masse de racines — d'arbres et de taillis, de broussailles et d'herbe. Mais ici, il n'y avait qu'une terre sans air ni racines, où seuls des tuyaux et des câbles de téléphone, de gaz et d'électricité s'étiraient et se conjuguaient.

Et voici à présent l'endroit où était tombée la bombe. C'était ainsi qu'ils en parlaient : « La bombe. » Leur bombe, parmi les milliers qui avaient plu sur Londres. Plus d'un hectare était resté nu, dépouillé de toute construction. Presque — travail à moitié fait ; on n'avait ni vraiment déblayé, ni vraiment laissé l'endroit à l'abandon. On eût dit qu'un énorme pouce était venu effacer les maisons d'un geste négligent, et puis que le propriétaire de ce pouce avait soufflé sur les décombres et les gravats pour les disperser, mais sans plus de soin. Tous les débris avaient disparu, ou bien étaient empilés contre les murs, contre la palissade ; mais des trous d'eau marquaient l'emplacement d'anciennes caves, des bouts de murs émergeaient, un tas de solives rouillait. Le rez-de-chaussée d'une maison tenait encore, couvert de tôle en son milieu, et un unique mur se dressait fort haut, intact, percé de cheminées l'une au-dessus de l'autre. Une palissade délimitait cette zone, et une pancarte annonçait, au-dessous d'un crâne et de tibias croisés : *Danger. Accès interdit aux enfants.* Derrière une maison en ruine, des enfants accroupis jouaient aux billes sur la terre jaune. Apercevant une femme en noir derrière la barrière, ils s'immobilisèrent, trahis comme des bêtes par leurs yeux affolés. Puis ils disparurent parmi les murs et les décombres. La porte de ce terrain interdit était une haute grille, maintenue fermée par une poutre en bois longue d'au moins trois mètres et si grosse que ses bras, même deux fois plus longs, n'auraient pas pu en faire le tour. Et cette chose avait été un arbre. Depuis déjà plusieurs jours Martha venait la contempler, pour essayer de recréer l'arbre — car ce n'était pas chose aisée à imaginer. La surface n'en était pas lisse : si elle avait un jour été rabotée, cette peau lisse avait depuis longtemps disparu sous l'usure. On n'y distinguait plus que traces de coups, éclats, meurtrissures, trous de vers. Au toucher, on semblait davantage effleurer une pierre rongée par l'eau que lisser du bois. C'était presque spongieux. L'humidité en avait gonflé et imbibé chaque fibre. Le bois signifiait une main posée sur un tronc dans lequel circulait la sève ; le bois signifiait l'odeur de l'écorce ; le bois signifiait la senteur de surfaces huilées où apparaissait le grain comme un motif. Mais jamais le bois n'avait signifié une énorme poutre en substance brunâtre qui sentait l'humidité, la pourriture, et ce gaz qui avait dû tout imbiber dans cette rue, car on l'y sentait partout.

Iris lui avait raconté qu' « ils » avaient sorti cette grande poutre du fleuve, un jour : elle s'en souvenait. Et elle avait bien servi pendant une dizaine d'années, utilisée comme base d'un escalier donnant sur une cour jusqu'à ce que la bombe eût détruit la maison, la cour et l'escalier, mais pas la poutre. Elle servait donc à barrer l'accès de la zone détruite aux enfants. Du moins était-elle censée le faire ; mais on voyait bien, en regardant à travers la grille, que l'autre côté du terrain ne comportait aucun grillage, aucune séparation d'avec la rue ; seul un panneau orné d'une tête de mort sur deux tibias croisés en interdisait l'accès.

Dans la masse du bois apparaissait une fissure, davantage comme une crevasse dans la pierre qu'une fente dans le bois. Il y poussait de la mousse. Dans les fissures plus étroites s'était niché du sel, le sel que les marées apportaient jusqu'au sein du fleuve. Iris présumait que cette poutre avait autrefois appartenu à un navire. Elle disait qu'une pièce de bois de cette taille-là avait dû appartenir à un ancien navire de l'époque où ils étaient encore en bois, et non en métal : car à quoi d'autre aurait pu servir une aussi grosse poutre ? Il avait fallu une demi-douzaine d'hommes pour la dresser là où elle se trouvait à présent — Iris les avait regardés faire.

Iris, la mère de Joe, connaissait l'histoire de cette poutre, et de ces maisons bombardées, et des gens qui y avaient vécu, et de ceux qui habitaient les maisons restées intactes de l'autre côté de la rue : certains d'entre eux provenaient de ce fouillis de décombres, de boue et de poussière. Elle savait tout sur ce quartier, six ou sept rues sur un kilomètre environ de leur longueur, et elle le savait avec une telle profusion de détails qu'en sa compagnie, Martha avait l'impression de voir tout se dédoubler, comme si elle eût été deux personnes distinctes : elle-même et Iris, un œil qui jugeait, reniait et rejetait la hideuse misère de tout ce quartier, et l'autre, avec Iris, qui le reconnaissait tendrement. Avec Iris, on s'y déplaçait dans un état d'amour, si l'amour est la perception délicate, mais lucide et totale, de ce qui est. En passant devant un lambeau de mur où les briques laissaient encore voir une tache craquelée, couleur de champignon, Iris pouvait expliquer : Mme Black avait peint ce mur en 1938, et c'était un rose exquis. Ou bien, en levant les yeux vers une fenêtre éclairée dont les rideaux étaient tirés sous la tache noire de l'étoffe imposée pour le couvre-feu et que personne n'avait pris la peine de démonter : Molly Smith avait acheté ces rideaux au marché, la première année de guerre, quand on pouvait encore s'approvisionner. Ou encore, contournant un pavé sur le trottoir, elle marmonnait que ces ouvriers semblaient décidément incapables de l'enfoncer au même niveau que les autres, car elle y butait toujours. Iris, la mère de Joe, vivait dans cette rue depuis sa naissance. En additionnant son cerveau avec des millions d'autres cerveaux de femmes qui enregistraient avec une telle abondance de détails et une telle tendresse angoissée les histoires de rebords de fenêtres, de couches de peinture, de rideaux neufs et de poutres sauvées des eaux, on disposerait d'un instrument enregistreur, une sorte de carte à six dimensions qui inclurait l'histoire, l'existence et les amours des gens de Londres — une carte d'état-major en profondeur. C'est là que vit Londres, dans l'esprit des gens qui ont vécu dans telle ou telle rue depuis leur naissance et qui, en voyant une poutre, sourient en se rappelant comme elle s'était échouée sur la rive de la Tamise, ce jeudi après-midi où il avait tant plu, jusqu'au jour où on l'avait prise pour servir d'épine dorsale à un escalier — et puis la bombe était tombée.

Martha poursuivait son chemin vers la Tamise, toujours invisible bien qu'elle distinguât la masse imposante des immeubles, sur l'autre rive, qui constituaient la Cité. Il fallait qu'elle franchisse le fleuve pour parvenir à une décision, au lieu de baguenauder pour se retrouver finalement au café à lancer une plaisanterie qui serait la monnaie de sa mauvaise foi : elle s'était surprise à penser : je vais retourner au café et ôter ce manteau avant de... le manteau était trop chaud. Mme Van l'avait acheté pendant la guerre, quand les jupes arrivaient au genou et que l'on portait les épaules carrées. Bien serré autour de Martha, il lui donnait cette taille fine qui était la mode de l'année, et lui arrivait à mi-mollet — la mode. Mais les plis qui avaient naguère enveloppé douillettement l'ample poitrine de Mme Van, pendaient lamentablement sur celle de Martha, et les manches lui couvraient les premières phalanges. Elle devait absolument s'acheter un manteau neuf. Mais elle n'avait pas d'argent. Il lui restait cinq livres sterling. Et c'était pour cela qu'il lui fallait immédiatement prendre des décisions, et des responsabilités. Elle devait aujourd'hui même téléphoner à Phœbe, la sœur de Marjorie.

Elle vit une cabine téléphonique qui avait été, et serait un jour à nouveau, rouge vif : à présent, elle apparaissait d'un rose orangé, et couverte d'une floraison d'humidité. Mais c'était une couleur — Martha y entra. Elle ouvrit son manteau, tint la porte ouverte avec son pied, et respira à profondes goulées soulagées l'air frais et mouillé. Le numéro de la sœur de Marjorie se trouvait dans son sac. Elle ne le chercha pas. Car elle se disait que la sœur de Marjorie et ce qu'elle représentait pouvaient attendre, mais pas la mère de Joe ni Jimmy. Si elle n'agissait pas tout de suite, d'ici à quatre ou cinq jours de ces agréables randonnées sans but à travers Londres, à se dire : il faut que j'appelle le café, elle n'en ferait rien et finirait par y reparaître au dernier moment, quand elle y serait contrainte, et par reprendre sa valise. Ce serait vraiment les laisser tomber. Évidemment, les appeler maintenant, alors qu'elle était partie depuis une demi-heure et qu'elle aurait pu leur dire en face ce qu'elle avait à leur dire, c'était aussi les laisser tomber. Il paraissait donc que cet abandon fût inévitable. Pourquoi ? Avait-elle fait des promesses, offert ce qu'elle ne pouvait donner ? Elle n'était *pas* « Matty » ! Auraient-ils pu se montrer aussi gentils avec Martha, si elle ne leur avait pas offert « Matty » ? Il était à présent trop tard pour le savoir. Elle composa le numéro du café, et Jimmy répondit. Il était arrivé des clients pour prendre le thé avec des petits pains à la margarine, depuis son départ ; le temps de repos était terminé, et elle entendait des bruits de voix et d'activité. « Ici Martha, Jimmy. » — « Ah, c'est vous, mon petit ? » — « Oui. » *Maintenant, ne t'en tire pas avec une pirouette.* Elle lutta contre le besoin de s'exclamer en riant qu'elle venait d'avoir un caprice, une folie, mon Dieu, quelle écervelée, cette « Matty »... « Jimmy, j'ai décidé de partir. » Silence. « Bon, eh bien, comme vous voudrez, mon petit. » — « Je vais commencer un travail la semaine prochaine. »

Grâce à eux et à leurs amis, elle s'était vu offrir trois emplois, sans parler d'un cousin d'Iris, Stanley, qui l'aurait volontiers épousée. Jimmy ne fit aucun commentaire. « Je viendrai chercher ma valise très bientôt. » — « Une minute, j'appelle Iris. » Un heurt, et puis rien. Les voix poursuivaient leurs conversations. L'atmosphère était chaleureuse dans ce café ; les gens qui y venaient se connaissaient entre eux, connaissaient Iris et Jimmy. Pour la plupart d'entre eux, ils avaient partagé leur enfance, leur vie entière ; ils avaient partagé la guerre. Et ils lui avaient ouvert leur cœur. « C'est vous, ma petite. » — « Si vous voulez louer la chambre, Iris, vous pouvez. » Ce n'était pas une chambre facile à louer, en vérité, car elle était minuscule et située juste au-dessus de la salle, de sorte qu'on y entendait beaucoup de bruit et qu'elle sentait toujours la friture, le poisson, le thé : Iris savait que Martha savait que la location de la chambre n'était pas la question. « Tout va bien, ma petite ? » s'enquit-elle avec anxiété. « Écoutez, Iris... » Non, elle ne jouerait pas la comédie. « Je viendrai chercher ma valise très bientôt. » — « Bon, eh bien, comme vous voudrez. Si vous rentrez tard cette nuit, criez un bon coup pour qu'on vous ouvre. » — « Je viendrai la chercher d'ici un ou deux jours, Iris. » Le moment était arrivé de la vraie peine, de la trahison, de la fin. Martha comptait s'en aller sans rien d'autre que les vêtements qu'elle avait sur le dos et risquer sa chance pour la nuit, et sans doute pour d'autres nuits. Elle l'avait dit sans même se souvenir d'avoir à l'atténuer. Martha en était capable. Pas Iris. Aucune loi n'en empêchait Iris : « Matty » avait plaisanté sur cette façon qu'elle avait de voyager avec toute sa vie dans une valise : deux sous-vêtements de rechange, deux robes, quelques jupes et chandails, des papiers. « Matty » elle-même avait pris soin d'en dire trop sur la façon dont elle avait roulé sa bosse dans Londres, portée par telle ou telle marée. Parfois, Iris déclarait : « Il va falloir que j'aille un de ces jours à West End pour voir ce que c'est devenu maintenant que la guerre est finie. » Elle n'était pas allée à West End situé à une demi-heure en bus de chez elle, depuis l'armistice. Véritable mollusque cramponné à son rocher, elle savait que Martha avait erré et dérivé à travers cette ville qu'elle-même ne visiterait jamais, ne connaîtrait jamais, mais cette constatation ne lui avait pas été imposée comme Martha venait à présent de le faire, en disant : Je viendrai prendre ma valise un de ces jours. Et maintenant Martha s'en allait, quittant Iris et Jimmy aussi simplement qu'elle était arrivée, s'affalant par hasard un jour dans leur café pour boire du thé, épuisée par des heures de marche. Dans cette cabine téléphonique à cinq cents mètres d'Iris, Martha sentait vibrer une douloureuse incompréhension à l'autre bout du fil, et elle mena sa dernière bataille en se jurant de ne pas inventer d'histoire fantaisiste sur ses pérégrinations dans Londres — elle n'achèterait pas son pardon. « Alors, vous viendrez pour la valise ? » — « Oui, mais je ne sais pas quand. » Silence. « Je suis navrée, Iris », ajouta Martha soudainement sincère et désespérée. « Ce n'est rien, ma petite », répondit froidement Iris.

Quels mots emploieraient-ils pour la condamner ? Elle ne le savait pas, et peu lui importait : ce que les gens disaient dans ce café représentait la moindre partie de ce qu'ils pouvaient exprimer. Mais elle l'avait fait, elle n'avait ni fait le clown ni présenté des excuses déplacées. Elle l'avait fait, même si elle l'avait mal fait. Et Iris allait lentement raccrocher le récepteur, remettre le téléphone dans sa niche, et annoncer à ceux qui se trouveraient là, sur l'un de ces tons qui transformaient son maigre vocabulaire en un riche instrument : « C'était notre petite dame. Elle s'en va. » — « Ah bon, elle s'en va, alors ? » Et ce serait terminé.

Bon, c'était déjà une porte refermée derrière elle, et la preuve qu'elle saurait trouver la force de fermer les autres. Martha referma son manteau, tandis que des larmes glacées ruisselaient sur son visage brûlant. Elle reprit en pleurant le chemin du fleuve. Elle croisa un homme à moustache rousse qui portait une casquette de laine ; il lui jeta un regard oblique et furtif, aussitôt enhardi par un diagnostic de faiblesse exploitable. Elle prit une expression délibérément maussade et s'essuya les yeux — il s'éloigna. Un instant plus tard, un visage jeune émergea d'un autre trou, là où l'on effectuait des travaux dans le sous-sol de Londres, et une voix sympathique lança : « Te laisse pas abattre, ma poulette.

— Il n'y a aucune raison, en effet », répondit Martha, et il bondit hors de son trou. Martha lui adressa un sourire amical. Il était grand et dégingandé, taillé à la serpe. Grâce à un instrument de mesure qu'elle avait découvert depuis son arrivée en Angleterre, elle lui essaya mentalement un uniforme d'officier de la Royal Air Force. Impossible. Même s'il n'avait pas révélé son niveau social en parlant ? Impossible. Elle lui essaya alors l'uniforme des techniciens d'aviation — oui.

Depuis son arrivée, elle utilisait le souvenir des deux races d'hommes qui avaient envahi la Zambézie au début de la guerre pour classer les hommes dans les catégories appropriées. Elle ne s'était pas trompée souvent. De quoi s'agissait-il donc ? Pas seulement d'insuffisance alimentaire — celui-ci avait manifestement souffert de privations ; il y avait quelque chose dans la façon de se tenir, dans les gestes, les yeux. Quant à lui, si elle n'avait pas répondu et manifesté qu'elle venait d'ailleurs, échappant donc à ses tabous à lui, il ne serait pas sorti de son trou. Il avait des yeux bleus assez canailles, et un sourire de défi cultivé pour ce genre d'occasions. Mais tout cela n'était qu'apparence, il avait l'âme tendre et grave. « Tu viens boire un thé ? » proposa-t-il, risquant sa chance. Martha faillit répondre : « Oui, volontiers », mais ne put s'y résoudre, ayant déterminé de mettre fin à tous ces hasards délectables. « J'aimerais bien, mais je ne peux pas », déclara-t-elle franchement. Il la dévisagea attentivement, pour la classer suivant ses catégories personnelles. Éprouvant l'un pour l'autre de la sympathie, ils restèrent un moment face à face au moment de se séparer à jamais. Puis il conclut : « Bon, à la prochaine », et disparut sous terre.

« Ta ta ta, chantonna-t-il en reprenant sa pioche.

— Salut », lança Martha en s'éloignant.

Devant elle à présent s'étendait le fleuve. Pour Martha, la Tamise constituait encore le point de référence dans le chaos de Londres. Plusieurs fois par jour, quand elle se perdait, elle reprenait la direction du fleuve.

Quelques jours après son arrivée, elle avait erré sur les quais et les jetées, à cinq ou six kilomètres au-delà de la rive sud, dans un univers de coques noires et huileuses, de pontons lugubres, d'entrepôts sombres, d'eau grise et sale, de mouettes, de sel odorant, puis elle s'était trouvée devant un ponton où une sorte de champignon rouillé était entouré d'épais cordages qui retenaient une péniche sur laquelle se trouvait un camion. Elle s'était assise sur ce gros champignon jusqu'au moment où un gardien était sorti d'un hangar pour lui dire qu'elle n'avait pas le droit de rester là. Comme elle allait partir, Stella était apparue — l'air d'une gitane, avec son tablier à rayures grises et ses cheveux noirs grisonnants qui retombaient en mèches autour de son visage olivâtre, où l'on ne voyait que ses yeux sombres et malins. Cette femme l'avait observée de sa fenêtre, à vingt mètres de là. Avec cette robe de toile verte et ces sandales, toute bronzée, Martha avait excité l'imagination de cette femme qui servait de chien de garde à son clan, et elle était donc venue l'inviter à prendre le thé ; puis, flairant en quelques minutes que Martha était prête à demeurer là où l'occasion s'en présenterait, elle lui avait loué une chambre au-dessus de son salon.

Stella était épouse, mère et fille de dockers ; et dans sa cuisine Martha buvait du thé, mangeait du jambon et des frites avec du pain grillé, plusieurs fois par jour, en écoutant la conversation d'une race dont chaque instant de vie se référait à des amarrages et des déchargements de navires. Ils parlaient de la guerre et du gouvernement — et encore de la guerre. Ils étaient farouchement et amèrement ouvriers, conscients de leur classe sociale, et syndicalistes. Le parti travailliste ? Cela restait à voir, ils n'aimaient pas le gouvernement, et presque cinq ans de régime travailliste n'avaient rien fait pour gagner la confiance de ces gens qui n'avaient confiance en rien. Dans cette cuisine, Martha réprimait tout ce qui pouvait lui rester d'expérience politique, sachant combien elle paraîtrait frivole à ces combattants pour qui la politique, dans son aspect défensif, représentait le souffle de la vie. D'ailleurs, ils — ou plutôt Stella — ne s'intéressaient guère à l'intérêt que Martha pouvait éprouver pour l'Angleterre. Stella attirait Martha contre elle à cause d'une soif inassouvie de voyage et d'aventure que titillaient à chaque instant le fleuve, les navires qui passaient devant ses fenêtres, les histoires de pays inconnus. Elle-même déclarait volontiers que dans ses veines devait courir le sang de quelque marin méditerranéen — espagnol, pensait-elle, ou bien portugais, tellement ces pays l'attiraient. Et puis elle lisait : toute sa vie elle avait fouiné dans les livres, les illustrés, les revues qui parleraient peut-être de la mer. Ses fils et son mari la taquinaient, prétendant qu'il ne resterait bientôt plus de place pour eux à la maison : elle entassait ses trésors maritimes dans de vieilles malles. Si l'on donnait un film sur la mer, elle allait le voir et bien souvent y retournait une douzaine de fois si l'on y voyait des navires, des voiliers, des mutineries ou des pirates ; et lorsqu'elle trouvait quelqu'un pour l'accompagner, elle retournait visiter le musée naval de Greenwich, dont elle connaissait tous les voiliers, leur histoire et celle de leurs capitaines. Bon... Stella voulait donc que Martha lui parle de terres inconnues ; et quant à Martha, comprenant bien que rien dans son expérience ne répondrait à cet appétit pour le merveilleux, elle fit une découverte : il suffisait d'affirmer, le soleil brille de telle manière, la lune de telle autre, les gens se lèvent à telle heure, ils mangent ceci, croient cela — et l'auditoire se révélait comblé. Parce que c'était différent. La soif d'émerveillement de Stella rendait magique l'expérience pourtant bien ordinaire de Martha ; et quand cette dernière s'était trouvée démunie et avait annoncé son intention de prendre un emploi, Stella lui avait trouvé du travail dans un café, car elle ne pouvait pas supporter l'idée de la voir partir. C'était la femme du frère de Stella qui tenait ce café, à deux cents mètres à l'intérieur des terres. Ainsi parlait-on de tout ce qui n'était pas exactement au bord de la Tamise. Pendant environ deux semaines, Martha avait donc vécu sur un territoire où la police était assurée de manière invisible par l'esprit de Stella, et sous sa protection. Ainsi, alors qu'elle se rendait un soir au café pour y travailler, un groupe d'hommes qui revenaient d'avoir chargé un paquebot se mit à la siffler et lui crier des quolibets ; Stella émergea aussitôt d'une cuisine où elle se trouvait en visite, posa les poings sur ses hanches, et cria que c'était son amie Martha, et qu'ils avaient intérêt à bien se tenir s'ils ne voulaient pas... et un homme qui voyait en Martha une épouse possible était allé trouver Stella, comme si elle eût été la mère de Martha, pour lui demander son approbation.

Ce fut seulement quand elle eut quitté Stella et quitté le bord de l'eau, et qu'elle eut fait connaissance des gens du café, que Martha put procéder à des comparaisons et se poser certaines questions. Ainsi, pourquoi « Matty » n'avait-elle jamais paru avec Stella et son clan ? Il fallait bien reconnaître qu'une autre personnalité forcée l'avait fait, celle de la fille aux hanches ondulantes et aux mœurs faciles — ou plus exactement, jusqu'à ce que Stella l'eût sauvée de cette obligation. Et pourquoi n'avait-elle pas eu honte, quand elle avait quitté Stella, alors même que Stella ne voulait pas qu'elle parte ? Elle ne l'avait pas laissée tomber comme elle laissait tomber à présent les gens du café. Et puis il y avait Stella elle-même, patronne matriarcale de son nœud de rues, parmi les hommes fiers de leur corps et de leur travail qui gagnaient leur vie grâce à leur force physique et à leur capacité de travail — Stella était-elle la seule matrone vivant parmi les communautés masculines du bord du fleuve ? Et puis il y avait cette affaire de « classes laborieuses » et de « socialisme », qui avait constitué le principal intérêt de Martha jusqu'à ce qu'elle eût traversé le fleuve.

Les journaux ne cessaient jamais, pas un instant, d'informer la nation et l'univers que l'Angleterre, entre les mains rouges de socialistes, courait à sa ruine, se dégradait en un pays de serfs privés d'individualité ou d'initiative et pourris par l'aisance — sur le ton d'un pamphlétaire à l'œuvre tandis que les têtes roulaient sous le couperet de la guillotine. Ces journaux correspondaient si peu à ce qu'elle voyait qu'elle ne pouvait croire qu'on pût les prendre au sérieux, ni qu'on payât vraiment des gens pour écrire ces choses. Car ce qu'elle avait découvert sur l'autre rive du fleuve, sans même parler des rues aux alentours du café ou des quais, n'était pas bien éloigné des conditions d'existence décrites dans les livres qui racontaient les années trente. Qu'était-ce donc qui avait changé, pour que les hommes chargés de refléter l'opinion publique (et qui croyaient sans aucun doute ce qu'ils écrivaient) avancent de telles choses ? Stella et leurs semblables étaient-ils pauvres ? Très. Leur situation, à les entendre, s'était améliorée ; mais leurs exigences restaient infimes. Iris et Jimmy étaient-ils pauvres, en dépit du fait qu'ils avaient acheté — à crédit — leur café et qu'ils mangeaient bien ? Très : ils espéraient si peu de chose. C'étaient là des gens qui n'avaient pas le droit d'espérer grand-chose. Les rédacteurs et les journalistes n'avaient-ils donc jamais rencontré Iris, ni Jimmy, ni Stella, ne savaient-ils donc rien de ce qu'ils auraient pu découvrir en prenant le bus, en traversant le fleuve, et en passant une semaine avec Iris ou Stella ? Il semblait bien que non. Ce n'était pas possible — mais non. Pourtant, à la lecture des journaux, au ton des éditoriaux de l'époque, c'était irréel, et elle en éprouvait un sentiment de douloureuse dislocation. Car c'était là ce qui la préoccupait vraiment : ce pays vivait absorbé dans un mythe, dopé, rêvant et somnolant, car s'il y avait bien un facteur commun tapi au-dessous de tout le reste, c'était que rien ne ressemblait à ces descriptions — comme si un esprit de rhétorique (à cause de la guerre ?) avait tout infecté et empêchait absolument que l'on pût voir quoi que ce fût normalement. Et elle ne l'aurait pas davantage pu si elle n'avait pas traversé le fleuve quelques semaines auparavant (au cours d'un long parcours zigzaguant dans Londres et alentour comme elle en faisait souvent, montant dans un bus et y demeurant jusqu'à ce qu'il eût regagné son point de départ) et si elle n'avait pas séjourné d'abord chez Stella, puis chez Iris, capable à présent de prendre un journal ou d'écouter la radio sans avoir l'impression de se trouver au beau milieu de la révolution russe ou de quelque autre cataclysme irrépressible. Elle n'aurait pas pu se cramponner à ce simple fait que rien, dans le fond, n'avait vraiment changé en Angleterre — il suffisait d'écouter les gens sur les quais ou bien au café pour le savoir... et c'était précisément pour cette raison qu'elle devait appeler Phœbe, la sœur de Marjorie, plutôt que toute autre personne. Quand ? Aujourd'hui. Oui.

C'était la marée basse. Des mouettes criaient leur cri de mer au-dessus des eaux marécageuses qui séparaient les bancs de boue puante, à la recherche non pas de poisson, dans ces eaux polluées, mais d'ordures. Leurs ailes blanches et lisses se tenaient immobiles au-dessus des déchets chimiques dilués, entre les grands murs de béton gris qui retenaient un tel poids d'immeubles. Quelle laideur, quelle impitoyable laideur : quelle race avait donc ainsi rempli son propre fleuve d'ordures et d'excréments pour le laisser ensuite couler, dans cette puanteur immonde, entre les gratte-ciel qui cristallisaient son orgueil et son histoire ? Sauf... elle ne pouvait pas le dire encore, elle se trouvait ici, elle était l'un d'eux ; et elle comptait rester. Il était temps de traverser le fleuve. Il était dur de s'en éloigner. Mais il le fallait. Elle venait très souvent se pencher, les coudes appuyés sur le parapet de béton humide, pour contempler la marée montante ou descendante, le gonflement, le déferlement ou l'immobilité de l'eau, car c'était ici qu'elle pouvait le mieux ressentir ce qu'elle avait été avant de quitter son pays pour rejoindre sa vraie patrie. Dans une rue pleine d'inconnus, à l'étage supérieur d'un autobus qui circulait dans un quartier de Londres où l'on ne voyait que des petites maisons stériles et des fumées sortant des cheminées, qui était-elle ? Martha ? Certainement pas « Matty ». Elle avait alors la tête légère, vide, parfois ivre. Mais près du fleuve, en regardant les eaux mouvantes, elle se sentait encore reliée — l'impression d'être elle-même. Elle parvenait à se voir comme elle se serait observée à cent mètres de distance, minuscule globule coloré parmi d'autres globules, à l'étage d'un autobus ou dans une rue. Aujourd'hui, elle se voyait globule noir dans le manteau de Mme Van, petit globule noir cramponné à un long parapet gris. Dérisoire entité dans le grouillement ; et puis elle redescendait en elle-même, les bras appuyés sur le béton humide : c'était là ce qu'elle était, un goût, un parfum d'existence sans nom. Qui se souvenait. Qui retenait. Et pas grand-chose de plus.

Un inconnu, la semaine précédente, lui avait demandé : « Comment vous appelez-vous ? » Et, l'esprit tout ébahi, Martha avait répondu : Phyllis Jones. Pendant un après-midi et toute une soirée, elle avait donc été Phyllis Jones, avec tout un passé imaginaire d'ouvrière à Bristol pendant la guerre. Et de même qu'il lui suffisait de dire à Stella : « Le soleil est très haut à midi » pour évoquer la fascination d'un pays nouveau, peu importait qu'elle n'eût jamais mis les pieds à Bristol, même lorsqu'elle en parlait avec un homme qui connaissait bien la ville. Il n'y avait qu'à parler bateaux, terrasses, et oui, je connais Untel, oui, je suis allée à tel endroit. Dans ce genre de conversation, elle était autant Phyllis Jones qu'avec Stella, Martha. Les gens remplissaient les blancs à votre place, selon leurs désirs, leurs besoins — vous n'aviez rien à y voir. Phyllis Jones, veuve et mère d'un petit garçon, objet d'un intérêt considérable de la part de Leslie Haddon, employé à Bristol, mal marié, et en quête d'une « compagne compréhensive » — Phyllis Jones avait donc, pendant plusieurs heures, parlé par la bouche de Martha, jusqu'à ce que, plaidant le devoir maternel et l'inviolable mémoire du mari décédé, elle l'abandonnât dans le café. Et quittât Phyllis Jones. Et puis — détail intéressant —, une semaine plus tard, quand un autre inconnu lui avait demandé son nom, elle avait failli répondre Phyllis Jones ; mais ce n'était pas le nom qu'il fallait. Cette personne, une femme dans le train, ne correspondait absolument pas à Phyllis Jones, ne l'évoquait pas du tout. Martha était donc devenue une jeune femme du nom d'Alice Harris. Pourquoi pas ?

Tout au moins pendant quelque temps. Quelle différence cela faisait-il pour elle, ce sentiment d'identité qui semblait affirmer en silence : « Je suis là », qu'elle s'appelât Phyllis ou Alice, Martha ou Matty ; ou bien que son histoire personnelle fût telle plutôt que telle autre ? Mais seulement pendant un temps. Car elle savait qu'appeler Phœbe, ce n'était pas uniquement le besoin de gagner sa vie, ni celui de redevenir un être responsable vis-à-vis de ses frères humains. Quelque chose en elle (un sens d'autodéfense ?) ne pouvait plus tolérer ces déambulations et ces conversations sous tel ou tel nom d'emprunt, cette évocation de personnalités inconnues par un simple échange de vêtements, ou de voix — jusqu'à avoir l'impression d'être un terrain vague et sans frontières, où peu importait de répondre un nom plutôt qu'un autre aux inconnus qui demandaient : Comment vous appelez-vous ? Qui êtes-vous ?

Martha traversa le fleuve puis s'en éloigna et parcourut des rues qui semblaient réchapper à peine d'un tremblement de terre, pour arriver finalement aux tas de gravats qu'avait laissés la bombe tombée sur la cathédrale Saint-Paul. Pour Iris, « là où la bombe est tombée, de l'autre côté du fleuve ». Elle s'était rendue sur les lieux dès le lendemain. De même que Stella avec plusieurs de ses hommes. De toutes les portes sortaient des employés de la Cité, pour se hâter en direction des autobus et du métro. La journée s'achevait — et où allait-elle dormir cette nuit ? Une cabine téléphonique, d'un rose orangé très fané, apparut devant elle. Elle y entra pour appeler Phœbe. Et il y eut bientôt sur la pile d'annuaires une série de petits bouts de papier où étaient griffonnés des numéros de téléphone — et parmi eux celui de Phœbe. Et aussi celui du café. Si elle leur téléphonait ce soir, même avec sa voix de Martha, pour annoncer : « Je vais revenir ce soir », Jimmy ou Iris répondrait : « Alors finalement, vous revenez ? » Et puis elle entrerait et, après un instant d'hésitation pour voir si elle apportait une souffrance, une rebuffade, ils lui souriraient. Ils étaient d'une extraordinaire gentillesse, plus forte que le besoin anxieux de tenir, de garder.

Iris éprouvait à l'égard de Martha, ou plus exactement de cette expérience qui lui permettait de traverser la vie du café de Joe comme un oiseau migrateur, la même émotion exactement qu'envers une poutre apportée par les marées du fleuve ou un mètre de toile à rideaux obtenu en sus du métrage réglementaire, ou encore des petites cuillères dénichées parmi les gravats, après la chute d'une bombe. Il ne s'agissait certes pas de dénigrer ce qu'elle éprouvait : pas du tout. Martha avait été quelque chose en plus, donnée sans contrepartie — comme lorsque les enfants étaient entrés en courant dans le café, avec un vieux plat en métal qu'ils avaient trouvé sous de vieilles briques, et qui servait à présent pour présenter la ration hebdomadaire de viande qu'on mangeait le dimanche. Un trésor. Et pour Stella, Martha représentait un vent entêtant, venu de contrées que jamais elle ne visiterait.

Sur un ticket de métro, le numéro de Henry Matheson : il fallait aussi téléphoner à Henry ? Elle pourrait toujours dormir chez Jack — du moins s'il n'avait pas justement une fille chez lui, ce qui était fort probable. Sa répugnance à appeler Henry différait totalement de l'envie qu'elle éprouvait de ne pas appeler la sœur de Marjorie. Henry Matheson était un parent de Mme Maynard. M. Maynard était venu dire au revoir à Martha à la gare, le jour de son départ ; il n'avait certes pas oublié que Martha ne tenait nullement à lui faire ses adieux ni même à le revoir — mais cela ne lui importait guère. Il était en proie à ce besoin que Martha avait dû s'habituer à observer chez les personnes les plus diverses : il voulait s'assurer que Martha ne lui échapperait pas, n'échapperait pas à ce qu'il représentait. Les cousins de sa femme, les Matheson, seraient enchantés de la voir, lui déclara-t-il, formidablement présent pendant la demi-heure qui précéda le départ du train, dans cette gare d'où elle s'en allait enfin, après avoir vu partir tant de gens pour l'aventure, pour l'Angleterre. Mais elle n'avait évidemment pas manifesté assez clairement sa joie à l'idée de rencontrer les cousins, car Henry Matheson l'attendait sur le quai. Martha n'éprouvait aucun besoin de se montrer reconnaissante envers les Maynard, qui n'avaient aucune bonté, mais elle estimait nécessaire de se montrer au moins polie à l'égard d'Henry, puisque lui-même l'était. Henry, parfaitement exquis et courtois, avait rôdé à l'arrière-plan de ces semaines : il était l'œil des Maynard, et Martha l'avait soudové en lui présentant, non point Matty, personnage bien trop fruste pour lui, mais une aventurière en joyeuse maraude, cousine de Matty et qui, pensait-elle, devait être assez proche des fantasmes qu'il nourrissait en lui-même — il était l'essence même du conformisme — pour le réduire au silence. Elle ne voulait pas qu'Henry écrivît aux Maynard de lettres qui pussent inciter Mme Maynard à appeler Mme Quest dans les montagnes du Zambèze : « Dites donc, à propos de votre fille, il paraîtrait... »

Le fond de l'affaire, c'était qu'Henry lui avait offert un emploi dans sa société : il était avocat, et elle avait acquis une certaine expérience dans ce domaine. Combien typique des Maynard et de leurs proches, songeait Martha, qu'il n'eût point suffi de refuser cet emploi une fois : au fond de lui-même, Henry restait tellement convaincu de sa propre générosité et de la chance de Martha qu'il ne pouvait pas croire qu'elle fût assez folle pour refuser vraiment — il lui fallait croire qu'elle était trop jeune pour reconnaître sa chance. Les emplois aussi privilégiés ne couraient pas les rues, elle le savait. La seule façon de le convaincre consistait à prendre un autre travail.

Elle appela Jack. « Allô, c'est Martha. » — « Oh, Martha, attends une seconde... » Il n'était donc pas seul. Elle attendit. Devant la porte de la cabine vitrée où se tenait Martha, les gens se pressaient, la tête baissée sous leur ciel bas et ruisselant. Comme du bétail se précipitant à l'abreuvoir : c'était le même mouvement aveugle et entêté. Sur une brouette, au coin de la rue, des fruits — surtout des pommes. Un tas de pommes vertes qui semblaient en cire, et sur lesquelles coulait la pluie. Et couronnant un tas de pommes, une seule grappe de raisin fièrement exposée sur un coussinet en fibre synthétique. Une seule grappe de raisin blanc. Au Cap, le raisin débordait en guirlandes des charrettes, des brouettes, des étals, une profusion de raisins d'où une grappe unique avait traversé les mers pour venir échouer sur cette brouette, parmi les ruines du quartier de Saint-Paul. Comme elle regardait, tout en décrochant l'écouteur, une femme souleva la grappe, décida que c'était trop cher, et la remit en place ; un grain tomba sur le trottoir tel un bijou vert pâle au milieu des piétinements. Le vendeur, qui avait paru désespéré, se précipita pour ramasser le grain et l'essuya sur un morceau de journal avec un bref regard à la ronde, dans l'intention de remettre le grain en place, quand il remarqua un petit enfant boutonné jusqu'au menton dans son imperméable à capuchon, qui contemplait fixement ces raisins situés au niveau de ses yeux. Le jeune homme lui mit alors le grain de raisin dans la bouche. Sourires : de la maman au jeune homme, de la maman à l'enfant pour lui commander de remercier, et enfin de l'enfant au jeune homme : merci. La mère acheta des pommes, et l'enfant accroché à sa main s'éloigna avec elle, la tête détournée pour regarder encore ces raisins translucides et ruisselants d'eau. « Martha, que je suis heureux de vous entendre — mais où étiez-vous donc passée ? » Il était sud-africain, mais son accent s'était affiné au cours de nombreux voyages de guerre. « Jack, je n'ai nulle part où dormir ce soir. » Un moment de réflexion. « Une seconde, Martha. Il faut simplement que je... » Le silence se fit à nouveau, à l'autre bout du fil, mais Martha distinguait des voix dans le lointain, celle de Jack, et aussi celle d'une fille. Jack racontait une histoire à la fille qui se trouvait là. A moins que ce ne fût la vérité, après tout ? Il revint. « Voilà ce qu'il en est, Martha : je vais devoir travailler jusqu'à minuit. » Elle se mit à rire. Puis lui aussi. « Minuit me convient parfaitement. » — « A tout à l'heure, Martha. » — « A tout à l'heure, Jack. »

Si elle n'appelait pas Henry tout de suite, elle prendrait un bus jusqu'à Bayswater et passerait la soirée à traîner dans les pubs avec d'autres immigrants, d'autres aventuriers. Ils parleraient de l'Angleterre. C'est-à-dire, pendant un bon moment, de Henry Matheson et de ce qu'il représentait ; et d'Iris et Stella, avec ce qu'elles-mêmes représentaient. Il y aurait sûrement quelqu'un pour brandir un journal glosant sur l'avènement du socialisme rouge en Angleterre, l'embourgeoisement de la classe ouvrière, et l'appauvrissement inexorable de la haute société. Les étrangers liraient le journal, et parleraient d'Iris et Stella, qu'apparemment les indigènes cultivés ne côtoyaient guère.

Elle composa le numéro du bureau d'Henry. Il allait partir, lui annonça la standardiste. La voix de cette fille révélait une origine de banlieue très comme il faut (Martha le remarquait déjà) et c'était précisément pour cette raison que Martha, si elle acceptait cet emploi, devrait travailler dans un bureau où seuls ses collègues bénéficieraient de ses qualités, et non pas, du moins au début, au contact de la clientèle.

Henry vint au téléphone. « Mais où étiez-vous donc passée, ma chère Martha ? J'allais me résoudre à lancer des équipes de recherche à vos trousses ! » Elle répondit par un rire ; en joyeuse flibustière chargée de secrets qu'elle était prête à partager; et se demanda si elle pourrait s'en tirer en disant simplement, mais pour la troisième fois : Henry, j'ai décidé de ne pas accepter votre offre d'emploi. « Écoutez, Henry, je vous appelais pour vous dire que j'ai beaucoup réfléchi, et je vous remercie infiniment, mais finalement je pense que je ne vais pas accepter votre proposition. » Silence. Les deux expressions « malheureuses » qu'elle avait soigneusement glissées dans sa phrase pour renforcer ce qu'Henry devait juger regrettable chez elle, faisaient leur chemin. « Bon... si vous en êtes sûre. Mais nous aurions été tellement heureux de vous compter parmi nous. » — « Oui, j'en suis sûre... » et là, par nervosité, elle commit une faute. « En fait, je travaille déjà... » Trop tard pour trouver un mensonge satisfaisant, il fallait continuer. « Dans un café. » Silence. Puis : « Quel esprit d'aventure, vraiment. Mais vous aviez promis de me téléphoner, Martha. Écoutez, que diriez-vous d'aller manger un morceau ensemble ? Etes-vous libre ?

— Oh oui, excellente idée.

— Chez *Baxter* ? Vous connaissez ? » Comme Martha le savait fort bien, cela signifiait : êtes-vous vêtue convenablement pour y aller dîner ?

« Bien sûr, comment pourrais-je ne pas connaître ? On en parle dans tous les romans des années vingt !

— Ah bon ? Mon Dieu ! Que vous êtes donc cultivée — tellement plus et mieux que moi. Eh bien, si vous y arrivez la première, dites à ce brave vieux Bertie — c'est le maître d'hôtel, vous savez — que vous dînez avec moi.

— D'accord. Disons dans une heure ?

— Oui. Et nous prendrons d'abord un verre pour que vous ayez le temps de me raconter toutes vos aventures. »

Il pleuvait fort, à présent : une pluie sale. Martha serait bien restée dans la cabine, mais une jeune fille frappait à la porte. Martha ouvrit. La fille portait un foulard trempé et un imperméable épais, également mouillé. Sous cet accoutrement, c'était en vérité une jolie Anglaise au visage constellé de taches de rousseur. « Vouliez-vous juste vous abriter de la pluie, ou bien téléphoner ? » s'enquit Martha. Un rire bref et vexé. « Téléphoner, pour tout vous dire. » — « Dans ce cas, je vais sortir. » Nouveau rire, mais apaisé cette fois. Elle observait Martha avec circonspection, et arborait son sourire comme un bouclier. Ces gens se tenaient sans cesse sur la défensive. La guerre ? Leur nature ? Mais Martha venait si visiblement d'ailleurs, outrepassant les règles admises avec un sourire et un accent étranger, que si elle avait insisté, parlé, et brisé les barrières, la fille y aurait pris plaisir et aurait éprouvé de la gratitude pour cette brèche dans son attitude défensive, mais elle aurait également ressenti une rancœur, une méfiance, comme un animal acceptant des avances, mais prêt à mordre au premier faux mouvement.

Il pleuvait des cordes. Martha entra dans un magasin de cigarettes. La femme du comptoir leva les yeux sur le visage de Martha, puis les abaissa vers ses pieds. L'eau dégoulinait du manteau de Mme Van jusque par terre, où s'étalaient déjà des flaques.

Et à présent — bien que cela l'obligeât à quitter immédiatement la boutique et à retourner sous la pluie —, Martha demanda : « Je voudrais douze boîtes d'allumettes, s'il vous plaît.

— Vous ne pouvez en avoir qu'une, répondit la marchande, déjà renfrognée.

— Mais j'en voudrais douze. Au moins six, en tout cas.

— Figurez-vous que nous avons eu la guerre, ici. »

Au cours de la première semaine, Martha avait demandé trois boîtes d'allumettes dans un magasin. Et depuis ce jour, elle s'était fait une règle de toujours en demander douze, quel que fût le quartier.

« Figurez-vous que nous avons eu la guerre, ici. »

Et avec quelle hostilité, quelle aigreur ! Et quelle satisfaction intime !

« Oh, pardon, j'oubliais.

— J'imagine que certaines personnes peuvent se permettre de l'oublier. »

Martha obtint une boîte d'allumettes en échange de ses deux pence, et adressa un sourire rayonnant au visage glacial et furieux de la vendeuse. Mais ce visage lui ordonnait de partir, de retourner se mouiller dehors en punition de son indifférence à l'égard des souffrances de la nation.

Martha sortit. Un bus semblait avoir peut-être de la place pour elle. Elle s'y élança, et le receveur s'exclama : Cramponne-toi, ma petite. Elle sourit, il sourit. Soulagement disproportionné ! Elle avait découvert, en échangeant des impressions avec d'autres étrangers, dans des pubs, qu'elle n'était pas seule à devoir combattre la paranoïa, tant il y avait de règles invisibles à ne pas enfreindre — c'est-à-dire invisibles pour ceux qui y étaient habitués. Là résidait le problème, précisément. Se réchauffant au sourire du receveur, elle parcourut Fleet Street, perdue dans la pluie grise, dépassa Trafalgar Square où les lions se dessinaient vaguement dans la buée, et parvint à Piccadilly Circus, où le receveur lui indiqua son chemin avec force sourires, un clin d'œil, et l'ordre de ne pas se laisser abattre et de bien profiter de ses vacances.

C'était avec Henry qu'elle était venue là pour la première fois, par une belle soirée dorée, sous un ciel resplendissant de couleurs. Elle en avait contemplé l'insignifiance fortuite, la statue puérile, et elle s'était mise à rire.

« Ma chère Martha ?

— Voici, avait-elle tenté d'expliquer, le cœur de l'Empire. »

Comme ce n'était pour lui qu'un quartier de Londres comme un autre, il s'efforça de partager sa vision, et avoua son échec par un sourire : « N'est-ce pas là votre problème, plutôt que le nôtre ?

— Mais c'est justement ce que je veux dire, Henry, ne comprenez-vous pas ? » Car cette conversation semblait résumer les heures qu'ils avaient passées à essayer sans succès de trouver un terrain d'entente, et pendant lesquelles le demi-souvenir d'un précédent échec l'avait narguée — quoi, qui, quand ?

Oui, dans son enfance, quand sa mère lui avait inculqué cette attitude, ce dogmatisme, ce « c'est juste, c'est faux », Martha, en réaction, avait scruté, critiqué, pris parti, elle était revenue à la charge avec de nouveaux arguments auprès d'adversaires qui s'en étaient entre-temps désintéressé, qui n'étaient plus là, ou même qui avaient oublié.

« Eh bien, n'est-ce pas un endroit charmant ? s'enquit-il, lui faisant face avec un léger embarras.

— Bah, je suppose que c'est encore à cause de la guerre, répondit-elle finalement, toutes ces créations de mythes, tous ces cris, tous ces mots — mais on ne peut tout de même pas parler d'endroit charmant.

— Vous êtes romantique, protesta-t-il amèrement.

— Mais vous voulez gagner sur tous les tableaux, toujours vous en tirer à votre avantage, en vous défilant... » L'espace d'un instant, elle n'avait pu dissimuler un réel élan de souffrance, toutes sortes d'émotions à demi enfouies, puériles, nourries de mythes, affleuraient soudain à la surface : les mots exercent un tel pouvoir ! Piccadilly Circus, Eros, Cœur de l'Empire, Centre, Londres, Angleterre... chacun de ces mots donnait sur des rivières souterraines où Dieu seul savait quelles fabuleuses créatures nageaient ! Elle s'efforça de cacher sa peine, Henry n'étant pas de ces gens capables de la partager.

Elle supposa qu'elle dissimulait fort bien, car un instant plus tard il l'entraînait dans un café, lui offrait à boire, lui parlait de la guerre, visiblement soulagé qu'on ne lui demandât rien.

« Figurez-vous, Henry, qu'au bout d'une semaine ici, on n'a plus qu'une envie : c'est de vous jeter les bras autour du cou — oh non, pas vous personnellement.

— Quel dommage, j'espérais... » répondit-il en riant, retrouvant sa sérénité en voyant qu'il n'aurait pas à subir de telles démonstrations. Il avait même jeté un coup d'œil involontaire à la ronde pour s'assurer qu'il ne se trouvait là personne de sa connaissance.

« Mais non, l'île entière, vous tous.

— Mais enfin, pourquoi ? Racontez-moi donc cela !

— Si c'était en mon pouvoir, voyez-vous, nous n'aurions aucun besoin d'éprouver cela. »

La façade de chez *Baxter* n'était guère plus distinguée que celle de *Chez Joe. Baxter's* était écrit sur une modeste porte marron, rien de plus. La vitrine était entièrement voilée par un rideau de mousseline blanche qui avait grand besoin d'être lavé. Martha resta un moment dehors, faisant durer ce précieux instant que seuls connaissent les nouveaux venus dans une ville : derrière cette porte, qui ressemble à tant d'autres, que vais-je découvrir ? Une cour avec un citronnier auprès d'une fontaine, et un joueur de luth africain, masqué et endormi ? Un homme avec une couverture rouge jetée en travers de l'épaule, tenant la bride d'une mule noire ? Une pâle jeune fille vêtue de mousseline ajourée, gravissant des marches avec un bougeoir à la main ? Deux vieillards portant la calotte brodée et jouant aux échecs devant un feu ? Pourquoi pas ? Car ce qui apparaît vraiment est toujours tellement invraisemblable. La semaine précédente, elle avait ouvert une porte par erreur, dans un escalier de Bayswater, et elle s'était trouvée devant une femme en corset noir étroitement lacé, dont les perles oscillaient entre deux lourds seins nus, et qui se tenait près d'une cage en treillage doré aussi grande qu'un lit à baldaquin, où voletait une douzaine d'oiseaux bariolés. « Pardon », avait-elle balbutié, et la femme avait répondu : « Si c'est M. Pelham que vous cherchez, il est à Venise cette semaine. »

Elle entra. Un homme en tenue de soirée élimée et à la maigre chevelure constellée de pellicules s'approcha, l'air déjà réprobateur. Elle devina dans ce regard : jeune femme aux cheveux trempés, au manteau ruisselant, et au sourire contraint. Car Martha monta aussitôt sur ses grands chevaux, à cause des mauvaises manières machinales de cet individu, et alors même qu'elle savait que c'était là sa raison de vivre, et son gagne-pain. Un serveur s'approcha du maître d'hôtel, et tous deux l'observèrent d'un œil professionnel et glacé qui obligea Martha à dire : « J'ai rendez-vous avec M. Matheson », d'une voix gauche. Les deux hommes se consultèrent d'un regard aigu, dans un silence total. Le premier des deux se détourna, retournant à d'autres préoccupations, et le second, sans proférer un mot, l'emmena à l'écart de la grande salle, vers une table d'angle où il lui présenta une chaise de manière à lui faire regarder le mur. Il ne lui avait pas offert d'ôter son manteau, et elle s'en débarrassa elle-même, puis le déposa sur un dossier. Ce vieil homme maigre qui avait consacré sa vie entière à de tels détails cligna brièvement des yeux à deux reprises, avec une arrogance si grossière, si apparente que Martha en fut tout étonnée. Elle portait une jupe et un chandail fort corrects. Mais déplacés ? Pourquoi ? Elle ne le savait pas, mais lui, oui. Il la laissa attendre.

La salle n'était encore qu'à demi remplie, car il était un peu trop tôt pour dîner. Il y avait surtout là des gens entre deux âges, ou du moins donnaient-ils cette impression. En regardant à grand-peine derrière elle, elle remarqua deux jeunes gens dont la jeunesse disparaissait dans l'atmosphère guindée de toute cette bourgeoisie quinquagénaire. De même que les serveurs, ils s'adaptaient à un décor qui avait été mis au point, suivant ces fameuses règles muettes et invisibles, pour leur convenir. Le lieu était silencieux, terne, sombre ; aucun objet n'avait le moindre charme ni la moindre beauté, mais tout était choisi pour se fondre dans l'ensemble. Quant aux gens, ils n'avaient pas le moindre charme non plus. Et pourtant, en regardant mieux, on pouvait observer qu'il s'agissait de choses coûteuses : visiblement, et ce depuis la guerre, on avait dépensé de l'argent pour garder ce restaurant tel qu'il avait toujours été : luxueusement moche et étriqué. La jeune femme — l'unique jeune femme en plus de Martha — portait une robe noire en genre de crêpe, affreuse. Martha reconnut la robe car, avant son départ de là-bas, Marjorie lui avait énuméré ce dont elle aurait besoin — elle lui avait donné une liste de vêtements qu'il lui faudrait, non pour se sentir bien ou pour avoir chaud, mais pour chaque type de circonstances. « Un uniforme ! » s'était exclamée Martha. Cette robe faisait donc partie de l'uniforme, sans tenir aucun compte du charme ou de la séduction ; elle n'apportait rien à celle qui la portait : c'était une robe noire qui s'agrémentait de perles, et s'apparentait au restaurant, au mobilier et à la clientèle qui, à mieux regarder, avait une certaine allure : c'étaient là des gens bien nourris, bien bâtis, et fort à leur aise. Mais à présent Martha voyait pourquoi ses vêtements à elle, pourtant aussi coûteux et sûrement plus seyants — si l'on peut juger des vêtements en fonction de ce qu'ils font pour l'apparence de qui les porte — ne convenaient guère alors que la robe noire convenait : elle s'était trompée d'uniforme.

Bien entendu, elle n'aurait pas pu dire un seul mot de tout cela à Henry, car il n'aurait rien compris ; mais en voyant Jack ce soir, elle n'aurait qu'à mentionner la robe de cette femme, son joli visage et ses cheveux sans charme, le papier mural aux fleurs tristes, les visages solennels et pompeux des messieurs — et il comprendrait dans un superbe éclat de rire. Et Jack comprendrait parfaitement quand elle lui dirait (bien qu'il fût même inutile de le dire). « Le problème, c'est qu'il faut se choisir un créneau, qu'il faut se réduire à telle ou telle possibilité. Et bien que l'essence de mes rapports avec Henry soit la nécessité de trouver le créneau juste, la possibilité juste, il ne comprendrait pas si je le lui disais : il en éprouverait de l'embarras, de l'irritation. »

Oui, parce que Jack avait choisi une vie qui le libérait, il pourrait comprendre tout cela : mais il ne comprendrait pas son autre préoccupation, et la seule personne qu'elle eût rencontrée jusqu'à présent et capable de comprendre était Phœbe, la sœur de Marjorie.

Henry arriva. Une communication muette s'était déjà déroulée entre lui et le maître d'hôtel, car son visage exprimait déjà sa résignation devant l'inévitable : elle détonnait dans ce restaurant. Et tout cela parce que le temps avait changé ! Un mois auparavant, dans un autre restaurant coûteux et morne, elle avait porté, à cause de la chaleur, une petite robe très découverte en cotonnade noire, et elle s'était parfaitement intégrée dans l'ensemble — bien qu'elle eût été plus élégante qu'aucune autre femme présente, car tous ces gens incapables de s'habiller légèrement l'été étaient bien trop vêtus. Henry l'avait alors exhibée, avec un certain embarras cependant car elle arborait une simplicité voisine du défi ; et aussi parce qu'une certaine licence accompagne le soleil les jours où il paraît.

Il s'assit. « Ma chère Martha, vous êtes superbe.

— Je sais que mes cheveux sont trempés, mais on ne m'a pas proposé d'aller me refaire une beauté — si même ils ont des toilettes ! »

Cette virulence lui fit lever un regard rapide sur elle, puis au-delà d'elle, en direction des boiseries, pour observer : « Je me souviens

qu'il y a environ deux ans, ma tante Maynard m'avait envoyé une protégée — du Cap, je crois. Elle était extrêmement combative, figurez-
vous.

— La question que je me pose, c'est de savoir quel quartier de
Rome nous allons choisir pour combattre ?

— Hmmmh.

— Je n'avais pas idée que le fief de Mme Maynard s'étendît aussi
loin que Le Cap.

— Oh, un endroit du même genre. »

Martha rongeait son frein : avait-elle mangé, avait-elle dormi, était-
elle épuisée — non, non, oui : car elle bouillait littéralement de fureur.
Cet aspect de « Matty » que réveillait Henry n'était qu'agressivité puérile. Et si elle choisissait (et parvenait) à se contrôler pour n'être pas
trop agressive ou ne pas laisser percer son hostilité, alors « Matty »
devenait charmante et attentive, avec des sous-entendus chargés d'excuses. Elle préférait l'agressivité : c'était tout de même mieux que le
clown retombé en enfance.

Henry contemplait, derrière Martha, un homme qui venait d'entrer. Il ressemblait à Henry : tout en charme, en assurance, et en
séduction. Il sourit à Henry et allait s'avancer quand Henry modifia
son sourire, et l'homme prit place derrière un immense menu, à
l'autre extrémité de la salle.

« Votre associé ? »

Il lui lança un regard très bref : « Oui.

— Vous lui aviez proposé de venir jeter un coup d'œil sur moi, mais
vous ne me trouvez pas très présentable en ce moment, alors vous lui
avez signalé par radar de rester à distance, n'est-ce pas ?

— Il devait venir dîner ici de toute façon : pourquoi ne voudrais-je
pas vous le faire rencontrer ?

— Alors pourquoi pas maintenant ? »

Le serveur s'approcha à cet instant, et présenta le menu à Martha.
Elle commanda du pâté et du poisson, mais Henry intervint : « Si
vous voulez m'en croire, les coquilles Saint-Jacques sont excellentes,
ici. Ce n'est pas que le pâté ne le soit pas, bien sûr », ajouta-t-il en
adressant une petite grimace humoristique au vieux serveur qui l'accepta.

« Bien entendu », approuva-t-elle, et elle changea sa commande.
Elle demanda du sherry très sec, et le sommelier lui apporta une
bouteille de sherry demi-sec car, dans ce genre d'endroit, les dames
boivent du vin doux. On servit à Henry de l'amontillado.

Elle but son sherry, et lui son vin.

« Avez-vous eu des nouvelles de votre mère, Martha ? »

Martha observa comme cet ancien détonateur de sa rage restait
désormais sans effet : était-elle donc sauvée, pour avoir mis plusieurs
milliers de kilomètres d'océan entre sa mère et elle ? Humm — peut-
être.

« Non, mais je suppose que cela ne saurait tarder.

— Vous me disiez que vous envisagiez de prendre un emploi ?

— J'en ai déjà un. Dans un café, près des quais.

— Encore une de vos chères plaisanteries — mais pas pour long-temps, sans doute ?

— On m'a également proposé un emploi de secrétaire dans une société de location de camions. » Dans l'un de ces camions travaillait le cousin d'Iris : celui qu'elle avait destiné à Martha.

Il attendit. Mais elle n'avait aucune intention de venir à son secours.

« Habiterez-vous près de votre lieu de travail ? »

Elle faillit répliquer : « Et pourquoi pas ? » mais se désintéressa de l'affaire. A quoi bon ?

C'est alors qu'arrivèrent les coquilles Saint-Jacques, pleines de morceaux de morue et recouvertes d'une sauce blanche d'apparence gluante.

Que ce fût un restaurant où l'on venait, non pour bien manger mais pour sacrifier à un rituel de convenances, elle l'avait compris à la seule vue des assiettes autour d'elle ; et elle savait que ce poisson serait bien pire que tout ce qu'elle avait mangé *Chez Joe*, avec Iris et Jimmy.

« C'est très bon », se hâta-t-elle de dire en voyant le sourcil inquisiteur de Henry.

« Délicieux », renchérit-il afin qu'elle sût bien qui était bon.

Elle aurait pu énumérer au moins cinq fautes de service sur cette table, d'après son expérience ménagère : le pain n'était pas frais ; la nappe tout juste propre ; le persil, sur le poisson, fripé ; le poivrier était presque vide ; les roses courbaient la tête ; tout révélait la médiocrité. Mais Henry ne s'en souciait guère, il se sentait chez lui, à l'aise parmi ses semblables.

Martha se sentit envahie par la claustrophobie comme par une fièvre ; elle se ressaisait : du calme, tiens-toi tranquille — à la fin de ce dîner, ce sera terminé à jamais.

« Je comprends bien, commença-t-il, que ce doit être fort amusant de faire des expériences nouvelles, pendant quelque temps.

— Voyez-vous, il faut avoir grandi dans ce pays pour y voir une traînasserie. »

Il avait rougi.

« Écoutez, Henry, vous avez raison. Je ne pourrais pas garder ces emplois longtemps, mais pour exactement la même raison que je ne pourrais pas accepter celui que vous m'offrez, voilà ce que vous devriez comprendre. Ne le voyez-vous donc pas ?

— Eh bien, franchement, non. »

Sur la chaise voisine, un journal du soir plié ; et même d'où elle se trouvait, elle pouvait voir en jetant un coup d'œil oblique que les titres et l'éditorial parlaient de l'Angleterre rouge, socialiste, dépouillée de ses classes sociales, etc.

Ils avaient terminé le poisson. Henry avait commandé de la blanquette pour eux deux. Ce n'était pas mauvais. Mais le vin était très bon, excellent même : et Martha le buvait, tout en sachant fort bien que cela risquait de l'entraîner dans une discussion dont elle aurait déjà pu citer chaque mot, avant même de commencer. Elle souriait et lui racontait des anecdotes de l'étrange contrée d'où elle revenait, de l'autre côté du fleuve, et lui l'écoutait avec l'air de choisir d'éventuels paysages pour ses voyages d'aventures.

Puis il finit par observer : « S'il s'agit simplement de la bougeotte, si vous avez envie de changer au bout d'un an ou deux, je crois pouvoir vous dire que c'est précisément ce que nous attendons de notre personnel, car la guerre a déraciné les gens — moi y compris, je le crains.

— Oh non, ce n'est pas une question de bougeotte. »

Bien décidée à ne pas laisser s'instaurer l'imminente discussion, elle tendit la main vers son verre — et le renversa. Comme le serveur n'était pas là, elle tamponna la tache avec sa serviette. C'est alors que le diable s'en mêla.

« Il me faudrait une autre serviette », dit-elle.

Du regard, Henry appela le serveur.

« Pourriez-vous nous apporter une autre serviette ? » demanda-t-il.

Martha se mit à rire. Il se renfrogna, ne comprenant rien.

« J'ignore à quoi cela tient, commença-t-il, mais je sais que les femmes sont beaucoup plus douées que les hommes pour... se mettre au courant des choses. Vous pourriez très bien, vous savez, si vous vouliez vous y mettre. Ainsi, nous avons eu une fille, au bureau. Elle n'était que... son père servait sous mes ordres, pendant la guerre, un très brave homme... eh bien, elle est entrée chez nous comme dactylo et en l'espace d'un an elle s'était mise au courant... maintenant, vous ne pourriez plus guère la distinguer de... elle peut tenir le standard, par exemple... je ne sais pas pourquoi, mais les hommes n'y parviennent pas aussi bien, ils s'adaptent moins bien. Mais si vous écoutiez comment parlent les gens, vous pourriez apprendre très facilement... ce genre de choses. »

Les blancs de ce discours qu'il venait de prononcer avec une certaine irritation, pour être ainsi contraint d'exprimer verbalement sa position, même partiellement ; et aussi avec une certaine inquiétude pour l'avenir de Martha car, Dieu seul savait pourquoi, il s'en estimait lui-même responsable, Martha pouvait à présent les remplir, et elle les résuma ainsi :

« Je pourrais apprendre à *passer*, en somme. »

Il se laissa aller contre le dossier de sa chaise, tandis que son beau visage bien élevé s'empourprait de contrariété.

C'était parfaitement inutile. Mais le diable avait pris la situation en main.

« Henry, si je vous disais que ce repas va vous coûter plus de cinq livres sterling alors que vous êtes censé vous restreindre à cause de la guerre, et que les gens avec qui j'ai séjourné ne dépensent pas autant pour leur nourriture en une semaine entière, et si je vous demandais ensuite de lire ce journal... Oh, et puis cela ne sert vraiment à rien !

— Ils sont très pauvres, n'est-ce pas ? s'enquit-il brièvement.

— Très, mais ce n'est pas la question.

— Eh bien, ne le sommes-nous pas tous devenus, à présent ?

— Je ne le dirais pas.

— Vous n'étiez pas ici pendant la guerre, observa-t-il d'une voix où vibrait l'émotion.

— J'ai eu le temps d'apprendre qu'on ne pouvait plus rien répondre à cela.

— Dieu sait comme nous sommes pauvres — mais que voulez-vous encore, vous autres ? Vous avez obtenu votre gouvernement travailliste — ce n'est pas celui que je préfère, loin de là, pour ma part je serais plutôt libéral, bien que je vote conservateur, mais enfin ils sont en place, ils tiennent les rênes —, vous l'avez, votre socialisme. Évidemment, beaucoup de gens considèrent que cinq ans de régime travailliste ont ruiné le pays. Je ne suis pas de cet avis, mais il ne nous reste plus de hiérarchie. Que voulez-vous donc ?

— Voyons, Henry... je ne comprends pas comment vous pouvez affirmer... ou croire... Henry, si ces gens avec qui j'habitais — s'ils débarquaient dans ce restaurant, on ne les laisserait pas entrer... » Il se raidit, attaqué, miné : il s'agissait précisément de ce qu'il ne pouvait voir ou admettre, et c'était donc de mauvais goût. « Non pas qu'ils aient l'intention de débarquer, bien sûr. Ils savent vivre. Après tout, on ne m'aurait sans doute pas laissée entrer non plus, on m'aurait dit que c'était complet, si je n'avais pas mentionné votre nom.

— S'ils débarquaient quand même, je serais trop heureux — ils sont le sel de la terre. Nous avons appris à voir cela pendant la guerre.

— Sans parler de l'autre guerre. »

A présent on poussait vers eux le chariot des desserts. Pour eux deux, Henry choisit une charlotte, qui portait là un autre nom. Dans toute la salle, Martha voyait les gens manger des entremets servis sous des noms français.

« Je ne comprends vraiment pas ce que vous voulez encore, vous autres, reprit Henry d'un air maussade.

— Qu'on appelle les choses par leur nom, c'est tout. Avez-vous déjà rencontré votre oncle Maynard ?

— Non. Bah, vous savez, il était plutôt la bête noire de la famille, d'après ce que j'ai pu comprendre.

— Le juge Maynard ? Eh bien, je me suis récemment souvenue d'une chose qu'il m'avait dite. Il y a de cela dix ans ou plus. Il disait qu'il ne supportait pas l'Angleterre, parce que personne n'y était capable d'appeler un chat un chat. Alors il applique la loi et l'ordre dans les colonies, là où l'on peut. Je viens seulement de comprendre ce qu'il voulait dire.

— Des hypocrites, répliqua Henry vivement. Évidemment, ils nous ont toujours qualifiés d'hypocrites.

— Non, non, si vous étiez hypocrites, ce serait autre chose. Un hypocrite maintient une attitude vertueuse en sachant qu'elle est fausse. Mais vous, vous me semblez drogués, hypnotisés, incapables de voir les faits même sous vos propres yeux — vous êtes les victimes d'une masse de slogans. »

Le sommelier offrit alors à Martha une liqueur sucrée, et à Henry

un cognac. Martha insista pour qu'on lui servît un cognac. Le sommelier adressa à Henry un regard de commisération, tant leur complicité
s'était développée. Mais Henry fronça le sourcil et lui ordonna d'apporter un cognac. Martha et le cognac transformèrent l'atmosphère :
Henry put enfin abandonner tout espoir de voir surgir la moindre possibilité d'accord entre eux : voyant Martha redevenir la joyeuse aventurière échauffée par le vin, il se sentit autorisé à faire un signe à son
associé. John Higham les rejoignit aussitôt, beau et séduisant comme
Henry, et son visage tourné vers Martha exprimait la plus franche
impatience de goûter enfin à ce phénomène, qui restait étranger à
toutes les règles de la politesse la plus élémentaire — car il la dévisageait ouvertement, hardiment : exactement comme les dockers, avant
que Stella leur eût annoncé qu'elle était temporairement des leurs,
l'interpellaient d'un bout à l'autre de la rue : « Bonjour, chérie. » Elle
était étrangère à leur communauté humaine. Martha était étrangère à
la communauté de Higham. Les deux hommes restèrent un moment
immobiles, unis face à Martha, à la dévisager. C'était déplaisant. Derrière eux le serveur, et derrière lui le maître d'hôtel. Très déplaisant.
Et cette fois encore, elle ne saurait jamais expliquer pourquoi ; ils ne
comprendraient pas ce qu'elle voulait dire. C'étaient des sauvages,
maîtres et serviteurs pareils.

« Martha ne veut pas de nous, je le crains, déclara Henry avec
insolence, mais en souriant.

— Je le regrette, répondit John Higham.

— Je ne vois vraiment pas, à part bien entendu le fait que les Maynard vous ont chargés de me tenir à l'œil, pourquoi vous tiendriez à
moi ? »

Ils échangèrent même un coup d'œil, comme si elle n'avait pas pu
les voir — comme s'ils eussent été invisibles. Quels gens extraordinaires ! Iris et Jimmy, Stella et son homme avaient plus de délicatesse, plus de conscience d'eux-mêmes.

« Vous vous sous-estimez », expliqua John Higham. « Vous avez
déjà travaillé en cabinet juridique, n'est-ce pas. Vous avez de l'expérience. Et je me demande bien pourquoi, bien qu'il y ait des centaines
de filles sur le marché, il n'y en a guère... qui aient de l'expérience.

— Ce n'est pas que nous objections à les voir prendre époux. Bien
au contraire. Cela les stabilise, elles restent plus volontiers, ajouta
Henry.

— Et puis une large part de notre clientèle vit à l'étranger. Nous
avons eu beaucoup de travail avec les réfugiés, par exemple. Les
remises en ordre d'après la guerre — ce genre de choses. Et il nous
faut vraiment quelqu'un ayant plus d'expérience que la plupart des
Anglaises. »

A présent, Martha se trouvait réduite au silence. Ce dernier point
l'avait touchée. Et elle se retrouvait exactement dans la même position qu'avec Iris et Jimmy. Elle avait promis, ou semblé promettre,
sans le savoir, et s'était engagée bien plus loin qu'elle ne l'aurait
voulu. Jamais, pas un seul instant, elle n'avait envisagé de travailler
avec Henry, et de toutes les manières possibles elle avait dit : Non,

non, non. Pourtant, les deux hommes s'attendaient manifestement à lui entendre dire oui, maintenant : ils comptaient sur elle. Son comportement, présumé défensif, tel un masque, et perçu comme une évaluation un peu aguicheuse des possibilités, avait-il donc été compris comme tout autre chose ? Ou bien le seul fait de se trouver placé dans une situation donnée, embarqué avec des gens, constituait-il une promesse implicite ? Oui, c'était plutôt cela, voilà la vérité : oh oui, il y avait quelque chose d'intolérable, d'impardonnable, chez les errants, les expérimentateurs, les goûteurs, elle commençait seulement à s'en rendre compte. Mais c'était trop injuste ! Elle n'avait encore passé que le tiers d'une année dans ce pays, et l'avait vécu comme une période située hors des responsabilités. Mais on n'allait pas lui permettre de dériver, de goûter, d'expérimenter. Le sincère sentiment d'avoir été trahis que laissaient paraître ses amis de *Chez Joe* (mais pas Stella, sur les quais — pourquoi donc ?) et l'attente que manifestaient Henry et John prouvaient bien qu'elle avait dû s'engager implicitement : il y avait donc en elle, Martha, quelque chose qui lui interdisait de passer et de disparaître. D'autres gens le pouvaient, mais pas elle. Sinon pourquoi, après une période aussi brève d'irresponsabilité (qu'était-ce après tout que quatre mois ?) le filet se resserrait-il déjà ? Car c'était là ce qu'elle éprouvait. Le filet l'avait menacée depuis l'instant où elle avait aperçu le visage poli et charmant d'Henry devant le service des douanes, à son arrivée. Sans doute était-ce, bien qu'elle ne voulût guère l'admettre, parce que son tempérament ressemblait plus qu'elle n'aurait voulu à celui de Marjorie ; et avec Phœbe, la sœur de Marjorie, un enthousiasme, une promptitude à s'engager et se laisser impliquer : ce caractère en lui-même constituait une promesse.

Elle aurait pu se montrer faible, et répondre quelque chose comme : J'y réfléchirai. Mais il ne le fallait pas. Non plus qu'acheter son pardon en déployant « Matty ». Faisant un grand effort sur elle-même, elle déclara (d'une voix cassante et dépourvue de grâce, mais d'une seule traite) : « Écoutez, croyez-moi. Je n'accepte pas cet emploi. Merci beaucoup — mais je n'en veux pas.

— Qu'avez-vous donc en vue, à la place ? s'enquit John Higham, contrarié.

— Elle envisage de devenir serveuse », rétorqua Henry en riant pour bien indiquer, non pas qu'elle y renoncerait, mais qu'elle en était fort capable au contraire.

« Est-ce vrai ? s'exclama John Higham. Évidemment, c'est une façon de voir du pays, n'est-ce pas ? Cela se comprend.

— La vérité, répliqua Martha, furieuse à nouveau et s'efforçant de rester calme, c'est que je ne verrais pas du tout les choses comme vous — comme des choses exceptionnelles. Vous ne comprenez décidément rien — vous êtes tous là à parler de gens que vous appelez '' la classe ouvrière '' comme s'ils débarquaient de la lune. Vous ne prononcez pas les mots de '' classe ouvrière '', bien sûr — oh, et puis à quoi bon, conclut-elle dans un accès de désespoir, on ne peut même pas parler de cela avec vous. »

Henry et John échangèrent de nouveaux regards comme si elle n'eût pas été là. « Eh bien, justement, observa John, c'est pour cette raison que nous tenons tant à vous avoir — voyez-vous, beaucoup de gens dont nous nous occupons ont traversé des moments très difficiles, et pour traiter avec eux, il nous faut une personne qui comprenne de quoi ils parlent.

— Peut-être, suggéra Martha, que " traverser des moments très difficiles " en tant que réfugié recouvre bien autre chose qu'une expérience de serveuse ? »

Elle était vraiment fâchée, à présent, vraiment découragée. Et même effrayée. Après tout, c'étaient des gens comme ces deux hommes qui gouvernaient ce pays, quoi que pussent dire les journaux. Et lorsqu'on approchait des Maynard et de leurs semblables, voilà ce qui se passait. C'était comme de parler avec... des aveugles de naissance. Car c'était ainsi qu'ils apparaissaient. Quelle était l'utilité de... il valait mieux s'écarter de leur chemin.

Le serveur apporta l'addition. Il était environ dix heures, et la salle était pleine : il s'en dégageait plus que jamais une atmosphère familiale de gens à l'aise entre eux. Ils s'étaient détendus, à présent, et manifestaient une sorte de puérilité comme si, menacés à l'extérieur, ils venaient ici pour y trouver refuge. A l'autre bout de la salle, un homme haut en couleur et à l'air désinvolte lançait des boulettes de pain à une fille revêtue d'un chandail en mohair rose, qui les lui renvoyait en riant tandis que les serveurs observaient la scène avec indulgence.

L'addition s'élevait à six livres.

« Où allez-vous ? Nous pourrions vous déposer ?

— Je vous remercie, mais je préfère marcher un peu. »

Henry repoussa sa chaise. Le maître d'hôtel avait auprès de lui trois personnes qui voulaient la table. Il lui fut facile de prendre congé et de s'en aller, comme elle en nourrissait le vif désir.

Elle descendit Oxford Street ou, plus exactement, des marchandises situées au niveau de son regard derrière des vitrines éclairées défilèrent devant elle, surmontées de sombres masses de maçonnerie. Ces marchandises, pour la plupart vestimentaires, semblaient aussi laides et dénuées de goût que n'importe quoi d'autre. C'est la plus grande ville du monde, se répétait-elle en flânant sans trop le laisser paraître parmi les gens qui léchaient les vitrines. La plus grande ville du monde, la plus grande, et me voici dans une rue dont le nom a bercé ma jeunesse, comme Piccadilly Circus. Les noms de ces boutiques font rêver, on les brode sur des vêtements — aucun de ces objets ne provoquait la moindre envie de possession. Évidemment, une guerre avait eu lieu. Évidemment, cinq ans après cette guerre, les rues et les immeubles apparaissaient encore rafistolés, décrépits, soutenus par des étais, éventrés par endroits, et les étoffes étaient encore minces et appauvries. Bien sûr. Mais même un mètre de tissu appauvri par la guerre pourrait être tissé avec plus de goût. Mon Dieu, se surprit-elle à penser, pour la millième fois, quelle race est-ce donc, pour inévitablement et invariablement choisir ce qu'il y a de plus laid,

41

de plus disgracieux. Mais voilà qu'elle se trouvait à présent là, et pour de bon.

Les boutiques disparurent, tandis que le ciel s'ouvrait au-dessus des arbres de Hyde Park. Là, c'était tout autre chose, oh oui, quand il s'agissait d'arbres et de jardins, tout était exactement comme il le fallait. Elle parcourut Bayswater Road, longeant d'un côté le parc où s'équilibraient élégamment les masses de feuillage théâtralement vertes là où brillaient des réverbères, et plongées dans une mystérieuse pénombre plus loin, surplombées par le ciel éclairé. Sur sa droite s'alignaient ces grandes demeures lourdement posées sur la terre détrempée. De grandes maisons grises et laides qui se trouvaient à présent vides, avec des planches clouées pour en barrer les voies d'accès, ou bien utilisées de manière provisoire : ce n'étaient plus vraiment des maisons ; toutes apparaissaient en cours de transformation pour devenir des hôtels. Sans être repeintes. Laides. Oui, même dans cette lumière sauvage qui changeait si vite, laides. Mais elle marchait sous les arbres qui bordaient le trottoir et qui paraissaient prolonger ceux du parc, de sorte que la circulation semblait rouler au milieu d'arbres doucement éclairés qui s'arrêtaient ici, tandis que sur sa droite la falaise grise des immeubles figurait le commencement de la ville. Elle ne croisait plus que fort peu de passants. Depuis l'instant où elle avait quitté Oxford Street et les boutiques, une atmosphère intense et circonspecte s'était imposée, qui l'obligeait à marcher en baissant les yeux car dans cette partie de Bayswater Road, les hommes accostaient les femmes et les suivaient. D'invisibles frontières, des territoires mystérieusement délimités : de même qu'au-delà du fleuve, une vieille poutre en bois aux crevasses gorgées de sel marquait la frontière entre la rive et la terre des terriens, ou bien un coin de rue, ou encore l'heure du jour, qui indiquait : Ici s'achève un certain type d'ordre.

Martha marchait vite, à présent, protégée par la laideur épaisse du manteau de Mme Van ; mais elle était une « jeune femme », elle appartenait à la catégorie « jeunes femmes », il ne fallait pas l'oublier, ni que sur ces trottoirs une catégorie d'individus « hommes » l'accompagnait ou la suivait. C'était là ce à quoi elle devait se réduire pour quelques minutes, ni Martha ni « Matty » : juste une « jeune femme ». Un homme s'approcha d'elle, articula une proposition nerveuse et agressive, puis se laissa distancer quand elle lui opposa un profil hautain. Mais non sans marmonner des remarques désobligeantes à son intention. La plus grande ville du monde... si seulement je pouvais comprendre qu'il s'agit d'observer les choses d'un œil égal et sans répit, peut-être pourrais-je la comprendre. La partie de son cerveau qu'utilisait Martha dans la journée était devenue détachée, méfiante, attentive, aux aguets — pour protéger cette autre partie qui commençait seulement à s'éveiller, à écouter, à cause de cette marche rapide dans les rues animées et brillantes. Et quand cela se produisait — jamais elle ne le savait d'avance —, plus rien ne comptait sinon de la protéger, et de tenir l'inutile à distance. C'était cette affaire de cloisonnements, de frontières — quel épuisement ! Le café de Jimmy et d'Iris, les rues bombardées, la ville portuaire où vivait Stella, cette rue peuplée d'importuns, ces grandes maisons tachées d'humidité où avaient dû vivre les parents et les grands-parents d'Henry Matheson et de John Higham, une famille par maison : la seule tentative de comprendre était... Mais le cerveau qui fonctionnait pendant la journée se composait de segments, de compartiments, de divisions...

Elle ralentit et faillit même s'immobiliser sous l'effet de la surprise, devant le regard froid et dur d'une jeune femme adossée à une haie, et qui lui intimait l'ordre de s'en aller. Manifestement, elle venait de franchir une nouvelle frontière invisible. De là jusqu'à Queensway, les trottoirs étaient littéralement bordés de prostituées, isolées ou par deux, il y en avait là des dizaines. Mais Martha se sentait plus libre ici que dans le territoire qu'elle venait de quitter et dont la frontière était une simple rue transversale. C'était précisément cet alignement de femmes à vendre qui la protégeait, car elles savaient que Martha n'appartenait pas à leur syndicat, et elles arboraient un visage hostile pour l'avertir d'avoir à s'en aller, pour lui signaler qu'elle n'avait rien à faire là : cela empêchait Martha d'être accostée. Trois sortes de bêtes, ici. Les femmes à vendre, adossées aux haies. Les habituelles allées et venues sur le trottoir — mais peu nombreuses, surtout des couples qui se hâtaient de traverser la place du marché en restant bien dans la lumière des réverbères, l'air embarrassé comme s'ils s'étaient trouvés là par erreur, mais observant furtivement les propositions et les marchandages. Les clients, hommes de tous âges qui croisaient lentement les femmes ou bien s'arrêtaient sous un arbre pour faire leur choix en grillant une cigarette. Et puis, de l'autre côté de la rue, des policiers stationnés à vingt ou trente mètres de chaque couple, qui évitaient de regarder directement les scènes de racolage, mais s'assuraient d'un regard oblique que tout se passait sans incidents. Martha marchait plus lentement qu'elle n'avait dû le faire dans la section précédente. Tout au long de la rue, elles se tenaient sous les arbres éclairés dont les feuillages s'agitaient mollement. En dépit d'une légère bruine, elles portaient des robes d'été, et arboraient de grands décolletés et des épaules nues, ainsi que de hautes sandales très ouvertes ; quelques-unes s'étaient équipées de parapluies aux couleurs vives. Mais là non plus, aucune élégance : elles n'étaient pas bien habillées et semblaient solidaires d'une disposition nationale à manquer de grâce. Il y avait eu une guerre. Si l'un de ces hommes qui compensaient à présent leur affamement de la guerre (comme Jack, dont l'obsession durait encore) s'était approché de l'une d'elles en disant : J'aimerais que tu portes... quel que fût son fantasme, aurait-elle répliqué d'une voix cassante : Figure-toi qu'on a eu une guerre, ici ? Oui, très probablement... Martha se surprit à imaginer une pièce bien meublée, ornée de rideaux, d'objets charmants, où une fille séduisante se dévêtait lentement pour révéler de ravissants sous-vêtements — fantasme d'homme ? Peut-être, dans toute cette ville, n'y avait-il de charme, de bien-être, que dans les chambres de ces filles ? Sûrement pas, à voir comme elles s'habillaient pour faire le trottoir.

Elle avait laissé derrière elle la rue aux prostituées. Elle approchait à présent de Notting Hill. Et bien qu'elle fût venue par là dans l'intention de s'attarder et de regarder, de passer le temps jusqu'à minuit, heure à laquelle elle pourrait rejoindre Jack sans danger, elle dut se faire violence pour quitter la rue principale et s'aventurer dans un secteur qu'elle jugeait pire que tout. Les ruelles situées de l'autre côté du fleuve n'avaient jamais rien été d'autre qu'étroites et pauvres. Le *West End* n'était qu'un marché, et tout ce qui s'y trouvait de confortable et de bien nourri se dissimulait soigneusement. Le long de Bayswater Road, ces énormes bâtisses avaient eu, et auraient à nouveau, une atmosphère d'argent. Mais d'ici jusqu'au canal, les rues étaient déprimantes et accablantes : impossible de les rehausser par des rêveries.

Elle guetta les signes d'un spectacle créé par la lumière, jailli de l'obscurité qui semblait enfoncer les maisons dans la terre, des maisons penchées, sales, fissurées, humides, des rues et des rues et des rues encore, toutes bordées de maisons semblables dont certaines n'étaient plus que des trous d'eau et des tas de gravats, ou bien de la terre mouillée, dégagée en prévision de la reconstruction, mais hérissées de planches clouées en travers des ouvertures. Elle marchait dans une longue rue basse et bordée d'arbres sombres, avec des taches de lumière jaunâtre et basse à intervalles réguliers, luttant farouchement contre le découragement, lorsqu'elle comprit que cette partie de son cerveau dont elle sollicitait les signes s'était développée, engloutissait le reste : elle se trouvait au bord d'une sensation (non, ce n'était pas le mot juste, mais quels étaient les mots justes ?), d'un état plutôt, qui était en vérité la surprise de se trouver à Londres, le véritable don qui lui était accordé. Elle avait découvert que si elle marchait assez longtemps, si elle dormait assez légèrement pour prendre conscience de ses rêves, si elle mangeait irrégulièrement, si des expériences nouvelles l'étonnaient au cours de la journée, alors son être entier s'illuminait, transporté, et elle devenait vivante, légère, consciente.

Son sens pratique surveillait son état de santé : ce repas au restaurant constituait son premier vrai repas depuis plusieurs jours ; ce vin, son premier alcool depuis des semaines ; elle avait à peine dormi la nuit précédente, à cause du bruit qui avait régné dans le café, au-dessous de sa chambre, la fermeture étant à minuit, et l'ouverture à cinq heures. Puis elle avait marché toute la journée : les conditions étaient réunies. Tout d'abord, devant l'espace éclairé, une terreur : mais légère, rien qui pût l'étouffer, moins la crainte que la répugnance à reconnaître sa condition totalement étrangère, lorsqu'elle marchait ainsi, toujours si attentive et si critique. Était-ce la solitude ? Oui, sans aucun doute. Mais en ce cas, qu'avait-elle jamais connu d'autre ? Et c'était donc encore un don : en disant « solitude », les gens parlaient de la peur ultime ; et elle avait naguère employé le mot « solitude » pour exprimer un coup du destin qui pourrait la rendre solitaire parmi ses semblables : quelque chose qui, dans l'avenir, la revendiquerait peut-être.

Mais non, depuis son arrivée à Londres, elle était seule et avait appris que jamais elle n'avait été autrement. Loin d'être son ennemie, la solitude lui était amie. C'était la meilleure chose qu'elle eût connue, de parcourir interminablement ces rues, de marcher seule le matin, l'après-midi et le soir, sans savoir où elle se trouvait à moins de rencontrer le fleuve : il lui arrivait pendant ces longues randonnées de ne pas même savoir dans quelle partie de Londres elle se trouvait, les pieds las, mais consciente d'une force dans leur fatigue, la tête froide, attentive, aux aguets, dans l'attente de ce visiteur qui approchait, le silence. Et son cœur... justement, c'était toujours le cœur qui, le premier, combattait la souffrance de n'appartenir à rien, et puis qui résistait, réclamait le silence et l'apaisement. Et son cœur en fin de compte s'apaisait ; après cela, le courant de ses pensées habituelles s'éteignait. Son corps se transformait en machine, inépuisable à la marche ; son cœur et son cerveau de jour se taisaient.

C'était donc là ce qu'elle avait découvert ou, plutôt, reçu ; et qu'elle répugnait à abandonner. C'était pourquoi elle ne voulait pas choisir telle ou telle orientation, tel ou tel emploi, telle ou telle personne, elle ne voulait pas devenir l'assistante de Henry et de John Higham ; ni venir s'ajouter aux gens de l'autre rive. Si seulement elle avait pu continuer ainsi, marcher à jamais dans les rues interminables, mouillées, humides de cette ville marquée par le destin, toute fissurée, appauvrie et assombrie par la guerre — si seulement elle avait pu rester là, dans cette partie d'elle-même qu'elle avait découverte... son esprit balançait doucement de la lumière à l'obscurité, de l'obscurité à la lumière. Des impressions s'y insinuaient ; un arbre, une masse de lumière intensément colorée ; un mur de brique pris dans la lueur orange d'une fenêtre ; un visage derrière une vitre, qui jetait un regard dehors avant de tirer les rideaux. Son cerveau était un espace de pénombre douce et vide. Voilà ce qu'elle était. « Matty » était un personnage insupportable auquel elle ne pouvait penser sans un épuisement nauséeux, et la crainte d'en être un jour victime à nouveau. Martha — bon, la Martha habituelle — s'était également éloignée, et pouvait s'examiner : elle s'en tirait assez bien, et n'avait aucune importance. Quant à « Hesse », c'était un nom reçu comme un bracelet d'un homme qui le possédait pour le donner à une femme devant les représentants de la loi au moment de signer le contrat de mariage. Mais qui était-elle donc, derrière les banalités de la vie quotidienne ? Une jeune femme ? Non, rien d'autre qu'une intelligence douce et obscure, réceptive. Rien de plus. Et si elle essayait — mais pas trop fort, juste un effort très bref, une vague tentative en direction d'une possibilité —, elle pouvait reculer dans le temps, annuler le temps pendant cet instant d'effort, et se trouver dans un autre pays, sur un autre texte. En parcourant les rues humides et puantes de Londres sous ce ciel noir et bas, pendant le cinquième été consécutif à la guerre, elle était (ou plutôt devenait, comme s'il ne s'était rien passé) Martha Quest, une adolescente assise sous l'arbre d'où elle pouvait voir un vaste paysage brûlant et un ciel plein de nuages et d'oiseaux. Mais elle l'était vraiment, et non en imagination — elle se trouvait réellement assise là. Ou bien elle devenait la Martha qui avait poussé un petit enfant le long des avenues verdoyantes, respirant le parfum des roses de tous ces jardins citadins. Mais elle s'y trouvait chaque fois réellement, et n'avait rien à voir avec Martha ni avec aucun autre nom qu'elle eût pu s'attribuer, rien à voir avec son apparence ou son corps. Et si elle pouvait continuer à marcher, comme elle le faisait maintenant jour après jour, empruntant cette rue, bifurquant ici, tournant là, passant devant des maisons, des maisons, toujours des maisons, avec leurs yeux drapés de rideaux et de volets derrière lesquels se tapissait une faible lampe, si seulement elle pouvait continuer ainsi...

Et maintenant, dans le calme et le silence, s'insinuait une chose qu'elle avait oubliée — on oubliait toujours. Elle avait oublié ce qui pourrait se passer quand l'obscurité s'alourdirait et donnerait l'impression de s'être établie pour toujours, tellement elle serait forte. On aurait dit qu'un obsédé sexuel se tenait tapi derrière l'espace moelleux, prêt à faire son entrée en dansant, avec des mots idiots. Quelque part en elle-même, des mots et des fragments de musique la lancinaient. Mais elle avait vraiment oublié que cet idiot se trouvait là, accompagnant le don de cette obscurité paisible et dansante, et proférant des paroles qui semblaient n'avoir aucun sens. Elles émergeaient de la pénombre, flottaient un moment dans l'espace, et retournaient à la nuit. Puis des paroles de chansons et des airs — oui, bien sûr, pendant ces premières semaines, elle s'était familiarisée avec cette phase. D'abord, l'espace silencieux et vide, derrière lequel se tapissait une présence aux aguets. Puis dans cet espace harmonieux s'imposait un ennemi, idiot ou fou. Humiliant, absurde ! Elle avait gagné, et gagné encore, mais avec quelle difficulté, la paix ; et puis elle avait rencontré cette bêtise. Elle avait résisté. Elle était tombée, et tombée encore, de ce calme harmonieux, à cause de cet ennemi imbécile. Ce soir, elle ne résistait pas : elle était trop fatiguée. Et puis elle se souvenait qu'elle avait fait une découverte, qu'elle avait trouvé une nouvelle matière à réflexion : quelque part en soi existait une longueur d'ondes, un orchestre d'où la musique jaillissait ou s'égrenait, avec ou sans paroles : il suffisait de brancher, et d'écouter. Et elle avait découvert, puis oublié, que ces airs ou ces paroles n'étaient pas tous le fruit du hasard : ils reflétaient un état, ou une situation. Car les paroles ou les expressions des chansons avaient une raison d'être : elles se révélaient instructives, si l'on ne se fermait pas, indigné, contrarié par la banalité, la bêtise apparente de cette musique tapie juste derrière (ou à côté ?) de l'espace vide. Car, ainsi que Martha l'avait dit à la longueur d'ondes, à la station, bien avant ce soir (puis avait oublié qu'elle l'eût fait), vous avez bien peu le sens de l'humour, et vous manquez totalement de goût. Ainsi, deux semaines plus tôt, en longeant la Tamise, elle avait d'abord atteint à la sérénité, puis était parvenue, ou s'était laissé imposer cette musique, et elle avait découvert qu'au lieu d'être insouciante au sujet de son manque d'argent, à l'idée de ne bientôt plus en avoir, elle s'en inquiétait au contraire beaucoup et s'en épouvantait même, car la ritournelle qui l'envahissait répétait : « Les meilleures choses du monde sont gratuites », inlassablement, comme un enfant moqueur, obsédant son cerveau de jour de l'idée qu'il lui fallait à présent cesser ces flâneries et se mettre en quête d'un emploi, se remettre en condition de gagner de l'argent. Et puisque chaque nuit elle parvenait au même point, apprenait sans relâche par cette voix sotte et affreusement frivole qu'elle était en vérité terrifiée, elle avait pris la décision de se remettre sur les rails de la responsabilité, et de renoncer à se laisser flotter et dériver. Alors pourquoi s'offusquer des méthodes, si l'information lui était utile ? Comment voulait-elle donc que les renseignements utiles lui fussent communiqués ? Par des accords fracassants, sans doute ? Et avec accompagnement de trompettes ? Ce secteur de son cerveau ne fonctionnait pas ainsi, et si elle en prenait ombrage, s'en offusquait, s'en écartait, décidait de ne pas en tenir compte, résistait, elle perdrait également toute cette information indispensable. Ses découvertes les plus intéressantes lui étaient parvenues par le biais de banalités. A présent, sur le rebord de cet espace vide, tremblotait la révélation qu'elle était fatiguée, et souhaitait rentrer chez elle. En effet : mais ses pieds le lui criaient bien fort depuis déjà plus d'une heure. Ce n'étaient pas ses pieds — son corps, qui était exténué — mais une autre partie d'elle-même : elle comprenait qu'elle subissait en ce moment une immense contrainte et, dans un élan de clairvoyance, elle devina l'effondrement dans l'inertie totale de l'épuisement qui suivrait cette ardeur. Mais qui, ou quoi, en elle était donc fatigué, pour qu'elle eût besoin de se l'entendre dire ?

Elle poursuivit sa marche : dans quelques minutes elle parviendrait chez Jack. Tout au moins si elle n'effectuait pas un immense détour par les rues avoisinantes : elle ne voulait pas encore arriver chez Jack, quel que fût le prix qu'elle aurait à payer pour être dans l'état où elle se trouvait à présent, sur un sommet en elle-même. En pénétrant chez Jack, elle se trouverait en un autre lieu d'elle-même, et une fois là — mais elle comprit soudain qu'elle ne connaissait qu'une seule personne à Londres capable de la laisser poursuivre l'existence qu'elle menait à présent, sans racines ni liens, libre. C'était Jack. Aucune pression. Et elle comprenait soudain pourquoi il vivait comme il le faisait. Elle l'avait déjà « compris » auparavant, mais elle le percevait différemment maintenant qu'elle errait dans la même région de l'esprit humain que Jack. Oui. Mais dans ce cas, pourquoi cherchait-elle si obstinément à s'en tenir à l'écart, à garder ses distances d'avec tout ce qu'il représentait — ou plus exactement, pourquoi une partie d'elle-même s'y efforçait-elle ? Cette région d'elle-même qui s'appelait Survie. Elle le savait. Il payait un prix trop élevé pour ce qu'il en récoltait. Elle le savait. Quel était le prix ? La longueur d'ondes qui oscillait en elle le lui disait : Jack tomba et brisa sa couronne, Jack tomba et brisa...

Oui. Il ne pouvait continuer ainsi, il allait tomber. Et elle aussi, si elle ne se dégageait pas de ce vertige qui la faisait planer. Mais pas encore, oh, non, pas encore ; ne pouvait-elle pas passer quelque temps avec lui, dans cet univers, juste un petit moment, avant de regagner les sphères de la responsabilité ? La responsabilité, vis-à-vis de la nor-

male, de l'habituel, avait des dettes à payer. On ne pouvait pas poursuivre son chemin sans avoir d'abord épongé ses dettes et fait ses
comptes. La terreur l'envahit, en songeant à toutes les dettes qu'il lui
faudrait payer : Caroline revenait l'obséder, ainsi que les deux
hommes qu'elle avait idiotement épousés. Et puis sa mère. Des
dettes. Il fallait les régler. Une immense chute dans des abysses l'attendait. Puis une vague la soulèverait à nouveau (quand ?) jusqu'où
elle se trouvait à présent, sur un sommet, et d'où elle pourrait contempler d'autres perspectives. La ritournelle disait : Maman, dois-je
continuer à danser ? Exaspérant, ridicule, banal, cet air était récemment entré dans son esprit, et y réapparaissait à chaque fois qu'elle
approchait des frontières. Toujours. Maman, dois-je continuer à danser ? Oui, elle ne le savait que trop bien, qu'il lui fallait continuer à
danser. Elle le savait maintenant, au cœur de l'espace vide, loin de la
vie ordinaire ; et elle le savait aussi dans la vie ordinaire, lorsque l'espace lui semblait une contrée lointaine. Elle savait ce qu'elle avait à
faire — téléphoner à Phœbe, la sœur de Marjorie. Elle ne pouvait pas
rester avec Jack — même pour aussi peu de temps qu'il lui en restait
pour vivre comme il le faisait, jusqu'à ce qu'il tombe et brise sa couronne. Elle distinguait le mot *Attention* tracé en lettres noires irrégu-
lières à travers l'espace vide. Elle les regarda disparaître dans une
pluie d'étoiles, semblables à des retombées de feu d'artifice dans un
ciel noir. Peut-être devrait-elle avertir Jack ? Cette pensée de ménagère lui révéla qu'elle sombrait, qu'elle amorçait la descente. En fait,
elle ne pourrait plus s'y maintenir bien longtemps, là où l'air était
frais et où il était ridicule de se dire : « Je dois avertir Jack. » Qui suis-
je donc, pour avertir Jack ? Responsabilités et engagements, voilà
vers quoi elle sombrait, à une vitesse vertigineuse... Elle était obligée
de continuer à danser... *Mais pas encore.* Avec un effort, elle se ressaisit, se crispa, et se força à remonter dans l'espace serein et jusque
dans cette longueur d'ondes où, maintenant qu'elle ne lui résistait
plus mais l'acceptait, un bruit effrayant lui rompait l'oreille intérieure : de la musique, des voix, des hurlements, les sons de la guerre
— et, s'y mêlant... alors même qu'elle comprenait qu'elle avait atteint,
par son acceptation, par le fait qu'elle ne craignait, ni ne s'irritait du
fouillis infantile de cette région, un état de lointaine sérénité, aussi
éloigné du calme qu'elle avait connu jusqu'alors que ce calme l'était
du charivari de la vie ordinaire, elle s'en éloignait déjà en sombrant.
Sombrer, se répétait-elle, il faut m'en souvenir, ne pas tout laisser
disparaître, me souvenir que c'est là, au secours, il ne faut rien
oublier, j'oublie tout le temps, il faut m'accrocher même quand...
Mais une fois avec Jack, il serait difficile de se souvenir. Elle sombrait
rapidement ; devant elle se dressa une cabine téléphonique, telle une
sentinelle au bout de la rue, près d'un café désormais fermé. Oui,
mais n'oublions pas l'espace découvert aujourd'hui. Il avait disparu,
complètement disparu, il n'en subsistait pas même un souvenir, et
elle sombrait hors d'atteinte du lieu où les mots et les miettes de
musique jonglaient, s'entrechoquaient, et l'informaient. Et même la
calme paix, au-dessous (ou à côté ?) se poursuivait, c'était une

mémoire, une mémoire qui continuait. Mais la mémoire n'était pas possible. On ne pouvait pas se souvenir. La conscience d'un certain état vous appartenait le temps que vous vous y trouviez. C'était cela, la mémoire. Inutile de dire : Souviens-toi de l'espace illuminé et de son frère merveilleux, le tournant de la spirale, tout en haut, quand on avait franchi le bruit. Car en les laissant derrière, en sombrant, on se trouvait en un lieu doté de ses propres souvenirs, de sa propre connaissance. Peut-être, au cours d'une longue journée de travail, de responsabilité, de gens, de bruit, pouvait-on connaître un instant d'intuition : *Ces lieux existent*, mais c'était parce que la journée vous y avait porté comme une vague, pour un bref instant. Vous pouviez penser *J'y parviendrai de nouveau* lorsque vous en approchiez, mais pas autrement. Car, pour quelque mystérieuse raison, les murs de l'endroit où vous vous trouviez avaient minci, et la lumière vous parvenait d'à côté. Telle était la raison pour laquelle les gens ne se rappelaient pas. Ils ne pouvaient pas. On pouvait se souvenir d'X avec X, d'Y avec Y. C'était aussi simple que cela : il faut absolument, absolument que je me souvienne... elle était arrivée à la cabine téléphonique. Une haute cabine sous un arbre entouré d'une grille noire. Elle allait la dépasser. Pourquoi avait-elle voulu téléphoner maintenant, à cet instant précis ? Il lui semblait déjà ridicule de l'avoir souhaité, décidé. Mais un sentiment d'urgence l'envahit : si tu n'appelles pas la sœur de Marjorie maintenant, tu t'engages à rester avec Jack. Et pourquoi diable ne devrais-je pas rester avec Jack ? Avait-il seulement jamais laissé entendre qu'elle pourrait vivre chez lui ? Jamais. *Téléphone à la sœur de Marjorie*. Oh, ne sois pas si solennelle et ridicule. *Appelle-la maintenant*. Quand tu verras Jack, tu ne te rappelleras plus pourquoi il faut appeler la sœur de Marjorie. Maman, faut-il que je continue à danser ? Oui, ma fille chérie...

Martha avait dépassé la cabine : elle l'avait dépassée d'un pas rapide, pour s'en débarrasser. Ce fut comme si des mains l'avaient empoignée pour lui faire faire demi-tour. De la cabine, elle téléphona à Phœbe, dont la voix émergeait d'un univers plein de tâches et de responsabilités fastidieuses et ridicules : il était près de minuit, et Phœbe travaillait à la rédaction d'un rapport. Oui, Martha pourrait la rencontrer demain. Demain pour déjeuner ? Maman, dois-je continuer à danser ? Demain soir, Phœbe ? Le déjeuner ne t'arrange pas ? Phœbe, contrariée, laissait clairement entendre que Martha n'avait rien à faire et qu'elle devrait donc bien accepter de s'insérer docilement dans l'existence active et responsable de Phœbe. Oui, je te retrouverai pour déjeuner. Bon, eh bien rendez-vous à une heure, Martha. Phœbe raccrocha : elle avait encore deux heures de paperasserie devant elle avant de pouvoir se coucher. Maman, dois-je continuer à danser ?

Martha poursuivit son chemin en direction de chez Jack.

CHAPITRE DEUX

La rue était basse et noire, entre deux rangées de façades plongées dans l'obscurité et situées en retrait derrière des haies. Aucune lumière n'apparaissait aux fenêtres des maisons, et le réverbère dressé devant chez Jack créait un halo de lueur jaunâtre autour de l'ampoule encapuchonnée. Une centaine de mètres le séparait du halo jaune du réverbère suivant, et l'obscurité y régnait. La rue montait, et une petite lampe rouge signalait le bord d'un trou. Derrière la façade se trouvait un canal désaffecté, où se baignaient les enfants. De ses eaux sales qui accueillaient de vieux sièges, des ordures, les petits chats dont personne ne voulait, des matelas, s'élevait une odeur fétide et entêtante qu'aucun vent ne semblait en mesure de disperser. Derrière la petite haie, près de la porte d'entrée, s'amoncelait un tas de briques et de gravats provenant de la maison. Un chat y trônait, ses yeux verts et luisants tournés vers Martha, qui tendit la main. Mais le chat s'enfuit. Levant les yeux vers le second étage, elle distingua un rai de lumière à la fenêtre, et songea que peut-être, derrière d'autres murs de cette rue sombre, des gens étaient éveillés pour s'occuper d'un bébé, faire l'amour, ou lire.

Martha frappa doucement et la porte s'ouvrit aussitôt vers l'intérieur, dans une entrée où la lumière chiche laissait voir des planches nues, des murs décrépits, et un plafond fissuré. Il y régnait une affreuse odeur de bois pourri. Un jeune homme dévisagea Martha. Un corps maigre comme un portemanteau et revêtu d'une robe de chambre bleu nuit, d'où s'échappaient deux longues jambes blanches, et un cou maigre surmonté d'une tête étroite à l'expression sauvage. Des cheveux noirs ébouriffés, et des yeux noirs.

« Je vous ai vue à travers les volets.

— Merci, Jack est là ? »

Il rit sans bruit en secouant ses épaules pour bien montrer qu'il riait, et guettant de ses yeux graves la réaction de Martha. Elle sourit, et leva la tête vers l'ampoule du plafond pour bien montrer qu'elle souriait.

« Ça va et ça vient », observa-t-il.

A présent, Martha sentait la peur l'agripper, pour la première fois de cette longue soirée de marche à travers les rues sombres. Elle se dirigea lentement vers l'escalier, consciente de la manière dont il la suivait, tout proche.

« Vous savez, j'ai connu des endroits bien pires. Pendant la guerre.

— Êtes-vous un ami de Jack ?

— J'habite ici, non ? »

Arrivée à la première marche, elle se retourna pour lui sourire ; il avait le visage au même niveau qu'elle, et la contemplait avec une étrange expression.

« Je vais vous montrer où j'habite. » Il tirailla la manche du manteau de Mme Van ; Martha le suivit dans une pièce qui donnait sur l'entrée, et qui avait été une salle de réception. C'était une longue salle, haute de plafond, où il restait quelques traces de moulures anciennes. Les volets étaient fermés, mais fissurés, et devant la fissure se trouvait une chaise : un poste d'observation. Un lit de camp aux couvertures crasseuses et, contre le mur, une échelle de peintre aux crochets de laquelle étaient suspendues des chemises, une veste, et deux paires de chaussures aux lacets noués ensemble. Auprès du lit se trouvait une bougie enfoncée dans une bouteille, et un fouillis de journaux illustrés.

« En Allemagne, ils habitaient sous les gravats, lui rappela-t-il.
— J'ai lu cela, en effet.
— J'y étais. »
Cette fois, elle le regarda et comprit cette expression curieuse, ces yeux fixes, ce rire perpétuellement silencieux ; il était fou, tout simplement.

« En Pologne, ils vivaient dans les égouts.
— Vous y étiez aussi ? » s'enquit-elle poliment.
Il rit en secouant ses épaules, tandis que ses yeux noirs se durcissaient dans une soudaine suspicion. « Je n'ai pas dit ça.
— Non.
— J'y étais. Dans les égouts. Je me battais. »
Martha s'aperçut que non seulement elle avait peur, à présent, mais qu'elle était fatiguée. Ses jambes lui semblaient en plomb, et sa tête lui pesait douloureusement. Elle se trouvait maintenant bien loin de cette créature légère et qui marchait si facilement une demi-heure auparavant, et dont la tête semblait un phare, ou une radio. Il faut que je me souvienne, songea-t-elle, il le faut, il le faut ; mais elle recula tandis que le jeune homme faisait un pas dans sa direction, l'œil fixe et le visage grimaçant. Ses mains s'avançaient comme pour empoigner — pas elle, mais son attention flageolante. C'étaient des mains jeunes et maigres, tristes, et assez malpropres.

« Si vous vous intéressez plutôt à d'autres choses, je le regrette beaucoup, déclara-t-il, beaucoup, beaucoup !
— C'est que je suis très en retard, pour tout vous dire.
— L'autre est partie à onze heures. Et il est exactement une heure dix-neuf. »
Elle sourit, se détourna, et sortit. Elle le sentait juste derrière elle, avec cette grimace qui touchait presque le dos de son crâne. Mais elle monta l'escalier d'un pas égal, et se retourna sur le palier pour dire : « Merci de m'avoir montré votre logement.
— J'ai tout ce qu'il faut. Une cloche, des livres, et une bougie. L'église a une cloche, de l'autre côté du canal. Vous la connaissez ?
— Je l'ai entendue. Bonne nuit. »
Elle resta un moment immobile dans l'obscurité, face à une porte derrière laquelle elle devinait une lumière, en écoutant l'homme

redescendre l'escalier et rentrer chez lui. Martha frappa doucement à la porte. Nul ne répondit. Elle entra dans une pièce fraîchement repeinte en blanc, dont le sol brillant et sombre s'ornait de tapis. Des bougies brûlaient sur l'élégante cheminée. Et il faisait chaud : les radiateurs étincelaient. Sur un grand lit placé sous la fenêtre, dormait Jack. Il était nu sous la couverture et gisait sur le dos, une joue posée sur la main comme pour réfléchir. Et il aurait presque pu, tant il dormait légèrement. Martha ôta ses chaussures et s'affala dans un fauteuil : si elle n'avait pu s'asseoir en cet instant, elle serait tombée. Quelle absurdité, observa-t-elle, si j'avais dû marcher encore huit kilomètres, je l'aurais fait et n'aurais senti la fatigue qu'à la fin. Elle resta un moment assise, à demi inconsciente. Elle tournait le dos au volet qui retenait dehors les odeurs du canal. Au-dessus de cette chambre, un étage vide : l'appartement était resté à ciel ouvert pendant une année entière, recevant la pluie, le vent et la neige, et laissant bien sûr l'humidité s'infiltrer dans le beau plafond blanc qu'elle contemplait actuellement. Jack racontait que ce plafond avait été fissuré, écaillé et moisi ; puis Jack avait réparé le toit, et déblayé les gravats. L'étage au-dessous n'avait pas été affecté par les intempéries, mais il était vide et n'avait pas été repeint depuis des années ; il sentait le rat. Au-dessous encore, se trouvait la chambre dans laquelle s'était retranché le jeune homme à l'esprit dérangé. Mais de l'autre côté de l'entrée, il y avait une grande pièce vide, magnifique, dont la coquille intérieure était malheureusement décrépite. Enfin, sous cette grande maison, une cave qui était noyée, pleine d'eau pendant plusieurs années. Puis, quand Jack l'avait asséchée, elle s'était révélée envahie de gravats humides et de vieilles planches. Il l'avait vidée, et espérait qu'elle sécherait peu à peu ; mais elle répandait dans la maison entière une odeur de moisi. Cependant, cette pièce-ci était d'une parfaite propreté : les vieux rideaux du couvre-feu étaient restés en place, pour renforcer le thème noir et blanc. Des toiles de Jack étaient accrochées au mur. Pas beaucoup : juste assez, disait-il, pour montrer qu'il était peintre. Il y avait dans un coin un chevalet, avec du matériel de peinture. Pour la plupart, ces toiles étaient abstraites, et surtout noir et blanc, ou grises, ou brunes. Certaines se composaient d'étranges matériaux — morceaux de toile à sac collés sur des planches ; débris de briques mélangés à de la peinture jetée sur la toile ; peinture mélangée à du sable. Jack était devenu peintre parce que, à la fin de la guerre, il n'avait pas voulu retourner à une existence réglée. Il avait besoin d'une étiquette. Qu'y avait-il de plus respectable que d'être peintre ? Quelques années plus tôt, il lui aurait fallu se jouer la comédie de la peinture, pour pouvoir mener la vie qu'il voulait sous cette étiquette. Mais la guerre lui avait enseigné qu'il fallait réserver son temps aux choses essentielles, expliquait-il. Pendant la guerre, il avait appris qu'il faut se servir, et se battre pour ce qu'on choisit. En étant artiste, on s'en tirait toujours. Il fallait être très riche, artiste, ou criminel. Il s'était procuré des toiles, un chevalet et de la couleur, et il avait acheté chez un brocanteur de vieux tableaux, qu'il entassait contre les murs pour compléter l'ambiance. Il travailla quelques jours avec du sable, des gravats, des chiffons, de la colle et de la peinture, et hourrah, il fut baptisé artiste, ce qui lui valut de pouvoir utiliser cette étiquette sur ses papiers et son passeport.

En 1947, marin dégagé de ses obligations militaires, il avait découvert cette maison en ruine, privée de toit, à demi effondrée, alors qu'il parcourait cette rue où il avait trouvé une chambre. Il avait franchi la porte éventrée, et était monté jusqu'au dernier étage. Il avait passé la journée dans la maison, sans vraiment faire de plans ni prendre de décisions, mais il semblait que tout se fût déterminé à son insu, car il était finalement sorti pour revenir muni d'un seau, d'une brosse dure et de savon. Avec ce toit éventré au-dessus de lui, il avait déblayé les gravats et gratté la crasse jusqu'au moment où il avait senti la pluie sur son dos, et s'était alors rendu compte qu'il fallait réparer le toit. Il répara le toit : Il terminait tout juste quand Garibaldi Vasallo le Maltais entra. C'était un homme basané à la silhouette massive, que l'on se serait attendu à voir porter un anneau d'or à l'oreille. Mais il arborait un costume rayé d'homme d'affaires.

« Que faites-vous là ?
— Je répare le toit, répondit Jack.
— C'est chez moi, figurez-vous.
— Mais j'y habite, non ? »

Garibaldi Vasallo descendit jusqu'à la cave noyée d'eau, y inspecta chaque planche et chaque centimètre carré de plâtre pourri, puis remonta au dernier étage, bien déterminé à l'acheter. Auparavant, il avait décidé que cette maison se trouvait en vraiment trop mauvais état, comme toutes les maisons de cette rue secouées par les bombes. Il regarda Jack travailler pendant quelques minutes, et déclara :

« Il va falloir que vous partiez.
— Impossible, je suis locataire protégé.
— Comment cela ?
— J'habite ici.
— Depuis quand ?
— Tenez, prenez une cigarette. »

Jack descendit du toit et s'assit en tailleur sur le plancher humide ; Garibaldi Vasallo prit place en face de lui, et ils parlèrent de la guerre en fumant. Garibaldi Vasallo avait servi dans la marine marchande. Jack avait été dragueur de mines. Si Jack avait réellement dragué des mines pendant toute la guerre, il ne pouvait pas avoir vécu dans cette maison comme il continuait à l'affirmer. Mais il s'entêtait aimablement à le prétendre tout en parlant du dragage de mines à Garibaldi Vasallo qui, pour sa part, continuait à revendiquer la propriété de la maison. Cette scène dura plusieurs heures, puis Garibaldi partit pour aller acheter la maison. Il lui en coûta quatre cent cinquante livres sterling, et il en acquit en même temps deux autres, qui lui coûtèrent chacune cinq cents livres. Ensuite, dépourvu de capitaux, il entreprit de dépister des acheteurs potentiels (fort peu, car la rangée de maisons était dans un état de délabrement avancé) en leur signalant que « les noirs s'installaient ». Il n'avait à présent plus d'argent du tout. Il revint voir Jack qui réparait l'étage supérieur de la maison, puis se mit lui-même au travail sur le toit d'une autre de ses maisons. Entre-temps, Jack avait apporté ses affaires, qui se composaient alors d'un lit de camp (celui qu'employait à présent le jeune homme du rez-de-chaussée) et d'une bougie enfoncée dans une bouteille. Il lui restait environ mille livres sterling de la guerre, dont il n'avait encore rien dépensé, car la réparation du toit ne lui avait rien coûté, puisqu'il avait emprunté des outils et utilisé les matériaux disponibles dans des maisons bombardées du voisinage. A présent, il nettoyait et repeignait le second étage, et Garibaldi Vasallo passait le soir pour observer ce que faisait Jack, et comment il s'y prenait. Car son séjour dans la marine l'avait rendu inventif et bricoleur, mais il ne connaissait rien à la maçonnerie, alors que Jack avait gagné sa vie en exerçant précisément cette activité. Lorsque cet étage fut remis à neuf, Jack acheta un grand lit, un fauteuil, une commode et quelques tapis sur un coin de trottoir. Coût total : cinq livres. Jack était à présent chez lui. Mais il n'y avait là ni l'électricité, ni l'eau courante. Il se servait de bougies, et allait aux bains publics, ainsi qu'aux toilettes du cinéma voisin dont il répara, en échange de bons procédés, toutes les fenêtres brisées.

Garibaldi proposa alors à Jack de s'associer avec lui, car Jack avait fait en sorte qu'il connût l'existence de ses mille livres. Garibaldi avait désespérément besoin de la moitié de cette somme, ou même du quart : il aurait ainsi pu racheter une autre maison détruite par les bombes, ou en réparer une assez bien pour la revendre en doublant le prix d'achat : la pensée de ces mille livres consternait Garibaldi.

« Oui, bien sûr, répondit Jack, mais je me trouve heureux comme je suis. »

A présent, Garibaldi se tenait au centre du plancher fraîchement peint en noir, Méditerranéen trapu aux yeux brûlants, et il se déchaîna soudain violemment, laissant exploser sa fureur tandis que Jack riait en décapant le vieux vernis d'une commode. Jack tempêta en retour, riant toujours, tandis que le gros spéculateur le menaçait. Finalement, Garibaldi hurla ce qu'il avait voulu demander, par ruse, pour voir. « Il n'y a même pas d'électricité, ici, c'est illégal.

— C'est bien vrai, approuva Jack, il faudrait refaire tout le circuit électrique de la maison.

— Et puis les tuyauteries sont dans un état répugnant, seule une bête accepterait de vivre sans aucune hygiène. »

Jack s'offrit à refaire le circuit électrique et à installer le minimum de commodité et d'hygiène, moyennant cinquante pour cent de la propriété, pour la somme de deux cent cinquante livres. Garibaldi s'emporta alors de nouveau et tempêta, hurlant que la maison avait fait l'objet d'une estimation, et qu'elle avait doublé de valeur ; Jack répliqua en criant et riant à la fois que c'était uniquement grâce à tout son travail de remise en état. Garibaldi se dirigea vers la porte en braillant et jurant, mais là il dut se contenir, car trop de gens le connaissaient déjà, dans cette rue, et ils l'observaient avec l'intention manifeste de lui nuire.

Lorsqu'il revint, Jack l'avait vu approcher, de sa fenêtre, et travaillait à restaurer l'électricité.

« Donnez-moi cinq cents livres, suggéra Garibaldi.

— Deux cent cinquante », rétorqua Jack.

Après plusieurs semaines de négociations, ils parvinrent à un accord, mais il fallut encore six mois à Garibaldi pour accepter de se rendre chez un notaire, car il en avait une peur mortelle. « Mais ne vous inquiétez donc pas, disait Jack en insistant pour qu'on choisît une étude respectable dans le West End, vous n'avez rien à craindre de moi. Vous n'êtes évidemment qu'une sale petite gouape, et un escroc, mais pour ma part je suis un homme d'honneur, et ils comprendront tout de suite qu'ils n'ont rien à redouter de moi. »

Et c'est donc ainsi que Jack était devenu copropriétaire de cette grande baraque délabrée, désormais dotée d'un minimum de confort et d'électricité, et où l'un des étages — celui-ci — était le genre d'endroit où Martha pouvait entrer et ressentir...

Oui, mais c'était un point troublant. Sur le territoire de Stella, ou bien avec Iris, ou encore en parcourant des rues inconnues, elle se sentait nue, vulnérable, étrangère, luttant toujours en elle-même contre ce frisson intérieur qui résultait d'un environnement indifférent jusqu'à ce qu'il devînt la force qui la libérait. Elle n'avait qu'à entrer ici, à se laisser accueillir par ces couches de peinture blanche et noire, et aussitôt elle se sentait chez elle. Elle était décidément Martha : l'inertie, la monotonie de se retrouver chez elle l'envahissait, bien loin de la personne ouverte et réceptive qui n'avait pas de nom. Pour quelque raison inconnue, les gens comme elle, à cette époque, s'aménageaient des chambres nues, dépouillées, blanches : ils s'y sentaient à leur aise, en sécurité, protégés de toute agression. *Mais elle ne voulait pas de ce sentiment* — dans ce cas, pourquoi avait-elle appelé Phœbe ?

Jack dormait toujours. Il respirait légèrement, mais régulièrement : sans doute plus profondément endormi qu'elle ne l'avait imaginé. Évidemment, il avait passé le début de la nuit à faire l'amour avec la fille qui était partie à onze heures. Il fallait qu'elle se déshabille très doucement, puis qu'elle se glisse contre lui sous la couverture et qu'elle s'y endorme. Mais elle était si lasse qu'elle sombrerait dans un gouffre de sommeil, et elle ne le voulait surtout pas. Tôt ou tard, il le faudrait bien. Elle se leva pour ôter son manteau, et ce mouvement léger fit ouvrir l'œil à Jack. Il avait le visage tourné vers elle, mais elle se demanda ce qu'il voyait à la faible lueur des bougies, car il arborait une expression hostile. « Qui... ? » commença-t-il, puis il se redressa et secoua la tête pour chasser le sommeil.

« Martha, bon Dieu, mais... » Elle avait ôté le manteau de Mme Van, et à présent il souriait. « Tu avais l'air d'une vieille bonne femme. » Il s'approcha, nu, et la regarda dans les yeux en posant les mains sur ses épaules. « Bon Dieu, Martha, tu m'as flanqué une sale peur. » Il lui embrassa la joue comme pour y goûter, et approcha son visage tout contre lui de Martha. « Martha », reprit-il, et il s'éloigna en direction du réchaud à alcool qui lui servait à faire la cuisine. « Je vais te faire un chocolat chaud, tu as l'air crevée. »

Elle se dévêtit rapidement, sachant qu'elle se dégageait ainsi de ce qu'elle avait été pendant cette longue marche solitaire et vigilante dans les rues. Elle s'assit au pied du lit, retrouvant cette région d'elle-même où elle n'était guère plus qu'un corps tiède et confortable. Elle contempla Jack, cet homme si grand et maigre, blanc, qui lui tournait le dos, et dont les avant-bras bruns semblaient de longs gants, et dont les cheveux bruns retombaient en mèches raides : il les portait assez longs. Il se retourna et, chargé de deux grandes tasses fumantes, se dirigea en souriant vers le lit, à longues enjambées élastiques, pour s'asseoir tout près d'elle et la regarder joyeusement dans les yeux. Il était absolument enchanté. « Tu as encore marché : je le vois. » — « Oui. » — « Bon Dieu, Martha, que je t'envie ! Tu arrives pour la première fois à Londres, et tout t'appartient déjà, je ne sais pas comment t'expliquer. Je m'en souviens, j'y pense souvent, mais désormais je suis un propriétaire et tout cela est fini. Je le regrette. Mais tu peux me croire, je suis bien heureux que ce soit ton tour d'en profiter.

— Pas pour longtemps, observa Martha.

— Non. On arrive à un endroit nouveau et c'est formidable pendant un moment. Et puis on se laisse prendre. C'est alors qu'il faudrait repartir.

— Tu ne vas pas faire cela !

— Je t'assure, Martha, qu'en voyant cette vieille bonne femme affalée dans le fauteuil, j'ai vraiment eu un choc, je me suis demandé qui c'était.

— Et c'est justement pour cela que j'arrête, expliqua Martha. Il faut que je trouve du travail pour pouvoir m'acheter un manteau, et que tu ne me prennes plus pour une vieille dame. »

Leurs genoux se touchaient et des ondes électriques les parcouraient, tandis qu'ils se souriaient l'un à l'autre en buvant leur chocolat, et qu'ils se régalaient chacun à contempler l'autre. Après un regard interrogateur auquel elle répondit, pour s'assurer que c'était le moment, il regarda en souriant le bas-ventre de Martha, et son bas-ventre devint soudain le centre d'elle-même. Lentement, il fit remonter la pression de son regard vers le haut de l'abdomen, attendit, puis vers un sein, attendit encore, vers l'autre — ses seins se contractèrent et se durcirent, et il se mit à rire. Elle contemplait en souriant le sexe de Jack : il commença à se dresser. Elle tendit la main pour toucher Jack, et Jack la toucha ; puis ils se prirent les mains, pour que le courant pût les parcourir grâce à leurs genoux et à leurs mains unies.

Reliés à présent par ce rythme ascendant, ils pouvaient rester assis ainsi et parler, ou bien garder le silence pendant une demi-heure, une heure, ou même la nuit entière, et tout ce qu'ils diraient, leurs silences même, s'uniraient en prévision de l'instant où ils commenceraient à faire l'amour. S'ils se touchaient trop vite, ce serait trop fort, le courant serait trop impérieux. Les regards lents et délicieux composaient une préparation parfaite, au rythme le meilleur.

« Je ne t'ai pas vue depuis bien longtemps, Martha — on aurait dit des semaines ? J'ai beaucoup pensé à toi. »

Ce « J'ai beaucoup pensé à toi » était sincère. Il pensait volontairement à ses amies et s'y appliquait afin de les garder proches. Mais il le disait parce qu'il jugeait nécessaire de maintenir, de posséder, de rassurer, et de se rassurer. Ce qu'il voulait dire en vérité, c'était *Malgré toutes les autres je pense à toi.* « Qu'as-tu fait de beau, Martha ?

— J'ai découvert que je devais absolument trouver du travail. »

Mais cela ne l'atteignit pas. Les femmes travaillaient, mais pour lui cela n'avait aucune importance. Les femmes travaillaient pour pouvoir s'acheter des vêtements, et se faire belles pour lui, pour elles-mêmes, pour leurs hommes. Peu importait le travail qu'elles faisaient. Leur vie en dehors de cette chambre lui importait peu, pourvu qu'elles reviennent. Il n'était pas sérieux, pas vraiment !

« J'ai beaucoup pensé à la dernière fois : je te jure, Martha, que je trouve en toi quelque chose que je ne trouve auprès d'aucune autre. »

Elle était ravie. S'il le disait, c'était vrai ; mais peu importait : il éprouvait l'envie de le dire.

« Qui était donc cette fille qui est partie à onze heures ? » Elle posa la question délibérément, pour voir si elle éprouverait de la jalousie. Toutes sortes d'émotions qu'elle avait crues siennes s'étaient évanouies au cours des dernières semaines. Ainsi, lorsque Henry mentionnait la mère de Martha : naguère, quelle rancœur et quelle crainte cela n'avait-il pas provoqué, entretenu. Mais à présent, cela ne l'atteignait plus. Et une très légère morsure de jalousie s'évanouit aussitôt : demeuraient des émotions sans force, telles des jets d'eau sans pression.

« Il est un peu fou, Martha, il a l'obsession du temps. Il conserve un agenda sur lequel il note chaque jour heure par heure, et dont il raye chaque heure au cours de la journée et de la nuit. »

A présent, son visage s'était durci et crispé : car il sentait par-dessus tout le temps s'écouler : il lui leva soudain la main et l'appuya sur ses yeux : elle sentit la pression arrondie de l'œil sur son pouce.

« Est-ce pour cela qu'il vit ici ?

— Oui, tu as raison. Je n'y avais pas réfléchi, mais c'est en effet pour cela. Je me persuadais que c'était — bon, d'abord pour voir la réaction de Vasallo. Et puis si la police le ramasse encore, il est bon pour retourner à l'hôpital psychiatrique. »

Il se tenait immobile, les yeux clos, et lui serrait la main si fort qu'il lui faisait mal. Il se tenait dans son corps vivant et palpitant, et s'en assurait. Jack avait passé quatre années à draguer des mines, en perpétuel danger, et il avait sombré à deux reprises. Une fois, il était resté douze heures dans l'eau. Il lui en était resté une terreur de la chair. L'existence de son corps, en fait, relevait du miracle : et jamais cette sensation ne s'atténuait en lui. Le temps s'écoulait de son corps comme du sang à chaque pulsion de son pouls. Thomas avait éprouvé cela aussi.

Elle pensait à Thomas. Encore ? Thomas était jardinier. Il était commerçant. Il était le mari de sa femme et le père de sa petite fille. Il

57

était réfugié, Thomas Stern, Juif polonais de Sochaczen, jeté d'Europe en Afrique par le mouvement de la guerre. Quand on avait inscrit son nom dans un dossier, pour l'intégrer au Corps sanitaire et médical de Zambézie, on avait noté : Thomas Stern, Polonais, *étranger*. Lorsque les Allemands avaient tué sa famille dans le ghetto de Varsovie, ils auraient pu écrire (tenaient-ils des registres ?) « Sarah Stern, Abraham Stern, Hagar Stern, Reuben Stern, Deborah Stern, Aaron Stern... » Thomas était fils et frère de tous ces gens morts. Thomas avait délibérément tué un autre homme parce qu'il était devenu fou et qu'il avait choisi de croire à la vengeance pour le seul fait de la vengeance. Il avait choisi de vivre avec des Africains particulièrement « arriérés » en bordure du Zambèze, sur un territoire à présent noyé sous les eaux du barrage Kariba. Ces Africains (désormais dispersés dans d'autres régions par l'homme blanc, et morts comme tribu) avaient pensé de Thomas Stern : un homme blanc, fou, qui a bon cœur, qui vit parmi nous, et qui reste dans sa case à griffonner sur du papier. Martha avait pensé de Thomas, qui était son amant, et pas son mari : Avec cet homme, je me sens toujours bien. Martha Quest (alors Martha Knowell, puis Martha Hesse) avait pensé et pensait encore à Thomas.

Thomas avait vécu dans son corps comme dans une conque en permanente dissolution qui se reformait sans cesse sous d'autres noms et d'autres rythmes. Finalement, le mode de vie, l'essence même de Thomas, avait transformé cette blondeur solide en une amertume brune et maigre. La chair de Thomas respirait le temps et la mort : mais son cerveau et sa mémoire se déplaçaient le long d'une autre ligne, parallèle.

C'était pour cela qu'elle s'était attachée à Thomas.

Était-ce aussi pour cela qu'elle se trouvait avec Jack ?

Je ne pourrais pas être avec un homme dépourvu de cette qualité : le temps qui rythme son souffle. Je suppose qu'une fois initié à un certain type de connaissance, on ne peut plus reculer...

Elle comprit soudain quelque chose : toutes les amies de Jack partageaient cela. Bien sûr, c'était ainsi qu'il les choisissait, alors qu'il croyait choisir un sourire, ou la promesse d'un corps.

« Comment est-elle, cette nouvelle ?

— Adorable. Une petite chose blonde toute pâle et dorée — ses cheveux, sa peau, tout. Elle s'assied sur mon lit comme une petite statue d'or pâle. J'aimerais tant que tu la voies !

— Eh bien, qui sait, cela se produira peut-être. »

Deux semaines auparavant, alors qu'ils se trouvaient assis dans la même posture qu'à présent, une fille était entrée. Grande et blonde, avec un regard brun et solennel. Elle portait un élégant manteau en poil de chameau et des bas de soie sur ses longues jambes d'Anglaise. Elle les avait vus, et s'était lentement détournée pour fermer la porte et se donner le temps de réfléchir à ce qu'elle voulait faire. Puis son visage s'était à nouveau montré, souriant, et elle s'était approchée du lit. Présentée, Martha avait souri en inclinant la tête. « Joanna, avait suggéré Jack, viens te joindre à nous.

— Pas complètement, si tu veux bien », avait-elle répliqué avec un petit rire amusé. Elle avait approché une chaise dure, et s'était assise tout près d'eux. Tous trois se souriaient.

« Je passais », commença-t-elle ; Jack et Martha se mirent à rire, et elle se joignit bientôt à eux, car ce n'était pas un quartier où l'on pût ainsi « passer ».

« J'avais envie de voir une des autres, expliqua-t-elle finalement d'une voix rêche, n'avouant qu'à contrecœur.

— Eh bien, me voici. »

Joanna dévisagea lentement Martha.

« Vous êtes très jolie.

— Je suis certaine que j'en dirais autant de vous ! »

Et pendant ce temps, sans paraître le moins du monde embarrassé, ni amusé ni contrarié, Jack restait paisiblement assis. Il était ravi, et suivait la situation avec intérêt. Il ne manifestait jamais d'amusement, ni d'ironie, ni d'effarement. Il était ravi, enchanté — ou bien alors si malheureux qu'il ne pouvait relever la tête, enfouie sur son lit jusqu'à ce qu'un poids lui eût été ôté.

« Veux-tu du chocolat ? » proposa-t-il.

Elle secoua la tête en souriant.

« Vois-tu, Jack, ou bien il faut que nous nous vêtions, ou bien alors que Joanna se déshabille.

— Oui, bien sûr », approuva Joanna de sa voix très anglaise.

Jack voulait que Joanna se dévête. Par la suite, il avait expliqué à Martha, le visage ruisselant de larmes : « Si seulement elle m'avait fait confiance, si elle avait ôté ses vêtements — je te le jure, j'aurais été transporté de joie —, tu n'imagines pas à quel point j'aurais été heureux. Mais le moment n'est pas encore venu. Elle y arrivera, néanmoins, j'en suis sûr. »

Il s'en remettait à elles, aux deux femmes, pour décider quand elles lui accorderaient leur confiance. Martha commença à s'habiller. Cela s'était passé pendant la vague de chaleur et elle avait enfilé, mais pas trop vite, sous leurs regards attentifs, son soutien-gorge, sa culotte, sa combinaison, et une étroite robe de toile bleue. Joanna avait admiré la robe. Puis Jack à son tour s'était habillé, et ils étaient allés déjeuner ensemble dans un restaurant indien.

Joanna était fiancée avec un cousin éloigné qui avait servi dans les gardes, et qui possédait une grande maison à la campagne. Elle avait l'intention de l'épouser bien qu'il n'eût guère fait plus que l'embrasser fougueusement en la raccompagnant un soir après le théâtre, dans un état d'ivresse indéniable. Elle venait voir Jack, une ou deux fois par semaine, pour faire l'amour. Elle n'était pas jeune ou plus exactement, n'était plus une petite jeune fille, car elle avait la guerre derrière elle. Et de la guerre elle avait gardé le besoin d'être en sécurité. Sa sécurité, c'était le cousin. Jack l'approuvait tout à fait.

« Je l'ai côtoyée de trop près pendant la guerre », avait-elle dit à Martha, sans éprouver le besoin de s'expliquer davantage. « Et l'amour ne dure pas éternellement, n'est-ce pas ?

— L'amour ne dure peut-être pas, mais la vie sexuelle, si », fit observer Jack à Martha quand elle lui rapporta les paroles de Joanna. Puis il appela Joanna à la campagne pour lui dire la même chose. « Je serai toujours là, souviens-t'en. »

Ce qu'avait côtoyé Joanna, c'était la misère, et elle en redoutait l'approche plus que tout.

Quant à Jack ? Il avait passé tout le temps de la guerre, affirmait-il, à rêver de femmes. Et il recevait à présent des filles chez lui, une, deux, trois par jour, à faire quotidiennement l'amour pendant des heures. Et il peignait. Ainsi, il avait exécuté une toile sous les yeux de Garibaldi. Mais il n'était sérieux que sur les questions sexuelles.

Mais il n'est pas sérieux, songeait Martha. Il ne peut tout de même pas passer le reste de son existence... et pourquoi pas ? Au nom de quoi ? Si l'on considérait la manière dont la plupart des gens occupaient leur vie...

Le garçon d'en bas était fou. Obsédé par le temps. La mort. Et Jack était fou. Obsédé par les femmes. La mort. Joanna était folle — elle envisageait de passer sa vie avec un homme qui ne lui plaisait guère parce qu'elle redoutait... la misère. Et elle, Martha — mais elle déjeunait demain avec Phoebe. Dans quelques heures à peine.

« Si je lui proposais de faire ta connaissance, viendrais-tu ?

— Et elle ?

— Si elle pouvait vraiment te rencontrer... Si je pouvais l'en convaincre... Quand les femmes sont jalouses, j'ai découvert qu'elles ne le sont plus dès l'instant où elles ont rencontré la fille à laquelle elles pensent tant. Mais les hommes ne s'en rendent pas compte, vois-tu ? »

C'est uniquement parce que tu n'es pas sérieux, Jack. Nous ne te prenons pas au sérieux. Et pourquoi donc ?

« Tu dois être fatiguée, Martha, non ?

— Je l'étais extrêmement, mais c'est fini. »

Il leva à nouveau les yeux vers elle : bas-ventre, seins, retour vers les cuisses, et remontée vers les yeux — en souriant. Mais son sourire s'effaça. « Tu n'es pas vraiment avec moi... » Il tendit le bras vers ses seins, mais se ressaisit et lui reprit la main. « Martha, je ne t'en voudrai pas si tu me réponds oui... mais as-tu couché avec un autre homme ?

— Mais non, je t'assure !

— Parce que dans ce cas, dis-le-moi, et nous essaierons autre chose. J'ai remarqué auprès de mes amies que lorsqu'elles ont couché avec un autre homme, même avec leur mari, cela ne marche plus — comme si l'on avait éteint quelque chose. Dans ce cas-là, il faut tout recommencer, il faut baiser un bon coup, normalement, pour rétablir le contact. Mais ce n'est pas aussi bon que quand on peut se laisser engloutir lentement comme ceci... » Il apparaissait enfiévré d'angoisse, tandis qu'il se penchait vers elle pour lui expliquer, en camarade des champs d'amour ; sa compétence se faisait pressante ; il semblait craindre qu'on lui vole quelque chose, qu'on le lui ait déjà dérobé. *Savait-il qu'elle avait décidé : plus jamais je ne reviendrai ?*

« La petite de ce soir, Jane, a passé l'après-midi avec un homme, et j'étais assis auprès d'elle comme je suis à présent ; elle m'a dit en écarquillant les yeux, elle voulait comprendre : Jack, je n'éprouve plus pour toi ce que j'éprouvais jeudi dernier, que m'arrive-t-il ? Je n'ai pas envie que tu me touches.

— Elle avait fait l'amour ?

— Oui, tout l'après-midi. »

Martha se mit à rire, et il se joignit finalement à elle, pour lui tenir compagnie.

« Mais pas moi. Je n'ai rien fait.

— Eh bien, nous attendrons le moment propice.

— Qui est-ce... Jane ?

— C'est une Anglaise — douce, affectueuse, une petite Anglaise avec de grands yeux, tu sais.

— Je vois très bien. Il y en avait une dans le restaurant où j'ai dîné ce soir. Elle était ravissante. Et elle portait cette robe noire... d'uniforme, tu sais ? La petite robe de crêpe noir. Avec une horrible broche, *là*, tu sais — tout le grand jeu, si laid, si déplacé, si atrocement *bien élevé*...

— Oui, oui, je vois... acquiesça-t-il, ravi, en riant.

— Il n'existait aucun rapport entre cette robe et cette fille. Et elle portait une petite robe noire avec un petit carré de cou nu. On aurait dit deux petits ours en peluche rondouillards. Tout le monde jouait au bébé. C'était un restaurant très bourgeois, très comme il faut — j'y viens, j'arrive à distinguer la différence, maintenant. J'ai regardé ces filles, et ça m'a brisé le cœur, je me disais : enfin, au moins je pourrai en parler à Jack, il comprendra.

— Oublie tout cela, Martha, tu es triste, et cela me déplaît. »

Elle s'appuya contre l'épaule lisse et nue de Jack. Mais ce n'était pas une épaule faite pour réconforter : ce corps n'était fait que pour l'amour. Elle resta appuyée contre lui pour le rassurer. Sur le bras qui ne l'entourait pas mais reposait simplement sur son genou, elle vit les poils dorés se dresser, chacun au milieu d'un infime monticule de chair. Puis son corps, instrument plus sensible qu'aucun de ceux qu'elle avait pu connaître, frissonna. Elle comprit alors pourquoi : il avait commencé de pleuvoir, une pluie drue, et le toit en résonnait. La maison était une coquille vide, répercutant le bruit de la pluie : le corps menu et délié de Jack se tenait aux aguets, anxieux comme un animal, et il rejeta la tête en arrière en inspirant fort, comme une bête quand le vent ou la pluie approche. Ils roulèrent ensemble sur le lit et restèrent allongés côte à côte, frissonnant tous deux dans la tiédeur de la chambre à cause du bruit de la pluie, et se dévisageant. Maintenant qu'il la regardait, et qu'elle le regardait, commençait la cérémonie qui justifiait qu'il eût placé toute la passion de sa vie sur les femmes : car c'était là qu'il luttait contre le temps, qu'il se débattait, qu'il le retenait et le comprenait : c'était ici que s'en dressaient les portes.

Les deux corps gisaient face à face, mollement liés l'un à l'autre par les bras et les jambes : l'un blanc et long, tout en muscle et en os étroits, et l'autre en chair solide ; ces deux organismes distincts étaient reliés par un regard fixe et réciproque, œil contre œil. Il attendait maintenant que de ses doigts elle touche et annule la longue cicatrice qu'il avait au cou. En plongeant d'un navire qui s'enfonçait dans l'eau, il avait, sous le poids d'une vague déferlante, glissé contre une pointe acérée qui lui avait arraché un morceau de chair à l'épaule. Et tout en surnageant et en s'agrippant à un morceau de bois, il avait trouvé ce morceau de chair, d'une main affaiblie par la perte de sang, et l'avait pris pour une algue ou un débris qu'il fallait repousser. « Imagine un peu, Martha, j'étais là, cramponné d'une main. Je disais à cette main, tiens bon, tiens bon ma vieille, et puis je te jure que j'ai oublié ma main, je n'y ai plus pensé, elle continuait simplement à se cramponner sans que j'aie à y penser. Quant à mon autre main, elle rencontrait toujours un morceau d'algue ou de je ne sais quoi. Cela m'irritait, et puis j'ai regardé, et j'ai vu une espèce d'effilochure qui flottait. Comme un morceau de poisson coupé. C'était mon épaule, l'os de mon épaule, je regardais un os blanchi avec un morceau de cartilage accroché, et je me disais : on dirait un os rongé puis abandonné par un chien, et puis je me suis rendu compte que c'était l'os de mon épaule. Et l'effilochure d'algue était la chair de mon épaule. Ce n'était rien — de la peau avec quelques vaisseaux gorgés de sang — mais jamais je n'avais compris à quel point j'étais maigre, je te jure, et cela m'a épouvanté. C'est pour cela que je mange tant, je mange et je mange encore à cause de ce morceau de chair arrachée. J'ai forcé la main qui nageait à se redresser et à serrer le morceau de chair contre mon cou, pour empêcher mon sang de se répandre entièrement dans la mer. Le plus drôle, c'est que je ne sentais absolument pas ma main, mais que je lui faisais faire ce que je voulais. Quant à la main cramponnée à l'épave de bois, elle s'agrippait bien, mais elle était engourdie, morte. C'est là que j'ai appris le fonctionnement du corps, et qu'on peut lui faire faire tout ce qu'on veut ; c'est là que m'a été révélée la connaissance du sexe. C'est drôle, non ? On peut dire à son corps de faire ce qu'on veut, et il obéit. J'ai passé là une journée entière, à regarder le soleil traverser le ciel et puis descendre, et la mer était rouge tout autour de moi. Il m'arrivait de perdre connaissance, et en me réveillant je voyais le soleil emplir le ciel, tout brûlait et scintillait, et je me croyais déjà mort, car mon corps ne ressentait aucune sensation. Puis j'ai pensé aux requins qui allaient venir nous trouver à cause de tout ce sang répandu. Mais il y avait tant de viande ce jour-là dans la mer qu'ils n'eurent sans doute pas besoin de moi. Et lorsqu'on me repêcha, il fallut forcer mon bras à lâcher mon épaule et ce fut difficile, tellement il était crispé. »

Cette cicatrice était une longue ligne blanche qui descendait jusque sous l'aisselle. Martha la caressa de ses doigts en se rappelant cet après-midi dans la mer pleine de déchets, de cadavres et de mourants : elle la caressait et s'en souvenait avec lui. Il embrassait alors les doigts qui retenaient ainsi le souvenir, l'enserraient puis de l'index parcourait une à une les marques infimes que la grossesse avait laissées sur le bas-ventre et les cuisses de Martha, de minuscules traces d'argent sur la peau blanche, et elle pensait à un petit enfant, n'importe quel bébé, né de n'importe quelle femme, et à son absolue perfection. C'est pour cela que les femmes pleurent quand leurs enfants tombent pour la première fois et s'écorchent le genou ou le coude : ce corps parfait, jusqu'alors épargné, appartient désormais au monde qui le revendique — c'est l'instant où la mère renonce à son enfant, l'abandonne à l'emprise du temps. Elle songeait à Caroline, ce petit corps féminin parfait qui était issu de son corps à elle, désormais et à jamais marqué par la grossesse, et il eût été difficile de dire si elle était Martha, ou bien la mère qui lui avait donné la vie, ou encore Caroline, qui donnerait à son tour la vie ; et pendant tout ce temps Jack touchait et comprenait les cicatrices, soulevant la tête pour mieux les regarder, et sur son visage apparaissaient en même temps l'effroi de son amour pour la chair, et sa terreur à l'égard de tout ce qui la dévorait.

Allongée, immobile, elle contemplait le visage osseux et solide, avec ses yeux bruns, qui se tenait au-dessus d'elle, et le visage se dissolvait dans le temps : cette bouche droite et dure, ces yeux étaient ceux d'un petit tyran, son père ; et ce nez, ces cheveux bruns qui lui tombaient dans les yeux, appartenaient à sa mère, fille de ferme terrorisée ; et quand il souriait en laissant retomber sa tête sur l'oreiller, à côté d'elle, elle lui glissait la main sous le dos des cuisses, et elle sentait le relief irrégulier de la chair sous ses doigts, tandis qu'il fronçait les yeux dans l'effort de se souvenir. Il était fils d'un fermier de l'État libre d'Orange, un petit fermier fort pauvre et père d'une nombreuse famille : deux fils, une épouse apeurée, et trois filles qu'il adorait et terrorisait, et (prétendait Jack) qu'il avait violées chacune à son tour, juste une fois. Quant aux marques qu'il avait infligées à ses deux fils, elles se trouvaient au dos de leurs cuisses. Il les avait fouettés avec une lanière de cuir pendant toute leur enfance et Jack s'en était libéré le jour où il était allé acheter un pantalon long au magasin indien : un pantalon d'homme, kaki. Il avait alors douze ans, et devait retrousser le bas des jambes d'une quarantaine de centimètres. Puis il était venu s'installer sur la véranda où son père se reposait en fin d'après-midi avec son épouse réduite au silence — devenu homme, lui aussi. Quand son père s'était alors dressé, les veines de son cou gonflées par la fureur, Jack avait ramassé une grosse pierre devant la maison et était resté là, prêt à la lancer, les muscles de l'épaule tendus. Pas un seul mot n'avait été dit. Il était resté là, immobile, jeune garçon trop maigre et vêtu d'un pantalon d'homme qui dissimule à jamais sur ses cuisses les traces du fouet ; le soleil couchant lui réchauffait le dos, et dessinait une ombre longue sur le sable, jusqu'à la véranda de brique où cet homme, son père, se levait pour aller chercher son fouet à l'intérieur de la maison. Mais il s'arrêta car, en même temps qu'il avait bougé, le bras de son fils avait bougé aussi, et ses yeux bruns (répliques exactes des siens) avaient visé. Le père s'était rassis. Plus jamais il n'avait frappé son fils aîné, mais il avait continué à fouetter le plus jeune. Jusqu'au jour où Jack avait emmené l'enfant, alors âgé de onze ans, dans le magasin du village pour lui acheter aussi un pantalon long, avec l'argent volé dans la blague à tabac que son père cachait sous son matelas. Les deux garçons avaient affronté leur père ensemble. Cette fois encore, sans un seul mot. Jamais un mot n'avait

63

été dit, tandis que les deux garçons se tenaient côte à côte, ce soir-là, à regarder leurs parents prendre le café sur la véranda. La mère était rentrée dans la maison, incapable de supporter cela : et avec ses trois filles elle s'était tapie dans la pièce, derrière, fascinée par la scène et trop épouvantée pour pouvoir seulement pleurer.

Un an plus tard, Jack avait quitté la ferme un beau matin, à l'heure où le soleil apparaissait derrière les dunes, avec l'argent qu'il avait volé sous le matelas. Il avait pris le train pour Port Élizabeth. « Et là, brusquement, j'ai compris — j'étais *fou*, Martha. J'avais été fou toute ma vie, aussi loin que je pouvais me le rappeler. J'avais passé chaque instant de mon existence à haïr mon père. Et je me trouvais au bord de la mer, c'était quelque chose, la mer, pour la première fois. J'avais à peine su que la mer existait. Jamais personne ne l'avait vraiment mentionnée. Bon Dieu, ça vous donne parfois l'envie de pleurer, tu sais, et ça me donne bien souvent l'envie de pleurer, tous ces pauvres petits mioches, blancs ou noirs, là-bas, qui n'ont jamais vu la mer. Port Élisabeth, Le Cap, Durban, Johannesburg, ce sont de vraies grandes villes. Je suis resté là à lancer des galets dans la mer en pleurant. Parce que j'avais compris — mon père n'était rien. Et cela me donnait l'impression de n'être rien non plus. Toute ma vie passée à détester un pauvre petit tyran sur quelques ares de mauvaise terre, et qui n'avait jamais rien connu d'autre. J'ai compris qu'il fallait que je surmonte ma haine. Je savais que si je retournais à la ferme, je serais fichu, je le tuerais, je le savais. J'avais passé toute mon enfance à chercher le moyen de le tuer. Alors j'ai dit que j'avais dix-huit ans, et j'ai trouvé du travail aux docks. Mais la haine — elle est là. Elle me revient quand je ne m'y attends pas. Elle est ma pire ennemie. Je ne peux quand même pas haïr ce pauvre petit rien du tout de fermier d'un lointain veld, n'est-ce pas ? Eh bien, si, pourtant... je ne peux pas m'en empêcher. »

Martha lui caressait donc le dos des cuisses, suivant du doigt les sillons tracés par le nerf de bœuf que faisait siffler un petit tyran à présent décédé et enterré sous un aubépinier, dans le sable rouge, tandis que Jack fermait les yeux et laissait la haine monter en lui pour pouvoir la saisir et la contrôler. Il gisait là, tremblant sous la force de cette haine, les cils pressés contre sa chair, jusqu'à l'instant où la tension se relâchait avec une sorte de hoquet. Il ouvrait alors les yeux et souriait à Martha.

Quant au visage de Martha — à qui appartenait-il ? Ses yeux étaient ceux de son père, et sa bouche aussi ; mais son nez et le dessin général de son visage, ses traits et la manière dont ils laissaient deviner comment ils s'affaisseraient, tout cela elle le devait à sa mère. Pourtant, c'était bien Martha qui était allongée là, pourvue de ces traits qui ne lui étaient pas propres mais lui venaient d'un fonds commun, et c'était bien elle qui souriait à Jack ? Qui souriait ? Qui souriait en retour, ou quoi ? Quand Martha souriait à Jack, et Jack à Martha, dans ces formes de chair composées comme si quelque sculpteur avait jeté ensemble des nez, des yeux, des mains, des bouches. Et était-ce bien Jack, alors, qui lui penchait la tête en arrière pour mieux voir l'endroit où les trente années de sa vie étaient inscrites, cet endroit si doux, juste sous son menton ? C'était là l'unique endroit où apparaissait l'usure du temps. Il effleurait d'un doigt délicat la ride tendre et l'embrassait, les yeux embués de larmes à cause de l'angoisse qu'éveillait en lui le passage du temps. Jack réconfortait Martha. Martha se réconfortait auprès de Jack.

A présent, le rituel était achevé. Ils gisaient côte à côte, raidis dans l'effort de maîtriser leur puissance. Prêts, mais si la situation n'avait pas bien évolué, si la haine s'était accumulée et avait explosé, comme cela se produisait parfois, auquel cas il étouffait et s'éloignait d'un bond pour aller se meurtrir les poings contre le mur, en jurant et pleurant et tremblant ; s'il était devenu blême et glacé en se rappelant la terreur de perdre son sang, perdu dans la mer ; si elle s'était laissée dériver loin de lui dans l'anonymat d'une ancienne féminité indifférente aux hommes, hostile même et se suffisant à soi-même, si elle s'était laissée dériver dans la grande indifférence du chagrin, en songeant que bientôt son corps s'affaisserait autour de ses os dans un fouillis de chair, de sorte que l'éventualité d'un plaisir immédiat ne valait pas l'effort d'y parvenir, puisqu'il basculerait si vite dans le passé ; s'ils s'écartaient l'un de l'autre et s'écartaient d'un point magnifiquement atteint et maintenu, Jack l'embrasserait et sauterait à bas du lit en disant : Bon, ça ne marche pas, cette fois, c'est injuste — et il irait refaire du chocolat. Cet accomplissement du contrôle sur eux-mêmes, si dur à atteindre, ne souffrait pas la médiocrité, ni l'échec : des rapports sexuels dus à une explosion de force, ou au contraire à un affaiblissement, étaient impossibles, ou bien trop nocifs pour être tolérés.

« Martha, sais-tu ce que j'ai découvert en faisant l'amour ? J'ai compris ce que c'est que haïr. Toute sa vie on répète : " Je déteste ", " J'aime ". Mais on découvre ensuite que la haine est une sorte de longueur d'ondes sur laquelle on peut se brancher. En fin de compte, elle est toujours présente, la haine fait partie du monde, comme une couleur de l'arc-en-ciel. On peut y pénétrer comme si c'était un endroit. Eh bien, tout au début, le sexe me servait à surmonter ma haine pour mon père, et puis j'ai soudain compris. Si l'on peut dépasser " Je déteste ", on découvre que *la haine existe, qu'elle est toujours là*. On peut dire : *Je vais m'engager dans la haine, maintenant, ce n'est qu'une force*. C'est tout, ce n'est rien de plus, ni bon ni mauvais. On y entre. Mais dis donc, il faut en ressortir vite, c'est trop fort, trop dangereux. On dirait des milliers de volts. Et le sexe. Mais je n'ai pas besoin de te le dire, Martha. Voilà ce que j'ai découvert. Comprends-tu ce que je veux dire ? »

L'écouter, écouter ses paroles, ne lui avait tout d'abord servi à rien ; car ce n'était pas une chose qu'elle eût découverte par elle-même. Mais en l'écoutant, elle réfléchissait — aucun homme autre que Thomas n'avait eu de véritable signification pour elle. Faire l'amour avec Thomas — elle avait parfois reçu ces « milliers de volts », mais cela s'était brisé, ils n'avaient pas pu le supporter ; ils s'étaient parfois arrachés l'un à l'autre pour discuter sans même s'effleurer, ou même avaient évité de se voir pendant deux ou trois jours. Quelque part, là, Martha et Thomas avaient trébuché sur quelque chose, à proximité d'une lueur, mais ils n'avaient pas su s'en servir, ni en profiter.

Mais un instinct, à moins que ce fût par accident ou par expérience, une intuition avait fait de cet homme, Jack, la personnification d'un phénomène qu'elle n'avait jamais expérimenté, dont elle n'avait seulement jamais imaginé qu'il pût exister. Elle en avait été toute proche, mais n'avait pas su comprendre. Faire l'amour, avec Jack, n'était jamais une explosion, ni la simple satisfaction d'un besoin ou plutôt, si cela se réduisait finalement à ces choses à cause de la fatigue, ou de la faiblesse de leur maîtrise d'eux-mêmes, alors c'était un échec, et il haussait les épaules en attendant la prochaine fois, et en s'y préparant. Faire l'amour consistait en cette lente construction, heure après heure, depuis l'instant où il rencontrait la femme avec qui il ferait l'amour — une puissance, une force qui, une fois maîtrisée, les emportait tous deux au-delà de toute conscience ordinaire dans une région où les mots étaient inutiles.

Cette nuit-là, dans la maison encore enveloppée par le martèlement assourdi de la pluie, dans cette longue pièce blanche éclairée par des bougies, les deux corps allongés côte à côte sur le lit se trouvaient dans un état de maîtrise détendue et Martha, en regardant le visage de Jack, ce visage de garçon de la campagne, comprit à la vue de cette concentration mesurée qu'ils pouvaient à présent continuer, passer à la phase suivante : ce soir il n'était pas nécessaire de s'avouer un échec, de faire l'amour pour le seul plaisir, de se séparer pour essayer à nouveau. Il s'unit à elle, et ils restèrent immobiles, conscients des différents rythmes à l'œuvre dans leurs corps, la pulsion du sang — le sang comme une marée qui monte et descend ; la respiration, et son mouvement ; les deux mouvements d'abord désunis, qui peu à peu s'ajustaient l'un à l'autre pour ne plus faire qu'un, d'abord dans chaque corps séparément puis au-delà des limites de la chair individuelle, dans les deux corps ensemble. Puis, lentement, lentement, une progression jusqu'à ce qu'un autre rythme, une pulsion nerveuse et belle, prenne possession d'eux. Et pendant tout ce temps ils gisaient, parfaitement immobiles, les yeux clos, en état de tension absolue tandis que les rythmes séparés marquaient haut et fort leur distinction jusqu'à l'instant de s'unir plus haut dans un rythme plus puissant. De sorte que le premier élan du corps dans le corps n'était pas volontaire mais il venait du rythme du sang et du souffle imposé par eux. Les yeux clos, ils écoutaient leurs corps, lentement. À présent Martha distinguait, au travers de la haute tension du rythme supérieur, les différents centres de son corps — et au travers des siens, ceux de Jack. Sexe : une sensation martelant les courants du sang et de la respiration. Battements du cœur — cœur : séparé. Le cœur avec son émotion, l'« amour », mais séparé et observé ainsi, une bien petite chose, une pulsion de petite sensation, comme une impulsion animale en direction d'une autre, une chaleur. Le sexe, le cœur, les courants du corps automatiques n'étaient plus qu'un, à présent, ensemble : et au-dessus de tout cela, son cerveau, calme et lucide, qui observait et prenait des notes. Le corps, une onde comme la marée, mais avec l'esprit veillant au-dessus, pas encore emporté, pas encore fondu dans le tout. Puis l'esprit s'estompa et disparut, et Martha fut emportée : et en se laissant emporter, elle songea, s'efforçant d'en conserver une étincelle avant que tout disparaisse : Mon Dieu, oui, j'avais oublié — pourquoi ne pouvons-nous jamais nous souvenir — avec Jack c'est un lien à part : rien à voir avec l'individu Jack, il n'est que l'instrument capable de déterminer comment y parvenir : mais on ne peut pas s'en « souvenir ». Oui, exactement, c'est comme de parcourir une rue à un endroit de vibrations intenses : on ne peut pas s'en « souvenir » — c'est le même endroit... Son esprit s'éclaircit, se vida, traversé par de petites pensées semblables à des trains rapides dans un immense paysage. Un cerveau noir et vide : des images lui passaient brutalement devant les yeux, des scènes extraordinaires, ou peut-être ordinaires, mais rendues extraordinaires par l'intensité solennelle de leur présentation à elle : des endroits qu'elle n'avait jamais vus, des jardins, des rivières, la vision brève d'une ville où elle n'était jamais allée, puis des voix s'introduisirent dans l'espace noir et vide où flottait son cerveau. La vibration se modifia et s'amplifia : son corps entier baignait dans une vibration forte comme une ligne à très haute tension : tandis qu'elle s'élevait dans cette nouvelle sensation, elle vit devant ses yeux l'image d'un homme et d'une femme marchant sous un vaste ciel bleu et tenant des enfants par la main, et entourés de toutes sortes d'animaux qui semblaient apprivoisés : un lion, un léopard, un tigre, un cerf, des agneaux, tous dociles comme des animaux domestiques, et accompagnant l'homme, la femme et leurs jolis enfants ; Martha faillit crier sous l'effet du manque, mais c'était un manque sans objet, sans prise. Puis de cette souffrance surgit une autre image, accompagnée d'un changement d'humeur, ou de place : elle vit une grande maison, ni étrangère ni baignée d'un autre climat, mais de Londres, elle avait quelque chose de londonien, et elle était pleine d'enfants, ou plutôt d'adolescents, et les visages qu'ils tournaient vers elle apparaissaient tourmentés et torturés, puis elle se vit, vieillissante, alourdie et ralentie, avec un visage marqué par l'âge. Un visage anxieux, crispé dans l'habitude d'endurer, de s'accrocher — il se tapissait une telle souffrance dans cette vision, une telle peine —, et puis elle s'entendit pleurer : elle se laissa vivement retomber à travers toutes les couches d'elle-même et se retrouva dans les bras de Jack ; leurs mouvements amoureux avaient cessé. Martha, Martha, Martha. Réveille-toi, Martha, que se passe-t-il, tu pleures ? Reviens à toi, que se passe-t-il ?

Il la berçait comme un enfant perdu dans un cauchemar, et cherchait à la réconforter. Elle se réveillait avec l'homme qui la berçait, dans une chambre à présent baignée d'obscurité : les bougies avaient entièrement fondu ; et derrière les rideaux de couvre-feu bien tirés, une lueur grisâtre — le matin.

« Mon Dieu, Jack, c'était comme un cauchemar, sanglota-t-elle dans ses bras.

« — Dis-le, Martha, raconte-moi ce que c'était ?

— Vois-tu des images, Jack ? Entends-tu des voix ?

— Il m'arrive d'assister à des scènes, parfois — veux-tu parler d'images comme au cinéma ?

— Oui, mais cette fois, oh, mon Dieu, Jack, c'était vraiment atroce.

— Dis-le-moi, alors, dis-le-moi, dis-le-moi... »

Mais la maison avait disparu, avec sa foule d'enfants déjà grands, et cette femme qui en était responsable. Elle ne pouvait plus « s'en souvenir » ; elle savait seulement que cela lui était apparu, à cause de la tristesse qui l'envahissait à présent.

« Je ne sais pas. Tout a disparu. Et puis c'était idiot... » Elle s'assit, et Jack avec elle ; elle avait réintégré sa personnalité « de jour », et cela lui paraissait maintenant idiot. Elle ruisselait de larmes. Son visage et sa poitrine étaient trempés.

« Je suis navrée, articula-t-elle.

— Tu m'as fait tellement peur, Martha. Je planais, et puis je t'ai entendue crier, et je me suis demandé, qui pleure ? Et puis la réponse m'est parvenue, ce doit être Martha, et je nous ai ramenés sur terre. »

Ils étaient assis côte à côte sur le lit froissé et brûlant. Derrière les rideaux du couvre-feu, la lumière se faisait plus insistante : le soleil devait déjà surplomber les toits et les arbres de Londres.

« Écoute, Martha, tu étais terriblement fatiguée, hier soir, et tu étais bouleversée. Peut-être était-ce justement le moment pour nous de jouir, et puis de dormir. Veux-tu que je te fasse jouir comme il le faut, Martha, et puis que nous dormions un peu ?

— Je me sens si triste, Jack. Il y avait quelque chose d'affreux. Mais je viens de me rappeler qu'il y avait aussi quelque chose d'exquis : une merveilleuse image, quelque chose comme l'âge d'or, des hommes et des femmes avec des animaux et des enfants, qui avançaient tous ensemble. J'ai envie de pleurer. »

Lorsqu'elle s'éveilla, il préparait le café sur le réchaud à essence. Il était nu, et lui tournait le dos. Un homme grand et mince, un corps. Une femme allongée sur le lit, un corps.

Elle sentit, à la concentration mesurée avec laquelle il se retournait, les tasses à la main, qu'il apprivoisait la tension qui s'élevait à présent entre eux. Il était environ sept heures du matin, et il restait cinq heures à passer avant qu'elle aille déjeuner avec Phœbe. Ils s'assirent côte à côte et, lentement, sans parler, laissèrent la roue les emporter dans les airs. Cette fois, quand son cerveau s'éteignit enfin, s'éloigna au-delà des voix et des images, elle n'en retint aucun souvenir, et n'en reprit conscience qu'en amorçant la descente à nouveau. Les différents rythmes s'individualisèrent, et elle réintégra la normalité qui, elle le comprenait à présent, était un état disparate. Jamais encore elle n'avait vraiment observé comme les différentes parties d'elle-même s'activaient séparément, sans s'unir : c'était l'état « normal » tel que nous le considérons. La respiration s'accomplit, le sang circule, séparément l'un de l'autre ; mon sexe vit là, il réagit ou non ; mon cœur ressent ceci ou cela, et mon cerveau, là-haut, continue à fonctionner, très différent du cœur ; pourtant, quand on atteint l'apothéose sexuelle, tout s'harmonise, et c'est précisément à cet instant où tout marche ensemble que le passage s'effectue au niveau supérieur. Et cependant, les gens considéraient le sexe comme useur, gaspilleur d'énergie, au lieu de producteur. Ils ne savaient pas. Mais pourquoi les gens ne savaient-ils pas ? C'était une connaissance étrangère à notre culture, à peine pouvait-on y faire allusion ; on pouvait rencontrer des références. Ou bien on pouvait tomber dessus. Comme Jack, qui avait dit à sa main engourdie par la perte de sang : Accroche-toi, et elle s'était accrochée parce qu'elle avait reçu un ordre, pendant douze heures. Un moment d'extrême désarroi pendant la guerre lui avait enseigné une loi élémentaire concernant son corps. En supposant que ce ne lui soit pas arrivé, Jack aurait-il pu devenir un de ces hommes qui considèrent le sexe comme une sorte de monnaie d'échange ? Bon, quoi qu'il eût pu devenir, Jack était manifestement destiné à être extrême, c'était sûr. Jack aurait tout aussi bien pu devenir un bigot férocement antisexuel, il aurait pu en avoir une peur aussi violente que la passion avec laquelle il en étudiait les lois, le contrôle et les mécanismes. Il aurait été extrême et violent dans n'importe quelle orientation choisie — ou imposée par les hasards de son expérience.

Mais Jack et Martha, maintenant qu'ils avaient fait l'amour pendant des heures, se retrouvaient légers et détendus, comme lavés et relavés par des courants d'énergie. Elle avait l'impression d'être branchée sur une dynamo, le centre de sa vie. Mais Jack ne pouvait pas être le centre de sa vie — il ne serait le centre de la vie d'aucune femme. *Pourquoi ?* Et comme elle revenait encore à cette pensée d'avertissement, elle ouvrit les yeux et sourit, pour dissimuler ce qu'elle pensait. Ils restèrent un long moment immobiles, côte à côte, souriants, heureux, reposés.

A midi et demi, elle téléphona à Phœbe pour lui dire qu'elle ne pourrait malheureusement pas se libérer à temps pour le déjeuner, et qu'il fallait donc reporter le rendez-vous au lendemain ; elle reçut les reproches bourrus mais impersonnels de Phœbe avec le sentiment de les avoir mérités. Jack appela ensuite Joanna pour la prévenir qu'il ne pourrait pas la voir aujourd'hui, mais qu'il serait enchanté de la retrouver demain. « Tu comprends, Joanna, Martha est ici, et nous n'avons pas envie de cesser déjà. » La conversation se poursuivit, courtoise et fraternelle du côté de Jack ; mais Martha ne parvenait pas à discerner dans la voix de Joanna ce qu'elle ressentait : sans doute ne le savait-elle pas elle-même.

« Elle viendra demain », déclara Jack avec satisfaction.

Ils commencèrent à s'habiller pour sortir déjeuner. « Tu es un homme extraordinaire », dit-elle, et il lui donna un baiser chargé de gratitude. Mais elle songeait : Comment se fait-il, alors, que nous ne le prenions pas au sérieux ? Cette pensée, quand avec lui elle s'initiait à tant de savoir sur les capacités de son propre corps, la laissait perplexe et la réduisait au silence, tandis qu'il se taisait, tourmenté par les affres de la faim. La faim frappait Jack comme une fièvre, une obsession : quand il avait besoin de manger, expliquait-il, il se sentait comme dévoré vivant par une armée de fourmis géantes. Il coupa un morceau de pain et se mit à le mastiquer pour nourrir sa faim en attendant que Martha eût fini de s'habiller, et elle se demanda : Est-ce parce que Jack y discerne une fin en soi ? Mais elle ne put aller plus loin — qu'était-ce qu'une bonne fin, alors ? Elle se trouvait au-delà de toute bouée, phare ou point de repère dans la connaissance d'elle-même : et cela signifiait qu'il lui fallait résister aux instants de critique, qui n'étaient sans doute que des réactions nerveuses et rien de plus.

Ils sortirent dans la rue hideuse, où des ouvriers s'affairaient à présent autour d'un grand trou ; ils longèrent l'étroit boyau flanqué de maisons lépreuses qui s'appelait Rogers Street dans la journée, et parvinrent à un restaurant indien nouvellement ouvert à deux kilomètres environ de leur point de départ ; ils passèrent une heure à dévorer des quantités de nourriture, car ils avaient tous deux grand-faim, puis ils rentrèrent paisiblement. Ils parlaient à peine, ayant atteint un stade où la parole devenait inutile. Pourtant, ce n'était pas pour Martha un silence satisfait. Car à présent, en retournant chez Jack pour y faire l'amour encore tout l'après-midi et la nuit, elle commençait à éprouver une certaine honte d'avoir ainsi laissé tomber Phœbe ; elle aurait dû aller déjeuner avec elle ! Tout cela n'était que faux prétextes et fuite devant ce qu'elle avait à faire. Elle pouvait bien passer des semaines entières dans l'univers de Jack, il lui faudrait en fin de compte retourner vers Phœbe et ce qu'elle représentait. Si elle était allée déjeuner avec Phœbe, elle ne se serait pas trouvée à présent avec Jack, confrontée — à quoi donc ? Pourquoi ce malaise ? Fatiguée ? Non. Abattue ? Non, cet état de bien-être impalpable et léger en était fort éloigné. Mais quelque part rôdait l'angoisse, tapie sous la surface, et menaçant de s'enfler : c'était la souffrance qu'elle avait rencontrée lors de cette scène dans la maison londonienne avec les enfants tristes. Il y avait eu aussi l'image radieuse de l'âge d'or, cet homme et cette femme avec leurs enfants et leurs animaux ; mais la joie qui avait accompagné cette scène n'était pas aussi forte que la souffrance provoquée par l'autre. Oh, si elle n'y prenait pas garde, elle allait pleurer — et cela ne devait pas se produire, pas cet après-midi où il lui fallait être si forte. Une décision ou quelque chose du même genre l'attendait, elle le sentait.

De retour dans la chambre noir et blanc, ils allumèrent de nouvelles bougies. Ils étaient seuls dans la grande bâtisse. La pièce apparaissait rigide et nue, maintenant qu'une couverture brune recouvrait le lit. Il n'y avait qu'un seul fauteuil ; Martha et Jack s'assirent donc sur un petit tapis et s'adossèrent au lit. Jack paraissait nerveux. « Qu'y a-t-il, Martha ?

— Je crains de ne pas être une très bonne partenaire pour toi, aujourd'hui. Tu aurais peut-être dû laisser venir Joanna.

— Joanna est partie courir avec son joueur de cricket. Que se passe-t-il ? Je vois bien que ça ne va pas. Peut-être est-ce ma faute. J'ai quelque chose en tête depuis le début, et je ne te l'ai pas dit. Qu'on se trouve avec une femme et qu'on lui cache une pensée, le contact se rompt. C'est pour cette raison que tu t'écartes de moi.

— Peut-être. » Mais Martha songeait à cent choses dont elle ne pouvait rien partager avec Jack. C'était encore un gamin, en vérité. Il restait assis là, avec ce visage farouche au-dessus de son chandail marron, avec ces yeux bruns intenses, anxieux ; un gamin avec encore la crainte puérile de ne pas être assez fort pour garder ce qu'il tient. Il avait près de trente ans, mais elle ne lui en aurait guère donné plus de vingt-cinq. En le rencontrant pour la première fois, elle se serait dit : voici un garçon solide, simple, et naïf. C'était d'ailleurs ce qu'elle avait pensé, en se laissant aborder par lui dans le métro. Tout ce qu'il savait se trouvait dans son corps ; cela ne parvenait jamais jusqu'à son visage, qui se raidissait dans la crainte qu'elle n'accepte pas la pensée qu'il voulait partager avec elle : avec Thomas, ils n'avaient pas entrepris de « partager » leurs pensées. Avec Jack, on établissait une simple communion de la chair, et puis l'esprit s'en allait virevolter de son côté — c'était fort bien, qu'y avait-il de mal à cela ? Si elle ne pouvait pas avoir Thomas... Sais-tu ce que tu as fait ? songea Martha, désespérée. Je suis devenue l'une de ces femmes qui m'épouvantaient tant ! J'ai un homme mort dans ma vie. Comme ma mère. Comme Mme Talbot. Comme Maisie. Je me répète « Thomas » comme si tout était fini ! Qu'est-ce que cela signifie ? Je dis « Thomas », et je joue avec Jack ! Sauf qu'on ne peut vraiment pas parler de jouer quand il s'agit d'un être aussi désespérément obnubilé que Jack. Bon : imaginons que Jack meure, me mettrais-je à dire « Jack » et à jouer avec quelqu'un d'autre ? Non. Je prenais Thomas au sérieux. Pourquoi ? Peu importe pourquoi.

« Martha, je ne sais pas comment te dire à quoi j'ai pensé. Je me demande comment tu vas le prendre. Pourquoi ne viendrais-tu pas vivre ici ? Non, ne dis pas non, réfléchis : il y a l'étage au-dessous : tu pourrais y habiter. L'électricité est installée, ainsi que l'eau courante et le téléphone.

— Tu veux dire, vivre avec toi ? Mais comment ?

— Eh bien, pourquoi pas ? » marmonna-t-il, déjà tué, rejeté, malheureux, « Tu me le demandes comme si... Tu n'as pas confiance en moi, c'est bien ce que je craignais.

— Mais que dirait Garibaldi Vasallo ? » Elle essayait d'en plaisanter.

« Et que veux-tu qu'il dise ? Tu ne comprends pas. C'est moi qui mène. Il ne voulait pas partager la maison, mais il a fini par s'y résoudre : je l'y ai contraint. D'ailleurs, il sait que je sais comment il agit, avec tous ses sales tours.

— Chantage ? »

Il se crispa dans un rictus hideux. « Chantage ! C'est un mot qu'on emploie pour les gens honnêtes, pas pour un sale petit Rital.

— J'ai horreur de ce mot. » Elle se sentit découragée : toute son énergie l'avait quittée ; elle regrettait à présent de ne pas pouvoir s'envelopper la tête dans une couverture, à la manière africaine, pour se retourner contre le mur et s'endormir. « Quand j'ai quitté l'Afrique, j'avais cru me libérer de ces questions raciales. N'est-ce pas drôle ? Notre bêtise ne connaît pas de limites. On est toujours à s'imaginer des ailleurs. Mais depuis que je suis ici, tout est exactement aussi moche que là-bas, mais les gens l'ignorent, tout est bien camouflé. Et voilà que maintenant tu te mets à parler de Ritals.

— Ce n'est pas du racisme ! C'est simplement la vérité. Voilà ce qu'il est, un sale petit Rital. Un escroc. Avec les escrocs, il faut se servir de la même monnaie. S'il me double, j'irai trouver la police et je leur raconterai tout ce que je sais. Je ne lui prends rien de plus que ce qu'il me doit. Quand j'aurai fini de retaper cette maison, ce sera une vraie maison, et qui ne lui aura rien coûté. S'il avait pris un entrepreneur, ça lui aurait coûté une fortune, il le sait. Alors dis-moi ce que je fais de mal ? Cette maison est à moi. Quand je suis entré, la première fois, je me suis aussitôt mis au travail — je savais qu'elle était à moi. Elle m'appartient parce que je l'ai faite de mes mains. »

Tout cela était vrai, pourquoi Martha éprouvait-elle un malaise ? Était-ce l'intensité que Jack donnait à son plaidoyer, comme pour masquer sa mauvaise foi ? « Pourquoi ne l'as-tu pas achetée, tout simplement ? Il l'a eue pour cinq cents livres, et tu en as mille dans une banque.

— Ah non, pas question de gâcher cet argent, c'est mon avenir. Il faut que je le garde. Et puis cette maison m'appartient. Et je suis dans mon droit en te proposant de venir y vivre.

— Mais voyons, Jack, tu habiteras ici, et moi à l'étage au-dessous ? »

Il pleurait, à présent : l'intensité craintive de son désir lui tordait le corps, et faisait jaillir les larmes de ses yeux bruns. « Qu'y a-t-il de mal à cela ? Tu n'as donc pas confiance en moi, Martha ?

— Écoute, Jack, tu dois bien comprendre que c'est une chose de venir ici — sur rendez-vous, pour faire l'amour — mais que tu ne voudrais pas vraiment de moi juste au-dessous, ni d'aucune autre femme ? Ce que l'œil ne voit pas, le cœur ne s'en afflige pas !

— Oh, je déteste cela. Je déteste cette attitude. C'est exactement ce que je veux dire en affirmant que tu n'as pas confiance en moi, Martha. Je ne raconte pas de mensonges aux filles qui viennent ici. Je ne raconte pas de mensonges. Enfin, à moins d'y être obligé — seulement quand une fille ne veut pas venir autrement — mais elles sauraient que tu habites là.

— Un genre de première épouse, en somme ?

— Qu'y a-t-il de mal à cela ? Tu ne veux pas te marier, n'est-ce pas ? Enfin, pas te marier vraiment ?

— Non, je ne le pense pas. » Elle se retint d'ajouter : « Et pourquoi pas des enfants ? » Mais la vision cauchemardesque de la maison pleine d'enfants et d'elle-même lui revint, et elle frémit.

« Tu as froid, Martha. Je vais allumer les radiateurs. » Il se leva, soulagé d'aller cacher ses larmes ; et elle fut bien contente de sentir la pression se relâcher un peu.

Il s'agenouilla devant les radiateurs à paraffine, l'un d'abord, et puis l'autre. Il lui tournait le dos. A la position butée de ses épaules, elle comprit qu'une chose importante allait suivre : ce qui venait de se

produire ne comptait pas vraiment : les larmes et l'appréhension concernaient ce qu'il allait dire maintenant.

« Il y a encore autre chose, Martha. Mais ce n'est pas facile à dire.
Accorde-moi un moment. Voilà — nous allons avoir chaud. Écoute,
Martha — oh, j'ai peur de te le dire parce que je ne veux pas que tu le
prennes mal. Mais que dirais-tu d'avoir un bébé ? Dis, laisse-moi te
faire un enfant ! »

Il gardait à présent le silence, car elle était choquée. Elle aurait dû
se sentir, sinon flattée, du moins réchauffée, et elle le savait. Mais il
s'était envolé très loin des réalités qu'elle pouvait comprendre. Car
c'était là le but. Son but à lui. Elle ne s'y était pas attendue.

« Et pourquoi pas, Martha ? Tu pourrais élever l'enfant ici. Tu
pourrais trouver du travail. Un boulot ou un autre.

— Les enfants ont besoin de pères », répliqua Martha d'une voix
coupante malgré elle. Il s'immobilisa sous l'effet d'une fureur qui lui
bandait tous les muscles, le dos toujours tourné vers elle.

« Je pourrais te tuer, Martha, pour ces mots. » Il avait articulé
difficilement, les dents serrées. Elle resta assise, sans bouger. Il
revint auprès d'elle et s'assit sur le lit, en la regardant droit dans les
yeux. Son visage était d'un blanc bleuâtre, et ses yeux devenus noirs
semblaient rapetissés.

« Je regrette », reprit-elle. « Mais il n'y a pas que moi, n'est-ce
pas ? Tu voudrais faire des enfants à toutes tes petites amies, non ?
C'est bien cela ?

— Oui.

— Pondre des œufs dans des nids ?

— Oui. »

A présent, ils se haïssaient l'un l'autre. Mais tandis qu'il approchait
son visage rembruni par la haine de celui de Martha, une vague d'angoisse s'élança vers elle : elle refusa de céder, de s'adoucir, et il se
jeta à plat ventre sur le lit, les bras en croix, raidi : souffrant l'agonie.
Elle l'avait déjà vu dans cet état. Tel était l'effet de ses humeurs
noires : il pouvait rester ainsi pendant des heures, rigide, sans bouger.

« Écoute, Jack. Quand j'ai quitté ma petite fille Caroline, sais-tu ce
que je pensais ? Je pensais : je te donne ta liberté, je te donne ta
liberté...

— Bon, d'accord, je ne parle pas des mères, un enfant a besoin de
mère, c'est bien ce que je dis, non ? Mais de père, non, je refuse de
m'imposer à un enfant. Je ne le ferais pas. Je ne pourrais pas. J'ai trop
peur — peur de mon père à moi, voilà, je peux te le dire : c'est lui, qui
me fait peur. Il ne devait pas se douter, quand il m'a mis dans le
ventre de ma mère, qu'il me détesterait, et puis qu'il détesterait mon
frère, et qu'il ne pourrait pas se retenir de baiser ses propres filles.

— J'avais une sorte de pacte tacite avec cette enfant », poursuivit
Martha. « Comme si elle eût été l'unique personne au monde qui pût
comprendre ce que je faisais. Je lui donnais sa liberté. Vis-à-vis de
moi. De la famille.

— Oui, oui, oui, approuva-t-il, c'est vrai.

— Non, c'était affreusement faux. J'étais folle.

— Tu as eu raison, Martha. N'y reviens plus.

— J'étais folle. Alors, comment puis-je te dire, à présent : Tu es fou ? Je sais ce que tu ressens. Mais c'était tellement idiot, quand j'y repense maintenant... » Et Martha se mit à pleurer mais en silence pour qu'il ne se rapproche pas. « Tous tant que nous étions, nous étions communistes et nous ressentions la même...

— Tout le monde était communiste », lui lança la voix bougonne et fâchée du lit. « Cela n'a rien à voir. Je l'ai été aussi, à un moment, pendant la guerre. C'était toute cette histoire de Pacte Atlantique — nous étions surexcités, nous, les rouges. Et alors ?

— Je me dis parfois que le communisme, pour les gens qui n'avaient pas connu les pays communistes, était comme un papier de tournesol, un genre de fourre-tout où l'on prenait ce qu'on voulait. Mais pour nous, il allait sans dire que la famille représentait une abominable tyrannie, une institution maudite, un mécanisme destiné à détruire chaque individu. Alors... » Martha sanglotait sans pouvoir se maîtriser, mais en s'efforçant de faire passer la dureté de sa voix pour de « l'humour » volontaire. « Alors nous avons aboli la famille. Dans notre esprit, quand la guerre serait terminée et que le communisme aurait triomphé, la famille serait abolie. Par décret, tu comprends. Clause 25 de la nouvelle charte. Nous décrétons l'abolition de la famille. L'âge d'or apparaîtrait alors, libéré de la famille et des névroses. Puisque la famille était source de toute névrose. Le père serait un étalon et la mère une incubatrice, et les enfants confiés dès leur naissance à une institution : pour leur bien, tu comprends, pour leur épargner d'être inévitablement corrompus. C'était d'une parfaite simplicité. Nous étions tous irrémédiablement corrompus, nous le savions, mais les enfants seraient sauvés. » Sa voix se brisa, et elle se mit à sangloter bruyamment. Il ne bougea pas. Il resta couché à plat ventre, à l'écouter.

Lorsqu'elle s'apaisa, il répéta : « Tu as raison.

— Nous avions tort », répliqua-t-elle. « C'est drôle, non ? Imagines-tu combien de gens sont devenus communistes uniquement pour cela ; parce que le communisme allait anéantir la famille. Mais le communisme n'a rien fait de tel. Il a fait le contraire.

— Je veux que tu portes mon enfant. Et je veux que Joanna épouse son officier, et je lui ferai un enfant. Elle peut le lui dire, cela m'est égal. Et à sa place à lui, ce me serait égal aussi : peu importe qui a fait l'enfant à une femme. Et je veux aussi que la petite Jane ait un enfant de moi. Nous pourrons même nous marier, si elle préfère. Et je veux que Nancy et Joan et Melinda aient des enfants de moi. Je les verrai, je leur donnerai des cadeaux. Mais je ne serai pas leur père. Je ne ferai jamais une chose pareille à un être humain. »

Un long silence s'instaura. Martha pleurait faiblement, par découragement. Et Jack restait à plat ventre, le visage caché. Sur les rideaux noirs apparaissaient des zébrures de lumière. A l'extérieur de cette chambre blanc et noir où brûlaient des bougies, l'après-midi resplendissait de soleil. Brièvement, lorsqu'elle regarda à nouveau, la lumière avait disparu derrière le noir des rideaux. Elle avait naguère ressenti si violemment quelque chose de faux ! Elle avait agi sous l'influence d'un sentiment — mais à quoi bon énoncer maintenant ce qu'elle aurait dû faire autrefois ? Elle referait sans doute la même chose, dans la même situation. Peu importait ce que l'on ressentait, sans doute ? Et ce que l'on croyait ? Seule comptait l'action. A présent, Jack ressentait cela si fortement que, si elle l'avait souhaité, elle aurait pu avoir un enfant ; et si par la suite il décidait qu'il s'était trompé, qu'il avait mal interprété ses propres sentiments, quelle différence cela ferait-il ? Il resterait l'enfant.

Elle déclara finalement : « Jamais je n'ai vu une famille qui ne m'ait semblé complètement perverse. Mais quel droit ai-je de dire une chose pareille ? D'où me vient l'idée qu'une meilleure solution est possible ? J'y réfléchis sans cesse — pourquoi ? Peut-être en a-t-il toujours été ainsi ? C'est affreux. Mais c'est ainsi que je vois les choses. Autrefois, je me tourmentais, je me disais que je devais être anormale, pour toujours trouver tout affreux. Comme si j'étais le seul être éveillé, au milieu de l'humanité plongée dans un mauvais rêve, et incapable de s'en apercevoir. C'est ce que je ressentais sur le bateau, en venant — une sorte de plaisir, tu sais. Des centaines de gens qui " faisaient la fête ", qui s'en donnaient " à cœur joie " — qui s'amusaient. Évidemment, tu connais cette vie sous un jour différent, puisque tu as travaillé sur ces bateaux. Mais ce voyage — j'avais l'impression de vivre un cauchemar. Tous ces gens qui avaient économisé, et qui venaient de l'Afrique entière. Juste pour ce voyage — des années d'économies. Leur plaisir — manger trois repas par jour en s'empiffrant comme des gorets, se saouler — juste un tout petit peu, juste pour rendre les choses supportables. Flirter pour se maintenir en état d'excitation. Il n'y avait pas un seul être humain à bord — sauf une fille, qui était malade. Elle se rendait en Angleterre pour y suivre un traitement. Nous nous installions à l'écart, et nous regardions. On nous appelait les trouble-fête. Nous avions l'impression d'observer des gens en état d'hypnose. »

De Jack, pas un seul mot. Peut-être dormait-il. Elle poursuivit : « Pour je ne sais quelle raison qui m'échappe, j'ai connu cela toute ma vie. Et à quoi me sert de dire que c'est moi qui me trompe ? Il faut bien assumer sa façon d'être, de voir les choses. Que peut-on faire d'autre ? Et puis j'ai vu aussi l'autre côté des choses, sa projection, en quelque sorte : j'ai toujours cru qu'ailleurs, en un autre temps, c'était différent. Mais pourquoi ? La nuit dernière, j'ai encore eu ce cauchemar, mais en même temps que cette merveilleuse famille marchant en compagnie d'animaux apprivoisés. L'âge d'or. Pourquoi ? Mais j'ai réfléchi, Jack. A quoi bon rêver à d'extraordinaires modes de vie, alors qu'ils n'existent nulle part en vue, n'est-ce pas ? Il faut accepter... les parents n'ont pas d'autre choix que de constituer l'univers de leurs enfants. Et si le monde paraît laid et hostile, les parents doivent partager le fardeau, ils sont également laids et hostiles. » Elle se remit à pleurer. Cette fois, c'était de l'hystérie : il lui eût été facile de redevenir « Matty », de se moquer d'elle-même, de s'excuser... « Matty » avait donc toujours été sa tendance hystérique ? Elle se calma, et reprit : « Un bébé naît avec d'infinies possibilités de développement. Mais il n'existe pas d'échappatoire, c'est comme d'avoir à descendre au fond d'un puits de mine, un terrible puits noir, d'où il faut se débattre pour remonter à la surface : et les parents font partie de ce contre quoi l'on doit se débattre. C'est un destin universel. Et si l'on ne se débat pas, eh bien, tant pis, personne ne viendra pleurer, ce n'est pas une perte, sauf pour soi-même, alors c'est à soi-même de décider... » L'hystérie menaçait à nouveau, comme une immense vague : elle en tremblait. Elle disait là ce qu'elle pensait vraiment, et le disait à un homme endormi. Elle riait et pleurait, sans cesser de trembler. Elle s'apaisa enfin. Silence. Jack avait tourné la tête, et à présent son visage apparaissait. Il écoutait, les yeux fermés. La main qu'il tenait étendue était crispée violemment, et tremblait.

« Je suis désolée, reprit Martha d'une voix calmée, je sais que tu détestes les scènes. » Jack ne répondit rien. « Mais c'est un compliment, d'une certaine manière. J'aurais pu choisir de refouler l'hystérie. Mais j'ai découvert quelque chose, Jack. C'est à propos de l'hystérie. Ce peut être une sorte de... répétition. » Elle songeait à la nuit précédente, à sa longue marche. Elle ne pouvait plus se « souvenir » de l'espace éclairé, vivant, mais elle savait cependant qu'il avait existé ; elle se rappelait son approche, par contre ; quelque chose de puéril, sot, trop sensible, hystérique. Lorsqu'on parvient en une nouvelle région de soi-même, il arrive qu'elle se présente à vous sous cette forme : des rires, des larmes, et de l'hystérie. Ce sont des choses que l'on comprendra bien un jour — expérimentales. Il faut d'abord les accepter comme elles se présentent — puériles, sottes... Jack ? Elle s'agenouilla contre lui. « Jack ? » Elle dut se retenir d'ajouter : « Tu es fâché ? » comme une petite fille — comme « Matty ».

« Je t'écoutais », répondit-il. « Et sais-tu ce que je pensais ? Voilà exactement la façon qu'a Martha d'être femme, de surmonter son mariage et sa maternité. Mais je vois à présent que ce n'était pas cela. » Il se redressa. Son visage blême, maladif, avec des cernes sous les yeux, lui donnait l'air d'un chien battu. « Je regrette, mais je n'ai pas suivi ce que tu disais. Cela ne signifiait absolument rien pour moi. Je sais que tu parles pour toi-même, et cela me suffit. » Il quitta le lit. Il tremblait. « Je meurs de faim, Martha, j'ai besoin de manger. »

Ils avaient déjeuné très tard, et il n'était pas encore six heures du soir. « J'étais couché sur le lit, et je sentais mes os. Quelquefois, quand je reste allongé, je deviens squelette : je ne sens plus aucune chair sur moi-même, que des os. Il me faut de la chair. »

Ils retournèrent au restaurant indien par les rues noyées de crépuscule. Une faible lueur, des gens pressés dans la rue hideuse. Au restaurant, l'Indien qui leur avait servi le déjeuner était encore en service. Il était venu de Calcutta, grâce à un oncle propriétaire d'un autre restaurant, bien plus élégant, situé à Earl's Court, et qui l'avait fait venir. Ce nouveau petit restaurant occupait le rez-de-chaussée d'un vieil immeuble. L'Indien de Calcutta, qui travaillait pour un salaire de misère dans un pays étranger et glacial afin d'échapper à la misère qui accablait sa famille, les accueillit avec un grand sourire affable et, pour la seconde fois de la journée, leur servit d'énormes quantités de nourriture. Ils regagnèrent ensuite l'appartement de Jack. Tous deux se sentaient tristes et abattus, et se manifestaient l'un à l'autre de la douceur. Ils virent en entrant que la porte donnant sur la chambre où vivait le garçon aux grimaces était ouverte. Il se tenait assis en tailleur, adossé au mur, et faisait une réussite à la lumière d'une bougie posée par terre. Il leur adressa un grand sourire accompagné de signes de tête et de mains. Ils le saluèrent en passant, et laissèrent son sourire derrière eux s'user contre l'air vicié de l'escalier.

Ils se couchèrent sur le lit, dans les bras l'un de l'autre.

« Tu ne veux vraiment pas venir habiter ici, Martha ?

— Non. Je ne peux pas, Jack.

— Je le savais. C'est sans doute pour cela que je redoutais d'aborder le sujet. Je ne voulais pas t'entendre dire non.

— Tu trouveras quelqu'un d'autre, je suppose.

— Oui. Mais j'aurais aimé que tu puisses me faire confiance. » Il allait encore pleurer.

« As-tu jamais songé... nous prenons sans cesse des décisions : mais comment ? C'est toujours par rapport à... nous les prenons en fonction de quelque chose dont nous ignorons tout.

— Non. Je prends mes décisions moi-même.

— Ah, tu es maître de ton destin. »

Mais on ne taquinait pas Jack, il ne pouvait pas se laisser faire.

« Ne te moque pas de moi, Martha !

— Bien sûr que non. Mais en y réfléchissant, nous croyons avoir pris des décisions, alors qu'elles se sont prises sans nous.

— Martha ! s'exclama-t-il d'une voix maussade, tu ne vas plus revenir, tu ne vas pas rester avec moi !

— Je n'ai rien dit de tel.

— Ah non ? Je ne sais pas pourquoi, mais c'est ce que j'ai cru t'entendre dire.

— Non.

— Sache que je veux que tu restes. Je sais ce que tu penses — tu es une femme ! Il a plein de petites amies, il s'en moque. Mais ce n'est pas vrai. Je ne suis pas instable. Je n'aime pas changer d'amies, je n'en souhaite pas de nouvelles. Je veux des filles qui reviendront toujours, les mêmes. Je suis très fidèle, Martha, il faut me croire. »

Il ne tarda pas à s'endormir. Elle n'avait pas sommeil. Elle resta immobile contre lui, à serrer contre elle son corps, cette longue cage osseuse par-dessus laquelle respirait une légère couverture de chair. Elle le sentait aux aguets, prêt à s'éveiller au moindre son, au moindre effleurement, alors même qu'il semblait profondément endormi. Elle se serait levée, habillée et enfuie, si elle avait pu le faire sans réveiller Jack. Mais elle savait qu'il se dresserait d'un bond si même elle ôtait son bras de dessous sa tête. Elle avait une main posée contre son dos, et sentait l'ossature, comme autant de branches, qui se rattachait à la colonne vertébrale. Derrière l'épaule de Jack, elle gardait les yeux fixés sur le recoin où se trouvait la fenêtre dont il fallait maintenir les volets clos à cause des odeurs du canal. Au-dessous de cette fenêtre, s'étendait une arrière-cour jonchée de détritus, des haies à l'abandon, des poubelles, un talus de terre sale qui descendait jusqu'à la surface dévorée de mousse du canal. Par un chaud après-midi, lors d'une brève vague de chaleur, elle s'était assise à la fenêtre pour regarder des enfants brunis par six semaines de soleil, qui plongeaient et nageaient comme des rats d'eau dans cette étendue verdâtre. De temps à autre, une femme hurlait d'une voix acide : « Tommy ! Annie ! Où êtes-vous ? Défense de nager dans cette eau ! » Et les enfants se tapissaient dans l'eau en levant les yeux vers les fenêtres. Les mères savaient que leurs enfants se trouvaient dans l'eau, et qu'il n'existait aucun moyen de les en empêcher : elles-mêmes s'y étaient baignées, à l'époque où elles avaient été des rats d'eau bruns et maigrichons tapis dans les herbes.

La bougie posée par terre sous la fenêtre trembla et s'éteignit. Dans les bras de Martha, Jack dormait ; et son visage d'enfant souillé de larmes gisait à quelques centimètres d'elle. Les bougies de la cheminée durèrent un peu plus longtemps, puis la chambre sombra dans un puits noir, et Martha s'y laissa couler aussi. Elle rêva. Cette image, ou vision, qu'elle avait eue de la maison pleine d'enfants tristes, lui revint, mais ce n'était plus une image aiguë, une succession d'instantanés ; c'était au contraire un lent mouvement. Une grande maison à Londres — mais pas celle-ci. Il y avait dehors de la circulation, mais aussi des arbres. Beaucoup de gens. Des enfants. Des adolescents. Tristes. C'était un rêve triste, très triste. Mais pas un cauchemar : aucune crainte ne l'accompagnait. Martha se trouvait dans le rêve, elle avait la responsabilité des enfants et se sentait préoccupée, anxieuse : mais elle tenait le bastion, elle organisait les défenses.

Ils s'éveillèrent de très bonne heure, puisqu'ils s'étaient endormis si tôt. Il faisait à peine jour — environ cinq heures du matin. Jack prépara le petit déjeuner sur son réchaud à alcool, puis elle l'embrassa et s'en alla. La porte du garçon étrange était restée ouverte et, dans la lumière grise et faible, elle vit qu'il dormait par terre, près de la bougie qui s'était usée entièrement. Dehors, un soleil humide et bas éclairait le petit matin. Avec un peu de chance, ce serait une belle journée. Martha s'éloigna en direction de chez Iris et Jimmy, de l'autre côté de la Tamise, bien emmitouflée dans le manteau de Mme Van.

CHAPITRE TROIS

Elle parcourut des rues couleur de soleil mouillé à l'étage d'un autobus rouge, traversa le fleuve aux eaux gonflées et rencontra des mouettes au même niveau qu'elle — un scintillement d'ailes blanches au travers des vitres ternes ; et redescendit au niveau de la terre quand Big Ben sonnait sept heures. Mais elle ne pouvait pas débarquer au café *Chez Joe* avant huit heures. Cet établissement pratiquait deux ouvertures par jour, l'une vers cinq heures, quand Iris et Jimmy, encore tout endormis, se levaient pour aller servir des cornflakes, du pain grillé, des œufs brouillés et du thé à de jeunes camionneurs qui habitaient un meublé au coin de la rue, et dont la logeuse ne voulait pas les nourrir de si bonne heure ; et l'autre à neuf heures, quand la pancarte annonçant OUVERT était officiellement retournée pour inviter les passants à entrer. En même temps que les jeunes apprentis camionneurs, venaient deux ou trois hommes plus âgés parmi lesquels le cousin d'Iris, Stanley, qu'elle destinait à Martha ; et puis quelques femmes de ménage débarrassées de leur travail de fin de nuit, qui passaient prendre une tasse de thé avant de rentrer préparer le petit déjeuner pour leurs familles. De cinq à huit heures, ce café bouillonnait d'animation, et d'intimité. Si Martha y revenait maintenant sans prévenir, après deux nuits d'absence, elle ne pourrait le faire que sous la personnalité de « Matty ». *Si je me laisse reprendre par elle, elle ne me lâchera plus de la journée, et je ne veux pas d'elle pendant mon déjeuner avec Phœbe.*

Le soleil matinal se reflétait dans mille fenêtres et sur les ailes des mouettes. De chaque côté de la Tamise, les grands immeubles vides attendaient ; vides, non : car, à cette heure, une armée de femmes de charge était au travail, faisant bourdonner et vibrer les aspirateurs comme des essaims d'abeilles. Elles s'arrêtaient pour bavarder dans les corridors où bientôt, mais pas avant deux heures, des hommes encore aux prises avec quelques dernières minutes de sommeil dans leurs chambres de banlieue, à quinze, vingt, trente kilomètres de là, arriveraient d'un pas pressé, bonjour, bonjour, bonjour, avant de s'engouffrer dans les bureaux dont les corbeilles à papier viendraient tout juste d'être vidées. Ils entreraient ainsi, pour se laisser recracher à cinq heures par le carillon de Big Ben, et des milliers de téléphones retomberaient dans le silence immédiat, tous ensemble. Martha flâna, perdit son chemin dans un réseau de petites rues, et tomba sur la rue du café, à cent mètres du site bombardé. Tournant à droite, elle retrouva l'énorme poutre. Dans les deux jours à peine qu'avait duré son absence, une minuscule fleur jaune avait émergé d'une fissure. Ce grand monument de bois salé, amer, plus pierre que

79

bois, avait produit une couronne de feuilles vertes et une fleur. Un petit vent tirait dessus, mais la fleur tenait bon sur ses racines bien plantées. Martha jeta un coup d'œil derrière la clôture en barbelés où la pancarte portait l'inscription *Interdit aux enfants* surmontée d'une tête de mort, et vit que la serrure de la porte était démantelée. Elle entra. Désert : trop tôt pour les enfants. Mais non, une petite fille était assise sur une brique, dans la poussière, vêtue d'un vieux gilet noir par-dessus une robe blanche qui semblait amidonnée pour un goûter d'anniversaire. Elle restait immobile. « Bonjour », lança Martha d'une voix chaleureuse, et les yeux de l'enfant s'agrandirent sous l'effet de la terreur. Puis elle bondit sur ses pieds et s'enfuit comme un chat jusque sur un mur éloigné, pour se protéger de cette femme en manteau noir. Si c'était là une ville en ruine, une ville empoisonnée, que déduiraient les excavateurs, dans cent ans, de ce qu'ils y trouveraient ? Devant Martha, la surface d'un mur déchiqueté qui montrait encore ses trois étages, se dressait soudain des décombres. On y distinguait trois cheminées l'une sur l'autre. Chaque étage laissait voir des couleurs différentes, comme des mousses ou des lichens : c'étaient des papiers muraux trempés et séchés, trempés et séchés, trempés et séchés. Vert pâle. Au-dessus, un brun rosâtre et pelucheux. Au-dessus encore, jaune passé. En approchant, on pouvait voir apparaître par-dessous un vert plus sombre, là où manquait tout un lambeau. Martha grimpa sur un pan de mur, et inséra ses ongles sous le bord du papier. Il y en avait une épaisse masse, de nombreuses couches désormais collées ensemble. Chacune avait naguère été un charmant habillage, choisi avec amour, sur ces murs qui abritaient la vie des gens. Mais ils s'étaient mélangés, et formaient une sorte de feutrine. Martha tira, et un morceau lui resta dans la main. Elle compta les couches, et en trouva treize. Treize fois, un homme était monté sur une échelle, ou simplement sur une table (il s'agissait de logements construits à l'économie, avec des plafonds bas, et la table de la cuisine était sans doute bien assez haute), pour tendre du papier propre et neuf par-dessus les taches et les saletés de la couche du dessous. Treize fois, une épouse ou des enfants avaient décrété : Oui, c'est formidable, j'adore ça, papa ; ou bien : Non, nous nous sommes trompés en le choisissant. Les deux papiers du dessous étaient fort beaux, d'après les deux ou trois centimètres qu'elle pouvait en voir : ils enlaidissaient à mesure que passaient les décennies. Celui du dessus était hideux, il avait dû être d'un vert acide, avec un vilain dessin voyant. Vers le milieu apparaissait un charmant motif à ramages, qui faisait penser à une robe de jeune fille à l'époque victorienne... Des voix dans la rue. Exactement comme l'avait fait la petite fille avant elle, Martha se glaça : les forces de l'ordre ! Elle n'aurait pas dû se trouver là. Elle se laissa glisser au bas du mur, enfonça le magma de papier coagulé dans la poche du manteau de Mme Van ; puis elle se cacha derrière un tas de briques et attendit là de pouvoir regagner la rue en toute sécurité.

Sur la mousseline terne qui abritait le café des regards de la rue, se dessinaient des silhouettes ; la joviale intimité de cette réunion matinale projetait sa chaleur jusque sur le trottoir. Elle arrivait décidément trop tôt. Elle contourna donc le café et s'engagea dans la rue où, le café occupant un angle, une porte secondaire donnait sur une cour. Cette porte était faite de planches tenues par deux barres croisées. Elle avait dû être peinte, car une matière verdâtre s'émiettait dans les fissures du bois. Mais elle était à présent grisouille. « D'avant la guerre », avait précisé Iris. Quand Iris déclarait qu'une chose datait d'avant la guerre, cela signifiait toujours qu'on l'aurait repeinte, réparée ou remplacée si la guerre n'avait pas eu lieu. Ainsi, elle n'aurait pas dit de ce mur composé d'une seule épaisseur de briques, jaune et surmonté d'une jonchée de verre brisé, qu'il datait d'avant la guerre. Martha actionna le loquet, et entra — c'était un jardinet propre et bien tenu. Dissimulés derrière ces façades, nichés parmi les tas de gravats, se trouvaient de charmants petits jardins. Celui-ci, de la taille d'une belle salle, s'enorgueillissait d'un poirier et d'un vieux banc en bois que Jimmy avait récemment peint en vert vif ; un vieux rosier grimpait le long du mur de la maison. Il était en pleine floraison et parfumait délicieusement l'air alentour. Dans une encoignure du jardinet se dressaient d'humbles cabinets : il n'y en avait pas à l'intérieur de la maison. On eût dit une petite guérite, à laquelle menait un sentier dallé : des mauvaises herbes poussaient dans les interstices. Derrière la fenêtre de la cuisine, Martha distinguait Iris assise à une table, encadrée de roses. Après la bousculade du premier service, elle faisait ce qu'elle appelait son roupillon : elle se recroquevillait comme une tortue, les mains tendues vers un énorme pot de thé, les yeux ouverts mais sans rien voir. Pendant ce temps, Jimmy s'était levé, prenait la relève dans la salle de café. Martha poussa la porte, et fut accueillie par le regard superficiel et vide des yeux d'Iris. « Ah, c'est vous », observa-t-elle d'une voix vague. Martha s'assit, et Iris lui désigna en bâillant une théière brune. « Nous avons bu notre ration », déclara-t-elle d'un ton d'excuse. « Vous ne reveniez pas, hein ? » Martha se versa du thé, et Iris sourit : mais elle lui en voulait de l'avoir obligée à se réveiller.

La cuisine était fort petite. Contre un mur s'alignaient les machines destinées au café : la friteuse et un poêle électrique que Jimmy avait déniché dans les ruines du bout de la rue, après l'explosion de la bombe. Il y avait aussi un ancien poêle à bois, qui servait de placard, ou plutôt de garde-manger.

« Alors comme ça, vous partez ?

— Oui. Je suis venue chercher mes affaires.

— Elles sont prêtes. Et j'ai posé votre carnet de tickets sur la valise, là-haut.

— Merci, Iris.

— Stanley est là, si vous voulez le voir. » Martha n'avait aucunement l'intention de voir Stanley, preuve éclatante de son cœur dur et sec ; et l'intonation d'Iris exprimait nettement qu'il lui fallait absolument voir Stanley, même si Stanley n'avait pas particulièrement envie de la voir non plus. Mais à présent, puisque c'était manifestement à elle de faire le premier pas et d'aller se présenter devant l'homme

81

qu'Iris lui choisissait pour époux, Martha avait déjà atteint la porte quand elle se rebella. Et pourquoi irait-elle ? Quelles que fussent les dettes qu'elle laissait derrière elle, Stanley en était exclu. Elle se rassit en silence. Les deux femmes se faisaient face : Martha bien décidée à ne pas s'excuser, ni plaider coupable, ni s'enfuir, et Iris, à présent toute réveillée, arborant une farouche détermination à jouer les martyres.

« Je ne pense pas que Stanley et moi soyons faits pour nous entendre, annonça Martha.

— Bah, je suppose qu'un de ces jours, Stanley finira bien par se ranger, soupira Iris d'un air douloureusement peiné.

— Sûrement, mais pas avec moi », répliqua Martha sur un ton enjoué.

Iris se composa un demi-sourire aigrelet en guise de réponse. Puis elle se mit à rire malgré elle, et frappa la table du plat de sa main.

Elle continuait à rire, et son rire montait et descendait comme la marée : on aurait dit qu'elle pleurait.

« Ah, déclara-t-elle, mais un homme est toujours un homme, et quand la guerre aura quitté ses veines, il saura bien s'établir, allez. »

D'après Iris, la guerre avait déraciné Stanley, et c'était pour cela qu'il avait choisi de faire la navette jusqu'à Birmingham en camion cinq jours par semaine, et de consacrer ses week-ends au travail manuel — il ne pouvait pas se reposer. Martha pensait que cela n'avait rien à voir avec la guerre, que c'était une affaire de nature. Et puis elle savait, mais pas Iris (car elle avait fait un pacte avec Stanley contre les marieuses enragées) qu'il se trouvait à Birmingham une femme chez qui il passait ses nuits. Il ne voulait pas se marier. Et surtout pas avec Martha, bien qu'il l'eût trouvée suffisamment sympathique pour lui proposer un emploi de secrétaire dans la société pour laquelle il travaillait.

Iris se leva, défiant Martha ou, plus précisément, revendiquant le droit de choisir une femme pour son cousin ; et elle cria par le passe-plats : « Elle est revenue ! »

Elle se rassit, et dit à Martha : « Vous allez vouloir dire au revoir, non ? »

Stanley entra presque aussitôt. C'était un homme maigre et dégingandé, âgé d'une quarantaine d'années, dont les yeux bleus luisaient d'un éclat dur.

« Il faut que je m'en aille, annonça-t-il à la cantonade, mon collègue est déjà en cabine. Alors comme ça, vous avez trouvé un boulot ? » Il ne regardait pas Martha, mais sa cousine, et il lui adressait un avertissement, ou bien un rappel de rancune. Pas à Martha : c'était un homme juste, et il en éprouvait de la fierté.

« Oui, je crois bien, répondit Martha.

— Eh bien, tout va bien, alors ! s'écria Iris d'un air hostile.

— A un de ces jours », lança Stanley puis, au moment de sortir, il se retourna pour lui adresser un bon sourire chaleureux, tandis qu'Iris n'avait droit qu'à un signe de tête glacial.

« Celui-là, soupira Iris, vexée, c'est un cas. Il y avait une fille à qui il plaisait beaucoup, à la blanchisserie, mais à lui, elle ne lui plaisait pas.

— Comment savez-vous s'il n'a pas déjà une petite amie?

— Si jamais il me fait ça! » s'écria Iris d'une voix aigre, laissant entrevoir à Martha des perspectives de querelles, de liens de chantages familiaux que jamais, dans le peu de temps qui restait, elle ne pourrait comprendre. Des larmes perlaient aux yeux bleus et faibles d'Iris, tandis qu'elle tournait sauvagement son thé.

Jimmy apparut alors, revêtu d'un tablier rayé, et le visage empreint de reproche retenu.

« Alors vous n'en voulez pas, de ce travail?

— Elle en a déjà un, expliqua Iris, dans les quartiers Ouest.

— Ah bon, là-bas?

— Je ne sais pas encore, répondit Martha.

— Vous n'avez donc pas besoin de l'emploi qu'on pourrait vous trouver ici, hein? » Il prit une grosse brosse en chiendent et retourna dans le café en disant : « Si vous voulez manger quelque chose, servez-vous. »

Sur l'étagère qui surplombait le vieux poêle à bois, étaient alignées les rations de la semaine, chacune bien séparée : cent vingt grammes de beurre, trois fois, chacun deux œufs et du jambon, sur un grand plat. Et puis du thé. Celui de Martha avait disparu.

Iris observait Martha, mue par un intérêt connaisseur de l'injustice du monde, pour voir si elle prendrait ses œufs, son beurre et son bacon. Martha n'aimait pas ce beurre, de toute façon : c'était une graisse dure et vaguement salée. Mais Iris conservait un grand bol plein de graisse, résidu aromatique d'une bonne dizaine de déjeuners de dimanches.

« Ah, c'est mon saindoux qui vous fait rêver! » s'exclama Iris, redevenue bienveillante; et elle souriait affectueusement en regardant Martha frire du pain dans la graisse délicieusement odorante, pour Iris et pour elle-même; elles restèrent ensuite un bon moment à le manger en buvant du thé, tandis que l'on entendait dans la pièce voisine la brosse à récurer de Jimmy.

Il ne reparut point : il ne voulait pas lui pardonner. Martha fit ses adieux à Iris, s'entendit inviter à passer dire bonjour quand le cœur lui en dirait, et monta chercher ses affaires tandis qu'Iris rejoignait Jimmy dans la salle du café.

Dans la minuscule chambre au-dessus du café, déjà nettoyée et redevenue impersonnelle, sa valise l'attendait près de la porte, avec son carnet de tickets posé dessus. Elle en tira une robe d'été, et y enfouit le manteau de Mme Van, ainsi que sa jupe et son chandail; puis elle se prépara pour la belle journée qui semblait pourtant assez peu susceptible de durer. Et elle s'en alla par le petit jardin où flottait la senteur des roses.

Il était dix heures du matin. Dans les grands immeubles alignés au bord de la Tamise, et d'où s'administrait toute la ville de Londres, des hommes et leurs secrétaires arrivaient pour travailler. En trois heures, la ville s'était transformée. Le grand marché qu'était Londres s'ouvrait à présent : un marché dispersé, hétéroclite, dont chaque rue recelait un coin, un cœur, où il semblait que l'abondance se fût rassemblée de mille parts pour présenter des biens cachés, des fourrures, des tapis, de l'argent, de l'or, des vêtements, mais, de même qu'un iceberg, seule une fraction dérisoire apparaissait, tel le nom d'un banquier ou la vitrine remplie de fines broderies ou de luxueuses fourrures ; et l'on sentait, à marcher sur le trottoir humide et gris, que sous ses pieds s'étendaient d'invisibles entrepôts gorgés de luxe, d'opulence et de beauté — d'immenses cavernes étalées sur des kilomètres. Et pour les commerçants ou les hommes d'affaires qui les possédaient, il importait peu de les vendre, de les exposer, ou de les proposer. Une cité secrète. Une cité cachée. Et si, au lieu de passer devant les porches et les vitrines, de regarder les échantillons présentés, on poussait une porte qu'il suffisait en effet de pousser, car les possesseurs de tous ces trésors redoutaient si peu la témérité des clients dociles qu'ils n'avaient même pas de concierges, soudain l'on se trouvait devant un immense escalier s'ouvrant sous les pas jusqu'à la ville souterraine où s'entassaient sur d'interminables kilomètres carrés les plus magnifiques tapis, soieries et tapisseries du monde.

Martha aurait dû s'acheter des vêtements. Imaginant pour un moment qu'elle disposait de cent livres sterling, elle examinait les robes et les manteaux exposés dans les plus beaux magasins de Knightsbridge. Mais si elle avait eu ces cent livres, elle se serait trouvée incapable d'en dépenser le moindre centime. Elle comprenait enfin qu'elle ignorait pour qui et pour quoi elle s'habillait. Si elle était restée de l'autre côté du fleuve, avec Jimmy, Iris et Stanley, ou avec Stella et son clan, il n'y aurait eu aucun problème : les ouvrières avaient un style bien à elles. Mais il lui suffisait de s'imaginer vêtue comme elles, en compagnie d'Henry, pour voir que c'était impossible : une jupe étroite, une blouse, un chandail : non, sur son visage apparaîtrait cette expression qui dénonçait quelque chose de charmant, de libertin — exclu de ses principes. S'en rendait-il compte ? Sans doute pas. Ou bien elle aurait pu choisir l'uniforme d'une dame de la haute société : il y en avait plein dans les boutiques, impossible de s'y tromper, et l'on n'y vendait rien d'autre. Mais ce type d'uniforme « ne lui disait rien », selon l'expression d'Iris. Alors quoi ? Il y avait des rues entières pleines de vêtements, des choses utilitaires qui dataient de la guerre, ternes, hideuses, sans goût. Pour qui ? Qui étaient ces hommes et ces femmes qui, délibérément, dessinaient ces affreux vêtements dans leurs ateliers ?

Non, même si elle avait disposé de mille livres, il n'y avait ici rien à acheter — à moins de savoir ce qu'elle allait devoir être. Sa valise à la main, elle flâna et passa le temps jusqu'à une heure, jusqu'au moment de retrouver Phœbe.

A proximité du Strand, le restaurant était une version simplifiée de *Baxter's* ; une vaste salle parsemée de petites tables chacune encadrée de quatre chaises Windsor. Le motif floral des rideaux était neutre et terne, et celui du papier mural, rosâtre. Les deux établissements se référaient aux mêmes critères ; quelque part à l'arrière-plan se profilait une maison de campagne, ou bien une grande ferme ; en tout cas la campagne, avec plusieurs siècles d'un goût donné derrière elle. Si *Fanny's* ou *Baxter's* avaient dû se passer de peinture fraîche pendant cinquante ans, ils auraient encore pu se présenter au monde avec une dignité inattaquable. Chez *Fanny's*, le menu proposait le même genre de nourriture, mais plus simple, sans sauce, et à bien meilleur marché.

En arrivant, Phœbe salua de la tête le serveur, qui la connaissait ; et elle avait inspecté Martha des pieds à la tête avant même de s'être assise, bien que d'un point de vue fort différent de celui d'Henry. Le fait que Martha n'eût pas téléphoné dès son arrivée à Londres, puis son inexactitude avaient confirmé, sinon la frivolité, du moins une expérience plus heureuse que celle de Phœbe. Et son aspect extérieur le soulignait. Phœbe portait une jupe et un chandail assez ternes, avec un collier de perles, tandis que Martha arborait une robe sans manches par un temps qui ne rappelait l'été qu'assez vaguement ; et son apparence générale était franchement négligée. De surcroît, sa valise gisait près de la chaise, après tant de semaines passées à Londres. Avant même de s'être assise, Phœbe avait manifesté la déception que lui causait Martha. Elle commanda pour elle-même, et Martha suivit son choix : potage au poulet, en conserve ; poisson bouilli à la sauce blanche ; pudding chaud à la confiture. Il y avait une tache sur la nappe.

« Et comment trouvez-vous Londres ? »

Posée par Phœbe, la question était sérieuse. Martha réfléchit. Qui donc au monde aurait pu comprendre ce qu'elle avait trouvé à Londres ? Jack — peut-être. Un peu. A présent, parce que c'était Phœbe qui se trouvait en face d'elle à table, les semaines écoulées changeaient d'aspect et présentaient « Londres » à Martha comme une série de plans fixes : Stella et les docks ; Iris et le café ; Jack ; Henry ; et puis les gens des rues et des cafés. Des fragments. C'était un pays où les gens ne pouvaient pas communiquer au travers de l'obscurité qui les séparait. Elle ouvrit la bouche pour dire : Je m'intéresse beaucoup au problème des classes... et la referma, bien que Phœbe eût compris qu'elle allait parler, et attendît. Cela n'avait rien à voir avec les classes. En Afrique, étant blanche, elle se trouvait définie ; étant noire, elle aurait nécessairement été définie autrement. Quelque chose, dans l'esprit humain, séparait et divisait. Elle contemplait la soupe devant elle, et songeait : Si je mange, si je reprends cette routine de repas, de sommeil, d'ordre, le fil de la lame sur lequel je vis à présent s'émoussera et disparaîtra. Car la perception qu'elle avait maintenant de la nature de la séparation, de la division (un nombre infini de mots et d'expressions pouvait servir à la nommer, mais sans servir à grand-chose) était claire et nette — elle comprenait, assise là, tandis que la soupe lançait un filet d'appétit vers ses narines, elle comprenait *vraiment* (mais d'une façon neuve, sous l'emprise d'une vision) comment des êtres humains pouvaient être séparés si absolument par une faible différence de texture dans leur existence qu'ils ne pouvaient s'adresser la parole et devaient nécessairement être hostiles ou même ennemis.

Phœbe attendait. Jamais elle n'avait voyagé hors d'Angleterre. Martha était voyageuse. Elle voulait savoir.

Classes ? Phœbe devait sans doute se consacrer à leur abolition, et militer à la base du parti travailliste.

Martha prit sa cuillère et commença à manger sa soupe. « Je dois dire que je pense énormément à la nourriture », déclara-t-elle pour temporiser, avec l'embarrassante certitude que Phœbe méritait mieux que cela.

Abandonnée, Phœbe déclara d'un ton légèrement dépité : « Ce n'est pas très étonnant, vu les circonstances. »

Apparue à l'arrière-plan de leur entretien, la guerre disparut à nouveau : Martha éprouvait un sentiment de honte. Elle savait que Phœbe avait souffert pendant la guerre. Elle était restée presque constamment séparée de son mari, à l'exception de quelques permissions au cours desquelles avaient été conçues leurs deux petites filles. Ils avaient divorcé, et l'une des petites filles avait été gravement malade. Phœbe pendant tout ce temps avait travaillé dans l'administration, elle avait monté la garde sur les toits pour lutter contre les incendies dus aux bombardements, elle s'était occupée des enfants, avait elle-même été malade... On ne pouvait éprouver autre chose pour Phœbe que de l'admiration. Martha se taisait.

« Je vous ai trouvé exactement l'emploi qu'il vous faut », annonça finalement Phœbe, voyant que Martha la voyageuse ne disait toujours rien. Elle établissait clairement un certain nombre de choses, en prononçant ces paroles. Elle était travailliste à tendance de gauche : mais pas tellement à gauche qu'elle ne pût considérer certaines personnes réputées de gauche, comme son ancien mari par exemple, comme des « extrémistes ». Sa position l'entraînait à envisager tous les communistes avec bien plus de haine et de suspicion qu'elle ne l'eût fait d'un conservateur. Sa sœur Marjorie — de son point de vue — était une communiste : dangereuse, dogmatique, mal orientée. Mais c'était là le rôle que Marjorie avait toujours rempli aux yeux de sa sœur aînée, Phœbe. Martha était une amie de Marjorie. Mais Mme Van, en contact permanent avec la bonne dizaine d'organisations que Phœbe manœuvrait en tant que secrétaire ou membre avait par écrit recommandé Martha comme une excellente recrue pour la cause. Cela signifiait que le degré de communisme de Martha avait été jugé tolérable — non seulement sur le plan personnel, compte tenu de ce que Mme Van et sans doute Phœbe pouvaient accepter ; mais aussi d'un point de vue global, en fonction de ce que les autres pourraient vraisemblablement tolérer. En des temps explosifs. Ce n'était pas vraiment un compliment : Martha n'était pas certaine d'aimer cette paisible innocuité. Et puis, quoi qu'elle eût pu apprendre d'autre à Londres, elle était sûre d'une chose : tout ce que lui avaient dit ses amis communistes quant à la misère des ouvriers, à l'aveugle égoïsme des classes moyennes (elle n'avait pas rencontré l'aristocratie, sans doute dépourvue d'intérêt), était vrai. Plus que vrai. Si elle allait devoir être politique, le communiste était plus proche d'elle qu'aucune variation travailliste. Pourtant, depuis plusieurs jours elle se rapprochait de Phœbe en sachant fort bien que, ce faisant, elle choisissait son avenir. Son avenir proche, du moins. Bon, une chose au moins était sûre. Elle ne pouvait manquer de se trouver en fausse position, d'une manière ou d'une autre. Inévitablement. Mais jusqu'à quel point ?

« Quel genre d'emploi, Phœbe ?

— Nous allons créer une organisation pour la libération des colonies. Une société ou une organisation ici, en liaison avec les forces progressistes là-bas. Et il nous faut une secrétaire.

— Je vois. »

Martha étudia le « nous » de Phœbe, mais se trouva incapable de le définir.

« Quelque chose établi sur une base assez large.

— Je comprends. Et qui voyez-vous, susceptible d'en appuyer les objectifs ? »

Phœbe hésita, rougit, lança à Martha un regard aigu où se lisait la méfiance, et baissa les yeux sur son assiette. « Il y aurait nécessairement des limites. Évidemment, vous savez que les communistes sont proscrits au parti travailliste — et dans les autres organisations ?

— Évidemment », répéta Martha d'une voix neutre, tellement elle était exaspérée. Mais cette irritation était absurde. Phœbe accomplissait son devoir. Comme elle-même l'eût fait dans la même situation.

Phœbe attendait à présent que Martha exprimât son point de vue sans ambiguïté. Et Martha voulait bien être damnée si elle s'y laissait entraîner — d'ailleurs, elle n'en savait rien elle-même. Les recommandations de Mme Van allaient devoir suffire.

Contrariée, Phœbe se mit à manger sa soupe. Martha en fit autant.

« Nous avons absolument besoin d'une personne ayant vraiment l'expérience des colonies, qui connaisse les conditions de vie, qui sache comment dialoguer avec les indigènes.

— Pour commencer, il ne faut surtout plus employer ce mot — les indigènes.

— Ah bon ? Eh bien, voilà, nous avons besoin...

— Mais je ne pense pas que je veuille prendre ce genre d'emploi.

— Ce ne serait évidemment pas très bien rémunéré », reprit Phœbe, laissant clairement entendre qu'à ses yeux il n'existait aucune raison de refuser un emploi, quel qu'il fût. « Mais il y aurait des compensations. » Elle voulait parler des gens de l'organisation, comme elle-même ; de l'intérêt que présenterait le travail ; et surtout de la satisfaction que l'on éprouvait à se sentir utile — exactement comme l'aurait fait Martha à sa place.

« En vérité, je n'ai vraiment aucune envie de me retrouver dans cette atmosphère. C'est pour en sortir que je suis venue vivre en Angleterre. »

Phœbe ne pouvait qu'être déçue. Et tout d'abord, pourquoi Martha lui avait-elle fait perdre son temps ? Quel autre genre d'emploi s'attendait-elle donc à trouver ?

« Je comprends », répliqua-t-elle en pinçant les lèvres et en cherchant des yeux le serveur, afin qu'il vienne enlever la soupe et qu'il apporte le poisson. Elle avait un emploi du temps chargé, et n'avait pas une heure à perdre.

Si Marjorie s'était trouvée là à sa place, elle se serait écriée dans un élan d'affectueuse indignation et d'émotion : Voyons, Matty, tu ne vas pas devenir comme cela ! Si tu dois le prendre sur ce ton, alors !

Mais Phœbe n'était pas Marjorie. Et Martha n'était plus « Matty », elle refusait à « Matty » le droit d'entrer. Pour ne pas redevenir « Matty », il lui fallait se montrer froide et sèche — dure. Aussi dure que Phœbe.

Martha mangeait à présent son poisson gluant en silence, et pensait à Phœbe, pensait à Marjorie. Et c'était là que résidait l'expérience profonde de ce déjeuner, c'était ce qui lui en resterait. Physiquement, Phœbe ressemblait à Marjorie. En tombant sur elle par hasard, Martha l'aurait embrassée, cette adorable et absurde Marjorie, la petite sœur. Combien de temps avait-elle connu Marjorie ? Plus de dix ans, et elles s'étaient vues chaque jour ou presque. Marjorie avait débarqué à la colonie avant la guerre, « immigrante » anglaise. Tous ceux qui avaient travaillé avec elle avaient eu la même attitude à son égard — une affection presque amusée. « Marjorie », disaient-ils, et ce seul nom évoquait son charme, son enthousiasme désespéré, son ardeur. Mais qu'avaient-ils connu ? Marjorie, la plus jeune sœur. Un ensemble d'yeux, de nez, de cheveux, de joli teint d'Anglaise. Martha se trouvait à présent devant le même ensemble, mais appartenant à Phœbe.

Voici d'où provenait Marjorie : en Angleterre, un médecin de province, amateur de lecture et passionné de politique, avait élevé seul ses deux filles après le décès de sa femme. Les deux enfants se ressemblaient beaucoup : de jolies Anglaises blondes et vives. Phœbe, l'aînée, se comportait de manière autoritaire envers Marjorie, de cinq ans plus jeune. Et Marjorie avait fini par fuir Phœbe, n'ayant d'autre choix pour devenir elle-même. *Mais :* assise en face de Phœbe, qui s'exprimait avec la voix de Marjorie, qui ressemblait tant à Phœbe, comment ne pas s'interroger : Qui était donc Marjorie ? Elle n'était ni sa voix, ni son visage, ni son corps, ni ses yeux, ni ses cheveux. Sa façon d'être, alors ? Mais le charme essoufflé, défensif, agité, de Marjorie — tout cela appartenait à la petite sœur. C'était ainsi qu'elle s'était ménagé un peu d'espace vital auprès de Phœbe pendant toute leur enfance. Marjorie n'était que... la petite sœur ? Bien sûr que non.

Mais qui, quoi ? Martha n'en avait pas la moindre idée.

Martha était assise en face d'une jolie Anglaise vive et active, qui était Phœbe, et se retenait de parler à Marjorie. Elle avait honte. Elle n'avait jamais connu Marjorie. Comme toujours, elle s'était montrée paresseuse, pauvre en imagination : elle n'avait jamais fait plus que parler à la petite sœur. Et si elle n'y prenait pas garde, elle ne ferait pas plus que parler à la sœur aînée ! Car cet aspect apparaissait si manifestement chez Phœbe qu'il était difficile d'imaginer qu'on pût aller outre.

« Bien entendu, je suis toute prête à vous aider de mes conseils, déclara Martha.

— Il y a toujours beaucoup de gens, pour ce genre de choses »,
répliqua aussitôt Phœbe ; puis, voyant qu'elle se contredisait, elle
parut irritée, et soudain très lasse. « Nous avons terriblement besoin
d'aide, avoua-t-elle.

— Phœbe, vous êtes-vous déjà sentie *piégée*, prisonnière d'une atmosphère ?

— Eh bien, franchement, *oui*, répondit Phœbe, se référant de nouveau à la guerre.

— Non, je ne voulais pas parler de la guerre, objecta maladroitement Martha, sous le reproche cinglant de Phœbe.

— Je ne peux pas imaginer de ne pas travailler pour ce à quoi je
crois... franchement, je ne peux pas.

— Mais est-on vraiment obligé de travailler pour une organisation !
Bon, je vois bien que vous êtes contrariée. Vous n'êtes pas une agence
de placement ! Je ne sais pas pourquoi je me l'étais imaginé. »

Le coup d'œil que lui lança Phœbe au mot d'agence de placement,
fit comprendre à Martha que c'était exactement l'idée qu'elle avait
eue.

« Bah, on dirait que je connais toujours des emplois vacants...
Voyons, laissez-moi réfléchir.

— Je crois qu'en vérité j'ai eu mon compte de politique organisée
pour le moment. »

Phœbe garda le silence pendant quelque temps, Martha savait
pourquoi. Sans les recommandations de Mme Van, Phœbe l'aurait
classée parmi tous ces gens dont les énergies réformatrices avaient
jailli d'une identification passionnée avec la Russie pure et parfaite :
encore une rouge au cœur brisé, un faible roseau, une névrosée, une
ratée. Mais Mme Van én avait parlé différemment. Phœbe mangeait
donc son pudding à la confiture en silence, les sourcils froncés. Elle
ressemblait tant à Marjorie que Martha en éprouvait une sorte de peur
panique. Il paraissait inconcevable de ne pas pouvoir dire : Marjorie !
et qu'elle ne répondît pas en fonction de ces dix années d'amitié.

« Mme Van der Bylt disait que vous aviez fait de la recherche... ce
genre de choses ?

— Oui. Dites-moi, Phœbe, vous arrive-t-il de vous écrire, Marjorie
et vous-même ?

— Nous ne sommes ni l'une ni l'autre très douées pour la correspondance. Comment va-t-elle ? Elle m'annonce la naissance d'un nouveau bébé. Cela doit lui en faire quatre, non ? »

Dans sa voix, une ombre de souffrance intime. « Et je n'ai jamais
rencontré son mari, bien sûr.

— Il est sympathique. Très calme. Il travaille dans l'administration.

— C'est ce qu'elle m'avait dit », répondit Phœbe sur un ton qui laissait clairement entendre ce qu'elle pensait des fonctionnaires, et qui
rappelait à Martha qu'elle avait elle-même épousé un ardent combattant de la gauche. Elle releva la tête, et sourit à Martha qui ressentit
la même chose qu'avec Iris et son Stanley, ce matin : une zone d'émotion familiale était atteinte.

Et si je lui disais : « Votre sœur est très malheureuse. Elle s'ennuie avec son gentil mari à toute épreuve. Elle a des enfants par pure névrose. Elle vit en état dépressif permanent ». Non, elle ne pouvait évidemment pas dire cela. Cette femme ne comprenait pas le désespoir — ou, plus exactement, ne comprenait pas la résignation au désespoir. D'ailleurs, si ces détails n'étaient pas aussitôt diagnostiqués — et ils le seraient — comme un symptôme de l'identification de Martha à la faiblesse névrotique du monde, ils confirmeraient tout au moins l'échec toujours attendu de la petite sœur.

« Et ça marche — enfin tout va bien ?

— Ma foi, oui. Mais je pense que quatre petits enfants représentent une sacrée occupation, pour le moment.

— Cela m'étonnerait ! Vous devez avoir plein de domestiques, là-bas, non ? » Elle articula ces mots d'une voix cinglante, le visage soudain coloré, et Martha y déchiffra toute l'histoire d'une vie lourde de responsabilités, avec un emploi mal rémunéré, deux petites filles à élever sans père — sans aide, sans domestiques.

« Je crois que j'ai quelque chose pour vous », reprit Phœbe, écartant les questions personnelles tandis que son visage flamboyait encore, et que ses doigts restaient crispés sur son sac. « J'ai un beau-frère. Enfin, un ex-beau-frère. Il cherche quelqu'un. Il est écrivain. D'un genre assez particulier, bien sûr. C'est plutôt un hobby. Il doit avoir une entreprise de je ne sais quoi.

— Quel genre de choses écrit-il ? »

Silence. Phœbe avala une gorgée de café fade tandis que Martha reconnaissait une ancienne atmosphère : oh oui, elle avait déjà vécu cette situation. « Il a publié un livre. » Nouvelle gorgée. « Il a eu de bonnes critiques. » On pouvait voir que ces bonnes critiques constituaient non seulement une surprise, mais une déception. Détestait-elle l'homme, ou bien le livre ? Non, l'atmosphère était si forte que Martha attendit la phrase suivante en toute certitude. « Je n'ai pas de temps à perdre avec des livres qui ne concernent pas la réalité, et vous ? »

Marjorie aurait pu dire la même chose ; ou bien Anton. Dans le même répertoire, elle aurait également pu dire : Je ne m'intéresse pas aux gens qui écrivent dans leur tour d'ivoire. Non, c'était sans doute là une expression trop littéraire pour Phœbe.

Martha tenta d'approfondir le sujet : « Quel en était le sujet ?

— Oh, juste des émotions personnelles.

— Bah, j'ai vraiment besoin de trouver du travail. »

Phœbe contempla la valise de Martha en pinçant les lèvres.

« Où avez-vous laissé vos bagages ? »

Martha faillit laisser « Matty » répondre à sa place d'un ton enjoué, où allaient se mêler l'humour et la dérision : « Voilà tout ce que je possède au monde ! »

« Les voici, dit-elle simplement.

— Vous devez être experte dans l'art de faire les valises, observa Phœbe, transformant en vertu la pauvreté de la matière.

— Quel genre d'aide cherche-t-il ? Quel travail cela représente-t-il ?

— Oh, je n'en sais rien... il est toujours à courir partout, vous savez, il jongle avec tant de choses. Il vit tout près d'ici — je me demandais si nous ne pourrions pas y passer, si vous avez le temps ?

— Oui, très bonne idée. »

« Passer », si différent de ce que Martha avait connu à Londres — enfin, dans le Londres où les gens habitaient de vraies maisons, menaient des existences organisées bien distinctes de celles des vagabonds et des instables — cela signifiait-il que Phœbe entretînt des relations particulières avec cet homme ?

« Je vais l'appeler », précisa Phœbe.

On ne « passait » pas sans téléphoner d'abord.

Phœbe alla trouver le serveur, conféra, puis disparut derrière une porte marquée « ENTRÉE INTERDITE ». Elle revint en annonçant : « Mark dit qu'on peut venir. Il sera libre à deux heures et demie pour une heure. »

Oui, c'était déjà plus ressemblant : on était libre pour une heure, sur rendez-vous. D'où venait donc la différence ? Mais des domestiques, bien sûr ! Avec des domestiques nombreux et peu rétribués, on pouvait passer, s'attarder, rester déjeuner, développer d'innombrables amitiés sans façon.

« Tout près d'ici », cela signifiait Bloomsbury.

Martha avait les deux bras endoloris et distendus par sa valise depuis le début de son séjour à Londres. Elle proposa de prendre un taxi. Phœbe ne prenait jamais de taxis. Elles y allèrent en autobus.

La maison où elles se rendaient n'était pas située sur l'une des places les plus connues, mais tout près : de la porte d'entrée, il semblait que les arbres et les plantes de la place eussent revendiqué la maison. Haute, étroite, solennelle, elle ressemblait à celles de la place ; et maintenant que les différentes nuances de « blanc » choisies par leurs propriétaires avant la guerre s'étaient fanées en un gris terne mais uniforme, le quartier tout entier arborait l'unité de sa conception : des maisons à vérandas, et de petites places plantées d'arbres et d'herbe. En bref, on songeait ici à la beauté de Londres, et non à sa laideur. Dans le vestibule de la maison, en voyant des tapis persans sur le parquet sombre et quelques meubles anciens, Martha sentit que, pour la première fois de sa vie, elle se trouvait dans un cadre où, si elle choisissait d'y rester, il ne subsisterait aucun doute sur la manière de se comporter et de se vêtir. Elle avait toujours résisté à ce type de cadre, ou à sa seule notion. Si elle acceptait ce travail, il faudrait que ce soit pour une très brève période. Elle se sentait attaquée par cette maison — revendiquée. D'ailleurs, elle s'y trouvait déplacée. De même que Phœbe, observa-t-elle, car elle y paraissait mal fagotée, empruntée, tandis que Martha, elle, jurait abominablement.

Un homme descendit l'escalier, difficile à voir jusqu'à ce qu'il allumât une lampe. Il était de taille moyenne, et avait les cheveux sombres. Mais sa carrure massive et les traits solides de son visage donnaient une impression de puissance et de grandeur. Une présence, et forte. Mais ensuite il parla, et ce qui apparut aussitôt fut l'anxiété, et même la contrariété.

« Comme c'est gentil à vous... Laissez-moi... » Et il prit le manteau de Phœbe sur son bras, et la valise de Martha. « Maintenant, voyons. Vraiment, Phœbe, que c'est gentil à vous de vous donner toute cette peine. » Il ne leur accordait que la stricte politesse nécessaire à ses yeux. Ou bien il était survenu un nouvel élément depuis le coup de téléphone de Phœbe, une demi-heure auparavant, ou bien il s'était pris d'antipathie pour Martha dès le premier regard. A quoi Martha réagit — et se vit réagir — de manière puérile : eh bien, vous ne me plaisez pas tellement non plus ! Et c'était vrai. Ses habitudes coloniales lui faisaient juger cette politesse hypocrite, puisque si manifestement quelque chose l'exaspérait ; et cette contrariété clairement exprimée donnait à Martha l'anxiété de s'enfuir. Elle se demandait au bout de combien de temps elle pourrait sans grossièreté s'en aller sous un quelconque prétexte, tandis que Phœbe réclamait son manteau en expliquant que son travail l'attendait et qu'elle ne pouvait pas s'attarder un instant de plus.

« Mais non, Phœbe », s'écria-t-il d'une voix presque geignarde, le visage angoissé par l'effort d'avoir à sourire. « Restez, je vous en prie. Voyons, maintenant, où vais-je pouvoir... » Il ouvrit une porte qui donnait sur un salon. « Je suis sûr que Margaret ne m'en voudra pas d'utiliser... »

Martha comprit qu'elle allait subir un entretien avec un homme qui n'éprouvait aucun goût pour elle, ou bien pour ce type d'entretien — elle hésitait —, et qu'il tentait d'imaginer où il conviendrait d'y procéder.

« Je suis absolument désolée », déclara Phœbe, blâmant le manque de foi qu'il manifestait à l'égard de son aptitude à travailler réellement. « Faites-moi savoir le résultat de vos démarches », ajouta-t-elle à l'adresse de Martha. « Car si Mark et vous-mêmes ne vous entendez pas, je suis certaine qu'il y a plein d'autres choses à faire. » Elle sortit.

Martha et Mark Colridge se retrouvèrent seuls dans le vestibule, abandonnés à leur propre initiative.

« N'êtes-vous pas la jeune femme de Birmingham ?

— Non, pourquoi ?

— Ah bon, alors... » Il lui tint la porte ouverte, et elle pénétra dans la longue salle raffinée et comme assoupie où il semblait que nul ne fût entré depuis des mois.

« Voici déjà plusieurs semaines que Phœbe cherche à m'imposer une de ses protégées, originaire de Birmingham. Travailliste ou je ne sais quoi. »

Il l'examinait plus attentivement, et elle restait immobile pour se laisser inspecter ; et elle l'observait. Mais elle ne parvenait à penser que : voici des exigences à mon égard. Non seulement de sa part à lui, l'homme, extrêmement fortes bien qu'elle ne sût guère comment les définir ; mais aussi de la maison, du mobilier — et même de ce quartier.

« Écoutez », commença Martha, devenant presque « Matty » dans sa hâte de fuir. « Il s'est produit une erreur. Vous vous trouvez dans une fausse position. J'en suis absolument navrée... je m'en vais. » Elle se dirigeait vers la porte.

« Non. Attendez. Nous allons plutôt monter », décida-t-il, manifestant clairement que le salon de Margaret — quelle que fût l'identité de cette Margaret — n'avait été choisi que pour embarrasser la jeune dame de Birmingham, ou bien Phœbe — en tout cas, cette pièce apparaissait comme une sorte de no man's land, ou de zone défensive. Elle le suivit au premier étage, dans une petite pièce pleine de livres, de papiers, et d'un fouillis sympathique, où Martha trouva beaucoup plus facile de s'asseoir.

« Alors qui êtes-vous ? »

Elle répondit en lui fournissant le minimum possible de renseignements, et résista à l'envie de lui répondre comme elle l'avait fait à d'autres inconnus : Je m'appelle Phyllis Jones, je m'appelle Joan Baker, je suis mère de deux jumelles et j'ai un frère matelot qui...

« Et quel genre d'emploi Phœbe vous a-t-elle laissé entrevoir ? Qu'espérez-vous ? »

Ces mots, si différents de la courtoisie qui constituait l'un de ses attributs innés, laissaient deviner tant d'anxiété, de méfiance qu'elle faillit à nouveau s'enfuir. Elle le dévisagea avant de répondre : un visage fort, sombre, aux traits bien dessinés. Beau ? Aussi beau qu'il pouvait : tout crispé dans une méfiance tendue.

« Vous aviez besoin d'aide pour un livre, d'après ce qu'elle m'avait dit. Mais je ne pense vraiment pas...

— Je vois. » Il se détendait. Il souriait. « Bon. Mais ne vous en allez pas. Car j'ai effectivement besoin d'aide.

— Quel genre ? »

A présent un regard que, s'il ne se fût agi d'un homme à qui ces manœuvres étaient étrangères, s'il se fût agi de n'importe qui d'autre, Martha aurait trouvé rusé. Non : mais il y avait là quelque chose de caché, d'enfoui.

« Voilà. J'ai un problème de date limite — c'est le mot qu'ils emploient. Et il faut que je... » Il laissa flotter la fin de sa phrase. Assis sur un bureau, les jambes pendantes comme si elles avaient reposé sur un tabouret, ou sur une chaise — mais elles reposaient sur l'air —, il la dévisageait comme au travers d'un obstacle. Tout était démesuré, disproportionné — discordant. Martha comprit qu'elle se sentait rebutée, non par lui, qu'elle aurait pu qualifier de sympathique, mais par une situation. Car il y en avait une. Tout ici, dans cette maison, serait absolument l'opposé, comprenait-elle, de ce qu'elle avait espéré trouver.

Elle se ressaisit, et répondit d'une voix ferme : « Je cherche un emploi pour une durée limitée. Je ne veux être liée à rien. Et j'espérais bien suivre un horaire normal. »

Il était resté impassible pendant l'énoncé de la première condition, mais s'était indéniablement assombri en entendant la seconde.

« C'est en effet très raisonnable. Mais j'espérais... voyez-vous, je

93

travaille moi-même très irrégulièrement. Surtout la nuit. Je suis obligé d'aller au bureau dans la journée... »

On entendit alors du bruit à l'extérieur, comme si quelqu'un s'était préparé à entrer ; puis un coup ferme retentit à la porte et, avant que Martha eût rien pu dire, entra une dame tenant par la main un petit garçon.

« Ah ! » s'exclama Mark en quittant sa table, l'air découragé. « Alors, mon vieux ? » dit-il à l'enfant. C'était un petit garçon tout rond, aux cheveux sombres et au visage très pâle, avec des yeux bruns extraordinairement méfiants. Il eut un sourire pathétique, et chercha autour de lui un endroit où s'asseoir. Il s'assit enfin, tandis que la dame l'observait pour s'assurer qu'il procédait correctement.

« Voici ma mère, annonça Mark, Margaret Patten. Et voici mon fils, Francis. Je vous présente Martha Hesse. »

Martha sentit aussitôt qu'elle connaissait déjà trop bien ce genre de femme, car elle était grosse et pourtant d'aspect frêle, pleine d'entrain, et elle semblait bien trop jeune pour pouvoir être la mère de cet homme. Elle portait une ample robe de soie fleurie et tenait des gants à la main ; elle les posa sur la table de Mark et, sans les regarder, se mit à les lisser l'un sur l'autre, chaque doigt posé sur le doigt correspondant de l'autre gant, comme s'ils s'étaient encore trouvés sur le comptoir du magasin, ou si elle avait souhaité qu'ils s'y trouvent. Pendant ce temps, elle enregistrait une quantité de détails physiques concernant Martha : son âge, ses vêtements, sa présence, son style, et l'on pouvait presque l'entendre réfléchir : Hesse ? Allemande ? C'est bien un nom allemand ? Non, elle n'est pas allemande. Mais elle n'est pas anglaise non plus...

Mark semblait de plus en plus contrarié.

« Bon, eh bien j'espère que tu as enfin trouvé quelqu'un », déclara-t-elle. « Ne veux-tu pas t'asseoir ? » demanda-t-elle au petit garçon qui s'était relevé pour s'approcher de son père. Il se rassit aussitôt, les pieds sagement rangés l'un contre l'autre, et contempla ce monde hostile des adultes dont il ne pouvait rien espérer — ses yeux l'exprimaient de manière atrocement claire — qui ne fût douloureux. Martha sentait son cœur se déchirer. Ce petit garçon lui causait une souffrance intolérable. Et pendant ce temps, Mme Patten l'examinait avec la plus extrême franchise tandis que son fils Mark la regardait faire avec une vive contrariété.

« Mme Hesse vient juste d'arriver, et nous n'avons encore eu le temps de prendre aucune décision.

— Ah bon, soupira Mme Patten en souriant à Martha au travers de son fils, comme elle l'eût fait derrière son dos.

— En fait, nous venions de commencer une sorte d'entretien préliminaire.

— Oh, nous ferions mieux de vous laisser continuer, alors — n'est-ce pas, Francis ? » Elle lui tendit la main, et Francis se leva aussitôt pour venir la prendre.

« Si elle reste, reprit Mme Patten, il est heureux que la grande chambre soit libre pour un moment — à condition que cette chère Sally puisse supporter de rester au large! »

Il ne répondit rien, et Martha garda le silence. Une quantité de raisons provoquait sa colère : surtout des pressions surgies du passé, très fortes. Elle éprouvait de la rancœur envers Mme Patten pour son propre compte, et aussi pour celui de Mark. Et puis surtout au nom de l'enfant. Francis adressa un sourire à son père, qui le lui rendit : tels les prisonniers du destin qu'ils étaient, échangeant une brève compassion avant de devoir se quitter malgré eux. Mme Patten l'emmena hors de la pièce.

Il y eut alors un moment de silence, pendant lequel Mark se ressaisit. Puis il s'écria : « Elle a laissé ses gants, merde. » Il les ramassa et sortit les rendre à sa mère, avec qui il échangea de nouveaux adieux. Il revint.

« Voilà », commença-t-il. « Mon épouse séjourne actuellement dans un hôpital psychiatrique. » Il s'interrompit et, sans la regarder, attendit qu'elle eût digéré l'information. « Ma mère supporte la charge de Francis depuis déjà un certain temps, et pense que ce serait plus facile s'il y avait une femme dans la maison — pendant les vacances scolaires, par exemple. »

Cette profusion de renseignements contraignit Martha à se taire un long moment, pour les assimiler, tandis qu'il attendait. Et en réfléchissant, elle revit devant elle les yeux de l'enfant qui se retournait en sortant : c'était un long regard curieux et chargé d'espoir.

Oh non, gémit intérieurement Martha, non, non, non!

Elle finit par reporter son regard sur Mark, et attendit. Il reprit alors : « Mais ne croyez pas que, si vous travaillez pour moi, pendant quelque temps, vous seriez le moins du monde responsable de Francis, ou que vous seriez obligée de vivre ici.

— Qui vit ici?

— Bonne question », admit-il, riant enfin. « Oui. Eh bien, j'aurais dû vous le dire avant. En vérité, il est souvent difficile de le savoir. Bon, il y a moi, bien sûr. Et puis ma femme — quand elle se porte bien... » Long silence. « Il n'est guère probable... elle n'est pas très... il ne semble pas qu'elle doive revenir ici dans l'avenir immédiat. Ou si elle revient, elle ne... Ma mère occupe la pièce du bas que vous avez vue. Elle aime parfois recevoir des gens. Et puis il y a les chambres du haut. Elles semblent toutes appartenir à quelqu'un. Ou leur avoir appartenu. Nous sommes une vaste famille. Nous l'étions, du moins.

— Je comprends.

— Oui, je pensais bien que vous aviez compris. » C'était à la fois une excuse et une supplication. Martha avait l'impression d'avoir été soudain balayée par-dessus une falaise, et ce par ses propres émotions : pour la première fois depuis son arrivée à Londres, elle n'était plus libre. Elle éprouvait l'envie de s'enfuir en courant, n'importe où. Elle se sentait extraordinairement bouleversée. Lui aussi.

« Quant au travail même, articula-t-il enfin, c'est extrêmement simple. Mais le problème, voyez-vous, c'est de trouver quelqu'un qui ne se laisse pas troubler par cette... situation délicate. »

Elle comprenait très bien. Et elle réfléchissait : il ne lui restait plus d'argent. Si elle devait aller à l'hôtel ou chercher une chambre à louer, elle serait contrainte de solliciter une avance sur son salaire (dont le montant n'avait pas encore été mentionné). La chambre du haut (qui était Sally ?) représenterait évidemment une manne du ciel en attendant qu'elle eût trouvé à se loger. Mais cela supposait de se laisser impliquer encore plus profondément dans cette situation terriblement impressionnante, où elle s'était déjà laissé prendre : le visage de cet enfant la hantait. Comment avait-elle pu être assez sotte pour arriver au point de n'avoir plus d'argent du tout ? En travaillant ici et en vivant ailleurs — ce serait sans doute une bonne sécurité (en était-elle bien sûre ?). Elle n'avait qu'à emprunter de l'argent. A qui ? A Jack. Il fallait qu'elle demande à Jack.

« Puis-je y réfléchir ? » demanda-t-elle ; et il répondit d'une voix glacée par la déception, interprétant sa requête comme un refus poli — qui correspondait d'ailleurs presque à l'intention réelle de Martha : « Bien entendu, vous avez raison.

— Ce n'est pas que l'idée de travailler avec vous me déplaise...

— Je comprends fort bien. »

Et cet instant aurait pu marquer la fin : elle aurait pu s'en aller, et redevenir libre. Mais elle ajouta, sans pouvoir s'en empêcher : « Oh, je suis désolée, je suis tellement, tellement désolée.

— Écoutez, vous pourriez habiter où vous le souhaiteriez, ou bien ici. Mais il y a presque toujours quelqu'un d'autre, ici. Vous n'auriez pas à craindre de vous y trouver seule avec moi. Sally vient très souvent — c'est la femme de mon frère. Mais de toute façon, il ne serait pas question de travailler à des heures qui ne vous conviendraient pas. Et je vous verserais un salaire de douze livres par semaine, que vous habitiez ici ou non. »

Sa voix exprimait que l'offre était généreuse — et elle l'était en effet ; bien au-dessus des tarifs en vigueur.

Martha se leva. Tant d'émotion giclait dans la pièce qu'elle ne pouvait plus y tenir. « Je vous communiquerai ma réponse d'ici à la fin de la journée. Cela vous convient-il ? »

Il s'illumina, le visage soudain amical, ravi.

« Parfait, acquiesça-t-il, et j'espère infiniment... mais je m'en voudrais de chercher à vous influencer. Ne vous offusquez surtout pas — voyez-vous, depuis déjà plusieurs semaines je me trouve en butte aux choix de Phoebe, et la plupart du temps ils ne me conviennent vraiment pas du tout.

— Elle ne manque assurément pas d'une certaine force d'insistance. »

Ils descendirent l'escalier en souriant à l'idée de cette précieuse force d'insistance qui caractérisait Phoebe, et Martha se souvint comme les gens souriaient de Marjorie : d'un sourire différent. Étrange : on ne pouvait jamais sourire en pensant à Phoebe du même sourire que pour Marjorie !

Martha le quitta, résistant à la suggestion de laisser sa valise chez lui et de la reprendre plus tard.

Où pouvait-elle aller, pour prendre sa décision ?

Où pouvait-elle donc aller, si ce n'était chez Jack ? A présent qu'elle traversait cette charmante place où les arbres agitaient leurs branchages d'été dans l'air désormais frais, elle se sentait libérée de cette maison, de cet homme, et de cet enfant hanté. Elle allait retourner voir Jack et lui demander si, finalement, elle pourrait quand même habiter à l'étage au-dessous de chez lui. Au moins pour quelque temps. Elle se dirigea vers une cabine pour lui téléphoner.

En entendant que c'était Martha, la voix de Jack prit aussitôt une intonation d'affectueux soulagement : « Martha, que je suis heureux — j'ai vraiment cru que jamais je ne te reverrais. Je ne sais pas pourquoi. » Il y eut un silence, puis il l'informa à voix plus basse de sa position actuelle. Il se trouvait avec Joanna. Il présenta cette donnée à Martha pour lui faire comprendre que Joanna, deux fois décommandée à cause d'elle, bénéficiait à présent de sa préférence. Martha le comprit. « Écoute, Jack, peux-tu me prêter de l'argent ? Il me faudrait une dizaine de livres. Je pense que cinq suffiraient. » Un très long silence s'instaura, puis il répondit : « C'est-à-dire, vois-tu, Martha, que je ne garde jamais d'argent ici. » Il retomba dans le silence, attendant patiemment qu'elle pense à d'autres ressources. Martha se surprit à songer : Évidemment, il est tellement radin... avec une telle violence qu'elle refoula cette pensée. Tout de même, elle savait bien qu'il conservait de l'argent chez lui : comme les vieux fermiers originaires de la même tradition que lui, dans une sacoche cachée sous son matelas. Et même beaucoup. Elle comprit ensuite que sa requête signifiait en vérité qu'elle ne voulait pas habiter l'appartement au-dessous du sien, qu'elle préférait aller à l'hôtel : elle demandait à Jack l'argent nécessaire à son évasion d'entre ses griffes. Et il le ressentait.

« Dans ce cas, peut-être que Joanna pourrait m'en prêter ? » insista Martha, d'une voix que le désespoir rendait plus aiguë.

« Attends un instant, Martha. »

De la cabine téléphonique, Martha regardait passer les gens dehors : c'était à nouveau l'heure de pointe, et le ciel sombre annonçait une averse imminente. Martha sentit la panique l'envahir. La frousse. Elle se trouvait à un tournant dangereux de son existence : en train de se faire récupérer. A moins que ce ne fût déjà fait ? La voix de Jack retentit à nouveau dans l'écouteur, mesurée : « Si tu venais maintenant, Martha, nous pourrions en discuter, non ?

— D'accord. Merci. Et remercie Joanna pour moi.

— Viens-tu en taxi, ou à pied ?

— En bus.

— A tout de suite. »

Il avait juste voulu s'assurer du temps qu'il lui restait avec Joanna, avant l'arrivée de Martha. Il consacrait tout le génie d'organisation d'une ménagère-fée du logis à l'organisation de son horaire avec toutes les femmes... Martha écumait de mépris rageur à son égard. Elle avait toujours su que Jack était prudent quand il s'agissait d'argent — tel était le terme. Mais elle l'avait jugé trop généreusement : il conservait pour lui seul les mille livres sterling qui lui garantissaient sa liberté. Jamais encore elle n'avait éprouvé cette haine et cette répulsion pour lui ni pour son mode de vie. A présent, elle ressentait les deux. Et aussi pour la maison où elle était allée cet après-midi — un paquet de névrosés malades ; et quant à Phoebe, c'était une fanatique dépourvue d'humour... la haine lui brûlait les veines. Il fallait qu'elle cesse cela, il le fallait absolument... Elle grimpa dans un bus qui se dirigeait vers l'ouest, parmi une foule qui sentait la sueur dans cet après-midi moite. Elle était épuisée. Ces semaines sans dormir ni manger à sa faim, ces semaines d'inlassable marche prenaient le dessus : elle était prête à s'effondrer en larmes. Elle se prit à souhaiter de se trouver dans l'obscurité, au lit, et de tirer les couvertures pardessus sa tête. Le bus dévalait Bayswater Road. Deux nuits auparavant, Martha avait ici même marché d'un pas vif et alerte. C'était la nuit où, en marchant, elle avait compris... mais elle ne pouvait seulement plus se rappeler ce qu'elle avait compris, à présent. Et elle éprouvait une violente réaction à cet égard aussi, c'était de l'affectation, songeait-elle ; elle avait fait l'importante en imaginant toutes sortes de grandes vérités quand il ne s'agissait en fin de compte... évidemment, si l'on allait se passer de dormir et de manger correctement et puis aller faire l'amour pendant des heures et des heures avec une espèce de... elle se revit, jeune femme vêtue d'un manteau noir de vieille dame, parcourant les ruelles sombres et sales avec un sourire idiot aux lèvres, mais quelque part à l'arrière-plan de ses pensées, l'idée s'agrippait : c'était ici, c'était ici, *c'était* — ce n'était pas parce qu'elle échouait à s'en approcher maintenant, que cela n'existait pas. Elle quitta le bus, les jambes flageolantes, et faillit tituber sous le poids de sa lourde valise en passant devant le canal où des enfants jouaient à s'éclabousser dans la lumière terne du soleil. Elle arriva à la porte de Jack et s'y adossa, respirant à fond pour se ressaisir. Dans la rue, des hommes en maillot de corps creusaient une tranchée où ils disparaissaient jusqu'à la taille dans la terre jaune et grasse.

Le jeune homme grimaçant lui ouvrit la porte avant même qu'elle eût sonné : il l'avait épiée par la fenêtre.

« Il y en a déjà une là-haut, annonça-t-il, ravi.

— Oui. Je le sais, merci. » Elle passa devant lui, et l'entendit glousser idiotement. Bon Dieu, jamais elle ne pourrait vivre dans cette maison avec un débile et un... Jack descendit l'escalier à sa rencontre, et souriait. Et à sa vue, le dégoût qu'elle avait éprouvé se transforma en affection. Tout ce qu'elle avait ressenti résultait uniquement de la fatigue, et elle devait se méfier de ses propres réactions. Revêtu d'un vieux pantalon bleu et d'un lourd chandail bleu destiné à dissimuler la maigreur qui lui causait tant de honte et de terreur, il lui prit sa valise des mains et l'attira au creux du cercle osseux que dessinait son bras. Il l'embrassa et lui demanda : « Alors, Martha, quoi de neuf ? »

Elle hocha la tête, prête à pleurer, et le devança dans la chambre noir et blanc où se tenait Joanna, tout habillée, dans le fauteuil placé près de la fenêtre. Ou bien elle ne s'était pas dévêtue, ou bien elle s'était rhabillée pour Martha. Elle portait à nouveau sa tenue parfaite : jupe beige très bien coupée, chandail beige, longues jambes gainées de soie et non de nylon, chaussures basses marron, très bien cirées. Son manteau en poil de chameau était soigneusement plié sur le dossier d'une chaise. Elle luisait de propreté comme un enfant à peine sorti du bain. Elle sourit à Martha en la saluant de la tête. « Désires-tu t'allonger ? » Maintenue dans le cercle d'os, elle se sentait happée vers le lit.

« Non, je ne veux pas dormir — pas encore. »

Il n'y avait qu'un seul siège décent dans la chambre, et Joanna l'occupait. Elle se leva et alla s'asseoir sur le lit ; Martha prit le fauteuil. Jack leur tourna le dos pour préparer du café sur le réchaud à alcool : il leur laissait le soin de définir la situation et de manœuvrer.

Comme ni l'une ni l'autre ne disait mot, il demanda : « Ce travail n'était donc pas intéressant ? »

Et soudain Martha se laissa déborder par Matty, dans une explosion de larmes et de rire désespéré. « Oh si, c'est exactement mon genre, au contraire. Juste ce qu'il me fallait... » Sa voix se brisa dans un gémissement qui voulait être rire. « Vous n'allez pas me croire, mais c'est un boulot taillé sur mesure. Je vous assure, voilà des années que cet emploi m'attendait — encore plus minable et plus névrosé et plus décourageant que tout ce que vous pourriez imaginer... Le tout coiffé d'une mamma gendarme, avec une épouse internée à l'hôpital psychiatrique, et un homme qui n'attendait qu'une imbécile dans mon genre pour s'occuper de tout. »

Le dos bleu de Jack restait obstinément courbé au-dessus de ses tasses et de ses cuillères : il attendait la suite, il se méfiait. Et derrière le petit visage impassible que la bonne éducation de Joanna lui imposait, se devinaient l'antipathie et le dégoût. Quant à la calme Martha, qui observait les gloussements et les pleurs de Matty avec autant de détachement que Jack ou Joanna, elle savait que seul Jack hériterait de l'antipathie qu'éveillait en Joanna cette situation — et non Martha. Cette pensée la réconforta. Elle renifla, s'essuya les yeux et les joues d'un revers de main, car elle n'avait pas de mouchoir, et garda un moment le silence, pour se remettre.

« Il y a plein de travail, à Londres », observa Jack en se retournant, chargé de trois grandes tasses remplies à ras bord de café très noir. Dans les fermes qu'il avait connues, il y avait toujours de grands chaudrons noirs fumants posés à l'arrière des cuisinières à bois, avec plusieurs centimètres d'épaisseur de marc de café au fond, et où l'on ajoutait chaque jour du café pour faire un breuvage qui rechargeait en profondeur le système nerveux dès la première gorgée. Ce liquide noir, dans la tasse que tenait Martha, était plus qu'elle n'aurait pu supporter dans l'état où elle se trouvait. Elle garda donc sa tasse à la main sans boire.

« Quand on veut vivre à Londres... », commença Joanna. « Et pour quoi faire ? Pourquoi n'allez-vous pas plutôt habiter la campagne ? Là, on peut vivre comme un être humain.

— Joanna peut te prêter de l'argent, Martha. Cinq ? »

— Oui, confirma Joanna. Mais si j'étais vous, je prendrais le premier train pour quitter Londres.

— Mais tu as l'air au bout du rouleau. Enfin, pourquoi ne veux-tu pas t'allonger et dormir un peu ? Joanna et moi irons dîner dehors. Joanna ?

— Il faut que je m'en aille », répondit-elle en buvant son café sans quitter Martha des yeux.

Ni l'un ni l'autre n'a *entendu* ce que je disais, songea Martha. A présent, Joanna déteste Jack parce qu'elle s'est trouvée mêlée à ma crise d'hystérie, et Jack se dit : Martha est contrariée.

Jack maintenant s'accroupissait par terre. D'abord il posa sa tasse puis tâta le sol, comme il eût fait d'une terre bien-aimée : à la manière d'un paysan africain touchant la terre pour l'apprivoiser, en quelque sorte, avant de s'accroupir. Jack s'accroupit donc, et posa le plat de la main par terre. Si j'étais seule avec lui, pensa Martha, nous ferions l'amour, et je connaîtrais sa réponse à mes paroles, à mes réactions, selon son comportement. Cette découverte lui paraissait extraordinaire.

« Quel genre de travail cherchez-vous ? s'enquit Joanna.

— Oh, ce n'est pas le travail lui-même qui me préoccupe. Mais je sais exactement ce que je veux. » En effet. Depuis quelques minutes, il s'était produit quelque chose, un glissement d'équilibre. Elle savait.

« Je veux, reprit Martha, vivre de manière à ne pas devenir un animal hypnotisé. »

Souriant avec l'affectueux espoir de bientôt savoir ce qui excitait ainsi Martha, Jack garda sa paume posée à plat sur le sol — la terre. Mais Joanna déclara d'une voix brève et hostile : « Ah non ! j'ai bien assez connu cela pendant la guerre.

— Comment cela ? voulut savoir Jack, détournant les antennes de sa sensibilité en direction de Joanna.

— Je sais très bien ce que je veux dire. Et j'en ai assez. Je n'en supporterai pas davantage.

— J'étais sur le bateau. J'ai compris sur le bateau, expliqua Martha.

— Martha n'a pas apprécié le voyage », expliqua Jack à Joanna. « Mais quand même, Martha, ce ne devait pas être désagréable, de voyager avec ton amie et d'observer tout le monde. Quand je suis revenu, c'était pareil... » Il s'exprimait à présent en bon hôte, et cherchait à adoucir les chagrins de Martha. « Mais je passais tout mon temps au gymnase. Je n'avais pas du tout l'intention de me laisser embrigader.

— Oh, mais je me suis laissé faire, justement. C'est toute la différence.

— Tu m'avais dit que tu étais sans cesse restée avec cette fille malade, à regarder — c'est toujours affreux — une foule entassée comme des bêtes.

— Non. » Martha éprouvait l'impérieux besoin de s'expliquer, de revendiquer l'alliance de Joanna, même devant la négation hostile qu'opposait celle-ci à sa découverte fondamentale à elle, Martha.

« Avant de partir, là-bas, je rêvais de la mer. Tout le temps. C'était une obsession. Quand j'ai quitté le train au Cap, je me suis dit : Voici enfin la mer, mais on nous a embarqués directement sur le paquebot, et la mer n'était qu'un port plein de bateaux. Quant au paquebot, tout était conçu de manière à nous faire oublier que la mer était proche. Et si l'on voulait aller sur le pont, la nuit, pour voir la mer, il se trouvait toujours quelqu'un pour dire : Ah, les amoureuses du clair de lune ! Ou bien : Moi aussi, il faut que je maigrisse. Tu comprends... des centaines de gens dont certains avaient attendu pendant toute la guerre, pour pouvoir enfin effectuer ce voyage. Il y avait là une fille malade. Condamnée, je crois. Une maladie du sang. Pâle, maigre — vraiment maladive. Nous avons fait équipe. Mais elle ne m'a jamais acceptée. Je me portais bien, comprenez-vous. Je la surprenais sans cesse à m'épier, sceptique, hostile — comme vous, Joanna. Cela vous arrive aussi.

— Je ne m'en rendais pas compte.

— Si, si. Où en étais-je ? Ah oui ! Nous représentions un défi à l'égard des hommes, toutes les deux, à refuser de jouer le jeu. Elle croyait que j'agissais dans cette intention-là. Bon, et peut-être — ou plutôt, disons que c'est cela précisément qui m'y a ramenée —, alors peut-être avait-elle raison. D'une certaine façon. Mais pendant tout ce temps elle se montrait fort polie, et même assez cynique, et elle m'observait pour voir combien de temps je tiendrais avec elle avant d'aller rejoindre les autres.

— Vous auriez dû vous enfermer dans votre cabine, répliqua farouchement Joanna, mécontente.

— Je partageais ma cabine avec trois autres personnes. Tout le monde ne peut pas s'offrir une cabine particulière — oh, merde, que c'est puéril.

— En effet, acquiesça Joanna.

— Je comprends ce que ressent Martha », intervint Jack. « A certains moments de ma vie, j'aurais pu te tuer pour de l'argent. C'est la vérité. Il y a eu des périodes, à Port Elizabeth, où je guettais les riches touristes et où, si j'avais pu te tuer impunément, je l'aurais fait.

— Mais je n'y étais pas, protesta Joanna, presque amusée.

— Sur ce bateau, je me disais que, pour des millions de gens, j'étais quelqu'un de riche. Partout en Afrique, il se trouve des gens qui savent qu'un voyage en paquebot, c'est le paradis — inaccessible à jamais pour eux. Imaginez cela. Et je n'étais partie que depuis deux jours quand j'ai compris qu'en vérité tout le monde avait horreur de cela. Je me réveillais de très bonne heure et j'observais les trois autres femmes — elles restaient à demi assoupies, refusant de s'éveiller, et puis elles cherchaient une cigarette à tâtons en grognant. Des corps sur des couchettes qui auraient voulu pouvoir dormir toute la journée — mais la journée avait commencé. Le navire entier grouillait de gens mal réveillés qui se levaient à contrecœur, se rasaient, se lavaient, s'habillaient. Et les vêtements endimanchés ! Les femmes avaient consacré des mois ou des fortunes à se constituer une garde-robe, juste pour le voyage. Ensuite, le petit déjeuner. Tout le monde mangeait d'énormes quantités de nourriture trop riche, en plaisantant sur sa voracité. Ils n'avaient aucune envie de manger autant, mais ils n'avaient pas le choix : c'était là, et ils avaient payé. S'il est bien une chose que les Sud-Africains — nous venons tous de là-bas — comprennent, c'est la manière de se défendre par des plaisanteries et de jeter l'argent par les fenêtres. Après le petit déjeuner, les gens allaient aux toilettes en plaisantant. Une heure plus tard, les stewards apportaient la soupe. Et tout le monde mangeait de la soupe. Et là, la beuverie démarrait : ils pouvaient enfin commencer à se droguer. Ils étaient déjà assommés par toute cette nourriture, mais maintenant c'était l'alcool. Et puis le déjeuner : deux heures à manger sans relâche ni répit, et à boire. Suivi d'une bonne sieste. Dieu merci, ils pouvaient enfin échapper à deux heures d'existence en sombrant dans le sommeil. Mais quelques-uns d'entre eux couraient au soleil et faisaient du sport en plaisantant sur la nécessité de ne pas se laisser grossir. Ensuite, le thé. Les gens émergeaient de leurs cabines revêtus d'autres habits. Du thé, et des masses de gâteaux. Puis la nuit tombait, et commençaient la drague et la beuverie. Sur tout le bateau, les gens ne pensaient plus qu'à baiser, et leurs partenaires ne leur plaisaient même pas, car leur comportement ne valait pas les mois et les mois de fantasmes projetés sur ce voyage. La musique sortait du bateau par tous les pores. Tout le monde sauf l'équipage se droguait de nourriture, de boisson et de sexe. Et puis au lit. Mais très vite — soit que vous ayez trouvé un ou une partenaire, soit que vous ayez vraiment trop bu. Retour aux pyjamas ou aux chemises de nuit. Retour à l'oubli. Dieu soit loué !

— Et alors ? » demanda Joanna d'une voix rendue pointue par la colère. Ses yeux étincelaient, et ses joues roses flamboyaient.

« Je passais tout mon temps au gymnase, dit Jack.

— Oui. Mais c'était comme... je ne peux pas l'expliquer. Tout se déroulait exactement comme dans la vie ordinaire, mais en plus accentué. C'était un véritable cauchemar de rester auprès de cette fille. Elle s'appelait Lily Maxwell, et venait d'une banlieue minière de Johannesburg. Je vous jure que nous étions les deux seules personnes à bord qui échappions à l'hypnose. Nous restions là, à regarder. Il s'agissait pour moi d'une impression neuve, tandis qu'elle connaissait cela depuis fort longtemps. Elle allait mourir. Je le pense, tout au moins. Et elle se tenait là, immobile, à regarder des gens vivants. Elle était toujours très seule, voyez-vous. Je restais auprès d'elle, mais elle attendait que je craque. Cyniquement. Elle savait que cela m'arriverait. Et elle se tenait là bien tranquillement, à me regarder observer les hommes. Et voilà. Je n'ai tenu que quatre jours. Un charmant agriculteur de l'État libre d'Orange. Oh, tout s'est passé très correctement, sans le moindre manquement aux bonnes manières. En permanence, je croulais sous le poids enivrant de la nourriture, de la boisson et de la trépidation sexuelle.

— Je ne vois pas l'intérêt de ce récit, interrompit Joanna.

— Oh si, répliqua grossièrement Martha, et je le vois bien. Mais je n'étais pas complètement perdue, car pendant tout ce temps je m'accrochais à une idée fixe : que je me trouvais sous l'emprise d'une drogue, d'une hypnose, mais que nul ne m'y contraignait. Et surtout, qu'il ne fallait pas craindre... les évidences.

— Eh bien, nous y sommes en plein, non ? » observa Joanna. Elle se leva. Elle voulait s'en aller.

« Oui. Et alors ? Nous y sommes en plein, mais je veux me noyer dans les évidences. J'ai l'impression qu'il existe une conspiration gigantesque, et que la responsabilité nous en incombe. Certaines personnes savent fort bien qu'elles sont droguées et hypnotisées, mais il existe une arme pour s'en défendre — fuir les évidences. C'est un cliché. Oh, je sais parfaitement que je ne dis là rien de nouveau, mais je l'ai ressenti alors comme neuf, et je le ressens encore comme tel. Et je ne me laisserai pas décourager par les ricanements de ceux qu'affolent des mots comme cliché, évidence, banalité. J'ai appris cela depuis longtemps. C'est drôle, où était-ce ? Qui ? Quelqu'un... j'ai oublié. Nous ne cessons d'apprendre des choses et puis de les oublier, de sorte qu'il faut les apprendre à nouveau.

— Vous n'aspirez à la bohème, rétorqua Joanna, que pour vous sentir différente. Pour ma part, j'ai eu l'occasion de connaître tout cela pendant la guerre.

— Non. C'est le contraire. Je me souviens d'avoir découvert, quelque temps auparavant, que c'est précisément en cela que consiste le fait d'apprendre. On comprend soudain une chose qu'on avait toujours comprise, mais sous un angle différent. Or nous sommes victimes d'une pression qui nous incite sans répit à aller vers ce qui paraît neuf à cause des termes neufs qui s'y attachent. Je veux, pour ma part, employer des mots quotidiens et ordinaires comme le pain. Ou la vie. Ou la mort. Des clichés. Je veux m'enfouir le nez dans des clichés. »

Joanna balançait son sac en bandoulière par-dessus l'élégant manteau en poil de chameau. Elle voulait s'en aller. Jack se tenait tout près d'elle et l'observait. Il craignait de l'avoir perdue. Martha songeait que c'était sans doute déjà chose faite. Il n'avait pas « entendu » ce qu'elle avait dit. Pas avec son cerveau. Mais Martha savait qu'il aurait pu lui répondre avec son corps. Et cette intuition, toute neuve, que certaines personnes ne fonctionnaient pas avec leur cerveau, donna à Martha l'impression que Jack sortait soudain de l'ombre pour apparaître en pleine lumière. Elle savait que s'ils avaient pu faire l'amour maintenant, ils l'auraient fait différemment à cause de ce que Jack avait saisi, deviné, ressenti, dans ses paroles. Mais s'il avait dû exprimer par des mots ce qu'avait dit Martha, il aurait répondu : Martha est fatiguée, elle est bouleversée. Que les gens pouvaient donc différer les uns des autres ! Elle l'oubliait toujours. La manière dont Jack expérimentait l'univers, et la sienne, à elle, Martha, ne se rejoignaient pas. Sauf quand ils faisaient l'amour. Il comprenait et communiquait par l'intermédiaire de son corps.

Un coup de sonnette résonna au rez-de-chaussée, et le visage de Jack arbora un instant l'expression de quelqu'un attrapé la main dans le sac : les deux femmes s'en rendirent compte, et échangèrent même un petit regard ironique, tant est grande la force de l'habitude. Car ni l'une ni l'autre n'en avait envie. Jack dévala l'escalier, et elles se retrouvèrent seules.

« Je comprends bien ce que vous voulez dire, expliqua Joanna, mais quel intérêt cela présente-t-il ? Nous n'y pouvons rien, n'est-ce pas ? Alors à quoi bon ? »

Des voix querelleuses retentirent dans l'escalier, puis Jack parut en annonçant : « Voici Jane ! » Son visage avait quelque chose d'implorant. Martha et Joanna s'interrogèrent silencieusement du regard pour s'assurer que toutes deux connaissaient l'existence de Jane — oui. Les règles du jeu leur imposaient de s'en aller. Elles firent à Jack un signe de tête, et il sortit pour reparaître aussitôt accompagné d'une jolie petite blonde qui avait l'air écarlate et tempêtueux d'un bébé qui s'est offert le plaisir d'une grosse colère. Une peine de cœur avait éveillé de violents désirs en elle, et elle vit à peine les deux visiteuses qui s'apprêtaient à prendre congé de Jack.

Elles s'en allèrent ensemble, et le jeune homme fou les laissa sortir en leur grimaçant ses félicitations pour être en aussi nombreuse et désirable compagnie.

Elles s'engagèrent toutes deux dans des rues où jamais Joanna n'aurait mis les pieds s'il n'y avait pas eu Jack. Ses vêtements de campagne propres et impeccables ménageaient un espace autour d'elle.

« Je crois que je vais aller prendre mon train », déclara-t-elle. « J'ai eu suffisamment d'expériences passionnantes pour un bon moment. » Sa voix conservait une intonation extrêmement hostile.

« Reviendrez-vous encore chez Jack ? s'enquit Martha, car cela lui semblait impossible.

— Je ne sais pas. Cela dépasse les limites du marché que j'avais conclu. Je n'éprouve aucune envie de voir les choses devenir passionnantes et théâtrales.

— Je suis navrée d'en être en partie responsable.

— C'est un peu ma faute aussi. Je n'aurais pas dû venir cette fois-ci. Ah, la curiosité ! Bien fait pour moi. »

Martha renforça son accent pour adopter des manières plus directes, car la jeune femme des colonies pouvait se permettre certaines questions intimes interdites aux vrais Anglais, et prit le risque de se voir opposer un silence glacial en demandant : « Vous allez continuer à coucher avec Jack quand vous serez mariée ?

— Oh, je pense que oui. Sans doute. Je ne vois aucune raison de cesser. » Elle ponctua ces paroles d'un rire bref et désobligeant. « A moins de me trouver entraînée dans... Voyez-vous, je ne m'intéresse pas le moins du monde à Jack en tant que personne. »

Martha se hasarda à répondre : « Vous parlez de lui comme les hommes parlent des prostituées.

— Vraiment ? Je n'ai pas souvenir d'avoir jamais parlé prostitution avec un homme. Et alors, qu'y a-t-il de mal à cela ? J'ai horreur de tout ce qui concerne les questions sexuelles », poursuivit-elle paisiblement. « C'est-à-dire, plus exactement, de toutes les histoires qu'on en fait. Pendant la guerre, les gens ne pensaient plus qu'à cela. Personne ne pensait plus qu'à " avoir " l'autre. Mais je suppose que j'aime à me sentir assouvie. »

Martha se trouvait à présent réduite au silence, car elle ne pouvait vraiment pas considérer ses relations sexuelles avec Jack sous l'angle de l'assouvissement. Joanna reprit : « Nous ne sommes que des animaux, rien de plus. A quoi bon faire semblant d'être autre chose? Jack me satisfait. C'est simple, c'est bref, et c'est terminé. Voilà ce que j'apprécie.

— Je vois.

— Voyons, s'exclama Joanna avec son petit rire sec, vous n'allez pas me dire que vous l'aimez, quand même, non?

— Certainement pas », rétorqua Martha en riant aussi. La question devenait la suivante : Jack se disait-il : Je satisfais Joanna, simplement, brièvement, et c'est terminé, parce que c'est ce qu'elle veut, et je donne à Martha — quels que fussent les mots choisis par lui pour l'exprimer; ou bien répondait-il simplement à leurs besoins grâce à cet extraordinaire instinct?

Elles étaient arrivées à l'arrêt d'autobus. Elles attendirent ensemble dans le crépuscule d'une journée d'été. « En tout cas, déclara Joanna, c'est ainsi. Je veux me marier et avoir des enfants, et beaucoup d'argent, et pouvoir oublier — tout cela. Si vous aviez vécu ici pendant la guerre, vous comprendriez. Je vois beaucoup de gens comme Jack et vous qui n'avez pas connu la guerre, chercher à vous intégrer comme si vous aviez l'impression d'avoir raté quelque chose.

— Jack n'a pas connu la guerre? Mais il draguait des mines, et il a même coulé, vous ne le saviez pas?

— Oh si, bien sûr, mais je parlais d'autre chose. Je parlais d'ici, de l'Angleterre. C'était autre chose.

— Je comprends. »

Le bus arriva. Joanna adressa un sourire poli et froid à Martha, puis monta en voiture et lança : « Peut-être nous reverrons-nous un jour. » Le bus s'éloigna. Martha se souvint alors qu'ils avaient tous, Jack, Joanna, et elle-même, oublié ses problèmes d'argent. Oui : ce n'était pas de l'argent qu'elle était allée chercher chez Jack. Mais il ne lui restait que deux livres environ. Elle pouvait aller dans un petit hôtel, sa valise lui servant de passeport, et téléphoner dès le matin à Mark pour prendre rendez-vous et confirmer les termes de l'accord, suivant la manière anglaise.

Mais elle se sentait vraiment trop lasse. Et puis elle se souvenait des moments où ils s'étaient compris l'un l'autre, oh oui, et même trop bien, et elle songea : A quoi bon? Je sais bien que je vais y aller vivre. Elle se dirigea vers une cabine téléphonique. Il était près de neuf heures.

A l'arrivée de Martha, la maison semblait déserte. Puis il descendit enfin. Il travaillait, lui expliqua-t-il. Il supposait que Martha préférerait attendre le lendemain pour commencer à travailler, sans quoi il se ferait un plaisir... Mais elle était trop fatiguée pour rien pouvoir faire qu'aller se coucher. Il lui porta sa valise au second étage, et la fit entrer dans une grande chambre calme. Il avait préparé le lit. Ou bien quelqu'un d'autre. Il l'informa en sortant que la cuisine se trouvait au rez-de-chaussée, si elle désirait se faire du café dans la nuit — cela lui arrivait souvent, quant à lui.

Elle referma les yeux sur une chambre dont la présence était si forte, si rassurante, qu'elle s'endormit en se répétant : Je ne resterai pas longtemps, juste un petit moment. Deux ou trois mois...

CHAPITRE QUATRE

Elle s'élevait vers la lumière au travers des couches de sommeil, luttant contre la tentation de se laisser engloutir à nouveau dans les remous. La lumière pesait sur ses paupières. Elle les ouvrit. La clarté fragile et pure du soleil inondait toute la pièce. De l'autre côté de la rue, les branches noires de l'arbre luisaient, mouillées. C'était un arbre noir et froid, encadré par les rideaux roses et gris : un arbre de théâtre. Un couvre-lit blanc réverbérait l'éclat de la lumière. Sur le rebord blanc de la fenêtre, le chat noir se chauffait au soleil en faisant sa toilette. Dans le coin opposé, une mouche noire se frottait la tête avec ses pattes. Le chat et la mouche faisaient les mêmes mouvements. Ils paraissaient circonspects, comme pour ne pas s'effrayer l'un l'autre. Martha tendit la main vers sa brosse à cheveux, se redressa, et entreprit de se coiffer. Derrière elle, une ombre sur le mur blanc se brossait les cheveux. Mouche, chat, femme, leurs images se formaient en non-lumière. L'ombre du chat représentait un mouvement sombre et régulier sur le mur blanc. Près de la mouche, une petite tache plus sombre apparaissait, mais les mouvements de ses pattes antérieures restaient imperceptibles. Si elle avait été de la même taille que la mouche, aurait-elle pu discerner l'ombre en mouvement de ces énergiques pattes velues ? Le chat observait les gestes de son ombre tout en se lissant la face avec sa patte. La mouche regardait-elle aussi son ombre, tout en se lavant ?
Le soleil à Londres apportait une nouvelle dimension : l'ombre. La plupart du temps, le jour consistait en une lueur régulière, sans soleil, semblable à de l'eau, et qui contenait des objets : des maisons, des arbres, des pierres, des gens. Mais dans les pays chauds, tout était souligné, tout avait une image. La lumière se retirait du couvre-pieds, franchissait à nouveau la fenêtre. Le chat, qui avait paru d'un noir de jais à la lumière du soleil, laissait à présent voir les variations de couleurs de son pelage. Il était brun sombre, avec un reflet noir, et arborait des poils blancs au menton. La mouche semblait privée de poids. Derrière Martha, le mur laissait paraître le besoin d'être repeint. L'arbre noir était toujours détrempé, mais il n'étincelait plus. Le ciel était gris.
Nul besoin de se lever. Pas avant plusieurs heures, du moins, si elle souhaitait rester au lit. Alors que Mark, son employeur, requérait toute son attention depuis l'heure du déjeuner, quand il revenait de son usine, jusqu'à deux ou trois heures du matin bien souvent, il ne voulait pas qu'elle travaille le matin, affirmant que cela atténuait sa honte. Il ne voulait pas non plus qu'elle accomplît la moindre tâche ménagère, bien que le besoin s'en fît cruellement sentir. Ce matin, par

exemple, elle savait qu'il ne restait plus d'œufs ni de beurre, et qu'il fallait absolument appeler le plombier pour lui faire réparer des robinets. Mais elle ne pouvait rien faire de tout cela. Il s'agissait non pas de protéger Martha, mais de protéger Mark contre sa famille.

Elle se disait : Bah, de toute façon je m'en irai bientôt. Si j'enfreignais les règles, juste une seule fois ? Si je consacrais les deux semaines précédant mon départ à tout faire réparer, serait-ce vraiment grave ? La ménagère en elle aspirait à prendre en main la situation. Elle n'avait pas annoncé son départ à Mark. Il savait qu'elle en avait envie. Partir juste avant Noël ! Quel manque de cœur — pourtant, elle en avait bien l'intention, il le fallait, il le fallait... Mais bon Dieu, s'exclamait-elle intérieurement, s'exhortait-elle depuis déjà plusieurs semaines, il n'existe vraiment aucune raison de me sentir coupable. Aucune. C'est un sentiment irrationnel. Je ne suis pour rien dans cette affaire.

Bien qu'il n'en parlât point, Mark espérait qu'elle resterait jusque après Noël. A cause de Francis. Si Martha restait, l'enfant pourrait venir pour les vacances. Peut-être laisserait-on Lynda quitter l'hôpital. Ce serait un peu Noël, juste assez pour pouvoir employer ce mot avec Francis. Sinon, Mark conduirait Francis chez sa mère, et c'était précisément ce qu'il voulait passionnément éviter.

Il faut que je m'en aille. Il le faut. Sans quoi je ne pourrai plus jamais m'arracher à tout cela.

Tout cela, en particulier, représentait la chambre qui, depuis six mois, lui était un havre. S'y réveiller constituait le plus intense bonheur de chaque journée, sous la fenêtre qui encadrait l'arbre dont elle avait connu le feuillage dru, puis frêle, avant de le voir tomber. C'était un sycomore. Le chat dormait sur son lit, ou du moins le voyait-elle ainsi : mais en vérité le chat dormait toujours sur ce lit, quel qu'en fût l'occupant. Il considérait cette chambre et ce lit comme étant à lui. Quand elle s'en irait, le chat continuerait à dormir sur le coin du lit le plus proche de la fenêtre ; et il continuerait à faire sa toilette au même endroit, en observant son ombre ou bien les oiseaux sur l'arbre ; il se roulerait au soleil en ronronnant, tout noir et moelleux, avec les pattes en l'air.

Une souffrance aiguë, réelle. Oh non, il fallait vite s'en aller, Noël ou pas Noël ; d'autant que sa crainte de partir résidait en grande partie dans le sentiment que Londres n'avait plus de place pour elle, contrairement à ce qui s'était passé plusieurs mois auparavant, quand elle avait débarqué. Elle possédait cependant un peu d'argent, à présent. Grâce à Mark : plus de deux cents livres. Il semblait qu'elle n'eût jamais aucune dépense à effectuer sur son salaire. Elle s'en irait — dans les prochains jours —, louerait une chambre ou un studio, et tenterait sa chance avec tous les autres solitaires et marginaux de Londres qui passaient Noël sans famille. Solitaires et marginaux ! Naguère, elle n'aurait pas pu se voir ainsi — oh non, elle s'était amollie terriblement, il était temps de repartir, plus jamais elle n'habiterait une chambre semblable. La maison entière était pareille, d'une seule pièce, unie : et pourtant, personne ne pouvait délibérément entreprendre de créer une telle maison. Elle avait mûri ainsi, après que la grand-mère de Mark, au siècle dernier, l'avait meublée d'objets que Martha, lors de sa première visite, aurait décrits comme « antiquités ». Cette pièce n'avait d'ailleurs rien d'arrogant ni d'intimidant, contrairement à ce qu'elle avait d'abord pensé : elle était en réalité paisible, délicate, utile. Mais absorbante, aussi. L'argent ? Pendant les premières semaines, Martha avait tourné dans sa chambre et dans la maison comme un chat, pour reconnaître les coins, les essences, les odeurs et les souvenirs, s'efforçant d'isoler cette qualité particulière que jamais elle n'avait rencontrée nulle part. La solidité ? Chaque objet ou surface, les sièges et les étoffes, le papier − tout respirait la solidité. La force. Rien ne pouvait craquer, s'effriter, tomber en morceaux. Une chaise pouvait se rompre, mais dans ce cas on la réparerait comme un chirurgien pouvait réparer un corps. Les rideaux pesaient d'un vrai poids dans les mains. D'épais tapis recouvraient les parquets, et ces derniers étaient pourtant assez beaux pour n'en avoir nul besoin. Rien dans cette maison ne semblait croire à la notion de destruction. Imaginez seulement de grandir dans une maison pareille, d'en être l'enfant... Une voix d'enfant résonna dans le couloir. C'était le petit garçon de Sally. Martha occupait la chambre où Sally s'installait habituellement quand elle venait, mais Sally n'avait pas jugé nécessaire de déloger Martha pour juste quelques nuits. Elle avait pris la chambre de James, qu'on employait comme chambre d'amis depuis la mort de James.

La porte s'ouvrit, et Paul se glissa dans la chambre avec un sourire timide. Le chat sauta à terre pour se frotter contre ses jambes, et la mouche s'envola. Paul avait cinq ou six ans ; c'était un petit garçon brun et vif, resplendissant de charme et de gentillesse.

« Paul ! » appela la voix péremptoire de sa mère. « Paul, il ne *faut* pas déranger Martha ! »

Paul adressa un grand sourire à Martha et se dirigea en biais vers le lit, en jetant de petits coups d'œil vers la porte où sa mère ne pouvait manquer de se montrer d'un instant à l'autre. Le beau visage mat de Sally parut bientôt. Elle poussa un soupir théâtral en constatant la présence de l'enfant désobéissant, puis alla se nicher dans un fauteuil. Elle portait un peignoir en soie, à rayures jaunes et violettes. Des nattes noires encadraient son petit visage couleur d'abricot, et ses yeux noirs brillaient d'un éclat très doux. Ainsi que la famille ne cessait de le rappeler sans jamais le dire, elle était juive. C'est-à-dire qu'elle aurait semblé chez elle dans n'importe quelle région méditerranéenne. Dans cette chambre, elle apparaissait d'un exotisme presque pervers. Elle tendit une main menue vers l'enfant, et il s'élança vers elle, grimpa sur ses genoux, et s'y blottit. Elle enfouit son visage dans les cheveux de Paul avec ravissement. Ainsi noués l'un à l'autre, ils respiraient le bonheur. Elle aurait pu le lécher, comme une mère animale lèche ses petits.

« Je vais faire le petit déjeuner, annonça-t-elle.

− Je n'en prends jamais.

− Alors une tasse de thé ? » Elle voulait de la compagnie en bas.

« Je ne me lève pas encore », s'obstina Martha, en partie pour obéir à Mark : il redoutait l'intrusion de Sally plus encore que celle de sa mère. « Et puis j'aime trop ce moment de la journée, ici.

— Ah oui ! » s'écria Sally. « Cette pièce ! Quand je suis arrivée ici, de *là-bas*, vous comprenez ! » Martha comprenait, et Sally le savait. Elles partageaient l'expérience des « pièces rapportées ». Dix ans auparavant, Sally s'était appelée Sarah Koenig, à son arrivée d'Allemagne, comme réfugiée. Cette famille étant du genre qui sert sa patrie et accepte sa part du fardeau, avec un sens civique élevé, ils avaient naturellement donné l'hospitalité à des réfugiés. Sarah était arrivée d'Europe, avec une demi-douzaine d'autres personnes et elle avait rencontré Colin, le frère de Mark. Elle l'avait épousé.

« Allez-vous rester pour Noël ? » s'enquit-elle, allant droit au but comme elle faisait toujours. « Je tiens à le savoir, parce que Mark pourrait venir chez nous. Avec Francis. Cela ferait le plus grand bien à Paul. » En disant ces mots, elle pressa Paul contre elle en lui lançant un regard à la fois grondeur et implorant pour qu'il acquiesce. Il se contenta d'enfouir son visage contre la poitrine drapée de soie de sa mère.

Mark affirmait que Francis et Paul ne s'entendaient guère. Jamais Mark n'irait passer Noël chez son frère Colin : non pas parce qu'il n'aimait pas Colin, mais à cause de Sally. Elle ne semblait pas s'en apercevoir : ou sinon, c'était que sa vie suivait certains critères, et qu'à ses yeux de tels détails paraissaient dénués de toute importance. Car en épousant Colin, elle avait épousé toute la famille : il ne lui restait aucune famille à elle. Suivant la terrible définition d'Anton, elle était parfaitement juive puisqu'il ne lui restait pas un seul parent vivant. Cette famille était donc devenue sienne : les Colridge. Elle les aimait, et ils devaient l'aimer aussi. Ce n'était d'ailleurs point tant de l'hostilité de leur part, que le désir ardent de la savoir ailleurs. Jamais non plus personne n'aurait dit qu'il était dommage que Colin l'eût épousée ; et ce d'autant plus que non seulement Colin, mais aussi Mark, avaient contracté un mariage manifestement navrant. Mais elle les troublait. Ce que Martha comprenait fort bien : Sally la troublait également, avec cette manière de vivre enfermée dans son propre climat émotionnel, sans jamais paraître soupçonner qu'il pût en exister un autre.

Colin était physicien. Il travaillait à Cambridge, dans un secteur en relation avec la bombe. L'homme sous les ordres duquel il travaillait venait d'être arrêté, et inculpé d'espionnage. Colin se trouvait naturellement en état de suspicion, et la famille se comportait comme s'il se fût agi — eh bien, peut-être même d'une plaisanterie. Évidemment, quand on vivait dans ce genre de maison, au milieu de ce genre de meubles, et que l'on connaissait « tout le monde » en Angleterre, l'idée même d'espionnage constituait... une plaisanterie. Ou plus exactement, l'idée qu'on pût les en soupçonner. Colin était communiste, disaient-ils : bien que dans les termes employés par Mark, Martha ne pût rien reconnaître du communisme qu'elle avait vécu : mais elle ne connaissait guère l'Angleterre. Elle estimait regrettable que

l'on parlât de son appartenance communiste comme d'une excentricité, uniquement tolérable à cause du fait qu'il s'appelait Colridge —
comme s'il avait bégayé, ou élevé des pythons. Ils manifestaient une
extrême possessivité à ce sujet, chacun avait ses petites extrava-
gances, ses manies, et c'était là celle de Colin. Ce n'était toutefois pas
vrai de Mark, qui portait à son frère une affection réelle, et faisait
front avec lui contre la famille. Les deux frères étaient isolés sur ce
point : et Sally-Sarah en était exclue, elle en souffrait et avait prétendu
que Mark la détestait... Et elle se trouvait là, pelotonnée dans un
grand fauteuil confortable, délicate beauté lovée contre son joli petit
garçon, toute de chaleureuse indélicatesse, d'exigence affectueuse,
d'insistance bienveillante, véritable défi aux Colridge qui semblaient
ne lui avoir jamais rien fait d'autre que simplement s'obstiner à l'appeler Sally. Eh bien, si elle manquait de délicatesse, eux se montraient insupportablement arrogants : lorsqu'elle avait protesté, dans
une grande envolée lyrique, et leur avait reproché de « lui voler son
nom », ils s'étaient contentés d'en rire : et son mari continuait à l'appeler Sally.

Et Martha ne pouvait rien faire pour elle que s'empêcher, parfois,
de l'appeler Stella tant elle ressemblait à cette autre beauté originaire
de chauds rivages, là-bas, dix ans auparavant, et qui, de toute façon,
s'était laissé transformer par la vie bourgeoise et matrimoniale en un
pilier de bonnes œuvres et de rectitude morale.

Et Sally-Sarah finirait-elle aussi par devenir une belle et noble
matrone ?

En attendant, elle souffrait, et toute la famille devait souffrir avec
elle.

« Colin est-il inquiet ?

— Oh non, pas lui », répliqua Sally-Sarah d'un ton méprisant.
« Pas lui. Je ne cesse de lui répéter : Mon chéri, tu es fou. Pourquoi le
communisme ? Le communisme pour les Anglais ? Mais ils n'y
connaissent rien. N'est-ce pas ? Vous êtes d'accord ?

— Oui, acquiesça Martha.

— Mais oui. C'est ainsi. Ils jouent. A des petits jeux. Je lui dis : Tu es
un vrai gamin. »

Colin, le frère aîné de Mark, le fils aîné depuis la mort de James
pendant la guerre, était un homme sûr, sérieux, consciencieux.
Dévoué. D'après son frère Mark, il était même le seul membre de la
famille qui fût sérieux ; Mark y sous-entendait un dévouement à une
seule cause, ainsi qu'une critique de sa propre dispersion. Dévoué à
la science, Colin se dévouait au communisme puisque à ses yeux le
communisme signifiait l'internationalisme, donc la mise en commun
de la science. Colin s'était découvert une vocation scientifique à l'âge
de onze ans, et depuis lors n'avait jamais pensé à rien d'autre. Sauf
peut-être à Sally-Sarah, parfois. Il n'avait guère dû apprécier de s'entendre traiter de gamin occupé à s'amuser à des petits jeux.

« Je lui dis : Colin, si seulement tu savais à quoi la politique peut
aboutir — comme moi, oh oui, je le sais, moi, croyez-moi, Martha, je
le sais, vous me croyez ?... » Comme il semblait improbable qu'elle

poursuivît avant que Martha l'eût assurée qu'elle la croyait, Martha s'empressa de le lui dire, et Sally-Sarah reprit : « Mais si tu le savais, Colin, je lui dis, tu ne jouerais pas avec le feu. »

Elle pleurait. Recroquevillée dans le grand fauteuil, une petite fille brune sanglotait, le visage blême de terreur. Et dans ses bras pleurait à présent l'enfant, en suçant son pouce comme un bébé.

« Mark dit que tout ira bien », observa Martha. « Après tout, ils ont dû classer le cas de Mark, à présent, sans quoi ils l'auraient arrêté aussi.

— Mark ! Il n'y connaît rien ! C'est un homme de lettres qui joue avec des machines électriques. Ils jouent toujours, ces gens. Bien souvent, la police n'arrête pas tout de suite. Ils commencent par observer et poser des pièges.

— Bon, mais je ne pense pas...

— Vous pensez ! Qu'est-ce que vous pensez ? Je *sais*, moi. Vous êtes comme eux tous, cela n'arrive pas ici, hein ? Eh bien si ! Cela arrive ici, cette fois ! Ils cherchent des traîtres dans l'administration — une purge. Cela se produit, maintenant. Ils renvoient les gens de leur travail s'ils risquent d'être communistes. Et à la B.B.C. — pas de communistes.

— Oui, je sais, mais je ne pense pas que ce soit à ce point...

— A ce point ? Qu'en savez-vous ? Vous parlez comme eux. Les gens qui perdent leur emploi pour des raisons politiques, je connais cela. Une purge dans l'administration, je connais cela. Une purge parmi les enseignants, je connais cela. Croyez-vous que cela fasse une différence, si l'on emploie un autre mot ? Non. Cela ne fait aucune différence. C'est la même chose. Les gens ont peur. Je connais cela aussi, je le connais.

Elle enfouit son visage dans les cheveux de son fils, et se laissa agiter par les sanglots. Le petit garçon pleurait bruyamment.

« Je vais préparer votre petit déjeuner, proposa Martha.

— Non. Je ne veux pas de petit déjeuner. Je ne veux rien. Je veux seulement que cesse... mais non, cela ne finira jamais. Jamais. Merci, Martha. » Elle se leva et quitta la pièce en emportant l'enfant dans ses bras.

Des portes claquèrent. Des tiroirs. Quelques instants plus tard, Martha entendit sa voix gronder le petit Paul tandis qu'ils descendaient tous deux à la cuisine, au rez-de-chaussée. De son lit, Martha suivit les étapes du petit déjeuner : pourvu que Mark soit allé à l'usine aujourd'hui, et que ce drame ne le trouble pas.

Je vais annoncer mon départ à Mark. Aujourd'hui. Je ne veux pas me retrouver mêlée à tout cela... Elle pensait à cette atmosphère menaçante, de maladie et d'insécurité. Qui eût cru que cette maison représentait d'avoir « le nez fourré dedans » ! Oui, mais ce n'était pas ce qu'elle avait voulu dire, lorsqu'elle avait décidé qu'il lui faudrait avoir « le nez fourré dedans » par la vie. Sans doute était-ce quelque chose de neuf, et non ce qu'elle avait déjà vécu, qu'il lui fallait accomplir à présent ? Pourquoi même se trouvait-elle ici ? Quand on commence quelque chose, qu'on découvre une nouvelle longueur d'ondes, il n'y a plus moyen de s'en décrocher, de s'en libérer, avant d'avoir appris tout ce qu'il reste à apprendre — d'avoir eu le nez fourré dedans. Il résidait quelque chose de terriblement insidieux dans le fait qu'un emploi, mentionné par Phœbe lors d'un déjeuner destiné à l'entraîner dans tout autre chose, l'ait ramenée là, dans tout ce qu'elle connaissait déjà si bien! Non, il fallait absolument qu'elle s'en aille, d'ici à une semaine, avant Noël en tout cas, et puis elle rappellerait Phœbe pour trouver du travail. Elle pourrait fort bien accepter cet emploi de secrétaire dans cette association pour la libération des colonies, par exemple. S'il était inévitable de retomber dans la politique, comme cela semblait être le cas, alors autant l'affronter sous un angle pratique, au plus simple niveau des problèmes quotidiens. D'ailleurs, à entendre les Anglais — et cela incluait des gens comme Phœbe — fort bien informés, parler de la politique africaine, elle entrevoyait l'utilité de sa collaboration. Elle éprouvait ce que devait éprouver Sally-Sarah à entendre les gens de ces îles parler d'invasion ou de perte d'identité nationale. Rien ne pouvait remplacer l'expérience. Lâchez Phœbe en Afrique, dans ce qu'elle aurait appelé un « mouvement progressiste », et en cinq minutes elle se retrouverait soupçonnée d'être une ennemie, non point à cause de ses opinions, mais pour son intonation. Et quant à l'expérience terrible de Sally-Sarah, nulle part à Londres, pas même dans les docks les plus douteux, ni dans les rues les plus pauvres, ni parmi les marginaux et les déracinés, elle n'avait rencontré une seule personne qui pût comprendre l'insécurité comme Sally-Sarah la comprenait. Ces gens vivaient encore dans l'ombre de leur guerre, ils subissaient encore le rationnement, leurs maisons paraissaient encore appauvries ou délabrées, des hommes avaient succombé, des hommes n'étaient pas revenus des combats : mais ce visage que Sally-Sarah dressait, dans le fauteuil où elle se tenait agrippée à son enfant comme si elle-même eût été l'enfant, et lui un bouclier ou bien un soutien, ce visage blême et terrorisé percé de deux grands yeux noirs — eh bien, l'Angleterre ne comprenait pas ce visage. Et Sally-Sarah avait raison : tout ce qui le rendait possible était une erreur. Il aurait dû exister une nation au monde à laquelle cette expérience fût épargnée. Cette maison aurait dû être gardée comme un joyau, car une telle expérience y était inconcevable. C'était pourtant de cette maison qu'était issu Colin, actuellement menacé d'une inculpation d'espionnage. L'identification de Mark à son frère exprimait-elle un besoin de comprendre, de participer ?

Des quatre frères, Mark était le seul qui eût reçu une éducation originale. Leur père Henry avait siégé au Parlement parmi les rangs conservateurs : il était conservateur par tradition, par le sang, comme l'expliquait Mark pour faire comprendre à Martha qu'il existait deux races de conservateurs, ceux qui, comme son père, se trouvaient physiquement incapables d'imaginer que d'autres pussent gouverner le pays, et puis les tories, par conviction intellectuelle, que Mark jugeait insupportables. Mais il avait aimé et admiré son père. Les quatre fils avaient grandi dans cette maison, ainsi que dans une maison de campagne qu'ils avaient dû vendre à la mort du père, à cause des droits de succession. Cette maison appartenait désormais aux fils. Margaret Colridge avait alors épousé par amour (Mark affirmait qu'elle n'avait pas aimé son père, mais qu'elle lui avait été donnée en mariage) un financier, Oscar Enroyde ; et pendant les quatre années qu'avait duré ce mariage, Margaret avait vécu dans le monde de la finance internationale, et ne semblait guère y avoir trouvé de plaisir. Non qu'elle le désapprouvât, mais elle était fondamentalement anglaise et ne pouvait à peu près jamais regagner son Angleterre. Ses fils avaient terminé leurs études et vivaient principalement en Grande-Bretagne, tandis qu'elle habitait surtout l'Amérique. Elle décrivait ainsi l'échec de son second mariage : « Je ne pouvais pas supporter les amis de ce cher Oscar. » Mark définissait sa mère comme une maîtresse de maison et une hôtesse qui se plaisait à attirer puis dominer ses invités. Mariée à Oscar Enroyde, elle avait trouvé sa liste d'invités déjà constituée, et avait dû consacrer l'essentiel de son énergie à écarter les gens d'un des hommes les plus riches du monde. Et puis ses talents multiples ne trouvaient plus à s'employer. Ainsi lorsqu'on cassait un siège, elle connaissait un petit artisan dans le Kent qui comprenait bien ce type de sièges, et elle aimait à le lui porter elle-même et à lui conter minutieusement l'histoire, l'état et les besoins de ce siège. Elle détestait se faire servir.

Pendant la guerre, James était mort. Il avait laissé une fille, Elizabeth, qui se trouvait absorbée dans le remariage de sa mère. Cette fille d'environ quatorze ans venait parfois passer quelques jours.

Après la guerre, Margaret s'était encore remariée — ce qui avait paru extravagant à tous, sauf à Mark. Son troisième époux était un gentleman-farmer extrêmement courtois, amateur d'art, vaguement éditeur, et qui exerçait des responsabilités dans une institution semi-officielle qui se rapportait aux arts. Il adorait Margaret. Oscar Enroyde n'avait pas adoré Margaret, *elle* l'avait adoré. A présent, Margaret recevait beaucoup. Mark disait volontiers que sa mère possédait à son insu un infaillible instinct pour détecter ce qui allait devenir la mode, ce qui était dans l'air, et ce mariage prouvait donc que les arts redeviendraient bientôt à la mode : contrairement à ce que laissait imaginer cette Grande-Bretagne grise, fade, démunie après la guerre.

Mark n'aimait ni ne détestait ce troisième mari, John Patten, mais il le haïssait violemment dans le rôle de patron des arts. Une certaine tension régnait entre la mère et le fils car, depuis qu'il était reconnu comme « écrivain » non seulement potentiel mais publié, elle désirait qu'il participât à ses week-ends mondains, ou tout au moins à quelques dîners. Si Mark devait aller passer Noël chez elle, il serait furieux. Mais il irait quand même à cause de Francis, pour que l'enfant passe un vrai Noël. Bon, mais ce n'était pas l'affaire de Martha. A moins que le seul fait de se trouver là, d'être arrivée par le plus grand des hasards, en eût fait son affaire ? Avait-elle jamais laissé entendre par un relâchement de son comportement, ou par une allusion (auprès de Mark, ou de Margaret) que peut-être c'était son affaire ? Hier Margaret avait téléphoné, apparemment pour une histoire de rideaux inutilisés, et en vérité pour tâcher de savoir si Martha comptait rester pour Noël. Il apparaissait, d'après son intonation simple et cordiale, qu'elle souhaitait à la fois que Martha partît, afin que son fils Mark vînt à la réception qu'elle donnait pour Noël, et que Martha restât pour garder Francis, car il n'y aurait pas d'autre enfant chez les Patten et Margaret craignait que Francis ne souffrît de la solitude parmi tous ces adultes. Margaret n'avait pas mentionné Lynda, qui lui occupait autant l'esprit qu'à Martha. Elle précisa cependant qu'il paraissait vivement souhaitable de faire quelques provisions, car si Martha ne s'en occupait pas, qui d'autre le ferait ?

Martha décida de se lever. En bas, le calme était revenu. Sally-Sarah avait dû sortir faire des courses. Margaret avait raison : il fallait qu'elle, Martha, emmagasine de la nourriture et des provisions dans la maison avant de partir : ne pas le faire eût été irresponsable. Aujourd'hui, néanmoins, elle prendrait garde de ne pas remarquer l'absence de beurre et d'œufs. Pendant la première semaine de son séjour, Mark s'était farouchement opposé à ce qu'elle accomplît la moindre tâche ménagère. Mais lorsqu'elle avait compris la situation et le lui avait dit, ils avaient conclu un pacte contre la famille entière.

Qui désirait que Mark divorce et se remarie ? Pas avec Martha, bien sûr, qui ne convenait pas mieux. Mais la présence de Martha dans la maison, pour s'occuper du ménage et du petit garçon, constituait une sorte de pont entre l'état antérieur de Mark, dans l'absence totale d'une femme, et la possibilité d'un remariage. Jusqu'alors, il s'était toujours refusé à avoir la moindre femme auprès de lui, fût-ce une secrétaire. Car il restait marié à Lynda. La maison attendait son retour. Elle n'était que temporairement absente, temporairement entre les mains des médecins. Elle reviendrait — peut-être pas tout de suite, mais elle reviendrait dans une maison vide qui l'attendait, et retrouverait un enfant qui attendait sa mère.

Cela durait depuis trois ou quatre ans.

Francis était parti en pension, bien que Mark n'appréciât guère les pensions ; et il menait une existence d'orphelin auprès de sa grand-mère, qui trouvait l'enfant bien encombrant, avec Sally-Sarah et Paul (Colin travaillait sans cesse, et rentrait rarement), et avec la famille d'Arthur, l'autre frère, premier mari de Phœbe, désormais remarié. Il venait parfois vivre chez Phœbe, ou bien chez Mark, dans la grande maison vide.

Il y avait dans sa chambre et dans celle de Mark des photographies de Lynda. Les vêtements de Lynda remplissaient les placards de Mark. C'était malsain — la famille avait raison. Cette attitude révélait quelque chose d'excessif, d'irréel — une passion. Révélait ce nœud dans la vie d'une personne que si peu de gens sont aptes à discerner, et qui constitue la vraie raison pour laquelle certaines existences, même très chères et très proches, restent si souvent obscures, uniquement éclairées par ces rares lueurs de ce qui paraît une lumière malsaine : une passion. Mais si Martha avait été de la famille, elle aurait fait la même chose, éprouvé la même chose, et tenté par tous les moyens loyaux et déloyaux de faire comprendre à Mark qu'il ne pouvait pas passer le reste de son existence à faire semblant d'être marié avec Lynda. Qui, visiblement, n'était pas faite pour la vie conjugale. La famille avait raison sur ce point. Lynda n'avait jamais été une épouse, ni une mère. Elle en était incapable, et jamais Mark n'aurait dû l'y entraîner — ainsi parlait la famille. Et c'était là qu'un nerf secret irritait Martha, la faisait souffrir : elle n'avait pas vu Lynda, sauf sur des photographies incroyablement belles, mais elle la connaissait, oh oui, et même très bien, bien qu'elle ne lui ressemblât guère, bien sûr, puisque Martha n'était pas « malade » et ne se trouvait pas entre les mains des médecins. Mais pour toutes sortes de raisons, Lynda Colridge, qui séjournait dans un hôpital psychiatrique extrêmement coûteux parce qu'elle ne pouvait pas supporter d'être l'épouse de Mark et la mère de Francis, était vraiment trop proche de Martha. Et voilà pourquoi Martha devait absolument quitter cette maison le plus rapidement possible.

Elle descendit à la cuisine. Un petit mot griffonné au crayon vert se trouvait sur la table : « Martha ! Pas d'œufs ! Pas de beurre ! Le robinet de gauche fuit ! Je rapporterai des provisions à mon retour. Affectueusement. Sarah. » Elle se résignait — que pouvait-elle faire d'autre ? — à être Sally dans cette famille, mais elle signait toujours Sarah.

Il y avait une autre lettre sur la table. Une écriture d'enfant. Elle provenait de cette affreuse école, véritable camp militaire, froide et sans cœur.

« Chère Martha. Comment vas-tu ? Je vais très bien. Il me faut des chaussures de football. Je n'aime pas le football. Mais j'aime le cricket. J'espère que tu seras là pour Noël. Je t'embrasse. Francis. P.S. S'il te plaît, dis-le à papa pour les chaussures. La dernière fois, il s'est trompé de pointure. Je veux un jeu de chimiste pour Noël. Un vrai, pas un petit de bébé, dis-le à Bonne-Maman, s'il te plaît, que j'en veux un vrai. Je t'embrasse, Francis. Alors à Noël, j'espère, ha ha ! »

Mark entra dans la cuisine, vêtu de sa robe de chambre. Il paraissait contrarié : Sally-Sarah l'avait-elle dérangé ? Il lut le petit mot posé sur la table : les œufs, le beurre, le robinet. Il paraissait aussi découragé que contrarié.

« Je prendrai du café », annonça-t-il. « Non, je le ferai moi-même. »

Martha lui tendit la lettre de son fils. Lorsqu'il en eut terminé la lecture, elle annonça : « Je resterai pour Noël. Mais ensuite il faudra que je parte. » Ils échangèrent un regard.

« Ce serait si gentil de rester, répondit-il d'une voix implorante, et il s'en voulut pour cela.

— Non. Il faut que je m'en aille. Après Noël, Mark, je partirai.

— Bien sûr, vous avez raison. Absolument. »

Six semaines plus tard, par une journée ingrate, Martha nettoyait et rangeait le sous-sol, revêtue de plusieurs couches de lainages. Elle agissait ainsi à l'intention de la gouvernante que Mark avait enfin accepté de recruter. Cette affaire de sous-sol durait depuis Noël, en sourdine par rapport à tant de thèmes apparemment essentiels, affaire apparemment mineure, juste une contrariété, une question d'organisation. Et elle voyait bien, à présent, qu'il s'agissait en vérité du thème le plus important, de l'unique thème susceptible d'un développement, d'un mouvement, dans tout cet immuable fouillis. Avant Noël, elle était allée trouver Mark dans son bureau, tard, bravant sa réticence à toute confrontation, et lui avait fait observer qu'une gouvernante présentait tous les avantages d'une Martha, sans les désavantages. Il ne voulait pas le comprendre. Il s'entendait bien avec Martha, rétorquait-il, comment pouvait-il savoir s'il s'entendrait avec une gouvernante ? Il ne pourrait le savoir qu'après l'avoir engagée !

Il ne voulait pas d'une inconnue ! — Oui, mais elle, Martha, avait été une inconnue jusqu'à son arrivée.

Et puis où vivrait cette gouvernante ? — Eh bien, pourquoi pas dans la chambre qu'occupait Martha ?

Oui, mais il y avait le sous-sol, pourquoi ne pas l'utiliser ? Ce n'était qu'une question de...

Oui, oui, oui, marmonnait-il, il allait s'en occuper. Mais il fallait d'abord...

Il n'avait pas pu en supporter davantage. Voyant cela, Martha était descendue inspecter le sous-sol. Depuis des années il servait de dépotoir pour le trop-plein de la maison, et aussi pour le mobilier de la maison de campagne depuis qu'on l'avait vendue. Il était donc bourré de meubles, de tapis, de tableaux, dont il aurait fallu vendre une partie, mais Mark ne pouvait accepter, disait-il, de voir les meubles de son enfance s'empiler dans des salles de ventes ; il n'y avait cependant aucun moyen d'y échapper. Il était donc descendu très brièvement pour désigner à Martha les objets de valeur qu'il convenait de garder et, quant au reste, un marchand était venu tout prendre. A présent, Martha se trouvait chargée d'aménager le sous-sol comme bon lui semblerait, puisque l'on ignorait le goût de la future gouvernante qui viendrait y vivre et qui aurait la chance de se trouver logée dans un appartement luxueux dès son arrivée. Il avait d'abord fallu traiter les murs, à cause de l'humidité ; et puis aménager des placards ; la cuisine et la salle de bains étaient terminées, presque, car malgré le choix d'une entreprise qui facturait fort cher son efficacité, il était impossible d'obtenir que rien fût bien fait. Cependant, puisque les ouvriers avaient envahi la maison, il fallait en profiter pour leur faire remettre en état le reste de celle-ci. Martha s'en allait, elle avait même déjà versé une caution pour la location d'un appartement, et elle se sentait donc libre de prendre en main toute la maison. Au-dessous de l'ordre apparent, tout était dans un état affreux. Et si la maison n'avait pas été construite de manière à résister à l'usure, elle aurait depuis longtemps cédé à la décrépitude, car Mark s'était limité à maintenir le statu quo (selon ses propres termes) depuis la maladie de Lynda. Les ouvriers ouvrirent tous les murs et les planchers, et remplirent la maison entière d'une odeur de peinture fraîche. Le toit était réparé — ou du moins allait l'être, car tout prenait du temps. On avait même nettoyé les tapis et les rideaux — patience, il y avait tout de même eu une guerre.

Martha traitait avec les hommes et leurs employeurs, tandis que ceux dont on bouleversait la maison se crispaient dans une angoisse affreuse, et elle avait l'impression cette fois encore de se retrouver sur cette scène où plusieurs types de spectacles se déroulaient en même temps, car il apparaissait impossible que des événements aussi discordants pussent partager une même texture d'espace ou de temps, sinon dans une circonstance irréelle et semblable à l'état de rêve où les choses pouvaient se transformer — comme des flamants en maillets de croquet. Ainsi Margaret avait pris l'habitude de débarquer souvent, d'une démarche royale, pour lâcher des mots bien sentis sur le fait que si-cela-vaut-la-peine-d'être-fait-il-faut-le-faire-bien, telle une ménagère blanche à son « boy » africain, et l'ouvrier ainsi interpellé prenait aussitôt une attitude de domestique humble et stylé s'adressant à un être supérieur. Puis Margaret s'en allait. Martha était étrangère, et n'appartenait pas à la classe dirigeante britannique ; et puis elle connaissait un langage utile, le dialecte du syndicalisme, et les ouvriers ne se donnaient donc pas la peine de faire semblant pour elle. Aucun d'entre eux n'avait l'intention de travailler une minute de plus qu'il n'y était obligé, ni de le faire mieux que le minimum requis, et ce pour la raison la plus simple ; rien de tout cela n'aurait pu lui procurer le moindre avantage, et son employeur ne pensait qu'à gagner le plus d'argent possible — c'était son métier. Et puis il y avait eu la guerre. Tout ce que faisaient ces hommes allait devoir être refait entièrement d'ici peu de temps, tellement ils le faisaient mal et tellement les matériaux étaient mauvais. D'épouvantables affrontements de volonté se déroulaient sans cesse, mais dans la meilleure humeur du monde, car les deux parties connaissaient les limites de ces combats ; et Martha cajolait, discutait, marchandait, et obtenait de petites concessions. Pendant ce temps, les journaux qui envahissaient la maison annonçaient la destruction de la Grande-Bretagne par le socialisme (intérieur, le parti travailliste) et le communisme (extérieur), comme le prouvaient bien des gens tels que le collègue de Colin Colridge, qui travaillaient pour l'Union soviétique.

Pendant ce temps, Mark passait l'essentiel de ses journées avec son frère ou bien à l'usine, car il ne pouvait supporter de voir sa maison ainsi bouleversée, et il passait ses nuits à parler avec Martha, dans son bureau, surtout de son enfance et de Lynda. Elle découvrait qu'il ne s'exprimait pas aisément ; mais cela lui était tout de même plus facile depuis Noël, où tant de choses s'étaient dévoilées.

Noël avait été épouvantable. D'abord, Lynda, que ses médecins avaient laissée sortir à condition qu'on la leur ramenât au premier signe de fatigue. Et puis, Francis, qui avait quitté son école — pour passer Noël avec son père et sa mère. Ainsi que l'en avait informé le principal. « J'aimerais bien cela », dit-il, ou plutôt cita-t-il, s'essayant prudemment à prononcer les expressions, les mots qu'il entendait employer au sujet de sa situation. « Il faudra que je fasse attention », poursuivit-il en fixant ses grands yeux empreints de souffrance sur le visage de Martha, afin qu'elle pût confirmer ou nier les termes choisis : « Ma mère ne se porte pas très bien, comprends-tu. Il ne faut pas que je la contrarie. »

Une école horrible. Deux cents petits garçons gardés par des hommes. « Les petits » (ainsi Francis décrivait-il les enfants plus jeunes que lui) avaient une gouvernante, mais « les grands » avaient des surveillants. Ils dormaient tous dans des dortoirs, jouaient à des jeux dirigés, se faisaient bousculer par les plus grands, exactement comme dans tous les récits concernant ce type d'institutions, tels que les ont transmis leurs victimes depuis des dizaines d'années. Et tout cela continuait, comme c'est bien souvent le cas, par la simple force d'inertie de ce qui existe déjà. Francis portait un étroit costume de flanelle grise, avec une cravate et un col dur ; il avait l'obsession de ses lacets, qui se dénouaient sans cesse, et ses grands yeux sombres restaient toujours sur le qui-vive, par crainte de faire une chose qu'il n'aurait pas dû faire.

Trois jours avant Noël, Sally téléphona pour demander si elle pourrait venir avec son enfant passer les fêtes, car son mari se montrait « impossible, Martha ! Il est têtu comme une mule. Je ne vais quand même pas m'imposer si l'on ne veut pas de moi ! » Ce qu'il avait d'impossible, apparemment, était ce refus de parler à sa femme de ses préoccupations. Il passait ses journées entières avec ses supérieurs, à subir des interrogatoires et des contre-interrogatoires concernant ses liens éventuels avec l'espionnage international, et ses relations avec son ami et supérieur qui attendait à présent de passer en jugement. La police enquêtait également. Il ne voulait rien dire à sa femme ; mais il venait à Londres pour parler à Mark. Les deux frères avaient passé tout l'après-midi ensemble ; puis Martha s'était jointe à eux pour le dîner et la soirée. Colin annonça presque immédiatement qu'il n'était « pas communiste mais marxiste ».

Martha lançait des remarques auxquelles il n'aurait pas pu s'empêcher de réagir si... il n'essayait pas de cacher quelque chose. Pas un homme hébété par la peur. Comment expliquer cette absence de réaction ? A moins, bien entendu, qu'il ne fût pas communiste et ne l'eût jamais été. Mais elle n'avait encore jamais rencontré ce type d'homme qui, parce qu'il admire un certain pays communiste, ou une réussite communiste, ou bien pour contrarier la sacro-sainte autorité, se définira comme communiste sans avoir jamais approché le parti communiste. Ce type est assez répandu en période de détente et quand il n'y a rien de dangereux à admirer : pendant la guerre, par exemple, ou à la fin des années cinquante et soixante. Mais ce genre d'admiration platonique au plus fort de la guerre froide avait quelque chose de donquichottesque, ou simplement fou. A moins que le fait d'être un Colridge pût vous absoudre de toute obligation de prudence, ce que Martha commençait à croire.

Car Colin ne paraissait pas le moins du monde effrayé. Bien entendu, il était difficile de croire au danger dans le bureau calme de Mark, d'où tout orage restait exclu. Il ne semblait pas non plus vouloir dissimuler quoi que ce fût. Au contraire, il parla toute la soirée de son supérieur, qui attendait à présent de passer en jugement et à qui il avait fait de nombreuses visites, méprisant (ou ignorant ?) le danger qu'il y avait à agir ainsi, et malgré les supplications de sa femme en larmes. Cet homme était son ami, expliquait-il ; de même que Mark devait dire par la suite : Colin est mon frère.

Manifestement, il éprouvait un soulagement à s'éloigner de son épouse — sans le dire, bien sûr. Mais Sally-Sarah s'imposa pendant toute la soirée dans les silences et les regards qu'échangeaient les deux hommes ; et Martha comprit ensuite qu'ils avaient décidé ce soir-là, sans vraiment l'exprimer, qu'elle devait passer Noël ici.

Lorsqu'elle vint, elle resta tout son temps dans la chambre de James avec son enfant, à dormir et pleurer. Le petit garçon descendait de temps à autre, le visage hagard d'avoir tant pleuré, pour dire : « Maman dort. » Quand Martha montait lui porter une tasse de thé ou de café, elle trouvait Sally-Sarah recroquevillée sous un édredon, le pouce enfoncé dans sa bouche comme un enfant, mal éveillée. Elle contemplait le mur ou traçait du doigt sur le papier peint des motifs invisibles. « Je voudrais être morte... », disait-elle, à Martha... « C'est vrai. Je voudrais être morte. »

Lynda arriva le soir de Noël. Les photos la montraient très belle. Martha savait également qu'elle porterait de très beaux vêtements, car les factures de sa garde-robe s'élevaient à des sommes considérables : pour conserver le respect de soi et revenir progressivement vers la normalité, il fallait qu'elle fût toujours parfaitement vêtue. Mark payait de bon cœur.

Lynda arriva dans la voiture de Margaret conduite par le chauffeur, et pénétra chez elle comme en visite. Elle adressa un sourire poli à son mari et s'apprêtait à sourire tout aussi poliment à son fils quand elle se souvint, et embrassa l'enfant sur la joue en murmurant : « Mon chéri ! » tandis qu'il se glaçait de souffrance et d'embarras. Elle était grande et très mince, avec un visage crispé dans l'effort de n'être pas « bouleversée ». Elle arborait un sourire figé, tandis que ses grands yeux gris restaient fixes, au fond de leurs orbites. Mais ils ne regardaient qu'en elle-même, là où elle maintenait son équilibre. Un ample manteau de fourrure pâle l'enveloppait. Ses ravissantes mains blanches et longues se terminaient par des ongles taillés à la va-vite, avec des taches de rouille autour de la lunule. Ses cheveux venaient d'être lavés et mis en plis, et ils brillaient d'un éclat doré très doux : toute sa santé semblait résider dans sa chevelure. Elle demanda aussitôt qu'on la mène à sa chambre — pour se laver un peu, dit-elle ; mais elle y demeura toute la soirée.

La chambre avait posé un problème. Puisque cette fête de Noël était principalement destinée à Francis, pour lui rappeler la normalité, et que père et mère partageaient une chambre, ou devaient tout au moins en avoir l'air, Lynda fut conduite à la chambre conjugale. Celle de Mark, au premier étage. Mais Mark se fit préparer un lit dans le cabinet de toilette car, comme il l'expliqua brièvement à Martha pour lui fournir les renseignements indispensables, Lynda ne pouvait pas supporter de l'avoir auprès d'elle. Il serait donc nécessaire, pour éviter de la bouleverser, de fermer à clé la porte qui séparait la chambre du cabinet de toilette. Il fallut donc faire poser un verrou.

Ce soir-là, il y avait à table Mark, silencieux mais arborant un sourire déterminé à présenter une apparence de normalité à son fils ; il y avait également Sally-Sarah, désespérée et ne faisant aucun effort pour s'en cacher ; son fils, au bord des larmes ; Francis, ses grands yeux sombres fixés sur le visage de son père ; et Martha. Avant la fin du repas, Paul avait escaladé les genoux de sa mère, et ils étaient restés enlacés tous deux, la joue de la mère pressée contre la tête de l'enfant. Francis les contemplait : il voyait une mère et son petit garçon. Après le dîner, il souhaita une bonne nuit à son père en lui serrant la main. Plus tard, Martha l'entendit pleurer. Leurs chambres étant contiguës, elle alla le consoler. Il retint son souffle et ses larmes tandis qu'elle l'entourait de ses bras. Il ne voulait pas d'elle. En refermant la porte, elle entendit l'explosion de larmes, de gémissements, et *Va-t'en, laisse-moi tranquille*. Le dîner de Noël se déroula de la même façon, comme un test d'endurance. Lynda se tenait au bout de la table, et servait les plats préparés par Martha : son fils l'observait. Quant à Colin, sa femme lui avait ressassé jusqu'à la nausée que « c'était bien le moins qu'il puisse faire », et il était venu pour ce seul repas ; il garda un silence morose pendant tout le dîner, tandis que Sally-Sarah gardait ses grands yeux pleins de larmes et de reproches sur lui, et qu'elle lui exprimait ces reproches à travers leur fils. Il partit dès qu'il eut avalé la dernière bouchée.

« Voilà qui est terminé, Dieu merci », déclara Mark à Martha en l'aidant à ranger les restes dans le réfrigérateur.

Il fallut pour en finir vraiment encore une semaine au cours de laquelle Martha passa l'essentiel de son temps avec des ouvriers, et au sous-sol avec des marchands. Pendant ce temps, la famille souffrait dans des chambres séparées, et Martha ressentait ce qu'il y avait de dérisoire à se préoccuper de meubles, de toits endommagés et de plomberie. Il semblait presque qu'une guérilla se déroulât, avec la texture de la maison comme champ de bataille, tandis que des ouvriers gentiment incompétents allaient et venaient, des tapis disparaissaient et reparaissaient, et le bruit des marteaux et des perceuses ébranlait murs et planchers. Elle invita Mark à inspecter l'appartement de la future gouvernante : mais il préférait s'en remettre à elle. Il valait mieux, précisa-t-il, que Lynda ne sût rien de ces transformations, ni de la vente des meubles. Mais un jour que Martha se trouvait au sous-sol en compagnie d'un antiquaire, Lynda était apparue dans ses fourrures blondes, et s'était révélée très au courant des prix et des valeurs : en la voyant ainsi, Martha avait trouvé difficile de croire qu'elle pût vraiment être malade. Ce sera un charmant appartement, avait observé Lynda, ajoutant qu'elle-même s'y serait volontiers établie. Puis elle était remontée en recommandant à Martha de ne surtout pas dire à Mark qu'elle, Lynda, avait agi ainsi. « Je ne crois pas que cela lui plairait, avait-elle précisé, il n'aime pas cela, voyez-vous. »

Lynda passa un après-midi avec son fils. Ils s'installèrent sur un grand canapé dans « la pièce de Margaret », le salon. Elle lui posa des questions polies et indifférentes sur son école. Et les réponses lui vinrent d'un enfant qui pesait chaque mot en guettant le moindre signe, la plus minime réaction, sur le visage de sa mère ; comme si un mot, ou une expression de lui, eût pu la blesser, la bouleverser. Et, à la fin de l'entrevue (comme il semblait bien qu'on pût qualifier ces moments passés ensemble), Lynda déclara soudain qu'elle se sentait mal et devait s'allonger ; Francis resta donc seul sur le canapé, près d'un sapin de Noël couvert d'ampoules multicolores. De la salle à manger située de l'autre côté du couloir, Mark et Martha entendirent des pleurs étouffés.

Mark explosa : « Je ne peux plus supporter cela... c'est une erreur. Il faut absolument la ramener dans son hôpital. Ou bien est-ce mieux que rien ?

— Peut-être, en effet.

— En êtes-vous sûre ?

— Non, je n'en suis pas sûre, voyons ! » A présent Martha pleurait presque, en comprenant exactement ce que devait éprouver Francis : on ne pleurait pas, on ne laissait rien paraître devant des gens qui souffraient manifestement beaucoup plus qu'elle.

« Je suis navré », commença Mark — il ne fallait pas qu'elle pleure, lui faisait-il comprendre. « Mais il n'existe aucune solution juste, n'est-ce pas ?

— Je ne sais pas. Sans doute. Cela ne vaut-il quand même pas mieux que de n'avoir pas de mère du tout ?

— Ou d'épouse ? » continua Mark. « Mais ce n'est pas votre avis, si je comprends bien ?

— Mon avis n'a pas d'importance.

— Ce n'est pas ce qu'*ils* pensent.

— Je le sais !

— Ma mère ne s'est pas manifestée. Elle serait heureuse de voir Lynda s'impliquer.

— Sûrement.

— Oh, bon, évidemment, vous vous en allez. Je l'oublie toujours. »

Injustement, outrageusement, elle estimait que tout constituait un reproche ironique à son égard. Elle faisait donc ce qu'elle pouvait, quand on pouvait si peu, en s'occupant des robinets, des placards, des planchers.

Chaque nuit elle entendait pleurer Francis. Elle allait sans bruit ouvrir la porte, essayait de se forcer à entrer pour tenter encore de le consoler... quand aucune consolation n'était possible. Une fois, il la sentit présente et se redressa : « Qui est-ce ? » demanda-t-il. Martha savait qu'il espérait que ce serait sa mère.

« C'est Martha. Tu n'es pas malade ?

— Je vais très bien, merci. » Et il se recoucha en silence, pour se dominer : comme il le ferait dans ce dortoir où il ne pourrait pas pleurer sans être entendu par une bonne dizaine de petits garçons.

Deux nuits avant la date prévue pour le départ de Lynda, Martha, incapable de supporter davantage ce bruit de sanglots étouffés dans la chambre voisine, descendit se faire du café à la cuisine. Il était trois heures du matin. Assise devant la grande table de la cuisine, Lynda faisait une patience de cartes. A portée de sa main, se trouvait un tas de cachets. Elle portait une chemise de nuit montante à l'ancienne mode, toute en volants et en dentelles. Elle vit Martha et, faisant mine de ne pas l'avoir vue, poursuivit sa réussite en fredonnant. Martha fit du café et prit place à l'autre extrémité de la table. Lynda n'était pas retournée chez le coiffeur depuis une semaine, et ses cheveux pendaient en mèches ternes. Elle ne semblait plus être qu'un crâne et d'immenses yeux figés. La maladie, ou bien les cachets qu'elle consommait en si grande quantité, la faisait transpirer considérablement : et il émanait d'elle une senteur âcre. Rien dans cette créature malade ne rappelait à Martha la personne compétente et vive qui l'avait aidée à organiser l'installation du sous-sol. Elle but son café en silence tandis que Lynda fredonnait en se balançant légèrement.

« Vous allez partir, n'est-ce pas ? s'enquit-elle.

— Oui. En mars.

— Non, vous ne partirez pas », répliqua Lynda, impolie comme un enfant. Elle regarda ensuite les cartes cachées de son jeu, et s'exclama : « Ah, voilà ! » Mécontente, elle repoussa tout le jeu : la patience risquait apparemment de contrarier ses propres règles du jeu en aboutissant.

« Auriez-vous une cigarette ? » demanda-t-elle.

Martha lui tendit un paquet. Lynda en prit une, puis en prit trois autres avec un sourire rusé et les aligna près des médicaments.

« Si je les prends toutes maintenant, expliqua-t-elle, il faudra que je retourne à l'hôpital demain au lieu du lendemain, parce que je n'aurai plus assez de pilules pour tenir. » Elle souriait et défiait Martha, ou bien l'autorité, tout en séparant deux cachets du tas, un petit jaune, et un gros également jaune.

« Je sais ce que vous pensez », déclara-t-elle en levant les yeux sur Martha et en souriant — directe, à présent, personnelle, exquise. Oh, oui, on voyait bien comme elle était belle, ou comme elle pouvait l'être. « Eh bien, vous avez raison. Mais à quoi cela sert-il, d'avoir raison ? »

Martha ne répondit rien.

Lynda repoussa les deux pilules vers le tas. « Je vais quand même rester jusqu'à après-demain. Mais pour quoi faire ? » Elle cacha son visage dans ses mains, et reprit son fredonnement en se balançant. Silence. « Non, s'écria-t-elle violemment, et elle se redressa. Ce n'est pas vrai. Je ne pourrais pas sortir et *essayer*. Comment le pourrais-je ? »

Martha ne répondit rien.

Penchée en avant, Lynda scrutait à présent le visage de Martha, comme pour l'écouter.

« Pourquoi ne voulez-vous pas l'admettre ? Certaines personnes sont ratées, c'est tout. Inutiles ! Ratées pour la vie quotidienne. Je n'arrête pas de le répéter. Je l'ai dit à Mark quand il m'a épousée. Je le lui ai dit. Pourquoi veux-tu absolument que tout le monde te ressemble ? Je sais ce que je sais ! »

Martha ne disait rien. Elle buvait son café. La grande cuisine semblait en ruine. On avait descendu les rideaux pour les laver, et ils se trouvaient roulés en boule sur la dernière marche d'un escabeau. Le plancher avait été démonté, et l'on voyait des tuyaux à découvert près du mur. On avait descellé le carrelage tout autour de l'évier, mais l'ouvrier avait oublié de les remettre en place : il faudrait lui téléphoner dans la matinée. La veille, il était arrivé à huit heures du matin pour se faire payer : ce n'était pas son travail mais celui d'un autre ouvrier, avait-il déclaré quand Martha l'avait prié de remettre les carreaux en place. La discussion avait réveillé Mark, dont le cabinet de toilette se trouvait juste au-dessus de la cuisine. Les entendait-il, à présent ?

« Mark dort », annonça Lynda. « Et quand il dort, il dort pour de bon. Je suis toujours heureuse quand il dort, car je sais que je ne le tourmente pas. J'ai parfois envie de le tuer, parce que s'il était mort, je saurais qu'il n'est plus malheureux par ma faute. Vous comprenez ? Quand je suis descendue à la cuisine, tout à l'heure, je suis d'abord allée le regarder. J'aime le regarder quand il dort. Quand nous étions mariés, je me réveillais la nuit pour pouvoir le regarder dormir.

— Vous êtes encore mariés, observa Martha.

— Ce n'est pas la peine de parler, rétorqua Lynda. Vous dites cela parce que vous croyez qu'il le faut. Si je dormais maintenant, vous n'auriez pas besoin de parler, n'est-ce pas ? C'est pour cela que j'aime dormir. Je voudrais pouvoir dormir toute ma vie. Mais on ne me donne pas suffisamment de cachets. Je leur dis : Puisque vous ne voulez pas que j'aie ce que je veux, pourquoi ne puis-je pas dormir ? Quelle différence y a-t-il entre vous rendre idiote, parce qu'ils vous rendent idiote, vous savez, et vous laisser dormir ? Je ne sers à personne, alors je pourrais tout aussi bien dormir. Voyez-vous, reprit-elle, exhibant à nouveau son sourire adorable et confiant, soudain présente pendant un bref instant, je me tuerais bien, mais j'ai peur. Après tout, nous ne savons pas grand-chose, n'est-ce pas ? Peut-être est-ce encore pire dans l'au-delà qu'ici ? Vous ne croyez pas en Dieu, n'est-ce pas ?

— C'est un mot, répondit Martha.

— Oui, mais le démon aussi, c'est un mot. Je sais que le diable existe. Il me parle. »

C'était l'un des symptômes de Lynda : elle entendait des voix. Mais les médecins avaient informé Mark que les voix semblaient disparaître, et c'était précisément pour cela qu'ils l'avaient laissée sortir pour Noël.

Lynda contracta soudain son visage et parut se transformer en vieille sorcière malveillante ; elle se pencha en avant pour scruter Martha.

« Ne leur dites pas que je vous l'ai dit. Je garde le silence sur ce que je sais. Il le faut, comprenez-vous. » Elle se balançait doucement d'avant en arrière, inlassablement. Puis elle reprit : « C'est la liberté, non ? Tout le monde dispose d'un peu de liberté, d'un peu d'espace... » Elle traça du bout des doigts un petit cercle sur le bois de la table, de deux ou trois centimètres de diamètre. Elle baissa les yeux, concentra son regard. « C'est un beau bois, ne trouvez-vous pas ? J'ai choisi cette table moi-même, Mark vous l'avait-il dit ? Je l'ai trouvée sur un marché de plein air, à Guidford. Elle coûtait dix shillings. Une vieille table de cuisine, oui, comme celle que nous avions à la maison. Elle était dans la cuisine. Les domestiques y prenaient leurs repas. Plus belle que la nôtre. Le grain de ce bois — regardez. » Martha s'approcha pour regarder les volutes de grain dur, autour desquelles la partie tendre et charnue du bois était usée et grattée. Elles contemplèrent la coupe transversale d'une spirale qui avait autrefois été le cœur du bois. Lynda en suivait les contours du doigt — contenue. « C'est la liberté, reprit-elle. La mienne. C'est tout ce qu'ils me laissent. Ils ne me laisseraient même pas cela s'ils savaient comment me le prendre. Mais si je leur dis : Je n'entends plus de voix, vous m'avez guérie, les voix ont disparu... ils ne peuvent rien prouver. C'est ma liberté. Mais j'imagine qu'ils inventeront des machines — ils y arrivent toujours, vous savez. Ils ne pourront pas supporter cela, cette toute petite dose de liberté. Alors ils fabriqueront une machine, ils nous la fixeront sur la tête, et ils pourront dire : Vous mentez, nous pouvons mesurer la forme des voix, avec cette machine. Qu'essayez-vous de cacher ? Qu'entendez-vous ?... » Elle se balançait de plus en plus vite, d'avant en arrière. « Mais ils ne l'ont pas encore inventée, cette machine. Je suis encore libre. Je sais ce que je sais. Vous me croyez, n'est-ce pas ?

— Oui », répondit Martha.

Menaçante, Lynda se pencha en avant, prête à frapper ; sa main blafarde se crispait sur un couteau imaginaire. « Oui, mais que croyez-vous, Martha ? »

Ses yeux glissèrent de Martha jusqu'à la porte, et Martha se retourna. Mark se tenait dans l'encadrement de la porte. Il paraissait angoissé et terrifié.

Elle ricana : « Regardez-le. Il veut que j'aille en prison. Il ne veut pas que je sois libre. Il veut qu'on me soigne.

— Lynda », protesta-t-il, désespéré — et complètement à contre-sens, en homme, en mari chaleureux et responsable, « Lynda, c'est moi. Mark ! »

Sous l'effet de cette pression qui s'exerçait ainsi sur elle, elle sourit, devint évasive et se replia en elle-même. Elle se leva. Sa main s'avança vers les médicaments. Elle souriait comme une écolière désobéissante. Elle fit semblant de mettre les pilules dans sa bouche, puis rouvrit la main et se mit à rire d'un rire qui la secoua tout entière. « Vous m'avez convaincue, dit-elle à Martha, vous avez raison. » Avec un soin précis et attentif, elle remplit ensuite un verre d'eau, avala deux cachets, et plaça les autres dans un récipient, avec les cigarettes. Puis elle quitta la cuisine en tenant devant elle la tasse remplie de médicaments et les cigarettes, comme elle eût fait d'une bougie. Dans sa chemise de nuit vieilllotte, elle avait l'air d'une petite fille bien sage qui montait se coucher.

Mark sortit à sa suite, en souhaitant hâtivement une bonne nuit à Martha.

Lynda resta un jour de plus, mais Francis ne la revit plus. Sa grand-mère l'emmena dans sa grosse voiture conduite par le chauffeur, et le garda pendant toute la deuxième semaine de ses vacances. Il emporta son jeu de chimiste, un vrai pour les grands, que lui avait donné Martha ; le ballon de football offert par son père ; et un énorme tas de jouets que sa mère avait commandés chez Harrods par téléphone.

Avant son départ pour l'hôpital, Lynda retourna au sous-sol. Martha l'y découvrit, occupée à expliquer à un ouvrier qui fabriquait un placard, qu'il n'employait pas le bois qu'il aurait dû. S'il avait eu le moindre amour-propre professionnel, lui disait-elle, il aurait refusé le bois fourni par son chef d'atelier, car n'importe qui pouvait voir que d'ici à un an il aurait gauchi faute d'avoir été convenablement conditionné. L'ouvrier répondait oui, qu'il le savait bien, mais qu'il était payé pour travailler et pas pour discuter.

Martha prit le relais de l'altercation entamée par Lynda, et alla questionner le chef d'atelier, qui répliqua que ce n'était pas sa faute si la compagnie préférait faire du mauvais travail, puis l'entrepreneur, qui estima que la faute en revenait à l'ouvrier. Finalement, et après bien d'autres batailles du même genre, le sous-sol semblait à la fin janvier devoir devenir habitable dans un assez proche avenir. Qui y vivrait ? La situation requérait une personne sensée, et plutôt jeune qu'âgée ; mais Martha ne voyait pas Mark choisir ainsi. Il était sûr, disait-il, que Phœbe lui trouverait quelqu'un. Peut-être Martha pourrait-elle lui téléphoner ?

Martha n'en fit rien. Car l'appartement était prêt, à présent — presque ; elle-même devait s'en aller dans quatre semaines, et elle voulait s'assurer que la personne engagée conviendrait pour Francis. Car s'il y avait une chose essentielle, c'était de faire quitter à l'enfant cette horrible école. Et ce ne serait possible que s'il y avait quelqu'un de vraiment bien pour s'occuper de lui. La gouvernante devrait être beaucoup plus qu'une gouvernante. La maison devait être tenue comme il convient pour une famille. Martha imaginait le retour de Francis à la maison, chaque jour, revenant d'un externat sympathique et bien conçu, pour retrouver la femme qui vivrait là, parler avec elle, dîner, faire ses devoirs, mener une existence douce et chaude. Il suffisait de faire comprendre à Mark...

Elle affronta Mark sur ce sujet. Ou essaya. Il se défendit en prétendant qu'il était très occupé, que son travail requérait toute son attention, puis il montra de l'irritation, de l'embarras — puis enfin, dans une explosion de justifications qu'il trouvait pour la première fois de sa vie la force d'exposer à quelqu'un, il lui raconta comme il s'était senti différent des autres pendant toute son enfance, et comme il ne voulait pas infliger cette terrible gêne à son fils.

Comme il a déjà été dit plus haut, il était le seul des quatre frères à n'avoir pas été élevé normalement, suivant les critères de son milieu. Ses trois frères avaient fréquenté de bonnes écoles, puis l'université. Quant à Mark, il s'était trouvé en quelque sorte dépareillé, attentif, taciturne, mal à son aise — par nature ; et Margaret, alors sous l'influence d'amis engagés dans le mouvement de l'école réformée, l'avait envoyé à l'école Neill. Pas pour longtemps : c'était excessif, avait-elle décidé. Mark se souvenait d'avoir aimé l'école, mais d'avoir souffert aux vacances, quand il lui fallait adapter cet univers à celui de sa famille. Margaret l'avait ensuite confié à une école « progressiste », qui suivait la ligne de Neill, mais de façon plus modérée. Mark avait alors estimé plus facile de faire coexister ses deux univers ; mais il restait coupé de ses frères, qui le trouvaient, ainsi que son école (toute école autre que la leur étant nécessairement abominable), bizarre, et voyaient en lui un défi. Aux vacances, il s'efforçait d'aller plutôt chez des amis quand il le pouvait. Il revenait rarement à la maison. Puis son père était mort, ils avaient vendu la maison de campagne, et Margaret avait épousé son financier. Mark passait ses vacances en Amérique, et c'est alors qu'il avait « découvert » son frère Colin et qu'ils étaient devenus amis. Mark n'avait pas fréquenté l'université. Son éducation, son expérience l'avaient placé en porte à faux vis-à-vis de son milieu. Il disait à présent qu'il voulait épargner cela à son fils, qui supportait déjà un fardeau bien trop lourd.

Puis il tourna le dos à Martha, prit un livre, et parut s'y plonger tandis que son dos raidi lui laissait entendre qu'il souhaitait qu'elle poursuivît, mais qu'il comptait bien lui résister. Elle se cuirassa de courage et continua, bien qu'il fût impossible d'aborder aucun sujet important avec Mark sans devoir lutter, s'imposer, insister. Jamais elle n'avait rencontré d'homme aussi cuirassé, sur la défensive. Lorsqu'il sentait venir des questions douloureuses, son visage mat — dont l'expression dominante était pourtant de curiosité obstinée, de besoin d'apprendre, de savoir —, son visage se fermait, sa bouche se crispait, et il se détournait.

Dans son dos, Martha s'écria : « Mais enfin, Mark, quelle sorte de logique ou de bon sens est-ce là ! Sans parler de la plus élémentaire préoccupation humaniste ! Vous me dites que vous étiez bien heureux de ne pas aller en pension comme les autres, que d'aller en Amérique était votre plus grand bonheur — vous parlez de la haute société comme un socialiste à Hyde Park — et vous imposez quand même tout cela à Francis. Pourquoi ? »

Le dos obstinément tourné vers elle, il répondit : « Ils ont une certaine force qui me manque. Et je veux qu'il l'aie, lui.

— Quelle force ? Qui ?

— Oh, certains. Oh, je suis bien d'accord qu'il s'agit aussi d'étroitesse. Ils ont des œillères, si vous voulez. Mais c'est une force. Il faut bien avoir quelque chose. »

Son frère décédé (et Mark était bien le dernier, ses écrits le prouvaient, à juger arbitraire une mort à la guerre, sans rapport avec la personnalité) était sur le point, au moment de la déclaration de guerre, de quitter son emploi, ou ses emplois de président de sociétés, pour aller pratiquer l'agriculture au Kenya. Cela ne prouvait guère d'anticonformisme, il voulait quitter l'Angleterre parce qu'il estimait qu'on ne pouvait plus y élever les enfants, car les gens ne pensaient plus qu'à l'argent. Le second frère était Colin. Puis il y avait Mark. Et enfin Arthur, le gauchiste que les Colridge ne considéraient guère mieux qu'un agitateur de rues.

« Bon, d'accord », répondit Mark, le dos toujours tourné vers elle. « Prenez Arthur. Il parle très bien de la révolution, mais si vous le mettez à côté de la lie communiste, vous verrez aussitôt la différence.

— Quelle lie ?

— Je n'ai aucune confiance dans tous ces gens-là, et ils ne valent même pas la corde pour les pendre. Mais Arthur, au moins, quand il dit une chose, on sait que c'est vrai. Comprenez-vous ? On peut lui faire confiance. »

Martha ne pouvait rien répondre : il disait que son frère était un gentleman.

Ne pouvant rien répondre, elle s'assit et attendit. Comme toujours, il était bien après minuit, et un silence total régnait dans la rue. Dans le bureau aussi. On y discernait deux centres d'intérêt. D'une part, la machine à écrire, les notes et les carnets qui occupaient le bureau. Et de l'autre, une table recouverte de maquettes, de prototypes, de diagrammes, de plans, qui concernaient les machines fabriquées à l'usine. L'affaire de Mark, qu'il avait lui-même créée après la guerre, construisait de l'appareillage électronique pour les hôpitaux. Il travaillait avec un certain Jimmy Wood, et l'argent qu'ils gagnaient grâce à leur production régulière, leur servait à expérimenter, inventer et financer ce à quoi les deux hommes passaient le plus clair de leur temps : assis dans un bureau de l'usine, ils discutaient et découvraient des idées neuves.

Mark finit par se retourner. Il lui fallut pour cela faire un effort sur lui-même. Et lorsqu'il s'assit en face d'elle, ce fut en s'y forçant.

« Sans doute suis-je incohérent ?

— Je pense simplement à Francis, qui pleure toute la nuit.

— Il ne mènera jamais une vie normale, avec une mère, et ce genre de choses ? Alors peut-être vaut-il mieux qu'il ait au moins cela, pour s'y raccrocher ?

— Ne pourriez-vous pas trouver un compromis ? » suggéra-t-elle avec « humour », par nécessité. « Est-il vraiment indispensable de choisir une école qui semble une caricature ? N'en existe-t-il pas de plus humaines ?

— Mes frères y ont fait leurs études.

— Alors c'est formidable, hein ?

— Margaret est de votre côté. Elle voulait que je l'envoie dans l'école où je suis allé.

— Et pourquoi ne l'avez-vous pas fait ? »

Il se leva brusquement et s'approcha de la fenêtre pour examiner les rideaux. Ils venaient d'être nettoyés. La dernière fois qu'il avait fait ce geste, pour échapper à une pression émotionnelle, il avait marmonné : « Il faudra les faire nettoyer. » Puis il s'était retourné pour

ajouter : « J'ai un talent tout particulier pour les amours tragiques. »
Car il avait vécu deux passions désespérées avant d'épouser Lynda.

La raison pour laquelle Mark ne voulait pas envoyer Francis à
l'école qu'il avait fréquentée et où il avait été heureux, était qu'il se
considérait comme un raté : ou du moins était-ce probable, se disait
Martha. Mark se reprochait d'avoir déçu les personnes chargées de
son éducation ; exactement comme il se serait reproché, s'il était allé
avec son frère James à Eton, d'avoir détourné des fonds. Son école
avait tenté de lui apporter un équilibre émotionnel, un équilibre — etc.
Et il avait échoué. S'il y envoyait Francis, Francis s'y trouverait
le fils d'un raté. Mark semblait éprouver quelque chose de ce
genre.

Mais l'entretien porta ses fruits ; car Mark alla voir sa mère, qui
vint à son tour rendre visite à Martha. La rencontre eut lieu dans la
« pièce de Margaret » ; Margaret s'assit au bord d'une de ses jolies
chaises et, tenant ses gants à la main, sourit à Martha.

« Mais vous avez fait tant de bien à Mark. Quel dommage que
vous deviez partir !

— Je l'avoue. Mais c'est ainsi.

— Bien entendu. Que disiez-vous donc que vous alliez faire ?
J'oublie. »

Pour supporter ce type d'insolence accomplie, il était nécessaire
d'avoir reçu l'éducation que Mark donnait actuellement à Francis.
Pour le supporter gracieusement, du moins. Sans aucune grâce, Martha tint bon.

« Qu'écrit donc Mark, en ce moment ?

— C'est à lui qu'il faut le demander.

— A-t-il travaillé, depuis que vous êtes ici ?

— Mais il travaille toujours beaucoup.

— Je parle de livre nouveau. N'importe qui peut s'amuser avec des
jouets électriques.

— Je ne pense pas qu'il les voie ainsi.

— Hum. Bon. J'espère que vous ne vous en allez pas quand il se
trouve en plein milieu d'une œuvre. Les gens vont se demander si ce
livre n'était pas une étoile filante. »

Sachant fort bien que son silence devait à présent paraître bou-
deur, Martha gardait le silence.

« Bon. Eh bien, allons voir ce que vous avez fait du sous-sol. »

Martha était ravie de faire descendre Margaret au sous-sol. Car
même bien arrangé, ciré, épousseté, l'appartement ne ressemblait pas
au reste de la maison. Il était charmant, confortable — mais dépourvu
de vie. Pour avoir des pièces comme celles d'en haut, il fallait qu'une
personne eût senti (peut-être pendant des mois) que telle chaise, ou
telle table, était mal placée et qu'il fallait la déplacer de trois centimètres, juste *là*, où elle recevrait la lumière, *comme ceci*, ou bien où
elle mettrait mieux en valeur le tapis. Martha s'attendait un peu à voir
Margaret créer cette vie qui manquait, en visitant l'appartement.

Mais Margaret se contenta d'observer : « Oui, c'est charmant. Mais
il y faudrait un peu de vie », avant de remonter.

Avant de partir, elle ajouta : « Assurez-vous que vous ne le quitterez pas en plein marasme, vous serez gentille. »

Ces paroles, tellement plus offensantes que tout ce qu'elle avait proféré jusqu'alors, étaient en vérité les plus suppliantes : telle est l'importance d'une intonation. Mais elles évitaient d'évoquer ce que Mark attendait d'une « secrétaire » ; ce qu'étaient ses rapports avec son travail ; et ce que Martha pouvait lui apporter.

Lorsque Martha était arrivée pour lui servir de « secrétaire », elle avait attendu qu'il lui donne des pages à dactylographier, et elle s'était retrouvée à discuter avec lui dans son bureau. Il lui avait fallu un certain temps pour comprendre qu'il s'efforçait de définir ses propres attitudes en fonction des autres — d'elle puisqu'elle se trouvait là. Elle eut également du mal à comprendre combien il devait se forcer pour pouvoir parler. Il l'amenait à s'exprimer, l'y acculait, et il l'écoutait pour ensuite formuler des remarques, bien que cela pût ne pas lui arriver pendant plusieurs jours d'affilée. Il s'agissait en partie d'un moyen de parler de sa vie : il semblait que jamais il n'eût eu personne avec qui parler. Même pas à l'école ? Si, bien sûr, mais jamais il n'avait eu d'ami proche. Et depuis lors ? Si, il y avait eu Colin. Et puis Lynda, bien sûr, et d'autres. « Mais on ne parle pas aux gens qu'on aime, n'est-ce pas ? » Martha trouvait tout cela difficile car son expérience, qui valait bien une dizaine d'universités, s'était déroulée dans les cercles socialistes.

Mark avait demandé à Martha de lire son roman : et il était caractéristique de lui qu'il n'eût point imaginé qu'elle l'aurait lu, et qu'elle y aurait pensé. Il venait, disait-il, de le relire.

Ce roman, fort court, avait été publié en 1948. Mais Mark l'avait écrit en 1946, en attendant d'être démobilisé des forces d'occupation en Autriche. Ce livre, selon l'expression consacrée, avait reçu un excellent accueil. Mark affirmait, sans ostentation particulière, que c'était à cause de son nom. A mieux y regarder (injuste ! estimait-elle en observant l'amusement qu'il laissait paraître), il apparut que les éditeurs, les critiques, les gens qui patronnaient les arts en Angleterre à cette époque, avaient fréquenté l'école ou l'université, non pas avec Mark, mais avec ses frères, et « connaissaient » Margaret, ou du moins se connaissaient tous entre eux. Dans l'afflux de personnes nourries de littérature qui arrivaient de l'étranger, nul ne débarquait sans s'attendre à découvrir une sorte de marché des arts merveilleusement libre, international, intellectuel, et maintenu en vigueur par des personnes dévouées et désintéressées, dénichées partout où l'on pouvait. Toute cette excellence, ces critères élevés, ils n'étaient tout de même pas maintenus par la seule grâce des Tom, Dick ou Harry qui avaient fréquenté la même école que les frères de Mark et qui « connaissaient » Margaret ? Et pourquoi pas, après tout ? rétorqua Mark quand il découvrit qu'elle avait peine à croire ce que lui-même trouvait naturel. Pourquoi pas ? Si cela marche ?

D'Autriche, Mark avait envoyé son manuscrit à Jack, un ami de Colin que Margaret avait naguère beaucoup reçu : il dirigeait à présent une maison d'édition. Il avait trouvé normal que son livre fût remarqué au lieu de passer inaperçu comme la moitié des romans publiés en Grande-Bretagne. Non, ce qui le troublait, c'était le ton des critiques : froid, hostile, et même haineux. Il n'en comprenait pas la raison.

« Ils équilibraient sans doute leurs paris », observa-t-il d'une voix méprisante. « On ne condamne jamais un cheval tocard — quelle bande de lâches ! »

Un critique reprochait au livre d'être écrit comme si la guerre eût été finie depuis plus de cent ans, alors que les décombres fumaient encore. Un livre fataliste, disait-on. Pessimiste, déterministe. Froid et dénué de toute compassion.

« C'est parce que vous manquez d'indignation. Vous n'êtes pas choqué.

— Par quoi ?

— Lisez ce qui s'est écrit sur cette guerre — il n'y a pas encore grand-chose, bien sûr. Et voilà qui est déjà bien impardonnable — publier un roman avant même que les canons se soient tus. Quel affront !

— Je n'avais rien d'autre à faire. Et les autres non plus.

— Mais dans ce qui s'est déjà écrit, on trouve un certain ton... de protestation. De dégoût.

— Je ne discerne aucune protestation. La roue tourne.

— Et les romans sur la Première Guerre mondiale, ce sont tous des élégies pour le paradis perdu, ou bien des explosions de colère.

— Et alors ? Où est l'intérêt de ressentir encore la même chose ?

— Mais vous devriez au moins comprendre pourquoi les autres s'en offensent ! »

La thèse de son roman était que si l'humanité (la terre et sa population) constituait une variété d'organismes vivants, un corps, et si la guerre en était une effervescence superficielle, il fallait s'attendre à ce qu'elle explosât. Il découlait de cette théorie, implicitement, sans que ce fût énoncé, que la guerre était inévitable, que rien n'aurait pu l'empêcher, et que diverses formes de guerre apparaîtraient encore. Ce n'était pas du tout l'atmosphère de la fin des années quarante, quand les gouvernements, les politiciens et la presse parlaient non seulement comme si la guerre, la prochaine, était inévitable, mais comme si les actions qu'ils avaient engagées pourraient l'empêcher d'éclater.

Mais Mark considérait les activités de la presse, des politiciens et des généraux comme des jeux d'enfants. Comme il l'avait exprimé en quelques paragraphes bien sentis, car c'était trop évident pour qu'on eût besoin de s'y étendre davantage, tout au long des années trente la guerre avait été organisée, prévue, attendue ; les nations avaient rivalisé d'intrigues et d'alliances, de déploiements et de marchandages, mais le fait le plus frappant de cette guerre, et que nul n'avait prévu, était que la Russie bolchevique avait combattu aux côtés de l'Angleterre et de l'Amérique. Et cela, bien que les forces des groupes les plus puissants de ces deux nations eussent œuvré dans la direction opposée. Aucun besoin même de développer cet argument :

c'était tellement évident. Peu avaient importé leurs projets, puisque les êtres humains se trouvaient prisonniers des événements. Et pourtant, dès l'instant où la guerre avait achevé son cycle de même qu'une maladie suit son cours jusqu'à la terminaison, les gouvernements, les généraux, les journaux s'étaient remis à faire des projets, à proclamer des conclusions définitives et des pronostics, prouvant ainsi leur inaptitude à voir les évidences les plus claires quand ils les avaient sous le nez. On ne pouvait songer un instant à les prendre au sérieux.

Et Mark ne parvenait pas à comprendre que cette attitude pût paraître offensante à cette époque-là. Pour lui, tout cela était évident. En le lui expliquant, Martha en venait à représenter cette naïveté, cette incapacité à tirer des conclusions de faits invisibles, qu'il trouvait si difficiles à comprendre.

Pendant ce temps, Martha faisait une découverte — inattendue. « Matty » revenait à la surface. « Matty » n'était pas apparue dans cette maison. Mais une autre personne l'avait fait — et il lui avait fallu du temps pour comprendre qu'il s'agissait simplement d'un autre aspect de cette hydre, « Matty ». C'était... Martha l'appela tout d'abord la « communiste », mais dut l'élargir à « défenderesse » car il s'agissait d'un masque commun, par exemple, à la sœur de Marjorie, Phœbe. Cette personne devenait criarde, péremptoire, didactique, et au moindre mot se lançait dans d'interminables discours. « Je ne m'intéresse pas aux discours ! » avait déclaré Mark au début de ses relations avec l'orateur Martha. Mais Martha n'avait pas conscience de discourir. Entre le clown maladroit qui se dénigrait sans cesse et la « défenderesse », il existait un lien : Martha commençait à le voir. Elle avait largement l'occasion de s'en préoccuper, puisque le roman aiguillonnait la « défenderesse » et lui créait une existence aussi animée.

En entendant Mark affirmer que d'ici à cent ans (s'il restait la moindre vie humaine sur la terre dans cent ans), les gens ne décriraient plus la Seconde Guerre mondiale comme on la décrivait en 1950 — l'année qui commençait tout juste, Martha répondait : « Évidemment. »

Mais ils n'y verraient plus la victoire du bien sur le mal, ils ne jugeraient plus les armées d'Hitler comme pires que les leurs. Ils diraient simplement : la guerre s'est exprimée de telle et telle façon de 1939 à 1945. La moralisation n'était plus guère que la justification des belligérants.

Mais là, Martha souffrait. Au cours de la dernière année de la guerre, Mark avait participé à la libération d'un camp de concentration — comme l'ami de Thomas, qui avait ensuite écrit à celui-ci la fameuse lettre qui se trouvait à l'origine de la transformation de Thomas. Du moins était-ce apparu ainsi.

« Que dois-je donc dire ? » demandait Mark. « Les traiter de Huns et de salauds ?

— Eh bien, que dites-vous, alors ? voulait savoir Martha.

— Si je vous réponds en parlant de la Russie, nous allons échanger des atrocités jusqu'à la fin des temps. Je ne peux pas supporter cette conversation ! Vous me dites, chambres à gaz. Je vous réponds, collectivisation des paysans. Vous me dites, race des seigneurs. Je vous réponds, purges. Vous me dites, liberté. Je vous réponds, liberté. A quoi bon ? »

Et chaque nuit, la « défenderesse » avait discuté, cité des chiffres, plaidé, tandis qu'il l'écoutait patiemment. « Il n'existe donc aucun progrès, peu importe l'attitude que l'on adopte, on aurait tout aussi bien pu combattre aux côtés d'Hitler ?

— Si l'on doit faire le bilan des atrocités — oui, bien sûr.

— Mais alors ?

— C'est tout.

— Ah non, je connais trop bien cela ! Quand était-ce ? Je devais avoir vingt ans — ou pas beaucoup plus. Rien n'avait d'importance, me serinait un imbécile. Il s'appelait M. Maynard.

— Ah, nous avons de lointains cousins qui portent ce nom. Était-il originaire du Wiltshire ?

— *Je n'en sais rien.* Tout ce que je sais, c'est que mes combats contre lui représentent ce que j'ai fait de mieux dans ma vie.

— Vos combats ? » répéta Mark avec répulsion.

— Eh bien, dans ce cas, pourquoi vous préoccuper de Colin ? »

Mais là, Mark se détournait et commençait à fouiller vaguement dans ses tiroirs, à jouer avec des crayons, à tripoter l'interrupteur de sa lampe, mécontent, amer. En observant le combat de ses propres personnalités intérieures, elle le comprenait d'autant mieux.

D'une part, cet observateur glacé et capable de discerner les événements qui surgiraient dans cent ans. Toujours ? Mark avait-il su voir tout cela pendant la guerre ? Hum — peut-être.

Et à la seule mention de son frère, il devenait un homme glacial et furieux, semblable à la « défenderesse ».

« Le progrès », marmonnait cet homme en colère — plus à lui-même qu'à Martha ; sans doute poursuivait-il une conversation avec lui-même, comme lorsqu'on est seul et que les autres dorment. « Cela ne me concerne pas. Je m'en moque. Si les choses s'améliorent, ce n'est sûrement pas parce qu'une nation s'aime meilleure ou plus humaine qu'une autre. C'est une farce — et ce l'a toujours été. La façon dont les gens se voient, c'est bon pour des enfants. Regardez ce qui se passe actuellement. La guerre froide ! Quelle expression ! A quelle pensée cela correspond-il ? Le refrain change d'une année sur l'autre — et pourquoi pas, il en a toujours été de même. Mais dois-je vraiment prendre cela au sérieux ? Et Colin ? Le point de vue de Colin, c'est qu'il a été l'allié de l'Union soviétique pendant des années, et que pendant tout ce temps il a dû lutter pour échanger des informations scientifiques — comme tous les chercheurs...

— Parce que les gouvernements de l'Angleterre et de l'Amérique faisaient tout pour ne pas partager, parce qu'ils détestaient leur alliance avec la Russie.

— D'accord. Bien sûr. Mais c'était pareil du côté des Russes. Quant à Colin, il est homme de science et non politicien. Il est partisan de l'internationalisme en matière scientifique. Et voilà qu'il devient un traître sous prétexte que le refrain a changé. Eh bien, je soutiens mon frère.

— Alors, il est puéril de s'offenser pour des termes comme traître.

— M'offenser ! Vous voulez dire que je suis terrifié ! Jamais je n'aurais cru cela possible — dans ce pays. Pour autant que je sache, Colin n'a pas peur. En ce qui le concerne, tout est extrêmement clair : ils sont dans leur bon droit, un point et c'est tout. » Pour Mark, « ils » désignait Colin et son supérieur, qui attendait à présent de passer en jugement. « Ils disent que l'Amérique veut faire la guerre à l'Union soviétique. L'Amérique veut détruire l'Union soviétique. Avant que l'Union soviétique se procure la bombe atomique. Bon. Évidemment, que l'Amérique veut détruire l'Union soviétique, il suffit de lire les journaux. Colin dit que c'est à cause du communisme. Je pense pour ma part que les nations ont besoin de faire la guerre. Si ce n'était pas l'Union soviétique, ce serait un autre pays. Mais s'*ils* pouvaient fournir des renseignements à l'Union soviétique au sujet de la bombe, pour que l'Union soviétique puisse en fabriquer une, elle deviendrait l'égale de l'Amérique, et l'Amérique aurait peur de déclencher la guerre.

— Est-ce là ce que Colin affirme avoir fait ? Dans ce cas, il vaudrait mieux que vous n'en parliez pas.

— Non, ce n'est pas ce qu'il affirme avoir fait. C'est ce qu'il trouve logique. C'est son point de vue, et il a le droit de dire ce qu'il pense.

— Vous feriez tout de même mieux de ne pas le crier sur les toits.

— Pourquoi ? Je suis ici dans mon pays. Du moins l'ai-je longtemps cru. Mais ce qui m'effraie, c'est d'avoir aussi peur. Je trouve que les mots comme traître, ou trahison, tout cela est puéril. Idiot. Ce n'a jamais été autre chose qu'un truc pour faire peur à la masse et qu'elle se tienne tranquille. Et soudain, j'ai peur. Je lis la presse américaine — bon, ils se manifestent toujours en faveur des progroms, là-bas, ça fait partie de leur système. Mais cela commence ici. Je lis nos journaux, et j'y trouve le mot « traître » en grosses lettres noires — et je m'aperçois que je suis glacé, littéralement glacé de peur. Et vous ?

— Oui. » Il ne lui avait jamais demandé si, à la place de Colin, elle aurait transmis des renseignements aux Russes. Il en parlait de façon détournée, il tournait autour du pot en la dévisageant, comme pour l'inciter à clarifier sa position. Elle avait peur aussi : la lecture des journaux, qui lui prenait chaque matin plusieurs heures, lui ôtait tout courage.

« La vérité, c'est que, Dieu merci, ou merci à qui vous voudrez, je ne me trouve pas à la place de Colin, persuadée que mon devoir m'impose de transmettre des renseignements à l'Union soviétique. Je ne pense pas avoir suffisamment d'estomac pour cela.

— Oui, toute la question est là. Oui, Dieu merci... mais il est mon frère, et je le soutiendrai quoi qu'il arrive. » En prononçant ces mots, il était l'image même de la détermination la plus farouche et la plus amère.

Un autre personnage apparaissait cependant en présence de sa mère. Encore un homme qui se détournait — mais, songeait Martha, beaucoup plus jeune. Lorsque, après avoir téléphoné — car elle n'arrivait jamais à l'improviste, et s'en expliquait volontiers d'une voix sonore ; jamais on ne devait débarquer sans prévenir chez ses enfants adultes —, lorsque Margaret, donc, sortait de sa voiture pour venir déjeuner, dîner, ou prendre le thé, Mark qui s'était révélé incapable de travailler en attendant sa venue semblait rétrécir et rajeunir. Il se montrait grossier envers elle, cassant. Depuis quelque temps, elle venait pour parler de Colin, qui était toujours trop occupé pour la voir, ainsi qu'elle s'en plaignait. Et Mark répliquait : « Je ne sais rien. Je n'ai aucune idée là-dessus. Pourquoi ne l'interrogez-vous pas ? » Et pendant ce temps, il l'observait d'un air fasciné et découragé, comme s'il se fût exercé une force qu'aucune parole ni aucun geste de lui ne pouvait apaiser. Il se comportait comme s'il avait eu quinze ans, et commencé à défendre son existence de jeune homme contre sa famille.

Margaret se plaignit à Martha que Mark était têtu comme une mule, et fermé comme une huître. Non, elle n'avait pas l'intention de placer Martha en fausse position, mais ce critique avait mis le doigt dessus — ce cher Bertie. Peut-être Martha connaissait-elle Bertie Worth ? Non ? Il venait souvent les voir à la campagne, avant qu'on eût vendu la maison. Mais Bertie avait dit dans le *Times* que Mark manquait de sens moral. Il n'avait aucun sens des valeurs essentielles. Et puis Margaret s'en alla d'une démarche théâtrale.

Pour revenir, beaucoup moins théâtrale, et même curieusement évasive, et annoncer qu'elle avait déniché exactement la personne qu'il fallait pour occuper le sous-sol. C'était une certaine Mme Ashe, veuve d'un major de l'armée des Indes. Il apparut finalement qu'elle avait soixante-dix ans, et le caractère difficile. La personne qu'il fallait, pour s'occuper de la maison et donner à Francis ce qui lui manquait ? Acculée, Margaret s'écria que c'était une adorable vieille dame. Elle semblait éprouver une honte extraordinaire. Elle mijote quelque chose — encore, dit Mark. Quoi ?

Margaret abandonna le terrain. Provisoirement. Des appels téléphoniques et des visites vinrent appuyer la cause de Mme Ashe. Pourquoi ? Il y avait là quelque chose d'étrange, d'inquiétant. Ils ne parvenaient pas à définir quoi. D'autant plus que tout, la texture même de la vie, semblait faux, laid, chargé de sous-entendus et de dissimulations — en attendant d'exploser. Oui, ils attendaient. Résignés. Mark, surtout : Martha n'attendait que jusqu'au jour de son départ.

Avant de s'en aller, elle pouvait au moins tenter quelque chose quant aux finances de Mark : il lui demanda de « faire des suggestions ». Le père de Mark avait laissé de l'argent, mais assez peu. L'entretien de la maison, qui appartenait collectivement aux trois frères, était assuré par Mark puisqu'il y vivait. Il ne dépensait rien pour lui-même, mais Lynda et Francis lui coûtaient fort cher. Et Martha aussi, ainsi que son salaire, lui fit-elle observer. Mais cela ne durerait plus guère.

L'éditeur qui avait été l'ami de la famille, avait offert à Mark un contrat qui ne cédait rien à l'amitié. Mark avait perçu une avance de cent cinquante livres sterling, et n'en avait pas gagné beaucoup plus sur les ventes avant qu'elles ne cessent. Il s'était engagé à fournir trois autres ouvrages à l'éditeur dans les mêmes conditions. Contrat ridicule qu'il n'aurait jamais dû signer. Mais il n'avait pas d'argent. Il avait commencé un second roman, et l'avait abandonné : il avait des idées pour plusieurs livres. Il disait n'avoir aucune envie particulière d'écrire un autre livre. Il n'était pas écrivain, affirmait-il. Il supposait qu'un jour il écrirait à nouveau.

L'usine rapportait de l'argent, grâce aux machines que l'on vendait aux hôpitaux. Mais Mark ne s'y intéressait pas sous ce rapport-là, disait-il. S'il ne pouvait pas employer les bénéfices pour ce qu'il appelait « s'amuser avec des idées neuves », il préférait renoncer à l'usine.

Et s'il vendait son roman de guerre en Amérique ?

Un agent américain vint le voir, et il le reçut dans son bureau. C'était une femme d'environ trente-cinq ans, séduisante, et débordante de manifestations professionnellement amicales. Mark présenta à son intention (on ne pouvait faire moins) « l'écrivain » et « la secrétaire de l'écrivain » : Martha.

Très à son aise, Miss Sayers conduisait avec une efficacité parfaitement détendue cet entretien qui, après tout, n'était jamais qu'un parmi tous ceux qu'elle menait avec des écrivains britanniques. Elle déclara que le roman de Mark lui plaisait pour ce qu'il *était*, mais que ce genre de choses, le roman contestataire, était à présent démodé.

Elle voyait son roman comme une œuvre contestataire ?

La guerre n'étant pas une bonne chose, un roman sur la guerre était contestataire — ainsi semblait fonctionner son cerveau. Ou bien peut-être ne l'avait-elle pas lu ? Elle se révélait cependant capable de citer le nom du personnage central avec la plus grande familiarité.

Peut-être était-elle de ces gens qui ne savent pas vraiment lire. Ce sont eux les plus nombreux.

Quoi qu'il en fût, elle expliqua que le roman de guerre se vendait très mal pour le moment dans son pays. Mais elle s'intéressait à la prochaine œuvre de Mark. Et c'était la vraie raison de sa visite : quel privilège immense, si elle pouvait se dire qu'elle aurait l'honneur de placer le second livre de Mark en Amérique — car il marquerait nécessairement une progression sur le premier. Et de quoi parlait donc ce nouveau livre ?

« De la vie, répondit Mark, dans l'intention de se montrer grossier.

— Bien sûr, s'exclama-t-elle gaiement, c'est forcé ! »

Mais si Mark pouvait lui en donner une idée plus précise, elle aurait alors la possibilité...

« Vous êtes agent, dites-vous ?

— Oui. Et l'une des plus réputées, si vous voulez m'en croire.

— Je vois. Eh bien, peut-être vaudrait-il mieux attendre que le livre soit terminé ? Sinon, je risquerais de me surprendre à le modifier dans l'espoir que vous puissiez le placer.

— Voyons, Mark, je ne voudrais surtout pas que vous me soupçonniez de tenter d'exercer la *moindre* pression sur mes auteurs, mais il est vrai que je me considère comme leur amie, et que j'aime à croire qu'ils acceptent mes conseils.

— C'est-à-dire ? »

Elle se lança alors dans un petit discours, le visage tout crispé dans l'effort de se rappeler ses notes, comme une institutrice. Il s'agissait manifestement d'un discours déjà prononcé à maintes reprises.

Ce que Mark devait comprendre, disait-elle, c'était que seuls les écrivains de second ordre parlaient de questions sociales ou politiques, ou se préoccupaient des affaires publiques ou...

« Oh, je ne sais pas... il y a eu Tolstoï, et Balzac, et Dickens, et... »

Elle se figea dans l'effort d'associer ces noms (les connaissait-elle ?) aux propos qu'elle énonçait.

« Enfin, ce genre de choses », reprit-elle d'une voix sans appel. « Le véritable artiste crée la vérité et la beauté de l'intérieur, il se préoccupe de vérités éternelles... » et ainsi de suite.

Cela dura une quinzaine de minutes. Mark et Martha l'écoutaient sans rien dire, fascinés d'entendre cette opinion répandue en Amérique et exposée de manière si désinvolte dans cette langue presque étrangère.

Elle demanda finalement à Mark s'il était disposé à signer un contrat lui accordant le droit de premier regard sur son prochain livre quand il serait terminé. Elle n'envisageait aucun paiement en contrepartie de ce droit, mais il se trouverait pourvu d'un agent, et d'une amie.

Elle s'en alla après avoir demandé la permission de téléphoner : il lui fallait confirmer son prochain rendez-vous, avec un jeune poète gallois dont elle voulait savoir (supposant que c'était également l'opinion de Mark) s'il était vraiment le meilleur depuis Auden.

Cette visite soulevait d'intéressantes questions... Par exemple : si le roman de Mark avait paru maintenant, au lieu de 1947, quel accueil aurait-il reçu ? Deux années, trois, avaient totalement transformé l'atmosphère. C'en était fini de la prédominance humanitaire, chaleureuse, contestataire, bouillonnante. Ce qui dominait à présent, c'était le point de vue exprimé par la compétente Miss Sayers. Pourquoi ? Eh bien, pour une raison fort simple, en vérité. La « guerre froide » s'étendait, s'était déjà étendue de la politique à l'art. Toute attitude même vaguement associée au « communisme » devenait suspecte, voire dangereuse. Peu d'intellectuels s'étaient tenus à l'écart de la gauche, sous ses diverses formes, pendant les années trente et quarante. Et c'étaient précisément ces intellectuels-là qui, d'une manière ou d'une autre, régentaient actuellement les arts. Ils colportaient désormais un point de vue qui pouvait se résumer à ce seul slogan : la Tour d'Ivoire. Cela seul était admirable, subtil, adulte, intelligent et, par-dessus tout, artistique. Tandis que l'opposé devenait vulgaire, infantile, mauvais, antiartistique.

En Amérique, on peut aussi bien diagnostiquer une période de réaction politique quand les éditeurs, les agents et les critiques, ces baromètres à l'extrême sensibilité, parlent de l'Art en majuscules, que lorsque des congrès de psychanalystes publient des communiqués affirmant que la rébellion politique révèle une immaturité émotionnelle chez les jeunes. En Grande-Bretagne, les temps durs s'annoncent quand paraissent des éruptions d'articles sur Jane Austen et Flaubert. « Jane Austen contre Thomas Hardy » ; « Flaubert le maître, Zola le journaliste ».

« Hormis Sappho, Jane Austen et Firbanks, que l'on pourrait estimer à leur juste place dans cette Tour d'Ivoire qui... »

Si le roman de Mark avait paru maintenant, il se serait parfaitement inséré dans cette Tour d'Ivoire.

Peut-être même aurait-il rapporté de l'argent ?

Mais en l'état actuel des choses, Mark avait un découvert de mille livres sterling, et le directeur de sa banque protestait ; sans parler d'importantes factures impayées, tant à l'hôpital de Lynda qu'à l'école de Francis.

Il fallait absolument faire quelque chose.

Ne sachant que faire, ils parlaient. Et ce ne fut pas inutile, comme il apparut par la suite.

Ils se trouvaient un soir dans le bureau. Il était plus de minuit. Les rideaux bien tirés dissimulaient la nuit froide et mouillée, et les lampes répandaient une lumière douce. En jeans et chandail, Mark était allongé sur le canapé — sa place habituelle. Martha était assise devant le bureau — sa place à elle. Ils buvaient du cognac et se trouvaient en état de légère ivresse ; ils se sentaient pour le moment protégés de toutes les menaces, bien en sécurité. Cette pièce était accueillante et chaude. La maison entière l'avait été, naguère. Sous ce jour, Mark pouvait apparaître comme un jeune homme chaleureux, aux réactions spontanées et simples. Et son visage était détendu, tandis qu'il taquinait Martha en souriant.

« Eh bien ? Comment voulez-vous donc vivre ? Tout ce que vous dites, tout le temps, implique l'existence d'un autre mode de vie ? Le saviez-vous ?

— Cet autre mode de vie n'existe donc pas ? Tout doit donc continuer comme maintenant ? Rien de mieux n'est possible ?

— Bon, d'accord. Mais vous ne m'avez pas répondu.

— Je ne veux pas avoir à me morceler. C'est tout... » Il maintenait son sourire railleur. « Oui. Toutes les existences que l'on m'a proposées à Londres — il aurait fallu que je mette la moitié de moi-même en chambre froide. Que je fasse semblant qu'une partie de moi-même n'existe pas.

— Et ici ? »

Il fallait à présent s'écarter du sujet. Car il semblait même extraordinaire qu'il pût poser la question : cela montrait à quel point il était lui-même enfermé ou, plus précisément, enfermé en chambre froide avec Lynda.

Cette conversation n'aurait pas été nécessaire avec Thomas, ne put-elle s'empêcher de penser.

A plusieurs reprises, très tard dans la nuit après ces longues soirées d'amitié et de discussion, l'émotion sexuelle avait surgi — bien sûr. Mais pas franchement. Légèrement ivres, ils se seraient mis au lit, y auraient trouvé du plaisir ou non et, le matin, se seraient retrouvés sur un ton d'excuse, et même d'embarras. Car ils auraient fait l'amour pour la simple raison qu'ils se trouvaient parfois seuls, un homme et une femme, dans cette maison. Bon, cela aurait été naturel avec certains hommes. Mais pas avec Mark. Ne le voyait-il donc pas ? Ne le ressentait-il pas ?

Un soir, peu avant Noël, elle avait téléphoné à Jack. Une voix inconnue l'avait informée que Jack se trouvait à l'hôpital, quelque part au nord du pays. Il avait des ennuis aux poumons. Non, il ne souhaitait pas que l'on sût son adresse. Il ne voulait pas qu'on fît suivre son courrier. Bien sûr, avec tout cet orgueil lié à son corps, Jack ne pouvait désirer que d'aller se tapir en un lieu sombre et caché jusqu'à sa guérison.

« Enfin, soupira-t-il à nouveau, sur ce ton d'injuste reproche, vous vous en allez. Et vous avez bien raison.

— Mais je ne suis pas celle qu'il vous faut ici !

— Bien sûr, mais qui d'autre ? Bon, très bien — je ne veux pas... ainsi donc, vous partez à la recherche... savez-vous ce que vous souhaitez réellement, Martha ? »

Et il entreprit de le lui expliquer. Elle cherchait sans même le savoir cette cité mythique qui apparaissait dans les légendes et les fables et les contes de fées, mais (là il se mit à rire affectueusement) comme il s'agissait d'une ville très hiérarchisée, elle se refusait à seulement l'imaginer. Il se lança alors dans la description de cette cité, de manière aussi précise que s'il y eût vécu ; et elle, tout en se moquant gentiment de lui, qui connaissait si bien l'archétype de cette cité et prétendait pourtant ne croire à rien qu'à la destruction récurrente et au désordre, elle se joignit à lui pour procéder à la longue reconstitution fantastique et détaillée qui, lorsqu'ils eurent fini, était aussi précise qu'un vrai plan d'architecte.

Au nord et au sud, de larges routes menaient à la ville ainsi qu'à l'est et à l'ouest. A peine pénétraient-elles dans la cité qu'elles se séparaient en arcs, formant une rue circulaire au cœur de laquelle s'en trouvaient de plus petites : un réseau d'arcs coupés par des rues droites qui menaient au centre. Toutes ces rues étaient fort larges ; pavées, et bordées d'arbres. Le centre était planté d'arbres, et les constructions se trouvaient disséminées parmi des arbres. C'étaient toutes des écoles, des bibliothèques et des marchés, mais sans que leurs fonctions fussent trop définies. Des gens pouvaient enseigner au marché ; et dans ce qui semblait être un temple, ou du moins un lieu de célébration cultuelle, on pouvait acheter des choses, ou même faire du troc. Des tapis, par exemple, ou bien des bijoux ; ou encore des poèmes. Aucune construction ne marquait le centre de la cité, mais les gens affirmaient que quelque part se trouvait un point central, un noyau vital — peut-être sous la ville ; ou peut-être dans une petite salle d'aspect modeste, dans l'une des librairies ou sur l'un des marchés. Il se pouvait aussi que le seul fait d'évoquer cette salle fût une autre manière d'exprimer la croyance qu'il existait des gens, dans cette ville, qui constituaient un centre, presque une sorte de centrale énergétique, qui ne détenaient aucun pouvoir ni aucun titre particulier, mais qui maintenaient l'existence et la cohésion de la cité. La cité avait été imaginée dans son entier, très longtemps auparavant : elle avait été construite comme un tout. Elle ne s'était pas développée au hasard, comme nous croyons habituellement que font les villes. Chaque maison avait été conçue séparément, en fonction de qui l'habiterait. Chaque personne dans cette ville occupait une fonction et une place ; mais cette société n'avait rien de statique : les gens pouvaient quitter leurs fonctions pour d'autres s'ils le désiraient. C'était une ville-jardin. Un grand nombre de ses habitants consacraient leur existence aux jardins et aux parcs, aux fontaines. Même les arbres et les plantes étaient connus pour leurs propriétés et leurs qualités, et on les cultivait de manière précise, en fonction des autres plantes, des gens, et des maisons ; et la rumeur voulait que ce fût parmi les jardiniers qu'on aurait pu trouver, si seulement on avait su les reconnaître, la plupart des gens inconnus qui protégeaient et nourrissaient la cité.

« Et tout cela, conclut fermement Mark, dura des milliers d'années — jusqu'au jour où survint un accident, quelque chose d'absurde comme un tremblement de terre, qui engloutit la cité. Ou bien un météore venu de l'espace.

— Oh non, répliqua Martha tout aussi fermement, tout autour de cette ville, exactement comme toutes les villes que nous connaissons, comme Johannesburg, par exemple, s'est développée une ville fantôme de misère et de délinquance. Un bidonville. Tout autour de cette ville merveilleusement ordonnée, il s'en est créé une autre, affamée, misérable, sale, où la mort sévissait. Puis un jour les habitants de la ville extérieure envahirent la cité, et la détruisirent. »

Le lendemain, Mark n'alla pas à l'usine. Il resta dans son bureau et, le soir même, il exhiba une nouvelle, ou plutôt une esquisse, qui décrivait cette cité. Il la destinait à Martha. Il se trouvait dans un état d'extrême excitation, et elle aussi. Ils trouvaient le texte trop court. Il reprit ses pages, et se remit au travail.

La seconde version était longue — plus longue qu'une simple nouvelle. Dans le premier texte, de brusques tempêtes de sable avaient englouti la ville. Dans le second, à l'extérieur de la cité intérieure toute en jardins riants, se dressait son ombre misérable dont les habitants guettaient avec envie leurs voisins privilégiés. Ils parlaient toujours de l'attaquer. Mais ils avaient peur — sans savoir pourquoi. Les siècles passaient. La cité extérieure croissait en force et en richesse. Elle était même construite sur le même plan que la ville intérieure, par émulation. Elle comportait des jardins et des fontaines et un temple, avec toute une hiérarchie religieuse. Mais la ville extérieure n'était pas comme celle de l'intérieur, malgré ses fréquentes et véhémentes protestations. Dans la cité intérieure régnaient l'harmonie, l'ordre — la joie. A l'extérieur, les gens se battaient pour s'approprier le pouvoir, l'argent, la puissance ; il s'y trouvait des soldats, et les dynasties appuyées par l'armée ne cessaient de croître et de se renverser. Puis un membre d'une grande famille, dans l'espoir d'obtenir un avantage sur les autres, envoyait des émissaires dans la cité intérieure pour offrir d'acheter leur secret. Mais on lui faisait répondre que le secret n'était pas à vendre, ni même à prendre : on ne pouvait que le gagner, ou bien l'accepter en don. Les dirigeants de la ville extérieure s'offensaient : ils ne comprenaient pas cette réponse. Ils envahissaient donc la cité, et en exterminaient la population. Ils cherchaient ces gens cachés dont la légende circulait dans la ville extérieure, mais sans pouvoir les trouver. Après la destruction de la cité, la rumeur commençait à circuler parmi les soldats qu'on avait découvert une salle octogonale, toute blanche, au-dessous d'une bibliothèque. Quelque chose dans cette pièce, sans que nul pût exprimer quoi, avait paru frappant. Ils avaient donc arraché le toit et les planchers — mais n'avaient rien trouvé là. C'était vide.

Les nouveaux maîtres de la cité annonçaient alors que tout redeviendrait comme avant : c'était là la cité magique, ouverte à tous. Et ils allaient la gouverner avec leurs prêtres et leurs soldats.

Mais ils ne possédaient évidemment pas le secret, et l'ancienne cité légendaire devenait exactement semblable à la ville extérieure. Mais c'était seulement à dater de là que la cité était entrée dans l'histoire, en vérité — jusqu'alors, elle n'avait été connue que des gens qui l'habitaient, qui vivaient alentour. Elle parvenait alors à l'apogée de sa renommée et de sa puissance ; elle s'accroissait jusqu'à devenir un royaume, puis un empire, qui attaquait d'autres cités et d'autres pays. Il s'y développait une littérature raffinée, un art original, et on lui enviait sa richesse et sa réussite. Une large part de sa renommée était due à l'histoire, fondée sur des légendes persistantes, de l'ancienne cité perdue ; et cet aspect particulier de sa culture se trouvait entre les mains des prêtres.

Dans cette seconde version, la cité était construite au milieu du désert, peut-être en Afrique du Nord, ou bien en Asie. Rien que du sable sur des centaines et des centaines de kilomètres, sous un soleil de feu. Puis les oasis se faisaient plus fréquentes. Et dans le désert même, de sorte que les grandes routes convergentes étaient issues du sable, commençait la cité.

Le voyageur arrivant du désert avait du mal à définir l'instant précis où ses pieds avaient rencontré la vraie route. Des arbres apparaissaient de chaque côté puis, un peu plus loin, les premières maisons de la ville. Après d'interminables distances poussiéreuses dans le sable jaune et silencieux surgissait la cité blanche, avec ses ombres noires et dures et ses jardins ombragés et, au-dessus, un ciel bleu où s'élançaient des oiseaux, ainsi que des dômes roses, des flèches et des bruits de voix.

Cette seconde version plaisait à Mark, et Martha entreprit de la dactylographier. Puis il lui demanda d'arrêter. Il voulait y travailler encore. Il envisageait en fin de compte d'en faire une sorte de roman : quelque chose de plus travaillé, de plus détaillé. Mais elle s'en allait dans deux semaines à peine.

Elle apprit alors que l'appartement pour lequel elle avait versé une caution, n'était pas encore prêt. Il se trouvait dans un bloc d'immeubles neufs construits près de Notting Hill Gate, sur un site bombardé, et n'allait pas être prêt avant au moins un mois.

Francis allait revenir passer de petites vacances à la maison. Ce serait bien si Martha pouvait rester encore un peu.

Elle proposa de rester encore un mois, mais il était convenu qu'elle partirait à la fin du mois de mars.

Cependant, c'était encore le mois de février, et elle n'avait pas grand-chose à faire. Elle écrivait des lettres d'affaires, s'occupait des comptes, tenait la maison, et achevait de meubler le sous-sol. Elle passait une grande partie de son temps dans sa chambre, avec le chat noir dont l'attitude exprimait clairement, lorsqu'il arquait le dos sous la main de Martha et se couchait au pied de son lit, qu'elle ne se trouvait là, chez lui, qu'au titre de visiteuse.

Elle attendait encore! Elle attendait toujours quelque chose! — ainsi qu'elle se surprit à marmonner furieusement.

Dans l'ensemble, il semblait que son travail dût consister à protéger Mark des journalistes, des gens qui téléphonaient sous tel ou tel prétexte, de tous ceux qui ne comprenaient pas à quelles pressions il se trouvait soumis.

Et c'est pourquoi elle protesta quand Margaret téléphona pour annoncer qu'elle préparait une réception à l'occasion des élections : une élection allait se dérouler deux semaines plus tard.

« Je ne pense pas que Mark ait le cœur à cela », répondit Martha, et elle se retint d'ajouter : Mais ne le lui répétez pas.

— Je m'en doute, répliqua Margaret, mais je trouve que nous devrions tenter de nous comporter normalement, ne le pensez-vous pas aussi ? »

Martha se trouva donc réduite à réfléchir que dans cette famille, se comporter normalement signifiait donner des réceptions à l'occasion des élections, car Margaret l'avait apparemment toujours fait. « Alors pourquoi ne le faisait-elle pas chez elle ? » s'exclama rageusement Mark lorsqu'il apprit la nouvelle. Mais Margaret jugeait plus plaisant de faire cela à Londres, afin que les gens pussent passer en coup de vent, au cours du circuit qui les menait de bureaux de vote en réceptions, et ainsi de suite. Mais ce n'était pas là la vraie raison. Elle venait d'acheter un téléviseur, un beau jouet tout neuf, mais il ne fonctionnait malheureusement pas très bien dans le Sussex. Elle se proposait donc de suivre les élections à la télévision chez Mark.

Ce devait être la première vraie retransmission d'une élection.

Margaret arriva, munie de son téléviseur et d'un technicien pour l'installer. Mark se trouvait à Cambridge.

Martha demeura dans sa chambre, à écouter la voix sonore et autoritaire de Margaret donner ses instructions au technicien. Puis elle regarda par la fenêtre l'homme qui s'éloignait dans la rue. Elle se cuirassa, car elle savait ce qui allait se produire.

Un pas dans l'escalier — un pas ferme. Puis un coup retentit à la porte — un coup assuré. Margaret entra, souriante. Le malheur était que Martha l'aimait assez, depuis qu'elle avait eu raison de cette ennemie : la femme entre deux âges qui fait face à tout, et dont la compétence provient de sa force et de son expérience.

Oh, qu'il est dur d'atteindre cet âge où l'on représente toutes les mères difficiles des femmes plus jeunes, et où l'on doit accepter — et rendre — les regards de ces jeunes femmes qui scrutent leur avenir, comme on le faisait soi-même, et qui se disent : *comme il me reste peu de temps*. Oh, comme il est lassant de servir de cible à toutes ces émotions compliquées dont aucune ne nous concerne personnellement.

Margaret s'assit au pied du lit avant de se souvenir qu'elle aurait dû d'abord demander à Martha sa permission. S'en souvenant trop tard, elle décida de ne rien dire. Mais son visage prit une expression de défi tandis qu'elle caressait le vieux chat. « Mon pauvre vieux Starkie, commença-t-elle, tu m'as l'air tout à fait heureux. Que tu es donc gâté ! »

Martha prit place sur un siège, à l'autre bout de la chambre.

« Où est Mark ? interrogea Margaret.

— A Cambridge.

— Il a toujours été ainsi, figurez-vous — il s'engage à fond. »

Elle parlait comme si Colin, son fils également, eût moins été son fils que Mark.

Margaret poursuivit : « Après tout, si Colin persiste à vouloir faire l'idiot, il ne devrait tout de même pas compter sur... Pourquoi faut-il qu'il soit solidaire de cet homme ? Comment s'appelle-t-il, déjà ? Il travaillait simplement avec lui, n'est-ce pas, et c'est tout ? » Elle marqua un temps de silence pour voir si Martha pourrait lui en dire davantage. Mais Martha ne pouvait pas. « Et bien entendu, Mark ne peut s'empêcher de monter sur ses grands chevaux. Il l'a toujours fait. Mark est très entêté. Et Colin aussi. Mais de manière différente. Et puis il y a aussi Arthur, mais il ne risque pas d'être un espion à la solde des Russes, il les a en horreur. Il faut savoir se montrer reconnaissant pour de petites choses. »

Margaret avait naguère été une beauté fine et délicate, comme Lynda. Elle était à présent une fort belle femme, avec des yeux gris et des mains élégantes. Martha contempla la finesse de ces mains qui caressaient le chat. Le chat se mit à ronronner, et Margaret le souleva et approcha sa joue, comme un enfant, pour mieux l'écouter. Mais le chat n'appréciait guère d'être soulevé, et il cessa de ronronner.

« Qu'éprouvez-vous à l'égard de Mark ? » voulut savoir Margaret.

Cette fois, Martha ne put se retenir de rire — par pure contrariété, en vérité. Et aussi, supposa-t-elle, par affection. Margaret ébaucha un sourire contraint et résigné, pour savoir ce qui faisait ainsi rire Martha. Elle reposa le chat sur le lit, et il roula aussitôt sur lui-même et se remit à ronronner. Margaret le caressa. Elle avait les yeux pleins de larmes.

Ces larmes affaiblirent Martha. « Écoutez, Margaret. Il y a juste une chose qu'aucun de vous ne semble capable de voir. Mark aime Lynda. Je comprends fort bien pourquoi vous tous... mais c'est ainsi.

— Mais c'est ridicule. Ça l'a toujours été. Et avant Lynda, c'était une Américaine, une cousine d'Oscar. Décourageante — une fille vraiment décourageante. Elle se moquait complètement de Mark, et il lui tournait autour comme un petit chien.

— Eh bien ? N'avez-vous jamais aimé personne de ridicule et de décourageant ? »

Le chat s'était éloigné, et lissait sa fourrure ébouriffée.

Le regard gris que fixait à présent Margaret sur Martha exprimait une certaine irritation. Martha y reconnut aisément cette émotion que l'on éprouve quand l'interlocuteur ne voit pas cette vérité qui paraît évidente.

« Mais si. J'aimais Oscar. Je l'adorais. Mais il faut vivre, vous savez — il le *faut*. Je le *sais*. J'aurais pu rester mariée à Oscar. Mais je n'aime pas ... souffrir, j'imagine. J'ai horreur de cela. Certaines personnes semblent prendre plaisir à se laisser maltraiter. Je n'étais pas la première femme d'Oscar, et je ne serai pas la dernière — tant s'en faut ! Il paraît que sa prochaine femme reçoit déjà le même traitement que moi. Écoutez, ma petite Martha — il le faut *vraiment* — n'exercez-vous donc aucune influence sur Mark ? »

Les larmes se mirent à ruisseler sans retenue car, Martha le sentait, Margaret avait remarqué comme les larmes l'influençaient. Et Martha éprouvait à présent une véritable fureur. Des mois de rancœur se déversèrent soudain.

« Je sais que vous êtes plus âgée que moi et que vous avez bien plus d'expérience, et que vous avez toujours su faire tout ce que vous vouliez. Mais vous m'apparaissez comme une petite fille. Vous ne pouvez pas toujours gagner. Jusqu'à présent, vous avez toujours gagné, n'est-ce pas ? Vous ne pouvez pas empêcher les gens d'agir pour la simple raison qu'à votre avis ils devraient agir différemment. »

Margaret dévisagea Martha, moins surprise que méfiante. Puis elle détourna son visage mouillé et l'essuya à petits coups délicats. Martha contemplait son dos calme et rassurant. Plus que jamais, elle avait l'impression de servir d'instrument. Lorsque ce visage apparaîtrait à nouveau, quelle expression y aurait pris place ?

Non, elle était injuste. Sans doute Margaret agissait-elle par instinct — si cela pouvait arranger les choses !

Une fois de plus, Martha se trouvait en présence d'une femme forte et d'un certain âge, tandis qu'elle-même bouillonnait d'émotions contradictoires sans parvenir à les contrôler. Il faudrait qu'un jour elle apprenne à les maîtriser.

Margaret tourna vers elle un visage apaisé.

« Je ne vous suis pas », déclara-t-elle. « Si quelqu'un fait quelque chose d'idiot, il faut essayer de l'en empêcher. Je voudrais bien que vous tentiez de retenir Mark. Il devrait quitter l'Angleterre pour quelque temps. Il pourrait emmener Francis. Et peut-être tomberait-il amoureux d'une femme qui lui apporte quelque chose. »

Martha laissa échapper un rire chargé de rancœur. « Ne voyez-vous donc pas qu'il ne le pourra jamais ? Que ce n'est pas le genre de choses dont il puisse être capable ?

— Non. Et j'aimerais que vous essayiez.

— Non. Je n'ai pas le droit — nul n'a le droit. A moins de plonger carrément — et de se salir les mains. Mais seulement si l'on se bat.

— Et vous n'en avez pas l'intention?

— Pourquoi voulez-vous que je me batte? Je n'ai rien à voir dans ce gâchis!

— Je suppose que vous aimeriez vous remarier, non?

— Ah, pour l'amour du ciel! » Martha devenait incohérente. « Je n'ai aucune envie de me remarier pour le seul fait d'être casée! Vous parlez comme une diseuse de bonne aventure!

— Je ne comprends pas. Pourquoi pas, si c'est là ce que vous souhaitez?

— Voyons, on ne se met pas en chasse en se disant : Je veux me marier — car c'est bien ce que vous voulez dire, n'est-ce pas? »

Margaret souriait presque : elle s'efforçait de ménager Martha qui se leva, défiant Margaret. Qui se leva à son tour, prête à partir. Les deux femmes éprouvaient une forte animosité l'une à l'égard de l'autre.

« Si Mark divorçait, cela ne ferait aucune différence. Ou bien il continuerait à se languir de Lynda, ou bien il s'éprendrait d'une autre femme tout aussi ridicule et décourageante. Ou du moins est-ce ainsi que vous la jugeriez. Ne le voyez-vous donc pas?

— Eh bien, non », répondit Margaret d'une voix nonchalante. « Franchement, non. Mais je ne puis que m'incliner devant votre grande sagesse. »

Arrivée à la porte, elle déclara : « L'électricien a réglé la télévision. Ce sera très amusant de suivre toute l'affaire sur le petit écran. » Elle se mit à rire, d'un rire apparemment sincère. Elle attendait cette soirée avec impatience. « Autrefois, quand je donnais une réception à l'occasion d'élections, il fallait que je prenne garde à bien séparer la droite et la gauche — à présent, c'est la gauche et la gauche. J'imagine que Colin ne voudra pas venir — ce serait délicat, n'est-ce pas, avec ce procès qui commence?

— Je ne sais pas.

— Bah, quand on entasse des gens dans une salle, ils sont bien obligés de se tenir correctement. Mais je dois dire que si Colin vient, nous serons tous sur la corde raide, avec Phœbe, Arthur, et la femme d'Arthur. Je ne vois vraiment pas pourquoi ils détestent tant les bolchos, quand ils ont exactement les mêmes objectifs! S'ils pouvaient agir à leur guise, l'Angleterre ne vaudrait pas mieux que la Russie — nous n'en sommes déjà plus si loin! »

Sur ces paroles, elle redescendit pour aller préparer le buffet.

Plus tard dans la soirée, le grand salon, que Martha n'avait jamais vu autrement que mort et encombré de housses, était plein de fleurs. Le buffet trônait à une extrémité de la pièce, et la télévision à l'autre. Le salon apparaissait à présent comme un cadre destiné aux festivités, avec son air de réjouissance feutrée. Les gens commencèrent de bonne heure à affluer, car l'attraction était autant la télévision que l'élection en cours. La plupart des gens n'en possédaient pas, soit par refus, soit qu'ils attendissent de voir si cela en valait la peine. En bref, ce téléviseur représentait le clou de la soirée, presque l'invité d'honneur. Margaret était cependant seule à l'adorer. Les autres gens semblaient surtout éprouver de l'appréhension : et l'on aurait sans doute pu deviner les tendances politiques de chacun en fonction de son attitude à l'égard de la télévision.

Vers dix heures, il devait y avoir une cinquantaine de personnes dans la pièce, et l'atmosphère rappelait un peu celle des champs de course ; bien que, hors de ce salon où s'imposait une trève, ils fussent tous d'un antagonisme violent. On lançait des paris, les victoires étaient saluées de hourras tandis qu'étaient sifflées les défaites, et tout se déroulait dans la plus parfaite bonne humeur.

Margaret elle-même représentait les conservateurs, ainsi qu'un homme arrivé de bonne heure, un homme cérémonieux et réservé que Margaret emmena visiter le sous-sol. Encore un éventuel locataire qu'elle avait déniché ? Ce M. Hilary Marsh ne retint guère l'attention de Martha, et elle regretta par la suite de ne l'avoir pas mieux observé. Le souvenir du premier mari de Margaret resurgissait également de manière très vive, et les opposants eux-mêmes souhaitaient que le conservateur actuellement titulaire de son siège fût réélu : il le fut. Les conservateurs estimaient que cinq années de gouvernement travailliste avaient ruiné le pays en introduisant un système socialiste trop coûteux, mais que les électeurs (ce soir ils l'espéraient) comprendraient leur erreur et verraient où les avait entraînés leur ingratitude à l'égard de leurs dirigeants naturels, et ramèneraient les conservateurs au pouvoir.

Quant à la branche du parti travailliste qui détenait actuellement le pouvoir (deux ministres assistaient à la réception), elle était représentée par le mari de Margaret, John, un homme affable et apparemment dénué de force, mais en qui rien n'attirait l'antipathie non plus. Il manifestait une attention souriante à ses invités (qui étaient plutôt ceux de Margaret, ne pouvait-on s'empêcher de penser) et s'occupait du bon fonctionnement du téléviseur. Il donnait l'impression de se surveiller, d'être éteint — quoi que ce fût, il mettait ses interlocuteurs mal à l'aise, sans que l'on pût exprimer ce que c'était exactement. Martha le ressentit : il lui présentait la seule surface d'un extraordinaire contrôle de lui-même tandis qu'il la questionnait le plus poliment du monde sur Mark et Colin. Elle le vit s'éloigner avec un vif soulagement.

Ces représentants du parti travailliste estimaient pour leur part que l'Angleterre s'était trouvée dans un état si déplorable après la guerre, et en particulier après tant d'années de gouvernement conservateur, qu'on ne pouvait guère exiger d'eux qu'ils eussent fait mieux qu'ils n'avaient fait, et que la plupart de leurs engagements électoraux étaient restés à l'état de promesses malgré eux : « La Nation » (expression qui retentit tout au long de la soirée) le comprendrait et les maintiendrait au pouvoir avec une majorité plus forte encore que la fois précédente.

La gauche travailliste était représentée par Phœbe, Arthur, l'ex-mari de Phœbe, et Mary, la nouvelle femme d'Arthur. Phœbe arriva de bonne heure avec ses enfants, deux ravissantes petites filles blondes surexcitées à l'idée de se coucher tard pour la première fois de leur vie. La femme d'Arthur arriva également très tôt avec ses deux jeunes enfants. Et toutes deux, intimement liées depuis de nombreuses années, accueillirent ensemble Arthur quand il arriva, fort tard et en compagnie d'une foule de partisans. Il avait conservé son siège dans le sud de Londres, avec une majorité réduite. Ils étaient tous très excités, et Arthur fut le héros de la soirée. Martha se demandait si elle allait encore se trouver devant un troisième spécimen de ce type physique qu'elle connaissait déjà — Mark, Colin, vivants portraits de leur père décédé — mais doté d'un esprit fondamentalement différent ; Arthur ne ressemblait ni à ses frères ni à son père. C'était un homme d'apparence vigoureuse, dont le visage ouvert et les yeux bleus affrontaient carrément les questions ; un homme rude, rompu aux vents contraires, hardi. Un agitateur. Un orateur. Un fomentateur de troubles. Sa visite d'une demi-heure créa une certaine tension dans le bien-être général, et les gens parurent soulagés lorsqu'il s'en alla, emmenant sa femme et ses enfants, ainsi que son ex-femme et ses autres enfants. Eux, l'aile gauche du parti travailliste, estimaient qu'un gouvernement travailliste au pouvoir après une telle guerre et après tant d'années d'incurie conservatrice, se devait d'être ce que l'accusaient d'être Margaret et tous ses semblables, ainsi que la presse dans son ensemble — vigoureusement socialiste. Ils méprisaient la majorité du parti auquel ils appartenaient, et l'accusait de lâcheté, de pusillanimité, et d'infidélité au socialisme. Ils croyaient cependant que l'électorat voterait à nouveau pour les travaillistes, grâce à l'existence, au sein du parti travailliste, de gens comme Arthur, qui pourraient le forcer à devenir ce qu'il aurait toujours dû être.

Mark n'était pas là. Colin non plus. La présence invisible du « communisme » se ressentait fortement — menaçant. Tout le monde savait que Mark soutenait son frère, et que son frère se trouvait dans de mauvais draps. Les gens s'enquéraient parfois d'eux avec compassion, mais dans l'ensemble ils choisissaient plutôt de n'en pas parler.

Si Mark et Colin représentaient le communisme, ils représentaient également l'idée que le parti travailliste avait toujours été, serait toujours, et ne pourrait jamais être autre chose qu'une fonction du capitalisme, cette force, ou cette tendance, de la nation britannique qui faisait fonctionner le capitalisme, le sauvait, le renforçait — et ne pourrait jamais être plus que cela, même s'il ne se composait que d'Arthur. (Qui bien sûr détestait les communistes, locaux aussi bien qu'internationaux, avec une passion farouche.) Le parti travailliste s'était trouvé au pouvoir parce que le capitalisme (c'est-à-dire les tories) avait dû affronter de graves problèmes après la guerre, et que le moment s'était révélé propice. Il n'avait pu remplir aucun de ses engagements électoraux pour la simple raison que c'était impossible — seul un gouvernement communiste aurait eu les moyens de procéder à des transformations vraiment radicales. Ainsi se faisait jour un paradoxe fort intéressant, une anomalie politique. Pendant plus d'un siècle, le communisme avait défini le socialisme non communiste comme l'étape nécessaire à la réalisation de ses objectifs ; ce fatalisme, ce déterminisme si curieusement enraciné dans l'héritage de ce parti révolutionnaire, voulait que les travaillistes, ou sociaux démocrates, ne pussent par principe même rien accomplir de plus que ne leur permettrait le capitalisme. C.Q.F.D. Pourquoi, alors, tant de mensonges, tant de vile critique, tant de mélodrame — pourquoi ce haro sur le parti travailliste, quand il remplit ces conditions préétablies et se comporte comme il est inévitable qu'il le fasse ? On pourrait presque y lire une forme d'amour, ou d'espoir ; comme si, enraciné juste là, au cœur de « l'inévitable », d'une chose déterminée, s'était toujours terré le demi-espoir que peut-être, en fin de compte, le parti travailliste pourrait être socialiste.

Parmi les invités parut aussi (mais pas longtemps, il disait que la politique l'ennuyait) Jimmy Wood, l'associé de Mark. C'était un petit bonhomme rond et propre, dont le crâne rond semblait recouvert de cheveux de bébé. Son sourire exprimait une retenue presque apeurée. Il se déplaçait dans le grand salon avec un verre de whisky à la main, et il écoutait les conversations sans jamais vraiment se mêler à aucun groupe, et sans cesser de sourire à demi. Il ne regardait pas la télévision et se contentait d'observer les autres invités, comme un étranger voué à rester isolé. Il parla un peu à Martha, agrippé à son verre et s'efforçant de sourire. Il portait d'épaisses lunettes, derrière lesquelles se devinaient de petits yeux tendus.

Vers le milieu de la soirée, Mark téléphona de Cambridge pour prier Martha de préparer la chambre de James à l'intention de Sally ; elle revenait avec lui, ainsi que Paul.

Martha quitta donc la réception pendant un long moment. A son retour, on admettait que, si les travaillistes étaient réélus, ce ne pourrait être qu'avec une majorité réduite. Margaret et quelques amis conservateurs récemment arrivés d'une autre réception, burent à la défaite des Rouges (travaillistes). Les « Rouges » qui se trouvaient là portèrent un toast contradictoire — tout se déroulait dans l'allégresse. Au téléphone, Mark avait paru tourmenté, et même effrayé. Jimmy Wood s'en alla quand il apprit que Mark ne pourrait arriver avant deux bonnes heures. Mark disait que Jimmy et lui-même parlaient — parfois pendant des journées entières. Mark décrivait Jimmy comme un solitaire ; et si peu porté à parler de choses personnelles, qu'à ce jour Mark ignorait s'il était marié.

Deux nouvelles personnes étaient arrivées. Deux jeunes gens. L'un était Graham Patten, issu du premier mariage de John, et l'autre un ami qu'il avait amené. Tous deux passaient leur dernière année à Oxford. Ils se tenaient à l'écart, et contemplaient l'assistance avec mépris. Ils se donnaient également beaucoup de mal pour afficher leur dédain à l'égard de la télévision. La politique n'avait pas à cette époque la faveur des étudiants anglais : Graham et Andrew jugeaient la politique dérisoire. La mode était au dandysme : ils arboraient des gilets brodés et se refusaient à quitter leurs manteaux, l'un noir et bordé d'écarlate, l'autre écarlate et bordé de léopard. Tous deux affichaient un sourire condescendant, et ce jusqu'au moment où quelqu'un, ne pouvant plus supporter cette aveuglante frustration, se dirigea vers eux ; ils déversèrent alors le trop-plein de leurs opinions sur un grand nombre de sujets. Ils s'améliorèrent un peu en s'enivrant, mais sans que la métamorphose fût vraiment suffisante.

Martha entendit Margaret s'excuser pour eux : ils finiraient par sortir de cette période ingrate, disait-elle.

Mark avait averti Martha qu'il conduirait Sally et l'enfant directement dans leur chambre. Elle guetta donc leur arrivée, et les rejoignit discrètement dans le vestibule dès qu'elle les entendit. Mais Margaret se trouvait sur le pas de la porte, raccompagnant des amis qui prenaient congé. Martha conserva par la suite une vision extrêmement claire de la scène.

A la porte se trouvait un groupe de gens légèrement éméchés et bruyants, qui s'apprêtaient à célébrer dans un bar la majorité réduite des travaillistes, sur le chemin du retour. Margaret leur disait : « Au revoir, au revoir ! », mais elle observait Mark qui se tenait dans l'escalier avec Sally-Sarah qui portait Paul dans ses bras. Près de Margaret se trouvait Hilary Marsh ; il les dévisageait tous avec un sourire paisible, l'air parfaitement anodin. Sally-Sarah paraissait malade. Quant au petit garçon, il suçait son pouce en regardant par-dessus l'épaule de sa mère, de ses grands yeux vides et fixes. Tous deux étaient enveloppés dans une couverture de voyage que Mark avait prise dans la voiture. Dans ce joyeux vacarme (le bruit du salon était assourdissant, de l'extérieur), ils avaient l'air de réfugiés, de gens en fuite.

Mark implora Martha du regard. Elle s'approcha de Sally-Sarah comme Margaret s'avançait en disant : « Sally ! Où est Colin ? Que se passe-t-il ? »

Martha conduisit l'enfant et sa mère en haut pour les soustraire à Margaret et à la réception, tandis que Mark demeurait en bas. Sally-Sarah semblait totalement passive. Elle tremblait. Dans la grande chambre du second étage, elle resta debout jusqu'à ce que Martha lui suggérât de s'asseoir ; elle resta alors assise le regard fixe, jusqu'au moment où Martha lui proposa de se mettre au lit. Martha attira l'enfant vers elle et le dévêtit. Sally-Sarah se déshabillait comme un automate. Martha lui proposa du thé, du café, du lait, mais elle n'entendait rien. Martha les mit dans le même lit.

Et quand elle les quitta, Sally-Sarah n'avait pas proféré un son.

Au rez-de-chaussée, le salon se vidait rapidement, à cause de la présence de Mark. Il se tenait adossé à un mur, grave, anxieux, les yeux fixés au-delà des deux étudiants qui se trouvaient devant lui. La raison de leur visite apparaissait clairement, à présent : ils avaient espéré rencontrer l'écrivain. Un professeur leur avait parlé de l'influence de Kierkegaard sur le roman de Mark. Andrew avait approché son jeune visage intelligent, bien qu'enflammé par la boisson, de celui de Mark, et il lui déballait toute une série d'observations : il ne semblait pas partager l'avis de son professeur. Il expliquait à Mark en quoi son roman pouvait se comparer à celui de Stendhal, *Le Rouge et le Noir*. Mark n'écoutait pas. Près d'eux se tenait Hilary Marsh, à l'affût. Martha s'approcha pour libérer Mark. Elle écouta les deux jeunes gens, contraints malgré eux de l'accepter en remplacement de Mark, poursuivre leur jeu littéraire subtil en gardant les yeux fixés non pas sur elle mais, derrière elle, sur l'écrivain. Hilary Marsh expliquait à Mark comme il compatissait, au sujet de son frère Colin. Au bout de quelques instants, Mark murmura : « Oui, oui. Excusez-moi... » et quitta la pièce.

Les deux jeunes gens entrevirent soudain que Mark avait peut-être des soucis à cause de son frère Colin, dont le nom revenait sans cesse dans les journaux de ce jour. Lorsque Martha quitta définitivement le salon, ils faisaient de l'esprit sur l'espionnage et les espions pour le bénéfice de Hilary Marsh, qui semblait tout disposé à les écouter.

Martha trouva Mark dans la chambre de Sally-Sarah. Elle ne dormait pas. Elle s'était roulée en boule comme un enfant, et son petit garçon dormait, blotti contre elle. Elle avait les yeux vides.

« Merci, merci, répétait-elle, vous êtes très gentils. Merci. Merci. »

Mark et Martha la quittèrent.

« Je vous expliquerai demain matin », déclara Mark. « Il faut que je me débarrasse de... » Il descendit.

Le supérieur de Colin, avec qui il avait travaillé tant d'années, venait d'être condamné à quatorze ans de prison pour avoir communiqué des renseignements d'ordre scientifique aux Russes. Le lendemain, Mark resta dans sa chambre. Sally resta dans la sienne. Martha acheta tous les journaux. Tard dans l'après-midi, on annonça que Colin Colridge, fils de — etc., frère de l'écrivain Mark Colridge et d'Arthur Colridge, le député de gauche bien connu, avait quitté le territoire national, sans doute à destination de l'Union soviétique, et qu'il avait laissé derrière lui sa femme et son fils.

Martha porta le journal à Mark. « Le saviez-vous ? demanda-t-elle.

— Je savais qu'il allait le faire.

— Allons-nous prendre Sally en charge ?

— Je ne sais pas. Je le suppose, oui.

— N'a-t-il rien dit à son sujet ?

— Je ne l'ai pas vu hier. Je n'ai pas pu le joindre. Il m'a téléphoné à l'hôtel. D'une cabine publique. Tout ce qu'il m'a dit, c'est qu'il resterait absent un certain temps. Et puis il a raccroché. »

Sally-Sarah descendit dîner, avec son petit garçon. Elle portait son peignoir violet et or. Dans l'ensemble, elle paraissait s'être ressaisie. Le téléphone sonnait continuellement dans le bureau de Mark, mais ils ne répondaient pas. Devant la porte de la maison, des groupes de journalistes s'étaient agglutinés. Ils ne le dirent pas à Sally-Sarah mais, après le dîner, elle s'approcha d'une fenêtre et contempla tous ces hommes en imperméables, armés d'appareils de photo et de calepins.

Elle demanda ensuite à Mark et à Martha s'ils accepteraient de garder Paul une journée. Elle voulait retourner à Cambridge pour y prendre quelques affaires. Ils l'en dissuadèrent : il ne fallait pas qu'elle y retourne seule, déclarèrent-ils. Elle parut se laisser convaincre. Mais tard dans la nuit, en allant voir si elle avait besoin de quelque chose, ils découvrirent qu'elle s'était glissée hors de la maison et se demandèrent comment elle avait pu sortir sans attirer l'attention des journalistes.

Le matin, Martha leva Paul et lui raconta des histoires. Sa mère était retournée chercher quelque chose ; son père était parti travailler quelque part. Paul ne se souciait guère de son père ; il l'avait toujours vu fort peu. Il s'enquit une ou deux fois de sa mère, mais dans l'ensemble joua d'assez bon cœur.

Comme Sally ne reparaissait pas pour déjeuner, Mark l'appela à Cambridge. Aucune réponse. Peu de temps après, et alors que Mark s'apprêtait à partir pour Cambridge, la police téléphona. Sally-Sarah était retournée chez elle, et s'était asphyxiée au gaz. Elle n'avait laissé aucun message — rien.

Bien qu'il n'y eût aucun besoin de le dire, Mark observa alors : « Vous ne pouvez pas partir, Martha. Je ne vois pas comment vous pourriez le faire.

— Non. Bien sûr, répondit-elle.

— Je ne pense pas que Colin envisage de revenir. Il n'a jamais rien *dit* — jamais directement. Mais je comprends maintenant certaines choses que je n'avais pas comprises. »

Martha appela l'agent immobilier pour lui annoncer qu'elle ne prendrait finalement pas l'appartement — qui était presque prêt. La grossière maussaderie qui régnait alors éclata dans sa réponse : « Bah, si vous n'en voulez pas, les amateurs ne manquent pas. Vous savez que votre caution n'est pas remboursable ? »

La vie s'usait à résoudre une infinité de petits problèmes de détails ; les détails et les journalistes ; les journaux ; les appels téléphoniques ; les lettres de menaces.

Il fallait s'occuper de Paul, et dire à Francis — quelque chose. Quoi ?

Une chose devint claire immédiatement : Mark allait se trouver isolé. En refusant de condamner son frère, ou d'informer — de « coopérer » avec la police comme ils affirmaient que c'était son devoir — il se laissait assimiler à son frère — un traître.

Margaret téléphona. Après s'être enquis des réactions de Paul, elle se mit à parler de l'appartement du sous-sol. Mark déclara que sa mère avait dû perdre la tête dans cette crise familiale. Elle voulait que Mme Ashe, la veuve du major des Indes, vienne habiter cet appartement. Elle y tenait tellement qu'elle était prête à l'amener et à l'installer elle-même. Elle continua à téléphoner pour parler de Mme Ashe jusqu'au jour où Mark perdit patience.

Elle écrivit alors une lettre au sujet de cette Mme Ashe — une lettre extraordinaire, où se mêlaient les supplications, les menaces, les excuses. Martha était prête à admettre que Margaret avait perdu la tête, mais ils n'avaient pas le temps de s'inquiéter pour Margaret.

« Je crois que nous allons connaître une mauvaise période », annonça Mark.

C'était déjà une mauvaise période, où régnaient la confusion et le malheur, le doute et la suspicion.

DEUXIÈME PARTIE

Cependant, l'Homme Sans Qualités réfléchissait, à présent. On peut en conclure que ce n'était pas, du moins en partie, une affaire personnelle. Qu'était-ce, alors ? Le monde qui allait et venait, des aspects du monde qui prenaient forme à l'intérieur d'un crâne... Rien qui eût la moindre importance ne lui était arrivé. Après qu'il se fut intéressé à l'eau par exemple, rien ne lui avait été révélé d'autre que de savoir désormais que l'eau est trois fois plus vaste que la terre même si l'on ne prend en considération que l'eau universellement reconnue comme telle — les rivières, les mers, les lacs et les sources. On l'avait longtemps crue liée à l'air. Le grand Newton lui-même l'avait cru, et la plupart de ses idées sont pourtant demeurées en vigueur. Dans la Grèce antique, le monde et la vie étaient issus de l'eau. L'eau était un dieu, Okeanos. Par la suite, des esprits aquatiques, des elfes, des sirènes et des nymphes avaient été inventés. On avait construit des temples et des sanctuaires sur ses rivages. Et les cathédrales d'Hildesheim, de Paderborn, de Brême, n'avaient-elles pas été construites sur des sources — et elles y demeuraient à ce jour encore. Et n'utilisait-on pas encore de l'eau pour baptiser ? Et n'y avait-il pas des amoureux de l'eau et des apôtres de cures naturelles, dont l'âme semblait bénéficier d'une santé étrangement sépulcrale ? Il existait donc, quelque part au monde, quelque chose comme un lieu troublé, ou un coin d'herbe piétinée. Et bien sûr l'Homme Sans Qualités avait également, quelque part dans sa conscience, une connaissance moderne, qu'il voulût y penser ou non. Et il y avait à présent l'eau, un liquide incolore qui ne devenait bleu qu'à partir d'épaisseurs denses, sans saveur et sans odeur (on l'avait si souvent répété en classe qu'on ne pourrait plus jamais l'oublier) bien que, physiologiquement, elle comprît aussi des bactéries, des matières végétales, de l'air, du fer, du sulfate et du bicarbonate de calcium, et bien que cet archétype de tous les liquides ne fût, du point de vue de la physique, fondamentalement pas un liquide mais, selon les circonstances, un corps solide, un liquide ou un gaz. Finalement, tout cela se dissolvait en systèmes de formules qui d'une manière ou d'une autre se trouvaient toutes liées entre elles, et dans le monde entier il n'y avait que quelques dizaines de personnes d'accord sur une chose aussi simple que l'eau ; tous les autres en parlaient dans des langages situés quelque part entre aujourd'hui et plusieurs milliers d'années en arrière. Il faut donc bien dire que si un homme commence seulement à réfléchir, il se retrouve dans ce qu'on pourrait appeler une compagnie joliment désordonnée.

ROBERT MUSIL, *L'Homme sans qualités.*

CHAPITRE PREMIER

Une mauvaise période commence par un événement. Une femme se suicide au gaz parce que sa volonté de survivre s'est épuisée. Cet événement diffère en qualité des autres événements. Il surprend. Mais il n'aurait pas dû surprendre. On aurait pu le prévoir. Il suffisait de ne pas laisser paresser son imagination... Martha avait déjà rencontré cela.

Lorsque commence une mauvaise période, un trou de taupe vient crever la surface parfaite de la pelouse : un cadavre dérive soudain au fil de la rivière si pure. Avant l'apparition de la taupe ou du cadavre, on n'aurait pas pu imaginer la pelouse autrement que parfaite, la rivière autrement que pure. Mais les pelouses peuvent toujours accueillir des taupes, et les rivières des cadavres... Martha avait déjà rencontré cela.

Quand Sally annonça qu'elle retournait chez elle pour la journée, c'était tellement invraisemblable, tellement peu son genre que, si Martha s'était trouvée en possession de toutes ses facultés, elle aurait ... mais quoi ? Appelé la police ? Les médecins ? Martha ne pouvait s'imaginer dans aucun rôle. « Sally, vous n'envisagez pas de...? Oh, non, je vous en prie !... Vous vous sentirez mieux dans quelques jours... Allongez-vous un peu, nous allons vous donner quelque chose pour dormir. Sally, ne soyez pas lâche ! Comment pouvez-vous envisager de... Et votre petit garçon ? Il ne vous survivra pas... »

(Les gens peuvent disparaître sans manquer à personne, ils le sentent, ou du moins le ressentent *à un moment donné*.)

« *Sally, nous allons vous enfermer à clé jusqu'à ce que vous retrouviez votre bon sens !* »

Sally était retournée chez elle pour devenir Sarah. Qu'avait-elle vraiment éprouvé, quand la famille qui l'avait accueillie ne l'avait fait que sous l'identité de Sally ? « Ils m'ont toujours appelée Sally », avait-elle un jour révélé à Martha en lui jetant un regard incompréhensible pour la famille elle-même. Si elle avait refusé de devenir Sally, si elle avait insisté pour demeurer Sarah, aurait-elle quand même dû refaire tout ce trajet seule jusqu'à son appartement vide, pour pouvoir ouvrir le robinet du gaz ?

Avant ce double événement, le départ de Colin et la mort de Sally, la texture de la vie paraissait différente. Elle ressemblait presque, lorsqu'on regardait en arrière — non, pas au bonheur. Le bonheur, le malheur, ce n'étaient pas des mots que l'on pût employer pour cette famille, dont chaque membre recelait une éventualité de... désastre ? Mais cela était déjà vrai avant le double événement. Comment Martha avait-elle donc pu s'imaginer que l' « opération de prise en main » pourrait empêcher ce qui s'annonçait si clairement ? Il était inévitable que quelque chose cédât.

Ainsi commence une guerre. Dans la vie des temps de paix éclate un signe avant-coureur, une menace. Une bombe explose quelque part, d'éventuels traîtres sont discrètement jetés en prison. Et pendant quelque temps, quelques jours ou quelques mois, peut-être un an, la vie garde une qualité de temps de paix, qu'envahissent de temps à autre des événements guerriers. Mais quand une guerre dure depuis longtemps, la vie n'est plus que guerre, tout événement porte le sceau de la guerre, plus rien ne reste de la paix. Les événements et la vie dans laquelle ils s'inscrivent possèdent la même texture. Mais comme il est impossible de séparer les événements de la vie dans laquelle ils interviennent — une bombe ne peut pas exploser dans une texture de vie qui lui soit étrangère —, cela signifie simplement qu'on n'a pas compris, qu'on a mal observé.

Et après l'explosion de la bombe, après l'événement avant-coureur (ou semblant tel), l'esprit humain tente encore de l'isoler, de le rendre inoffensif. Martha et Mark s'efforçaient de minimiser autant qu'ils le pouvaient le double événement, comme s'ils l'avaient perçu en événement isolé, dénué de conséquences aussi bien que de causes. Ou du moins était-ce là ce qu'ils semblaient ressentir ; car tandis que le petit garçon jouait dans sa chambre, sa mère étant morte et son père en fuite, ils cherchaient un moyen d'atténuer le choc et de le rendre inoffensif. Comment lui « cracher le morceau », selon l'expression de Mark ?

Paul allait fêter ses six ans la semaine suivante. Il bouillonnait de projets, car sa mère avait parlé de donner un goûter. Il fallait donc organiser quelque chose.

« Ma mère sera revenue ? s'enquit Paul.

— Je le suppose », répondit Mark — et il se détourna du regard sombre et terrifié de l'enfant. Jamais Paul ne s'était trouvé séparé de sa mère, même pour un seul jour. Et voilà que son oncle disait : « Je le suppose. » Paul devint très gai, exubérant. Il courut à travers toute la maison, sauta sur les lits, taquina le chat, et alla se poster à toutes les fenêtres, l'une après l'autre. Par l'une d'elles, il s'attendait à voir revenir sa mère. Il se retourna et vit Mark et Martha qui l'observaient ; il tira alors les lourds rideaux pour se dissimuler à leurs yeux. Il emporta ensuite le chat noir dans son lit, où il l'embrassa et le câlina. Le chat se laissa faire. Mais Paul ne voulait pas se laisser toucher par Martha, ni par Mark. Surtout par Mark. Il n'était pas accoutumé au contact d'un homme, car son père s'était montré gentil, mais soucieux (comme il l'avait lui-même expliqué) de compenser l'excessive émotivité de la malheureuse Sally-Sarah par un comportement empreint de cordialité, mais réservé.

Mark et Martha se trouvaient prisonniers chez eux, car des groupes de journalistes patrouillaient devant la maison. Paul demanda à se promener, sans préciser qu'il espérait apercevoir sa mère dans les rues. Il s'entendit répondre que personne n'allait se promener. Par les fenêtres, il voyait des hommes essayer de regarder chez eux ; il demanda qui ils étaient. Il essaya de se faufiler par la porte de service, mais trouva un homme souriant sur le seuil, qui lui fit grand peur. Il resta un long moment derrière la porte du bureau, à écouter Martha répondre au téléphone. Non, M. Colridge n'était pas là ; non, il ne pouvait pas venir au téléphone ; non, elle n'avait rien à dire au sujet du frère de M. Colridge.

« Est-ce que c'est mon papa, le frère de M. Colridge ? » demanda-t-il.

Ils firent changer leur numéro de téléphone, et vécurent deux ou trois jours de répit. Mais un journaliste se fit ensuite révéler leur nouveau numéro par Jimmy Wood, à l'usine. Jimmy Wood avait été prié de ne pas le divulguer. Pour toute explication, il répondit que le type « avait l'air de le vouloir pour de bon ». Ils firent à nouveau changer le numéro, et prièrent à nouveau Jimmy de ne pas le divulguer. Mais il le fit quand même : il croyait, expliqua-t-il, que c'était un expert en électronique qui le lui avait demandé. Après tout, c'était ce qu'il lui avait dit. Le rôle de Jimmy tout au long de ce siège consistait simplement ... à ne jamais le comprendre. Mark demanda à Jimmy de venir chez eux, afin de pouvoir lui expliquer la situation. Qu'il prenne garde aux journalistes, recommanda Mark. Il arriva devant la porte principale, et se trouva entouré d'une horde de reporters. Souriant, il leur raconta tout ce qu'il savait. Pas grand-chose, guère plus que n'en savait Mark ; mais avec toute la bonne volonté et la gentillesse possibles, il bavarda avec eux puis pénétra dans la maison, souriant. Mais il souriait toujours. Un jour il avait dû décider que mieux valait affronter l'existence avec le sourire, et plus jamais depuis lors il ne s'en était départi. Pour se défendre ? Se justifier ? Qui savait ? Mais ce petit bonhomme maigrichon, avec sa grosse tête aux cheveux de bébé souriait comme s'il n'avait pas pu s'en empêcher. Presque aussitôt, il se mit à parler de l'usine. Il semblait incapable de comprendre la nécessité de toutes ces cachotteries.

Il finit cependant par promettre, par tolérance plutôt qu'à bout de patience, de ne plus donner leur numéro de téléphone à personne.

Pendant quelque temps, le calme revint donc. Mais Margaret leur téléphona de sa maison de campagne. Elle ne s'était pas manifestée depuis la réception. Elle s'inquiétait au sujet de Francis. « Vous devriez le reprendre », déclara-t-elle. « Ce doit être épouvantable, dans cette horrible pension.

— Mais ce serait encore pire ici, avec tous ces journalistes.

— Vous croyez ? Je ne sais pas. Mark pourrait aisément s'en débarrasser, s'il le voulait.

— Oui, mais je ne pense pas qu'il le veuille.

— Vous devriez le forcer.

— Peut-être voulez-vous lui parler directement ?

— Non. Non. Je n'ai vraiment plus la patience de... Avez-vous loué le sous-sol ?

— Le sous-sol !

— Mme Ashe le veut toujours.

— Mais voyons, Margaret... »

Margaret avait laissé percer un peu d'embarras, au sujet du sous-sol, et elle se hâta de poursuivre : « Mais il a toujours tout fait de travers. Toujours.

— Je crois que vous feriez mieux de le lui dire directement.

— Oui, c'est vrai, mais... et n'oubliez pas Mme Ashe. Il faut absolument que je raccroche, je suis tellement... » Elle raccrocha.

C'était si bizarre, si décousu, si malsain, que Martha ne put se forcer à y réfléchir, et qu'elle oublia d'en parler à Mark.

Ce fut lui qui répondit à sa mère quand elle rappela.

Elle avait téléphoné à la pension de Francis, et le directeur lui avait répondu que Francis allait très bien. Pour autant qu'il sût, la nouvelle n'avait pas encore atteint l'école. « Mais il est idiot », reprit Margaret. « Je lui ai demandé s'il interdisait les journaux, et il m'a répondu que ses élèves comprenaient certainement la signification de l'*esprit de corps*.

— Peut-être pourriez-vous prendre Francis pour une semaine ou deux ?

— Oh, je ne sais pas — et puis je pars la semaine prochaine pour l'Amérique.

— Vous pourriez le prendre d'ici là, non ?

— Je ne pense vraiment pas... »

Et elle se mit à parler de Mme Ashe.

Mark répliqua qu'il n'avait vraiment pas le temps de se mettre à jouer les gérants d'immeuble, et raccrocha. C'était tellement extraordinaire que, comme Martha, Mark refoula l'incident à l'arrière-plan de son attention.

Paul avait écouté derrière la porte.

« Pourquoi Francis doit-il aller vivre chez sa grand-mère ? demanda-t-il.

— Elle est aussi ta grand-mère à toi.

— Non. Ce n'est pas vrai. Elle n'aime pas ma maman.

— Bah, ce ne serait pas pour longtemps. »

Elle essaya de le soulever. Il n'était plus qu'un tas de membres lourds. Les grands yeux noirs et apeurés, où déjà s'allumait la ruse, défiaient ceux de Martha, tandis qu'il se tenait très raide entre ses bras. Elle le reposa à terre.

« Je ne veux pas que la grand-mère de Francis vienne à mon goûter.

— Elle n'y viendra pas. »

Son anniversaire était le surlendemain.

« Je veux mon goûter d'anniversaire, je veux mon goûter d'anniversaire », sanglotait-il, couché par terre. Je veux ma mère, voulait-il dire.

Le lendemain matin, Martha se couvrit la tête d'un foulard, enfila le vieux manteau de Mme Van, et quitta la maison à huit heures du matin par la porte de service. Seuls deux journalistes étaient déjà arrivés, et ils montaient la garde devant la porte d'entrée. Elle traversa Londres jusque chez Harrods, où elle acheta un gâteau d'anniversaire et des cadeaux. En rentrant, elle trouva la porte de service dégagée.

Mais avant qu'elle pût se glisser dans la maison, un homme se précipita.

« Qui êtes-vous ? cria-t-il.

— Je travaille chez M. Colridge. Je fais le ménage. »

Elle avait déjà engagé la clé dans la serrure, mais l'homme lui serrait l'autre bras, qu'elle gardait cramponné à ses paquets.

L'homme arborait une expression d'extrême suspicion, mais aussi de plaisir à l'idée d'avoir trouvé une proie.

« Que se passe-t-il là-dedans ?

— Je travaille pour M. Colridge. Je fais le ménage. »

Ses vêtements correspondaient bien à ce qu'elle affirmait, mais pas sa voix. Le journaliste avait un visage dur, de pharisien indigné. Il s'acharnait à vouloir farouchement démasquer le mal. Il tira cinq livres sterling de sa poche, puis hésita. Cinq livres suffisaient amplement pour une femme de ménage, mais pas cinq pour une amie, une maîtresse, ou une complice de la conspiration. Dans son hésitation, il relâcha l'étreinte. Martha dégagea brusquement son bras et s'élança dans la maison. Tous ses paquets se répandirent sur le carrelage de la cuisine tandis qu'elle claquait violemment la porte. Le visage du journaliste apparut à la fenêtre, avec une grimace menaçante qui lui découvrait les dents. Ainsi encadré, accentué, c'était presque, oui, drôle. Il ressemblait à un mauvais acteur de mélodrame : ma proie m'a échappé.

L'un des aspects d'une mauvaise période, avant que l'on n'en soit pénétré, c'est que tout prend des airs de parodie burlesque. En regardant cet affreux visage menaçant et dépité par la fenêtre de la cuisine, Martha devait faire un effort sur elle-même pour se retenir de rire. D'un rire nerveux, bien sûr et, quand il brandit le poing dans sa direction, elle fut saisie d'effroi. Ce soir-là, parmi tous les journaux qu'apporta le livreur du kiosque voisin en se frayant un chemin parmi les journalistes agglutinés, il s'en trouva un pour relater une histoire de femme mystérieuse qui avait ses entrées chez M. Colridge et qui refusait de dire son nom.

Le lendemain était l'anniversaire de Paul. Ils lui donnèrent ses cadeaux le matin, et l'observèrent tandis qu'il les ouvrait. Il déchirait l'emballage et les laissait de côté à peine ouverts : il cherchait un signe de sa mère. Il ne parlait plus d'elle depuis plusieurs jours. Manifestement, son anniversaire était devenu pour lui le talisman qui ramènerait sa mère. Les cadeaux ne l'avaient pas ramenée, mais il restait encore le goûter.

Après le petit déjeuner, il suivit Mark dans son bureau et le regarda faire semblant de travailler. Ils attendaient désormais sa question : Où est ma mère ? afin de pouvoir lui dire la vérité — ce qu'ils auraient dû faire bien avant. Mais le moment était passé, et ils ne savaient plus que faire. Tout allait de travers, la seule idée de « goûter » était absurde, et tous ces cadeaux constituaient une erreur.

Mais ils ne savaient plus comment échapper à ce goûter.

Martha déploya une nappe de fête sur la table de la salle à manger. Mais Paul réclama qu'on goûte plutôt à la cuisine. Rien ne franchissait la porte principale que des paquets de journaux par la fente du courrier. Mais la porte de service pouvait servir. C'était par là qu'il s'attendait à voir revenir sa mère.

Martha posa le gâteau, avec ses six bougies, sur la table de la cuisine, avec quelques biscuits et des petits fours. Pendant qu'elle s'affairait à ces pathétiques préparatifs, Paul se tenait devant la porte de sortie et les dévisageait tous deux, tantôt elle, et tantôt Mark qui s'efforçait d'attirer son attention en jouant sur le carrelage avec un train en bois. De temps à autre, les deux adultes échangeaient des regards découragés où perçait la honte d'avoir pu laisser la situation pourrir à ce point.

On frappa fort à la porte de service, et le petit garçon l'ouvrit aussitôt en criant : « La voilà ! C'est ma maman ! » Deux hommes se tenaient sur le seuil : le journaliste de la veille, avec une expression de rancune rageuse sur le visage, et un gros monsieur souriant.

« Où est ma maman ? » cria Paul.

Ils échangèrent un regard puis contemplèrent Martha qui arrangeait le goûter, et Mark qui jouait au petit train.

Le gros monsieur répondit à l'enfant : « : « Allons, ne t'énerve pas, mon garçon. Elle ne va pas venir, ta maman, tu le sais bien.

— Pourquoi ? Pourquoi ? » hurla Paul, et il se jeta par terre. Couché à plat ventre, il commença à se heurter violemment la tête sur le carrelage tandis que les larmes ruisselaient sur son visage.

« Est-ce le fils de Colin Colridge ? » s'enquit le journaliste fâché en se penchant pour observer l'enfant et pouvoir par la suite le décrire en détail.

Mark se releva péniblement et se dirigea vers les journalistes. Celui de la veille manifestait une contrariété soupçonneuse, et l'autre souriait avec une expression exaspérante. L'enfant continuait à se cogner la tête et à crier très fort. Avec ses yeux exorbités, sa bouche béante et son visage blême, Mark paraissait comique.

« Bon, ça va », reprit le gros homme, et il recula comme s'il avait eu peur : il se moquait de Mark.

Le pharisien prenait mentalement note de tous les détails. Puis, ayant terminé, il ramena son attention sur Paul qui se tortillait à ses pieds, et déclara d'une voix accusatrice : « Pourquoi n'avez-vous pas prévenu cet enfant, au sujet de sa mère ? »

A ces paroles, Paul bondit sur ses pieds et s'agrippa si violemment aux genoux de son oncle que ce dernier vacilla et dut se raccrocher à une chaise. « Prévenir de quoi ? » hurla Paul. « Où est ma maman ?

— Ta màman, elle est... » Le journaliste s'interrompit, incapable d'articuler « morte » devant l'enfant.

Avec un marmonnement de dégoût inarticulé, il recula vers la porte. « Voici ma carte », déclara l'autre avec son sourire réprobateur. Il déposa un bristol sur la table, *Miles Tangin. The Daily.* « Si vous vouliez coopérer, M. Colridge, ajouta-t-il, ce serait moins pénible.

— Je me plaindrai à votre rédacteur en chef », lança Mark par-dessus la tête de Paul. L'enfant sanglotait bruyamment sans lâcher les jambes de Mark, de sorte que celui-ci était obligé de se retenir d'une main à une chaise pour conserver son équilibre, tandis que de l'autre il caressait Paul pour essayer de l'apaiser.

« Essayez donc », répliqua l'autre journaliste d'une voix aigre et méprisante.

Ils sortirent ensemble.

Mark transporta l'enfant qui sanglotait toujours jusque dans son lit.

Là, il s'apaisa peu à peu, et se mit à les dévisager en geignant tout doucement. Il attendait.

« Où est ma maman ? demanda-t-il finalement.

— Elle est morte, Paul », répondit Martha.

Paul encaissa le choc. C'était un fait qui correspondait bien aux événements de la semaine passée.

« Et mon papa aussi ?

— Non », protesta aussitôt Mark. Mais il savait comme Martha que l'enfant ne les croirait plus. Ils lui avaient menti : sans doute lui mentaient-ils encore.

« Il est parti », reprit Martha. « Il reviendra. »

Paul ne répondit rien. Il resta un long moment à les scruter de ses yeux sombres et méfiants. Puis il se tourna vers le mur et les exclut de ses pensées. Ils restèrent auprès de lui. Les heures s'égrenèrent lentement. Il ne s'endormait pas. Il dérivait parfois dans le sommeil mais il gémissait en dormant, et cela le réveillait. Il faisait presque jour quand il sombra enfin dans un sommeil profond.

Ils passaient désormais leurs journées avec Paul, l'enfant dont ils avaient perdu la confiance. Il était devenu silencieux, évasif, indifférent. Il restait des heures recroquevillé sur une chaise de la cuisine, à sucer son pouce. Il ne répondait généralement pas à Martha et à Mark quand ils lui parlaient. Mais il ne semblait pas chercher à redevenir un bébé, qu'il aurait fallu nourrir ; il semblait plutôt ne pas pouvoir enregistrer l'existence de la nourriture, des heures de repas. Il écoutait sagement, ou paraissait écouter, quand ils lui lisaient ou lui racontaient des histoires. Il suivait en silence des émissions radiophoniques pour enfants. Il dormait quand on le couchait. Il regardait parfois dehors, par les fenêtres de la cuisine ou celles du devant, et voyait les groupes de journalistes qui attendaient là ; il les observait alors, puis regardait Mark et Martha comme pour demander des explications. Mais il semblait redouter de poser des questions. Et ils n'auraient su que lui répondre.

Le soir, Mark et Martha s'attardaient dans le bureau. Le visage blême de Mark avait acquis une expression figée, comme un masque : il semblait contempler l'incroyable, l'impossible. Il ne croyait pas que cela fût vraiment, car il était Mark Colridge, à qui de telles choses n'arrivaient pas.

Pourtant, il était aussi le Mark Colridge qui avait écrit ce livre sur la guerre, ce livre issu d'une compréhension de la manière dont ces choses survenaient — devaient survenir. Martha attendait de pouvoir parler à l'homme qui avait écrit ce livre : mais il n'était pas là.

Mark disait des choses comme : « Il faut envoyer Paul à l'école pour qu'il apprenne à surmonter tout cela. » Ou bien : « Quand ce sera un peu tassé, j'emmènerai Paul et Francis en vacances quelque part. »

Il s'exprimait encore comme si la situation eût été assez normale pour pouvoir « se tasser ». Il ne pouvait pas affronter le fait qu'un mal profond avait été causé et qu'ils devaient, surtout lui, s'attendre à en subir les conséquences toute leur vie.

Mais comment Martha pouvait-elle blâmer Mark, quand elle-même se surprenait plusieurs fois par jour à penser : avant le suicide de Sally, avant le départ de Colin — le double événement que son système nerveux, orienté vers la paresse, considérait encore comme la ligne de partage des eaux. Et c'était autant sa faute que celle de Mark si Paul n'avait pas su la vérité (dans la mesure où l'on pouvait la dire à un enfant de six ans) et si, à présent, il ne se fiait plus à personne ; elle était aussi fautive que lui dans cette affaire où la vérité n'était apparue que par l'intermédiaire de journalistes qui venaient renifler les nouvelles.

Et à quoi bon se sentir coupable et se reprocher, ainsi qu'à Mark, toute cette histoire alors qu'ils ne savaient toujours pas comment agir et continuaient à passer leurs nuits dans le bureau, avec un carafon de vieux cognac sur la table, et que, quand finalement ils agissaient, l'absurdité prenait le dessus, et le pire survenait. Car ils avaient perdu le sens du mécanisme normal de l'existence.

Un après-midi, ils avaient vu par la fenêtre deux journalistes fouiller leur poubelle dans l'espoir d'y dénicher des documents compromettants.

L'un d'eux était Miles Tangin. Mark téléphona au rédacteur en chef pour protester et, ne pouvant le joindre, demanda à être rappelé. Ce fut Miles Tangin qui le rappela. Et il fallut à nouveau changer le numéro de téléphone.

Martha lui suggéra de faire garder la maison par la police, afin de tenir les journalistes à distance.

Mark entra dans une vive colère. « Je ne me ferai pas garder par la police dans ma propre maison, dans mon propre pays, à cause d'une bande de... Je vais demander à Margaret d'avertir le rédacteur en chef. Elle le connaît sûrement. »

Il téléphona chez sa mère, à la campagne. La sonnerie retentissait déjà depuis un bon moment quand ils se rendirent compte qu'il était deux heures du matin. Après une longue attente, John vint répondre au téléphone. Il se montra poli, bien sûr. Mark parla au mari insignifiant de sa mère, qu'il méprisait, bien qu'il n'eût jamais manifesté autre chose qu'une parfaite politesse à son égard. Assise sur le vieux canapé marron, Martha sentait le frottement doux du velours sous ses doigts. Elle regardait Mark s'agripper au récepteur comme si l'appareil lui-même eût pu se laisser fléchir. Ces dernières semaines, il avait perdu sept kilos. Et ses vêtements pendaient autour de son corps amaigri. Ses doigts étaient tachés de nicotine jusqu'à la seconde phalange. Il paraissait à demi fou.

John déclara que Margaret dormait, et qu'elle avait eu une journée difficile. La presse était venue chez eux, et le téléphone ne cessait plus de sonner.

« Je veux lui parler, insista Mark.

— Je lui dirai que vous avez appelé quand elle se réveillera.

— Alors, dites-lui d'avertir ces rédacteurs qu'ils feraient mieux de rappeler leur meute. »

Petit rire offensé.

« Ils le feraient peut-être si vous aviez l'intention de faire une déclaration à la presse ? suggéra le mari de Margaret.

— Quel genre de déclaration voulez-vous dire ? »

Nouveau rire bref. « En l'occurrence, votre mère, mon épouse, se trouve être la mère d'un homme qui s'est enfui derrière le rideau de fer, soupçonné d'être un espion, et d'un autre qui refuse de se désolidariser de lui.

— Mais voyons, il s'agit de mon propre frère ! » protesta Mark. Il semblait à nouveau incrédule. C'était là tout le problème : ce à quoi il ne pouvait pas croire arrivait, ou pouvait arriver, à lui.

« Mais que peuvent-ils donc attendre de moi ? » demanda-t-il encore à Martha. Et il l'observa de son regard fixe et fasciné comme si cette fois il allait peut-être comprendre ce qui jusqu'à présent lui avait échappé.

Elle lui expliqua une nouvelle fois : « Ils attendent de vous entendre annoncer publiquement que vous répudiez votre frère et tout ce qu'il a fait. Et aussi de vous entendre proclamer haut et fort votre loyauté à votre pays.

— Mais, bon Dieu, répondit-il doucement, mais enfin... ils ne peuvent... mais nous sommes *ici*, nous ne sommes pas... nous ne sommes pas des Américains ou des Russes ou des gens comme cela... »

Il la dévisageait avec une expression de répulsion.

« Ne me dites quand même pas que c'est votre avis aussi ! Il est mon frère, voyons », insista-t-il. Comme si elle avait représenté l'ennemi.

« Vous me demandez sans cesse ce qu'ils veulent. »

Il avait le regard sombre et furieux. Il s'était muré en lui-même. Puis il comprit qu'il se faisait une ennemie d'une alliée, lui sourit avec raideur, et lui versa du cognac.

« Je suis navré », dit-il.

Le lendemain matin, Margaret téléphona de très bonne heure. Mark dormait à demi. Il monta prévenir Martha dans sa chambre, que sa mère avait vraisemblablement sombré dans la folie. Elle avait téléphoné pour reparler du sous-sol et de Mme Ashe.

Ils n'y comprenaient vraiment rien. Martha observa que c'était peut-être la façon pour Margaret de préserver la normalité. Sans doute avait-elle raison : il valait mieux se préoccuper de louer le sous-sol que continuer à se comporter comme ils le faisaient. Cela semblait même rassurant.

Le second appel de Margaret fut hystérique. Elle avait hurlé que Mark lui ruinait son existence, et que la moindre des choses était qu'il acceptât Mme Ashe. Priée d'expliquer cette Mme Ashe, Margaret, après un moment de silence, avait marmonné quelque chose au sujet d'Hilary Marsh, et de la nécessité de restaurer la confiance. Et Mark avait enfin compris — si soudainement qu'il avait tout simplement raccroché.

Hilary Marsh, ce monsieur si correct et si discret qui était venu à la réception, était un ami de Margaret depuis fort longtemps. Il travaillait au ministère des Affaires étrangères. Quelques semaines auparavant, il était venu trouver Margaret pour savoir si elle connaissait les amis et relations de Colin. Margaret ne savait rien. Elle avait répondu que Mark les connaissait, mais qu'il refusait de lui en parler, qu'il était buté, et qu'il l'avait toujours été. Hilary Marsh avait alors émis l'idée que sa vieille amie, Mme Ashe, vienne habiter le sous-sol. C'était une femme raisonnable, qui saurait garder l'œil sur Mark pour leur bénéfice à tous.

Ayant digéré la nouvelle, Mark rappela sa mère pour la sommer de justifier cette tentative d'espionnage à son encontre. « Tu oses me parler d'espionnage ! » répondit-elle d'une voix glaciale. Puis, comme il gardait le silence, elle se mit à hurler : « Tu as gâché ma vie ! Tu as ruiné la carrière de John ! » et elle raccrocha.

Il s'avéra que John Patten, en sa qualité de représentant de la culture britannique, devait faire une tournée de conférences aux États-Unis. Mais les Américains en avaient conçu une vive contrariété, puisqu'il était l'époux de la femme qui avait donné le jour à Colin Colridge. Ils avaient soumis des objections nuancées et courtoises à l'institution qui employait John Patten. Cette institution avait fort bien compris le sentiment de l'Amérique dans cette affaire délicate. Après une longue réunion du comité directeur, quelqu'un avait suggéré qu'il valait mieux ne rien faire publiquement, mais qu'il convenait sans doute de reporter à une date ultérieure et indéterminée cette tournée de conférences sur la littérature contemporaine du Royaume-Uni. Cette proposition avait recueilli l'unanimité. Le président avait téléphoné à John Patten avant même la fin de la réunion, et il leur avait demandé d'attendre pendant qu'il réfléchissait. Invitée à donner son avis, Margaret avait appelé son vieil ami Hilary Marsh, qui pensait qu'en effet cette procédure semblait la meilleure.

Mark relata tout cela à Martha, puis attendit, immobile, qu'elle le lui explique. Il paraissait extrêmement malade. Il tremblait. Il laissait constamment tomber ses cigarettes. Le fossé entre ce qu'un Colridge croyait possible, et ce qui se passait actuellement, s'était élargi au point que Mark semblait prêt à s'effondrer. Martha lui suggéra de retourner au lit, et d'y passer la journée. Il obéit.

L'heure était venue d'aller lever Paul. Assis en tailleur sur son oreiller, il l'attendait. « Vais-je habiter ici, maintenant ?

— Sans doute, oui.

— Je ne veux pas.

— Je crains que tu n'aies pas le choix, Paul. » Elle s'exprimait d'une voix indifférente car son esprit se trouvait entièrement préoccupé par Mark, qui frôlait de très près la dépression nerveuse. Jamais personne n'avait parlé sur ce ton à Paul.

Il la dévisagea d'un long regard pensif. Puis il quitta son lit. L'enfant de Sally n'avait jamais su s'habiller seul. Il s'habilla, lentement mais avec compétence, tandis qu'elle le regardait, assise tout près. « Et maintenant, annonça-t-elle, nous allons prendre le petit déjeuner. » Obéissant, il descendit à la cuisine. Obéissant, il resta tranquille sur sa chaise pendant qu'elle préparait le repas. Il regardait la fenêtre, où rien ne paraissait. Martha alla voir si les journalistes assiégeants se trouvaient à leur poste. Mais non, il n'y avait qu'un carton d'épicerie, déposé sur les marches par le livreur.

Elle allait ouvrir la porte pour le prendre quand Paul déclara : Je veux aller me promener.

— Nous ne pouvons pas encore nous promener, répondit Martha.

— C'est parce que tu ne veux pas qu'on me dise que mon papa est mort », cria-t-il. Puis il renversa son assiette, sur laquelle Martha avait servi des œufs, éclata de rire quand tout se brisa, et courut se réfugier dans sa chambre en pleurant.

Martha ouvrit la porte pour prendre le carton, et trouva Miles Tangin à l'affût.

« Bonjour », commença-t-il courtoisement.

Elle tenta de refermer la porte, mais il l'avait coincée avec son pied.

« Rien de neuf à me raconter ? demanda-t-il.

— Rien.

— Puis-je vous demander qui vous êtes ?

— Bien sûr. Je travaille pour M. Colridge.

— Vous habitez ici ? » Deux expressions apparaissaient sur son visage, en surimpression. En tout cas, il parvenait à exprimer simultanément une sorte de camaraderie, de compréhension pour sa situation — il était après tout un homme du monde ! — et la salacité avec laquelle il entendait raconter l'histoire au public.

« Comment vous appelez-vous ?

— Trouvez-le vous-même. Cela vous occupera.

— Allons », répondit-il. « Vous n'êtes pas en position de pouvoir le prendre sur ce ton, vous savez. »

Il se tenait à présent adossé au chambranle, et bloquait la porte. Derrière elle, il contemplait le spectacle de la porcelaine brisée par terre, et des débris d'œufs.

« Il paraît que sa femme est à l'asile ? »

Elle se souvint que la poêle était restée sur le gaz, pleine de graisse brûlante. Elle l'empoigna, et fit face au journaliste.

« Dans la figure si vous ne sortez pas, déclara-t-elle.

— Quel caractère ! » apprécia-t-il en arborant un sourire qui disait : J'aime les femmes de caractère. Puis, voyant qu'elle parlait sérieusement, il devint hideux. Elle s'approcha d'un pas, la poêle bien en main.

« Dites-moi, reprit-elle, pendant que vous suiviez cette belle histoire juteuse, n'avez-vous jamais pensé à cet enfant ? »

Et maintenant, une grande vague de sentiment : le visage bon enfant du journaliste n'était plus que tristesse et douceur. « Je ne fais que mon métier », s'excusa-t-il. « Mais je peux vous dire que ce pauvre gamin m'empêche de dormir.

— Et moi je vais faire mon métier aussi si vous ne sortez pas immédiatement. »

Il sortit, et elle verrouilla la porte.

Ce soir-là, l'affaire Colridge s'enrichit d'un nouvel élément grâce à l'article de Miles Tangin. Le sinistre personnage féminin déjà mentionné apparaissait désormais comme une sorte de garde-chiourme placé auprès de Mark Colridge. Des liens avec l'ambassade soviétique n'étaient pas exclus. Elle avait un accent étranger, et obéissait à une stricte consigne de silence. Pendant plusieurs jours, la vigilance des reporters redoubla : elle commençait justement à se relâcher un peu. Martha devait prendre garde à ne pas se laisser voir par les fenêtres.

Dans une chambre, en haut, Paul gisait sur son lit et meublait le temps en jouant avec le chat. Elle lui portait ses repas. Et dans une autre pièce gisait Mark, fumant et réfléchissant dans l'obscurité. Il se leva finalement, descendit à son bureau et là, avec le plus grand soin, lut tous les journaux depuis le début de l'affaire jusqu'au jour même. Plusieurs semaines s'étaient écoulées. Dans le tas se trouvaient les journaux sérieux, la presse populaire, et les revues de haute volée qui étudiaient le sujet de la trahison en profondeur, dans des articles d'un niveau intellectuel élevé.

Quand il eut terminé, Mark déclara qu'il avait enfin compris le sens de ce vieux dicton, selon lequel le dernier refuge d'une fripouille était le patriotisme.

Il semblait parfaitement calme. Il était encore malade, pourtant, ou du moins il en avait l'air. Mais il s'était ressaisi. Et il avait pris une décision. Il allait partir pour la campagne, chez la vieille nourrice qui l'avait élevé ainsi que Colin, et il emmènerait Paul.

« Et Francis ? Il va se retrouver en vacances dans un mois.

— Il peut venir chez Nanny Butts aussi — ce sera reposant, là-bas. Et puis les choses se tasseront peut-être. »

Lorsque Paul et lui-même furent prêts, valises bouclées, il observa : « Je crains que vous ne deviez servir d'appât. »

Martha enfila un manteau, s'imposa une expression d'indifférence, ouvrit la porte et sortit. Un groupe d'hommes attendait là; ils parurent sidérés. Par son impertinence, par le défi ? En tout cas, elle parcourut plusieurs mètres avant qu'ils ne se ruent sur elle. L'un d'entre eux lui offrit cent livres sterling pour l'exclusivité de l'histoire. Elle sourit. Il monta à deux cents livres. Elle sourit à nouveau. Elle tourna à l'angle de la maison et entra dans un café. Ils l'y suivirent tous. Elle les y maintint, discutant de l'éventuelle vente de ses révélations concernant la maison Colridge, jusqu'au moment où elle estima que Mark et Paul avaient eu le temps de disparaître au loin. Elle retourna alors à la maison. La voiture avait disparu. Mark Colridge était parti. « Beau travail », s'exclama l'un d'entre eux en riant. Mais les autres, pleins de haine professionnelle, se mirent à maugréer et protester, comme des parodies de journalistes dans un mauvais film ou dans une comédie.

Dans la maison ne restait plus que Martha. Elle allait et venait sans se cacher, en souriant poliment aux deux journalistes pleins d'espoir qui persistaient à poursuivre le siège. Puis il n'en resta qu'un. Mais il s'en alla aussi. Alors ce fut la paix, jusqu'au jour où Miles Tangin frappa à la porte et demanda à être reçu. Il avait une proposition à lui soumettre, disait-il. Elle était fâchée, et lui courtois. Il se comportait en homme maltraité qui tient à s'expliquer. Il était sincère dans son reproche concernant le manque de compréhension qu'elle lui opposait. Elle aurait dû garder ses distances et aiguiser à nouveau sa colère pour rester sur ses gardes. Mais elle le laissa entrer. La curiosité y était pour beaucoup. Curieuse, elle l'écouta offrir mille livres sterling pour le récit de la maîtresse de Mark. Il reçut son refus en remarquant que tout le monde avait un prix, mais que l'histoire ne valait pas davantage. Il semblait espérer qu'elle en éprouverait du dépit ; il ajouta même une réflexion consolante : si Mark avait été plus connu, plus de mille livres sterling auraient été offertes. Bien entendu, s'il y avait eu la moindre justice, il aurait été bien plus connu. Miles Tangin se révéla un fervent admirateur de Mark, qui avait écrit le meilleur roman depuis *A l'Ouest rien de nouveau*. S'il avait été critique, lui, Miles Tangin, il y aurait certes remédié. Mais pour l'expiation de ses péchés, il n'était que journaliste. Mais c'était provisoire : il écrivait un roman. Il admirait également Mark (et il espérait que Martha ne se méprendrait pas) pour son bon goût. Il ne pensait pas que Martha dût le prendre ainsi, car en amour et en temps de guerre, tous les coups étaient permis. De toute façon, il lui en reparlerait plus tard : elle lui plaisait tout à fait. Mais pour le moment il avait fort à faire, il partait à la campagne, à la recherche de Mark Colridge.

« L'Angleterre est vaste, observa Martha.

— Mais non, chère amie, pas du tout. Quand un type de la haute se cache, c'est toujours chez un vieux maître ou chez son ancienne nourrice. Je connais le genre. »

Il s'en alla, toujours courtois.

Elle téléphona à Mark pour l'avertir. Mais un journaliste avait déjà débarqué chez Nanny Butts. Mark revenait à Londres.

Il revint le soir même. Il était allé voir le directeur de son ancienne école, lui avait expliqué la situation, et Paul s'y trouvait déjà installé.

Et maintenant, conclut Mark, qu'ils y viennent. Il lui dicta une brève déclaration destinée à la presse, où il se disait totalement solidaire de son frère, quoi qu'il eût jugé bon de faire. Était-il communiste ? Il répondit qu'il l'était si sa prise de position impliquait qu'il le fût.

Mark s'était réfugié dans son bureau. Il y restait. Dans quel état il se trouvait, elle l'ignorait. Il se montrait froid, cassant, mais agité.

Elle se tenait dans sa chambre, et s'efforçait de discerner ce qui risquait d'arriver ensuite, afin de ne pas se laisser prendre de court par les événements. Les données immédiates étaient que Francis allait bientôt revenir, après des mois qui avaient dû être atroces ; Mark n'avait pas cessé de lui écrire chaque semaine, comme toujours, mais sans jamais mentionner le scandale qui faisait la une des journaux : Francis avait bien dû les voir. Paul, en état de choc, avait été flanqué dans une école qui, « progressive » ou non, n'en était pas moins une pension. Quant à Mark, pour autant qu'elle pût voir, il se trouvait également en état de choc. Il ne s'occupait certainement pas du problème, devenu urgent, des pressions financières.

Les factures de l'hôpital de Lynda n'avaient pas été réglées. Celles de la pension de Francis non plus — et il allait désormais y avoir aussi celles de l'école de Paul. Idéalement, il aurait fallu que Mark trouve deux mille livres dans le mois qui venait. Il en était incapable.

L'usine ? Mais elle n'aimait pas se mêler de ce qu'elle ne comprenait pas. Jimmy arriva un jour pour voir Mark. La porte de Mark était fermée à clé. Martha parla donc avec Jimmy.

Ou du moins elle essaya. Ils étaient dans la cuisine, et buvaient du thé en mangeant du gâteau — toutes choses normales et rassurantes. Et il souriait, comme toujours. Martha se tenait en face de lui, et s'efforçait de le comprendre. Elle avait vu qu'il était un être humain construit sur un modèle différent de la majorité, mais cela ne l'aidait pas. En établissant le contact avec Jimmy, ou en essayant, on comprenait soudain comment on arrivait à se mettre en prise avec les autres. Ils étaient fâchés, ou contents, ou tristes, ou choqués. Ils pouvaient passer par plusieurs états dans le courant de l'après-midi, mais à un moment donné l'on se trouvait devant un homme contrarié, ou effrayé, etc., on se trouvait en contact avec un état, une émotion. Mais Jimmy Wood ? Il se tenait là, bien souriant, et mangeait de bon cœur son gâteau, et il en redemandait, et il allait même remplir la bouilloire pour refaire du thé. Tout cela durait, l'activité d'un homme qui prenait le thé avec un vif plaisir. Il était venu parce qu'il voulait dire quelque chose. Mark n'étant pas disponible, il le disait à Martha. Mais quoi ? Quelque chose le troublait. Il avait les gestes d'un homme agité. Ses yeux se cachaient derrière les grosses lunettes, et sa bouche, fine, rose, arrondie, souriait.

Peut-être était-il bouleversé par le fait que Mark se proclamait communiste ? Martha tâta le terrain — mais non. Aucune réaction. Oui, c'était cela qui la désemparait : là où les autres réagissaient, lui ne réagissait pas. Il voulait quitter l'usine et travailler ailleurs. Mais il l'annonça sans émotion — cela n'apparut qu'au bout d'une heure ou davantage. Pourquoi ? Il parla de deux contrats qui n'avaient pas été renouvelés. Savait-il pourquoi ? Il pensait que c'était dû à « toutes ces histoires sur Mark dans les journaux ». Mais ce n'était pas le problème. Pensait-il que l'usine devait fermer ? Non, pas nécessairement.

Ils pouvaient encore tenir pendant plusieurs mois, peut-être même un an. Mais il y avait un emploi qui lui conviendrait dans une usine du pays de Galles. Martha lui laissa entendre que Mark serait consterné si lui, Jimmy, s'en allait. Ils travaillaient ensemble depuis des années. D'après ce qu'elle put déceler sous ce masque, Jimmy en éprouva un certain embarras. Elle insista donc : « Il vous aime beaucoup », et se trouva confrontée à cette grosse tête de bébé, avec ces énormes lunettes rondes qui étincelaient et cette bouche rose et souriante. Elle se sentait extrêmement mal à l'aise. Il se versa encore du thé, et d'un geste énergique ramassa de son index humide des raisins secs dispersés.

Martha passa en revue les différents points abordés. Ce n'était pas une question politique – non. Il considérait la politique comme la plus extravagante incongruité. Ni une question d'argent – l'affaire survivrait à ces difficultés temporaires. Au hasard, elle lança : « Je pense que Mark va reprendre son travail d'ici à quelques jours. Peut-être même avant. » Et voilà que, comme s'il n'avait jamais parlé de s'en aller, Jimmy se mit à évoquer une machine que Mark et lui avaient envisagé de construire. Il semblait qu'elle eût pressé un bouton qui le remettait sur ses rails. De ses observations énoncées au hasard et même sans lien apparent entre elles, une image se forma de Mark et lui passant leurs journées dans le bureau de l'usine, avec des plans et des papiers scientifiques et leur propre imagination – et parlant. Était-ce donc, lui-même n'étant qu'une sorte de machine (du moins ne pouvait-elle s'empêcher de le voir ainsi), ce qui lui manquait, ce dont il avait été privé ? Quelque chose lui avait manqué, sans qu'il sût quoi – et maintenant, sachant que son besoin de parler trouverait bientôt, dans un avenir très proche, une solution, il était prêt à recommencer comme avant. En tout cas, il repartit au bout d'environ trois heures, souriant toujours, en déclarant que le contremaître avait exprimé le désir de revoir bientôt Mark, pour lui dire que ses hommes et lui-même jugeaient qu'on l'avait honteusement maltraité – ils comptaient lui rester fidèles.

Martha écrivit sur une feuille de papier : « Je ne comprends pas votre Jimmy Wood. Mais il dit que le contremaître veut rester à vos côtés. Je crois que Jimmy s'en ira si vous n'allez pas bientôt parler avec lui. » Elle glissa son petit mot sous la porte du bureau.

Les problèmes financiers n'étaient toujours pas résolus.

Il y avait une chose qu'on pouvait faire sans tarder : louer le sous-sol.

Martha glissa un autre papier sous la porte pour recommander à Mark d'écrire aussitôt à l'hôpital de Lynda pour solliciter des facilités de paiement : la dernière facture s'accompagnait d'une note péremptoire.

Mark téléphona. Le médecin suggéra que peut-être Mme Colridge pourrait rentrer passer le week-end chez elle : elle avait un plan pour son avenir qui requérerait la coopération de Mark, et qui pourrait peut-être aider celui-ci sur le plan financier. Pour sa part, poursuivit le Dr Lamb, il considérait que Lynda allait beaucoup mieux ; elle n'était pas guérie, certes, mais l'amélioration était indéniable.

Lynda revint pour le week-end. Elle se comportait en invitée. Mark sortit de son bureau, et se comporta en hôte. Elle annonça qu'elle voulait quitter l'hôpital et s'installer au sous-sol. Non, elle n'allait pas assez bien pour y vivre seule, mais elle pourrait partager l'appartement avec une amie de l'hôpital. Elle ajouta en riant que son amie ne plairait sans doute pas à Mark. Elle s'appelait Dorothy, et ne plaisait pas tellement à Lynda non plus, parfois. Mais elles s'entendaient assez bien.

Mark répondit qu'il ferait tout ce qu'elle souhaitait.

Quelques instants plus tard, elle ramassa sa petite boîte de pilules et monta se coucher.

Plus tard, quand elle fut prête à se mettre au lit, Martha éprouva si vivement le besoin de dire certaines choses qui attendaient d'être dites, qu'elle descendit à la cuisine. Lynda s'y trouvait, en robe de chambre, devant un jeu de cartes étalé sur la table.

« Si je venais vivre ici, dit Lynda, poursuivant la conversation, cela coûterait bien moins cher, n'est-ce pas ? Oh, ne croyez pas que je veuille être la femme de Mark. Je ne pourrais pas. Mais si je vivais ici, ce serait mieux, non ? Et puis on ne pourrait plus dire que vous me le prenez.

— Pourquoi ? Y a-t-il des gens qui disent cela ?

— Il faut bien qu'ils disent quelque chose, non ?

— Sans doute, oui. Nous avons été trop occupés à d'autres choses.

— Ah, les histoires politiques. Bah, cela ne m'intéresse pas. Ce n'est rien du tout. Mais Dorothy a de l'argent. Elle pourrait payer un loyer. Cela aiderait, non ? »

Elle battit les cartes en fredonnant allégrement pendant quelque temps. « Évidemment, il y a Francis. Mais de toute façon, il n'a pas de mère. Je pensais que ce serait mieux de m'avoir à la maison — vis-à-vis de ses amis, comprenez-vous. »

Elle se remit à battre les cartes en fredonnant.

« Et puis pour les vêtements — j'ai plein d'argent à la banque pour acheter des vêtements. Faites-le-lui prendre. C'est ce qu'il veut, voyez-vous, que je sois toujours belle.

— Oui, mais je ne pense pas qu'il accepte de le prendre.

— Je ne verrais pas d'objections à ce qu'il divorce. Je sais que ce serait bien mieux, en vérité. Mais jamais il ne voudra divorcer. Je le sais.

— En effet. Jamais il ne le voudra.

— Tout cela m'est bien égal — ce n'est pas cela qui m'intéresse. »

A présent, elle scrutait attentivement le visage de Martha, l'étudiait. Penchée en avant, le menton dans la main, elle la dévisageait. Comme pour tenter de découvrir quelque chose. Voulait-elle savoir si Martha pourrait deviner ce qui l'intéressait vraiment ? Elle parut déçue. Elle soupira même, et ébaucha un petit geste de dépit en reportant son attention sur les cartes.

« Vous pouvez monter vous coucher, si vous voulez », déclara-t-elle. « Je suis très bien toute seule, vous savez. »

C'était le vendredi. Le lendemain matin, de bonne heure, le directeur de la nouvelle école de Paul téléphona pour dire qu'il serait peut-être bon de reprendre l'enfant pour le week-end ; l'équipe pédagogique et lui-même pensaient que cela pourrait sans doute l'aider.

Il s'appelait Edwards, et semblait fort compétent. Il paraissait tenir la situation bien en main, et Martha estimait qu'il aurait eu toutes les raisons du monde de ne pas tenir la situation bien en main, étant donné l'état où se trouvait Paul. Il semblait à Martha qu'il aurait pu dire autre chose que simplement : « Paul semble perturbé. »

Paul fut mis dans le train à quatre-vingts kilomètres de Londres, et accueilli par Mark à son arrivée. Lorsque Paul émergea de la voiture, pâle, maigrichon, avec ses grands yeux noirs d'enfant abandonné, il portait déjà l'uniforme de l'école « progressive » : un blue-jeans et un chandail. Il pénétra dans le salon où se tenait Lynda, telle une femme en visite, avec son manteau de fourrure blonde, fumant et montant la garde devant son pilulier.

Elle examina longuement Paul tandis qu'il se tortillait sur sa chaise, en face d'elle. Puis elle lui sourit, de son superbe et large sourire. Lentement, il sourit en retour, d'un sourire timide et expérimental. Puis il s'approcha lentement d'elle, d'un pas oblique, et tenta de grimper sur ses genoux. Elle le repoussa.

« Je n'aime pas qu'on me touche », déclara-t-elle. « Mais tu peux t'asseoir ici. » Elle lui indiqua le reste du canapé, à côté d'elle. Il y prit place et se lova contre elle, comme il aurait fait avec sa mère. Mais Lynda se contracta dès qu'elle le sentit et s'écarta. Il s'en aperçut et s'écarta aussi, puis examina le visage de Lynda pour tenter de voir jusqu'où il pouvait aller. Ils restèrent côte à côte, avec un espace entre eux.

Martha et Mark s'affairaient à préparer le thé. Cela n'aurait sans doute pas dû se produire. Mais rien de toute cette affaire n'aurait dû se produire, en vérité.

« Pourquoi n'aimez-vous pas qu'on vous touche ?
— Parce que je suis malade.
— Ma mère aimait cela.
— Mais je ne suis pas comme ta mère.
— Elle est morte.
— Oui, elle s'est suicidée, précisa Lynda.
— Pourquoi ?
— Certaines personnes n'aiment pas vivre.
— Elle ne m'aimait pas ?
— Si, beaucoup.
— Non, je ne crois pas qu'elle m'aimait. Sinon, elle ne se serait pas suicidée.
— Cela n'a rien à voir.
— Oh si ! »

Lynda s'était tournée de telle sorte sur son siège qu'à présent elle regardait Paul, avec un sourire calme et franc. Quant à lui, penché en avant, il contemplait avidement ce visage déterminé à lui dire la vérité.

« Est-ce que mon papa n'aimait pas non plus vivre ?
— Tu demandes cela parce que tu crois qu'il est mort.
— Oui, il est mort.
— Non, je ne pense pas qu'il soit mort.
— Si, il l'est, il l'est. Je sais qu'il l'est ! »

171

Les larmes étaient imminentes, mais Lynda ne cherchait pas à les éviter.

« Non. Il l'est peut-être, mais nous ne le pensons pas. Et il reviendra peut-être.

— Il ne reviendra pas, parce qu'il ne m'aime pas.

— Tu te donnes trop d'importance », déclara la femme malade à l'enfant désespéré. « Ton papa avait un travail à accomplir. C'était important. S'il est parti, ce n'était pas à cause de toi et de ta mère.

— Est-ce que ma mère s'est tuée parce qu'il était parti ?

— Non. Il est parti, et elle s'est tuée. Les deux choses en même temps.

— Comment s'est-elle tuée ?

— Elle s'est forcée à ne plus respirer.

— Je pourrais aussi ?

— Oui, si tu le voulais vraiment.

— Et vous ? Vous avez envie ?

— Quelquefois.

— Et vous allez le faire ?

— Non.

— Pourquoi ?

— Parce que chaque fois que j'en ai envie, je décide de rester en vie et de voir ce qui va se passer. C'est très intéressant. »

Il eut un petit rire effrayé, puis se coula plus près. Il sentit les mains de Lynda s'écarter quand il les toucha, et il posa les siennes bien sagement sur ses genoux.

« A l'école, les autres enfants ont des pères et des mères pour les vacances.

— Eh bien, pas toi.

— Pourquoi ?

— Je viens de te le dire. »

Ils observèrent tous qu'il devenait écarlate, et que ses lèvres s'étaient pincées.

Lynda le gifla. « Arrête. On ne meurt pas en se retenant de respirer.

— Je le ferai si je veux.

— De toute façon, c'est idiot. Tu es malheureux en ce moment. Mais tu seras peut-être heureux plus tard, qui sait ?

— Je suis malheureux.

— Oui, tu es très malheureux.

— Je ne veux pas être malheureux.

— Je l'imagine. Mais tu l'es quand même. »

Elle sourit, et se leva. Elle prit une tasse de thé sur le plateau, et y versa du sucre. Puis elle se dirigea vers la porte avec sa tasse.

« Où allez-vous ? Je peux venir avec vous ?

— Non. Je ne peux pas rester longtemps avec des gens. Je suis malade, comprends-tu ?

— Quel genre de maladie ? »

A présent, un malaise flottait. « Il faut que je fasse attention. Que je reste sur mes gardes », répondit-elle. « Et c'est pourquoi je suis malade. » Il s'était élancé vers elle et se tenait tout près, les yeux levés. Elle se pencha et le contempla avec de grands yeux, ébauchant un petit sourire secret pour lui tout seul : « Je sais des choses, tu comprends. Ils n'aiment pas cela. »

Il parut apeuré et se contracta. Le pathétique petit garçon gardait son regard fixé sur elle. Elle sentit qu'elle avait commis une erreur, et son sourire s'éteignit. Elle parut à nouveau malade et angoissée.

« Lynda. Lynda. Êtes-vous ma mère, à présent ?

— Non. Tu n'as plus de mère.

— Vous êtes la mère de Francis ?

— Oui. Non. Sans doute. Pas vraiment. Je ne suis pas très douée pour ce genre-là. Certaines personnes ne peuvent pas. »

Il baissa la tête, et se mit à sucer son pouce.

« Mais je suis ton amie, Paul. Veux-tu ? »

Il acquiesça sans lever les yeux. Puis il lui lança un regard effrayé, et vit son merveilleux sourire. Il lui rendit lentement ce sourire.

Elle regagna sa chambre. Plus tard dans la journée, Paul frappa à sa porte, et elle le laissa entrer. Il y resta une demi-heure environ. Mark et Martha ne surent pas ce qui fut dit, ou bien ressenti ; mais Paul fut de bonne humeur pendant tout son dîner, puis demanda à Mark de lui raconter une histoire. Quand ce fut terminé, il annonça qu'il désirait retourner à l'école dès le lendemain matin.

Mark le reconduisit en voiture. Quand il revint à la maison, il trouva Lynda occupée à prendre possession du sous-sol.

Il téléphona à l'hôpital.

Puis il lui annonça : « Ils disent que tu as fait des progrès extraordinaires. »

Il regardait Lynda et Martha faire le lit de Lynda. Il voulait en réalité dire : Tu guériras peut-être suffisamment pour redevenir ma femme.

Mais Lynda lui sourit, et observa : « Quels affreux imbéciles, vraiment ! Mais heureusement. » Elle se mit à rire d'un rire méprisant. Elle garda un sourire méprisant toute la soirée, mais marmonna une ou deux fois : « Il faut quand même que je fasse attention. »

Elle ne se sentait pas la force de rester seule au sous-sol. Martha descendit donc s'y installer, et passa deux nuits dans le salon. Puis Dorothy, l'amie de Lynda, vint vivre avec elle. Elle s'appelait Mme Quentin, mais son mari vivait apparemment avec une autre femme, quelque part en Irlande. C'était une femme brune et massive, lente, qui s'inquiétait affreusement de l'effet qu'elle pouvait produire, et qui lançait volontiers des plaisanteries. Elle possédait une quantité de bibelots de pacotille, qu'elle entreprit aussitôt d'éparpiller dans tout l'appartement, avant même de déballer ses vêtements. Ce n'était pas le genre de personne que Mark ou Martha auraient pu associer à l'idée de Lynda.

Mais Lynda était heureuse de l'avoir auprès d'elle, et ne semblait pas souffrir de l'abondance de cœurs en velours brodé, de poupées, de couvertures de magazines épinglées aux murs ; et la possessivité de son amie ne la dérangeait pas. Elle semblait au contraire satisfaite d'entendre son amie lui dire de faire ceci ou cela ; heureuse d'entendre Dorothy dire à Mark : « Je crois que Lynda devrait se coucher, à présent. »

Mark n'aimait pas cela du tout. A un moment, comme Dorothy ordonnait à Lynda de prendre ses cachets, celle-ci leva les yeux sur le visage contrarié de Mark et se mit à rire franchement. Elle exprimait une sorte de triomphe.

Lynda voulait Dorothy auprès d'elle pour se protéger de Mark, pour se protéger de son devoir d'épouse.

Lorsque Mark ou Martha descendaient au sous-sol pour proposer leur aide ou leur compagnie, les deux femmes s'unissaient dans une attitude défensive qui excluait toute autre personne. Elles échangeaient des plaisanteries compréhensibles d'elles seules, et parlaient de l'hôpital. Quelque chose en elles rappelait ces écolières unies dans des amitiés fondées sur la haine de l'univers.

En bref, la présence de Lynda au sous-sol avec une amie qui avait de l'argent et paierait un loyer, cela ferait une certaine différence sur le plan financier. Mais rien de plus.

CHAPITRE DEUX

Ces temps difficiles duraient depuis — mais une particularité des temps difficiles, c'est qu'ils semblent éternels. Tout ce qui se passait, les événements avaient depuis longtemps cessé d'apparaître comme des incidents déplaisants, ou des signes annonciateurs. La texture de l'existence n'était plus que lourdeur, laideur, peur. Lorsque Martha tentait de retourner en pensée à des temps et des lieux où tout avait été normal (mais qu'entendait-elle par là ?), elle ne le pouvait pas. Sa mémoire se trouvait désormais emprisonnée. Et quand elle s'efforçait de scruter l'avenir, car après tout, cela allait changer, comme cela avait changé, elle ne pouvait rien discerner au-devant d'elle qu'une dégradation accentuée. La rivière empoisonnée allait s'engouffrer, oui, et exploser sur une chute de pierres — mais pas pour s'écouler en des lieux plus calmes. La guerre allait sans doute survenir à nouveau. Pourtant, qu'elle pût penser ainsi signifiait qu'elle n'avait rien retenu de la guerre si récemment achevée. Il existait une guerre, en ce moment précis, une guerre qui se déroulait dans un pays dont jusqu'alors personne n'avait entendu parler. En Corée. Une horrible guerre. Si elle avait été coréenne, elle n'aurait certes pas dit : Il va y avoir une nouvelle guerre. De même que si elle s'était trouvée en Amérique — bah, de là l'Angleterre lui aurait paru saine et ensoleillée. En Amérique, elle aurait certainement perdu son emploi, et sans doute été en prison. Elle aurait eu envie d'émigrer, si seulement elle avait pu obtenir un passeport, ce qui paraissait peu probable. D'émigrer vers un pays libéral comme l'Angleterre. Que tant d'Américains considéraient comme un précieux refuge.

Mais ils n'habitaient pas des maisons comme celle-ci.

Rien n'empêchait Martha de partir. Elle n'avait qu'à faire ses valises et s'en aller. Alors, pourquoi ne le faisait-elle pas ? Elle ne le pouvait pas, de même qu'elle n'aurait pas pu ne pas y venir, au commencement. D'ailleurs, pour aller où ? Plusieurs fois elle s'était rendue chez l'ancienne nourrice de Mark, à la campagne, pour voir Francis, ou pour l'y conduire, ou encore l'y chercher. Cette maison, dans son vieux village et avec ses habitants paisibles, était l'Angleterre telle qu'on l'avait toujours imaginée. Sauf qu'à quinze kilomètres de là se trouvaient des installations militaires où, dans le plus grand secret, on inventait de nouvelles armes atomiques ; et à soixante kilomètres, dans une autre direction, se tapissait une usine consacrée à la production de gaz et de poisons considérés comme armes de guerre. Mary Butts et Harold Butts jardinaient, cultivaient des légumes, élevaient des poulets, donnaient des œufs frais et des fleurs à Francis pour les rapporter à Londres, cette grande ville bruyante qu'ils détestaient. Tous deux approchaient de la soixantaine. Harold Butts avait toujours été jardinier ; et pendant de nombreuses années chez Margaret. Quant à Mary Butts, elle s'était toujours occupée d'enfants. Ils avaient servi les Colridge pendant leurs longues années de travail, et les servaient encore maintenant qu'ils se trouvaient à la retraite. Ils étaient infiniment bons et généreux. Ils se montraient chaleureux à l'égard de Martha, l'amie du jeune Mark, et lui proposèrent de rester. Dans une petite chambre de cottage qui sentait le jardin fleuri pendant tout l'été, Martha réfléchissait. Oui, voici l'Angleterre, voici ce dont ils parlaient quand ils mentionnaient l'Angleterre. Voici ce que mon père avait en tête : il avait grandi dans un endroit du même genre. Les Butts ne parlaient jamais des usines de la mort pourtant si proches de chez eux. D'abord, l'Angleterre n'est pas petite pour ceux qui ne l'ont jamais quittée, et quinze kilomètres, ou soixante, ne sont pas des distances négligeables. Et puis c'étaient des gens qui ne comprenaient pas... quoi ? Harold Butts avait fait la guerre de 1914-1918. En France. Mais l'horreur, l'anarchie, cela se produisait dans d'autres pays, pas en Angleterre.

Si Martha avait vécu dans ce cottage, jamais elle n'aurait pu oublier ces usines. Gisant éveillée dans sa chambre parfumée de fleurs, avec les Butts paisiblement endormis derrière un mur et Francis endormi derrière un autre, elle ne pouvait s'empêcher de penser à la différence qui se dressait entre elle et eux. Étant ce qu'elle était, rien ne changerait si elle restait chez les Butts et qu'elle trouvait du travail dans ce joli village. Elle pouvait tout aussi bien retourner dans la maison de Londres. Les Butts étaient un refuge, ils lui rappelaient que la normalité pouvait encore exister. La laideur rebondissait simplement sur eux. Tout au début de cette horrible période, un certain M. Bartlett était venu les trouver. Sa visite les avait bouleversés. Mary Butts avait aussitôt écrit à Mark : « Il avait l'air d'un monsieur tout à fait convenable, mais M. Butts trouve incorrect qu'il soit venu poser des questions sur vous derrière votre dos. M. Butts lui a répondu : Vous n'avez qu'à demander ces choses-là à M. Colridge. Il le lui a dit carrément. Embrassez le petit Francis pour nous. Respectueusement vôtre. Mary Butts. »

Avant que cette lettre lui parvienne, Mark avait déjà reçu la visite de M. Bartlett, qui employa un prétexte mondain classique pour débarquer à l'heure du thé et se faire recevoir au salon. Il expliqua qu'il avait été l'ami de James, le frère mort de Mark. Mark lui offrit du thé et des gâteaux, et conversa avec un homme qui avait connu James à Cambridge. Il avait également rendu visite à Margaret, qu'il connaissait depuis toujours — mais comme tout le monde, non ? Ottery Bartlett évoqua de récents entretiens avec Margaret, et Mark, qui par nature n'était pas méfiant, attendit qu'il entrât enfin dans le vif du sujet. Peut-être s'intéressait-il à la littérature ? Avait-il besoin d'aide pour un livre qu'il avait écrit ? M. Bartlett mentionna Colin. Ils en parlèrent un bon moment de façon détendue, évoquant le fossé qui séparait l'image de l'espion de la vision qu'il avait de lui-même et de ce qu'il avait fait (s'il l'avait même fait), qui consistait tout simplement en un échange de renseignements entre collègues.

L'heure du thé évolua en heure de prendre un verre, puis bientôt en heure de dîner. Martha prépara et servit un repas tout simple, auquel elle assista. Préoccupée par d'autres choses, elle ne pensa guère à M. Bartlett, sauf pour se dire qu'il était heureux pour Mark qu'un vieil ami de la famille, au moins, eût plaisir à lui rendre visite. Car Mark en éprouvait manifestement une vive gratitude : sa cordialité envers ce M. Bartlett faisait comprendre à Martha combien il souffrait de son isolement. Pendant le dîner, ils parlèrent de Sally-Sarah et des rapports établis entre Paul et Mark. M. Bartlett manifesta une nette compassion au sujet de Lynda — il l'avait connue autrefois ; et s'intéressa courtoisement à la présence de Martha dans la maison ; après le dîner, Martha laissa les deux hommes à leur cognac. Tard dans la nuit, Mark arriva comme un fou dans sa chambre et lui demanda de le rejoindre immédiatement dans son bureau. Il venait seulement de comprendre. Lui, Mark, était le plus incroyable imbécile de la terre : cent fois pendant l'après-midi et la soirée, il aurait pu voir ce qu'était réellement Ottery Bartlett s'il avait seulement ouvert les yeux. Il éprouvait à présent le besoin impérieux de retracer avec Martha toute la conversation. Il avait dépassé le stade de la colère ordinaire et se trouvait dans un état de rage maladive et frémissante où il ne pouvait retenir des exclamations de protestation inarticulée. Ils ne parvenaient à suivre aucun fil de pensée cohérent. Ils ne purent rien discuter sérieusement cette nuit-là : Mark s'enivra jusqu'à l'hébétude. Ce qui le bouleversait particulièrement, était que cet homme eût employé le nom de James, la famille, pour s'introduire chez lui.

Le lendemain arriva la lettre de Nanny Butts, et une colère neuve. Lorsqu'ils furent apaisés, ils purent enfin parler de ce qui s'était passé.

L'homme travaillait sans doute aux Affaires étrangères, mais pouvait également appartenir à l'un des cinq ou six services secrets qui opéraient au Royaume-Uni. Il avait mentionné une fois le nom d'Hilary Marsh, mais cela ne prouvait rien. En tout cas, ce n'était pas important. Ils (qui ?) pensaient que Mark savait où se trouvait son frère. Sinon, qu'il se trouvait au moins en contact avec lui. Et qu'il appartenait sans doute secrètement au parti communiste. Dans ce cas, il pourrait sans doute lâcher des renseignements utiles sur le parti communiste. (Et s'il l'avait pu, il l'aurait certainement fait, tellement il avait été aveugle pendant tout l'après-midi et toute la soirée.) Finalement, bien pris en main, Mark aurait pu devenir un agent de la Grande-Bretagne, membre du parti communiste ou non. Mark et Martha ne parvinrent à cette conclusion qu'au bout de plusieurs jours. Mais en ressassant inlassablement la conversation de ce fameux jour, ils pouvaient mettre le doigt sur une dizaine de moments où la question avait surgi — très délicatement, bien sûr, par simple allusion.

« Un espion ! s'exclama Mark. Moi ! Un espion ! »

Et Martha comprenait que Colin avait dû réagir ainsi lorsqu'il s'était trouvé en présence de son Ottery Bartlett à lui : Quoi ! Moi, Colin Colridge ! Un espion !

Et pendant plusieurs heures, Mark rumina jusqu'à la nausée cet incroyable fait : Hilary Marsh et Ottery Bartlett étaient des gentlemen. Pourtant, ils se prêtaient volontiers à cette tâche. Il ne parvenait pas à y croire. Et il ne comprenait absolument pas.

Ce fut cet incident qui l'amena à passer une nouvelle semaine de solitude désespérée dans son bureau, en vidant une bouteille de cognac après l'autre. Et ce fut cet incident, la visite d'Ottery Bartlett, qui donna naissance à une nouvelle personnalité. Jusqu'alors, il avait été le Mark Colridge de toujours, celui que Martha avait connu en entrant dans la maison — écrasé de contraintes, bien sûr ; malheureux, dépassé, mais lui-même.

Il existe un certain type de sujet britannique qui, en apprenant que son pays (comme tous les autres) emploie des espions ; ou (comme tous les autres) procède à des écoutes téléphoniques, lit des lettres et conserve des dossiers sur ses propres citoyens ; ou (comme tous les autres) emploie des policiers qui acceptent des pots-de-vin, frappent des suspects, fabriquent de fausses preuves, etc., — tombe en état de dépression nerveuse. Dans des cas extrêmes, ce type de citoyen peut brusquement se retirer dans un monastère, ou se convertir à la première secte qui se présente.

Ce type d'Anglais fait bien entendu l'objet de spéculations amusées et même affectueuses dans les autres pays depuis des générations. Encore qu'elles ne soient pas toujours amusées, ou pas toujours affectueuses.

Pendant cette semaine-là, Martha pénétra dans le bureau où Mark, les yeux rougis et à moitié saoul, faisait les cent pas, afin de lui raconter l'histoire suivante, qui venait de lui être relatée.

Au cours de la Seconde Guerre mondiale, un certain membre d'un service secret britannique avait reçu pour mission de se rendre (disons) à Istanbul, afin de découvrir les intentions probables de l'Union soviétique concernant un certain sujet. On lui indiqua que l'endroit où il risquait le mieux d'obtenir cette information était le lit de l'épouse d'un certain diplomate anglais. Elle s'était dans le passé révélée une véritable mine d'informations, grâce à sa beauté et à son indiscrétion. Car elle ne pouvait jamais résister à un Russe. Le héros de cette anecdote partit donc pour la ville en question afin d'y accomplir sa mission, mais ne reparut pas à la date prévue. Il fut rappelé. De retour à Londres, et interrogé par ses supérieurs, il avoua qu'il n'avait rien appris. Oui, la dame commençait à l'attirer, expliqua-t-il. Mais il jugeait son immoralité du plus mauvais goût, et de toutes manières connaissait son mari depuis des années.

Mark ne trouva pas l'histoire amusante. « Il a eu parfaitement raison », conclut-il simplement avant de retourner à son cognac et à sa colère — et à sa maladie. Pour la première fois de sa vie, il se trouvait sujet à des migraines.

Martha se reprit à étudier le caractère de Mark. Lorsque Hilary Marsh était venu à la réception donnée par Margaret à l'occasion des élections, il l'avait fait sous couvert d'une vieille amitié — pour espionner. Mark en avait conçu une vive colère, mais contre sa mère plutôt que contre Hilary Marsh. Lorsque Hilary Marsh avait utilisé sa mère et leur vieille amitié pour tenter d'implanter cette Mme Ashe dans le sous-sol de Mark pour l'espionner — Mark s'était fâché. Mais il avait fallu la visite d'Ottery Bartlett, prenant prétexte d'une ancienne amitié, chez Mark, pour le mener au-delà de la colère.

En supposant qu'Ottery Bartlett ne fût pas venu, n'eût pas rendu visite aux Butts, Mark serait-il resté le Mark qui parlait ironiquement des « camarades », à qui l'on ne pouvait pas faire confiance plus loin que le coup de pied qu'on pouvait leur lancer ? Très probablement.

Après une semaine environ d'ivresse plus ou moins ininterrompue et de détresse nerveuse, il téléphona à un homme qui avait été l'ami de Colin. Un communiste. Il alla passer chez lui un long week-end. La semaine suivante, ce fut Freddie Postings qui vint, et plusieurs de ses amis passèrent l'après-midi et la soirée de dimanche dans le bureau de Mark. Martha en resta exclue. On la traitait avec une courtoisie distante. Mark venait de subir une conversion brusque et théâtrale, et Martha put en suivre les brèves étapes car, pour autant qu'elle pût voir, c'était la même exactement qu'elle-même avait vécue dix ans auparavant. Comme si ses yeux avaient soudain recouvré la vue, Mark observait certains défauts de son pays que jusqu'alors il n'avait pas remarqués, ou bien avait minimisés, ou encore crus impossibles. Il considérait son ancienne personnalité comme hypocrite, ou volontairement aveugle, et en tout cas insensible aux souffrances d'autrui. Il avait à présent de nouvelles vues, un nouveau vocabulaire, de nouveaux amis. Il traversait en personne, par sa propre expérience, ce processus qui peut affecter des nations ou des partis, ou des gens, lorsque tout ce qui est bon en soi s'identifie à une cause, et tout ce qui est mauvais s'identifie à l'ennemi. Mais l'aspect le plus intéressant de la conversion de Mark, c'était que le moment n'était guère propice pour juger la cause parfaite ; et aussi, pour le peu que Martha voyait des six ou sept personnes qui fréquentaient actuellement la maison, qu'ils n'étaient pas le genre de communistes susceptibles de la juger telle. Et pourtant, quand ils prenaient leur petit déjeuner tous deux ensemble et qu'ils parlaient de Lynda ou des enfants, Mark employait le même langage qu'elle-même dix ans plus tôt. Il avait endossé une nouvelle personnalité ; ou, si l'on préfère, un nouvel état d'esprit l'habitait.

Et, comme s'il n'avait jamais soutenu à Martha qu'il avait en horreur les excès de simplification en matière de politique, ou les prises de position partiales, comme s'il n'avait jamais écrit ce roman où ce que représentaient Hilary Marsh et Ottery Bartlett était accepté comme tel — il était devenu « Le Défendeur ». Martha observa que Mark avait repris à son compte cet aspect d'elle-même déjà affaibli quand elle était arrivée chez lui, mais qui était brièvement revenu à la surface lors de leurs discussions. En le regardant, elle se contemplait au passé : l'œil flamboyant, rageuse, violente, incapable d'écouter.

Ils avaient interverti les rôles.

Pendant les quelques mois où Mark traversa cette phase, Martha ne fut plus guère sa secrétaire ; elle tenait la maison ; s'efforçait maladroitement d'apprivoiser les enfants ; et parvint à sauver le roman sur la cité du désert.

Il voulait le déchirer. Il ne comprenait pas comment il avait pu écrire de pareilles « fadaises de tour d'ivoire ».

Martha relut le manuscrit. Il en avait terminé la rédaction définitive avant que « Le Défendeur » eût fait son apparition. C'était un récit neutre et détaché, l'histoire d'une cité et des principes selon lesquels on la gouvernait ; et de l'excroissance envieuse qui se développait tout autour et finissait par l'écraser, la détruire, et reconstituer une copie altérée de ce qui avait été anéanti. Il fallait encore procéder à quelques corrections mineures, pas grand-chose. Mais « Le Défenseur » avait récemment procédé à quelques ajouts. Il s'agissait de notes manuscrites griffonnées par-dessus le texte dactylographié, émotionnelles, à l'état brut. Il avait développé certains épisodes de l'histoire, ainsi que la profondeur psychologique de certains personnages. « J'ai voulu donner un peu de vie à ce foutu texte, expliqua-t-il à Martha, c'est mou, ça n'a pas de muscle ». Le problème, c'était que la vie, sans parler du « muscle », n'avait pas sa place dans cette histoire, ou du moins pas sous cette forme. La lecture de ce texte entremêlé de notations récentes donnait l'impression d'assister à un combat entre deux personnalités, dont chacune s'efforçait de dominer l'autre.

Elle l'exprima à Mark, et il répondit : « Je ne m'intéresse pas à la critique subjective. » Cette réponse ne signifiait rien dans ce contexte : c'était une de ces expressions qu'on employait à l'époque dans les milieux de gauche : Phœbe, par exemple, tout autant que Staline.

Martha se souvint alors de cet autre manuscrit, ou plutôt de ce fouillis de notes rongées par les fourmis, qu'elle avait apporté en Angleterre faute de savoir qu'en faire. Il se trouvait dans une valise, au grenier. Elle le descendit, et le posa à côté du manuscrit de *Une cité dans le désert*. Le dernier testament de Thomas. Le livre de Mark. Le plus intéressant était que les notations ajoutées au manuscrit achevé de Mark, leur fièvre émotionnelle et gauche étaient de la même « texture » que l'essentiel des écrits de Thomas. Elles provenaient de la même source, de la même longueur d'ondes. Quelque part, ces deux personnes extraordinairement différentes, Mark et Thomas, se rejoignaient, partageaient un même lieu. Exigu, peut-être : car cette rage sarcastique, ce nihilisme, qui caractérisait Thomas le plus vivement, n'existait pas en Mark. Les ajouts de Mark, qu'il allait falloir supprimer par fidélité à un tout, étaient griffonnés à l'encre rouge. Les notes et les ajouts de Thomas, au crayon rouge. A partir de là, de ce point, Thomas avait sombré dans la folie et la mort. Et Mark ? Eh bien, il s'agissait aussi, sans aucun doute possible, d'une descente, d'une entrée dans un monde nouveau. Pour écrire des livres comme *Une cité dans le désert*, ou comme le livre de guerre, calme, abstrait, détaché, il fallait l'avoir d'abord mérité ; il fallait être ce type de personne. Mark ne l'était pas. Pas encore, du moins. Sans doute écrirait-il ensuite quelque chose de raide et de maladroit. Quand on découvre une nouvelle région de soi-même, que l'on entreprend quelque chose de nouveau, ce ne peut être que raide et maladroit, comme un bébé qui apprend à marcher... Là elle touchait soudain un souvenir : elle s'était déjà dit cela avant, quand ? Ou quelque chose du même genre. Jack : cela lui rappelait Jack. Elle marchait quelque part — pour aller chez Jack ? Elle avait déjà compris, un jour, que la nouveauté, la découverte, devait nécessairement passer par une région de chaos, de conflit. Il n'y avait pas moyen d'y échapper.

Elle annonça à Mark que, s'il ne le lui interdisait pas formellement, elle enverrait le manuscrit à l'éditeur après en avoir ôté les notations ultérieures.

Il se contenta de marmonner que ce ne devait sans doute pas être plus mauvais qu'autre chose, et elle l'envoya. Elle avait pensé qu'il ne voudrait pas se préoccuper des épreuves, des détails de publication, et ainsi de suite ; mais il s'en chargea lui-même, et parut s'y intéresser. Il y manifesta en tout cas la farouche énergie qu'il apportait à tout pendant ces temps difficiles. Depuis des mois, il dormait à peine. Il se levait chaque matin à cinq heures, pour lire et étudier. Il était, disait-il, d'une ignorance effrayante ; il ne savait rien. Il étudiait donc l'économie et ce type d'histoire qui n'est pas encore l'histoire officielle, et qui est donc encore vitale — pas encore enseignée, ni représentée par une école de pensée. Son bureau s'était rempli de livres de journalistes, de romans qui sont en vérité des reportages, de journaux, de conclusions de statistiques, ainsi que de ces documents habituellement mal ronéotypés, et publiés par des groupements politiques dont les opinions ne sont guère populaires. Et de même que Martha l'avait fait dix ans auparavant, il acquérait une bouffée d'histoire contemporaine qui était l'ombre, et le revers, de ce que l'on enseignait — de ce qu'on lui avait enseigné dans son école, toute « progressive » qu'elle eût été.

Pendant cette même période, à l'heure où tout le monde dormait, il s'efforçait de trouver un sujet pour son prochain roman — un sujet qu'il pût approuver. « Je veux écrire sur quelque chose de vrai », affirma-t-il farouchement à Martha. Sur un ton de défi : car elle était l'ennemie de l'intérieur, responsable du livre « irréel », *Une cité dans le désert*, dont il corrigeait les épreuves avec tant d'énergie. Il envisageait un roman qui aurait pour thème Mary et Harold Butts. Car il les voyait en eux les victimes des oppresseurs, les Colridge. Mais après un week-end passé chez les Butts avec son fils Francis, il revint en déclarant qu'il était absurde d'écrire sur cette foutue saloperie féodale : l'Angleterre était une nation industrielle. Il passait ses matinées à l'usine avec Jimmy, consacrant une partie de son temps à ces conversations qui alimentaient le génie créatif de Jimmy, mais sans oublier à présent de penser à ses employés. Il était convaincu de ne s'en être jamais préoccupé jusqu'alors. Un matin, il vit le contremaître et les six ouvriers qui lui étaient fidèles depuis le lancement de l'affaire, et les remercia pour leur solidarité de classe. Lorsqu'il relata l'anecdote en souriant à Martha, Jimmy cherchait moins à la divertir qu'à se faire rassurer. Pour lui, les nouvelles préoccupations de Mark ne représentaient qu'une perte de temps ; et, de toute façon, le discours de Mark n'avait pas été bien compris : le soutien du contremaître et de ses six hommes n'était pas dû à ses positions socialistes, mais à l'affection qu'ils portaient à Mark. Celui-ci s'en rendait compte — à regret : encore des relations féodales, soupirait-il. Il marchait des heures entières aux alentours de l'usine, qui se trouvait dans l'un des quartiers les plus pauvres du nord de Londres. Ce n'était pas qu'il ne l'eût pas vu jusqu'alors : mais il ne l'avait pas imaginé, ne s'en était pas senti solidaire. Pendant quelque temps, il envisagea d'écrire un roman sur ces rues. Mais ses nouveaux amis l'en dissuadèrent en lui faisant observer que ce type de romans, produits par centaines au sein des partis socialiste et communiste, représentait exactement ce que leur courant du mouvement communiste s'efforçait de fuir : le roman prolétarien était mort. Sous l'emprise de sa conviction toute neuve, Mark protesta. Il écrivit même les deux premiers chapitres. La logique l'exigeait. Les et, et, et ; donc, donc, donc ; a, b, c, d, de la logique communiste sont toujours irréfutables car, tandis que telle Personne, Personnalité, absorbe pour les faire crépiter ensuite les faits, les chiffres, les convictions, comme une véritable machine, sa substance n'est en réalité que pure émotion. Et indépendante du temps, ou plutôt dans les rets, disons, de 1917 et... mais nous n'en connaissons pas encore la fin. Une soixantaine d'années de polémiques socialistes passionnées au sujet de l'Art, ne servirent à rien : clic, clic, clic, faisait la machine, bien huilée par la colère, donc, donc, donc — et voici le roman prolétarien.

Mark écrivit donc deux chapitres de son roman ouvrier, intitulé *Mains laborieuses*. Ni ses nouveaux amis ni Martha n'eurent à lui révéler qu'ils étaient exécrables. Et tard dans la nuit, après le départ de ses amis, il venait trouver Martha, prêt à parler encore, à parler jusqu'au matin si elle admettait de ne pas se coucher. Mais tandis qu'il s'abreuvait directement à cette source de puissance émotionnelle qu'est la pure, la parfaite conviction, Martha, pour sa part, n'était plus que léthargie. Les temps difficiles se caractérisaient chez elle par un effondrement : elle dormait trop, mangeait trop, et n'était plus que lourdeur et indécision : et elle observait Mark comme si elle avait observé sa propre image d'antan. Et elle en vint à comprendre une chose qui lui avait jusqu'alors échappé : sa mémoire devenait floue. Seulement dix ans plus tôt — qu'était-ce que dix ans ? Mais il lui semblait que son passé s'était fondu dans le présent de Mark. Presque, ou bien que Mark était elle-même, et elle, Mark. Elle se disait : Oui, j'ai fait cela, j'ai pensé cela, j'ai lu ce livre aussi, j'ai employé le même vocabulaire — elle ne parvenait plus à se situer, là en elle-même où elle avait été ; car c'était Mark à présent qui l'occupait.

En Mark se trouvaient alors six ou sept personnages différents, qui semblaient tous opérer avec une parfaite efficacité, côte à côte, sans reconnaître l'existence des autres. Car « Le Défendeur » ne pouvait tout de même pas se retenir de parler avec l'ennemie Martha, ou même de lui demander son avis. Ne l'empêchait pas de rendre visite à

Harold et Mary Butts, chez qui il se comportait comme il l'avait toujours fait : sur le mode féodal. Ne l'empêchait pas, chaque jour, de parler des heures avec Jimmy, sur ce ton d'humour, de fantaisie créatrice, qui convenait à Jimmy et, curieusement, résultait dans tel et tel modèle de machine, qui encombrait ensuite le bureau de Mark. Il ne montrait pas moins de patience à être le mari passé, ou potentiel, de Lynda, bien que celle-ci fût en retrait de la vraie vie. Et bien que la névrose, les troubles mentaux fussent par définition, à cette époque, des maux réactionnaires et bourgeois aux yeux des communistes.

Et il s'efforçait patiemment, maladroitement, pathétiquement, d'être le père de Francis, tout en disant à Martha — dans un langage qu'elle se souvenait d'avoir employé — que la notion de famille était condamnée.

Il tentait également de servir de père à Paul : mais Paul ne voulait pas de lui. L'enfant revenait pour les vacances, et passait tout son temps avec Lynda, son amie. Depuis deux ans qu'il était orphelin, Paul s'était transformé en un petit garçon vivant et agressif, bon élève mais, comme l'indiquaient ses livrets scolaires, « formant des relations malencontreuses ». Il n'avait en tout cas aucune relation avec Mark : on eût dit qu'il n'existait pas. Mark lui proposait d'aller au zoo, de se promener au parc, de lui dire une histoire : Paul semblait ne pas l'entendre. Mark disait qu'il avait parfois l'impression d'être devenu invisible. Car ce n'était pas de la grossièreté. Paul le regardait sans le voir, ou bien demandait à Martha : « Puis-je descendre chez Lynda, à présent ? »

Lorsque Paul revenait, la maison s'ouvrait, et la porte du sous-sol restait toujours entrouverte. Mais jamais quand il n'était pas là : le sous-sol redevenait alors un lieu séparé, presque secret.

Le cas de Francis différait fondamentalement. Sa mère se trouvait « à la maison » — et non plus à l'hôpital, ce qui l'aidait grandement à l'école, comme l'avait prévu Lynda. Mais il n'amenait jamais d'amis chez lui.

Aux premières vacances qui suivirent la mort de la mère de Paul, Francis revint après avoir passé de forts mauvais moments en pension. Il avait changé. Jusqu'alors silencieux, sérieux, attentif, il était brusquement devenu — quelque chose que Martha reconnut avec un élan de souffrance. Il faisait le clown. En réaction à des taquineries qui avaient dû se révéler cruelles, et peut-être même à bien pire, son père étant un traître et son oncle ayant pris la fuite : accusé d'être un communiste, un rouge, un coco, il faisait semblant d'en être un. Il avait plaisanté ; adopté sur un mode railleur les expressions communistes qu'il avait pu découvrir dans les journaux. Eh bien, tel était donc le mécanisme, ainsi révélé aux yeux de Martha : en elle-même, elle ne se souvenait pourtant plus de ce qui avait donné naissance à « Matty ». « Matty » avait plaisanté, revendiqué l'exemption par sa gaucherie, elle s'était elle-même tournée en dérision ; et Francis plaisantait, faisait l'idiot, et s'en tirait par ses pitreries exubérantes. C'était dans cet état qu'il rendait visite à sa mère et à sa méfiante amie, au sous-sol. Il faisait du bruit ; il écumait l'appartement sur un rythme endiablé ; il épuisait les deux femmes malades.

Puis arriva le moment, très rapidement, où il revint en vacances pour découvrir que les amis de son père étaient tous communistes. Ce n'étaient plus des personnages de farce, mais de vraies personnes. Son communisme de pastiche vacilla, et cessa. Des scènes de rage et de fureur hystérique éclatèrent. Ce fut à la suite de ce séjour que son livret scolaire accusa une brusque chute de ses résultats ; il devint dernier de sa classe. N'étant pas dans une école « progressive », on le déclara paresseux et mal élevé. Son père devait lui parler sérieusement. Mark alla voir Francis à la pension, mais l'enfant se mura dans un mutisme hostile, ne répondant que « Oui, père », et « Non, père » quand il le fallait.

Quand arrivèrent les vacances suivantes, Francis annonça qu'il voulait aller chez Nanny Butts. Depuis lors, il y allait chaque fois. Mark lui rendait visite là-bas, et revenait confier douloureusement à Martha : « Il est comme moi — je n'ai jamais pu supporter de rentrer chez moi non plus. »

Chez les Butts, Francis pouvait faire le clown sans risque de conflit : sa personnalité de pension et sa personnalité de vacances ne faisaient qu'une. Nanny Butts ne s'en inquiétait pas. Elle écrivait : « Francis est un joyeux petit garçon, qui trouve toujours à s'amuser. C'est une bénédiction, quand on pense à sa pauvre mère. »

Mais un jour que Martha se trouvait au village, car elle devait reconduire Francis à sa pension, elle aperçut un autre Francis.

Il était tard le soir, pendant l'été, et Francis devait à présent se mettre au lit. Martha sortit, traversa le jardin, et pénétra dans le grand champ qui descendait vers la rivière. Francis remontait vers elle, avec une petite fille. Il était encore petit et tout rond, et sa tête brune arrivait au niveau de l'écume blanche de l'avoine à peine mûre. Il tenait la petite fille par la main, et se penchait vers elle avec cet air délicatement protecteur des adultes envers les enfants. Un sentier menait à une maison presque cachée, au bout d'un bois de bouleaux. Francis conduisit l'enfant jusqu'à ce sentier, et de là elle partit chez elle en courant, se retournant pour agiter le bras. Il resta un moment immobile à sourire, en agitant le bras aussi. Son sourire s'évanouit. Il se détourna et longea lentement la bordure du champ, sérieux, pensif, caressant de la main les plumets d'avoine. Puis il vit Martha qui l'attendait. A cet instant, le mécanisme apparut clairement : un sursaut défensif, puis le sourire qui s'étalait tant bien que mal : Francis se précipita en courant vers Martha, riant et grimaçant, et il hurla en la rejoignant : « Youpeee ! Chouette, alors ! » puis il fit la roue tout autour du jardin jusque dans la maison.

Entre les visites de Paul, quand la porte du sous-sol restait fermée, les deux occupants du haut de la maison avaient appris à ne pas descendre sans y être conviés. C'était Lynda qui téléphonait d'un bout de la maison à l'autre, pour leur proposer de prendre le café. Et jamais elle n'invitait Mark seul. Cela signifiait, quand on y pensait, qu'elle guettait sans doute par les fenêtres les allées et venues des gens. Et aussi, quand on y pensait, que l'invitation résultait d'un conflit avec Dorothy. Car dans ces occasions Dorothy gardait le silence, assise à l'écart, l'air aux aguets. Et Lynda glissait ses petits sourires de défi, à demi coupables, comme une petite fille qui vient de remporter une victoire sur ses parents. Mark se montrait poli vis-à-vis de Dorothy. Ce n'était pas qu'il lui voulût du mal, ni même qu'il souhaitât de la voir partir : si Lynda la souhaitait auprès d'elle, alors il fallait que Lynda l'eût auprès d'elle. Mais il n'existait aucun rapport entre lui-même et Dorothy : il marquait de la courtoisie à l'amie de sa femme. La réalité émotionnelle de Dorothy et Lynda, quelle qu'elle fût, lui était irréelle. Il était le mari de Lynda, tendrement protecteur et attentif à son égard. Tous quatre passaient une heure dans cette extraordinaire pièce où régnait à présent la bizarrerie jusque dans sa substance. Les meubles, dont chacun aurait fait rêver un conservateur de musée, les tapis, les petits bibelots de Lynda, une lampe qui lui venait de sa famille, les livres — il s'agissait là d'un univers, celui de Lynda. Mais toute la surface des murs, des meubles, était occupée par Dorothy — écolière romanesque et follement éprise de la famille royale et des vedettes de cinéma. Les rideaux restaient toujours tirés : elles vivaient à la lumière artificielle. Il régnait une odeur de maladie et de médicaments. Tous quatre prenaient le café, et Mark parlait à Lynda tandis que Martha s'efforçait de faire la conversation à Dorothy ; qui cependant ne quittait jamais Lynda de son regard triste et anxieux.

Une tension toute faite d'angoisse s'établissait peu à peu. Lynda fumait cigarette sur cigarette, et dispersait la cendre partout. Et puis Mark bondissait soudain en disant : « Et si nous ouvrions un peu les rideaux ?

— Oh oui, oui », acquiesçait chaleureusement Lynda, mais en jetant un rapide coup d'œil à Dorothy — pour la rassurer : elles seraient bientôt seules à nouveau.

Mark ouvrait les rideaux, et laissait pénétrer la lumière crue du jour, exposant deux femmes malades qui souriaient courageusement.

Le manteau de fourrure de Lynda, son sac, un foulard, des lunettes sombres gisaient sur des sièges.

« Lynda, ne vaudrait-il pas mieux que...

— Oui, Mark, oui », répondait-elle aussitôt. Et elle accrochait son manteau dans l'entrée, courait porter les autres choses dans la chambre où, par la porte ouverte, on apercevait un désordre total. Elle refermait la porte sur le fouillis et se rasseyait avec un sourire pathétique. A présent, elles attendaient son départ avec impatience.

Une fois, après leur départ, ils entendirent les deux femmes commencer une violente querelle avant même qu'ils eussent gravi l'escalier. Puis des pleurs. De qui ? Ils ne purent distinguer.

Mais Mark ne renonçait pas. Pendant quelque temps, il les invita à dîner une ou deux fois par semaine. Ces soirs-là, ses amis ne venaient pas et, avec Martha, il soignait le repas.

Lynda et Dorothy se tenaient cérémonieusement, avec leur sac à main auprès d'elles.

Mark restait un mari. Toutes ses meilleures qualités, que jusqu'alors il avait ignorées, s'étaient répandues sur Lynda lorsqu'il avait découvert qu'il avait épousé une malade; pendant des mois, puis des années, tandis que Lynda sombrait, il avait employé une force d'amour dont il ne pouvait pas croire (et c'était là le problème) qu'elle n'eût plus besoin. Mais elle n'avait pas pu le supporter alors; et elle ne pouvait pas le supporter maintenant.

A la fin d'un de ces dîners, elle s'écria soudain d'une voix basse et impérieuse, mais sans cesser de sourire tant elle redoutait sa propre violence : « Laisse-moi en paix, Mark. Tu me tues. »

Et elle courut en larmes se réfugier au sous-sol, suivie de l'encombrante Dorothy.

Toute cette période fut émaillée d'incidents divers; mais il en fallut trois ou quatre avant qu'on pût y discerner un motif.

Dorothy avait pris la direction de l'appartement, bien que Mark et Martha eussent proposé de s'en charger comme du reste de la maison. Dorothy était, ou avait été, une femme efficace. Pendant la guerre, elle avait dirigé une usine qui fabriquait des éléments de bombes; elle avait eu une quarantaine de femmes sous ses ordres. Pour Dorothy, le retour à la normale signifiait de réapprendre à être compétente. C'était elle qui trouvait une femme de ménage, commandait le ravitaillement, faisait parfois les courses — dirigeait la maison. Puis quelque chose ne fonctionnait plus, quelque chose d'anodin comme un robinet ou le téléphone. Dorothy entrait alors en contact avec les rouages du monde extérieur. Une semaine plus tard, Martha surprenait l'une des deux femmes descendant au sous-sol avec un seau d'eau, ou montant se servir du téléphone. Lorsque enfin l'affaire arrivait entre ses mains, ou celles de Mark, Dorothy leur remettait une feuille de papier sur laquelle on pouvait lire :

Vendredi soir	Lynda m'a dit que le robinet fuyait. J'ai appelé cinq plombiers. Trois n'ont pas répondu. *Malgré leur publicité* où ils disent d'appeler après six heures. Le quatrième a dit qu'il viendrait à neuf heures. Il n'est jamais venu. Le cinquième a dit qu'il viendrait samedi matin à dix heures.
Samedi matin	Nous avons attendu le plombier. Comme il n'était toujours pas arrivé à midi, je suis sortie faire des courses. Lynda s'est endormie. Le plombier est venu pendant mon absence. Je l'ai rappelé l'après-midi. Pas de réponse.
Samedi soir	Je l'ai rappelé. Sa femme m'a répondu. Elle m'a dit que c'était le week-end. Son mari ne travaillait pas les week-ends. Elle m'a suggéré d'appeler M. Black, à Canonbury. Sa femme m'a dit qu'il travaillait les week-ends. J'ai laissé un message.
Dimanche matin	J'ai appelé M. Black. Il était sorti. Sa femme

	m'a dit qu'elle essayerait de nous l'envoyer dans l'après-midi. Je suis restée levée au lieu de faire ma sieste.
Dimanche après-midi	M. Black m'a rappelée. Il a dit que si ce n'était pas urgent, il viendrait lundi. Je lui ai dit que ce n'était pas la peine, parce que, s'il était aussi négligent, il devrait être mauvais ouvrier.
Lundi matin	J'ai téléphoné au premier plombier. Sa femme m'a dit qu'il viendrait dans l'après-midi.
Lundi après-midi	Il n'est pas venu. A présent, le robinet fuyait beaucoup, et j'ai dû couper l'eau.

Le problème est le suivant : sommes-nous en position de le poursuivre en justice pour la perte de temps et l'inconfort occasionnés ? Quand il est *finalement* arrivé le mercredi après-midi, il a eu le *culot* de dire qu'il enverrait sa note pour le premier déplacement (voir Dimanche matin) et je lui ai dit son fait.

Ce genre de choses se produisait assez fréquemment, comme dans la plupart des maisons. Dorothy avait toujours raison. Chaque fois, elle se mettait dans des états de rage impuissante, elle finissait par s'aliter, et Lynda devait la soigner.

Mark s'occupait de chaque nouvelle crise, et se trouvait ainsi en contact avec Lynda pendant plusieurs jours, pendant que Dorothy était malade. La raison pour laquelle jamais Dorothy ne montait demander leur aide avant que la situation ne fût désespérée — plus d'eau, de gaz ou d'électricité — était que cela signifiait de laisser entrer Mark ou son envoyée, Martha. Cela signifiait qu'elle, Dorothy, trahissait Lynda. Cela signifiait de sombrer dans un sentiment d'incompétence au fond de la chambre noyée de pénombre, et dans l'oubli grâce aux médicaments.

Mark et Lynda, pendant que Dorothy dormait dans sa chambre, passaient ensemble des heures agréables, et parfois même fort gaies.

Une fois le téléphone ou le robinet réparés, Lynda retournait à son sous-sol, et la porte s'en retrouvait fermée à clé.

Mark vint trouver Martha dans sa chambre. Ces rares occasions étaient toujours l'indice d'une situation grave, d'un sujet qu'il trouvait difficile d'aborder ; et sans doute se cuirassait-il dans ce but depuis des semaines.

Elle était alors assise dans l'obscurité, et par la fenêtre contemplait le sycomore dénudé en cette fin d'automne. Le coup frappé à sa porte résonna à un rythme décidé, bien que doucement.

« Me permettez-vous d'entrer ? » Il alluma la lumière et, comme toujours, vit dans cette chambre une succession de pièces, depuis l'époque où il y avait joué avec d'autres enfants.

Il prit conscience du moment présent, où une femme en robe de chambre rouge, les cheveux emmêlés, se tenait assise auprès de la fenêtre et regardait dehors, tandis qu'un chat dormait contre elle.

Le chat s'éveilla, s'approcha de Mark, scruta son visage, et miaula. Mark s'assit, et le chat s'installa sur ses genoux. Il portait une robe de chambre. Ils auraient pu être un vieux couple, ou bien frère et sœur. L'idée effleura Martha, puis Mark, et il déclara : « Ce n'est pas une vie pour vous.

— Ni pour vous.

— N'envisagez-vous donc jamais de vous marier ?

— Si. Quelquefois. » La préoccupation qui se lisait sur le visage de Mark la concernait, elle, et non ce pourquoi il était venu. « On raconte que je veux vous mettre le grappin dessus, n'est-ce pas ? »

Il rougit violemment, et changea de position : contrarié, le chat sauta à bas de ses genoux.

« Oui. Cela vous ennuie ?

— Non. Enfin, oui, un peu. Pas tellement.

— C'était idiot de ma part. J'avais complètement oublié que — avec tout le reste...

— Vous ne devriez pas les écouter. » Tout en parlant ainsi, elle se rendait compte qu'elle en disait bien davantage : Pourquoi vous laissez-vous influencer ? Il le comprit et lui lança un regard perçant. Dans une autre humeur, il aurait pu devenir « Le Défenseur ». Mais pas ce soir. Il était le mari de Lynda.

« Je voulais vous demander quelque chose. Je me trouve tellement plongé dans... Je sais que quelque chose m'échappe. C'est au sujet de Lynda. Pourquoi la troublé-je tant ? Le savez-vous ?

— Vous exigez toujours trop d'elle.

— Mais comment pourra-t-elle jamais guérir si... Mais enfin, à quoi bon rentrer ici, sinon ? »

Elle ne pouvait se résoudre à articuler les mots qu'elle avait en tête.

« Voulez-vous dire que c'était uniquement pour quitter l'hôpital ? Mais ce ne pouvait tout de même pas être uniquement cela — je vis ici, tout de même !

— Elle n'avait guère le choix.

— Elle aurait pu partager un autre appartement avec cette... rien ne l'empêchait ?

— Je ne sais pas.

— Elle est venue *ici*, où je *suis*.

— Et où est aussi Francis.

— Il n'y vient jamais. Elle ne le voit jamais.

— Peut-être le désire-t-elle. Je ne sais pas, Mark. Comment pourrais-je le savoir ?

— Pensez-vous qu'elles soient lesbiennes ? » Il articula ces mots avec difficulté. Il était devenu blême, et ses yeux noirs étincelaient dans ce visage incolore. Un masque, ou une expression peut servir à diverses émotions. Et Mark arborait les mêmes lorsqu'il songeait à la complicité de sa mère avec Hilary Marsh, ou à l'affaire Ottery Bartlett. Dans un cas la colère. Dans l'autre le désespoir.

« Je ne sais pas. Peut-être un peu. Je n'en ai jamais connu. Mais je ne pense pas que ce soit le vrai problème. C'est sans doute plutôt qu'elles éprouvent de l'indulgence l'une pour l'autre.

— Quelle horrible, horrible bonne femme.

— Bah... je ne sais pas.

— Vous ne choisiriez pas de partager votre existence avec elle!

— Non, bien sûr. Mais je ne suis pas malade. »

Un grand nombre de médecins avaient établi un diagnostic sur le mal dont souffrait Lynda. On la disait dépressive; maniaco-dépressive; paranoïaque; schizophrène — surtout schizophrène. Dans un autre ordre, on la disait aussi névrosée; psychotique — surtout psychotique.

« Ils ont dit qu'elle allait mieux. Mais je n'en vois rien.

— *Elle* se débrouille, même hors de l'hôpital.

— Oui, mais... quand nous étions mariés, cela ne lui venait jamais aisément, les rapports sexuels. Ce n'était pas cela — elle est plutôt normale. Mais qu'est-ce qui est normal? Comment le saurais-je? Ce n'est pas comme si j'avais eu une vaste expérience lors de notre mariage. Ce n'est pas comme si je pouvais procéder à des comparaisons. Mais je me souviens que cela me frappait toujours, comme si le seul fait de coucher avec moi eût constitué un défi à ses propres yeux, comprenez-vous?

— Comment voulez-vous que je comprenne? Cela est vrai de bien des gens, actuellement. L'activité sexuelle est devenue un véritable test initiatique, qu'il faut réussir. Étiez-vous son premier amant?

— Oui. Enfin, oui, j'en suis certain. Mais j'avais parfois l'impression de faire l'amour à une noyée.

— Elle voulait être sauvée?

— Oui! Oui, c'était exactement cela! » Il s'emballait parce qu'elle comprenait. « Quelquefois, je me disais: '' Mon Dieu, j'assassine cette femme! '' L'avez-vous entendue, quand elle m'a dit: '' Mark, tu me tues ''?

— Oui, mais cela...

— Non. Cela signifiait quelque chose. C'était vrai. Elle me disait souvent, '' Sauve-moi, Mark, sauve-moi! '' Eh bien, on peut dire que j'ai essayé!

— En effet.

— Et maintenant? Que suis-je censé faire? La laisser sombrer, tout simplement? »

Pâle, raide sur son siège, il avait les larmes aux yeux.

Avec cet homme, on ne pouvait pas aisément employer ce baume antique des bras réconfortants, de la chaleur donnée. Elle approcha son siège de lui, lui prit la main et la tint serrée. Il avait le visage ruisselant de larmes.

« Mark, écoutez-moi. Elle ne sera pas votre épouse. Jamais. Il va bien falloir que vous le compreniez.

— Voulez-vous dire que je doive en chercher une autre? Oh, c'est un conseil qui ne m'a pas manqué, ces derniers temps, je puis vous l'assurer. On m'a même dit que je devrais vous épouser!

— Dieu sait que je ne suis pas du genre à dire qu'on doive se marier pour le seul fait d'être marié. Mais, Mark, il faut renoncer à Lynda. Il faut cesser d'attendre qu'elle change.

— Si je ne peux pas l'avoir, elle, alors je ne veux personne.

— D'accord. Alors vous n'aurez personne.

— Mais pourquoi ? L'autre jour, quand cette affreuse femme n'était pas là, on aurait dit... nous nous serions crus au début de notre mariage. » Au bout d'un moment, comme elle ne disait rien, il laissa devenir inerte sa main dans celle de Martha, puis il se leva. Le regard qu'il lui jeta exprimait comme il se sentait offensé : elle ne l'avait pas secouru, n'avait pas prononcé les paroles qu'il souhaitait entendre.

Le lendemain, il proposa à Lynda de partir avec lui passer le week-end chez Mary et Harold Butts. Elle avait toujours porté beaucoup d'affection à Nanny Butts.

« Oh, oui, bien sûr », répondit Lynda. « Je serais ravie. Quelle merveilleuse idée. »

Ils devaient partir dans l'après-midi du vendredi. Le matin, des voix furieuses s'élevèrent du sous-sol, des cris entremêlés de larmes. Des objets s'écrasaient contre des murs, des portes claquaient.

Mark fit sa valise, et descendit à l'heure convenue pour chercher sa femme. Encore revêtue d'un peignoir et assise sur son lit, Lynda arborait un petit sourire tremblant et désespéré qui ne s'adressait point tant à Mark qu'à la vie en général. Dorothy tricotait dans l'autre pièce. Elle confectionnait un couvre-théière en laine violette et rouge. Les vêtements de Lynda gisaient en tas auprès de sa valise.

Lynda se leva alors, sans cesser de sourire, quitta la pièce et monta l'escalier, suivie de son mari. Dans la chambre de Mark, sur la table de nuit, trônait la photographie d'une jeune femme radieuse qui souriait à la pauvre Lynda malade, négligée, et baignant dans l'odeur aigre de la maladie.

Grinçant alors des dents sous l'effet de la rage, Lynda s'empara de la photographie, la contempla haineusement, puis la jeta pour la briser dans un fracas de verre cassé. Puis elle pénétra dans le bureau. Là, sur une longue table placée contre un mur, s'alignaient les maquettes de Jimmy pour d'éventuelles machines électroniques. L'une d'entre elles consistait en un perfectionnement d'une machine qui enregistrait le cerveau humain sous forme d'impulsions électriques. Elle jeta à terre toutes ces machines l'une après l'autre. Puis elle redescendit, et referma la porte du sous-sol à clé derrière elle.

Tard ce soir-là, en allant se coucher, Martha vit la porte du bureau ouverte. Mark était assis à sa table, et il leva vers elle un visage comme un masque, blême aux yeux sombres.

« Martha, voudriez-vous faire disparaître cette... photo ? Je ne peux pas. »

Elle entra dans la chambre, balaya les morceaux de bois et de verre du cadre, et ramassa la photo de l'ancienne Lynda — intacte. Il était difficile de se résoudre à déchirer ce merveilleux visage, mais elle le déchira et le jeta en petits morceaux dans la poubelle.

Comme elle passait à nouveau devant le bureau, Mark l'appela.

« Je vais partir à la recherche de mon frère », annonça-t-il.

Aurait-elle pu le prévoir, si elle s'était maintenue en éveil ? Peut-être. Ce fut un choc. Elle prit place en face de lui, le visage lourd de défi, afin de le défier aussi.

« Vous ne pouvez pas faire cela.

— Je vais le faire.

— Qu'imaginez-vous donc ? Que vous allez débarquer à Moscou en disant : '' Où est mon frère ? ''

— Oui.

— Mais il peut se trouver n'importe où — pas nécessairement en Union soviétique. Et puis on ne vous donnera pas de visa.

— Je connais des gens qui pendant la guerre entraient et sortaient de l'Allemagne nazie. Mon frère James l'a fait une fois, pour je ne sais quelle mission secrète.

— Votre frère James travaillait pour un service secret ?

— Mais c'était la guerre. Beaucoup de gens en faisaient autant.

— Si vous vous faites tuer, Francis n'aura plus de père. Et qu'adviendra-t-il de Paul ? »

Il ne semblait rester de lui que ce visage blême et ces yeux sombres et amers. Soudain un déclic se produisit quelque part en lui, et il s'empourpra en déclarant : « Propagande capitaliste ! Étant une ancienne communiste, vous ne pouviez dire que cela ! »

— Oublions un moment le capitalisme et le communisme. Mais si vous partez faire des histoires et des complications derrière le Rideau de Fer, vous vous retrouverez en prison. Ou pire. »

Ricanement. Le ricanement communiste. Indiscernable de tout autre, bien sûr, mais mélodramatique, soupçonneux. Particulièrement sur ce visage, dans ce bureau paisible, dans cette maison. Et à Radley Street, au cœur de Bloomsbury, à Londres.

« Mais peut-être ne lisez-vous pas les journaux ?

— Ah, vraiment, ricana-t-il.

— Eh bien, demandez donc aux camarades — demandez-leur simplement si vous pouvez vous rendre à l'ambassade et dire : Je veux un visa pour pouvoir voyager en Russie et retrouver mon frère qui est passé à l'Est parce que...

— Parce qu'il est un espion ? Il n'est pas un espion. Je vous dis que c'est impossible.

— Vous venez juste de me dire que votre frère James en était un.

— Ce n'est pas... Voyons, si vous ne distinguez pas la différence...

— Sans doute Colin a-t-il reçu la visite de quelqu'un comme Hilary Marsh et a-t-il été pris de panique.

— Colin n'est pas du genre à avoir peur facilement.

— Eh bien, alors il était idiot de ne pas avoir peur. Vous aviez peur. Et moi aussi. J'ai encore peur maintenant.

— Je suis prêt à vous consacrer tout le temps qu'il faut, Martha, et vous le savez. Mais quand vous commencez à parler comme la presse du caniveau, alors je suis navré.

— Avez-vous déjà posé la question à des camarades, sur ce point ? Pourquoi ne le faites-vous pas ?

— Je le ferai. Bonne nuit. » Et il congédia l'Ennemi.

Elle demeura l'Ennemi pendant plusieurs semaines. Chaque soir il invitait ses amis, ou se rendait chez eux. Jamais il ne les présentait à Martha : ils se saluaient d'un signe de tête ou d'un sourire poli quand ils se rencontraient dans l'escalier. Faisant suite aux interrogations de Mark, Patty Samuels vint le voir naturellement, et pour un entretien sérieux. Ils passèrent plus d'une heure ensemble. Martha s'enquit ensuite du conseil qu'il avait reçu.

Mark répliqua brièvement que, dans l'ensemble, son initiative avait été décrétée « peu souhaitable ». Puis, avec un rapide coup d'œil et un rire d'excuse : « Quel cheval de bataille ! »

Mais elle lui avait plu, ou l'avait intrigué. Elle revint, et se mêla à ceux qui passaient dans la soirée, seule ou avec d'autres. C'était une femme d'une trentaine d'année, active et animée, membre du parti depuis toujours et totalement différente de tous les gens que Mark avait rencontrés dans sa vie, mais semblable à Martha telle qu'elle avait été pendant une brève période.

Patty apparaissait en tous sens comme l'opposé absolu de Lynda.

Tandis que Mark nouait des liens avec Patty, Lynda au sous-sol eut une rechute. Pendant quelque temps, il fut incertain si Lynda devrait ou non retourner à l'hôpital.

Quelques jours après l'incident de la photographie, Dorothy monta demander si Martha pourrait venir voir Lynda qui la réclamait.

Dans son lit, Lynda sanglotait bruyamment qu'elle encombrait inutilement la face de la terre, qu'elle avait gâché la vie de Mark, et qu'elle ne comprenait pas pourquoi Mark ne la tuait pas. Elle regrettait qu'il ne l'eût pas fait et, s'il ne le faisait pas, elle se tuerait elle-même.

Martha voulut appeler le Dr Lamb, que les deux femmes consultaient régulièrement pour recevoir ses conseils et renouveler leurs ordonnances. Mais Dorothy en larmes supplia Martha de ne rien en faire. Le Dr Lamb renverrait certainement Lynda à l'hôpital, et toutes deux devraient alors y retourner. Lynda ajouta ses pleurs et ses supplications à celles de Dorothy. Alors pourquoi Lynda avait-elle fait appeler Martha ?

Martha comprit alors qu'elle représentait Mark, car Lynda ne pouvait supporter d'affronter Mark lui-même. Mais elle pouvait dire à Martha ce qu'elle redoutait de dire à Mark. Lynda n'avait pas l'intention de se suicider. Ces larmes amères et ces violents reproches qu'elle s'adressait à elle-même annonçaient à Mark, par l'intermédiaire de Martha, et à Dorothy, et peut-être à elle-même, sa peine de ne pouvoir être l'épouse de Mark, et son intention de s'y refuser. Il s'y tapissait aussi un reproche à l'égard de Mark : regarde, tu me rends malade en exigeant tant de moi. En apprenant que Lynda allait si mal, Mark descendit au sous-sol. Mais Lynda lui hurla de s'en aller. Il remonta.

Lynda pleura qu'elle n'était qu'une brute et ne méritait pas de vivre ; mais le soulagement perçait dans ses gémissements. Quant à Mark, il se tint à l'écart du sous-sol pendant quelque temps. Mais Martha y était admise, et le tenait au courant.

Pendant plusieurs semaines, Lynda resta abattue et geignarde.

Rien, semblait-il, ne pouvait venir à bout de sa désolation. Puis Paul revint en congé pour un mois, et son état s'en améliora considérablement.

Lynda et Paul ensemble — c'était adorable, charmant; on eût cru deux enfants. Dorothy les observait avec indulgence : mère de Lynda jusqu'alors, elle devenait aussi celle de Paul. Car Lynda ne pouvait toujours pas supporter de se laisser toucher. Paul s'asseyait donc sur les genoux amples et tristes de Dorothy, qui lui appliquait de gros baisers sur les joues et lui donnait des sucreries. Avec Lynda, il jouait. Martha trouvait des prétextes pour descendre les regarder. Elle revoyait Sally-Sarah. Oui, elle apparaissait chez l'enfant, avec cette nature exubérante et chaleureuse, toute de charme et d'exigence émotionnelle, quand il venait se recroqueviller sur la poitrine de Dorothy ou qu'il jetait ses bras au cou de Martha, ou encore qu'il restait bien sage, assis à côté de Lynda, les mains posées sur les genoux pour l'écouter raconter des histoires extraordinaires.

Mais cela se passait au sous-sol. Dans le reste de la maison, Paul apparaissait comme un petit garçon indifférent et malin (« bien trop malin ! » avait déclaré l'un de ses maîtres), que nul n'osait toucher ni embrasser ni caresser.

Les vacances prirent fin, Paul retourna en pension, et Lynda resta en bonne forme.

Un nouvel équilibre s'était instauré dans la maison. Là-haut, Mark s'absorbait dans l'évolution de sa liaison avec Patty Samuels. Il ne semblait plus rien attendre de Lynda, et voyait fort peu Martha. Il ne parlait plus de partir à la recherche de son frère.

Au sous-sol, les deux malades s'efforçaient d'élargir leur vie, de devenir comme tout le monde. Dorothy commençait à sortir, ce qu'elle n'avait pas voulu faire jusqu'alors. Elle faisait des courses, allait parfois au cinéma, et parlait de prendre un emploi. Mais Lynda ne quittait pas l'appartement. Elles recevaient des visites, de femmes pour la plupart. Lorsque cela se produisait, Lynda faisait l'effort de s'habiller et de redevenir belle. Un jour, elles invitèrent Martha. Il s'avéra que c'était une séance de spiritisme. Deux hommes et six ou sept femmes se trouvaient déjà là. Dans l'atmosphère étouffante de la pièce tendue de rideaux, où l'air était alourdi d'angoisse et d'une odeur de médicaments et les lumières tamisées, une certaine Mme Mellendip invoqua les esprits : avec succès, d'après certains membres de l'assistance. Après cette expérience, Martha s'efforça de ne descendre voir les deux femmes que quand elles se trouvaient seules. Autrement, il régnait là une atmosphère de lecture des lignes de la main, de marc de café, et de feuilles de thé. Elles passaient des après-midi et des soirées entières à retourner indéfiniment les cartes pour décider de l'achat d'un sac à main, ou d'une mise en plis. Elles faisaient leur propre horoscope, celui de leurs amis, de leurs médecins, des personnages connus. Mme Mellendip gagnait sa vie en établissant des horoscopes, mais ne faisait rien payer à Lynda ni à Dorothy. Sans en avoir été priée, elle procéda à celui de Martha. Ce fut en fin de compte une description de personnalité, menée avec beaucoup d'ingéniosité. Martha le reconnut, mais ajouta qu'elle n'avait rien appris sur elle-même qu'elle ne connût déjà.

A quoi Mme Mellendip, solide matrone d'une bonne cinquantaine d'années, répondit avec un large sourire : « J'aurais pu vous en dire bien plus, ma chère, si vous-même en saviez plus. » Cette remarque s'inscrivait parfaitement dans le ton de ces réunions. Car lorsque les feuilles de thé ou les cartes confirmaient ce qu'une personne savait déjà, ce n'était pas un signe d'échec mais au contraire de succès, et Mme Mellendip en tirait une confiance accrue en elle-même, ainsi qu'un pouvoir plus affirmé.

Martha déclara à Lynda que ces nouveaux amis ne lui plaisaient guère, et Lynda accepta ce jugement avec la tolérance que l'on accorde à ceux qui tâtonnent dans les ténèbres. Après cet incident, elle téléphona à Martha pour lui dire : « Auriez-vous le temps de faire une visite à la cellule des condamnées, aujourd'hui ? » ou une plaisanterie du même genre.

Martha se sentait très seule, et elle broyait du noir dans cette vie terne et vide. Elle faisait son travail, et c'était tout. La maison tournait, l'existence des enfants était organisée et les affaires de Mark, tenues en ordre. Mais que faisait-elle vraiment ? Qu'aurait-elle dû plutôt faire ? Elle l'ignorait. Elle restait des journées dans sa chambre à regarder les branches du sycomore disparaître sous la verdure printanière. Le printemps bouillonnait vainement dans ses veines. Elle regardait. Elle était quelqu'un qui regardait les autres se débattre dans la tourmente de l'existence. Pouvait-ce être vrai ? Quand Mark, ou Lynda, ou même Mme Mellendip, la regardaient, voyaient-ils une femme regarder et attendre — passive ?

Qu'attendait-elle ? Que les mauvais temps fussent passés ? C'était comme d'attendre la fin de la guerre. Pire : la guerre était plus facile, elle avait une forme, on savait ce que l'on était censé ressentir, même si l'on ne s'y conformait pas. La dernière guerre, finalement, s'était révélée assez facile : la tête et le cœur avaient battu au même rythme. Pour le meilleur ou pour le pire, elle avait pu, comme tous ceux qu'elle connaissait, s'identifier à son pays, à son camp ; et à présent, avec tous les slogans et les discours et la propagande qui se profilaient à l'horizon, tout compte fait, on pouvait encore affirmer : « Oui, nous avions raison, le fascisme était pire que tout. »

Mais maintenant ? Si une nouvelle guerre éclatait maintenant, à partir de la Corée ; si, pour employer les raccourcis de l'époque, « l'Amérique lâchait la bombe sur la Russie avant que la Russie ait pu construire la sienne » — alors, qu'éprouverait-elle ? Inutile de rester là à se dire, *cela n'arrivera pas*, car cela pouvait fort bien se produire, et c'était maintenant qu'il fallait décider ce qu'elle ferait. Pour décider cela, il fallait d'abord qu'elle décide ou déchiffre ce qu'elle ressentait. Ce pays s'allierait à l'Amérique, c'était assuré. Elle ne pouvait pas soutenir l'Amérique ; elle ne pouvait pas soutenir le communisme. Il lui faudrait soutenir l'un ou bien l'autre. Peu importait la forme que prendrait la guerre cette fois-ci, et elle ne ressemblerait sûrement pas le moins du monde à la dernière : il s'agirait plus vraisemblablement de la lente diffusion de poisons, de panique, d'hystérie, de terreur devant l'inconnu, elle devrait se résoudre à être « le traître », non seulement du point de vue de la société — son pays — et du point de vue de position de son « camp » — le socialisme — mais aussi de son point de vue à elle. Car il n'existerait pas de troisième voie. Eh bien, alors elle serait lâche et patriote, plutôt que lâche et traître... elle se sentait immensément fatiguée. Une léthargie l'emplissait comme un invisible poison. Pendant les longues soirées qui s'assombrissaient, elle contemplait la rue, l'arbre plein de vie, et elle commençait à envisager la mort, le suicide. Si la guerre éclatait, voilà ce qu'elle ferait. Elle se suiciderait.

Des pensées de mort envahissaient lentement la pièce. Quand elle y entrait, elle pénétrait dans une région où la mort rôdait. Tandis que le printemps recouvrait peu à peu Londres de fleurs et de verdure, elle se laissait emporter... et puis un après-midi qu'elle était allée rendre visite à Lynda au sous-sol, elle songea combien c'était étrange... quelques semaines auparavant, c'était au sous-sol que l'on, ou plutôt Lynda, parlait de mort et de suicide. Et à présent, sans qu'aucune circonstance extérieure eût changé, le sous-sol vivait à nouveau, des avenirs neufs y étaient envisagés — même s'il ne s'agissait que d'une robe, ou de l'horoscope du Dr Lamb qui annnonçait de la bonne humeur pour la prochaine visite mensuelle. La mort était montée chez Martha, au deuxième étage.

Il semblait que son aptitude à penser cela, à le voir, eût le pouvoir de dissiper le brouillard dans la pièce, de commencer un courant nouveau.

Elle put chasser la femme apathique qui passait des heures assise à sa fenêtre.

Elle devinait une vision de la vie où la maison et ses habitants pouvaient apparaître comme un tout, faisant un tout. Ce n'était pas une vision qui pût surgir aisément dans la vie quotidienne : elle lui vint tard dans la nuit, et par la suite Martha se souvint que l'expression « avoir quelque chose en commun » avait eu, pour la durée de cet état visionnaire, un sens réel. Dans cette maison, ils avaient tous quelque chose en commun, ils formaient quelque chose...

Mark et les camarades du parti, farouchement énergiques et défensifs ; Lynda et sa Dorothy, dans la pénombre de leur sous-sol ; Martha, toute de passivité ; les deux enfants tristes, qui étaient les passés et les avenirs des adultes : mais, en regardant dans cette maison comme si elle eût été une boîte dont on pouvait soulever le couvercle, l'observateur curieux aurait remarqué un fait étrange. Vaincue par la maison, par les courants de personnalité qui s'y affrontaient, Martha était la seule personne qui n'eût aucune raison de souffrir, de se laisser abattre : et pourtant, elle était la seule (à ce moment-là, pendant ce printemps) qui fût abattue, qui souffrît, qui songeât à la mort.

Martha se trouva soudain (ce ne fut pas facile, il lui fallut faire un effort immense) capable de contempler la maison, de parvenir à cette vue extérieure. Et aussitôt la lourde atmosphère mortifère de sa chambre se dissipa et disparut.

Elle était là, dans sa chambre, vide, en paix. Elle regardait d'autres gens construire leur existence. Et elle? Dans toute vie apparaît une courbe de croissance, ou bien une descente; on y décèle une pression centrale, comme la sève qui se force un chemin dans le tronc, dans une branche, dans le bois de l'année dernière, et là, à partir d'un nœud, elle éclate en une nouvelle branche, suivant une forme inévitable mais qui ne se connaît qu'une fois visible. Et elle restait là à regarder la sève se forcer un chemin chez les autres, alors qu'en elle-même elle ne sentait rien.

Un observateur, un critique, en regardant au travers de ce toit, aurait dit: un homme. Voici une jeune femme, à qui il manque un homme. Martha vivait ici depuis bientôt trois ans, et elle avait laissé de côté la pensée d'un homme, de mariage, et même, la plupart du temps, de vie sexuelle. Elle s'était mise en sommeil.

A présent, le désir sexuel l'obsédait. Il suffisait de penser: un homme, et les bataillons du désir sexuel arrivaient au pas de charge. Mark? Désirait-elle Mark? Il suffisait qu'elle se le demandât, pour le désirer. Et pourtant, elle ne l'avait pas désiré jusqu'alors. Elle se retrouva soudain jalouse de Patty Samuels. Puis bientôt, farouchement jalouse et malveillante à l'égard de Lynda qui avait conservé l'amour de Mark pendant des années *sans avoir rien fait pour le mériter*. Pendant un long moment, l'absurdité de cette notion ne l'atteignit pas. Elle était possédée. Des vagues d'émotion perverse la submergeaient.

Cette chambre encore embrumée, quelques semaines auparavant, par l'indifférence apathique d'une attirance vers la mort, n'était plus à présent que fantasme sexuel, rage, haine.

Dans l'escalier, elle croisait des hommes qui entraient et sortaient du bureau de Mark. Elle dévisageait ces hommes: pulsion sexuelle. Celui-ci? Celui-là? Elle saluait Patty Samuels d'un vague signe de tête, et la détestait. Elle ne pouvait plus descendre au sous-sol: elle haïssait Lynda.

Ce fut dans cet état qu'elle téléphona à Jack, dans sa maison du bord du canal. Il répondit qu'il serait ravi de voir Martha.

Ce fut dans cet état qu'elle traversa Londres pour retrouver un souvenir.

Depuis sa dernière visite, la rangée de maisons avait été partiellement reconstruite. Certaines maisons semblaient encore des cadavres, avec leurs façades lépreuses, et d'autres étaient propres, avec des portes pimpantes et fraîchement repeintes. Dans la maison de Jack, elle pénétra dans un vestibule agrémenté d'un vaste tapis, et éclairé de lumières douces. La porte de la chambre où naguère avait campé le jeune homme fou, était ouverte. On y voyait à présent un salon accueillant, meublé de canapés, de fauteuils, de bibliothèques. Une jeune femme souriante en sortit, portant un bébé, et disparut par la porte située à l'autre extrémité de l'entrée.

Déjà à demi dégrisée, Martha monta l'escalier. Une fille blonde et dodue ouvrit la porte de Jack, et dit à mi-voix : « Entrez. Vous êtes Martha? Il dort. »

La pièce n'avait pas changé. Jack se tenait appuyé sur des oreillers, et il flottait une odeur de maladie. La fille blonde reprit sa place auprès du lit. Jack ouvrit les yeux, et articula : « Bonjour, Martha », puis il se mit à tousser. La toux le secouait. Il tenta de s'asseoir mais retomba, épuisé, et resta immobile, en tenant la main de Martha et celle de l'autre fille. Ses yeux brillants et affolés, son visage amaigri et osseux, tout en lui signifiait la fièvre.

Martha resta un moment, jusqu'à ce qu'il s'endormît.

Dans le hall, comme Martha s'en allait, la fille blonde — Betty — lui expliqua que Jack avait absolument tenu à quitter le sanatorium malgré l'avis des médecins, et qu'elle le soignait. Mais elle voulait le convaincre d'y retourner : si seulement il pouvait supporter d'y rester, il serait sauvé, disaient les docteurs. Mais Jack redoutait de quitter la maison : M. Vasallo, un homme peu sympathique, profitait de la situation — Martha était une vieille amie, voudrait-elle être assez gentille pour revenir ?

Guérie, Martha quitta cette maison et regagna l'autre.

Mais elle n'était pas guérie de sa rage, de sa haine.

Quelques semaines auparavant, elle avait paisiblement regardé Lynda et Dorothy se plonger dans leurs obsessions d'astrologie et de bonne aventure ; et elle avait regardé Mark et Patty Samuels s'affairer à leur communisme. Elle les avait observés avec intérêt, comme s'il n'y avait rien eu d'autre à dire que : Bon, eh bien voilà ce qu'ils font, voilà comme ils sont.

A présent, elle se trouvait en proie à une violente aversion envers les préoccupations du sous-sol ; et à un réel dégoût envers Mark et sa politique.

Quelques semaines plus tôt, elle lisait encore les journaux qui envahissaient la maison, de gauche, de droite, du centre, et elle observait le processus des courants entremêlés et contradictoires. Maintenant, elle lisait la presse de droite comme si chaque mot eût été choisi par elle ; et ce n'était pas seulement avec crainte, mais aussi avec haine qu'elle lisait les journaux de gauche. Elle parvenait tout juste à garder suffisamment d'objectivité pour reconnaître la profondeur de la peur. Une nouvelle conversion la menaçait. Elle le voyait bien. Mais il ne suffisait pas de le voir pour s'en défaire, pour chasser le dégoût. Une expression empruntée par Mark au jargon communiste, ou bien une compréhension joyeusement insensible sur le visage de Patty, l'inondaient aussitôt d'une furieuse exaspération.

Cependant, et alors même qu'elle se trouvait dans cet état, il suffisait d'une phrase ou d'un raisonnement tirés de l'arsenal de droite qui objectivait précisément ce qu'elle ressentait, de sorte qu'elle en voyait soudain la laideur crue, pour la retourner complètement — non pas vers une position où elle pût inclure, tenir, tolérer, comprendre, mais vers une gauche extrême. Exactement comme si elle n'en était jamais partie.

Pendant plusieurs jours, elle oscilla ainsi d'un point de vue à un autre : un jour violemment anticommuniste — et assurée d'avoir raison. Et le lendemain pure, dévouée communiste, et sûre d'être dans le vrai. Ces deux attitudes n'avaient aucun lien — apparemment.

Elle eut, dans cet état, un rêve qui, bien qu'elle ne pût s'en souvenir clairement, l'éveilla comme un avertissement. Elle marmonnait : « Si je me laisse aller, il faudra que je repasse par tout cela, je serai forcée de tout recommencer. » Elle se rendormit, et s'éveilla par une belle matinée d'été, ensoleillée et parsemée de nuages blancs exquis, sachant qu'elle avait amorcé un virage dans son sommeil. Elle savait, comme si on le lui avait expliqué, que si elle se laissait désormais aller à détester Mark, à détester Patty Samuels, à détester les camarades, elle ferait bien pire que simplement détester l'image de sa jeunesse. Elle serait menacée par bien pire que simplement « Tout Avoir A Recommencer. » En elle-même se tapirait à l'affût ce qu'elle haïssait, pour surgir sous de monstrueuses formes qu'elle ne pouvait pas imaginer à présent. Et ce serait exactement pareil si elle redevenait communiste. Des formes de haine beaucoup plus vastes qu'elle ne pouvait se les représenter attendaient, comme des ombres sur le mur d'une chambre d'enfant, que la peur leur donne vie.

Mais tout en sachant ce qu'elle devait faire, elle ne pouvait pas s'y résoudre. L'énergie que cela requérait, l'effort — elle ne trouvait rien de tout cela en elle-même. Ramenée sans répit par elle-même jusqu'au point où il lui fallait dénouer de violentes émotions, elle s'apeurait, reculait. Non, non, non : elle ne pouvait pas. Pendant plusieurs jours elle demeura murée dans cet état qu'on appelle maussaderie, à se détourner et répéter, non, non.

Puis une nuit, elle rêva de Patty Samuels, qui était aussi la jeune Martha. Patty s'approchait d'elle en souriant. Mais Martha se détournait rageusement. Patty Samuels se multipliait jusqu'à former une armée à elle seule, puis une nation à la puissance sinistre et cruelle, et elle entourait Martha de toutes parts, la menaçait de mort. Le cauchemar réveilla Martha. Elle se dressa sur son lit, dans la nuit qui dessinait l'ombre du sycomore sur les murs — des ombres sur une ombre, et elle écouta le rêve. Elle ne pouvait plus se rendormir. La lune se leva. Sa lumière envahit la chambre, et l'ombre de l'arbre s'évanouit. Par-dessus l'épaule de la terre, la lune attrapait la lumière du soleil. Un sentiment de paix s'instaura dans la chambre avec la vision de ce petit monde dont une moitié baignait dans la lumière de la lune, et l'autre moitié dans celle du soleil.

Le lendemain, en rencontrant Patty Samuels dans la cuisine, elle se découvrit capable de sourire à cette image d'elle-même jeune. Son visage perdit sa raideur ; les muscles se détendirent dans tout son corps, sans qu'elle eût su jusqu'alors combien ils étaient noués.

Patty Samuels portait une charmante jupe bleue, avec un chemisier blanc, et empilait des papiers dans une valise. Elle se montra tout d'abord réservée à l'égard de Martha puis, après un moment d'hésitation, devint plus cordiale. Parce qu'elle sentait que Martha avait changé. Patty se fit du café, Martha se fit du café, ni l'une ni l'autre n'étaient pressées de partir. Et elles se retrouvèrent bientôt attablées ensemble devant leur café, s'en remettant aux œuvres de la bonne volonté.

Patty avait tout d'abord éprouvé à l'égard de Martha cet impitoyable mépris qui accompagne les mots « ex-communiste qui a trahi ». Elle avait un jour marmonné de manière que Martha pût l'entendre : « Évidemment, les gens laissent tout tomber dès que la température monte... »

Patty Samuels était devenue communiste à l'âge de vingt ans, pendant la guerre civile d'Espagne. Elle consacrait depuis lors sa vie à organiser. Secrétaire ou assistante de permanents communistes, elle avait même été permanente elle-même, bien qu'à un niveau subalterne. Elle s'occupait à présent de « Culture. » Elle le disait avec ironie ; cinq ans plus tôt, elle aurait considéré l'ironie comme une trahison. L'essentiel de son temps se passait à harceler l'Union soviétique, et les autres pays communistes en Europe, pour tenter de faire coïncider leur notion d'efficacité avec la sienne, au sujet des visas accordés aux délégations et ainsi de suite. C'était là une tâche qui avait réduit les plus forts à la dépression nerveuse ; et Patty, femme solide, laissait paraître un certain surmenage. Et puis, de par la nature même des choses, il était inévitable qu'elle eût connu beaucoup de ces gens, en Russie et dans les autres pays communistes, qui avaient disparu en prison ou bien étaient morts ; et la plupart de ses amis en Angleterre et en Amérique se trouvaient soupçonnés, privés de leur passeport, et en proie à toutes sortes de difficultés.

Ses relations avec Martha étaient donc curieuses, fondées sur une étroite compréhension due à l'expérience partagée, et en même temps chargées d'hostilité. Car personne à cette époque n'était plus détesté, vilipendé et soupçonné par les camarades que les gens comme Martha.

Ce que voulait Patty Samuels, comprit Martha, ce qu'elle voulait depuis longtemps, c'était parler de Mark. Elles n'abordèrent pas la question lors de cette expédition de reconnaissance par-dessus les tasses de café ; mais à mesure que se développa leur amitié circonspecte, Patty se mit à parler, et avec une obsédante persistance, de Mark, de ses amis, de sa façon de vivre.

Bien entendu, elle soupçonnait Martha d'être éprise de Mark. « En guerre comme en amour, tous les coups sont permis », lança-t-elle une fois, acceptant la rivalité comme un fait naturel. Mais elle se préoccupait bien davantage de Lynda, qu'elle n'avait encore jamais rencontrée ; il s'écoula un certain temps avant que le nom de Lynda entrât dans leurs conversations.

Elle ne comprenait pas Mark. « Ces grands bourgeois », disait-elle, ou bien elle demandait : « Il plaît aux gens ? », ou encore elle parlait de « ces demi-vierges politiques ! »

Leur liaison s'asphyxiait dans les difficultés.

« Savez-vous ce que je pense, parfois ? » disait-elle à Martha. « Je crois que Mark a peur qu'un de ces jours, poussée par la passion, je divulgue la vérité au sujet de son frère — il y revient sans cesse. J'ai beau lui répéter que je ne sais rien, c'est vrai, comment peut-il croire que j'en sache quelque chose ? Il ne se rend pas compte... »

Se rendre compte : douloureuse expression de l'époque pour exprimer les tristes réalités du communisme, et qui allait bientôt se fondre dans cette autre expression : « le stalinisme ». Bientôt, faisant confiance à Martha, l'ennemie, elle commença à discuter, ou plus exactement à faire des allusions et des commentaires indirects sur ce qui se passait au sein du communisme. Beaucoup de choses allaient sans dire : rien ne remplace l'expérience. Martha, en général, écoutait : en présence de soi-même plus jeune, on écoute surtout ; et l'on entend, le cœur battant, la voix de soi-même plus jeune. Douloureux. Mais impossible de tout refuser, de tout répudier, sans risquer de graves problèmes.

Ils étaient douloureux pour elles deux, ces moments où elles prenaient le café ensemble, où Patty montait dans la chambre de Martha. Patty se trouvait confrontée à un aspect d'elle-même dont elle avait ignoré l'existence, qu'elle méprisait et redoutait.

Mark était l'ennemi : capitaliste, membre d'une ancienne famille renommée, et intellectuel pour coiffer le tout. Cependant, elle était fascinée par tout cela et le savait. Elle aurait été ravie de se laisser introduire dans cet univers. Mais bien qu'elle eût pourtant toutes les raisons de comprendre, du fait de sa propre expérience, les réalités de l'isolement, elle ne comprenait pas à quel point Mark se trouvait coupé de son milieu. Elle croyait que Mark l'excluait délibérément de sa vraie vie, de ses amis. Un jour, elle voulut savoir : « Dites, Mark est-il radin, pour l'argent de la maison ? Enfin, je veux dire : fait-il attention ? » Elle ne voyait absolument pas que son attirance vers lui s'expliquait — par son monde à elle, dont elle s'était dégoûtée et dont elle cherchait à se dépêtrer. Le fait que depuis tant d'années elle eût vécu dans des studios étriqués, mangé fort mal, quand même elle mangeait, dans des cafés et des restaurants minables, sans jamais prendre de vacances, en travaillant comme une bête de somme pour gagner si peu d'argent, ce dévouement, en bref, semblait à Mark — non pas romantique, mais admirable. Il l'admirait. Il aimait goûter à cette vie pour laquelle il savait qu'il n'avait aucun don. Il aimait arriver par surprise dans sa pauvre chambre, près de King's Cross, et la trouver, tard dans la nuit, encore occupée à travailler pour la Cause. Et il ne voyait pas ce que voyait Martha : qu'elle allait craquer. Il croyait que c'était par discrétion commandée, et peut-être même parce qu'elle lui cachait certaines choses sur son frère, qu'elle refusait de parler du parti avec lui. Mais c'était en vérité qu'il représentait, aux yeux de Patty, une rupture dans la monotonie de sa vie et de son travail.

Au-dessous de toute cette activité compétente et chaleureuse, se trouvait une femme très lasse. Et aussi effrayée. Après tout, elle allait avoir trente-cinq ans. Elle avait été mariée, puis avait divorcé ; mais tout cela était déjà bien loin. Elle avait eu des liaisons. Elle voulait des enfants. Elle commençait à entrevoir que jamais Mark ne l'épouserait. Et maintenant, elle parlait de Lynda. « Il devrait absolument divorcer », répétait-elle.

Un jour, elle rencontra Lynda qui était montée chercher quelque chose. Elle vit une femme maigre et débraillée, aux grands yeux lourdement cernés, et revêtue d'une robe dans laquelle elle semblait avoir dormi.

Cette rencontre transforma Patty.

« Et vous me dites qu'il l'*aime*? » s'exclama-t-elle d'une voix caractéristique d'elle-même à cette époque, troublée, mais bien décidée à tout savoir.

« Oui, je pense qu'il l'aime.

— Eh bien, ce n'est vraiment pas ainsi que je vois l'amour. Enfin, voyons, à quoi bon aimer quelqu'un qui ne peut rien vous donner? » Elle parut effrayée de s'entendre parler ainsi; car elle avait déclaré une intention, et elle le savait. Elle se mit finalement à rire. « Je ne rajeunis pas, hein? » Et puis: « Je trouve que l'amour devrait être une affaire partagée. »

Cette liaison n'eut pas de fin spectaculaire. D'abord, elle faisait partie de la vie quotidienne de Mark: les gens qui venaient le voir étaient les amis de Patty; lorsqu'il allait chez eux, elle s'y trouvait souvent aussi.

CHAPITRE TROIS

Les mauvais temps se poursuivaient. Ils s'exprimaient par un certain nombre d'événements séparés, ou de processus, dans telle ou telle partie du monde, et dont l'élément commun était l'horreur ; une horreur absurde. A écouter, à lire, ou à regarder les informations concernant n'importe lequel de ces événements, on se sentait pris d'incrédulité : cette barbarie, cette sauvagerie, c'était tout simplement impossible. Et partout en Angleterre, partout dans le monde, des gens identiques lisaient, regardaient, écoutaient, et se trouvaient plongés dans la même incrédulité : ce n'est pas possible ; cela ne peut pas être arrivé ; c'est si monstrueusement idiot que je ne peux pas y croire.

... La guerre de Corée était au paroxysme du danger pour le reste du monde, la propagande dans les deux camps avait atteint un tel point qu'aucune personne sensée ne pouvait plus en croire un mot, et pendant plusieurs mois l'Amérique donna l'impression que rien ne pourrait l'empêcher d'employer « la Bombe » là-bas. En Amérique, l'hystérie était devenue telle qu'on croyait voir un chien rendu enragé par les puces, mordant à pleines dents dans sa propre chair ; et un homme du nom de Joe McCarthy, dénué de toute qualité excepté celle de pouvoir terroriser les autres, pouvait agir comme bon lui semblait. Dans toute l'Afrique des pays luttaient de diverses manières contre l'homme blanc, mais au Kenya se déroulait une guerre véritable ; où les deux camps (comme en Corée) combattaient avec un maximum de cruauté et d'hypocrisie.

Dans les pays communistes, la situation allait de mal en pis. En Amérique du Sud — mais commençons par le commencement ; des continents entiers, sans même parler de pays, doivent être gardés sous silence quand l'avenir de l'humanité vacille sur ce qui semble être des pointes d'aiguilles, en Corée, à Berlin, au Vietnam... Quant au Kenya, c'était affreux, c'était un tournant capital, un moment décisif (etc.) pour l'Afrique, mais rien de vital n'en dépendait. Aucune guerre mondiale ne risquait de s'y déclencher. Cela affectait hideusement l'Angleterre, déjà corrompue et avilie pour avoir respiré l'air empoisonné d'outre-Atlantique. Cela affectait en particulier Arthur Colridge et son ex-femme Phœbe.

Lorsque Martha devint l'amie de Patty Samuels et cessa d'être le traître et l'ennemi, elle se trouva grâce à elle admise dans le groupe de camarades qui, la nuit, se réunissaient chez Mark ou dans des cafés. Elle se trouva admise à... des discussions, des polémiques, des débats. Il y avait longtemps qu'elle n'avait plus appartenu à un comité informel. Elle se rendit immédiatement compte qu'elle y entrait comme il allait se désintégrer. Depuis deux ou trois ans, il s'agissait d'un petit groupe défensif et très ferme : Mark, Patty Samuels, Freddie Postings, physicien et ami de Colin, Gerald Smith, historien marxiste d'une université de province, Bob Hasty, économiste, et un ou deux autres. Mark était le seul non-communiste. D'ici à deux ou trois ans, plus un seul d'entre eux ne serait communiste. Cependant, ils se trouvaient sous le feu ininterrompu de leur propre camp, qu'ils critiquaient − mais jamais publiquement, puisque déjà le reste du monde s'en chargeait ; et ils se soumettaient aux pressions extérieures, subtiles, envahissantes, sournoises, qui caractérisaient l'époque.

Par exemple, Freddie Postings n'avait pas reçu l'avancement auquel il avait droit dans son emploi ; on l'avait muté à un poste qui ne l'intéressait pas et où, comme le lui expliqua son supérieur hiérarchique un soir qu'il avait bu, il ne pouvait espérer aucun avancement à cause de ses relations passées avec Colin. La femme de Gerald Smith avait dû être internée en hôpital psychiatrique : elle ne pouvait plus supporter l'isolement où la reléguait son mariage avec lui, isolement qui jamais ne s'expliquait, ni ne s'exprimait, ni ne se justifiait ; l'étau s'était peu à peu resserré, et elle avait fini par craquer. Bob Hasty − bah, d'une façon ou d'une autre, c'était toujours la même histoire. En Amérique, ils se seraient défendus devant des commissions, ils auraient dû décider s'ils allaient ou non trahir leurs camarades et leurs amis ; ici, rien de tel ne leur était demandé, ils passaient simplement une très mauvaise période. Ce groupe représentait le lieu où ils pouvaient se détendre, où ils trouvaient l'énergie de continuer, où l'air était respirable. Mais qu'était donc cet air ? Assez curieusement, il se composait pour une part de foi en l'humanité, et pour deux parts de pur nihilisme, d'une sorte de douloureux refus rageur et désespéré de la foi ; comme si, menacés de l'extérieur par la mauvaise foi et la destruction, de la part tant de leurs amis que de leurs ennemis, ils avaient dû recréer ici les mêmes qualités, à dose homéopathique. C'était le nihilisme du testament de Thomas. Exactement. Mais ici ? Pourquoi ? Martha avait parfois l'impression que Thomas venait d'entrer, plein d'amertume, le visage émacié et presque noirci par le soleil de sa vallée au bord du fleuve, et qu'il s'appuyait en souriant à la porte : attiré par l'atmosphère, qui lui ressemblait tant.

Mais cela ne dura guère. Jimmy Wood commença à venir. Quelques mois plus tôt, cela eût été impossible : ses vues politiques, ou plus précisément son absence de vues, l'en auraient exclu. Mais tout craquait : voilà que l'on recevait Martha, l'ennemie, et puis Jimmy. Pourquoi venait-il ? Pendant un moment, les gens parlaient et parlaient sans répit de la Corée et de l'Amérique et de la liberté ; de Berlin et de la Russie et de la liberté ; il s'ennuyait sagement en souriant, il attendait. Dès qu'il le pouvait, il intervenait pour parler de sa propre passion − non, ce mot ne convenait pas pour Jimmy Wood. De son intérêt, alors. Il venait, cela commençait à apparaître clairement, parce que Mark ne venait pas suffisamment à l'usine. Mark ne parlait pas suffisamment à Jimmy. Jimmy venait pour recevoir sa ration d'essence — qui était de pouvoir parler. Sans doute ne s'en rendait-il absolument pas compte ; mais il ne pouvait pas s'empêcher de venir ; et si Mark ne l'avait pas laissé faire, il serait parti.

Jusqu'au jour où elle comprit, Martha ne vit rien du tout — pour employer le langage du sous-sol. Et même lorsqu'elle le comprit, ce fut progressif. Pendant quelque temps, Jimmy était là, inexplicablement, et ce visiteur souriant et silencieux les embarrassait même, tandis qu'ils parlaient politique et s'en repaissaient. Il tournait son visage, ou plutôt ses lunettes, vers chaque personne à tour de rôle, jusqu'au moment où Mark se mettait à parler. Jimmy alors faisait surface, soudain débordant d'attention et d'énergie comme un chien de garde au sein du troupeau. Il isolait Mark, l'attirait vers lui. Et en un instant, il n'y avait plus que Jimmy et Mark parlant ensemble — pas nécessairement de questions scientifiques, loin de là. Ce pouvait être n'importe quoi, même la politique. Puis, tandis que les autres écoutaient, réduits au silence par l'extraordinaire détachement que laissait paraître ce petit bonhomme à leur égard, car on aurait vraiment dit qu'ils n'existaient pas, que seul Mark existait, la conversation dérivait vers des questions plus proches de l'usine. Le physicien Freddie Postings intervenait. La politique se trouvait écartée, et l'on parlait de physique ; mais pas pour longtemps, afin que Mark ne restât pas tenu à l'écart. Peu importait le sujet discuté, découvrit Martha ; il importait seulement que Mark eût un échange de vues avec Jimmy. Sans doute inconsciemment, Jimmy avait manœuvré le sujet de la discussion de manière à y faire participer Mark au maximum. C'était là ce dont il avait besoin. Ce pourquoi il venait. Ce qu'il obtenait. Pourquoi ? Il n'était ni plus fort, ni plus intelligent, ni mieux informé qu'un autre. Jimmy dominait le groupe, le comité informel. Jimmy le détruisait. Il y parvenait en le dominant. Et il continua à le dominer même après l'arrivée d'Arthur et de Phœbe.

Leur venue était extraordinaire, et même, jusqu'à ce que cela se produisît, impossible. Depuis deux ou trois ans, l'hostilité était devenue telle entre les deux frères qu'ils ne communiquaient plus que par de brèves lettres impersonnelles, quand ils ne pouvaient faire autrement. Arthur, Phœbe, toute la section du parti travailliste à laquelle ils appartenaient, s'affairaient comme tout le monde à faire campagne contre le communisme. Puis, quand la guerre éclata au Kenya, Arthur et Phœbe se rangèrent aux côtés de la petite minorité qui soutenait le camp des Africains et faisait de l'agitation pour convaincre l'Angleterre de se retirer. Ils devenaient de plus en plus impopulaires.

Ils continuaient à détester le communisme, mais cela paraissait absurde quand un journal important faisait campagne contre la famille Colridge, véritable nid d'espions, de traîtres, et de bradeurs de la patrie. « Combien de temps les autorités vont-elles encore tolérer ces ennemis dans nos murs... » « Les Colridge poursuivent leur œuvre de sape contre ces libertés que », etc.

Ce n'était pas la première fois que Mark devait faire face à des attaques de la presse suggérant qu'il fût enfermé, et il ressortit d'anciens projets, en y incluant cette fois Arthur et Phœbe. Il était vrai qu'Arthur siégeait au Parlement, et que le travail de Phœbe pour diverses organisations s'effectuait au grand jour et tout un chacun pouvait le contrôler. Quelles que fussent leurs dissensions, ils savaient une chose fort simple : en période d'hystérie, tout est possible. Des nations entières sombraient dans la folie en une seule nuit. Cela s'est produit dans la Russie de Staline. Cela s'est produit dans l'Allemagne d'Hitler. Cela s'est produit dans l'Angleterre de la Première Guerre mondiale. Cela se produisait actuellement aux États-Unis. Au plus infime tour de vis dans un sens ou dans l'autre, et n'importe qui pouvait se retrouver emprisonné, perdre son emploi, être interné. Ou même être tué.

Et ce fut à ce moment, alors que les temps difficiles s'achevaient, ou allaient s'achever, qu'ils connurent le paroxysme de l'abjection. Ils vivaient au jour le jour, s'efforçant de faire des projets en fonction de possibilités qu'ils pouvaient uniquement deviner. Ils constituaient un groupe d'individus isolés, ayant fort peu de choses en commun, rassemblés à cause du danger : leurs différences s'aiguisaient sous l'effet de la tension. Phœbe semblait constamment sur le point de tomber dans l'hystérie : elle s'exprimait d'une voix cinglante, grossière, agressive. Mark boudait, maussade et distant. Martha avait sombré dans une totale apathie. Agressif par tempérament, Arthur avait plus de chance, mais il devint dépressif — fait inhabituel chez lui.

La question de savoir qui s'occuperait des enfants, si on les enfermait tous, se posait particulièrement. Pas Martha, qui se révélait tout aussi vulnérable que les autres. Pas Lynda, puisqu'elle pouvait craquer à tout moment. Margaret n'adressait plus la parole à Mark ni à Arthur, mais elle leur écrivait des lettres où elle les suppliait de réviser leur jugement : les Noirs du Kenya n'étaient que des sauvages dégoûtants — elle joignait à ses lettres des articles sur les Mau-Mau : Mark détruisait la démocratie. Sur la foi de son attitude passée, on pouvait supposer qu'elle se prononcerait en faveur de leur internement, si même elle ne l'organisait pas elle-même.

Finalement, ils proposèrent à Mary et Harold Butts de venir vivre dans la maison pour s'occuper de Paul et de Francis, et pour garder un œil sur Lynda et Dorothy. Ils acceptèrent généreusement de venir, même lorsque la responsabilité fut étendue à tous les enfants d'Arthur, et peut-être même à ceux de Phœbe.

Au sein du comité informel, toute discussion politique était devenue impossible, maintenant qu'Arthur et Phœbe venaient si souvent, et alors que leur hostilité pour le communisme ne s'atténuait pas. Les discussions politiques ne sont possibles qu'entre gens du même bord, ou ayant au moins quelque chose en commun. Ils étaient tous d'accord sur le Kenya, sur l'Afrique. Ils étaient d'accord sur un grand nombre de questions, mais non sur ce qui avait constitué la raison principale de la formation du groupe au début. Les réunions se raréfièrent, puis cessèrent.

Mark passait davantage de temps avec Arthur — les deux frères s'étaient toujours bien entendus. Ses enfants venaient jouer avec Paul. Les petites filles de Phœbe aussi. Il y eut des vacances où les sept enfants se retrouvèrent chez Nanny Butts, ainsi que Mark, Martha, Phœbe, Arthur, et sa femme. Patty ne vit plus Mark pendant deux semaines : elle ne se sentait pas bien, expliqua-t-elle. Elle avait été convoquée par les dirigeants du parti, et sermonnée sur sa ligne politique — insatisfaisante, décrétèrent-ils. Ils l'avaient ouvertement menacée d'expulsion, mais il lui fallait réfléchir à sa position, décider ce qu'elle allait faire. Chez Nanny Butts, on procéda aux derniers arrangements pour le cas où les enfants se trouveraient privés de tous leurs compléments adultes, disparus en prison ou internés. Un soir qu'Arthur Colridge se rendait à la Chambre, sa voiture fut arrêtée par deux hommes masqués qui le menacèrent d'un « sale accident » s'il « continuait à s'occuper des Noirs et à embêter les Blancs ». Il alla trouver la police pour porter plainte ; une explosion endommagea son garage, mais sans qu'il y eût moyen de prouver par la faute de qui. L'atmosphère empirait : pouvait-elle empirer encore ? Même au village de Nanny Butts, ils gardaient l'impression de vivre en état de siège. Ils restaient dans la maison et évitaient d'aller dans le jardin, car il semblait toujours y avoir des gens pour les épier par-dessus les haies. Nanny Butts reçut quelques lettres venimeuses ; les enfants s'aperçurent que leurs amis du village n'avaient plus le droit de jouer avec eux.

Puis la situation commença à évoluer. Les changements débutèrent, pour Mark, avec la publication d'*Une cité dans le désert.* Dans l'ensemble, il ne s'en était guère préoccupé, car il ne savait pas très bien encore s'il regrettait de l'avoir écrit ou non. Les critiques furent très bonnes. Le monde littéraire s'attardait dans sa phase de « non-engagement », et proclamait les vertus de la tour d'ivoire. *Une cité dans le désert* remplissait toutes les conditions de cette mode. Il ne s'y traitait ni de politique, ni de questions sociales, ni d'aucun sujet controversé. On pouvait sans danger le tenir pour allégorique et, surtout, il ne risquait guère d'être approuvé par les communistes. On pouvait le porter aux nues sans risques, et l'on ne s'en priva guère bien que Mark eût été qualifié de communiste pendant maintenant quatre ans.

En fait, dans ce petit univers incestueux où tout le monde avait connu Mark, ou Margaret, ou les frères de Mark, et où tout le monde savait, et très précisément, ce qu'il en était (comment aurait-il pu en être autrement, quand tout le monde avait été rouge — ou rose ?) ils savaient tous qu'un jour, exactement comme eux, Mark verrait la lumière et répudierait le communisme. *Une cité dans le désert* apparut comme la preuve d'un revirement : jamais un communiste n'aurait pu l'écrire.

Patty Samuels, par exemple, considérait le livre comme ignoblement réactionnaire. Leur liaison s'achevait, finalement : la parution de ce roman et les bonnes critiques en hâtèrent le dénouement.

Cela ne signifiait nullement que Mark la vît moins — il la voyait même davantage. Elle était en pleine dépression. Staline était mort, le monde communiste baignait dans le chaos, et Patty aussi. Le problème résidait dans le refus d'admettre que les gens « progressistes » pussent être sujets à la dépression nerveuse. Les milieux socialistes ne reconnaissaient pas l'existence des problèmes mentaux, ou commençaient tout juste à le faire, et la maladie de Patty ne pouvait donc être que purement physique : son médecin appartenait au parti communiste. Elle souffrait de violentes migraines, et son cœur l'inquiétait ; quand Mark lui suggéra qu'elle était peut-être victime de surmenage, elle répliqua d'une voix cassante : « Merci ! Tu veux sans doute dire que tu me trouves névrosée ? » Elle lui écrivit une lettre émotionnelle et virulente au sujet de *Une cité*, le traitant entre autres choses de lâche et de rat, et parlant du navire qui sombrait ou ne sombrait pas, et que l'on pouvait réparer, etc. Elle lui donnait beaucoup d'inquiétude. Elle l'avait attiré par ce dévouement sain qui motivait son existence. Et maintenant, pour la seconde fois, il se retrouvait avec une femme brisée sur les bras. Une fois de plus il fit appel à ce qu'il y avait de meilleur en lui. Martha le vit alors tel qu'il avait dû se comporter avec Lynda, au début de sa maladie : il n'était plus que force et douceur. Mais il souffrait. Non pas à cause de Patty — pour lui, la page était tournée. Ni pour le moment à cause de Lynda, qui se maintenait en une sorte d'équilibre.

Non, il souffrait parce qu'il ne comprenait pas ce qui se passait. Dire qu'il devenait anticommuniste semblait impossible. D'abord, cela serait revenu à trahir son frère : du moins le voyait-il, ou plutôt le ressentait-il ainsi. Mais il avait, dans un moment d'intense émotion, rencontré un groupe de personnes qui s'étaient révélées calmes, judicieuses, dépourvues de toute hystérie. A présent, ces mêmes personnes bouillonnaient dans la fièvre du doute, du conflit, et de l'émotion à propos de Staline, que Mark n'avait jamais vu autrement que comme une sorte de seigneur de la guerre indispensable, « un peu comme Churchill ». Jamais Mark ne s'était montré plus Colridge qu'au sujet de Staline. Il fallait bien que ces gens-là existent, supposait-il ; « il fallait bien avoir des politiciens ». Mais le fait d'énoncer ce genre d'opinions, et dans ces termes, devant des gens qui se divisaient brusquement en stalinistes et en antistalinistes, prouvait plus que jamais, s'il en était besoin, que lui, Mark, n'avait jamais compris de quoi il s'agissait.

Mais il n'estimait pas avoir changé : ni lui ni ses opinions n'avaient changé. Pourtant, après quatre années d'ostracisme total, on l'invitait soudain à des dîners. Le téléphone, resté si longtemps muet, reprenait vie avec tous les anciens amis qui téléphonaient à nouveau comme s'il ne s'était rien passé. Les hebdomadaires intellectuels sollicitaient des articles et des critiques. D'énormes sommes d'argent lui étaient offertes pour ses « confessions » sur le parti communiste, et en particulier par Miles Tangin, qui avait changé de journal mais pas d'attitude : lui, Miles Tangin, se dissociait de ce qu'il écrivait. Son journal était désormais *X-Soir* au lieu de *Y-Matin*, mais l'un comme l'autre publiaient des articles intitulés : « J'ai travaillé pour Staline » ou « Quinze ans d'enfer communiste », etc., et qui étaient le *mea culpa* public non pas de ceux qui avaient vécu dans l'enfer communiste, mais des anciens membres du parti socialiste britannique. La lettre par laquelle Miles proposait cinq cents livres sterling à Mark pour ses confessions contenait également la requête d'être présenté à Harry Politt (présumé ami intime de Mark) parce qu'il « paraît que c'est un type sympathique ».

Mark semblait estimer, non pas tellement que les gens manquaient de cohérence — on ne pouvait guère attendre autre chose d'eux —, mais qu'ils manquaient d'humour. Il n'avait plus employé ce mot depuis bien longtemps, mais s'en servait à nouveau depuis peu. Comme si rien ne s'était passé.

En bref, sa diversion de lui-même dans le communisme avait pris fin. Il avait eu une dose de communisme. Certaines personnes peuvent s'éprendre fréquemment, et avec violence, sans pour autant s'en trouver affectées. Quand c'est terminé, ils n'ont pas changé. De même, certaines personnes prennent des doses de telle ou telle conviction religieuse ou politique : mais cela ne les affecte pas vraiment.

Mark n'avait guère changé : il n'était jamais allé bien loin. Et sans doute était-ce uniquement l'appartenance probable de son frère au parti communiste qui l'empêchait d'affirmer qu'on ne peut pas faire confiance à un communiste plus loin qu'on ne peut l'atteindre.

Au lieu de cela, il disait qu'il ne restait plus aucun sens de l'honneur dans la vie publique.

Auquel cas Martha se demandait pourquoi il passait tant de temps en compagnie de Jimmy. Elle avait un jour fait observer à Mark que si quelqu'un priait Jimmy d'inventer un instrument de torture perfectionné, il le ferait aussitôt, en chassant d'une grimace vaguement embarrassée les problèmes d'éthique comme il avait fait devant les problèmes politiques et personnels de Mark. Mark avait répondu oui, oui, certainement, qu'il était ainsi fait. Mark n'attendait donc aucun sens de l'« honneur » chez Jimmy. Mais il en attendait chez Miles Tangin.

Ils en parlèrent : en discutant ainsi d'honneur et de politique, ils reprenaient leurs habitudes nocturnes dans le bureau. Ils buvaient du cognac, fumaient, et passaient beaucoup de temps ensemble. Patty était partie voir sa sœur dans l'Essex, en plat pays : le vent de la mer, les marécages, le chant des oiseaux, tout cela devait être extrêmement salutaire pour ses migraines et ses ennuis de cœur.

« Dieu merci pour vous, lança Mark, vous êtes toujours d'un grand calme. »

Ainsi donc, Mark l'avait toujours jugée calme ? Mais il choisissait un moment, pour employer ce mot, qui braquait les projecteurs sur ce que le calme pouvait signifier.

Quelques semaines avant la publication d'*Une cité dans le désert*, c'est-à-dire avant le retour de Mark à la respectabilité, Martha avait reçu une lettre de Mme Quest lui annonçant son intention de revenir en Angleterre. Et pourquoi pas ? Rien ne pouvait être plus naturel. En posant la lettre, Martha s'aperçut qu'elle tremblait de la tête aux pieds. Elle se tenait assise, la lettre à la main, parfaitement calme. Mais elle tremblait. Une semaine plus tard, quand une seconde lettre arriva, annonçant une date, Martha se rendit compte qu'elle était restée au lit, qu'elle ne s'était jamais levée que pour ses séances de discussion nocturne avec Mark — pendant une semaine entière. Elle n'avait pas eu la force de se lever. Elle était restée couchée dans la pénombre, gisant dans un état de demi-sommeil, comme une épave encore gorgée d'eau. Pourtant, elle ne pouvait pas vraiment dire qu'elle fût malheureuse. Elle restait calme. Mais elle ne pouvait pas sortir de son lit.

Troisième lettre. L'arrivée était prévue pour dans quelques semaines. Cette lettre devait se lire attentivement. Elle commençait par : Ma fille chérie, et s'achevait par : Ta mère qui t'aime. Au milieu, des pages et des pages de reproches, de récriminations, de haine. Martha avait toujours reçu de sa mère ce genre de lettres. Pendant des années et des années — quand cela avait-il commencé ? Elle ne s'en souvenait plus. Elle ne les lisait pas. Ou plus exactement, elle avait mis au point pour les lire une technique qui consistait à les parcourir très vite pour en extraire les faits indispensables mais en se cuirassant contre la peine. Elle conservait dans sa chambre une valise pleine des lettres de Mme Quest, qui commençaient toutes par : Ma fille chérie, et se terminaient par : Ta mère qui t'aime. Martha écrivait chaque semaine à sa mère, comme une écolière, et n'y disait rien qui ne fût poli et même affectueux.

Elle se força à lire quatre années de correspondance. Cela lui prit plusieurs jours. Elle était malade — mais très calme. Il lui fallait à présent dire quelque chose à Mark — elle déclara qu'elle se sentait grippée. Il se montra gentil : il l'était toujours, et en particulier avec les femmes malades. Martha scruta son visage pour déceler s'il pensait qu'elle allait suivre le même chemin que Lynda et Patty, mais s'il le pensait il n'en montrait rien. Il lui apporta des bouillottes et de l'aspirine et des oranges, et lui tint compagnie dans la pénombre de sa chambre. Il lui raconta des histoires, des anecdotes. Martha l'écoutait vaguement. Il parlait d'un frère et d'une sœur qui s'appelaient Aaron et Rachel, et qu'il semblait avoir connus. Puis elle comprit que Mark commençait à envisager un nouveau livre, fondé sur sa liaison avec Patty. Mais Patty s'était fondue avec Sally-Sarah. Si lui, Mark, ne s'était pas montré si obtus, elle ne se serait pas trouvée acculée au suicide. Mark prenait sur lui-même la culpabilité du sort des Juifs pendant la dernière guerre. Il y avait Patty, il y avait Sally-Sarah, il y avait aussi, bien que Martha ne comprît pas tout de suite pourquoi ces anecdotes lui étaient vaguement familières, Thomas. Mark avait découvert le manuscrit épars et dentelé par les fourmis, et s'en servait pour la création de ces deux frère et sœur, Juifs polonais... comme il était étrange de se trouver là, à écouter la voix de Mark lui parler d'Aaron, ce garçon juif polonais qui était également Thomas.

Rachel et Aaron étaient de beaux êtres à la peau mate et de nature ardente, lui, fils d'un marchand de blé dans un village proche de la frontière allemande. Le père d'Aaron le fouetta un jour si fort qu'il ne pouvait plus s'asseoir pendant une semaine, parce qu'il avait refusé d'aller à l'école : il prétendait que le maître n'avait rien à lui apprendre, et qu'il ne connaissait même pas le latin... comment résonnait la voix de Thomas ? Martha ne s'en souvenait plus. Elle pouvait entendre celle de Mark, elle pouvait voir Aaron, ce gamin enthousiaste et rebelle. Mais à quoi ressemblait vraiment Thomas ? Pas du tout à Aaron, non : c'était un solide gaillard blond aux yeux bleus. A une certaine époque, tout au moins. Il avait existé deux Thomas, dont l'un lui était resté étranger, sombre et amer — comme serait devenu Aaron, s'il n'était pas mort en camp de concentration ?

Des morceaux entiers de la vie de Martha s'étaient évanouis. Elle gisait immobile dans l'obscurité, à écouter vaguement Mark et à tenter de se rappeler les choses les plus simples. Son enfance avait disparu, à l'exception de quelques événements lumineux et isolés. Par exemple, elle s'était naguère réfugiée sous un arbre pour contempler le veld et avait imaginé une cité étincelante, là, dans la brousse. Peut-être la même cité : mais après tout, elles étaient imaginaires l'une comme l'autre. Comment était cette partie-là du pays ? Elle ne se rappelait plus, les montagnes bleues de l'horizon se dressaient dans un ciel bleu et froid, on y voyait des traînées de neige. Comment avait été sa maison ? Elle avait disparu aussi. Une vieille baraque recouverte de chaume et délabrée, au sommet d'une colline; mais elle ne la voyait plus. Et l'intérieur : tout avait disparu. Même sa chambre, qui lui avait servi de refuge et dont elle avait si bien connu les moindres irrégularités de crépi, les reflets allumés dans les brins du chaume par la lumière de la lampe. Ensuite, elle s'était mariée. Elle avait vécu en divers endroits, avec Douglas Knowell. Elle avait eu une grande maison. Elle avait eu une fille, Caroline. Une ravissante enfant. Quel âge pouvait-elle bien avoir, à présent ? Douze ans ? Mais c'était impossible. Et toute cette longue période (qui du moins lui avait alors paru si longue) où elle avait milité activement au sein du mouvement communiste, puis où elle s'était tant occupée de problèmes sociaux — qu'en restait-il donc, de tout cela ? Anton. Elle ne se rappelait plus le logement où elle avait vécu avec Anton. Thomas. Elle ne se souvenait plus de sa voix, ne l'entendait plus. Ce qui lui restait de Thomas — l'entêtante odeur des plantes humides, le bruit de la pluie s'abattant sur la terre trop sèche, le soleil sur un arbre encore dégouttant d'eau.

La longue maladie de son père, sa mère — ah, oui, voilà. Elle le savait bien. Elle avait refoulé la souffrance, et avec elle la moitié de sa vie. Sa mémoire avait disparu. Enfin, presque. Mais dans quelques semaines, Mme Quest allait arriver dans cette maison, dans cette existence que menait actuellement Martha, et il était bien sûr impossible de rien lui en révéler, car elle en serait trop bouleversée. Il apparaissait clairement, dans ces lettres que Martha se forçait à lire, que Mme Quest entendait vivre à Londres, et avec Martha. Elle en avait toujours rêvé. Mais quels souvenirs de Martha s'était-elle donc autorisée à conserver, pour pouvoir croire à une chose pareille ? Tout d'abord, elle s'était emparée de l'adresse : elle connaissait bien le quartier. Son père l'avait souvent emmenée au British Museum dans sa jeunesse. Elle pensait même se rappeler la maison : n'était-ce pas cette grande demeure blanche, à l'angle, avec des balcons peints d'un si joli vert ? Martha était la secrétaire d'un écrivain. Connu ? Mme Quest ne se rappelait pas avoir vu ce nom. Sans doute Martha pourrait-elle lui dénicher une chambre dans les parages, bien qu'à la vérité les vieilles dames ne prissent guère de place, et qu'elle espérât pouvoir encore se rendre utile.

Mme Quest envisageait donc de venir habiter cette maison, en tant que mère de Martha, et de participer à un certain mode d'existence qu'elle imaginait. Bloomsbury. Pour Mme Quest, cela n'avait rien à voir avec la littérature, car elle était étrangère à ce genre d'idées. Cela représentait des visites au British Museum. Elle avait même écrit à Martha qu'elle pourrait l'aider dans son travail — elle avait appris la dactylographie. Bien entendu, cette suggestion atteignit profondément Martha : d'autant plus que sa mère ignorait tout du pathos qui y était lié. Mme Quest avait acheté une machine à écrire d'occasion lors d'une de ses rares visites en ville, et dans la ferme perdue au milieu des montagnes, elle s'était acharnée à apprendre la dactylographie pour que Martha acceptât de l'accueillir. Elle ne s'était pas très bien entendue avec son fils et sa belle-fille. Mais cela survenait assez communément dans les familles pour que la vieille dame n'en fût pas frappée outre mesure : la faute en revenait aux nouvelles générations (elle ne pouvait se résoudre à accuser son fils et sa belle-fille) et les enfants, bien que charmants, étaient fort mal élevés. Évidemment, il n'était pas très raisonnable d'avoir quatre enfants quand la ferme marchait médiocrement, mais jamais Jonathan ni Martha n'avaient écouté ses conseils. Ils parlaient même d'en avoir un cinquième. Elle se contentait d'espérer que les prix du tabac... et ainsi de suite.

Les lettres se firent plus fréquentes. Il en arrivait même parfois deux ou trois par un même courrier. Des détails, des détails, des détails : du voyage, déjà organisé jusque dans le nombre des épingles à cheveux et des bobines de fil qu'elle emportait, et du Londres de quarante ans auparavant, qui restait bien vivant dans l'esprit de Mme Quest et apparaissait dans les lettres sous forme de trajets de tramways et du genre d'élastiques que l'on pouvait trouver chez Harrods. Martha voulait-elle bien téléphoner aux Magasins de l'Armée et de la Marine, pour leur demander s'ils avaient encore d'un certain tissu, auquel cas Martha serait si gentille d'en acheter un mètre cinquante... L'angoisse. Mme Quest baignait dans une fièvre d'angoisse car, tout en répétant que bien sûr tout avait sûrement beaucoup changé, elle tentait de se persuader avant de venir que rien n'avait changé. Mme Quest s'apprêtait à regagner le Londres d'avant la Première Guerre mondiale, et à retrouver sa fille qui occupait un emploi intéressant comme secrétaire d'un écrivain.

La première fois que Martha surprit un regard de patiente appréhension sur le visage de Mark, elle se leva. Elle venait de passer un mois au lit, à lire et relire des lettres. Mais elle les lisait comme on trempe la main dans l'eau chaude pour s'y accoutumer. On la trempe — et puis vite, non, c'est trop chaud, on l'ôte; repos, et puis on recommence... non, non, c'est intolérable. Allons, vas-y, ne sois pas lâche, tiens bon. Et c'est ainsi que les lettres se lurent. Martha s'aperçut un soir que Mark se trouvait auprès d'elle et lui parlait, et qu'elle n'avait pas entendu un seul mot de ce qu'il lui disait. Et il restait assis près du lit, à la contempler d'un air douloureux.

Martha descendit au sous-sol, pour demander conseil à Lynda. Les deux femmes vivaient là depuis bientôt quatre ans. Dorothy avait trouvé un emploi. Ou plus exactement, elle en avait trouvé plusieurs l'un après l'autre, car son perfectionnisme narquois rendait fous furieux tous les patrons. Elle travaillait à mi-temps. Elle occupait l'autre moitié de son temps à faire le ménage et à confectionner des poupées, des couvre-théière et des dessus de coussins. Quant à Lynda, elle ne sortait jamais de son lit avant midi, et il lui arrivait de ne pas s'habiller pendant plusieurs jours d'affilée si elle n'attendait pas de visites. Elle tournait en rond, à fumer, cuisiner un peu, se tirer les cartes, faire du thé pour Mme Mellendip et ses dingues, et lire des revues d'astrologie.

Martha s'assit en face de Lynda attablée devant son jeu de cartes, et annonça : « Je crois que je suis en pleine dépression nerveuse.

— Ah oui ?

— Ma mère arrive.

— Ah, mon Dieu, en effet ! » s'exclama Lynda. Des années auparavant, ces mots avaient exprimé de la ferveur. Mais l'émotion s'était usée.

« Que vais-je faire ?

— Une dépression, c'est une dépression.

— Mais je ne peux pas avoir une dépression si elle est ici, voyons. Seulement si elle n'y était pas.

— C'est justement le problème, non ?

— Il faut que je trouve une solution.

— Il vaudrait mieux ne pas les laisser vous mettre le grappin dessus », observa Lynda. « Voilà mon conseil.

— Mais ne pourraient-ils pas m'aider — les psychiatres ? »

Lynda observa Martha, de ses grands yeux cernés, et sourit. « Bah... »

Pour la première fois, Martha éclata en sanglots hystériques.

Lynda ne fit aucune tentative pour se lever, pour réconforter Martha, pour l'empêcher de pleurer. Depuis des années, son visage et la pose de son corps l'exprimaient, elle regardait des gens pleurer, hurler, craquer : on regardait.

Elle étala ses cartes puis, après un moment, se versa une tasse de thé. La tête de Martha gisait parmi le fouillis des cartes, et il lui semblait que jamais plus elle ne pourrait bouger.

« Et Mark ? » reprit Martha. « Je ne peux pas infliger cela à Mark.

— Le pauvre Mark », compatit Lynda. « Il n'a vraiment pas de chance. »

Martha retourna se coucher. Plus tard dans la soirée, Mme Mellendip monta la voir dans sa chambre. Elle portait un tailleur rouge très correct, et tenait à la main un grand sac noir. Avec ses cheveux gris, propres et coupés court, elle avait l'air d'une femme d'affaires. Elle se comportait avec une autorité nuancée de douceur.

Elle avait étudié les étoiles en vue de cette visite à venir. On ne pouvait guère attendre que tout se passât à merveille, mais elle avait bien besoin de connaître la date de naissance de Mme Quest : sans doute pourrait-on dénicher là des aspects plus positifs. Martha devait se préparer à des moments déplaisants. Mais certains éléments montraient que c'était à Martha d'en tirer le parti qu'elle pourrait. Les horoscopes ne révélaient parfois que des désastres sans fin ; et Mme Mellendip conseillait alors aux gens de partir en vacances, de faire un voyage — de tout quitter. Mais il existait aussi des temps difficiles qui pouvaient se révéler utiles, par des changements, des enrichissements d'expérience, si l'on savait s'en servir. Elle ne conseillait donc pas à Martha de s'en aller, mais au contraire de rester où elle se trouvait et de surmonter les difficultés... Martha n'avait pas sollicité l'avis de Mme Mellendip. Elle gardait le silence, allongée dans l'obscurité, et écoutait cette voix raisonnable. Qui poursuivait. C'était exactement le genre d'avis qu'elle-même, Martha, aurait donné si elle s'était trouvée dans le fauteuil, en présence de Mme Mellendip couchée et découragée. Bien qu'on ne pût guère imaginer Mme Mellendip découragée ou malade.

Elle répondit à Mme Mellendip qu'elle n'avait pas envisagé de fuir. Courte pause. « Il n'y a rien de mal à fuir, quand on sait qu'on ne peut rien faire de bien en restant. »

Cette maxime retentit avec une extraordinaire autorité.

Les problèmes de Martha allaient se résoudre, sa faiblesse actuelle se dissiper, et tout irait bien. Martha se retrouvait soudain pleine de confiance.

Pleine de confiance elle se redressa, prête à accepter de vivre ; et puis elle retomba en songeant que si Mme Mellendip lui avait dit : Tout est bien qui finit bien ; ou même : Un tiens vaut mieux que deux tu l'auras, avec cette même autorité souriante, Martha se serait sentie tout aussi revigorée. Mme Mellendip était une personne dotée de réserves d'énergie qu'elle savait injecter aux gens qui l'entouraient.

Martha resta allongée, à contempler sa vieille adversaire, la femme entre deux âges et compétente. Et elle, Martha, se retrouvait toujours dans la posture de pauvre créature sans défense, qui observait avec envie Mme Mellendip, cette femme si forte. Et calme. Calme. Mark trouvait Martha calme.

Martha se rendit brutalement compte qu'elle, Martha, avait finalement — quoi ? Trente-cinq ans ? Pour d'autres gens, à présent, elle représentait cette force confiante. C'était impossible — mais presque certainement vrai. Le temps, ce cher temps, l'avait amenée jusque-là, sur ce lit, comme une petite fille, à pleurer intérieurement maman, maman, pourquoi êtes-vous si froide et si méchante ? et à contempler le calme admirable de Mme Mellendip avec envie : mais quand elle quitterait son lit pour reprendre ses fonctions dans la maison, il n'importerait plus guère de savoir si c'était elle ou Mme Mellendip qui avait dit : Le temps guérit tout. Ou : On ne peut pas être et avoir été.

Arrivait-il aussi à Mme Mellendip de rester ainsi sur son lit dans le noir, comme une petite fille, à envier désespérément la force des autres ?

La panique submergea Martha. Elle comprit qu'elle redoutait d'imaginer Mme Mellendip autrement qu'infaillible. Si elle ne se forçait pas à en sortir, d'ici à un mois elle se retrouverait membre parmi les autres de ce groupe qui errait au sous-sol, à lire les cartes et à faire tourner les feuilles de thé au fond des tasses. C'était un bien curieux geste que ce hochement de main circulaire et rapide, pour séparer les feuilles de l'eau ; exactement semblable à celui du chercheur d'or qui trie l'or de la roche dans sa batée ; une sorte de sursaut, et le liquide entraînait la poussière inutile et légère, laissant au fond le sédiment plus lourd et peut-être mêlé d'or. Et l'on se penchait pour mieux voir les feuilles de thé flétries ou bien une traînée de sable humide et scintillant.

« Mme Mellendip... commença-t-elle.

— Pourquoi ne m'appelez-vous pas plutôt Rosa ? »

En effet, pourquoi ? Elle rencontrait Mme Mellendip au sous-sol depuis des mois et des mois. Rosa Mellendip souriait, avec une expression un peu sèche, en attendant la réponse de Martha.

La réponse était évidemment qu'elle ne souhaitait aucun rapprochement avec cette femme. Par lâcheté. Pas question, parmi les amis d'une personne aussi rationnelle, de compter... A cette idée, elle ne fut plus que confusion honteuse et embarrassée. « Écoutez, Rosa, déclara-t-elle, je vais y réfléchir. Merci beaucoup d'être montée me voir. »

Elle prononça ces paroles gauchement, sans aucune confiance, et toute prête à s'excuser pour la prier de partir. Elle les prononça *presque* comme pour implorer un pardon. Cependant elle n'avait eu ni rire nerveux ni tortillement de jeune chiot. Elle n'avait pas été « Matty ». Il semblait que jusqu'à la fin de ses jours elle dût s'attendre, chaque fois qu'elle se trouverait en état de faiblesse ou d'abattement, à voir reparaître « Matty » exactement comme autrefois, à l'âge de neuf ans, malheureux petit clown débordant d'excuses volubiles... Elle était encore là, à l'affût près du lit, ramenée à la vie par la puissante confiance en elle-même de Rosa.

Rosa se leva en souriant. Souriante elle demeura un instant devant la fenêtre, à contempler l'arbre. Puis elle hocha la tête, sourit encore, et s'en alla.

Martha en éprouva un soulagement disproportionné, comme si une menace se fût écartée. Ce qui constituait un danger en soi. L'appartement du sous-sol et ses occupants s'isolaient dans son esprit comme s'il se fût agi de gens autres, dont elle devait se protéger et avec qui elle ne pouvait avoir aucun rapport. En vérité, le même processus se déroulait quelques mois auparavant, quand elle avait observé les « communistes », c'est-à-dire Patty, Mark et leurs amis, qui devenaient distincts d'elle, et même tellement étrangers qu'il s'en était fallu de bien peu qu'elle ne devînt haineuse. A présent, il s'en fallait de bien peu qu'elle ne devînt l'ennemie déclarée du monde ténébreux du sous-sol. Elle pouvait observer les mécanismes au travail dans son cerveau, et voir comme Rosa Mellendip était entourée d'une lumière d'abord ridicule, et puis menaçante. Elle se transformait en une chose à détruire, comme une sorcière du Moyen Age. Balayez-moi cela sous le tapis! Hors de vue! Sauvons cette pauvre Lynda et cette pauvre Dorothy, sauvons tous ces pauvres fous à l'esprit affaibli de cette puissante et redoutable femme...

Quelle extraordinaire maisonnée, tout de même, cette entité recouvrant tant d'attitudes et d'opinions contradictoires! Un tout. Les gens qui participent d'une sorte de communion, liés par quelque chose, forment un tout. (Elle le ressentait à nouveau, comme déjà naguère, d'une manière exaltée, significative, comme si un jeu de sens différent opérait en elle pour lui permettre de *sentir*, même fugacement, le lien qui les unissait tous.) Mme Mellendip, qui pouvait déclarer : « Dorothy, restez sur vos gardes toute la journée de jeudi, car vous serez sujette aux accidents. » Et puis les camarades, qui... oui, mais ce contraste avait basculé, il se dissolvait.

Mark trouvait Rosa Mellendip ridicule. Pour elle et pour l'influence qu'elle exerçait sur Lynda, il avait une sorte de ricanement amusé et blessé, qui exprimait également du dégoût. Quelle pression, quel petit déclic pouvait transformer cet amusement embarrassé en une personne capable d'allumer les bûchers et de dresser les potences? En étudiant le mouvement de son esprit, Martha pouvait répondre : une très faible pression, un infime déclic. Il y avait ainsi Jimmy Wood. Mais arrivée à ce point, Martha capitula. La seule pensée de Jimmy la mettait mal à l'aise, sans qu'elle comprît pourquoi ; et l'imaginer avec Rosa Mellendip amenait à renoncer : on ne pouvait que hausser les épaules. Jimmy Wood devrait attendre, il fallait qu'elle se remette sur pied, qu'elle se remette au travail. Et non pas avec l'aide de Rosa Mellendip — simplement parce que ce serait si simple pour elle, Martha, de devenir quelqu'un qui ne met pas le pied dehors le mercredi si les étoiles jettent une ombre néfaste.

Martha se leva, s'habilla : avant même d'avoir terminé, elle savait ce qu'elle allait faire. Elle enfila son manteau, prit deux immenses paniers à provisions, et partit en direction de ces rues de Londres dont les façades exposent des échantillons des millions de livres qu'elles renferment.

Quelque part dans sa vie, Martha avait appris, ou bien peut-être le savait-elle par instinct, que l'on ne devrait jamais rien lire avant de le vouloir vraiment, ni rien apprendre avant d'en avoir besoin. Elle s'apprêtait à traverser l'une de ces brèves périodes de lecture intensive pendant lesquelles elle extrayait une essence, une moelle, acquérait l'information nécessaire et rien de plus. Elle cherchait des livres qui lui révéleraient cette zone de connaissance que l'on englobait, dans la maison de Radlett Street, dans le terme « Dr Lamb ». Elle ne connaissait rien, n'avait rien lu. Pourtant, c'était tellement « dans l'air » qu'elle savait à peu près quels titres, quels auteurs demander. Les deux grands modèles, formant comme ils le faisaient les deux faces, ou pôles, de la science, étaient faciles. « Freud » et « Jung » étaient faciles. Elle renifla et fouina et se fraya à tâtons un chemin dans les contrées intermédiaires, et revint à la nuit tombante avec ses paniers pleins, et des dizaines de commandes en perspective. Elle étala ses nouvelles acquisitions dans toute sa chambre, et s'y installa. Mark vint la voir plus tard dans la nuit, la trouva ainsi établie, resta un moment à la regarder et à formuler quelques commentaires ; manifesta un réel soulagement parce qu'elle s'était levée et qu'elle faisait quelque chose ; quant à ce qu'elle faisait, il s'agissait là d'une tout autre affaire. Un homme qui avait dépensé tant de centaines de livres sterling en frais d'hôpitaux et honoraires du Dr Lamb pour soigner la pauvre Lynda, ne pouvait guère éprouver de sentiments autres que dubitatifs. Mais Martha était normale : son amie avait repris la vie ordinaire, et il en ressentait un vif soulagement.

L'estomac noué par la terreur à l'idée de ce qui approchait, Martha se comportait normalement et s'étonnait de s'en découvrir capable. Afin de rassurer Mark, elle lui prépara quelques bons repas ; ils sortirent même une ou deux fois dans des restaurants ; elle acheta des robes et alla chez le coiffeur. Dans son miroir, elle voyait une femme solide et d'apparence compétente, joliment maquillée et coiffée d'une masse de cheveux d'or sombre et brillant. Maquillés, ses yeux sombres semblaient n'avoir pas changé.

Pendant ce temps, elle lisait. Elle lisait. Elle lisait. Elle cherchait, échantillonnait, puisait, extrayait ce dont elle éprouvait le besoin. Elle ressortit de cet équivalent d'un cours de faculté, munie d'un fait essentiel : aucun de ces praticiens d'une science, ou bien d'un art, ne s'entendait sur rien avec aucun autre.

Cent ans plus tôt, ou quelque chose de ce genre, cette façon d'étudier l'être humain n'avait pas existé. Un être humain était ce qu'il paraissait. Et puis, holà ! Les grands maîtres étaient nés, et l'être humain devenait un iceberg. Mais un siècle plus tard, maintenant, une immense variété de gens emphatiques nourrissaient des opinions très emphatiques sur lesquelles ils péroraient inépuisablement par écrit et par oral dans toute l'Europe et l'Amérique. Mais pas en Russie ni en Chine, toutefois : cette vision des choses y était au contraire suspecte.

Eh bien alors, Martha n'allait se laisser enfermer dans aucun dogme ; car il n'existait par définition aucune base pour le dogme.

Elle redescendit au sous-sol pour voir Lynda, sans se soucier de savoir si ses cinglés s'y trouvaient ou non. Assise sur son lit, Lynda fumait. Dans l'autre pièce, Dorothy enroulait de la laine bleue autour des mains soigneusement écartées d'un petit monsieur grisâtre, qui la dévisageait ardemment pendant ce temps-là car il souhaitait l'épouser. Dorothy se concentrait sur sa laine, sans lui prêter attention.

Martha s'assit à côté de Lynda sur le lit.

« A quoi ressemble le Dr Lamb ? interrogea-t-elle.

— Oh, ils sont tous pareils !

— C'est impossible, voyons !

— C'est justement dans leurs théories, figurez-vous : ce à quoi ils ressemblent ne devrait avoir aucune importance.

— Mais c'est ridicule.

— Je n'en ferais rien, si j'étais vous.

— Je pourrai m'arrêter si cela ne sert à rien. »

Lynda lança un regard malveillant à Martha : l'amusement tournait au vinaigre. « On se prend au jeu, dit-elle.

— Que feriez-vous à ma place, alors ? »

Lynda procéda à l'une de ses brusques volte-face : la femme indifférente et lasse qui s'efforçait vaguement de sourire, polie et à peu près normale, se transforma en virago. Elle se leva d'un bond, l'œil fixe et dilaté.

« Moi ? Je ne suis qu'une rien-que ! »

Cette expression faisait partie du jargon employé au sous-sol. Avec parfois de la tendresse, ou de la colère, ou parfois de la méchanceté, Dorothy appelait Lynda, ou Lynda Dorothy, une « rien-que ». Il arrivait que l'on entendît Lynda hurler d'une voix hystérique qu'elle n'était qu'une « rien-que », et qu'il fallait la laisser en paix.

On ne pouvait rien demander à une « rien-que ».

« C'est cela qu'ils veulent », marmonna Lynda entre ses dents serrées. « C'est leur seul but : vous transformer en une rien-que.

— Je ne comprends pas.

— Cela viendra ! »

Et Lynda se jeta sur le lit, détourna son visage d'un geste violent qui signifiait clairement son congé à Martha, le menton dressé comme une porte fermée. Ses yeux fixaient obstinément le mur, au-dessus du menton — vides. L'intruse devait partir.

Dans la pièce voisine, Martha prit place auprès de Dorothy et de son soupirant. Dorothy empilait à présent des pelotes de laine bleue dans un panier de raphia qu'elle avait tressé elle-même.

« Que signifie ce " rien-que " ? s'enquit Martha.

— Oh, il s'agit simplement d'une petite plaisanterie entre nous, répondit Dorothy.

— Expliquez-la-moi, je vous en prie. »

Dorothy adressa un regard théâtral et péremptoire à son adorateur, qui se leva aussitôt avec un air d'excuse et sortit d'un pas incertain, saluant humblement avec un sourire.

« Il m'exaspère », déclara Dorothy. « Je n'arrête pas de lui dire qu'il me tape sur les nerfs, mais il en redemande. »

Il dut entendre ces mots, ou du moins en partie — il n'était pas allé plus loin que le couloir. Mais il passa la tête à la porte, et lança d'une voix maussade : « Alors à demain, Dorothy. Vous êtes une vilaine, vous savez ! » Elle haussa superbement les épaules, l'œil hautain ; et il fit à nouveau disparaître sa petite tête de souris.

« Me marier ! » s'exclama Dorothy. « Et que deviendrait Lynda, d'abord ?

— Cette rien-que, insinua Martha.

— Oh, ce n'est pas grand-chose — juste une plaisanterie que nous faisions à l'hôpital. Comprenez-vous, c'est à ce moment-là qu'ils sont vraiment contents : quand ils peuvent dire : Vous n'êtes rien que... ce qui leur passe par la tête. Il leur a fallu des semaines et des semaines pour en arriver là, voyez-vous, et puis : Vous n'êtes rien qu'Électre. Vous savez, cette fille qui avait tué sa mère ?

— Oui », répondit Martha, et Dorothy acquiesça. D'un acquiescement paisible et familier. Maintenant que le soupirant s'en était allé, le drame avait disparu. Une grosse dame douce et mélancolique triait des pelotes de laine, en bavardant comme s'il se fût agi de banale routine domestique.

« C'est rien-que l'envie de coucher avec votre père. Rien-que votre frère. Rien-que, rien-que, rien-que... » On aurait dit une ritournelle, ou une comptine pour enfants. « Je ne suis rien-que... une dépression.

— Et Lynda ?

— Eh bien, Lynda est toujours plus compliquée, voyez-vous. » Elle prononça ces mots avec une sorte d'orgueil : Dorothy était fière des complexités de Lynda. « Lynda est tantôt une chose, tantôt une autre. Mais ce n'est pas la question. Vous n'êtes rien-que quelque chose qu'à un moment donné, comprenez-vous, jusqu'à ce qu'apparaisse un autre rien-que. Lynda était rien-que Cassandre, la dernière fois que j'en ai entendu parler, mais qui sait, à présent ? »

Martha téléphona au Dr Lamb pour prendre rendez-vous. La secrétaire s'enquit de Mme Colridge : Martha répondit que c'était pour elle-même. Rendez-vous fut pris pour deux semaines plus tard. Martha observa avec intérêt qu'elle en éprouvait du dépit, parce que ce ne pouvait pas être dès demain. Ayant passé toute la nuit éveillée, à prendre la décision de franchir ce pas considérable, elle semblait estimer que le Dr Lamb aurait dû se trouver disponible dès l'instant où elle le décidait. Le désespoir le plus violent s'approchait — la visite de sa mère ; le Dr Lamb se montrait irresponsable, pour ne pas dire cruel : il ne restait plus un moment à perdre.

Deux semaines : elle s'imposa de ne pas s'aliter, et de ne causer aucun souci à Mark. Elle lui présenta la plus paisible assurance, et il l'accepta avec soulagement. Elle s'émerveillait d'y parvenir aussi bien. Cependant, pour ne pas perdre de temps, elle s'installait dans le fauteuil, pas sur le lit afin de ne pas se laisser entraîner dans des profondeurs de sables mouvants, et s'efforçait de ressusciter son passé perdu. Chaque jour il lui échappait davantage. Elle avait parfois l'impression de s'éveiller dans une ville inconnue, sans plus savoir qui elle était. Elle s'asseyait donc là, elle, Martha. Elle s'appelait Martha — étiquette bien pratique pour désigner son sentiment d'elle-même. Elle se levait parfois pour s'observer dans le miroir, mue par l'impérieux besoin de voir le reflet de cette présence qui, sans raison particulière, s'appelait Martha. Dans le miroir se trouvait une femme au visage agréable, et qui s'appelait Martha. Elle avait des yeux sombres. Elle souriait, ou se renfrognait. Un jour, soumettant au miroir une humeur d'angoisse bouillonnante, elle vit une créature échevelée et en proie à la panique, qui se rongeait les ongles. Elle contempla cette personne terrifiée. Mais *qui* regardait ?

Assise dans le fauteuil. Dehors, devant la belle et haute fenêtre aux gracieuses proportions, un arbre. Rien n'était plus beau et plus extraordinaire que cet arbre, cet être qui émergeait d'une surface grise pour agiter ses membres verts. Au-dessous de la surface se trouvait une structure de racines dont la forme correspondait à la forme et au déploiement des branches. Cet être curieux qui se dressait ainsi devant la fenêtre, était une sorte de conduite pour les rivières souterraines de Londres, qui remontaient tout le long de son tronc, se répandaient dans une centaine de branches pour se disperser dans l'air et s'élever jusque dans le couvercle humide et nuageux du ciel londonien. Il lui semblait n'avoir encore jamais vu d'arbre. Le mot « arbre » était étranger à l'être jailli du trottoir. « Arbre, arbre », répétait-elle comme elle répétait « Martha, Martha », avec le sentiment aigu de l'absurdité de ces syllabes qui usurpaient la réalité de la structure vivante. Et, comme si elle n'avait pas vécu quatre années dans cette chambre, tout s'y révélait soudain extraordinaire, nouveau, et quand le vieux chat noir se leva en faisant le gros dos sur le couvre-pieds blanc, Martha ressentit le ravissement de ce geste jusqu'au creux de ses reins.

Elle descendit voir Lynda au sous-sol : personne d'autre ne pouvait la comprendre.

« Lynda, savez-vous qui vous êtes ?

— Moi.

— Est-ce la personne que vous voyez dans le miroir ?

— Non. Pas souvent. Quelquefois.

— Quand ?

— Oh, je ne sais pas. Il y a des moments, voyez-vous.

— Êtes-vous toujours quelqu'un qui vous observe ?

— Plus ou moins, selon les moments. »

Assise sur son lit et revêtue d'un déshabillé blanc à volants, Lynda se vernissait les ongles des pieds et consacrait toute son attention à cette activité.

Elle écarquilla ses orteils, maintenant ornés chacun d'un coquillage rose vif à son extrémité. Elle eut un rire et regarda Martha, qui vit exactement ce qu'elle voulait dire et se mit à rire aussi.

« Quand même, commença Lynda, vous feriez mieux de rester sur vos gardes et de ne pas le leur dire.

— Leur dire quoi ?

— L'histoire d'être deux. Il arrive que l'on soit plus celui qui observe, et puis au contraire celui-là disparaît quelquefois très loin, et l'on est surtout l'observé. Mais ils guettent cela, voyez-vous, et quand vous vous trompez et que vous le dites, eh bien, c'est la preuve. Vous êtes schizo.

— Rien-que ?

— Cela dépend. C'est ce que j'étais avec un autre médecin, quand le Dr Lamb est parti pour l'Amérique, mais le Dr Lamb a d'autres idées. Mais il ne faut pas leur dire, vous comprenez, il faut garder ses distances. Je dois quand même avouer que c'est très difficile, parce qu'ils vous tendent des pièges.

— En vérité, si c'est ce que je suis à présent, c'est ce que j'ai toujours été. Mais plus maintenant qu'avant.

— Eh bien, s'ils arrivent à vous le faire dire, il vaudrait mieux affirmer le contraire : c'est moins maintenant qu'avant. Parce que d'après leur façon de voir, cela voudra dire que vous allez mieux, et non plus mal. »

Martha comprit que depuis des années elle écoutait d'une oreille distraite les conversations du sous-sol qu'elle avait crues trop folles pour qu'on pût éprouver autre chose que de la pitié. Maintenant, elle comprenait — tout au moins une bonne partie. Elle apprenait même le langage. Plusieurs visiteurs du sous-sol avaient séjourné en hôpital psychiatrique, ou suivaient un traitement d'une sorte ou d'une autre. L'un d'entre eux était le soupirant de Dorothy, ce petit homme grisâtre qui semblait tout amour, tout humilité, avec ses bons yeux de chien. Il était schizophrène, affirmait-on ; avec des hauts et des bas. Quand il se sentait mal, il allait voir son médecin et se faisait interner quelques semaines. On le bourrait de médicaments, il allait mieux, et il quittait l'hôpital.

Pendant des années, toute sa vie, le monde de la maladie mentale et des médecins qui s'en occupaient lui était demeuré étranger. Pas même effrayant : c'était trop lointain. Avec le recul, elle parvenait à se rappeler des gens : une amie, le mari d'une amie, la mère de quelqu'un, qui avait une « dépression ». Mais elle n'y avait pas réfléchi. Par crainte ? Avait-elle eu peur ? Non. Parce que, dès l'instant où l'on disait : Untel a une maladie mentale, Untel a une dépression nerveuse, cela ne la concernait plus : les mots, les étiquettes les avaient éloignés d'elle, les avaient écartés de son expérience. Elle avait pourtant toujours vécu dans des atmosphères de pression, de névrose, que l'on admettait volontiers et dont on parlait librement. Les gens étaient névrosés. Les gens se disaient névrosés. Autrefois, on avait qualifié untel de méchant, tel autre de hargneux, tel autre encore d'intolérant ou de brutal. Désormais, ils étaient névrosés. Pourtant, entre ce climat, cet air ordinaire où l'on avait toujours vécu, et puis cet autre, où les gens étaient suivis par des psychiatres, une séparation absolue s'était imposée.

Et maintenant, brusquement, parce qu'elle en faisait l'expérience, il lui semblait avoir été aveugle. Car soudain, loin d'être une chose qui survenait ailleurs, la maladie mentale (bien distincte de la névrose) l'environnait ; et, chose plus curieuse encore, l'environnait depuis longtemps. Non seulement Lynda et Dorothy, mais aussi leurs amis, d'abord considérés comme ayant simplement de regrettables inclinations vers Rosa Mellendip. Martha se souvint que Gerald Smith, l'un des camarades (déjà devenu ex-camarade) du Parti, avait une femme en hôpital psychiatrique. Elle interrogea Mark sur les problèmes spécifiques de cette femme. Elle, Martha, ne l'avait jamais rencontrée, mais Mark la connaissait. Mark répondit simplement qu'elle semblait gentille, mais un peu sur les nerfs. Qu'avait-elle exactement ? Oh, elle avait eu une dépression ; mais on lui avait fait des électrochocs, et elle semblait aller un peu mieux. Gerald pensait qu'elle pourrait sans doute bientôt rentrer à la maison mais, en attendant, on lui faisait de nouveaux électrochocs. Il y avait Patty Samuels, à présent dans l'Essex, et de qui Martha recevait des lettres désespérément superficielles : Patty, bien sûr, voulait des nouvelles de Mark ; et Martha lui en donnait. Dans une récente lettre, Patty avait écrit qu'elle se trouvait un peu tordue, « il vaut mieux que je l'admette, et que j'en finisse ». Elle voyait régulièrement un psychiatre, dans la ville de Norwich. Et puis il y avait aussi Mavis Wood, justement : elle venait d'apprendre que Jimmy était marié depuis l'âge de vingt ans. Malheureuse en ménage, Mavis Wood était allée trouver sa mère et ses deux sœurs mariées, qui lui avaient demandé : si Jimmy ne lui faisait manquer de rien — la mère ; s'il remplissait son devoir conjugal — une sœur ; s'il se montrait gentil avec les enfants — l'autre sœur. Mavis avait répondu oui aux trois, et s'était retrouvée submergée de honte. Si elle était si malheureuse, la faute lui en incombait manifestement. Pressée par Mark de lui confier ce qui, à son avis, n'allait pas bien, elle se contenta de pleurer que Jimmy lui donnait parfois l'impression d'être absent, mais que c'était sûrement sa faute à elle, puisque Mark le disait.

Mark rapporta ces propos à Martha, qui s'exclama que Jimmy était en effet très absent : et seul Dieu savait quelle partie de lui s'absentait ! S'obstinant dans son admiration envers Jimmy, Mark observa que les génies étaient connus pour ce côté « difficile à vivre », et que Mavis n'était certes pas une femme très brillante. La semaine précédente, elle s'était mise à hurler, et avait persisté pendant deux jours entiers tandis que Jimmy continuait à sautiller en souriant, et à lui demander ce qui n'allait pas. Mavis était allée se faire soigner à l'hôpital, tandis qu'une sœur prenait les enfants en main — celle qui avait demandé s'il se montrait gentil à l'égard des enfants. Jimmy devait être bouleversé, suggéra Mark, mais il n'avait heureusement pas le temps d'y penser : l'usine lui donnait fort à faire, et puis il apparut qu'il s'était mis à écrire. Il écrivait de la science-fiction intersidérale ; Mark ne voyait pas bien pourquoi « intersidérale », mais supposait qu'un mot en valait un autre.

Il ne restait plus que deux jours avant le rendez-vous avec le Dr Lamb. Les lettres de Mme Quest arrivaient à présent par paquets, chaque jour. Le seul fait de tendre la main pour prendre une lettre et de déchirer l'enveloppe déclenchait chez Martha, comme si elle eût pressé un bouton ou ouvert une vanne, deux émotions violentes mais contradictoires. L'une était la pitié — forte, déchirante, insoutenable. L'autre était le farouche besoin de fuir — n'importe où. Sous ses couvertures s'il n'y avait nulle part ailleurs où se réfugier. Elle restait donc assise là, à écumer d'une inutile révolte. Contre quoi ? Une pauvre vieille femme solitaire dont la vie ne lui avait jamais rien donné de ce qu'elle souhaitait, ou du moins jamais bien longtemps. Mais c'était précisément dans ces moments de rage impuissante qu'elle pouvait revivre une partie de son passé perdu. Elle se souvenait d'elle-même comme d'une adolescente violente, agressive, qui s'était démenée en tous sens pour agripper tout ce qui pouvait lui servir d'arme pour survivre : son propre corps manipulé de manière à se rendre attirant, les vêtements, les idées, les songes, les livres, les gens — n'importe quoi. Elle avait été cette personne, sans aucun doute, et l'était encore à présent, quand elle lisait ces lettres pathétiques qui lui brisaient le cœur. Et assise là, à revivre les élans de son adolescence, elle se souvenait que même alors, il y avait eu cette autre personne, cette observatrice silencieuse, ce témoin. Rien d'autre n'était permanent. Elle retourna au miroir, et se rappela le visage de cette fille : elle le revoyait, une ombre tapie derrière le visage qu'elle voyait maintenant, deux visages, celui d'aujourd'hui, et l'un de ceux du passé. Seuls les yeux les reliaient entre eux.

Puis survint un incident qui lui parut incroyablement cruel. La secrétaire du Dr Lamb téléphona pour l'informer que le Dr Lamb était malade, atteint d'une mauvaise grippe. Il fallait fixer un rendez-vous provisoire pour deux semaines plus tard.

Martha sombra. Elle se recroquevilla sous ses couvertures. Sa mère allait arriver avant qu'elle eût pu s'accrocher à ce morceau de bois qui flottait sur la mer déchaînée, le Dr Lamb. Elle se trouvait abandonnée, sans défense, et le cruel Dr Lamb la laissait tomber. (Mais une partie d'elle-même observait ces réactions prévisibles, décrites si précisément dans les livres qu'elle avait lus récemment.) Elle observait, et souriait ; et en même temps elle réagissait, noyée de panique et de larmes.

Une lettre de Mme Quest arriva, annonçant qu'elle avait retardé de deux mois la date de son départ. Elle séjournait au Cap chez des amis. Sur le moment, Martha ne retint qu'une seule chose : elle était sauvée. Par la suite, en relisant la lettre, elle comprit que Mme Quest redoutait autant qu'elle-même ces retrouvailles, et qu'elle les avait retardées de manière à se donner le temps d'affronter la souffrance qu'elle voyait venir (quelque part en elle-même). Mais Mme Quest ne s'était pas avoué ce qu'elle faisait vraiment. La peur de la souffrance, l'appréhension, se déformait et devenait un flot de reproches à l'égard de Martha, qui se révélait méchante et sans cœur : pourquoi n'avait-elle pas répondu à ses deux dernières lettres ? Et puis elle ne disait pas un mot des sous-vêtements que Mme Quest lui demandait d'acheter. Il était manifeste que Mme Quest se trouverait réduite à s'en occuper elle-même, alors que ce n'était quand même pas trop espérer...

L'épreuve était retardée : mais elle approchait quand même. Le cruel et traître Dr Lamb pouvait trahir encore. Et Martha gisait immobile dans l'obscurité.

Par la suite, elle vint à penser que ce double retard était la plus heureuse chose qui lui fût jamais arrivée. Si cela ne s'était pas produit, si le Dr Lamb n'avait pas eu la grippe et que Martha se fût rendue chez lui sans s'y être préparée, sans rien avoir appris de ce qu'elle pouvait faire pour elle-même — eh bien, elle pensait que certainement elle aurait été perdue. Peut-être. Peut-être pas. Et peut-être la chance n'existe-t-elle pas, non plus que les coïncidences.

Mais en l'occurrence, le Dr Lamb ne reprit son travail qu'au bout d'un mois, et Mme Quest s'attarda chez ses amis au Cap, où les chênes lui rappelaient l'Angleterre, où les versants des collines étaient couverts de vignes, et où elle pouvait voir les navires entrer et sortir du port, par les fenêtres de sa chambre, très au-dessus des pentes de la ville basse.

Martha s'arracha à son lit. Elle s'assit et contempla l'arbre. Autrefois, elle s'était couchée sur des planches rugueuses entre lesquelles se glissait la senteur de la terre fraîchement arrosée : les rameaux d'un arbre apparaissaient dans la découpe carrée de la fenêtre, apportant des bouffées d'air humide et chargé de soleil. Elle tenta de retourner dans cette autre petite chambre haute, de revoir les rameaux de cet autre arbre : elle ne voyait que celui-ci, le sycomore. Elle essaya. Deux formes d'arbres luttaient sous le regard de son esprit, et le sycomore se fondit en un arbre orange de lumière sous le soleil d'Afrique. Puis il disparut et redevint sycomore. Elle lutta. Elle se trouvait dans le grenier, ou plus exactement dans un compost d'odeurs chaudes, de croissance humide, de poussière mouillée, d'air embaumé, de roses. Le grenier prenait forme. Dans le grenier grimpait Thomas, un homme solide et tanné, aux mains de fermier. Elle s'y agrippa. S'agrippa à Thomas. Agrippée à Thomas, et prenant pour guide sa présence rassurante, elle quitta le grenier pour gagner le café qui sentait l'armée, la graisse chaude et l'encaustique. Elle laissa revenir la grande salle et les gens qui mangeaient, avec Athen, et Solly, et Jasmine ; cramponnée à eux, elle longea les avenues et la maison entourée d'un jardin où sa mère... la souffrance revint, fulgurante comme une blessure, et tout disparut.

Épuisée, elle gisait : tout ce qu'elle avait reconquis avait redisparu. Lentement elle se rassit, reprit un fil, un fragment, une miette ; une tache de lumière sur un mur, une voix, un sourire, et elle refit laborieusement le chemin jusqu'au point où il lui fallait pénétrer dans cette maison où des plantes se découpaient sur les murs ensoleillés de la véranda, et où Mme Quest... elle tint bon. De même que l'on trempe la main dans l'eau chaude, qu'on la ressort, qu'on l'y remet avec précaution, puis qu'on l'en ôte encore... c'était ainsi qu'elle s'y prenait. La maison entourée de verdure était revenue, et elle entra dans la chambre qui sentait le médicament et la matière fécale, elle vit le visage de son père, tout blanc sur l'oreiller. Sa mère entra bientôt, et elle la regarda emplir un verre d'un médicament rose, puis se rendre au chevet du malade avec un air renfrogné. « Tu devrais prendre cela maintenant, Alfred, avec tout le poulet que tu as eu pour le dîner. »

Puis elle sombra, incapable de bouger, de ressentir, de penser. Mais ce qu'elle avait déterré demeurait. Il restait de petits paysages isolés, illuminés par la souffrance. Elle parvenait à y entrer et en sortir tant bien que mal. Elle retourna à la maison juchée au sommet de la colline, dans le veld. Il n'en demeurait rien. De la ferme, rien ne restait qu'un soleil brûlant, un scintillement d'étoiles. Certains soirs de pleine lune, ils avaient pris place dans des chaises longues sur la véranda pour contempler les étoiles, et voir les feux brûler en chaînes de lumières rouges sur les crêtes des collines. Elle s'y retrouvait assise. La rugosité de la toile. Un hibou. La lumière de la lampe tombait sur une pente de terre caillouteuse. Un fort parfum de verveine — sa mère se dressait dans l'encadrement lumineux de la porte, et annonçait de sa voix forte et joyeuse : « C'est l'heure de se coucher, il est tard. » La souffrance revint, engloutit tout ; patiemment, Martha évoqua à nouveau une senteur de fleurs, un hululement de chouette, l'odeur de la pipe de son père. Puis elle ne tarda pas à pénétrer dans la maison. Pièce après pièce elle la créa, ou plus exactement, elle fit revenir le reste en s'accrochant à un détail, à un coussin ou au grain d'un rideau, à l'éclairage d'une brassée de chaume. Lentement. C'était très lent. Très douloureux. Complètement épuisant. Son estomac crispé lui faisait mal. Elle luttait. *Qui* luttait ? Elle pouvait être assise, ou plutôt se sentir soutenue par un support doux, et regarder un arbre — ou plutôt une chose grisâtre qui jaillissait du trottoir et devenait une masse verte constituée de mille petits morceaux de vert — et se sentir comme un bassin vide. Qui ? Dans le bassin entra le mot « sycomore ». Puis vint « siège ». Dans le bassin entrèrent des parfums, des sons, des voix, des images. Quand les parfums, les sons, les voix, les images disparurent, il restait elle. Qui ? Si un jour elle se retrouvait sans mémoire dans une ville inconnue, et qu'on lui demandait : « Comment vous appelez-vous ? », elle pourrait répondre : « Voyons, Rosalind MacIntosh. » Ou Montague Jones. Pourquoi pas ? La sensation d'elle-même qui demeurait n'avait pas de sexe. Supposons qu'en fermant les yeux, en retenant cette sensation, cette présence, elle s'imagine dans un corps d'homme ? Pourquoi pas. Un homme vieillissant, massif, trapu, avec une chair fripée et des yeux bleus, un homme lent et méditatif avec toute une histoire derrière lui, de travail, de femmes, d'enfants. Pourquoi pas ? Ou bien un jeune homme, Aaron, le frère de Rachel, un garçon agile et brillant. Ou même, en laissant prendre à la sensation d'elle-même une forme tout autre, un cheval, un petit cheval blanc. Elle le voyait ; elle s'y fit glisser, et vit de chaque côté de sa tête le monde se transformer en deux étendues d'herbe et de brousse. Qui, alors ? Eh bien, moi, bien sûr, qui d'autre, cheval, femme, homme ou arbre, scintillante individualité à facettes, de vert haletant, voici la sensation de moi, innommée, reconnaissable à moi seule. Qui, quoi ?

Cet être allait et venait dans la maison sur le kopje, et chaque détail de chaque pièce apparaissait clairement. Mais que cette personne devienne seulement Martha — et elle s'engloutissait dans un flot de souffrance brûlante. Eh bien, alors, lutte.

Elle lutta. La maison revenait, le paysage tout autour revenait, elle pouvait en esprit s'asseoir sous l'arbre et contempler la vallée, une vallée profonde et parsemée de broussailles, avec toute une variété de teintes vertes, rouges, brunes. Mais sa mémoire était clairsemée de grands trous. Il restait encore des mois entiers, voire des années, dont elle ne pouvait rien dire que : Je suis allée dans ces pièces, j'ai parcouru ces rues ; à cette époque, ces gens-là m'entouraient. Elle travaillait, s'emparant d'un détail, d'un coussin, d'une fleur, d'une voix, d'un reflet sur des lunettes. Des chaussures blanches : des petites chaussures blanches d'enfant ; une petite fille vêtue d'une robe rose, la tête auréolée de boucles noires brillantes. Elle tournait vers Martha un petit visage aigu et attentif. Elle souriait d'un sourire forcé.

Martha se tendait vers ce sourire, le voyait fondre en larmes : Martha s'entendit pleurer. Elle pleurait tandis qu'une petite fille pleurait avec elle, maman, maman, pourquoi es-tu si froide, si méchante, pourquoi ne m'as-tu jamais aimée ?

Jour après jour, Martha traînait, s'allongeait, rêvait dans sa chambre de Radlett Street ; accomplissait correctement les tâches nécessaires ; « Voulez-vous un vrai dîner, ce soir, Mark ? Parfait, à quelle heure ? » Mark et Martha se faisaient face par-dessus la table, et bavardaient. Il n'aimait guère l'idée de sa prochaine visite au Dr Lamb, et se montrait mal à son aise.

« Je ne vois vraiment pas ce qu'ils pourront pour vous, ces gens, mais si vous pensez que... »

Le Dr Lamb ne pouvait rien pour la personne, l'être qui était là sans cesse ; la sensation, seulement, de l'existence. Mais il pouvait, il *devait*, faire quelque chose pour Martha.

Quelque part très loin, fort au-delà de l'emprise de sa mémoire, était née une Martha rageuse et rancunière, bagarreuse, en conséquence d'un combat contre la pitié. Très longtemps auparavant, la pitié avait été son ennemie. La pitié aurait pu détruire.

Le devoir du Dr Lamb à son égard consistait à lui redonner la pitié, la force de s'y tenir et de ne pas se laisser détruire. Il fallait, quand sa mère viendrait, qu'elle ait la force de la prendre en pitié, de l'aimer, de la choyer, et de ne pas se laisser détruire.

Le Dr Lamb se révéla un homme entre deux âges, revêtu d'un costume sombre et bien coupé. Il arborait un visage fort et circonspect. Après plus ample inspection, il apparut que cet air de porter l'armure provenait essentiellement de ses lunettes. Le sens aigu de ce qu'éprouvaient ses patients se voyait à la manière dont il ôtait ses lunettes, et dont Martha se rendit compte dès l'instant où elle comprit que ces lunettes lui apparaissaient comme une défense impénétrable. Un homme assez sympathique : des yeux réfléchis, avisés, vifs ; une bouche ferme, dressée à ne tolérer l'humour qu'à bon escient. Lors de conférences dont elle avait soigneusement épluché les rapports, le Dr Lamb faisait preuve d'esprit et d'élégance. Un homme tout à fait plaisant. Elle le regarda. Elle entendit ce qu'en avait dit Lynda ; ce qu'en avait dit Dorothy ; ce qu'en avait dit Mark. « Pas mauvais bougre, je suppose. » Lynda avait hurlé qu'il était le diable, un jour.

C'était un homme rond : visage rond, tête ronde, corps grassouillet et mains bien assorties : des mains raisonnables et confiantes. Il se tenait sur un fauteuil de cuir noir, le dos tourné vers le coin de la fenêtre, de manière à exposer ses visiteurs en pleine lumière. La pièce était strictement fonctionnelle. Carrée, blanche, avec un bureau, un divan de cuir noir au pied duquel était plié un plaid écossais, et deux fauteuils de cuir. Aucun objet dans cette pièce n'évoquait le Dr Lamb comme individu, si ce n'est peut-être le plaid. Car le genre de pièce qu'aurait choisie le Dr Lamb, personnellement, n'avait rien à voir avec celle-ci. Lorsqu'il revêtait ce costume, le matin, il revêtait sa profession ; lorsqu'il entrait dans cette pièce, il pénétrait dans l'impersonnel. Si seulement on avait pu voir tout cela, l'air de la pièce devait être saturé d'émotions violentes et douloureuses : des années, sans doute, d'angoisse et de terreur s'y concentraient. Les murs en étaient sûrement gorgés, ils devaient vibrer. Des émotions. Mais pas celles du Dr Lamb.

Assise là, tandis que le Dr Lamb attendait courtoisement qu'elle parlât, elle éprouvait soudain un sentiment si extraordinairement aigu de tout le système, de ce déroulement, qu'elle s'en trouvait réduite au silence. Des centaines et des milliers de gens, des millions même, entraient dans cette pièce ou dans une pièce analogue, pour voir le Dr Lamb ou un médecin analogue, parce que leur vie s'était écoulée comme du sable sec. Cent ans auparavant, qu'avaient-ils fait ? Dans cent ans, que feraient-ils ? En si peu de temps, ce phénomène était apparu. Le Dr Lamb, qui, grâce à plusieurs années d'études et de diplômes dans des universités et des écoles de médecine, avait acquis le droit de trôner ici pour rendre des sentences, pouvait dire : Voici ce qui ne va pas chez Martha, voilà le problème ; *il était prêt* à assumer la responsabilité des résultats qui s'ensuivraient ; peu lui importait que Lynda hurlât qu'il était le diable, ou que Mark le déclarât brave bougre. La société en avait décidé. Elle avait souffert cela : et Martha aussi, qui s'apprêtait à venir plusieurs fois par semaine pendant Dieu seul savait combien d'années, et à dépenser jusqu'au dernier centime de ses économies.

S'il battait sa femme ou traitait trop froidement ses enfants ; s'il était arrogant, ou humble — peu importait. De même qu'un personnage de théâtre affublé d'un masque annonçant : « Je suis la Sagesse », peu importait ce qu'il était personnellement. Si Martha décidait, sur la foi de la vie qu'elle menait à l'extérieur de cette pièce neutre, que le Dr Lamb manquait de perspicacité, ou qu'il était arrogant, alors dans cette pièce même, cette décision ne pouvait signifier qu'une seule chose : qu'elle luttait, qu'elle résistait à son moi le plus élevé, tel que le représentait le Dr Lamb. Car toutes les émotions de cette pièce, les attitudes, les certitudes, étaient celles de Martha, et jamais celles du Dr Lamb. Le Dr Lamb pouvait choisir de garder un silence total pendant des mois, ou des années, ou bien de donner des conseils et des directives (selon sa conviction) — mais en ce qui le concernait, ainsi que la société, tant que Martha réagissait contre lui par peur ou par sens critique, c'était sa propre progression qu'elle bridait.

Pourtant, une fois sorti de cette pièce, il pouvait tout aussi bien s'en aller à une réunion de confrères et ne pas s'entendre avec eux ; ou bien il pouvait écrire des articles, dans les revues professionnelles, qui en contredisaient d'autres ; ou il pouvait encore ne pas aimer ses enfants, qui devenaient à leur tour les patients d'autres hommes ou d'autres femmes également affublés de masques disant : Sagesse. Vérité.

Eh bien, que faisait-elle ici, alors ?

Elle n'avait nulle part ailleurs où aller.

Il changea de position sur son siège, et parla. D'abord de Lynda, puis de Mark, et enfin de Dorothy. Il cherchait à savoir s'il lui faudrait réajuster le traitement des deux femmes malades à cause de Martha ; ou si Martha se trouvait là à cause de l'une d'elles.

Tandis qu'il parlait, elle observait que sa propre attitude envers le Dr Lamb devenait de moins en moins objective, et se modelait sur celle de Lynda et de Dorothy : elle voyait en lui un être puissant, qu'il fallait amadouer. A ce sentiment vint s'ajouter le dépit. Lorsqu'ils en vinrent enfin à elle, elle s'aperçut qu'elle s'était assise dans une position qui affirmait clairement : Je vous en veux. Il l'observait et ne manquait pas un détail.

Priée de dire pourquoi elle venait le voir, elle avança une opinion sur la profession qu'il exerçait, telle qu'elle l'avait perçue quelques instants plus tôt seulement, et lui demanda si, avec de telles idées, il pensait pouvoir faire quelque chose pour elle. Maintenant, et alors qu'elle avait baissé le ton, qu'elle s'était adoucie par pure politesse pour exprimer ce qu'elle ressentait, cela lui venait avec une certaine agressivité. Il l'écoutait d'un air indifférent, comme si la situation qu'elle venait de lui décrire, extraordinaire à tous points de vue, ne l'avait concerné en rien.

Il lui demanda si un problème immédiat l'avait amenée chez lui. Elle répondit que sa mère s'apprêtait à venir la voir. Le problème résidait dans le fait que son intelligence ne pouvait rien sur ses émotions. Son cerveau lui disait que sa mère méritait pour le moins deux bras aimants et quelqu'un pour la réconforter jusqu'à sa mort. Mais ses émotions l'incitaient à se coucher avec ses couvertures par-dessus la tête, et faisaient d'elle une créature sans énergie ni volonté... Bon, ce n'était pas tout à fait vrai. Mais elle se souvint alors des avertissements de Lynda, et parvint à se taire.

« Hum hum », se contenta de dire le docteur.

Il jeta un coup d'œil à la pendule, placée bien en évidence. Elle découvrit avec effarement qu'il s'était déjà écoulé plus d'une demi-heure. Il lui restait quinze minutes.

Le Dr Lamb se lança alors dans une série de déclarations concernant l'approche de l'esprit humain préconisée par son école de pensée, contre lesquelles Martha ne pouvait que s'insurger. Mais il savait, bien sûr, qu'elle allait s'insurger : en l'observant, tandis que des vagues de colère se dressaient en elle, elle constata qu'il choisissait très précisément ce qu'il disait. En proie à une grande colère, elle opposa sa propre position à tout ce qu'il avait dit. Dans les cinq dernières minutes, elle avait exprimé tous les refus possibles de ce que représentait le Dr Lamb. A quoi il rétorqua fort raisonnablement qu'en ce cas il ne pensait pas pouvoir l'aider. Elle réagit par un violent sentiment de rejet, d'exclusion, qui l'amena à mendier un second rendez-vous pour le plus tôt possible. Demain ?

Hélas non, le Dr Lamb était tellement pris : mais peut-être dans deux jours ?

Elle partit. Dans le taxi, elle observa deux choses. D'abord, qu'elle était épuisée. Ce brusque élan de colère, si adroitement provoqué par lui, l'avait vidée. Elle se retrouvait sans émotions. Deuxièmement : jamais un seul instant il n'avait douté de ce qu'il faisait, et jamais un seul instant elle n'avait cessé d'observer ce qu'il faisait et de le comprendre.

Elle rentra se coucher. Elle avait prévu pour ce soir-là un travail très dur, pour récupérer une nouvelle portion de son passé. Mais elle n'en avait plus l'énergie. Pendant des semaines elle avait eu l'énergie nécessaire, pour cet effort plus éprouvant qu'aucun autre, et même lorsqu'elle s'était trouvée débordée, préoccupée, ou *presque* paralysée par la pensée : elle va arriver, elle va arriver.

Pourtant, pas ce soir. Elle savait cependant, et sans le moindre doute, que ce « travail » comptait plus que tout, plus que tout ce que pouvait faire le Dr Lamb ou n'importe qui. Oui, elle devait retourner voir le Dr Lamb.

Elle demeurait apathique, elle n'était plus que la patiente du Dr Lamb, qui retournerait le voir tel et tel jour à telle et telle heure. Elle ne pouvait plus fouiller son passé. Et la personne qui avait su le faire semblait avoir disparu.

Pendant cette heure, elle parlait. Tel était le processus : le patient parlait et parlait, le médecin écoutait. Cela semblait juste. Elle pouvait comprendre cela, non pas seulement d'un point de vue théorique, mais aussi par expérience. On parlait, on faisait telle ou telle chose : et finalement, on « entendait » pour la première fois ce que la vie vous répétait sans relâche, de diverses façons, depuis des années. On ne l'avait pas entendu jusqu'alors pour la simple raison que l'on ne disposait pas de l'équipement nécessaire pour « entendre ». La vie consistait simplement à développer de nouveaux sens, des « oreilles » permettant d' « entendre », d'expérimenter ce qui vous avait échappé jusque-là.

Le Dr Lamb personnifiait donc ce principe croissant de l'existence qui vous alimentait, vous développait, de sorte qu'on acquérait des « oreilles » dont on s'était passé jusqu'alors.

Elle parlait. Elle n'éprouvait aucune émotion. Elle n'avait plus éprouvé d'émotions depuis qu'elle s'était assise là, deux jours auparavant. Quand elle partit, ce fut comme s'il ne s'était rien passé. Enfin, non : ce n'était pas tout à fait vrai : car elle était venue, cela s'était réellement produit. Et cette démarche, le fait de se soumettre au Dr Lamb, semblait annuler l'autre, la quête provoquée par l'observateur silencieux.

Au troisième entretien, elle comprit dès l'instant où elle prit place que le Dr Lamb tentait autre chose que ce qu'il avait fait la veille. Avec une terrible habileté, tel un pêcheur appâtant le poisson, il la ramenait inlassablement là où elle se mettait en colère. Attentive, elle esquiva, lutta, recula, car plus que tout elle redoutait l'épuisement qui s'ensuivrait. Puis elle craqua, inévitablement : et elle pleura, cria, tempêta. Il restait immobile, non concerné. Elle rentra chez elle en vacillant, comme une mouche attrapée au papier collant, et se terra au lit. La seule pensée qu'elle avait naguère eu l'énergie de s'asseoir et de combattre son propre esprit, sa propre mémoire, lui semblait parfaitement absurde. Elle savait qu'elle n'aurait pas dû retourner chez le Dr Lamb. Si son être, sa propre conservation se trouvait en cours de destruction, cela primait sur toute autre chose, et elle devait s'en tenir là.

« Ah, se souvint-elle d'avoir entendu Lynda soupirer, mais on se laisse emporter ».

Elle téléphona à Lynda, au sous-sol, et lui demanda de monter la voir. Lynda arriva, revêtue d'un peignoir rose qui, comme toujours, paraissait un peu sale. Elle tenait à la main la petite boîte ciselée, cadeau de Mark, où elle conservait ses médicaments.

Lynda prit place dans le fauteuil et le chat lui sauta sur les genoux en ronronnant. Couchée dans son lit, Martha dévisageait Lynda.

« Je veux vous demander quelque chose.

— Oui ? » Lynda observait Martha de loin, d'un œil perçant et peut-être même avec une expression d'aigreur.

« Quand vous parliez avec les médecins, quand vous étiez en psychothérapie, cela vous a-t-il fait quelque chose ?

— Bah, on apprend des choses sur soi-même, je suppose. »

Elle ne poursuivit pas. Quand elle prenait ce ton, Martha savait ce que cela signifiait : on lui semblait faire l'imbécile. Lynda avait accepté de monter, elle était assise là, elle était tout à fait décidée à parler — mais il fallait que Martha lui pose les bonnes questions.

« Que fait-il pour vous, actuellement ? Quand allez-vous le voir ?

— On me donne des cachets, pour le moment. »

Silence. Impasse. Lynda ronronnait avec le chat. Après un moment d'une durée raisonnable, elle se leva pour partir.

De la porte, elle reprit : « Si j'étais vous — ne prenez pas de cachets ; enfin, s'ils vous donnent des cachets, ne les prenez pas. Quoi qu'il arrive. »

Elle sortit. Martha resta couchée, à songer que ces deux femmes vivaient de médicaments, que leur existence était réglée par des médicaments et par leurs visites à des médecins qui leur en prescrivaient davantage encore.

Bien sur, Lynda était paranoïaque : l'un des médecins qu'elle avait vus l'avait diagnostiqué.

Le lendemain, elle demanda au Dr Lamb : « Voulez-vous bien me dire quel est mon diagnostic ? Qu'ai-je donc ?

— Mais certainement, Mme Hesse », répondit-il aussitôt, en annonçant avec la volonté de franchise qui caractérisait sa secte : « Vous êtes maniaco-dépressive, avec des tendances schizoïdes. »

Martha se retint de plaisanter, ce qu'elle aurait certainement fait si Dorothy n'avait continuellement répété cette même phrase : « Si je suis déprimée maintenant, alors quand suis-je maniaque ? »

« Docteur Lamb, pouvez-vous m'expliquer ce que signifie " schizoïde " ?

— Eh bien, voilà une sérieuse question !

— Alors juste une définition rudimentaire.

— Cela ne signifie pas que vous soyez deux personnes.

— Ah non ?

— Non. Il s'agit là d'une croyance absurde, de gens qui n'y connaissent rien.

— Cela n'aurait donc rien à voir avec cette partie de moi-même qui observe sans cesse ? »

Elle prononça ces mots délibérément, avec une rage farouche, en écoutant l'avertissement de Lynda résonner à ses oreilles. Mais il fallait qu'elle le dise : le fait d'être assise ici, face à l'auditeur silencieux, le Dr Lamb en l'occurrence, vous forçait à le dire. A tout dire. Elle savait à présent que peu importaient les résolutions prises hors de cette pièce, de ne pas dire telle ou telle chose, d'être ainsi plutôt qu'ainsi : il jouait avec elle comme le chat avec la souris. L'antidote était la ruse : l'arme habituelle de Lynda. Mais pas celle de Martha. La ruse était la défense des désespérés. Martha ne l'était-elle donc pas ?

Il avait immédiatement relevé la peur qu'éprouvait Martha, car il déclarait à présent d'une voix chaude et réconfortante : « Eh bien, et si c'était le cas ? »

Il attendit qu'elle continue.

Décidant de ne pas poursuivre, elle enchaîna : « Dr Lamb, quels mots emploieriez-vous pour décrire cela, comment le diriez-vous ? »

Un instant d'hésitation. Puis il se mit à rire. « Je préférerais que vous me le disiez vous-même, Mme Hesse. »

Martha écouta la sonnette d'avertissement pendant un moment, puis répondit : « C'est la meilleure partie de moi-même. La seule partie authentique permanente, en tout cas. »

— Ah, observa-t-il poliment, je vois. »

Il attendait. On eût dit qu'un défi avait été lancé, et le terrain de combat délimité.

Elle attendait.

L'entretien s'acheva dans le silence.

Elle rentra chez elle avec le sentiment de s'être trahie.

Elle était allongée face contre terre, toutes lumières éteintes, quand elle vit à quelques centimètres de son visage une chaussure, avec un pied dedans. Elle se retourna. Mark était assis dans le fauteuil et la regardait, en tenant le chat sur ses genoux.

« Eh bien, eh bien », dit-il.

Puis, comme il était prévisible, Mark pour la troisième fois de sa vie se trouva confronté à une femme qui s'agrippait à lui. « Sauvez-moi, sauvez-moi », et il redevint l'homme fort et rassurant.

Un corps d'homme — cette contrée qu'elle n'avait plus connue depuis... était-ce quatre années ?

Bien entendu, ils auraient dû s'y prendre ainsi depuis longtemps, dès le début. Qu'ils avaient été bêtes ! (Car dans ce pays où l'on rejette les règles de vie ordinaires, on affirme ce genre de choses, on prétend que cette longue et triste affaire avec Patty Samuels n'avait pas été aussi inévitable que celle-ci, puisque tous deux appartenaient à l'univers des lois de croissance.)

La chambre était hors de la souffrance. Elle vibrait d'intimité partagée, de confiance, de bonheur, d'amour.

Sauf que quelque part en Martha se tapissait cette personne qui observait et attendait. Oh, mon Dieu, si seulement elle avait pu tuer cette personne, la chasser, la faire taire, pouvoir juste une seule fois se fondre dans ce lieu de corps chauds et lisses dont le langage était plus beau et plus intelligent que tout autre...

« Mark, y a-t-il quelqu'un en toi qui observe sans cesse ce qui se passe, qui se tient sans cesse à l'écart ? »

A présent, une brusque tension dans le corps aimant. Au bout d'un moment : « Non.

— Lynda disait le même genre de chose, non ?

— Oui, il me semble. »

Alors, vite, refaire l'amour, tout recouvrir, cet instant où la vie ordinaire revenait, l'oublier, vite.

« Martha, dis-moi, as-tu toujours eu cela : l'autre personne ?

— Oui. Et de plus en plus. »

Il la réconforta. Il était infiniment doux et fort.

« Dis-moi, Mark, quand tu étais enfant, t'es-tu déjà trouvé avec Margaret quand elle était malade — ou quelque chose de ce genre ?

— Je ne pense pas que ma mère ait jamais été malade, de sa vie entière.

— Ou malheureuse ?

— Dans l'un de mes entretiens avec le Dr Lamb, il m'avait déjà suggéré cela. »

Une fois apparu, le Dr Lamb ne risquait guère de disparaître à nouveau.

« Je lui ai répondu que, si ce qu'il suggérait se révélait juste, cela ne me paraissait pas très important. En vérité, ils mettent la main sur quelque chose, et ils décident que tout est là.

— Oui.

— Il avait raison, d'une certaine façon. Je suis parti avec elle en vacances en Écosse. Sans doute pourrait-on dire qu'elle était malade. Mon père venait de mourir. Je la jugeais désespérément malheureuse. Sans doute l'était-elle. Mais elle était déjà éprise d'Oscar. Je la détestais pour cela — je n'en avais qu'à moitié conscience. Avec le recul, je vois qu'elle avait passé ces vacances avec moi comme pour s'excuser. Elle me laissait prendre soin d'elle. Je n'ai jamais de ma vie été aussi heureux. Puis à la fin des vacances, elle m'a annoncé qu'elle allait épouser Oscar. J'ai eu l'impression d'avoir été dupé. J'ai avoué tout cela à Lamb...

— C'est drôle, non, que l'on parle automatiquement d'*avouer* — comme s'il avait le droit...

— Je lui ai dit, d'accord. J'ai su m'occuper de Lynda parce qu'il m'était arrivé quelque chose du même genre avec ma mère. De son point de vue à elle, elle réglait une dette à l'égard d'un de ses fils. Si même elle y a pensé — l'introspection n'est pas son fort. Mais en ce qui me concerne, j'ai appris pendant cette période que je n'étais plus un petit garçon. Je me suis occupé de tout — d'elle, de moi —, de tout pendant trois mois. »

Lynda ; puis Patty ; maintenant moi, songea Martha.

Il reprit : « Il y a eu Patty. J'ai pu l'aider. Je sais que je peux t'aider. S'il veut en faire quelque chose de systématique, libre à lui. Le tout, c'est de vouloir regarder les choses sous cet angle-là. C'est là que réside le problème, avec ces gens-là : ils croient qu'il leur suffit de dire qu'on se comporte de telle ou telle manière parce qu'à l'âge de six ans et demi, ou de seize ans et demi, on a fait telle ou telle chose. Et moi je leur réponds : " Et alors ? " Et puis certaines gens s'érigent en juge et partie à la fois. Je leur souhaite bonne chance. »

La seule différence, songea Martha, c'est que tu ne t'es jamais retrouvé recroquevillé dans ton lit, avec les couvertures tirées par-dessus ta tête, pendant des semaines d'affilée sans pouvoir te lever.

Il poursuivit : « Qui est le Dr Lamb ? Il se mêle de ma vie depuis, voyons, cela doit faire près de dix ans. Si tu te fais suivre par lui, il va y rester mêlé encore plus longtemps. Un de ces jours, je vais recevoir une gentille petite lettre de lui, pour savoir si je ne désire pas venir parler un peu de Martha avec lui. Et j'irai bien docilement parler de Lynda et de Martha. Lynda ne peut pas vivre sans lui. Mais une fois tout bien dit et pesé, qui est-il donc ? Sans doute un brave type, j'imagine. »

Martha n'approcha pas le Dr Lamb pendant une semaine : elle se trouvait en sécurité auprès de Mark, et rien n'existait hors de l'univers qu'elle habitait avec lui.

Puis une date sur le calendrier, à trois semaines de là, l'y renvoya. Elle parla. Elle parla des mécanismes.

Il déclara finalement : « Si vous êtes prise dans le mécanisme, eh bien, vous y êtes. » C'était calculé : elle le sentait calculer.

« Non. Si même j'étais coincée à cent pour cent dans le mécanisme, je ne serais pas que cela.

— Que seriez-vous ? »

Ayant à nouveau pris la décision de ne pas mentionner l'observateur silencieux en elle, et de protéger son moi le plus profond, Martha répliqua d'une voix agressive : « Je serais la personne qui observe. »

Il laissa passer cette réponse : c'était extraordinaire, cette façon de lui faire face, tous les sens en alerte, vivante, et de sentir s'allumer en lui son... cerveau ? Non, son être entier, dans cette tâche il participait tout entier, avec tous ses instincts : impressionnant. Il reprit, d'un ton calculé : « Vous couchez avec Mark, à présent — précisément quand votre mère arrive. Il existe une seule bonne raison à cela : Vous dites à votre mère : " Écoute, je suis une grande fille, maintenant ". »

Elle se mit à rire : sous l'effet de la surprise, de voir qu'il avait choisi cela, une provocation bien moindre que tout ce qu'il aurait pu choisir. L'espace d'un instant, il parut déconcerté de la voir rire.

« Bien sûr. Je le sais. Je peux expliquer cet aspect-là du mécanisme aussi bien que vous. Ma mère était une femme qui détestait sa propre sexualité, et qui détestait également la mienne. Elle a toujours voulu que je sois un garçon — dès avant ma naissance. Elle savait que je serais un garçon. Elle avait un prénom de garçon tout prêt pour moi. Ma façon de lutter, c'était de faire le clown. » (En disant cela, Martha se rendit compte que le fait de dire quelque chose, finalement, permettait de le comprendre différemment.) « Elle se moquait toujours de moi parce que je n'étais pas douée pour les activités de garçon. Mon frère me battait toujours. Mais jamais je n'ai dit, comme j'aurais dû le faire : Je suis une fille, pourquoi devrais-je savoir tout faire comme les garçons ? Non, je le faisais quand même, mais mal, et je me moquais de moi-même. C'était une façon de me protéger. Je le sais. Quand je suis enfin devenue une vraie fille, et j'ai passé des années et des années de ma vie à attendre d'avoir de la poitrine et d'être une femme, j'ai pu enfin la défier. Je me suis confectionné de très beaux vêtements, et tous les hommes que j'ai eus, pendant très longtemps, m'ont été des armes contre elle. Croyez-vous donc je ne le sache pas ? »

Il attendit. Elle entendait bien ne pas aller plus loin.

« Alors dites-moi ce que vous ne savez pas, suggéra-t-il avec une ironie calculée.

— C'est plutôt la question de savoir *comment* on l'apprend », répondit-elle en espérant qu'il la suivrait sur cette voie, la plus avancée qu'elle eût jamais atteinte dans sa vie.

Il resta immobile, à chercher la parole juste pour la provoquer. Il voulait la provoquer. Il voulait.... un mot vint à l'esprit de Martha. C'était « exploser ». Oui. Il recherchait une explosion. Ce mot était lourd de sens. Elle n'avait pas le temps de s'y attarder maintenant.

« Je pense que vous êtes très fière de votre compréhension — plus que de toute autre chose. C'est de votre intelligence que vous tirez votre fierté. Vous combattez encore votre mère avec cette arme-là — l'intelligence masculine. »

Il attendait, tout entier aux aguets, il la guettait.

La rage fulmina : elle se contint.

« Je n'ai pas appris cela dans les livres. J'en ai fait l'expérience. Ce qu'on apprend par l'expérience se définit donc comme intelligence masculine ?

— Mais oui, répondit-il, l'œil froid et perçant.

— Ma première arme fut ma sexualité. Et ma seconde — ce que j'ai appris dans les livres ? »

Il lui faisait face, calmement, et fouillait dans tout ce qu'il savait d'elle — à l'affût du mot juste. Il se tenait aux aguets, tout entier tendu dans l'intention d'attaquer. Et elle-même se tenait aux aguets, toute entière tendue dans l'intention de se défendre.

L'heure d'entretien touchait à sa fin. Au même instant ils y pensèrent et il jeta un coup d'œil délibéré à la pendule. Cinq minutes. Il s'apprêtait à actionner le détonateur. L'esprit survolté, Martha s'efforçait de deviner le détonateur qu'il choisirait. A tout prix, et quoi qu'il arrivât, elle n'exploserait pas — *elle avait besoin de son énergie.*

« Vous avez dit, n'est-ce pas, que cette personne, cet observateur en vous pourrait être masculin ?

— Oh, facilement. Ou n'importe quoi. Un cheval... » En prononçant ces paroles, elle pensa : *un* cheval, masculin. Et un arbre ? Elle ne parla pas d'arbre mais, poussée par cet extraordinaire besoin de conciliation, le traître en elle s'agrippa à une expression tirée de l'arsenal du vocabulaire masculin : « Ou un train express... savez-vous pourquoi j'ai dit cela ? J'étais assise dans ma chambre, et je songeais que la visite de ma mère se précipite vers moi comme un train express. Masculin. Cela plairait au Dr Lamb. Non, je ne me vois pas comme un train express — l'expression est venue mal à propos, parce que j'ai parlé de cheval, et que je savais que vous réagiriez en disant : Ha ! masculin ! Un bassin vide, si vous préférez. C'est rond. Féminin... »

Elle attendit. Il pénétra dans l'arène, sous l'œil aigu de Martha.

« Et bien entendu, l'autre raison pour laquelle vous couchez avec Mark, c'est pour me dire : Je ne vous trouve pas attirant : docteur Lamb, j'ai un autre homme. »

Martha bascula dans la rage. Elle vit rouge. « C'est idiot ! » gronda-t-elle, tout en s'accrochant à l'idée que tout autour d'elle l'air était rouge — pendant un instant. Ce n'était pas une métaphore. Une vague d'écarlate brûlante et parsemée d'étincelles, qui s'était dissipée dans l'air ordinaire : mais cette disparition même, sa durée, semblait d'une substance particulière, comme si elle avait appartenu à une autre mesure de longueurs d'ondes ou de temps. A présent, elle était vidée. Elle avait explosé. Il regardait la pendule. L'entretien était terminé. Il avait accompli ce qu'il voulait.

Elle resta assise, à réfléchir : elle prenait note de ce qu'il lui faudrait se rappeler pour tenter de le comprendre par la suite.

Il lui sourit doucement : « Vous n'êtes pas le genre de femme, observa-t-il, à admettre volontiers que vous êtes attirée par un homme ».

C'était parfaitement hors de propos. Et absolument faux. Mais elle comprenait soudain quelque chose ; elle s'agrippait à la compréhension de quelque chose qui passait, et c'était ceci : *ce qu'il disait importait moins que le moment choisi pour le dire.*

Elle rétorqua : « Ce n'est pas vrai. Je suis facilement attirée par les hommes. Et si vous n'étiez pas mon médecin, je pourrais facilement être attirée par vous. En fait, je le suis. Ce n'est pas la question. »

Il répondit par un sourire de sarcasme calculé, et même rétrospectif. Il n'était plus besoin de détonateur : le travail d'ajourd'hui était accompli. Elle avait explosé. Il gardait simplement ses armes en état de marche pour la prochaine fois. A un moment donné, peut-être dès la prochaine séance, *mais au moment opportun*, il dirait : Vous n'êtes pas le genre de femme à admettre volontiers que vous êtes attirée par un homme — et elle exploserait de rage. Ou : mais presque n'importe quoi ferait l'affaire. Vous êtes excessivement soucieuse de reconnaître que vous êtes attirée par un homme — pourquoi ? *Ce n'était qu'une question de moment : le processus entier se fondait sur cette notion.*

Elle rentra préoccupée.

Vers Mark. Vers son lit. Vers l'amour. Vers le bonheur. A cette époque, elle était une femme qui ne pouvait pas supporter de ne pas être au lit. Pourtant, pendant quatre années entières, elle avait choisi de ne pas alimenter ses appétits sexuels. Sauf quand, pendant une brève période, elle avait souffert d'un violent désir à l'égard de Mark, dû à ce mécanisme, la jalousie envers Patty Samuels. Elle aurait aisément pu ne jamais coucher avec Mark, de même que jamais elle ne coucherait avec le Dr Lamb. Si elle couchait avec le Dr Lamb, ils pénétreraient sans effort dans le merveilleux pays de l'amour ; de même que tout homme ou femme situés « sur la même longueur d'ondes ». Elle avait vu rouge. Elle avait vécu une extraordinaire expérience. Qui ne lui avait pas paru extraordinaire du tout. Il lui était à présent nécessaire de se dire : Ne l'oublie pas, ne le prends pas pour acquis, il faut y réfléchir.

Il y avait bien d'autres choses auxquelles il fallait réfléchir.

Mme Quest continuait à reporter sa visite, à menacer de la reporter, ou à l'annoncer comme imminente. Chacune de ses lettres semblait répondre à une autre lettre de Martha, qui l'avait repoussée, ou rejetée, ou invitée. Mais Martha continuait à écrire, tous les deux ou trois jours, la même lettre : Votre chambre est prête, et je vous attends.

Dans une jolie maison perchée sur les hauteurs du Cap, une vieille dame était engagée dans le processus de lutter contre un démon qu'elle nommait Martha.

Martha se faisait traiter par le Dr Lamb. Mais elle ne voyait pas le Dr Lamb. Théoriquement, elle allait le voir trois fois par semaine. En fait, elle reportait sans cesse ses rendez-vous. C'était une simple affaire d'économie psychologique, leur monnaie d'échange étant l'énergie. Elle voulait voir le Dr Lamb, elle vivait heure par heure une courbe d'impatience tendue vers le prochain entretien, mais elle le décommandait. Car le moment venu, elle ne pouvait faire face à l'effondrement léthargique qui suivrait nécessairement la colère provoquée par le Dr Lamb pour la faire exploser. Elle avait trop à faire.

Tout d'abord, il y avait Mark. Et puis son travail. L'éditeur s'était inquiété de savoir où en était le prochain livre. Mark avait répondu par une boutade, en se définissant comme un romancier-de-tous-les-cinq-ans. Mais cela ne suffisait pas. L'édition changeait, la littérature, comme tout le reste, est une industrie. Un livre sort, un « nom » est lancé : les critiques entrent en action ; quelques mois plus tard, ce livre a terminé son cycle, il est fini. Où est le suivant ? Bon, Mark travaillait à l'histoire de Rachel et Aaron. Quand aurait-il terminé ? Confronté à cette question, Mark était bien obligé d'admettre que ce ne serait pas terminé. Il se l'écrivait à lui-même, peut-être à Martha, ou bien à la défunte Sally-Sarah. A Thomas ?

Peut-être la question était-elle même plutôt : Était-ce vraiment Mark qui l'écrivait ? Les admirateurs de son roman de guerre, ou d'*Une cité*, ne le croiraient certainement jamais. Si Mark avait voulu écrire un livre de sang, de sueur et de larmes, eh bien, le voilà. Il y avait de bons passages. Pour en faire un bon livre, il aurait fallu en extraire tous les moments d'émotion, de violence, de contestation. Il pourrait peut-être en faire un livre séparé ? Il avait écrit deux livres ? Un roman et une pièce de théâtre ? Les éléments émotionnels se présentaient surtout sous forme de dialogues. Détail intéressant, quand on y pensait : quand il se lançait dans la colère, et dans toutes ces émotions si étonnamment absentes de ses autres œuvres, Mark était obligé de se diviser en personnages qui pouvaient facilement entrer sur scène et en sortir : les directives étaient déjà données.

MIRIAM (d'une voix lente, hachée : elle est épouvantée) : Mais, Aaron, s'ils te prennent, ils te tueront... (Miriam était la mère d'Aaron).

Et ainsi de suite.

Tandis qu'ils y réfléchissaient et qu'ils en discutaient, ils étalaient les feuillets dactylographiés par terre, sur le bureau, sur le lit où ils passaient tant de temps.

L'éditeur, Terence Boles, se faisait insistant : « Voyons, Mark, il faut garder votre nom présent dans l'esprit du public ! » Il s'exprimait sur un ton d'humour, mais il était sérieux. Mark n'avait-il rien d'autre à publier ? Quelque chose oublié dans un tiroir ?

Justement, si. Longtemps auparavant, bien avant la guerre, dans son adolescence, Mark avait écrit une série de nouvelles sur la maison de campagne de sa mère, où elle avait reçu tant de politiciens, d'écrivains, d'amis. Ces nouvelles décrivaient les invités de sa mère. Elles étaient essentiellement imaginaires, car Mark s'était rarement trouvé là ; elles étaient créées de toutes pièces, à partir d'anecdotes que lui avaient racontées ses frères, et surtout Colin. Colin avait trouvé tout cela fort amusant. Car Colin avait un sens de l'humour très vif en ce temps-là — Mark s'en souvint avec surprise : il y avait bien des années que le nom de Colin s'était dissocié de l'idée d'humour, ou même d'amusement. Sans doute était-ce la guerre qui l'avait transformé. Ces nouvelles n'étaient pas tant naïves que minces. Il semblait que la personnalité de Mark, l'auteur, la personne qui écrivait n'eût jamais été « jeune », qu'elle fût née vieille. Ce n'était point la vision d'un adolescent, mais d'un observateur mûr et nuancé d'humour, en partie Colin, mais essentiellement Mark.

Bon : ces nouvelles rassemblées en livres feraient parfaitement l'affaire. Rien de saisissant, mais adéquat. Une opération de soutien : quelque chose pour garder la machine en marche, pendant que Mark s'interrogeait sur ce qu'il allait créer ensuite. Pendant cette période de réflexion, Mark continua de faire ce qu'il aimait, c'est-à-dire à laisser proliférer cet extraordinaire manuscrit où deux personnes décédées alimentaient l'existence de deux autres personnes qui allaient bientôt être assassinées, Rachel et Aaron, le frère et la sœur, les enfants de Miriam.

Martha mit au point les nouvelles. Elle prépara la chambre de sa mère. Mark et elle faisaient l'amour, et se lovaient dans une vie délicieuse et tendre d'où leurs fantasmes excluaient le temps, la responsabilité.

Et d'où Martha s'éveilla un matin en sachant que sa mère arriverait le surlendemain.

Elle courut au téléphone pour confirmer un rendez-vous avec le Dr Lamb.

Elle se rendit chez lui par une chaude et bruyante journée d'été, en songeant qu'il allait la faire « exploser ». Pourquoi ? Pourquoi l'antidote à ses léthargies consistait-elle à la faire exploser ? Dans les innombrables livres qu'elle avait lus, elle ne pouvait pas se souvenir que cela eût été exposé une seule fois. On employait le mot catharsis. Hummm. Qu'était-ce donc ? Une explosion. Dans les anciennes pièces de théâtre, c'était ce qu'on faisait ? La pitié et la terreur — on était contraint d'en passer par là, on explosait, et puis on en sortait pacifié. Quel pouvait être le résultat d'années entières de ce processus qui consistait à vous faire exploser plusieurs fois par semaine sous la compétence d'un Dr Lamb ? Une répétition continuelle de ce même processus intelligent, l'explosion de certaines énergies. De mauvaises énergies ? Bang, bang, et voici que surgissent la terreur, la peur, la colère, la rancœur, dans un élan d'énergie. *Rouge*. La pitié aussi. De quelle couleur était donc la pitié ? Peu importait — bang ! Et voici la pitié qui monte, bang, bang. Et maintenant l'amour, la tendresse, la compassion ? Des années et des années, pour certaines personnes.

En bavardant au sujet du livre, Terence Boles avait dit en passant que sa femme achevait une analyse cette semaine. Sur le moment, Martha n'avait guère écouté, ne pensant qu'à ce nouveau livre, *Cheminement d'une hôtesse conservatrice*. Quelle extraordinaire expression : achever une analyse. Terence avait dit cela d'une voix anodine : il n'y avait rien vu d'extraordinaire. « Mon niveau de vie va grimper, cette semaine, avait-il observé d'une voix amusée, ma femme achève son analyse ».

A un moment donné, après des années d'explosions manœuvrées par un Dr Lamb, on s'avançait soudain, métamorphosé en être humain « achevé ».

Elle était assise dans le fauteuil de cuir, en face du Dr Lamb qui, elle s'en rendait bien compte avec une partie de son cerveau, voulait parler de sa liaison avec Mark et de son désir de coucher avec lui, le Dr Lamb. Elle songeait à ce que cela pouvait signifier, à ce qu'ils pouvaient vouloir dire, le Dr Lamb, par exemple, quand ils parlaient « d'achever une analyse », lorsqu'elle entendit le médecin déclarer : « Je pense que vous verrez tout cela plus clairement quand vous aurez fini.

— Excusez-moi, je n'écoutais pas. Que disiez-vous ?

— Je disais que quand vous auriez fini votre analyse, madame Hesse, vous verriez les choses mieux en proportion.

— Qu'est-ce qui vous fait dire cela ? »

Il parut amusé.

Le Dr Lamb n'avait encore jamais mentionné la fin d'une analyse. Elle n'y avait jamais songé.

Quelques semaines auparavant, elle s'était trouvée dans cette même pièce, et l'air avait viré à l'écarlate. Elle avait « vu rouge », mais littéralement. La lueur écarlate s'était lentement dissipée, au même rythme que sa colère.

« Je serai franc, madame Hesse : vous vous sentez coupable de coucher avec Mark. Vous avez annulé vos rendez-vous avec moi au dernier moment, parce que vous aviez peur que je vous punisse. »

Elle réfléchit.

« Comment pourriez-vous me punir ? »

L'heure était terminée. Elle prit rendez-vous pour la semaine suivante, car sa mère arrivait et elle était certaine que son temps ne lui appartiendrait plus. Elle rentra chez elle.

CHAPITRE QUATRE

Une vieille dame était assise sur un balcon encombré de fleurs, surplombant de très haut la mer mouvante. Derrière elle se dressait la célèbre montagne. Elle l'avait contemplée, admirée, elle y avait été promenée, et elle avait poussé mainte exclamation à ce sujet, ainsi que pour les paysages. Milly se montrait merveilleusement gentille, de la traîner ainsi à travers toute la péninsule pour regarder des paysages. Milly lui avait proposé de monter une seconde fois au sommet de la montagne : Mme Quest avait refusé d'une voix maussade. Elle s'était crue polie, et avait à moitié pensé que c'était là ce qu'elle voulait, se faire traîner à droite et à gauche... Seigneur, avait-elle vraiment employé ce mot ? Été impolie ? Elle n'avait certainement pas eu l'intention de se plaindre : sa propre voix l'avait choquée. Tout d'abord, elle avait vu cette expression apparaître sur le visage de Milly et puis, en s'interrogeant sur les causes, elle s'était entendue. Elle n'avait quand même pas... elle avait vite redoublé ses exclamations sur un ton d'excuse hâtive. C'était affreux ! Milly, qui travaillait tant, avait renoncé à de nombreux projets, Mme Quest en était sûre, pour visiter des forêts de chênes et des vignobles et toutes sortes de panoramas.

Mais Milly était une jeune femme réellement, sincèrement gentille, contrairement à d'autres qui — là l'esprit de Mme Quest s'obscurcit brièvement, se refusant à préciser qui n'était pas gentil.

Milly garda un silence pensif, puis suggéra que May devrait elle-même demander à se faire conduire où elle le désirait, et quand elle le désirait. « Je vous en prie, très chère amie, je voudrais tant que vous vous fassiez plaisir. »

L'expression faillit provoquer un nouvel accès de colère ; quand avait-elle jamais cherché à se faire plaisir ? Quand ne s'était-elle pas sacrifiée pour d'autres ? Mais elle apprenait à ne pas employer ces mots-là, même s'ils lui venaient souvent à l'esprit. Lorsqu'elle les prononçait, ce regard apparaissait sur le visage des gens, qui... Des gens ? Ses enfants. Ses propres enfants, pour qui elle...

Les vieillards, les domestiques, les enfants, les esclaves, tous ceux à qui échappe le contrôle de leur propre existence, scrutent les visages pour y déceler d'imperceptibles signes dans les yeux, les gestes, les lèvres, de même que l'on scrute le ciel pour deviner le temps. Mme Quest avait l'impression, à présent, de guetter en secret, depuis des années, le visage de son fils et de sa bru, pour y déceler cette expression. Pendant longtemps elle n'avait pas pu lui donner un nom, tellement la vérité était intolérable. Comment se pouvait-il que le sacrifice de sa propre existence conduisît à... ce malaise ? Comme si elle avait été une petite fille mal élevée, ou un chien qu'il fallait caresser et nourrir mais qui embarrassait par son comportement maladroit et ses bonds, ses aboiements et ses lècheries intempestives.

Milly ne semblait pas embarrassée, mais peut-être était-elle offensée, ou bien se disait-elle : Pourquoi ne l'a-t-elle pas dit plus tôt ?

En effet, pourquoi Mme Quest ne l'avait-elle pas dit plus tôt ? Car Milly était *si* gentille, contrairement à... Milly était *vraiment* gentille. Elle ne vous donnait jamais l'impression de... Mme Quest ne voulait pas se souvenir de ce qu'elle avait éprouvé. Elle ne voulait pas penser que Milly, cette jeune femme tout aussi occupée, tout aussi responsable que ses propres enfants, avait le temps de se montrer *vraiment* gentille, alors qu'ils... Elle ne voulait plus penser à ces dernières années passées dans les collines desséchées, sur cette exploitation dont l'horizon n'était fait que de montagnes. Elle avait eu son compte de montagnes, de sommets déchiquetés, de rochers, de sécheresse, et de ce vent qui vous rétrécissait la chair jusqu'à ce qu'on ne sente plus que de la peau desséchée sur de vieux os.

Mme Quest était assise parmi les fleurs à plus de cent mètres au-dessus de la mer. Il lui semblait que si elle se penchait seulement, elle pourrait y plonger la main, ramasser un navire-jouet, ou simplement voguer au loin, comme un oiseau de mer au-dessus des surfaces d'eau crêpelées, bondissantes, ou immobiles, pour jouer comme le vent, au-dessus du bleu ou du vert ou du gris mouvant.

Elle avait toujours aimé la mer. Elle était celle de la famille qui aimait la mer. « Ce que j'aime le plus, c'est un long voyage en mer. » Dans son enfance, des vacances à l'île de Wight, des promenades autour de Cowes, des voyages de l'autre côté de la Manche ou bien en Irlande ; de bien petits plaisirs pour qui aime la mer, ce qui avait toujours été son cas, sachant que malgré ses limites elle était née comme les vrais gens de mer pour les navires à voiles, les cargos, les ports maritimes, les îles, les vents marins, les rivages escarpés et inconnus, et les hommes qui en établissent le tracé. Pour elle, la mer signifiait ce que le désert signifie pour ceux qui l'aiment, ou la montagne pour ces fous (du moins semblent-ils fous aux yeux de ceux qui n'aiment pas la montagne) qui choisissent de mourir absurdement sur des sommets, au milieu des orages et des avalanches.

Cela étant, comment se pouvait-il qu'elle eût passé trente ans, ou même davantage, dans le haut veld, à des centaines de mètres au-dessus de la mer, et si loin d'elle que seul pouvait la lui rappeler le bruit du vent dans les hautes herbes, ou bien un ciel pommelé à la tombée du jour ?

Car, assise là à respirer l'air salé à pleins poumons, elle était forcée de songer que l'on pouvait, chaque jour de sa vie, répéter que l'on aimait la mer mais oublier, sauf dans les élans faux de la nostalgie, ce que pouvait être vraiment la mer.

Comment une personne aussi éprise de la mer avait-elle pu ainsi organiser sa vie que jamais elle n'en eût été proche ? Que s'était-il passé ?

Il s'était simplement passé qu'elle avait épousé M. Quest ; et qu'elle avait toute sa vie été l'épouse d'un agriculteur dans le haut veld, au lieu d'être la femme d'un marin près d'un port.

Une vieille dame, mère d'enfants devenus adultes et grand-mère de cinq petits-enfants, songeait : Peut-être ai-je commis une erreur, j'aurais dû épouser...

Elle se le disait avec un arrière-ton de défi; elle avait bien le droit, non ? Après tout, cela avait dépendu d'elle, de son choix — non ? Pourtant, quelque chose dans cette pensée lui obscurcissait soudain l'esprit, comme s'il s'était dérobé, comme s'il avait refusé d'avancer plus loin. De plus en plus souvent, son cerveau revenait buter là où il se cabrait, regimbait, reculait; ou bien elle se surprenait à émettre un petit rire, comme un ricanement retenu : elle jetait alors un bref regard alentour, pour s'assurer que personne ne l'avait entendue. Mais non, chaque jour pendant des heures elle restait seule dans l'appartement, et elle pouvait bien parler toute seule si elle le désirait. Et elle le faisait. Pourquoi pas ? Tout le monde ne le faisait-il pas ? Et sa belle-fille pouvait bien la foudroyer de ce regard-là, elle se parlait à voix haute aussi; mais elle était jeune et, quand elle se laissait surprendre à parler toute seule, elle pouvait en plaisanter, ou bien elle pouvait en revendiquer le droit comme si cela avait fait partie de son charme. Mais quand une vieille dame parlait toute seule, on la regardait de cette façon particulière.

Elle était donc seule tous les matins, jusqu'à l'heure du déjeuner, quand le petit garçon de Milly rentrait de son école maternelle et que la jeune Africaine venait faire le ménage et s'occuper de lui. Dans l'après-midi, Mme Quest devenait une vieille dame fort utile — pour quoi d'autre vivait-elle donc, sinon pour aider les autres ? Mais le matin, qu'était-elle ?

Parfois l'oiseau de mer, la femme de marin, quittait son balcon pour aller se regarder dans le miroir; elle voyait alors un vieux visage timide et pourtant insolent, avec cette chair desséchée par le vent; mais son esprit s'obscurcissait, il s'obscurcissait sans cesse : elle retournait sur le balcon, où elle luttait avec quelque chose de caché, quelque chose qu'elle ne parvenait pas à regarder en face, qu'elle ne savait pas comment affronter : des faits, des émotions qui se mouvaient ensemble, mais ne pouvaient s'unir, mais ne pouvaient s'accorder.

Une vieille dame assise toute seule, et qui pense à ses enfants, à ses petits-enfants, peut se dire : Eh bien, vous auriez pu ne pas exister, aucun d'entre vous ! J'aurai pu épouser Johnnie, ou Freddie, ou Paul. Et où seriez-vous, dans ce cas-là ?

C'était elle, quarante ans auparavant, qui avait choisi l'un plutôt que l'autre... et à cause de ce choix, tel et tel enfant, de nouvelles personnes, étaient venus à la vie; mais si elle avait choisi différemment, ils auraient été autres. Elle ne pouvait cependant pas même tenter d'imaginer que Jonathan ou Martha eussent pu être différents. Ils étaient inévitables. Le fait qu'elle pût si bien voir le regard embarrassé que l'un comme l'autre lui auraient lancé si elle avait suggéré une idée pareille, prouvait bien comme c'était ridicule. Mais si c'était *vraiment* ridicule, où s'était situé son choix ? C'était là que résidait l'impossibilité, l'incongruité, le cœur d'une notion terrible... comme si elle, May Quest, n'avait rien été d'autre qu'un moyen.

Comme dans un roman sentimental ou dans un conte de fées, elle se voyait, beauté fantasque, flirtant avec l'un, avec l'autre, et puis se donnant : Moi, la mère que vous méprisez, je me suis donnée à votre père, à votre grand-père — votre existence résulte de mon choix.

Les vieilles dames ont de ces pensées, pendant qu'elles font des confitures ou qu'elles reprisent des chaussettes... et qu'elles observent peureusement, comme des enfants ou des domestiques, le visage de leurs enfants tout-puissants qui s'imaginent, Dieu les bénisse, qu'ils tiennent bien en main leur propre existence. (Assise sur le balcon, Mme Quest s'entendit glousser et regarda vivement autour d'elle — tout allait bien, elle était seule.)

Il y a trente ou quarante ans, moi, jeune femme courtisée et désirée, j'ai choisi...

Bien qu'en réalité, elle n'eût jamais été belle. Elle avait été quelconque. On lui avait toujours dit : Tu es de celles dont on ne dit rien. « Quel dommage qu'elle soit si quelconque. » On l'en avait plaisantée ; et elle avait réagi avec bonne humeur. Bien obligée. *Pourquoi avait-elle été si quelconque ?* Après tout, elle avait eu une mère fort belle. Une pensée lui vint, qu'elle se souvint d'avoir déjà eue, bien bien longtemps auparavant — quand ? Dans sa prime jeunesse ? Elle s'était étudiée dans des miroirs, elle s'était coiffée de telle ou telle manière, s'était mordu les lèvres pour en aviver la couleur : ils s'étaient moqués d'elle, ils avaient ri. *Peut-être n'avait-elle jamais été quelconque ?* Cette pensée aux implications terrifiantes approchait de sa conscience, s'en voyait refuser l'accès, comme déjà autrefois, mais revenait à la charge...

Mme Quest, qui ne se déplaçait jamais sans ses photographies, fouilla dans sa malle, ouvrit un album de sa jeunesse. Une jeune fille au visage rond et sérieux, les cheveux tirés en arrière et noués d'un ruban, semblait la dévisager. Quelconque. *Pourquoi, quelconque ?* Comme si un masque ou un voile avait été ôté, elle voyait à présent ce jeune visage quelconque devenir ravissant. Si elle avait pu se maquiller et se poudrer comme toutes les jeunes filles le faisaient à présent, ou se coiffer différemment sans qu'on se moque d'elle, elle n'aurait pas été quelconque du tout ! Et elle avait été bien faite — on le lui avait toujours reconnu. Et puis bien sûr elle s'était toujours tenue très droite, pas comme toutes ces filles d'aujourd'hui qui s'avachissaient. Qui s'avachissait ? Martha ? La femme de Jonathan ? Milly ? Une ribambelle de filles avachies, nonchalantes, maquillées, poudrées, de paresseuses écervelées, qui dansaient et fredonnaient et buvaient et se conduisaient aussi mal qu'il était possible, une ribambelle de filles irresponsables et incompétentes vint danser la sarabande devant les yeux de la vieille dame — et disparut comme l'affreux voile sur sa propre photo. Peut-être aurait-elle dû faire un effort de langage ? Était-ce cela qui gênait les gens ? Mais était-il juste de critiquer une vieille dame sous prétexte que son argot datait ? Était-ce gentil ? Enfin, qu'était-ce donc... et pourquoi s'obstiner à la punir ; n'était-ce pas assez, cette malheureuse jeunesse qu'elle traînait derrière elle... quelconque ? Elle n'avait pas été quelconque. Elle avait été jolie. Et davantage, peut-être, si quelqu'un avait eu la bonté de l'aider, ou de l'encourager. La colère jaillissait et bouillonnait, une horrible colère qui semblait se tapir dans tout ce qu'elle faisait, tel un tourbillon marin prêt à déborder et à tout noyer au premier mot, au premier regard.

D'ailleurs, même si elle avait été quelconque, cela ne signifiait pas que bon nombre d'hommes ne l'aient pas considérée comme une éventuelle bonne épouse. Il y avait eu ce jeune médecin de la marine, tué dans la première guerre. Il n'avait jamais « parlé », mais tout le monde savait ce qu'il éprouvait pour elle. Pendant des années sa photographie avait trôné sur la table de nuit de Mme Quest — où était-elle ? où l'avait-elle mise ? Elle n'avait tout de même pas pu la perdre ? Mais pourquoi cette photographie, pourquoi pas d'autres ? C'était comme si elle n'avait eu droit qu'à une seule photographie, qu'à un seul autre amour possible, par une tolérance de sa famille : maman aurait pu épouser ce pauvre médecin mort pendant la Première Guerre mondiale. Son amour perdu. Le pauvre amour disparu de maman, un souvenir, un souvenir officiel, le souvenir de famille qu'elle s'était permis de s'approprier. Pourquoi donc ? Pourquoi s'était-elle autorisée à être quelconque ? Pourquoi avait-elle épousé... Pourquoi, pourquoi, pourquoi, pourquoi ! Tout était absurde, depuis le tout début de cette triste et brave écolière. A l'époque où elle s'était mariée, une demi-douzaine d'hommes avait souhaité de l'épouser. Il y avait eu ses malades : les hommes voulaient épouser leur infirmière. Et *ils les épousaient*. Son mari l'avait épousée. Le beau capitaine Quest avait épousé son infirmière quelconque. Et les autres ? Comme il était étrange qu'elle ne les eût pas considérés comme des maris possibles, alors qu'ils l'avaient été. Ils l'avaient demandée en mariage, ou lui avaient laissé entendre qu'ils le feraient s'ils pouvaient espérer avoir leur chance. Mais elle ne les avait pas pris en considération — pourquoi ? Elle avait envisagé d'épouser ce jeune médecin militaire, elle avait épousé un soldat devenu agriculteur. Non seulement elle n'avait pas épousé les autres, mais elle n'avait même pas vu en eux des maris potentiels. Pourtant, ils valaient bien le médecin ou le soldat. Oui, bien sûr, elle avait aimé. Deux fois. Aimer. Une vieille dame qui avait employé deux fois le mot aimer avec confiance, pendant des dizaines d'années, qui l'avait étudié, et pourtant sa bouche avait pris ce pli amer d'une petite fille mal aimée, ou d'une femme dont le mari avait épousé sa mère. L'amour, songeait-elle, l'amour — son esprit s'obscurcit. Si c'était cela, l'amour, eh bien cela l'avait entraînée dans une existence morne, d'abord dans une ferme, avec son mari, et puis dans une autre ferme, avec son fils, à des centaines de kilomètres de son véritable amour, la mer.

Parfois, après ces longues matinées paresseuses où il lui semblait que la mer l'avait comblée, emplie d'une paix douce, bleue, murmurante, et lorsqu'elle entrait dans la maison pour jouer avec le petit garçon et aider la jeune Africaine, Marie, elle songeait : Si j'avais pu vivre ainsi, être moi-même, j'aurais été affectueuse et bonne comme je le suis maintenant, au lieu de devenir une...

Avait-elle jamais eu le choix ? Si son choix d'un mari n'avait pas été un choix — de même que l'indiscutable finalité de ses enfants, ses petits-enfants le lui prouvaient —, alors quel choix avait-elle jamais eu ? Bien entendu, tout était différent pour toutes ces filles frivoles d'aujourd'hui, elles faisaient ce qu'elles voulaient ; ainsi Martha, regardez, elle savait sans aucun doute se faire plaisir, comme elle l'avait toujours fait, en égoïste, inconsidérée, immorale... Mme Quest avait mal à la tête, avec un peu de nausée. De nos jours, les filles *choisissaient*, elles étaient libres : mais du temps de sa jeunesse, les jeunes filles ne disposaient que de ce bref moment avant leur mariage, où on les courtisait et où elles étaient libres de choisir un mari, de dire oui, non, je veux celui-ci et pas celui-là, avant de devenir mères, infirmières, et de n'avoir d'autre choix que le sacrifice.

Elle devrait prendre garde de ne jamais employer ce mot devant Martha : elle aurait de la chance si elle s'en tirait simplement avec un moment d'embarras ! Non, elle aurait probablement droit à une discussion froide, dure — sans gentillesse. Une horrible sorte de bon sens, de logique. Comme Jonathan. Chaque mot était un piège, il fallait surveiller chaque syllabe de ce qu'on disait.

Et pourtant, pendant les soirées qu'elle passait ici en compagnie de Milly, elle parlait comme elle voulait. Milly l'aimait bien. Milly était contente de l'avoir auprès d'elle pendant l'absence de son mari. Milly lui rappelait beaucoup une ancienne amie de classe. Elle le lui avait dit timidement, et Milly ne s'en était pas offusquée : les vieilles dames rencontrent rarement de nouveaux visages, de nouvelles personnes. Milly, fille d'une vieille amie, ressemblait vraiment beaucoup à Rosemary, avec son petit visage pâle et sérieux, et cette tendance à la lassitude et aux migraines. Milly, qui lui avait offert de passer une semaine chez elle en attendant de s'embarquer, lui avait recommandé exactement comme naguère Rosemary, de rester aussi longtemps qu'elle le souhaitait, « et de se sentir chez elle ». Le mari de Milly était journaliste, et il couvrait un événement international en Amérique. Milly enseignait à l'université. Le petit garçon, de l'avis de Mme Quest, souffrait de l'absence de ses parents, bien que la domestique africaine fût très correcte. Pourquoi Milly travaillait-elle donc ? — mais elle devait retenir ses critiques, car cela ne la regardait pas.

En abordant délicatement le sujet avec Milly, Mme Quest apprit qu'il existait une première épouse à Johannesburg, qui percevait une pension alimentaire. Le salaire de Milly était donc nécessaire pour faire joindre les deux bouts. Milly en souffrait-elle ? Mme Quest se le demandait — mais il ne fallait pas qu'elle se montrât indiscrète. En abordant ce nouveau sujet, elle trouva Milly fort disposée à en parler, sur un ton sec tout à fait comique. Avec Milly, elle pouvait s'exprimer comme un être humain, mais pas avec...

Dans l'autre ferme, elle n'avait parlé avec personne pendant des années.

Lorsque la vieille dame y était arrivée, Jonathan et sa femme avaient déjà deux petits enfants, et un troisième en route. Tous deux travaillaient énormément. L'exploitation était nouvelle, et la maison très vaste. Mme Quest avait fort à y faire. « S'il est une chose que je connais bien, marmonnait-elle à la cantonade, c'est tout le travail que doit fournir une femme d'agriculteur ! » Elle s'occupait des enfants de Bessie, et Bessie n'y voyait certes aucun inconvénient. Quand le bébé naquit, Bessie ajouta à ses responsabilités celle du bétail laitier. Mme Quest jugeait que c'était une erreur : il suffisait bien d'être mère, et femme de fermier. Mais Bessie s'entêtait. Elle se retrouva très bientôt enceinte et, s'entendant suggérer que c'était trop tôt, répliqua que c'était « prévu ». Le jeune couple avait prévu de mettre au monde quatre enfants, de même qu'il avait prévu d'acheter cette lointaine exploitation encore en friche, et d'y construire une vaste maison en pierre.

C'était beaucoup trop. Ils en faisaient beaucoup trop, tous deux étaient épuisés, hagards, à se lever chaque matin à six heures et travailler jusqu'à neuf heures du soir. Et puis bien sûr, la nuit, les enfants pleuraient.

Tout cela était absurde : Mme Quest en était malheureuse, elle se faisait du souci et restait éveillée la nuit, par crainte de manquer des pleurs d'enfant, et de ne pas se précipiter assez vite pour empêcher son fils et sa bru de se réveiller. Puis survint la première vraie dispute. Bessie avait prononcé des paroles méchantes, un jour, au petit déjeuner, Mme Quest avait répliqué pour se défendre, et le jeune mari, impatienté, n'était pas allé travailler (faisant honte à Mme Quest) pour tenter d'apaiser les deux femmes. La dispute avait duré toute la matinée : et ensuite Mme Quest avait bien vu que leurs visages, en face d'elle, portaient cette expression contrariée, mécontente — embarrassée. Ils répétaient sans cesse : « Essayez de comprendre que tout le monde ne voit pas l'existence comme vous. » Et : « Oui, mais nous ne sommes pas d'accord avec vous, voyez-vous. » Nous ! Ce mot « nous » ainsi employé pour désigner ce tout, son fils et sa femme, la désarçonnait chaque fois qu'elle l'entendait. Elle avait protesté qu'ils « parlaient d'elle dans son dos » et que Jonathan « prenait toujours parti pour sa femme. »

Elle resta ensuite plusieurs jours dans sa chambre, submergée de cette aigre inquiétude au sujet des autres, qu'elle avait toujours qualifiée d'« amour ». Mais son sens de la justice était également atteint. Ils avaient dit vrai. Au-dessous de tout ce qu'elle ressentait, était tapie cette certitude : ils n'auraient jamais dû venir vivre là. Elle y voyait même une sorte de trahison.

Pendant toute la durée de leur existence dans cette autre ferme, avait résonné une certaine note immuable. « Quitter la ferme ; quand nous quitterons la ferme ; quand nous quitterons tout cela. » Mais à peine libéré de ses obligations militaires, le jeune Jonathan était revenu tout droit, non pas à la même ferme, mais vers une ferme bien pire : que personne n'avait encore jamais exploitée. Ce n'étaient que des centaines d'hectares de... rien. Au cœur des montagnes. Un jour,

Mme Quest avait aligné des chiffres pour leur prouver qu'avec la même somme d'argent (modeste, mais ils démarraient avec des emprunts comme tout le monde, bien sûr) ils auraient pu acheter une ferme déjà rodée, et située bien plus près de la ville. Ils avaient paru... embarrassés. Ils aimaient cette ferme. C'était cela qu'ils aimaient. Et peu leur importait d'emprunter ; rien ne les obligeait à construire une immense maison tout en pierre, avec bien trop de pièces, quand une plus petite aurait pu leur suffire. La pierre ne coûte rien, disaient-ils.

Pourquoi se lancer dans l'élevage laitier ici : il n'y avait pas un seul autre troupeau à des kilomètres à la ronde. Justement, répondaient-ils. Pourquoi construire une douzaine de hangars à entreposer le tabac quand deux auraient suffi, en tout cas pour commencer ? Jonathan se faisait évasif, conciliant, et Mme Quest comprenait ce qu'il ne disait pas : qu'il était bien décidé à ne pas faire comme son père, qui s'était contenté de tourner rêveusement en rond en espérant que l'année suivante se révélerait prolifique en bonnes surprises. Le jeune couple se considérait comme pionnier. Mme Quest assistait à la naissance d'une vraie grande exploitation, et d'une vaste famille. Bah, marmonna-t-elle finalement, s'ils tiennent à se tuer pour y arriver, je suppose que c'est leur affaire et pas la mienne.

Après la dispute commença une nouvelle ère. Mme Quest évitait Bessie. Bessie l'évitait. La vieille dame découvrit, en pinçant les lèvres avec réprobation, qu'ils employaient deux enfants noirs pour s'occuper des enfants blancs : elle persistait à penser que la chair noire devait rester hors de contact avec la chair blanche. Elle ne fit aucun commentaire, mais cela la tua presque. Elle entreprit alors de planter des fleurs : le couple n'avait pas le temps d'y penser. Si comprenait une chose, c'étaient bien les jardins. Sur un versant rocailleux qui, par-delà une vallée, faisait face aux montagnes, elle planta un jardin qui ne tarda pas à regorger de roses, de bougainvillées, de jacarandas, de cyprès, de jasmin, de plombago, et de lis. Puis elle sema des légumes. Tout cela étant bien en train, après l'installation d'un nouveau moulin à vent, elle proposa d'ajouter des canards aux poulets. Elle s'occupait déjà des poulets. Puis elle demanda si Bessie souhaitait qu'elle supervise les soins du bétail. Elle s'attendait à un refus, mais Bessie s'empressa d'accepter. Attendait-elle la proposition de la vieille dame ? Une nouvelle suspicion déplaisante commença : Bessie avait-elle délaissé la maison pour le travail agricole dans le seul but de prendre ses distances vis-à-vis d'elle, la belle-mère ?

Elle ne le savait pas. Mais elle le supposait. En tout cas, Bessie passait à présent davantage de temps dans la maison, où elle aurait toujours dû rester, et Mme Quest, une vieille dame de soixante-cinq ans, puis soixante-six, puis soixante-sept — Seigneur, elle allait bientôt en avoir soixante-dix —, se levait tous les matins à six heures avec plaisir, engloutissait un petit déjeuner hâtif, et s'écartait du chemin de la famille en allant vaquer à ses jardins et à ses troupeaux pendant que le soleil ne tapait pas trop fort.

Elle travaillait. Elle travaillait. Elle n'avait jamais travaillé si durement. Et le soir, tout comme eux, elle se couchait à neuf heures. Mme
Quest ne voyait guère les enfants. Bessie les tenait-elle à l'écart
exprès ? Ils restaient toujours aux mains de ces sales Noirs...
Parfois, aux repas, elle scrutait le visage de Bessie et songeait :
Pourquoi cette fille-là, pourquoi elle plutôt qu'une autre ? Bessie était
petite et ronde, avec des cheveux bruns et des joues qui avaient été
fraîches mais à présent paraissaient bien pâles. Elle avait les yeux
bruns — plutôt petits, estimait Mme Quest. Elle en valait sans doute
une autre, supposait Mme Quest. Il arrivait à Mme Quest, quand leurs
chemins se rencontraient, de se retourner pour contempler, les yeux
mi-clos à l'ombre de son grand chapeau de paille, une petite femme
brune et ronde qui se dirigeait d'un pas décidé vers l'office, ou le
garde-manger, et elle se disait : C'est la femme de mon fils. *Pourquoi
celle-ci plutôt qu'une autre ?* Mme Quest ne se souvenait pas d'avoir
jamais échangé avec elle autre chose que des banalités, jamais elles
n'avaient vraiment parlé, jamais elles ne s'étaient ouvertes l'une à
l'autre.
Solitaire, elle rêvait tristement aux enfants, au passé. Elle s'inquiétait également au sujet de Martha, dont les lettres ne révélaient
rien, et ne mentionnaient en particulier aucune intention de se
marier.
Une seconde dispute éclata, si l'on peut employer cette expression
pour ces affreuses discussions glacées, cassantes, détournées, où tous
trois étaient blêmes d'angoisse et de tension. Logiques — voilà ce
qu'étaient Jonathan et sa femme. Car lorsqu'elle maugréa qu'elle
approchait de soixante-dix ans, et qu'elle travaillait toute la journée,
elle n'avait évidemment pas l'intention de cesser ; elle voulait simplement qu'on l'aime et qu'on la félicite pour son travail.
En conséquence de cela, mais pas tout de suite, un changement
intervint. Tout d'abord, Jonathan annonça qu'il engageait un assistant. Il souhaitait que cet assistant vînt habiter dans la maison —
c'était plus pratique, prétendit-il. Il proposa donc de construire une
maison indépendante pour la vieille dame. Elle l'écouta, les yeux brillants, incrédule. Ils la chassaient ! Car telle était la vérité ; mais cette
froide logique ne pouvait évidemment pas admettre la vérité.
Ils lui construisirent une maison de deux pièces, agrémentée d'une
grande véranda, à cent mètres environ de la leur et tournée vers les
montagnes, avec des fenêtres ouvertes presque jusqu'au sol, de sorte
que les pièces semblaient remplies de montagnes, où que l'on tour-
nât les yeux. Sa maison lui plut. Elle s'y installa avec un sourire paisible et résigné, en déclarant qu'elle était ravie. Non, elle préférait
préparer ses repas elle-même ; oui, elle viendrait de temps en temps
s'asseoir à la table familiale, sans doute le dimanche — non, ce ne
serait pas systématique, bien sûr. Oui, elle comprenait que l'assistant
s'occuperait désormais du bétail. Aurait-elle le droit de garder ses poulets et ses canards ? Le caractère outrancier de cette paisible question,
preuve de la colère où la jetait son exploitation — *je ne suis qu'une
domestique sans salaire* — ne la frappa pas, car elle n'en avait jamais

eu vraiment conscience. Elle savait donc bien à quel point leur air exaspéré était immérité.

Ils l'engagèrent à ne plus trop se fatiguer, l'en prièrent, l'en supplièrent, et quand elle affirma qu'elle était parfaitement capable de s'occuper des poulets et des canards ainsi que des jardins, ils lui adjoignirent Steven comme assistant particulier.

Steven était un enfant de douze ans. Elle ne connut jamais son vrai nom. Un autre fermier chez qui il avait travaillé auparavant l'avait baptisé ainsi. Elle déclara qu'elle ne voulait pas de Steven ; ils ne discutèrent pas, mais se contentèrent d'ordonner à Steven de rester auprès d'elle. Il s'ensuivit une période absurde et pénible, où Mme Quest s'occupait de la volaille et des jardins avec un air furieux et buté, suivie de Steven qui s'efforçait de l'aider et essuyait une rebuffade chaque fois qu'il lui demandait : « Et moi, qu'est-ce que je fais, missus ? »

Steven lui apparaissait comme une ultime insulte. Elle passait ses nuits à laisser exploser sa colère et tempêter à voix haute, fulminant qu'à la fin de sa vie, elle, May Quest, se trouvait mise au rebut comme un vieux chien, avec un gardien noir qu'on appelait Steven.

Deux ans plus tard, quand Mme Quest partit pour l'Angleterre, elle sanglota. Et elle savait que ce n'était pas de quitter son fils ou ses petits-enfants qui la faisait pleurer. C'était de quitter Steven.

Pendant plusieurs semaines elle ne le vit qu'au travers d'un nuage de fureur : elle voyait un jeune visage noir qui l'observait sans cesse. C'était un enfant déjà grand, très mince, visiblement mal nourri. Elle commença à le gronder pour qu'il se lave et lui donna à manger du pain et des légumes dans sa petite cuisine. Elle s'était rendu compte qu'il était encore un enfant, qu'il se trouvait à des centaines de kilomètres de son village natal, qu'il n'avait personne d'autre qu'un genre de « frère » auprès de lui, et que ce « frère » travaillait à trente kilomètres de là, dans une autre ferme ; qu'elle, bref, elle, May Quest, était le seul être humain avec qui il eût le moindre contact. Il passait tout son temps avec elle — ne s'en allait qu'à dix heures du soir pour regagner la réserve. Quand elle lui suggéra de s'en aller plus tôt, il répondit simplement qu'il préférait rester auprès d'elle, car il n'avait pas de « frères » dans la réserve. Il préférait rester auprès d'une affreuse vieille femme en colère (Mme Quest avait vu dans le miroir son visage, qui reflétait ses pensées au sujet de Steven) plutôt que de rejoindre ceux de sa race. Elle songea, enfin, qu'il avait douze ans, qu'il était seul, et qu'il souffrait de la solitude. Elle commença à lui parler.

Ils s'asseyaient sur la véranda, les yeux tournés vers les montagnes. Elle tricotait, assise bien droite sur une chaise de jardin. Et l'enfant s'asseyait sur le rebord de la véranda, ses pieds nus posés dans la poussière où il traçait des dessins avec son index, ou bien il tripotait des cailloux et les faisait sauter d'une main dans l'autre. Il lui parlait de son village. Il expliqua qu'il avait une grand-mère. Sa grand-mère lui manquait. Ainsi comparée à une vieille femme noire d'un lointain village tribal, Mme Quest sentit remonter un soubresaut de colère, mais sans grande conviction. Elle se trouvait plutôt amusée. Elle entreprit de lui tricoter un chandail : il possédait un short, un maillot de corps et une couverture — c'était tout.

Parfois ils gardaient le silence, à regarder, par exemple, les quatre enfants blancs s'amuser sous les arbres à deux cents mètres de la petite maison, sous la surveillance des deux enfants noirs. Mme Quest demanda à Steven s'il voulait se joindre à eux, devenir leur ami. Il répondit aussitôt que non, qu'ils n'appartenaient pas à la même tribu, et qu'ils ne parlaient pas la même langue, sauf l'anglais. « Et puis, de toute façon, ajouta-t-il en fronçant les sourcils avec application, j'aime bien être avec vous, missus. » La vieille dame en fut blessée. Elle souffrait d'avoir été méchante. Elle souffrait d'autre chose encore : d'avoir vécu trente années dans ce pays et de n'avoir encore jamais parlé avec une personne noire — pas ainsi, pas comme elle le faisait à présent. Jamais encore elle n'avait pensé à ces centaines d'individus noirs qui avaient vécu sur l'ancienne exploitation, ou qui vivaient ici, jamais elle n'avait pensé qu'ils pouvaient se trouver dans l'incapacité de communiquer parce qu'ils ne parlaient pas la même langue, ou qu'un enfant pouvait souffrir de la solitude et de l'absence de sa vieille grand-mère — ou qu'une personne noire pouvait être solitaire par nature. Car c'était manifestement le cas de Steven. Il lui confia qu'il avait toujours aimé rester à l'écart, dans son village. On le taquinait. On l'avait surnommé Va-tout-seul. Mme Quest raconta à Steven l'histoire du Chat Qui Se Promenait Seul. Il fut enchanté, et rit. Mme Quest se procura en secret un exemplaire des histoires de Kipling, pour se rafraîchir la mémoire, et les lui raconta. En échange, il lui raconta les légendes de son village, et il apprit à chanter les chansons qu'elle lui enseignait.

En s'éveillant le matin, Mme Quest souriait dans l'attente du glissement feutré des pieds nus de Steven sur les briques de la véranda, de la porte, puis des préparatifs du petit déjeuner dans la cuisine ; elle attendait de voir apparaître son visage resplendissant dans l'encadrement de la porte qu'il entrouvrait très doucement pour voir si elle était réveillée et s'il pouvait apporter le thé. Elle se hâtait de faire sa toilette et de s'habiller pour retourner sur la véranda, où elle bavarderait avec son ami. Il lui dit un jour : « Vous avez un cœur noir, missus, vous êtes ma mère. » Mme Quest ne put rien répondre : elle pleurait. Un matin, comme elle poussait une exclamation de douleur en bougeant sa jambe — sa vieille arthrite revenait —, il se précipita et se mit à lui masser le genou. Elle resta immobile, et sentit des vagues de répulsion s'élever en elle, puis s'atténuer et disparaître. Un enfant noir lui massait le genou comme il l'avait si souvent fait pour sa grand-mère, lui expliqua-t-il, quand elle avait mal. Mme Quest ne pouvait supporter de penser à ce qu'elle éprouvait maintenant, à ce qu'elle avait éprouvé : elle souffrait d'atroces migraines, dormait mal, et débordait d'une émotion triste et morne qu'elle reconnaissait pour du remords.

Un dimanche qu'elle déjeunait avec sa famille et avec le nouvel assistant, on lui demanda si Steven lui convenait, ou si elle préférait un autre boy. Elle répondit non, qu'il semblait correct, et qu'il ne la dérangeait pas. En parlant ainsi, elle se rendit compte à quel point elle avait changé depuis l'époque où elle aurait tout naturellement répondu qu'il était insolent, qu'il était sale, qu'il était — noir. Elle avait honte de son nouvel ami et s'efforçait de faire en sorte que son fils et sa bru ne la surprennent pas à raconter une histoire à Steven ou à bavarder avec lui. Cela se produisit une ou deux fois : ils la questionnèrent, espérant qu'elle ne le gâtait pas. Elle répondit avec le sérieux qui convenait, qu'elle espérait avoir appris comment on maniait les Cafres, depuis le temps. Ils plaisantèrent et lui rappelèrent qu'on ne devait plus dire Cafres ni Nègres, mais qu'il fallait dire Africains, d'après ces grandes gueules de politiciens, en ville, qui gâtaient les Noirs. Elle répondit, car cela lui semblait parfaitement absurde, que s'ils y tenaient, elle les appellerait bien volontiers des Africains. N'était-elle pas une Africaine elle-même, après tout ce temps ? demanda-t-elle.

Au bout d'environ deux ans, un homme qui passait par là apporta un message du père de Steven : il fallait qu'il revienne au village, s'il avait gagné suffisamment d'argent pour payer les droits. Steven promit à la vieille dame qu'il reviendrait après, même si maintenant il devait regagner son village.

« Quand ?

— Oh, peut-être qu'ils ont besoin de moi pour planter, la saison des pluies va bientôt venir.

— Reviendras-tu après les plantations ?

— Oh oui, missus, oui, je reviendrai. »

Évidemment, ces Noirs, ces Cafres, ces Africains — ils n'ont aucun sens du temps. Elle savait qu'elle ne pouvait demander. Elle savait qu'elle ne devait surtout pas — et puis de quel droit ? D'ailleurs, elle s'alarmait de la distance qu'elle avait parcourue, pour pouvoir ainsi s'affliger du départ d'un domestique noir. Cette inquiétude se transforma en rancœur à l'égard de son fils et de sa bru : si seulement ils n'étaient pas si froids, si indifférents ! — *ils avaient le cœur blanc*, se surprit-elle à penser. Elle songeait comme il eût été inconcevable, avec cet enfant, d'avoir l'une de ces discussions glaciales et logiques où n'apparaissait aucun sentiment, aucun cœur, uniquement une sorte de duel verbal où ne pouvait être admise aucune émotion. Elle songeait : Bon, ils me considèrent comme une vieille dame ennuyeuse. Bien sûr, c'est normal. Mais alors pourquoi ne me taquinent-ils pas à ce sujet, pourquoi n'en font-ils pas un jeu, au lieu de tous leurs *donc*, et *parce que*, et *si*, et *mais*. Quand je suis de mauvaise humeur avec Steven, il me taquine, il en plaisante.

Elle songeait que, avec ces gens noirs, il était normal qu'une vieille femme devînt difficile, et qu'elle eût besoin de ce tact qui vient du cœur. Steven lui avait parlé de ces vieillards fâchés, ou bien un peu fous, ou même qui frappaient d'autres gens — ils étaient vieux, laissait-il entendre ; ils avaient le droit d'être difficiles. Mais Mme Quest n'avait pas ce droit avec ses propres enfants.

Elle déclara qu'elle pourrait peut-être bien aller voir Martha en

Angleterre. Oui, bien sûr, elle reviendrait. Elle décela dans sa propre voix la même note vague que dans celle de Steven : Oui, je reviendrai après les pluies. Il ne reviendrait pas. Et d'ailleurs, pourquoi serait-il revenu ? Il avait quatorze ans. Dans cette ferme où il tenait lieu de mascotte, ou de domestique, à une vieille femme blanche, il gagnait une livre par mois et — là résidait le problème — il ne découvrait rien du monde. Il disait qu'il voulait aller dans une grande ville, une vraie, comme Salisbury. Il n'avait jamais vu de grande ville blanche. Bien sûr. C'était normal. Mais quand Mme Quest reviendrait vivre dans la petite maison, où ils l'avaient reléguée, quand elle reviendrait d'Angleterre, elle se retrouverait seule. Non, elle verrait si Martha... après tout, le temps changeait les gens... le temps l'avait changée, elle, May Quest... un garçon noir lui avait dit qu'elle avait le cœur noir ! Elle allait le dire à Martha, et la laisser réfléchir !

Steven s'en alla un dimanche matin, avec sa couverture jetée sur l'épaule et, roulés dedans, un chandail tricoté par Mme Quest et une vieille chemise de Jonathan. Ses possessions. Il allait rentrer chez lui à pied, en compagnie de quelques frères qui partaient dans la même direction. Il s'attarda en souriant sur la véranda. Mme Quest s'y attarda aussi en souriant. Puis elle déclara d'une voix enjouée : « Eh bien, Steven, nous aurons tous deux beaucoup voyagé, quand nous nous reverrons...

— Oui, missus, au revoir, missus. » Il s'éloigna sur le sentier qui descendait parmi les arbres, et Madame alla pleurer sur son lit.

Après Steven, il y avait maintenant Marie, la métisse. Elle ramenait le petit garçon de son école maternelle, lui donnait à déjeuner, puis faisait le ménage pendant qu'il dormait. Elle préparait ensuite le repas du soir, raccommodait, faisait du thé pour Mme Quest. Elle était petite et vive, avec l'air d'avoir sans doute dix-huit ans. Elle avait deux enfants, dont sa mère s'occupait pendant qu'elle travaillait. Mme Quest supposait qu'ils étaient sans doute illégitimes. Marie était extrêmement pieuse. Elle-même dotée de sentiments fort religieux, Mme Quest trouvait la religion de Marie beaucoup trop contraignante. Marie ne pouvait ni fumer, ni boire, ni aller au cinéma, ni danser, ni... Milly répondit oui, que les enfants étaient illégitimes. Milly ne paraissait pas troublée pour autant. Son mari et elle-même étaient des libéraux ; ils détestaient les nationalistes ; ils supposaient tout naturellement que Mme Quest, comme eux, jugeait criminel *l'apartheid*. Marie, quand elle restait tard pour garder l'enfant, le soir, dormait dans une chambre d'amis, et elle partageait leur table quand elle se trouvait là aux heures de repas. Mme Quest se disait : Évidemment, cela les arrange, et ils ne comprennent rien à nos problèmes. Milly et son mari vivaient au Cap depuis cinq ans, et comptaient regagner l'Angleterre dès qu'ils le pourraient.

Ce n'était pas que Mme Quest trouvât Marie antipathique, bien au contraire. C'était une fille très serviable, propre, et qui savait se montrer responsable à l'égard de l'enfant. Un jour que Mme Quest souffrait d'une violente migraine, Marie l'avait fait allonger dans la pénombre, et lui avait posé sur le front des linges trempés de vinaigre. Marie parlait beaucoup de ses deux enfants, de sa mère, et de Dieu qui récompensait la patience dans cette vallée de larmes. En l'écoutant, Mme Quest songeait que sa propre foi était plus tiède, mais qu'elle avait été aussi forte autrefois. Elle observa, sur ce ton d'humour morose qui troublait parfois les gens, elle le savait bien, mais pas Milly qui l'employait également, qu'elle l'espérait sincèrement, mais qu'on n'en avait pas beaucoup de preuves jusqu'à présent. Marie soupira, sourit, et déclara qu'elle prierait pour Mme Quest. En passant les après-midi avec Marie, la vieille dame pensait à Steven, qu'elle ne reverrait sans doute jamais, et se disait qu'en Angleterre, elle serait libérée des problèmes de couleurs. Elle se jurait de ne jamais aborder ces questions avec Martha : il fallait absolument qu'elle s'en souvienne.

L'intimité chaleureuse avec Milly prit fin quand le mari de celle-ci, Bob, revint d'Amérique. C'était un homme très documenté, cultivé, et énergique. Plein d'allant et visiblement très irascible, il semblait toujours avoir des papiers et des journaux plein les mains, et Mme Quest ne l'estimait pas à la hauteur de Milly. Le soir, quand il n'allait pas au journal, il faisait toutes sortes de discours sur ce qui se passait dans le monde, et en particulier l'Amérique, pour laquelle il n'éprouvait aucune admiration. Il avait des idées très précises sur l'Afrique, et sur la politique menée par le gouvernement de son propre pays. Mme Quest déployait tout le tact qu'elle pouvait, disait oui, non, et s'efforçait de ne jamais le contredire.

Ce fut par lui qu'elle apprit que le patron de sa fille, Mark Colridge, était un écrivain communiste bien connu. Il lui donna à lire un roman, qu'elle jugea froid, intellectuel. Ce livre décrivait une ville communiste idéale, quelque part au Moyen-Orient. Mais c'était un livre très malhonnête, sournois : il ne mentionnait pas le communisme. En parlant du roman avec Bob, ou plus exactement en l'écoutant exposer son opinion, elle se trouva d'accord avec lui : la propagande communiste était dangereuse, du fait de son extrême malhonnêteté. Aucune ville communiste ne ressemblait à celle de ce livre, ni ne lui avait ressemblé. Mais des gens naïfs ou arriérés (comme les Africains) risquaient d'y croire s'ils lisaient ce roman. Bob ne croyait pas à la censure, mais il estimait que certains excès de propagande devraient être interdits — comme ce roman, par exemple.

Sa fille était-elle communiste ? lui demanda-t-il. Mme Quest répondit qu'elle le supposait, oui.

Elle se souvint d'une lettre où Martha lui avait affirmé le contraire. Mme Quest conservait toutes les lettres de Martha dans une boîte en carton. Elle passa une soirée à relire toute cette correspondance, qui en disait si peu, jusqu'à ce qu'elle retrouvât la lettre qu'elle cherchait, datée d'environ deux ans auparavant. Les phrases importantes étaient les suivantes : Vous savez bien que je ne suis pas communiste ; ne pensez-vous pas que nous devrions laisser la politique de côté ? Mais sans doute mentait-elle ; ils étaient hypocrites.

Mme Quest enferma les lettres de Martha dans la boîte, avec un sentiment de panique et d'effarement. Elle ne pouvait pas se souvenir d'avoir jamais parlé politique à Martha dans ses lettres. Qu'avait-elle donc pu écrire ? Elle avait beaucoup écrit ces derniers temps, bien sûr, mais c'était uniquement dans le but de ne pas déranger Martha quand elle arriverait, qu'elle avait voulu exposer clairement les choses.

La pensée oscilla en bordure de sa conscience, qu'elle écrivait trois ou quatre lettres par jour à Martha, sur le balcon qui surplombait la mer, et le matin dans son lit avant de se lever, et le soir avant de dormir. Et alors, n'était-ce pas normal ?

Évidemment, on écrivait surtout des lettres quand... son esprit s'obscurcissait.

Et l'esprit ainsi enténébré, elle écrivait vite, sans réfléchir, une page après l'autre, et elle cachetait ses lettres sans les relire. Elle les postait par paquets entiers, chaque matin après le petit déjeuner, en se disant vaguement : Bon, voilà qui est fait.

Elle vit venir avec plaisir le moment du départ. Elle se trouva prête et ses bagages terminés, deux jours avant d'embarquer. La veille, elle se sentit mal et crut qu'elle ne pourrait jamais quitter son lit, tant son corps la faisait souffrir, avec ses jambes raidies comme des piquets. Ce jour-là, Milly n'était pas allée travailler ; elle était restée gentiment, affectueuse, inquiète, en disant simplement que si Mme Quest ne pouvait pas embarquer demain, elle pourrait toujours prendre le bateau suivant, dans deux semaines. Du fond de son lit, Mme Quest observait le petit visage doux et teinté d'humour de la jeune femme ; elle savait que Milly s'était querellée avec son mari à cause d'elle : elle avait entendu la dispute au travers des minces cloisons. Bob entra ensuite dans la chambre, et annonça qu'il allait téléphoner au médecin. Milly lui lançait des regards en semblant croire que Mme Quest ne les voyait pas : ils la prenaient vraiment pour une idiote ! Elle déclara vivement qu'elle n'avait nullement besoin de médecin, et qu'elle serait prête à partir, le moment venu.

Bob sortit aussitôt. Milly embrassa la vieille femme et la tint un moment serrée contre elle, en murmurant : « Ma pauvre vieille amie. » Pleurant presque de gratitude, Mme Quest répliqua qu'elle n'avait rien d'une pauvre vieille. Les deux femmes échangèrent un sourire de compréhension humoristique scellée d'un long regard intense — puis Mme Quest s'entendit pousser un gloussement bref.

Milly hocha la tête, comme pour dire : Oui, mais cela ne suffit pas, vous savez ! Il faut aussi penser à mon mari ! — quitta la pièce et regagna sa chambre, où commença aussitôt une altercation conjugale. Mme Quest en guetta avidement le sens, faute de pouvoir saisir les paroles.

Ah, se disait-elle, que ces gens dogmatiques et entêtés sont affreux ! Dieu merci, elle s'en allait demain.

Ce matin-là, elle se leva avant le jour pour s'asseoir une dernière fois sur le balcon. Le soleil apparut au-dessus d'une mer grise et plate, y fit jouer des verts et des mauves, peignit le paquebot qui allait emporter Mme Quest jusqu'en Angleterre de couleurs fraîches et naïves. Le ciel étincelait de lumière. Elle trônait au cœur d'un monde éblouissant qui l'épuisait, et elle regarda le soleil en lui disant : Je ne te reverrai plus, Dieu merci ! comme si un soleil entièrement différent, amical et modeste, avait brillé au-dessus de l'Angleterre. Milly l'accompagna jusqu'au bateau, et lui offrit un bouquet de fleurs. Dans sa cabine, elle trouva des chocolats. Avec deux autres vieilles dames, elles prirent possession de cet espace extraordinairement restreint, et y installèrent leurs nombreuses affaires. Elle retourna sur le pont auquel lui donnait accès son billet, pour regarder la ville du Cap s'amenuiser au loin. Elle éprouvait le besoin de saluer une dernière fois son Afrique, de même qu'elle avait dit adieu au soleil. Dans un état de vide et de confusion, elle s'agrippait à des pensées appropriées et autorisées : sur le temps qui passait ; sur la vie et son cortège d'événements inattendus ; sur la mort, inévitable. Elle était satisfaite, soutenue par le joyeux tohu-bohu du départ, par les fleurs, les chocolats, un télégramme de bons vœux de son fils. En passant ces diverses choses et ses pensées en revue, comme elle aurait compté les couronnes lors d'un enterrement, ou les soldats pendant une cérémonie, elle savait que derrière les gestes et les rituels sur lesquels, comme toujours, elle prenait appui, son esprit vide se tapissait, immobile. Elle se trouvait les idées extraordinairement claires : peut-être parce qu'elle s'était levée si tôt. Elle prit un siège aussi près que possible du bastingage, parmi tous ces gens qui piétinaient comme du bétail, en espérant qu'un peu d'embruns parviendrait jusqu'à elle. Lorsqu'elle avait fait la traversée en sens inverse, tant et tant d'années auparavant, les gens s'étaient-ils bousculés aussi bruyamment, en criant et en se querellant pour une place ou pour un steward ? Dans ce cas, elle avait oublié.

Se souvenant qu'elle ne devait pas s'épuiser au point de risquer de se mettre à parler toute seule, elle resta assise pendant que la situation s'organisait et que la routine reprenait le dessus. Elle descendit ensuite pour découvrir à quelle partie de cette immense machine elle allait devoir s'adapter. Elle le fit avec un sentiment intime d'amusement résigné : pour cette traversée tant attendue, elle, l'intrépide voyageuse, allait être une vieille dame parmi d'autres. Elle l'avait oublié.

Dès la fin de la première journée, ces centaines de personnes semblaient déjà obéir à des lois précises : tout d'abord, elles s'étaient regroupées par catégories d'âge. Les enfants couraient et caracolaient dans leur univers propre, ne voyant qu'eux-mêmes et non le monde des adultes. Les jeunes gens — et il semblait y en avoir une incroyable quantité — flirtaient, buvaient, et jouaient entre eux à des jeux — sans voir personne d'autre. Mme Quest trouvait leur comportement révoltant, mais elle garda ses pensées pour elle-même : elle savait qu'elle datait d'une autre époque. Il y avait ensuite les couples mariés, qui s'inquiétaient au sujet de leurs enfants. Et ces couples mariés glissaient vers l'âge mûr, et vers la vieillesse — qui se composait essentiellement de vieilles dames, avec seulement un ou deux vieux messieurs. Les tables avaient été arrangées suivant ce classement dans la salle à manger, et tout le monde s'y conformait.

Mme Quest, vieille dame parmi les vieilles dames qui étaient toutes veuves (puisque les femmes vivent bien plus longtemps que les hommes), se tenait sur sa chaise longue bien abritée du vent. Elle aurait certes préféré se trouver dans le vent. Une couverture lui couvrait les jambes, et elle tricotait : elles tricotaient ou cousaient toutes, et regardaient les autres jouer. Quand Mme Quest avait déclaré combien elle aimait voyager, une bonne partie de ce qu'elle aimait tant résidait dans les jeux ; elle adorait cette atmosphère de bonne humeur organisée, ces plaisanteries, ces taquineries, cet esprit de compétition franche. Elle avait toujours aimé cela... Mais était-ce bien vrai, se demandait-elle à présent ? Bien sûr, elle avait toujours suivi volontiers le mouvement. Et à présent, suivant docilement le mouvement comme elle l'avait toujours fait, elle jouait au whist et au bridge. Elle jouait bien. Elle adorait le whist et le bridge. Mais elle ne jouait pas tout l'après-midi et toute la soirée, comme certains. Elle jouait une heure ou deux l'après-midi, payant son dû, et puis elle regagnait le pont. Le soir, sur le pont, il y avait partout des couples qui s'embrassaient. Et qui devaient même faire plus, soupçonnait-elle. Elle s'efforçait de ne pas les voir et regardait les étoiles, en se disant que ce ne seraient plus les mêmes en Angleterre. Les vieilles dames parlaient de la Croix du Sud, qui allait bientôt les quitter, mais Mme Quest se surprit à penser qu'elles venaient toutes de milieu urbain, sans une seule exception, alors que pouvaient-elles savoir des étoiles, de la Croix du Sud — ou de l'Afrique ? Elle avait aussi peu en commun avec ces dames qu'avec quelqu'un qui n'eût jamais quitté l'Angleterre. En elle-même, elle alignait ses dizaines d'années en Afrique auprès des leurs, et s'efforçait de ne pas les mépriser : il ne fallait plus qu'elle critique autant, vraiment ! Elles parlaient comme parlent les vieilles dames, et Mme Quest tenait bien son rôle. On aurait pu penser que là, enfin, elle allait pouvoir se décharger du poids de la longue maladie fatale de son mari, et du souci que lui causaient ses enfants. Mais chacune de ces vieilles femmes portait son propre fardeau. Il semblait, là encore, qu'une recommandation à l'encre invisible eût été affichée pour elles : Tu écouteras les récriminations de tes sœurs de vieillesse concernant l'existence, de même qu'elles écouteront les tiennes.

Chacune racontait son histoire, et les autres écoutaient. Mais si Mme Quest avait dû réellement raconter les longues années de cette maladie interminable — eh bien, cela aurait duré pendant tout le voyage. Et elles avaient toutes des fils qui avaient fait la dernière guerre ; et elles avaient toutes des enfants, désormais adultes, au sujet desquels elles mentaient volontiers. Mme Quest se montra parfaitement bien dans la note : elle avait son fils, convenablement marié, qui exploitait sa vaste ferme dans les montagnes et élevait ses quatre enfants. Mme Quest avait quatre petits-enfants — cinq. Il y avait Caroline. Mme Quest trouvait quelque réconfort à entendre qu'elle n'était pas la seule dont la fille eût comparu devant le tribunal pour divorcer, la vie étant ce qu'elle était. Mais elle était la seule dont la petite-fille ne fût pas élevée par sa mère. Elle passa rapidement sur ce détail, bien que Caroline eût fort bien pu être sa préférée, tellement elle était décidée, intelligente, et bien élevée, même si elle lui faisait un peu peur. En vérité, Caroline traitait sa vieille grand-mère avec une certaine condescendance, les jours où celle-ci quittait la ferme pour passer la journée avec elle.

Tout ce bavardage fatiguait Mme Quest. Elle se sentait vraiment très lasse. Ce devait être l'air de la mer. Elle se levait tard. Faisait la sieste après le déjeuner. Et se couchait de bonne heure. Les repas bruyants l'épuisaient, dans la salle à manger où elle demeurait confondue de voir les gens s'empiffrer ainsi. Elle restait parfois sur le pont, et priait le steward de lui apporter une tasse de potage.

C'était un jeune homme charmant, que son propre tempérament ou bien une direction astucieuse avait mené au service des vieilles dames. Elles se le disputaient entre elles, pour lui demander d'apporter un coussin, une couverture, ou leur chocolat préféré. Il figurait une sorte de fils idéal (émasculé, et qu'elles n'auraient jamais toléré un seul instant dans la vie réelle, car il était trop docile, trop attentionné et trop empressé). Elles le suivaient des yeux en soupirant, tandis qu'il s'approchait d'elles avec son chargement de tasses sur un plateau, en suivant de sa démarche dansante l'oscillation du bateau, et comme en se jouant de sa propre agilité. Mais tout en soupirant et souriant, elles échangeaient bien souvent des regards car elles savaient parfaitement pourquoi on leur avait alloué celui-là plutôt qu'un autre. Les prenait-on pour des idiotes ?

Qu'on ne les prenne pas pour des idiotes à cause de ce déguisement qu'elles arboraient, cheveux blancs, visages d'outre-tombe, corps disgracieux, cela les préoccupait toutes, et cela formait la racine de leur irascibilité et de leur mauvaise humeur. C'était parmi leur propre espèce, entre elles, que chacune se dressait sur ses ergots pour protéger sa dignité, combattait poliment pour des détails de préséance, réclamait d'infimes privilèges. Qui d'autre l'eût admis ?

Le voyage était à demi accompli. Le groupe tendait à se diviser en couples. Il y avait là une certaine Mme Foster, qui avait passé plusieurs années dans une ferme, à l'époque de sa jeunesse. Mme Quest ne pouvait se résoudre à parler avec elle. Elles s'asseyaient côte à côte et, cérémonieusement, parlaient du temps, de la mort, de la vie ; mais leur expérience commune donnait aux moindres propos une profondeur qui parfois empêchait leurs regards de se rencontrer. Une vieille dame pouvait dire à une autre, en regardant les jeunes gens flirter, ou les jeunes couples vaquer en compagnie de leurs enfants, tous ces corps lisses et soyeux : « Oui, mais il ne savent pas, voyez-vous. » On eût dit une malédiction.

Un groupe de vieilles femmes emmitouflées dans leurs lainages et leurs écharpes, les cheveux protégés par des filets, avec leurs tricots et leurs conversations retenues, lançait des regards désolés en direction des jeunes qui, jetant un coup d'œil vers elles, s'interrompaient parfois et gardaient le silence, ou même s'éloignaient carrément pour gagner une autre partie du paquebot.

Trente années auparavant, lorsqu'elle s'était rendue en Afrique, Mme Quest avait fait partie de cet autre groupe : elle avait été une jeune femme saine et solide, accompagnée de deux petits enfants, d'un mari séduisant, et d'une bonne d'enfants. Trente années, se répétait-elle, s'appropriant de droit ces mots, cette notion — mais rien ne prenait vie. Elle ne parvenait pas à leur donner un sens. Elle savait que si elle avait dit : trente années, à l'une de ces jeunes femmes, cette dernière n'aurait entendu qu'une promesse d'infini, plein de possibilités, comme un chèque en blanc pour une table de jeu. Mais quand Mme Quest répétait : trente années, trente années, trente années, elle ne pouvait rien mettre d'autre sur ces mots que ce qu'elle éprouvait après une mauvaise nuit : elle avait beaucoup rêvé, elle avait rêvé d'exil, de sommets, de sécheresse, et de montagnes.

Mme Foster et elle, qui avaient choisi la compagnie l'une de l'autre parce qu'elles avaient un point commun, se disaient en vérité fort peu de chose. Elles gardaient le silence sous la protection de leur compagnie mutuelle, et regardaient les jeunes — mais en gardant les yeux détournés, comme si ce qui pouvait y apparaître eût été trop douloureux à supporter.

Mme Quest revenait sans cesse aux mots, aux expressions officielles : l'Empire en était un. (Elle tentait de le remplacer par Commonwealth, mais ce n'était pas pareil). Le Devoir en était un autre. Dieu, un autre encore. Au service religieux du dimanche, l'assistance était composée de cinquante personnes, parmi les centaines de voyageurs. Ils étaient tous bien trop occupés à s'amuser. Mme Quest s'était toujours efforcée d'accomplir son devoir. Elle passait tranquillement en revue les Dix Commandements, et songeait qu'elle pouvait sincèrement dire qu'ils avaient toujours conduit sa vie. Mme Foster n'avait pas de sens religieux ; elle aussi se trouvait seule, et elle retournait voir en Angleterre des amis qu'elle n'avait pas revus depuis vingt ans parce que, Mme Quest s'en rendait bien compte, ses enfants ne voulaient plus d'elle. Mme Foster n'avait pas assisté au service religieux du dimanche. Quelle différence cela faisait-il ? Et elle, Mme Quest, était une immigrante blanche (naguère un sujet de fierté, et non d'opprobre), une exploiteuse, une sangsue : Bob ne le lui avait pas envoyé dire. Dans son esprit se bousculaient des mots, des images, des lambeaux de prières et de cantiques, et d'observations sur la vie et la mort qui l'avaient alimentée toute sa vie et l'avaient soutenue. Mais elle était vraiment très, très lasse. Elle se disait que deux ans plus tôt, elle avait encore travaillé aussi durement que sa belle-fille ou son fils, et que ces deux années n'avaient pas pu faire d'elle cette vieille femme toujours fatiguée, et qu'il fallait servir. Mais si.

On l'avait forcée à devenir vieille : on l'avait mêlée de force à ce groupe de vieilles poules caquetantes, avec qui elle n'avait rien de commun : on la forçait à jouer au bridge et à s'asseoir à l'abri du vent, à tricoter et à chercher l'évasion dans le sommeil parce qu'elle n'avait rien à faire.

Il semblait à Mme Quest qu'un seul mot, un seul coup de baguette magique suffiraient pour qu'elle redevienne la jeune femme solide et expérimentée qu'elle se souvenait d'avoir été — comme cette fille, là-bas, saine et bronzée, qui jouait toute la journée sur le pont avec son mari et un groupe d'amis. Elle avait bon caractère : toujours prête à suivre le mouvement. La vieille dame observait la jeune femme. Elle cherchait des prétextes pour déplacer sa chaise longue et garder Olive Prentiss dans son champ visuel. Il lui semblait qu'une subtile compréhension existait entre elles et que, même si elles n'avaient jamais échangé un mot, elles éprouvaient quelque chose l'une pour l'autre. La vieille dame attendait qu'elle sourie. Cela se produisit une fois. Puis elle lui dit : « Bonjour ! » Et, le lendemain, elle demanda à Mme Quest comment elle allait. Mme Quest rêvait qu'Olive venait lui demander conseil — « avec toute votre expérience... » Mme Quest lui recommandait de ne pas trop attendre pour avoir des enfants : les enfants constituaient la seule vraie valeur de l'existence.

Un soir, Mme Quest s'était attardée sur le pont et, accoudée au bastingage, contemplait la mer. Il faisait nuit, et seul brillait un rai de lumière sous une porte. Olive Prentiss apparut, seule, à quelques pas. Elle semblait épuisée — honteuse ? Elle tournait le dos au bastingage et jeta un coup d'œil alentour. Elle ne vit pas la vieille dame et, s'accroupissant à demi, elle glissa une main sous sa courte jupe blanche, en tira un petit tampon ensanglanté, et le jeta par-dessus bord. Elle se redressa, jeta un nouveau coup d'œil à la ronde — et vit Mme Quest. Mme Quest suffoquait d'émotion. Elle y décela par la suite un sentiment d'outrage : c'était la désinvolture de la jeune femme qui l'avait choquée. Un ou deux brefs regards alentour, sans voir Mme Quest pourtant si proche (suis-je donc invisible ? se demandait la vieille dame, furieuse), puis le bref accroupissement, visiblement habituel, et cette manière révoltante de jeter l'ignoble chose. En découvrant Mme Quest, elle manifesta une très légère réaction de surprise. Puis elle sourit, et observa : « Il y a plein de place, dans l'océan. » Elle s'attarda — par pure *politesse*, comprit Mme Quest, incrédule —, sourit encore, et s'éloigna vers le grand salon.

Mme Quest souffrit mille rages. Lorsqu'elle était jeune... mais elle ne put, brusquement, supporter le souvenir de ce qui lui apparaissait uniquement, désormais, comme une longue histoire d'humiliation et de furtivité, de grands linges sanguinolents et détrempés qui grattaient et qui sentaient mauvais, et que l'on s'efforçait sans cesse de laver en secret, de dissimuler, ou même de brûler ; de migraines, de douleurs dans le dos, et de toutes sortes de petits mensonges nécessaires à l'intention de frères et de père obtus ; et puis sa poitrine, cette première poussée de seins dont la famille avait tant plaisanté et dont elle avait rougi — mais elle avait toujours bon caractère, bien sûr.

Elle se coucha de bonne heure, et se sentit malade. Elle chassa Olive Prentiss de ses pensées et, avec elle, les souvenirs que l'incident avait réveillés.

Il y a plein de place dans l'océan, en effet !

A deux jours de mer de l'Angleterre, Mme Quest décida de ne pas se lever. Elle ne se sentait pas bien, expliqua-t-elle à Mme Foster qui venait lui rendre visite. Mme Foster se montra charmante et pleine de tact : beaucoup trop discrète pour parler de médecin ou de médicaments.

Une femme de chambre se montra aux petits soins avec elle. Une compagne de cabine originaire de Johannesburg, la vieille Mme Jones, lui offrit en échange ses propres symptômes ; et Mme Quest songeait en l'écoutant que Mme Jones cherchait simplement à attirer un peu d'attention, car elle n'avait rien du tout.

Allongée sur sa couchette, elle se régalait du mouvement du bateau sous elle et se souvenait du plaisir qu'elle y avait déjà pris à l'aller, tant d'années auparavant. Elle pensait à présent, non plus à Martha, mais à sa jeunesse, qu'elle appelait « l'Angleterre ». Dans son esprit se succédaient des mots, des expressions, sa mémoire officielle : la souffrance s'étendait si vite, à l'approche de Martha, qu'elle se trouvait obligée de revenir à ses anciens appuis.

On pouvait dire ce qu'on voulait, elle avait bien profité de sa jeunesse : car les jeunes savaient s'amuser sainement, de son temps — mais on ne pouvait guère le dire, de nos jours, c'était apparemment une plaisanterie ! Mais il n'y avait pas eu, en ce temps-là, cette insistance constante sur l'aspect sexuel : cette fille, l'autre jour à la piscine, on pouvait voir sa poitrine et même, à un moment, le bout de ses seins était apparu tandis qu'elle se hissait hors de l'eau : ce n'était pas bien vis-à-vis de l'équipage ; le personnel se composait en grande partie de gens de couleur, et c'était vraiment là une attitude irresponsable. Non, quand avec ses amies et les frères de ses amies ils se réunissaient pour des soirées musicales ou pour aller au théâtre, au concert, rien de tout cela n'arrivait. Et ce n'était pas qu'ils eussent beaucoup d'argent, aucun d'entre eux : non, en ce temps-là, les gens savaient organiser leurs distractions. Ils jouaient à des jeux sains, et aucun d'entre eux n'était morbide. Contrairement aux jeunes de maintenant, qui ne s'intéressaient qu'au plaisir, qui ne croyaient pas en Dieu, et les filles, des pas-grand-chose qui ne pensaient qu'à se peinturlurer, à boire, et à pêcher... mais c'était avant la guerre, bien sûr, avant la Grande Guerre...

La dernière nuit avant d'aborder à Tilbury, Mme Quest resta éveillée jusqu'au matin, et s'efforça de ne pas se parler à voix haute. En se levant, l'une de ses compagnes observa : « Vous n'avez pas passé une bien bonne nuit, ma pauvre ! »

Ce n'était pas dit très gentiment — mais peu importait ; Dieu merci cet affreux voyage s'achevait, c'en était fini : bah, les choses ne se passent pas toujours comme on l'aurait imaginé.

Avant que Martha l'eût vue, Mme Quest l'avait scrutée, d'abord du bateau — quelqu'un possédait une paire de jumelles —, et puis de la file d'attente devant les services de douane. Avec Martha se trouvaient un homme et un garçon d'une dizaine d'années. Martha semblait fatiguée. Avec l'homme, elle ne paraissait guère communiquer ou, du moins, parler ; mais elle riait avec l'enfant d'un air animé : à un moment donné, elle joua même à un genre de cache-cache autour des piles de bagages. Lorsque Mme Quest la rejoignit enfin, l'homme et l'enfant avaient disparu.

Elles s'embrassèrent.

« N'y avait-il pas quelqu'un avec toi ? s'enquit Mme Quest.

— Si. Mark est venu avec Paul — il a promis à Paul de l'emmener visiter les docks aujourd'hui. »

Mark était l'écrivain ; et Paul ?

« Ne vous l'ai-je pas écrit ? » s'étonna Martha. « Paul est son neveu. »

Oui, Martha le lui avait dit : ses lettres contenaient des faits. L'enfant devait donc être le fils de cet espion communiste dont Bob lui avait parlé avec force détails.

Faisant un effort sur elle-même, Mme Quest demanda : « M. Colridge élève l'enfant, alors ?

— On l'élève », corrigea Martha. C'était sinistre : Mme Quest lui lança un regard rapide ; Martha souriait, étrangement ; Mme Quest songea : On dirait Milly ! Désireuse d'établir une relation avec Martha, de créer le contact sur ce point, elle marmonna : « Eh bien, ce ne doit pas être facile, avec un passé pareil. »

Le sourire de Martha s'effaça. « Non. »

Elles se trouvaient en taxi, et les bagages de Mme Quest prenaient toute la place.

Se tournant vers sa mère, Martha observa avec cet humour sec qui restaurait l'espérance de Mme Quest : « Nous avons pensé que ce serait mieux si vous et moi passions la journée seules ensemble, tout compte fait ! » Elle attendit, souriant droit dans les yeux de sa mère.

Cherchant désespérément à ne pas rater sa chance, Mme Quest trouva finalement ces mots : « Qui cela, *nous ?* »

La pâleur de Martha s'accentua, et sa bouche se crispa.

L'envie saisit Mme Quest à la gorge de crier : « Non, non, je ne voulais pas dire... »

« Mark ! répondit Martha. Il est mon employeur, après tout, non ? » ajouta-t-elle avec une sorte de désespoir particulier qui suggérait la possibilité d'un retour à l'ironie sèche et glacée où Mme Quest n'avait jamais cru pouvoir rencontrer sa fille.

Apeurée, Mme Quest s'enjoignit de garder le silence. Plus tard. Tout s'arrangerait plus tard. A présent, un démon s'était emparé de sa langue, car elle n'avait jamais eu l'intention de...

Martha annonça : « J'ai demandé au chauffeur de passer devant Saint-Paul. Et puis Piccadilly Circus, le Palais... Mais si vous vous sentez trop fatiguée... »

Mme Quest l'entendit comme un enfant s'entend offrir des bonbons quand il ne les aime plus. Martha avait voulu lui faire plaisir, elle le savait. Et puis elle avait envie de revoir Saint-Paul, bien sûr, et tout le reste.

Martha poursuivit, au prix d'un grand effort, comme sa mère s'en rendit compte : « Il a fallu que j'arrive ici pour vraiment comprendre de quoi vous m'aviez parlé pendant toutes ces années. »

Et voici que Mme Quest s'entendit lâcher un petit rire méchant. « Eh bien, raconte-moi donc quand tu as visité Saint-Paul ou assisté au changement de la Garde pour la dernière fois ? »

Martha ne la regarda pas ; elle gardait les yeux fixés sur la fenêtre. Mme Quest était à présent aussi pâle que sa fille. Elles passèrent en silence devant Saint-Paul. A Fleet Street, elle articula timidement : « Je suis sans doute un peu fatiguée, peut-être... »

Martha se pencha en avant, et donna de nouvelles instructions au chauffeur.

Puis, comme sa mère le sentit aussitôt, elle se força à être polie. Elle posa de nombreuses questions sur son frère, sur Bessie, les enfants, la ferme, le voyage, et Mme Quest répondit dans le même esprit. Martha ne parlait pas de Caroline. Mme Quest prit l'initiative de lui annoncer que la fillette se portait bien ; qu'elle était intelligente ; qu'elle avait toujours de bons résultats en classe. Martha ne répondit rien.

Ensuite, comme pour s'en excuser, Martha observa : « Évidemment, Londres a dû beaucoup changer.

— C'était inévitable », répondit Mme Quest. En elle-même, elle ne pensait pas que la ville eût beaucoup changé ; mais sans doute Martha se vexerait-elle si elle le lui disait. Toutes sortes d'immeubles avaient changé, des points de repères avaient disparu, mais l'essence même de cette ville, cette masse pesante et grise, qui pourrait jamais la changer ?

Quand elles passèrent devant le musée, non, décidément rien n'avait changé, et Mme Quest oublia sa fille pour se rappeler seulement comme elle y était venue, enfant, avec son père.

Elle souriait quand le taxi s'arrêta devant la maison. Elle attendit sur le trottoir tandis que Martha réglait la course. Puis elle comprit que le chauffeur et Martha traînaient les bagages jusque dans la maison : n'y avait-il donc pas de domestiques ? Elle les aida. Deux grandes malles, trois grosses valises, et une douzaine de colis et de paquets se trouvaient entassés dans le vestibule. « Non, Mark les montera quand il reviendra », protesta Martha. Mais Mme Quest, envahie de remords et de gêne, insista pour monter avec l'aide de Martha tout ce qu'elles pouvaient réussir à porter : tout sauf les deux malles. Elle se retrouva dans une chambre délicieuse, au troisième étage, et réprima l'envie de dire qu'elle avait eu la chambre du devant, au troisième étage, pendant toute sa jeunesse : elle éprouvait le sentiment d'être enfin rentrée chez elle. Martha se tenait auprès d'une pile d'objets posés sur une table : elle souhaitait visiblement que sa mère les vît. Mme Quest vit du linge, une bouillotte, des épingles de sûreté, et une quantité d'autres choses.

« J'ai acheté tout cela pour vous », expliqua Martha.

Mme Quest dut réfléchir pour tenter de comprendre ce qu'elle voulait dire.

« Eh bien, ce n'était vraiment pas la peine », répliqua-t-elle. « Je pense que je suis assez grande pour faire mes courses moi-même. »

Elle se prit à regretter éperdument ses paroles : mais il était trop tard. Martha se détourna, cramoisie. Et quand elle se retourna à nouveau, elle était blême et évitait le regard implorant de sa mère.

« La salle de bains se trouve juste en face », se hâta-t-elle d'annoncer. « Et je vais aller faire du thé... »

Elle quitta la chambre en courant presque, et cria : « Vous me trouverez à la cuisine — rez-de-chaussée. »

Parcourant sa chambre pour se ressaisir, Mme Quest observa que cette chambre était exactement, mais alors exactement, ce qu'elle aurait pu imaginer. Elle en profiterait plus tard, mais d'abord...

Elle fit à la hâte un brin de toilette et se brossa les cheveux, puis descendit l'escalier, et trouva la cuisine. C'était une très belle cuisine, une sorte de mariage entre la cuisine victorienne, avec ses placards et ses annexes, et le modernisme, avec ses appareils et ses gadgets. Martha soulevait un plateau posé sur une énorme table — elle guida sa mère à travers la maison, jusqu'à un salon qui ne servait manifestement pas souvent.

« Il ne faut pas te donner tant de mal pour moi, protesta-t-elle, je ne veux pas compliquer les choses.

— Je pensais que cette pièce vous plairait », répondit Martha. « Elle est charmante. Elle ne sert pas très souvent, il est vrai, mais lorsque nous y venons... »

Martha semblait apprécier l'occasion de s'y installer ? Eh bien, elle avait dû changer !

En buvant leur thé et en grignotant chacune des petits morceaux de gâteau pour faire plaisir à l'autre, elles échangèrent des nouvelles. Martha déclara ensuite que Mark ne rentrerait pas aujourd'hui : il reconduisait Paul à son école, et se rendrait directement à son travail le lendemain matin : elles le verraient probablement dans la soirée du lendemain.

Il fallait encore survivre au dîner : Mme Quest avait décidé qu'elle était très fatiguée, et qu'elle devait absolument se coucher ; demain, se disait-elle, elle serait certainement en meilleure forme. Elles échangèrent un baiser en se souhaitant une bonne nuit, puis la vieille dame s'installa dans sa chambre, éparpilla ses affaires, rangea et, dans son lit, entreprit d'écrire une très longue lettre à son fils, une page après l'autre, jusqu'au moment où, percevant l'épaisseur du silence autour d'elle, elle consulta la pendule et découvrit qu'il était trois heures du matin. Elle resta longtemps encore éveillée, à s'admonester et enjoindre à sa langue de ne pas la trahir demain.

Elle se réveilla tard, le lendemain matin, et trouva Martha infiniment disposée à la patience. Elles parcoururent Londres en taxi et à l'étage des autobus, contemplant sans doute la même ville, mais Mme Quest guettait les moments comme ceux d'hier, qu'elle avait laissés passer, et ne les retrouva plus. Martha semblait favorablement disposée à l'égard de Harrods et de Liberty's, et prête à passer dans chacun de ces magasins autant de temps que le souhaiterait sa mère. Mais quand Martha lui proposa d'aller prendre le thé chez Fuller's, elle refusa d'une voix acide : elle avait de nouveau l'impression de se faire promener comme une écolière que l'on récompense. Elle se coucha très tôt : sa tête la faisait souffrir.

Elle s'éveilla de bonne heure, et descendit se faire du thé. Elle évitait de faire du bruit, pour ne pas déranger. A la cuisine, elle rencontra Mark : sympathique, mais nerveux. Il partit pour l'usine quand arriva Mme Coles, la femme de ménage. Mme Coles commença par s'asseoir et prendre le thé. Mme Quest savait que tout avait changé, en Angleterre : mais au bout d'une demi-heure que quelqu'un devait quand même bien payer, après tout, et alors que Mme Coles, une femme âgée qui se plaignait de ses douleurs et du prix de la vie, ne semblait pas du tout décidée à se mettre au travail, Mme Quest annonça qu'elle montait faire sa chambre. Mme Coles et Martha s'exclamèrent en chœur qu'il ne le fallait surtout pas, mais elle les quitta, chargée de l'aspirateur et de chiffons à poussière.

Elle fit sa chambre et la salle de bains avec l'impression d'être une criminelle. Plus tard, Martha la rejoignit. Mme Quest vit qu'elle était prête à dire un certain nombre de choses. Elle s'assit, chercha partout dans ses poches une cigarette et, tandis que Martha s'asseyait, lui en tendit une.

« Tu t'es toujours laissée exploiter par les domestiques, commença Mme Quest sur un ton de défi.

— Oui, bon, mais cela n'a pas d'importance. Écoutez. Je veux vous dire une chose. »

Mme Quest prit une expression amusée.

« Oui. Je ne sais pas à quoi c'est dû, mais nous semblons toujours — enfin, bon. Ce que je ne veux plus, c'est que nous recommencions... à faire semblant. Non, ce n'est pas ce que je veux dire. Je veux dire que vous n'avez jamais aimé ce que je suis, comment je suis. Mais quel est l'intérêt de... nous pouvons fort bien mettre un beau masque sur les choses, être polies, et ainsi de suite — mais ne vaudrait-il pas mieux que nous essayions sincèrement... »

En écoutant ces paroles, Mme Quest dévisageait sa fille : chaque muscle, l'implication du moindre mouvement d'yeux, de bouche, de mains crispées. Elle se sentait, enfin, sur le point de faire des découvertes. Elle éprouvait un immense triomphe à voir sa fille la défier de cet air suppliant.

« Voyez-vous, reprit Martha, je sais que cette maison n'est pas précisément orthodoxe, mais si vous la prenez telle qu'elle est...

— Tu ne vas donc pas l'épouser ? » gémit Mme Quest, et elle aurait voulu pouvoir ravaler ses paroles.

Martha se mit à rire. D'un rire désespérant, comme inévitablement elle devait rire, comme sous l'effet d'un maléfice.

« Eh bien, c'est parfait ! s'exclama Mme Quest.

— Oui, sans doute. Mais la question, voyez-vous... »

Maintenant venaient les mots qui, pour Mme Quest, sonnaient comme une gifle, ou une porte claquée. « Comprenez-vous, nous ne partageons pas tous les mêmes idées sur l'existence.

— Mais je n'ai jamais rien affirmé de semblable à *personne* ! »

Silence. Martha se leva, alla à la fenêtre, regarda dehors, et Mme Quest contempla son dos.

« Alors, tu vis avec lui ?

— Eh bien... je vis ici. Mais non, je pense que dans l'ensemble, non, je ne vis pas avec lui.

— Parce que je ne vois vraiment pas ce que peut en penser sa femme...

— Je vous ai déjà dit qu'elle vivait ici, rappelez-vous. Elle habite en bas. Elle est malade. »

Mme Quest se creusa la tête en hâte : le lui avait-elle déjà dit ? Dans ce cas, pas d'une façon que l'on pût comprendre.

Martha se retourna. « En tout cas, je ne sais pas pourquoi, mais il semble que nous ne puissions jamais. »

Mme Quest ressentit à nouveau une impression de triomphe, de victoire. Ces excuses, que sa fille semblait présenter, constituaient toujours le point culminant de ses fantasmes concernant Martha. Et en même temps, elle gémissait : Non, non, non, je ne veux pas de cela, je veux simplement comprendre, enfin.

Elle répondit aigrement : « Que veux-tu donc dire ?

— Sans doute rien de particulier. Mais j'ai parlé avec Mark. Il serait si facile de... faciliter les choses. Mais c'est ce que nous avons toujours fait, n'est-ce pas ? Ne vaudrait-il pas mieux que vous essayiez de... m'accepter comme je suis ?

— Voyons, quels effroyables péchés me caches-tu, alors ? demanda Mme Quest avec une intention d'humour.

— Ce n'est pas... » Martha s'assit, et se remit à rire.

« Eh bien, je ne sais pas ! reprit Mme Quest.

— Je ne sais pas non plus ! »

Ce fut entre elles un moment d'intimité ironique, et elles en éprouvèrent de la reconnaissance. Mais Martha descendit travailler pour Mark, et Mme Quest descendit à la cuisine, où Mme Coles, qui s'estimait offensée, boudait et refusait de se laisser aller à bavarder. Car la vieille dame demeurait à présent convaincue que la maison dissimulait quelque monstruosité, ou quelque vice caché, dont elle pourrait découvrir l'essence en se donnant un peu de mal.

Rien de particulier ne se produisit pendant deux ou trois jours. Puis elle apprit que des gens venaient dîner.

« Ce n'est pas vraiment un dîner — rien d'apprêté. »

Cela voulait dire quelque chose — quoi ? Mme Quest se demanda si Martha craignait qu'elle s'habillât sans discernement ? Mais non, elle constata en se renseignant que ce n'était pas le cas : une robe d'après-midi ferait très bien l'affaire.

Elle sentit ses soupçons s'accroître à mesure qu'approchait la soirée, et comprit lorsqu'elle vit deux messieurs noirs dans le salon, tenant un verre de sherry à la main, et qui discutaient avec Mark et Martha. Il y avait également là une jolie femme à l'air las, qui s'appelait Phœbe et semblait de quelque manière liée à Mark, ainsi qu'un drôle d'homme roussâtre, affublé de si grosses lunettes qu'on ne voyait plus rien de son visage.

Mme Quest était contrariée que Martha ne la crût pas capable de se tenir convenablement. Elle serra avec emphase deux mains noires, et leur demanda d'où ils étaient originaires. Tous deux venaient du

Kenya. Sur le point de dire quelque chose au sujet des Mau-Mau, elle se rendit compte que ces deux hommes noirs risquaient peut-être de se révéler « du côté » des Mau-Mau qui, depuis un certain nombre d'années déjà, avaient été décrits à Mme Quest comme la pire engeance. Et cela se révéla juste.

Pendant l'interminable dîner — préparé, apprit-elle, par Mark et Martha ensemble —, la vieille dame garda le silence et écouta la discussion, qui s'édifiait sur le principe que les Mau-Mau étaient dans leur droit, et que son propre point de vue, ainsi que l'attitude du gouvernement, étaient révoltants. Vers la fin du repas, elle décida qu'il serait tout simplement lâche de ne rien dire de son opinion, et elle profita d'un instant de silence pour déclarer fermement qu'il lui importait peu d'être jugée réactionnaire, mais qu'elle détestait le communisme, qui mènerait l'Afrique à sa ruine. A ces propos, Phœbe d'abord, avec un regard lourd de sens à l'adresse de Mark, et puis les deux Africains, impassibles mais fermes, déclarèrent qu'ils partageaient entièrement son avis.

Elle observa que Martha semblait amusée, et Mark furieux.

Une violente discussion s'ensuivit, dont Mme Quest se navrait de porter l'entière responsabilité. Elle voyait bien que la mésentente régnait ; Phœbe exprimait des sentiments qu'elle partageait totalement, tandis que Mark, autoritaire et sec, la contredisait. Quel homme froid, songea-t-elle, et voici encore cette affreuse logique : la discussion dura jusqu'à la fin du dîner, sans que Mme Quest pût rien en suivre. Sa tête résonnait douloureusement.

De retour au salon, les deux hommes noirs parlèrent avec Mark de la meilleure façon de faire publier un livre afin d'exposer un point de vue différent de celui en vigueur, au sujet du Kenya. Phœbe se joignit à eux. Elle paraissait chaperonner les Africains. Mme Quest ne pouvait s'empêcher de penser que Phœbe n'était jamais allée en Afrique, et qu'elle n'avait aucun droit d'avoir des opinions aussi catégoriques. Mme Quest s'entretint avec Jimmy Wood, l'associé de Mark, mais le trouva difficile à suivre : il ne cessait de plaisanter et de rire, mais Mme Quest ne comprenait pas ce qu'il y avait de drôle.

Pendant ce temps, Martha servait le café à l'autre bout de la pièce, et observait en silence : jamais encore sa mère ne l'avait vue dans ce rôle. Au moment où elle n'allait plus pouvoir supporter Jimmy Wood, Martha s'approcha et se mit à converser avec eux. Eh bien, elle manifestait davantage de tact qu'autrefois, c'était déjà quelque chose ! Mais Mme Quest ne comprenait pas leur conversation, qui traitait de la création délibérée, par un certain gouvernement, avec l'aide de la science, d'une race inférieure destinée à accomplir toutes les tâches ingrates d'une société. Elle soupçonnait Jimmy, et probablement Martha, de l'attaquer ainsi directement pour ses opinions concernant les races — qu'elle avait pris bien soin de ne pas exprimer. Elle se retrouva brusquement à parler d'une voix claire et forte, en jetant des coups d'œil en direction des deux Africains de l'autre côté du salon, de Steven, dont elle s'était douloureusement souvenue pendant toute la soirée. « Ce n'était pas vrai, répétait-elle sur son ton de défi et de passion, que les Noirs détestaient les Blancs », alors que juste avant son départ, elle avait eu un petit domestique noir qui s'appelait Steven et qui... ils écoutaient tous, y compris les Africains, dans un silence absolu. Mme Quest avait l'impression d'avoir trahi Steven ; et puis de toute façon ils ne la comprenaient pas.

A présent, sa tête la faisait souffrir atrocement. Au moment précis où elle songeait à se retirer et monter se coucher pour faire preuve de tact, une grande femme blonde entra dans la pièce. Sans aucun doute possible, elle portait une robe de chambre. Mais très jolie, en tout cas. Et la femme aussi. Mark lui marqua de la politesse. Martha quitta Mme Quest pour aller lui offrir du café. Les présentations furent faites : Mme Colridge s'assit, accepta un peu de café, échangea quelques mots avec Martha, reposa sa tasse de café sans l'avoir goûtée, salua de la tête, sourit, et s'en alla tandis que Mark l'escortait poliment jusqu'à la porte.

Jimmy déclara en émettant une sorte de gloussement qu'il aurait bien voulu voir sa femme se tenir aussi bien : Mme Quest ne put soudain plus le supporter du tout. Quels que fussent les problèmes de la femme de Mark, elle était une dame : et cela apparaissait infiniment rassurant. Mais Jimmy ! Mme Quest décida rageusement qu'il était homme du commun, et non de bonne extraction, et qu'il n'aurait pas dû se trouver ici ce soir — elle dit bonsoir à la ronde et s'en alla. Martha courut après elle, pour la prier de ne pas se laisser impressionner par Jimmy ; pour sa part, elle n'avait jamais pu comprendre l'expression « débloquer » avant de rencontrer Jimmy. Mme Quest voyait bien que Martha nourrissait de bonnes intentions, mais elle était blessée et ne pouvait réagir comme elle savait qu'elle aurait dû. Elle monta se coucher et resta éveillée, à se dire (et elle craignait bien que ce fût à voix haute, car elle entendait sa propre voix articuler les mots) les choses qu'elle avait refoulées pendant le repas.

Le lendemain, Martha ne fit aucune allusion à ce qui s'était passé.

Deux ou trois jours plus tard, elle s'entendit proposer d'aller au théâtre « avec d'autres gens » — et Martha se hâta de préciser que Phœbe ne ferait pas partie du groupe. Mme Quest répliqua fermement qu'elle ne voyait aucune objection à aller au théâtre en compagnie d'Africains, pourvu qu'ils fussent propres et éduqués convenablement. Elle n'était absolument pas en retard sur son temps.

Elle prit soin, cet après-midi-là, de se reposer longuement : elle ne voulait pas risquer de se trouver à nouveau si fatiguée. Le groupe se composait de Mark et Martha, Mme Quest, une jeune femme du nom de Patty Samuels, un certain Gerald Smith, et une jeune fille, Elizabeth, nièce de Mark. Peu importait à Mme Quest de savoir qui était là, pourvu que ce ne fût pas Jimmy Wood. Gerald Smith plut à Mme Quest — un vrai gentleman, charmant. Patty Samuels, qui avait été malade comme Martha l'en avait avertie, ne semblait pas malade du tout, mais au contraire très enjouée, bien qu'elle n'eût rien d'une dame. Quant à Elizabeth, c'était une vraie dame, mais qui n'ouvrait jamais la bouche.

Ils allaient voir une pièce de Shakespeare — quel soulagement, au moins l'on savait où l'on se trouvait.

Il apparut finalement que ce petit théâtre était communiste, de notoriété publique. Il était presque vide, et l'on y jouait *La Tempête* en costumes modernes. Un Africain tenait le rôle de Caliban. Le programme annonçait que la pièce, « si l'on voulait », était une parabole de l'oppression subie par l'homme noir en Afrique. On y trouvait des références au Kenya qui déplurent souverainement à Mme Quest. Elle y vit de la puérilité et du mauvais goût — mais se jura de n'en rien dire. Ils n'avaient, Dieu merci, pas altéré la langue, et c'était déjà quelque chose.

Ils revinrent ensuite à la maison, où les attendait un souper copieux. Mark l'avait préparé. Pourquoi pas Martha ? Mark répondit que Martha ne s'était pas sentie très bien, et qu'elle avait préféré s'allonger. Mme Quest s'en trouva offensée. Pourquoi ne lui avait-on pas demandé son aide ? Et qu'avait donc Martha ?

Rien du tout, répliqua Martha, contrariée, mais Mme Quest n'allait pas se laisser éconduire ainsi ; elle y reviendrait tout à loisir plus tard.

Cependant ils avaient pris place autour de la grande table de la cuisine, et démolissaient méthodiquement le spectacle auquel ils venaient d'assister, exprimant à voix haute toutes les critiques pensées par Mme Quest — bien que jamais elle n'eût pu employer ce langage si savant. Il apparaissait que cette pièce, et ce théâtre, représentaient tout ce qu'il y avait de pire dans l'attitude communiste à l'égard des arts. Sectaire. Dogmatique. Étroit. Dénué de vie. Systématique, etc. Il apparut que ce charmant jeune homme, Gerald, était communiste ainsi que Patty, et qu'ils passaient tous deux une partie importante de leur existence à « se battre » pour changer la ligne du parti. Mme Quest avait pensé que toute personne en désaccord au sein du parti communiste était immédiatement fusillée.

En fin de compte, il se révéla que ni Patty ni Gerald n'étaient communistes — ils avaient quitté le parti. Mais dans ce cas, pourquoi en parlaient-ils avec une telle violence et pourquoi étaient-ils allés dans cet affreux théâtre ? Patty expliqua qu'elle avait décidé d'y travailler, parce qu'il y fallait quelqu'un qui ne fût pas réactionnaire bon teint. La tête de Mme Quest la faisait à nouveau souffrir. Elle regrettait vivement de n'avoir pas dit plus tôt tout ce qu'elle pensait, au lieu de toujours répondre oui, très bon, très intéressant. L'honnêteté constituait finalement la meilleure des politiques ; et elle profita de l'occasion pour informer Mark que son roman au sujet d'une ville idéalisée en Irak ou Dieu sait où, ne lui paraissait guère être une image honnête du communisme. Mark répondit poliment qu'il partageait entièrement son avis. Cela signifierait-il qu'il eût trouvé la lumière au sujet du communisme aussi ?

Mme Quest sentait confusément qu'elle avait peut-être encore gaffé, mais sans pouvoir mettre le doigt dessus. Ils parlaient tous de l'Afrique — comme s'ils y connaissaient quelque chose ! Elle ne tarda pas à monter se coucher, et elle essaya de dormir. Mais elle avait dormi tout l'après-midi, et décida d'aller plutôt tirer la situation au clair avec Martha, et de lui faire dire pourquoi elle ne lui avait pas demandé son aide. Et puis qu'avait-elle donc ? Elle descendit et ouvrit sans bruit la porte pour voir si Martha dormait. La pièce était plongée dans l'obscurité, et elle allait refermer la porte quand elle distingua deux silhouettes devant la fenêtre, et le rougeoiement de deux cigarettes lui permit de reconnaître Mark et Martha, assis côte à côte au pied du lit. Elle s'esquiva en espérant qu'ils ne l'avaient pas vue.

Le lendemain, elle formula d'une voix grave l'espoir que Martha, la prochaine fois qu'elle se sentirait mal, ferait suffisamment confiance à sa mère pour accepter son aide. Martha promit.

Mme Quest ne pouvait plus supporter l'idée de subir encore une de ces longues soirées difficiles à comprendre — du moins pour un certain temps. Elle entreprit donc une tournée de visites, pour la journée, la soirée, ou même un week-end, pour retrouver d'anciens amis avec qui elle avait correspondu pendant trente années.

Il avait naguère existé un groupe de jeunes gens brillants « avec toute la vie devant eux ». Ils avaient organisé des réunions musicales, des spectacles de théâtre amateur, des soirées de théâtre : ils avaient étudié et passé des examens, ils avaient flirté les uns avec les autres, mais ils ne s'étaient pas épousés entre eux : ils s'étaient tous mariés assez tard, quand ils en avaient eu les moyens. Ce remarquable processus qui transforme n'importe quelle fournée de jeunes bourgeois quelconques et bien élevés en organisateurs du reste de l'humanité avait fait son travail : ils étaient tous devenus fonctionnaires, commandants de navire, juges, ou infirmières-chefs. Pour la plupart, hors d'Angleterre. Presque tous avaient passé leur vie active hors de leur patrie, dans ce qu'ils appelaient l'Empire, ou bien dans des pays comme le Japon ou la Chine. Qu'en restait-il désormais ? Une douzaine de vieilles dames qui habitaient chez leurs enfants ou chez des cousines, ou bien qui occupaient des appartements situés dans les maisons qui leur avaient autrefois appartenu. Avec ces vieilles dames, Mme Quest se trouvait parfaitement à son aise, et il n'existait aucun problème de communication : pendant toute la soirée ou tout le week-end, elles échangeaient des propos exprimés dans ce langage abrégé qui leur était propre, et se racontaient les nouvelles d'un demi-siècle.

Lorsque l'une d'entre elles affirmait que les jeunes d'aujourd'hui n'avaient plus aucun sens des responsabilités, que tous ces étrangers menaient l'Angleterre à sa ruine, et que les classes inférieures (expression qu'elles utilisaient librement entre elles mais que jamais elles n'auraient osé employer devant leurs enfants) ne faisaient plus montre d'aucun respect parce qu'on les gâtait trop, chacune savait exactement de quoi il s'agissait. Et comme elles ne perdaient pas de temps en définitions ni en discussions de points de vue différents, elles pouvaient communiquer entre elles leurs véritables émotions, ce qui constituait la raison d'être de leurs retrouvailles. Elles éprouvaient un sentiment de douloureux étonnement : comment se pouvait-il que du jour au lendemain (ainsi le ressentaient-elles) elles fussent devenues, de personnes responsables et puissantes qu'elles étaient des mendiantes pour obtenir le privilège de faire les courses de leurs petites-filles, ou de faire travailler son anglais à la nièce d'un cousin pour l'aider à passer le baccalauréat ?

Mme Quest ressentait au sujet de ces visites ce qu'avait ressenti sa grand-mère quand elle pouvait enfin délacer son corset après un dîner, mais elle s'inquiétait et se renfrognait en même temps : si Martha était malade, il lui fallait de l'aide et elle, Mme Quest, était la personne qui pouvait le mieux l'aider. Mais pour quelque obscure raison, elle n'osait pas poser de question claire sur ce qu'avait Martha. Cette affaire de maladie — et n'y avait-elle pas été confrontée toute sa vie ? — n'était pas aussi simple qu'il y paraissait. Quant au fait que Martha fût malade, Mme Quest refoulait de déplaisants souvenirs qui dataient de son adolescence. La vieille dame ne se rappelait plus exactement l'incident, les mots, mais pendant ses insomnies, lorsqu'elle se répétait des conversations anciennes (authentiques ?), elle s'entendait dire : Ce n'est pas vrai, tu m'accuses toujours ; comment puis-je te rendre malade, voyons ? Pour quelle raison pourrais-je souhaiter te voir malade ? Tout ce que je désire, c'est m'occuper de toi ; à quoi servirait donc mon existence, si je ne la sacrifiais pas pour toi ?

Elle put se rendre utile quand Francis revint passer deux jours à la maison au début des vacances. Tout en Francis apparaissait rassurant. L'école n'avait absolument pas changé : des amis de son frère l'avaient fréquentée autrefois, et pendant sa jeunesse elle y était allée en visite certains jours de championnats sportifs. Francis était extrêmement poli, propre, et ses bonnes manières correspondaient parfaitement à ce que l'on était en droit d'attendre d'une école aussi réputée. Quant à sa chambre, c'était bien une chambre de garçon, avec des battes de cricket, une coupe d'argent remportée au saut en hauteur, et des livres de garçon. Elle s'offrit à le mener au zoo, mais se rendait bien compte qu'il était peut-être trop grand pour cela. Il lui demanda poliment si elle ne pourrait pas plutôt l'emmener à Earl's Court, où se tenait une grande « journée de l'écolier ». Le trajet l'épuisa, ils avaient dû marcher des kilomètres, mais elle l'emmena prendre le thé, et parvint même à le taquiner un peu. Il rougit et se tortilla et baissa la tête : elle se souvint d'avoir vu faire pareil aux amis de son frère — et de l'avoir elle-même fait aussi, lorsqu'ils se trouvaient soumis à ce qu'on appelait des « brimades ». Le visage cramoisi d'embarras de Francis, ainsi que ses genoux si nus et si propres, lui donnèrent terriblement envie de le serrer contre elle.

Francis devait passer ses vacances à la campagne — ce qui semblait d'autant plus étrange que son cousin Paul, lui, rentrait à la maison.

Martha expliqua que les deux garçons ne s'entendaient guère.

Mme Quest rétorqua que c'était bien triste, à quoi Martha répondit avec cette nuance particulière d'humour lugubre que sa mère recherchait toujours en elle, mais manquait invariablement, qu'ils étaient « tous coincés avec celui-là, non ? »

S'efforçant de poursuivre sur le même sujet, Mme Quest observa, avec l'idée de faire un compliment, que Francis était vraiment un gentil petit garçon bien élevé. « Eh oui, répliqua Martha, il est coincé aussi ».

La rage envahit Mme Quest, et elle déclara d'une voix cinglante que Paul, pour autant qu'elle eût pu le voir, semblait fort différent — pas du tout comme Francis.

Elle éprouvait une antipathie violente à l'égard de Paul, qui était exubérant, excessif, passionné, *juif* — mais le mot se trouva refoulé avant qu'elle eût pu le prononcer.

Son antipathie était-elle donc si manifeste, si embarrassante ? Car on lui proposa d'aller avec Francis à la campagne. Elle s'y laissa reléguer avec amertume, et les deux semaines qu'elle y resta constituèrent par la suite le meilleur souvenir de tout son séjour en Angleterre. Elle passa tout son temps à parler de fleurs et de plantes avec Harold Butts : il était difficile de dire lequel des deux s'y connaissait le mieux, et les aimait le plus. Et puis elle parla des Colridge avec Mary Butts.

Mme Butts était la discrétion même, mais Mme Quest en apprit assez pour décider plus farouchement encore d'aider Martha. Elle se demandait même si Martha n'avait pas subi des drogues de la part des communistes, ou bien un lavage de cerveau, comme il semblait qu'en eût également subi Mark ?

Pendant ces deux semaines, elle vit fort peu Francis : en garçon sain et bien portant, il passait ses journées dans les bois et les champs, et se taisait pendant les repas.

Quand elle regagna la maison de Radlett Street, Paul était parti chez des amis de pension. Était-ce à cause de son retour à elle ?

Mais peu lui importait. Martha n'allait visiblement pas bien, car elle demeurait beaucoup dans sa chambre. Une ou deux fois, Mme Quest frappa à sa porte, mais nul ne répondit : la porte était fermée à clé. Mark n'allait plus à l'usine, mais s'enfermait avec Martha, peut-être pour faire l'amour ? Martha faisait-elle semblant de dormir ? Était-elle sortie, et avait-elle fermé sa porte à clé pour empêcher sa mère d'y aller fouiller ?

Mme Quest passa toute la maison en revue, et la trouva scandaleusement mal tenue : c'était inévitable, puisque dans sa jeunesse on avait toujours jugé indispensable d'avoir une cuisinière, deux femmes de chambre, et une femme de ménage pour tenir ce genre de maison, et qu'il n'y avait ici qu'une Mme Coles âgée et paresseuse pour aider Martha. Mme Quest astiqua le plancher sur lequel elle se trouvait, et fit nettoyer rideaux et tapis. Elle nettoya le grenier de fond en comble, et y trouva infiniment d'intérêt sous la forme de vêtements, de papiers, de lettres. Puis, un jour que Martha était sortie sans fermer sa chambre à clé, Mme Quest y pénétra, et l'examina. Rien de troublant, si ce n'est un arôme indéfinissable de secret, de choses dissimulées. Mais elle sortit tous les vêtements d'un placard, et répara ce qui en avait besoin. Elle en porta des brassées chez le teinturier. Puis elle procéda à un nettoyage intensif. Personne ne formula aucune observation, alors qu'elle s'attendait à des réprimandes. Ensuite, surmontant son appréhension, elle descendit à l'étage du dessous et entreprit de remettre en état la chambre et le bureau de Mark. Pendant ce temps, Mme Coles continuait à n'effectuer que le minimum de travail, et observait que s'il y avait des gens pour s'inventer du travail, eh bien, tant mieux pour eux. Mme Quest ne décoléra pas pendant plusieurs jours ; comme toujours, elle se trouvait forcée à travailler comme une domestique parce que les domestiques refusaient de travailler et que leurs employeurs les gâtaient trop. Mme Coles rendit son tablier. Mme Quest déclara sur un ton de défi que ce n'était pas la peine d'en chercher une autre : elle, Mme Quest, allait s'en charger. Elle savait tout de même engager une femme de ménage.

Pendant tout ce temps, elle travaillait. Elle travaillait. Depuis sept heures du matin, car elle se levait tôt, elle récurait, frottait, lavait, tout en évitant Martha qui semblait fort occupée, ou du moins s'enfermait dans sa chambre quand elle ne sortait pas. Elle travaillait ainsi jusqu'après le déjeuner, puis dormait tout l'après-midi, refusant toute invitation de Mark et Martha à dîner ou sortir avec eux ; le soir, elle allait voir des amis ou bien restait dans sa chambre à écrire des lettres. Elle descendit un jour au sous-sol et passa une curieuse après-midi avec Mme Colridge, qui déclara que si elle, Mme Quest, commençait à nettoyer ici, Dorothy risquait de la tuer. Plus tard, une femme du nom de Mellendip lui lut son avenir dans le fond d'une tasse de thé. Elle prophétisa un voyage en avion dans le proche avenir. Elle vit également (du moins l'annonça-t-elle) des jardins, des montagnes et des roses, dans les feuilles de thé. La femme qui s'appelait Mellendip (et qui n'avait décidément *rien* d'une dame, quoi qu'elle pût être d'autre !) énonça quelques propos désobligeants sur la vieillesse, disant que c'était l'époque de la sérénité et de la réflexion, et aussi le moment de « manger le miel qu'on a épargné ». Ou plus exactement, l'agressivité de ces paroles ne frappa Mme Quest que plusieurs jours après ; sur le moment, elle avait simplement eu l'impression de bavarder agréablement. Mme Quest avait vingt ans de plus que Mme Mellendip — au moins ! Elle aurait pu être la mère de cette dame. Pourtant elle restait là, à écouter les impertinents conseils de quelqu'un qui aurait bien mieux fait de plutôt écouter... elle ne retourna plus au sous-sol. D'abord, il s'y trouvait Dorothy, cette femme incroyablement vulgaire ; que pouvait donc lui trouver cette charmante Mme Colridge, elle ne voyait vraiment pas...

Martha monta un soir voir sa mère, comme celle-ci écrivait des lettres ; elle s'assit, alluma une cigarette, et commença : « Écoutez, maman, Mark a tout à fait les moyens de s'offrir une femme de ménage, vous savez. »

Cette déclaration de guerre fit éclater Mme Quest en sanglots d'effroi et d'incompréhension. Martha garda le silence pendant un moment, le visage blême, puis entoura sa mère de ses bras ; mais Mme Quest sentit que ce n'était pas un « véritable » enlacement. Elle reprit : « Essayez de comprendre, je vous en prie... » Mme Quest répétait sans cesse qu'elle voulait simplement aider, qu'elle souhaitait se rendre utile, que lui restait-il d'autre, dans l'existence ? Martha ne tarda pas à allumer une autre cigarette, et à redescendre.

Mme Quest écrivit en pleurant à son fils. Elle ne se sentait pas bien. Elle était épuisée. Elle était vraiment trop vieille pour frotter les parquets à genoux et pour nettoyer les vitres, perchée sur une échelle. Elle avait vraiment besoin de s'aliter quelques jours, elle ne se sentait pas...

Martha lui apportait un plateau à l'heure des repas, mais sa mère bondissait hors de son lit d'un air ravagé par la honte, enfilait tant bien que mal une robe de chambre, et insistait pour descendre préparer son repas elle-même à la cuisine. Elle n'était donc ni malade ni pas malade ; mais dans son lit elle gisait immobile, incapable de remuer ses membres à cause de l'arthrite.

Dans le cabinet du Dr Lamb, le dialogue, ou monologue, ou processus qui accompagnait en sourdine les déroulements de Radlett Street, parvenait à son point culminant.

« Vous savez qu'il faut lui dire de s'en aller.

— Oui.

— Eh bien alors ?

— Je ne peux pas. Je ne peux pas.

— Pourquoi ne pouvez-vous pas ?

— Elle s'en ira de toute façon, marmonna Martha.

— C'est une sorte de résistance passive que vous pratiquez ?

— Si je faisais ce que vous voulez, que je criais et que je hurlais contre elle — c'est bien cela que vous voudriez me voir faire, n'est-ce pas ?

— Vous ne l'avez pas fait, n'est-ce pas ? Jamais de votre vie ?

— Non. Si je le faisais, ce serait sain, je serais sauvée ?

— Pourquoi n'essayez-vous pas ?

— Contre qui hurlerais-je ? Ce serait comme frapper un enfant.

— Sauf qu'elle n'est plus une enfant.

— Je regarde sans cesse son visage, cet affreux vieux visage malheureux... »

Il gardait le silence, à présent que ces mêmes propos se répétaient, peut-être pour la deuxième fois.

« Ce que vous dites, ce que vous me répétez tout le temps, ne sert à rien, c'est inutile. Si c'est intellectualiser que se demander sans cesse ce que nous avons donc tous — car ce n'est pas seulement moi. On se bat contre ses parents — tout le monde — est-ce donc inévitable ? Sinon, on sombre. Je ne me suis donc pas battue, ou en tout cas pas bien. Mais là n'est pas la question. Qu'est-ce que cette lutte ? Qui se bat contre quoi ? Pourquoi devons-nous tous échapper de force à d'affreux parents qui nous détruisent ? Car que sont-ils ? Elle, c'est une vieille femme pathétique. Tous mes amis, tous les gens que j'ai connus. C'est une chose admise. Et c'est vrai — il le faut. Mais en a-t-il toujours été ainsi ? » (En écoutant sa propre voix, Martha reconnaissait celle de sa mère, durant l'un de ces monologues marmonnés qu'elle écoutait avec une horreur fascinée, découragée.) « Parce qu'il existe un autre problème, tout le temps ; si mon frère ou moi disions : D'accord, nous cédons, dirigez notre vie pour nous, plus jamais elle ne serait malade — elle vivrait jusqu'à quatre-vingt-dix ou cent ans.

Mais si je la fiche dehors, je signe son arrêt de mort. Je le sais.
— Vous vous sentez donc coupable de tuer votre mère ?
— Non. Je ne me sens pas coupable. Ce n'est pas ma faute. Si c'était ma faute, ce serait facile. Ou bien si c'était sa faute à elle. Mais je voudrais tellement ne pas toujours savoir ce qui va se passer. C'est comme d'observer Francis et Paul — on sait ce qui va les détruire dans vingt ans. Ce n'est pas leur faute, ce n'est pas la faute de Lynda, ni celle de Mark...
— Mais c'est votre faute ?
— Non, vous faites fausse route, je vous assure...
— Vraiment ?
— Oui. Si je me vautrais dans les *mea culpa*, ce serait un bon point ? Ce n'est pas intellectualiser ? Non, c'est trop facile. Non. Et si vous me dites qu'il ne faut pas poser les autres questions — pourquoi ? Pourquoi est-ce toujours ainsi ? Qu'avons-nous donc ? Vous vous trompez, vous vous trompez, quelle question faut-il poser ? Ou bien ne sommes-nous que des enfants irresponsables à jamais du monde où nous vivons ?
— Peut-être vous faudrait-il un historien, ou bien un sociologue ? »
Le sarcasme, toujours si soigneusement dosé, n'atteignait plus Martha.
« Bon, d'accord, un expert différent pour chaque catégorie de question. Mais il s'agit toujours de la même question.
— Mme Hesse, ce que vous désirez, c'est que je chasse votre mère à votre place parce que vous n'en avez pas le courage.
— Oui, oui », murmura Martha. « C'est vrai. Je le sais. Mais quelle différence cela fait-il, que telle ou telle autre personne le fasse ? Car elle va partir de toute façon : elle ne parvient pas à ses fins, et elle sera donc obligée de s'en aller... Voudrez-vous la voir ?
— Je crois vous l'avoir déjà suggéré, mais vous aviez refusé.
— Je tâcherai de la convaincre de venir vous voir.
— Si vous pouvez le faire vous-même, forcez-vous.
— Elle se cassera la jambe, ou trouvera un moyen du même genre.
— Il existe des hôpitaux.
— Des hôpitaux et des maisons de retraite. *Mais qu'avons-nous donc tous ?*
— Je suis libre mardi à dix heures. »
Mark et Martha gisaient blottis dans les bras l'un de l'autre, dans un antre d'obscurité douce et protectrice.
« Si tu veux, je lui parlerai, suggéra Mark, infiniment tendre.
— C'est ma bataille, pas la tienne.
— Comprends-tu, Martha, si je lui parle en tierce partie... » Ils se mirent à rire d'un rire découragé, puis elle fondit en larmes. « Franchement, regarde : ta mère est au lit dans une chambre, là-haut, et toi en bas dans une autre chambre, également au lit. Si aucune de vous ne peut y mettre fin, je vais m'en charger.
— Non. Non. Il faut que je le fasse. »
Assise dans sa chambre, Martha se rappelait comment, quelques semaines auparavant, elle avait lutté pour recouvrer la mémoire —

273

quelle énergie! Qu'en était-il advenu? Elle se força à monter voir sa mère. Elle resta derrière la porte. De l'intérieur lui parvenait la voix âgée, poursuivant son douloureux monologue. Elle s'obligea à ouvrir la porte et à entrer. La voix continua.

Mme Quest gisait sur son lit, et Martha vit ses bras immobiles et souffrants allongés sur la couverture. Les yeux de Mme Quest étincelaient de colère. « Les cochons », disait-elle. « Ils ne pensent qu'à leur sexe. C'est tout ce qu'ils font. Moi aussi, je pourrais vivre dans cette maison, si j'acceptais de gagner ma vie en ouvrant les jambes.

— Maman », protesta Martha.

Mme Quest regarda sa fille — ou plutôt, la regarda différemment, car elle avait tenu les yeux fixés sur elle pendant son monologue. « Oh, c'est toi? », s'exclama-t-elle d'une voix enjouée.

Martha reprit : « Vous n'en pensez pas un mot — pourquoi dites-vous cela? »

Elle dévisageait sa mère, cette pauvre vieille femme malheureuse, et s'efforçait de parler à la personne en elle qui n'en pensait pas un mot.

Mme Quest se mit à chanter un cantique.

« J'aimerais que vous rencontriez l'un de mes amis, commença Martha.

— Qui donc, ma chérie?

— Il s'appelle le Dr Lamb. »

Nous y voici, se disait Martha, encore une de ces conversations idiotes — comme toutes celles que nous avons eues, aussi loin que je puisse m'en souvenir.

« Je ne me rappelle pas que tu m'aies jamais parlé d'un Dr Lamb.

— Ah non?

— J'ai déjà vu trop de médecins. Je crains bien de devoir passer le reste de ma vie ainsi. Après tout, beaucoup de personnes âgées souffrent d'arthrite. »

Pause. Martha contemplait ce vieux visage innocent, apeuré, qui reposait sur l'oreiller.

« Je n'ai vraiment aucune envie de le voir, en vérité.

— Je pense que ce serait souhaitable.

— Bon, peut-être. Si je me sens suffisamment mieux.

— J'ai commandé un taxi pour neuf heures et demie, demain matin. Je viendrai vous aider à vous habiller.

— Très bien, ma chérie, si c'est là ce que tu veux. »

Martha sortit. Elle s'adossa à la porte, trop fatiguée pour aller plus loin. Elle faillit même s'effondrer là où elle se tenait, et rester couchée comme un vieux chien devant la porte. A l'intérieur, Mme Quest avait entonné un nouveau cantique. Puis elle se mit à vociférer : « Sales cochons. Il faudrait encore que je nettoie toutes leurs saletés, à ces porcs. Je ne suis qu'une bonne à tout faire, et elle c'est une putain. Cochon. Seigneur, accueille-moi en Ton sein. Ils s'imaginent que je vais leur servir de bonne et faire toute leur sale besogne... »

Quand Martha revint le lendemain matin à neuf heures, la voix parlait encore. Elle continua tandis que Martha entrait, tirait les rideaux, et disait bonjour. Elle continua tandis que Mme Quest regardait au travers de Martha comme si elle n'avait pas été là. « Sale putain », disait-elle. « Une femme convenable ne devrait pas vivre sous le même toit...

— Maman, le taxi ne va plus tarder.

— Je ne m'en sens vraiment pas la force », déclara Mme Quest d'une voix allègre. « Comment vas-tu aujourd'hui ? Un peu mieux ?

— Je me porte fort bien. »

Elle alla chercher les vêtements de sa mère, et s'approcha du lit.

« Je crois que je serai incapable de remuer, aujourd'hui », reprit Mme Quest en se recroquevillant sous ses couvertures comme pour se protéger.

Martha ne bougea pas. Soudain, Mme Quest rejeta les couvertures, se leva, et entreprit de s'habiller.

« Il fait très beau, observa-t-elle.

— Oui, très beau. »

Lorsqu'elle eut enfilé chemise, culotte, jupe, chandail sur son vieux corps exposé sans pudeur, brutalement, aux yeux de Martha, comme pour lui prouver quelque chose, elle s'agrippa au mur en disant qu'elle souffrait vraiment trop pour sortir.

« Je vais vous aider », annonça Martha. Elle aida sa mère à descendre jusqu'en bas. Mme Quest se cramponnait aux murs, à la rampe, aux poignées de portes, et elle s'introduisit dans le taxi en se traînant sur deux cannes.

Elle revint dans l'après-midi, gravit les marches du perron puis l'escalier jusque dans sa chambre, et entreprit de faire ses bagages. Martha la rejoignit dans sa chambre, et Mme Quest déclara d'une voix normale, presque joyeuse : « J'ai changé mon billet. Je prends l'avion demain.

— N'allez-vous pas regretter de manquer le voyage en bateau ?

— Oh, je ne sais pas. C'est tellement fatigant... ces gros paquebots ne sont pas très agréables. »

Elle ne mentionna pas le Dr Lamb.

Martha téléphona au Dr Lamb, qui lui raconta qu'il se trouvait à la fenêtre, à l'attendre, quand la vieille dame était arrivée en taxi. Elle avait jailli hors de la voiture, et payé le chauffeur avec une hâte qui montrait bien avec quelle impatience elle attendait de se trouver en face de l'ami de Martha. Elle monta les trois étages en courant presque, fut accueillie par le Dr Lamb à la porte et, sans en dire plus que : « Je suis la mère de Martha », s'élança dans le cabinet, s'assit, et se lança dans de violentes diatribes à l'encontre de Martha. Elle ne s'enquit pas même de savoir « Qui êtes-vous ? Quelle est votre spécialité ? » Elle s'assit simplement, et laissa se déverser des années et des années de rancœur, toutes concentrées sur Martha. Le Dr Lamb l'écouta sans mot dire. Il ne posa qu'une seule question : « Si vous ne vous entendez pas bien ensemble, peut-être vaudrait-il mieux que vous n'habitiez pas la même maison ?

— Oh, qu'elle n'aille pas s'imaginer que j'y resterai à faire la bonne », se récria-t-elle, et elle reprit le fil de ses lamentations. Au bout d'une heure, le Dr Lamb lui rappela que quelqu'un d'autre avait rendez-vous et attendait son tour, mais elle n'entendit pas. Deux fois, trois fois, mais elle n'entendait pas ; et puis soudain elle bondit en disant : « J'ai été ravie de parler avec vous — ce n'est pas souvent que Martha me présente ses amis », serra la main du Dr Lamb, et dévala l'escalier comme elle l'avait monté. Elle s'éloigna d'un pas rapide, et disparut bientôt au coin d'une rue. Directement à l'agence de voyage ? Elle n'en révéla rien. Et la question ne fut pas soulevée.

Lorsque vint le moment de la conduire à l'aéroport, Mme Quest refusa de s'y laisser conduire : elle voulait partir de l'aérogare — et surtout n'être un poids pour personne.

Elles se rendirent à l'aérogare en taxi, sans prononcer un mot, et en évitant de croiser leurs regards. Toutes deux étaient abattues, et refoulaient une envie de pleurer.

Elles parlèrent de choses et d'autres en attendant le départ du car. Puis, comme elle allait sortir à jamais de la vie de sa fille, Mme Quest lui adressa un petit sourire crispé en disant : « Je me demande vraiment pourquoi toute cette histoire... ?

— Oui, moi aussi », admit Martha.

Elles s'embrassèrent poliment, échangèrent un regard d'ironique désespoir, sourirent, et se séparèrent.

Martha rentra, effondrée. Elle se mit au lit. Elle y demeura une journée, deux, trois. Elle avait un rendez-vous avec le Dr Lamb. Elle l'annula. Puis elle en annula un second. Elle quitta le lit, et entreprit de contrôler sa mémoire, à petits coups, pour voir si c'était toujours là ? Cet incident était-il intact ? Oui, elle n'avait rien perdu de ce qu'elle avait gagné dans la longue bataille précédant le Dr Lamb. Il lui restait encore beaucoup à faire : ainsi, la visite de sa mère était tombée dans le vide, disparue. Il fallait qu'elle la rétablisse au grand jour. Elle retourna voir le Dr Lamb. Une violente explosion d'émotions s'ensuivit : elle se remit au lit. Lorsqu'elle en sortit, elle savait qu'elle ne pourrait plus aller chez le Dr Lamb : pour des raisons d'économie, d'économie mentale ; elle avait besoin d'énergie. Elle lui écrivit pour l'informer qu'elle ne reviendrait plus, et le remercier « d'avoir fait ce que sans doute elle avait espéré ». Il répondit qu'il était ravi d'avoir pu se rendre utile, et joignit sa note à la lettre.

Martha commença à se lever très tôt chaque matin, pour profiter d'une heure de tranquillité et pouvoir fouiller sa mémoire — l'opération de sauvetage. Elle n'aimait pas abandonner Mark ainsi, et il n'aimait pas non plus s'éveiller pour trouver la moitié du lit vide et froide. Mais elle lui expliqua que c'était indispensable. A présent qu'elle ne voyait plus le Dr Lamb, le point culminant de sa vie résidait dans cette heure ou deux qu'elle se réservait le matin très tôt, avant de prendre le petit déjeuner en compagnie de Mark ; et puis le soir à nouveau. Elle savait que Mark avait attendu le départ de Mme Quest avec impatience, afin de pouvoir retrouver leurs soirées d'intimité coupée du monde, douillette, protégée, renfermée entre les lourds rideaux de l'amour.

Mais elle voulait à présent regagner ses soirées, il les lui fallait. Elle se trouvait miraculeusement en possession de son énergie retrouvée. Elle pouvait à nouveau dire : Aujourd'hui je ferai cela, et puis le faire. Après le dîner, elle montait dans sa chambre et y scrutait méticuleusement son cerveau avec son cerveau. Les semaines de la visite de sa mère lui revinrent, chaque scène lutta dans sa mémoire contre la léthargie, la souffrance, la réticence. Ensuite, elle titubait jusqu'au lit, épuisée. Mark arrivait alors, pour la serrer dans ses bras et la réconforter. Elle désirait cela, ardemment. Mais en même temps, elle ne le voulait plus — il fallait qu'elle cesse d'être cette affligeante créature agrippée et affamée.

Ce n'était pas qu'ils ne fussent plus amants — ils l'étaient, mais différemment.

Elle savait que bientôt ils ne le seraient plus. Mark souffrait d'une blessure profonde, là où cela comptait, et non à la surface, où l'on aurait pu en parler. Pour la seconde fois, ou la troisième, il avait donné tout ce qu'il avait de bon en lui, toute sa force et sa patience et sa chaleur, à une femme qui appelait : Au secours, au secours, et puis qui n'avait pas été sauvée, ou qui avait couru voir des médecins, ou en tout cas, qui n'avait pas eu besoin de lui.

Ils ne le décidèrent pas plus qu'ils ne le prévirent, mais bientôt ce fut la fin. Et puis il y avait les enfants, et Paul était quelqu'un à qui l'on ne pouvait rien cacher.

TROISIÈME PARTIE

On peut utilement comparer l'air à un océan dans lequel nous sommes immergés. Partout dans cet océan, des courants tourbillonnent et tournoient, des torrents se précipitent, des masses aussi homogènes que des baleines s'enfoncent et se redressent tout en se déplaçant, dans l'effort d'équilibrer le chaud et le froid.

*

L'air est un mélange fluide de gaz et de solides. Il se compose pour 78 pour cent d'azote. L'azote est l'aliment principal de la vie végétale. L'existence chimique de l'azote est provoquée par l'action de la foudre, puis la pluie exerce une poussée descendante jusqu'à la surface de la terre.

*

Un éclair n'est qu'une étincelle reliant un nuage à la terre, ou à un autre nuage. Mais pour que jaillisse cette étincelle, il faut qu'un lieu soit chargé négativement, et l'autre positivement.

*

La foudre fut génératrice du feu sur notre planète. Elle prend naissance dans les nuages, qui sont de la vapeur d'eau en suspension dans l'air. Cette vapeur tombe en pluie lorsque des gouttes peuvent se former autour d'infimes particules de terre ou de matière solide. C'est ainsi que dans un drame situé à des kilomètres au-dessus de nos têtes, la terre sert de refuge à la pluie qui est suspendue dans l'air, où la séparation des nuages et des masses terrestres implique l'intervention du feu.

Observations diverses relevées dans des manuels scolaires.

CHAPITRE PREMIER

1956, comme chacun sait, fut une année culminante, un carrefour, une bouteille à l'encre, un virage capital; c'est devenu l'une de ces années auxquelles on se réfère en disant : oh oui, cette année-là, bien sûr ! Comme si les années étaient des clous plantés dans un mur, auxquels on accroche certains types de souvenirs, auxquels on donne des étoiles comme à des hôtels et des restaurants. 1956 fut une année cinq étoiles, comme 1942 : Stalingrad ; ou 1949 : la naissance de la Chine communiste. Ou... bien sûr, d'autres régions du monde pourraient considérer cela sous un autre angle ; ou même d'autres gens, dans la même région. Ainsi Harold Butts disait volontiers que « c'était l'année où la marjolaine avait si bien pris » ; et Iris, de l'autre côté de la Tamise, réfléchissait : « Voyons, c'était l'année où nous avons mis cette nouvelle moquette dans la pièce du devant. » 1956 était particulièrement facile à se rappeler comme année extraordinaire, à cause de cette même semaine où les Hongrois s'étaient soulevés contre leurs maîtres russes (impossible), et où des milliers de gens en Angleterre manifestèrent leurs opinions sur le rôle de leur pays dans l'affaire dite de « Suez » ; contre toute vraisemblance, car personne n'avait protesté sur aucun sujet depuis bien longtemps.

« Budapest », « Suez » ; violemment juxtaposés, dans l'un de ces moments où l'autre motif devient momentanément visible, sous forme de coïncidence ; comme lorsque dans le métro, dans un quartier où l'on ne va que tous les trois ou quatre ans, on se trouve assis auprès d'un homme que l'on n'a pas vu, auquel on n'a pas même pensé, depuis plusieurs mois. Mais auquel on a songé la nuit dernière. Il n'y a donc rien d'étrange à le voir là, assis sur le siège voisin avec sa serviette de cuir sur les genoux : « Vous habitez par ici ? » s'enquiert-il ; « Non, et je ne pense pas être venue dans ce quartier depuis, disons quatre ans ». Ou bien ces étonnantes rencontres que l'on regroupe sous ce titre : « Comme le monde est petit. » Ou bien encore toutes ces autres indications, ces insinuations que les lois en vigueur n'ont en vérité rien à voir avec, par exemple, le mode de pensée qui accorde cinq étoiles à 1956 pour son importance, sauf que c'est peut-être justement là que nous rendons justice à cet autre motif, momentanément visible.

Otez les mots Suez, Budapest, avec leurs associations de communisme, révisionnisme, impérialisme, etc., et ce qui reste, c'est... que beaucoup de gens ont exprimé d'une façon ou d'une autre : Non, assez, plus jamais cela. Et ils se sont rassemblés sur des places publiques dans telle ville, et dans telle autre, avec des fusils et des grenades, ou bien les mains vides, en criant ou bien en silence, cernés ou non de policiers et de soldats, et pour conséquence de cette activité, il s'ensuivit que — mais sur ce qui s'ensuivit, il n'existe pas deux personnes qui se trouvent d'accord. Ce fut une année de contestation et d'activité et de désaccord animé, cependant, cela est certain. De sorte qu'à présent, avec le recul du temps, les gens qui l'ont vécu disent, pour aller plus vite et pour simplifier : 1956, et l'idée qui s'impose est aussitôt celle d'un changement, d'une rupture, d'un mouvement, d'un dégagement.

Pourtant, l'air s'était dégagé bien avant 1956.

Lorsque s'achève une très mauvaise période, aucun moment n'apparaît où l'on puisse dire : voilà, à présent c'est fini. Dans une atmosphère où tout est lent, obscur, engourdi, où tout événement baigne dans la suspicion, la haine et la peur, survient brusquement un événement imprégné d'une tout autre qualité. Mais on le considère avec méfiance, la méfiance constituant l'élément de survie, comme la nage en profondeur quand l'eau est sale. La rivière charrie soudain des fleurs — mais on n'envisage pas un instant d'y toucher, sans doute sont-elles empoisonnées, ce doit être un piège.

Des années plus tard, on dit non, non, ce n'est pas du tout comme c'était à l'époque où...

Il n'y avait apparemment pas grand-chose de changé dans la maison de Radlett Street. Elle avait cessé d'être aussi totalement isolée quand Phœbe, Arthur et Mary avaient commencé d'y venir. Ils y venaient parce que chez eux ils étaient assiégés, craints, détestés, de même que Mark. Et pendant quelque temps, lors de leurs rencontres, ils échangèrent des nouvelles concernant les lettres anonymes qu'ils recevaient, les visites de la police, ou les menaces d'expulsion faites à Arthur par son propre parti. Ils continuèrent à commenter la façon dont leur courrier était ouvert, leurs téléphones branchés sur écoutes, et, lorsqu'ils « donnaient suite à l'affaire » auprès de tel ou tel corps d'administration, rien ne s'ensuivait que des dénégations polies, ou bien l'explication suivant laquelle l'Angleterre, comme tout autre pays, avait le droit de se protéger contre les chevaux de Troie. Et les conversations avec Phœbe, Arthur et Mary continuaient à être pleines de points délicats qu'il fallait négocier, de même que les conversations avec Gerald Smith, Patty et Bob Hasty, qui venaient à Radlett Street parce qu'il n'y avait encore que fort peu d'endroits où ils pussent aller sans malaise, devaient être manœuvrées soigneusement.

Bien qu'elle eût surmonté sa dépression nerveuse, Patty était particulièrement compliquée. Elle avait basculé dans un anarchisme je-m'en-foutiste que tout le monde trouvait exaspérant, même s'ils comprenaient bien que c'était là le symptôme d'un mécanisme d'autoprotection. Car tout rappel des opinions qu'elle avait défendues (quelques mois auparavant seulement) la faisait exploser en sanglots furieux. Les ex-communistes (car ils avaient démissionné, ou été expulsés du parti communiste) avaient appris de la bouche même de la mère du communisme qu'ils étaient des révisionnistes, et ils s'occupaient désormais à analyser leur position d'une manière qui les satisfaisait, et qui faisait honneur à ce nouveau terme de révisionnisme. Mais ils n'étaient pas de compagnie facile, ils s'accordaient mal avec cette fraction de la gauche que représentaient Arthur et Phœbe, et ils n'étaient d'aucun secours pour Mark, plongé dans le processus de la découverte de lui-même — qui consistait une fois de plus en interminables heures de discussions avec Martha, afin de discerner ce qu'il pensait vraiment.

Au milieu de tout cela, Elizabeth, la fille de James, venait très souvent. Il fut longtemps difficile de comprendre pourquoi : elle ne disait presque rien, et ne semblait aimer personne en particulier. Il apparut finalement qu'elle s'était tardivement engagée dans une bataille d'adolescente à l'encontre de sa famille conservatrice. Une fois de plus, il se révélait salutaire de découvrir comme les orages de la vie politique affectaient peu les « gens ordinaires ». Selon eux, ces campagnards du Norfolk qui constituaient la famille d'Elizabeth, Mark Colridge était un traître. Les récents changements de vent ne les avaient pas atteints : sans doute auraient-ils, dans une dizaine d'années, la surprise d'apprendre que Mark était autre chose. Mais en attendant, le seul fait d'aller voir Mark représentait l'essence même de l'anticonformisme le plus insolent. Elizabeth attendait patiemment que Mark fût seul, puis l'aiguillonnait lentement pour lui arracher des remarques et des définitions qu'elle pouvait ensuite rapporter chez elle pour exaspérer ses parents. En échange, elle répétait à Mark tout ce qu'ils disaient de lui, à savoir qu'il aurait fallu le fusiller ou le déporter. Cela dura des mois et des mois : elle avait près de trente ans, et avait bénéficié d'une des éducations les plus coûteuses de tout le pays. Plus que tout autre chose, c'était Elizabeth qui empêchait Mark de voir combien tout avait changé en profondeur.

Ils furent délivrés d'Elizabeth par le jeune Graham, métamorphosé, de jeune étudiant maniéré, en musicien de jazz. On le soupçonnait d'ailleurs plutôt de ne pas jouer lui-même, et peut-être même de ne pas écouter de jazz particulièrement ; il revenait simplement d'un voyage en Amérique à l'époque où le jazz « prenait », et il y avait acquis un nouveau vocabulaire, ainsi que tout un nouveau système d'attitudes. Il s'agissait principalement d'évoquer une longue et patiente souffrance, une tolérance à l'égard des limites d'autrui, une loyauté envers ses propres intimes, un désespoir contenu : en bref, les qualités d'une minorité assiégée, exprimées dans un langage extrêmement stylisé et fabriqué. Cela ressemblait, chez des gens qui n'avaient aucun droit aux attributs de l'autodéfense, au romantisme du désespoir. Jamais depuis Werther n'avait fleuri de culte aussi mélodramatique. Chez Graham, ce nouveau style semblait prolonger les capes écarlates doublées de peau de léopard qu'il avait portées auparavant — car il était solide, énergique, confiant en lui-même, fort capable, et doté d'une douzaine de cordes à son arc. Entre autres, l'industrie cinématographique. Il avait écrit un scénario, suivant une ligne alors fort bien acceptée, sur une jeune communiste soviétique, éprise d'un garçon capitaliste dont elle partageait la passion pour le jazz traditionnel qu'ils écoutaient ensemble dans un bistrot parisien jusqu'à... (Cette intrigue fut abondamment utilisée pendant la brève

période où s'éteignit la guerre froide.) Le scénario de Graham ne semblait guère en passe de devenir un film, mais il pensait que si le nom
de son oncle apparaissait en tant que coauteur, les chances seraient
meilleures. Il exprima ses vues à Mark avec une parfaite candeur ; et
même plutôt comme une faveur qu'il lui accordait. Toute son éducation lui avait enseigné que les gens seraient toujours disposés à l'aider
à faire son chemin — son éducation se définissait pratiquement ainsi.
Dans sa nouvelle langue, mais sans quitter son ancien accent, il expliqua que les questions artistiques n'étaient pas son fort, mais qu'il
avait de bonnes idées, vraiment bonnes, et que si Mark pouvait seulement lui consacrer quelques semaines — et puis ce serait bien de faire
un saut à Paris pour choisir le cadre. Il ne voyait pas que les idées de
Mark différaient des siennes, car il était incapable d'écouter qui que
ce fût. Pendant des semaines il hanta la maison de Mark, à attendre
que ce dernier se déclarât prêt à commencer. Mais il y rencontra alors
Elizabeth, une nièce, ou bien une cousine, et elle décela dans ses
phrases décousues sur le sexe, la drogue, les races et ainsi de suite,
une arme bien plus efficace dans sa guérilla contre la famille que ne
pouvaient l'être les opinions politiques de Mark. Graham et Elizabeth
prirent leur envol sur les ailes d'une grande histoire d'amour qui eut
les honneurs de la presse, et qui valut à Mark une quantité d'appels
téléphoniques furieux de la part du père d'Elizabeth.

Pendant ce temps, Mark avait commencé, d'abord avec réticence, à
sortir un peu — un dîner par-ci, un cocktail par-là. Il n'y prit aucun
plaisir jusqu'au moment où il comprit que la façon dont il les voyait,
eux, ses hôtes et les autres invités, ne correspondait nullement à leur
façon de se voir eux-mêmes. L'habitude qu'il avait prise de toujours
soupçonner qu'il y avait autre chose derrière était... simplement inutile. En tout cas inutile à présent. Ce qu'il avait appris, que dans les
moments difficiles on a bien de la chance si l'on conserve cinq ou six
amis, il devait le garder en réserve pour l'époque où cela pourrait res-
servir — comme cela ne pouvait manquer de se produire. Bien sûr,
« tout le monde » le sait, puisque mille dictons, proverbes et autres
expressions de la sagesse populaire proclament cette vérité première.
Oui, mais lui l'avait appris. Ce nouveau Londres qui émergeait après
la glaciation, et où tout le monde apparaissait si charmant, si affectueux, si amical, et *tellement* tolérant, et où — semblait-il — tout le
monde souffrait de sérieuse amnésie, eh bien, ce nouveau Londres
croissait fort bien dans sa ligne de frivolité.

Mais comme il avait appris à ne rien prendre de tout cela au
sérieux, Mark se mit à sortir plus souvent, et avec davantage de plaisir. Il rentrait tard la nuit d'une réception, et passait dans la chambre
de Martha pour lui raconter telle ou telle personne, la nourriture, ou
les vêtements, comme on fait au retour d'une soirée.

L'air s'était éclairci, purifié, allégé, sans qu'aucun moment fût
apparu comme déterminant. Ce fut au début de cette année à cinq
étoiles que Mark observa un jour pendant le petit déjeuner : « Mon
Dieu, Martha, quelle époque affreuse nous avons vécue, n'est-ce
pas ? »

Le seul fait de le dire fit basculer l'affaire dans le passé. Ils contemplaient une époque affreuse qui était révolue. Ils l'avaient traversée. La peur s'était estompée. La peur ne se manifestait plus crûment dans les événements — en tout cas dans ceux qui les affectaient. Cinq années, ou six, avaient paru interminables à vivre. Mais elles glissaient désormais dans la mémoire, rassemblées pour ne plus former qu'une expression, un groupe de mots, comme un clou à un mur pour accrocher certains souvenirs.

Dans un dîner, il arrivait que quelqu'un dise : Un jour, nous découvrirons combien nous étions proches de la guerre, en ce temps-là. (Une vraie guerre, et non des escarmouches comme la Corée, le Kenya, Chypre, Berlin). Ou bien : Heureusement que l'Union soviétique n'ait pas encore la bombe, cela nous permet de respirer tranquilles. Ou même : Ce n'est que la propagande américaine, comment pouvez-vous croire... En bref, les gens les plus respectables formulaient le genre d'observations qui, dans les années trois étoiles de 1954 et 1955, avaient été considérées comme pure trahison, et s'étaient limitées aux milieux d'extrême-gauche. Où, tout au moins pour le moment, s'était établie une solide méfiance à l'égard de toute administration gouvernementale — l'anarchie, en somme ; un nihilisme amer.

Les gens avaient oublié. Déjà ? Était-ce possible ? Margaret, par exemple, passait à l'improviste comme naguère. Que Mark laissât paraître de l'ironie dans son attitude, et elle choisissait d'en blâmer Lynda qui avait (« comme toujours ! ») monté Mark contre elle. « Pourquoi m'a-t-elle toujours détestée autant ? » s'écriait-elle, ses beaux yeux embrumés de larmes. Après avoir compris que Margaret se considérait à nouveau comme sa mère, Mark attendit pendant des semaines une explication, sinon même des excuses. Elle observa un jour que, à présent que ce Staline était mort, les gens recouvreraient peut-être leur bon sens. La fin d'une époque. Une question de souffrance ? d'incrédulité ? En fin de compte, Martha et Mark en hurlèrent de rire au petit déjeuner. Margaret avait téléphoné, d'une voix allègre et pour la troisième fois en huit jours, pour demander à Mark s'il désirait des plantes pour la maison. Oui, il serait ravi, bien sûr... il avait raccroché et regardé Martha, l'air prêt à exploser d'indignation, de colère — de n'importe quoi. Et puis finalement il s'était affalé au bout de la table, où le *Times* attendait d'être lu, comme déjà au temps de son père, et il avait éclaté de rire. Martha s'était jointe à lui. Ils avaient ri jusqu'à l'épuisement, sachant tous deux que sinon, ils auraient pleuré. La fin d'une époque. Mais Mark avait perdu son innocence, sa naïveté — selon la manière dont on le voyait. Il était devenu... cynique, si l'on emploie ce mot.

Martha songeait : on l'a écorché, dépouillé. Car dans un recoin de son cerveau se précisait à cette époque une image très réelle pour elle — peut-être issue d'un rêve ? Une cuisinière idiote, ignare, à demi ivre, solide comme un bœuf, se tient plantée sur ses lourdes jambes devant une table de cuisine assez sale. Elle tient à la main une gerbe de légumes qu'elle vient d'arracher dans le jardin. Son autre main est posée sur sa hanche massive. Elle frappe la gerbe de légumes contre le rebord de la table, et la terre s'éparpille. Un navet roule sous la table. La femme jette les navets, les carottes et les radis noirs sur la table, et en coupe les extrémités à gestes saccadés. Une lourde chaussure fait craquer le navet tombé. Elle regarde. Elle hésite, puis ramasse le navet écrasé et le jette dans la marmite avec le reste.

Mark se retrouvait seul. Les jours du comité autonome étaient révolus. Dans tout Londres et dans toute l'Europe, de nouveaux groupes, de nouvelles associations, de nouveaux entretiens, de nouvelles versions de ces comités officieux. Mais pour Mark ce n'était plus possible.

Dans son bureau, il avait affiché deux immenses cartes du monde : mais par hasard, et apparemment sans savoir ce qu'il allait en faire, une fois fixées aux murs. Lorsque Martha l'interrogea sur ses intentions, il répondit que, somme toute, ce serait peut-être une idée intéressante que de voir ce qui se passait vraiment − tu comprends, *vraiment*.

Un mur se trouva bientôt consacré aux bombes atomiques, aux bombes à hydrogène, aux grosses bombes, aux petites bombes (qu'un comité américain avait baptisées « bébés-bombes »), ainsi qu'aux institutions qui les avaient inventées, fabriquées, vendues. Le mur fut rapidement couvert de petits drapeaux rouges, semblables à ceux qu'aurait utilisés son père pour marquer le développement des guerres en diverses parties du monde. Sur la même carte, des drapeaux noirs indiquaient les usines et les laboratoires où se concevaient et se fabriquaient les armes chimiques et bactériologiques, ainsi que les drogues employées pour le contrôle et la manipulation du cerveau. Toujours sur cette carte-là, de petits drapeaux jaunes délimitaient les zones où l'air, le sol et l'eau avaient été contaminés par des explosions de bombes, des retombées, des déchets radioactifs, des concentrations de produits chimiques destinés aux moissons, et le mazout rejeté par les navires. En rassemblant et en étudiant les matières lui permettant de disposer correctement ses petits drapeaux, Mark ne tarda pas à constater que les utilisateurs de ces diverses techniques en savaient encore bien peu. Ainsi, le mouvement autour du globe de l'air qui risquait de transporter des poisons de différentes sortes dans les poumons et dans le sang des hommes et des bêtes, n'était pas encore bien compris. Cette carte ne pouvait donc être qu'approximative et grossière : non seulement il était difficile d'obtenir l'information, bien gardée par les corps officiels, cachée − en un mot, dissimulée par des mensonges −, mais à la base de tout régnait l'ignorance.

L'autre mur présentait un aspect presque métaphysique, ou médiéval. Les différentes couleurs des petits drapeaux y indiquaient la Guerre, la Famine, les Émeutes, la Misère, les Prisons. De même que ceux de l'autre mur, ces petits drapeaux se multipliaient rapidement. Aucune de ces deux cartes n'accordait la moindre attention aux nationalismes ni à la politique.

Cette étude remplaçait en fait le comité officieux. C'était d'autant plus évident que plusieurs ex-membres de l'ancien comité, à présent tous alignés différemment, avaient protesté que Mark faisait preuve de « subjectivité » — car l'essence des comités officieux, partout dans le monde, est la promptitude à tout manipuler et reclasser en fonction du national et du politique. Les cartes indiquant la Guerre, la Misère, la Famine, et ainsi de suite, comme les Humeurs médiévales, sont en flagrante opposition avec cette manière de penser. Bientôt, personne, ou plus exactement aucun de leurs anciens amis, ne fut plus admis dans son bureau, à l'exception de Martha ; et elle constatait que l'essentiel de son travail consistait à lire et découper des informations dans ses rapports, des projets, des journaux, afin que les petits drapeaux pussent gagner en densité sur les cartes. Dix ans auparavant, elle avait fait le même travail pour Mme Van der Bylt, qui rassemblait le même type de renseignements dans des dossiers qui s'intitulaient par exemple Pénuries Alimentaires.

Ce ne fut pas seulement l'attitude de ses alliés d'hier qui montrait comme en si peu de temps Mark était devenu réactionnaire, mais aussi l'accueil réservé à son nouveau livre — qu'un critique écartait en quelques mots : « De nos jours, qui s'intéresse à des histoires de môman conservatrice, même si elles sont bien écrites ? Il faudrait dire à M. Colridge que dans les années trente, nous combattions le fascisme. » L'auteur de ces lignes sortait tout juste de l'université ; il était le frère d'un ami de Graham Patten.

Dommage, soupirait Mark, que le livre n'eût pas été publié deux ans plus tôt : il aurait parfaitement convenu à l'esprit mandarin qui régnait alors. Mais tout avait changé. Les beaux jours de la tour d'ivoire avaient passé, avec l'art pour l'art et tout le refrain. Le progrès revenait à la mode.

En même temps, il eut une pièce jouée, brièvement, au petit théâtre du *Coq Rouge*, où travaillait Patty. L'idée était d'elle ; un soir qu'il exprimait le regret d'avoir tant travaillé pour rien à l'histoire de ce frère et cette sœur maudits, Aaron et Rachel : c'était un livre pourri. Comme une partie importante du texte consistait en dialogues, il était prêt à en faire une pièce. Patty emporta la masse énorme du manuscrit, et y cisela, avec l'aide d'un metteur en scène dynamique, une pièce traitant des événements qui avaient conduit à la Résistance dans le ghetto de Varsovie. Mais alors que l'atmosphère avait changé parmi les critiques de livres, le théâtre n'avait pas changé, pas encore. Les critiques n'avaient plus mentionné le *Coq Rouge*, sauf pour marquer de la condescendance ou du sarcasme, depuis des années. Un ou deux critiques prirent la peine de se déplacer, et jugèrent la pièce naïve, simpliste, et tout simplement embarrassante. Elle se jouait devant une assistance de dix, vingt, trente personnes ; mais le public n'y était jamais plus nombreux. Le metteur en scène dynamique, qui avait monté certaines œuvres parmi les plus intéressantes du théâtre britannique, y était accoutumé ; Mark n'y attachait pas d'importance particulière ; mais Patty y attachait une importance considérable — elle était ainsi faite, et cela lui était nécessaire.

Pendant ce temps, intéressants développements avec *La Cité*.

Durant toute la guerre froide, Mark n'avait pas pu trouver d'éditeur aux États-Unis : les éditeurs déclaraient avec une admirable franchise qu'ils ne voulaient pas publier un communiste. A présent, on le publiait et les amateurs de science-fiction se l'arrachaient. Le roman de Jimmy, son premier, sortit en même temps. Mark commença à passer une partie de son temps avec des auteurs de science-fiction ; bien entendu, ce genre de littérature n'était guère pris au sérieux dans les milieux littéraires, mais il trouvait leur vision du monde plus proche de la sienne qu'aucune autre.

En bref, Mark se trouvait extrêmement occupé. Alors que si récemment il n'avait quitté sa maison que pour aller à l'usine, vivant littéralement en état de siège, il n'était plus jamais chez lui sauf pour le petit déjeuner, qu'il prenait toujours en compagnie de Martha. Tous deux se levaient très tôt, pour des raisons différentes, et se retrouvaient à la cuisine. Le sous-sol dormait encore — et dormirait plusieurs heures. Le téléphone demeurait silencieux. Ils passaient ainsi une heure de joyeuse et chaleureuse intimité. Comme un rendez-vous d'amants. Sauf qu'ils n'étaient plus amants. Ils ressemblaient davantage à un vieux couple marié — et ils en plaisantaient.

A aucun moment ils n'avaient décidé : c'est fini. Pourtant c'était fini. Il leur arrivait de dormir ensemble, par affection et bonne humeur. Mark avait des aventures sans suite : il lui arrivait de les mentionner à propos d'autre chose, au petit déjeuner. Martha avait eu une aventure — plutôt par curiosité que par besoin : elle souhaitait découvrir à quoi elle ressemblait maintenant, expliqua-t-elle à Mark. Ils convenaient tous deux que les aventures constituaient une fort bonne chose, mais pas grand-chose quand même. Pourtant, ils ne reprenaient pas le chemin de s'aimer. Cela restait latent entre eux : la possibilité de recommencer un jour. Ou bien, si d'autres éléments n'étaient pas intervenus, la possibilité qu'ils auraient pu demeurer amants. Mais ni l'un ni l'autre n'était du genre à dire : *Si seulement...* Ils avaient été dépouillés de cela. Les choses ayant été ce qu'elles avaient été, et Mark et Martha étant ce qu'ils étaient, rien d'autre n'aurait pu arriver, et les regrets se trouvaient hors de circonstance. Il arrivait à Mark de dire : Je dois prendre garde de ne pas me retrouver encore à St. George — le raccourci qu'il employait pour ce besoin, qu'il espérait avoir dépassé, de consoler et d'aider. Quant à Martha, elle concluait : Bah, certaines femmes ne sont pas faites pour le mariage. Car maintenant qu'elle sortait à nouveau, qu'elle ne soutenait plus aucun siège avec Mark, elle ne connaissait pas un seul homme à qui elle pût imaginer de se trouver mariée, pas un seul homme qu'elle eût souhaité d'épouser. En fait, se disait-elle, elle était d'une certaine façon mariée à Mark. Et sans plaisanter, c'était assez vrai.

Ils étaient des gens déchirés, lui avec sa Lynda qu'il aimerait toujours, et elle avec... ce qu'elle avait acquis au cours de ces trois ou quatre dernières années.

Il semble que toute bataille doive gagner davantage que le seul terrain sur laquelle elle se déroule ! Elle avait accompli plus qu'elle n'avait entrepris. Elle avait l'impression de s'être hissée, une main après l'autre, hors d'un puits d'eau sale, d'une grisaille aigre. Une expérience intérieure avait accompagné celle de l'extérieur, la mauvaise période. Elle pouvait à présent dire, simplement : j'ai tout retrouvé. Enfin, presque tout. Il demeurait encore quelques blancs où, elle le savait, la souffrance était trop congelée pour fondre aisément. Mais elle pouvait sans difficulté entrer et sortir de cette maison, d'un endroit, d'un jardin ou d'une pièce, toucher des meubles et des objets, sentir le moment exact de l'année d'après ses sensations, à l'odeur de la lumière ou à la consistance de l'air. Elle pouvait revivre telle ou telle période quand elle le voulait, de sorte que, si elle le voulait, le passé enveloppait le présent et s'y infiltrait. Prenant son petit déjeuner avec Mark, elle pouvait à présent s'asseoir aussi à cette autre table, pour prendre son petit déjeuner d'enfant entre son père et sa mère ; conversant tard dans la nuit avec Mark, elle voyait entrer Thomas et l'entendait dire : Alors, Martha ? La souffrance n'était plus quelque chose d'étouffant, mais un paysage où elle pouvait aller et venir à sa guise. Les haines et les rancœurs s'étaient muées en régions de son esprit qu'elle pouvait goûter et visiter — comme on plonge la main dans l'eau pour voir si elle est trop chaude.

Mais (et là résidait le problème) toute cette lutte, cet effort, l'avaient menée bien plus loin qu'elle ne l'avait prévu. Au plus bas niveau se trouvait le mécanisme. S'il s'agit de survivre, un jour de pleine activité, avec cent lettres à traiter et les repas des enfants à préparer, on se lève une heure plus tôt. Impossible, me direz-vous, de vous lever une heure plus tôt quand vous êtes déjà si lasse et assommée de sommeil à cette heure-là. Mais on le fait quand il le faut, et il s'agit de simplement survivre. Et si le fait de boire un verre de cognac après le dîner avec votre amant vous endort trop pour pouvoir travailler avant de vous mettre au lit, vous boirez de moins en moins de cognac, et vous finirez par renoncer à l'amant ; pauvre Mark, évincé du cœur de Martha... pour qu'elle puisse survivre. Et si vous découvrez, en luttant pour ramener tel incident à la surface, passer au crible telle émotion, que vous êtes tellement nouée et tendue, et vos muscles si douloureusement contractés que vous ne pouvez pas vous concentrer : eh bien, vous faites des exercices pour relâcher la tension. Jamais Martha ne s'était dit : Il faut que je dorme moins, je mange trop, je suis flasque physiquement, je ne dois plus boire autant de cognac le soir avec Mark : mais elle avait découvert, en combattant l'obscurité, qu'elle se trouvait très profondément enfoncée dans le sommeil et la léthargie et l'oisiveté, et donc... qu'elle avait dû survivre.

Et elle avait fait d'autres découvertes. Elle avait eu la révélation de portes dont elle avait jusqu'à présent ignoré l'existence. Elle s'était arrachée à l'obscurité à la force du poignet parce qu'il l'avait fallu, et avait pénétré en elle-même dans des régions insoupçonnées.

Elle se sentait comme une femme détentrice d'un secret, ou bien enceinte et qui ne l'aurait jamais dit à personne. Cependant elle cherchait des gens à qui parler, des gens qui comprendraient ce qu'elle leur dirait. Car il semblait impossible qu'elle pût être seule à avoir découvert tout cela. Alors, où se cachaient les autres ? Elle circulait en tendant l'oreille, elle lâchait une allusion, une suggestion, dans l'attente d'un écho, mais elle restait prudente et en particulier avec Mark, car elle redoutait par-dessus tout qu'il pouvait penser : D'abord Lynda, et à présent Martha. Non, elle cherchait des gens qui ne la croiraient pas folle.

Cependant elle protégeait sa vie afin de pouvoir se garder cette heure de liberté avant le petit déjeuner, et afin de n'être pas trop fatiguée pour « travailler », comme elle se l'exprimait, le soir avant de dormir. Car elle savait fort bien que la Martha créée au cours de ces dernières années était un être fragile, et susceptible de retomber facilement dans la nuit.

Et c'était pour cela qu'elle ne souhaitait pas trouver un mari, bien qu'elle ne pût s'en ouvrir à Mark. Elle avait à présent trente-six ans — non, trente-sept. Si elle ne trouvait pas de mari maintenant, ensuite il serait trop tard. Mais c'était là une remarque abstraite, presque de principe, et qui ne se posait à elle que par pure forme, de même que des « vêtements conçus pour un âge déterminé ».

En vérité, elle redoutait le mariage maintenant qu'elle le regardait de l'extérieur, incapable même de vraiment croire qu'elle l'avait connu de l'intérieur. Quelle institution ! Quel arrangement absurde ! Elle se faisait ces observations à elle-même, observations que lui dictait sa situation — la femme célibataire encore d'âge à se marier. Mais à elle-même elle savait avouer exactement ce qu'elle redoutait. C'était la renaissance de la femme éprise. Si l'on vit avec un homme, « éprise », ou « amoureuse », alors renaît cette femme affamée, à jamais inassouvie, éternellement anxieuse, qui a besoin, et qui veut et qui réclame. Cette créature était venue à la vie avec Mark. Elle pouvait revenir. Car les appétits insatiables et les envies dévorantes font partie, non pas de l'aventure sans lendemain, ni des relations sexuelles affectueuses, mais du mariage et de l'amour « sérieux ». Que Dieu nous en préserve !

Ce fut cette pauvre Dorothy, pourquoi elle plutôt qu'une autre ? qui l'énonça, qui lança ces mots dans l'air et lui permit de les examiner. Dorothy avait occupé plusieurs emplois l'un après l'autre, séduisant divers hommes tristes, jusqu'au jour où elle s'était stabilisée dans une grande papeterie tenue par un veuf, qui décida qu'il voulait l'épouser. Dorothy joua quelque temps avec l'idée de mariage. Elle le traitait fort mal, apparemment poussée à le faire, mais il revenait toujours et ne semblait rien déceler d'anormal chez Dorothy, si ce n'est qu'elle « avait besoin de sécurité ». Avec lui, elle se montrait sauvage, autoritaire, et elle se comportait en reine offensée — spectacle d'autant plus intolérable qu'il semblait disposé à se laisser faire. Dorothy disait à Martha, avec un bon sens nuancé d'humour et de tristesse : « Quand on arrive au point où un homme devient une *chose* destinée à vous faire tenir tranquille — voyez-vous ce que je veux dire ? Vous savez — on est de mauvaise humeur, on n'a envie que de hurler et de lancer des assiettes, et puis on se dit, oh, bon Dieu, mais pourquoi ne couche-t-il pas une bonne fois avec moi et ne me fait-il pas taire ?...

Bon, enfin, à mon avis, c'est la fin. C'est vrai, qui a besoin de cela ? »

En effet, oui, quand une femme atteint le point où elle allie une partie d'elle-même à l'homme qui alimentera cette pauvre bête affamée qui se terre en toute femme, alors assez, il est temps d'avancer plus loin.

Lorsqu'il s'agit de survivre, le sexe incontrôlable peut se contrôler. Et Martha avait donc gagné le camp de ces femmes qui ont des liaisons parce que les hommes ont cessé de représenter l'exploration de possibilités inconnues.

Les possibilités avaient changé de terrain, se trouvaient ailleurs — il devait exister quelque part des gens qui pourraient lui parler, lui raconter, lui expliquer.

Martha parcourait Londres, allait à des réceptions, regardait, écoutait. La ville avait perdu sa grisaille miséreuse ; cette ville sale et démolie, baignant encore dans les privations de la guerre, où elle était arrivée, où la nourriture était immangeable et les vêtements hideux, où les gens se comportaient en minorité maltraitée — cette ville n'existait plus. Un air doux et frais y circulait, allumant des couleurs aux façades et des sourires sur les visages, jetant un éclat d'argent allègre aux feuillages. A présent, des boutiques proposaient des vêtements comme on souhaitait en porter : des vêtements pour le plaisir, pour s'amuser ; partout il avait poussé des cafés où l'on pouvait vraiment boire du café, et où l'on s'asseyait pour discuter. Elle parcourait cette ville en gardant l'autre présente à l'esprit, de sorte qu'une longue rue bordée d'immeubles neufs et chatoyants se doublait d'une avenue de misère et de cauchemar ; la lumière et l'obscurité liées, la lumière formant une peau si précaire sur une masse d'obscurité, car ces vieilles carcasses chancelantes avaient simplement été badigeonnées de peinture : une couche neuve et fraîche dissimulait des masses branlantes qui menaçaient de s'affaisser ou de s'effondrer, comme la maison de Radlett Street, avec ses surfaces blanches par-dessus une structure endommagée par la guerre et l'humidité. Et partout, une frénésie de reconstruction. Même en parcourant ces places qui symbolisent la permanence, la stabilité, on avait l'impression de traverser un tremblement de terre au ralenti. Quelque part en nous se tapit une certaine idée de la ville. Ou plutôt, de la Cité ! Quelque chose de solide, lent, assez proche de l'image présentée par le livre de Mark, où les rues allaient d'est en ouest et du nord au sud, et où les repères géographiques continuaient à servir de référence d'une génération sur l'autre. Mais Londres se soulevait et s'affaissait, les maisons changeaient de forme, s'écroulaient, des rues entières disparaissaient sous les gravats, et des silhouettes de béton en forme de flèches s'élançaient vers les nuages. La surface même des rues n'était jamais régulière ; elles étaient toujours éventrées, creusées, fouillées, et des hommes s'y enracinaient pour découvrir des tuyauteries emmêlées dans la terre humide, car il semblait que la notion de lenteur et de permanence de la ville appartînt désormais au passé, à l'époque où l'on n'avait pas eu besoin d'autant de tuyaux, de câbles, de conduites d'eau, et d'engins pour les maintenir en état de marche. Si le temps pouvait seulement accélérer un peu son cours, une ville ressemblerait maintenant à une cascade de gravats s'écoulant parmi d'énormes machines, tandis que des immeubles prennent momentanément forme, changent de couleur comme la végétation, se dissolvent, se reforment.

La vieille ville n'était plus que mouvement. Fascinant. Le cadre parfait pour « l'aventure » que l'on pouvait discuter sur le mode plaisant avec Mark, à la table du petit déjeuner. Bien qu'aucune raison particulière ne justifiât le fait d'une aventure, puisqu'elle avait démontré que les appétits et les envies provenaient d'un autre monde.

Ils discutaient de tout cela à la manière dont des prisonniers libérés sous caution échangeraient des observations sur les avantages rencontrés dans le monde libre.

Car ni l'un ni l'autre ne croyaient que les choses continueraient ainsi, faciles, plaisantes.

Comment cela se serait-il pu ? Cela n'était jamais arrivé dans le passé ! Ils devaient donc en profiter au maximum pendant qu'il en était temps ; et elle, par-dessus tout, devait tirer profit du temps qu'il lui restait pour « travailler », dans la silencieuse solitude de sa chambre.

Le bouleversement vint non pas de Lynda, de qui ils l'attendaient, mais des enfants qui, depuis si longtemps, ne rentraient que pour des vacances ou des week-ends, mais qui n'habitaient pas vraiment la maison.

Paul revint le premier.

S'il avait été dans une école classique, on aurait pu dire qu'il avait été expulsé. Mais les écoles progressives n'expulsent pas les enfants : cela ternirait regrettablement leur image. Mais, beaucoup plus fréquemment que dans les autres écoles, on « prie les élèves de partir ». Paul avait déjà été prié de partir. Il volait. Il volait (ou piquait, terme plus anodin) depuis le début. D'abord des vétilles comme des bonbons, des chaussettes et des cravates ; et puis, en grandissant, des stylos et des pompes à vélo et de minces sommes d'argent. Il organisa ensuite avec quelques amis des petits chapardages dans les magasins du village le plus proche de l'école. C'est à cette époque, deux ans auparavant, que s'était déroulée une grande scène dramatique et que Paul avait été menacé de devoir s'en aller ; Mark et Martha, l'un après l'autre, avaient dû se soumettre à plusieurs entretiens avec l'équipe pédagogique, et parler sérieusement à Paul.

Une petite fille disait : « Paul, tu ne peux pas être ami avec Marcia. »

Paul : « Et pourquoi pas, si cela me plaît ? »

Une autre petite fille : « Ton caractère ne convient pas à celui de Marcia. »

Première petite fille : « Vous n'êtes pas compatibles. »

Paul : « Vous êtes jalouses : vous voulez que je sois ami avec vous. »

Seconde fille : « Oui, c'est vrai pour Rosie, mais pas pour moi,

Paul. Je n'ai pas envie d'être ton amie. J'ai déjà un garçon pour le trimestre. »

Paul : « Et moi je ne veux être ami avec aucune de vous. Je suis ami avec Marcia. »

Première petite fille : « Cela ne durera pas. »

Paul : « Je n'ai pas dit que je voulais que cela dure. D'ailleurs, rien ne dure. »

Comme il grandissait dans cette atmosphère, la conversation qui s'était déroulée entre Martha et lui à cette occasion avait été d'une grande franchise.

Paul : « Si je vole et que je ne l'avoue pas, c'est que je vole de l'affection. N'importe qui pourrait te l'expliquer. »

Martha : « Ce n'est pas ainsi que les commerçants voient les choses. »

Paul : « Depuis le temps qu'ils ont une école progressive devant leur porte, il serait temps qu'ils apprennent cela ! »

Martha : « Le directeur dit que tu vas devoir partir. »

Paul : « Je n'ai pas l'intention de partir. C'est autant mon école que la sienne. »

Martha : « Je ne pense pas qu'il voie les choses ainsi. »

Paul : « Mais c'est ce qu'il répète sans cesse. »

Martha : « Ce qu'il dit pour l'instant, c'est : Arrête de voler, ou bien va-t'en. »

Paul : « Si personne ne m'aime jamais, il faut bien que je vole. »

Martha : « Dans ce cas, je crains bien que tu ne doives partir. »

Paul : « Alors, il veut dire que c'est autant mon école que la sienne à condition que je fasse ce qu'il veut. »

Martha : « A condition que tu te comportes de manière qu'il n'ait pas d'ennuis avec le ministère de l'Éducation. »

Paul : « Pourquoi faut-il que je fasse plaisir au ministère de l'Éducation ? »

Martha : « Tu pourras réformer mon système éducatif quand tu seras grand. »

Paul : « Lynda m'aime, au moins. C'est la seule. »

Martha : « Est-ce elle qui te conseille de voler ? »

Paul : « Dis-lui que je l'aime. *Elle* seulement. »

Martha : « Je le lui dirai. Mais il faut que tu réfléchisses sérieusement, Paul. Tu ne peux rester ici qu'à une seule condition : que tu ne voles plus. Cela ne dépend que de toi. »

Paul (hurlant) : « Ce n'est pas juste. Ce n'est pas juste. »

Martha : « Qui a dit que c'était juste ? Allons, au revoir. Et tu ferais mieux d'appeler Mark ce soir pour lui dire ce que tu auras décidé. »

Ce soir-là, il envoya un télégramme ainsi rédigé : Je cède au chantage. Tendresse à Lynda. Paul.

Pendant deux trimestres, conduite exemplaire, mais très mauvais travail — il se retrouvait dernier de la classe.

« Tu boudes, déclara Mark, tu veux nous dire : Puisque je n'ai pas le droit de voler, je ne travaillerai pas non plus. »

Paul rétorqua : « Je peux travailler si je veux, mais je ne suis pas obligé si je ne veux pas. »

Soudain, appel téléphonique de la pension. Paul avait organisé un vrai cambriolage dans un magasin, avec deux amis. Il avait volé pour cinq cents livres sterling de marchandises. D'après la police, ce cambriolage « aurait pu être le fait d'un professionnel ». Les enfants avaient dérobé des magnétophones, des appareils de photo, des électrophones : l'école en était submergée. Ils n'avaient pas pu les revendre en douce, malgré leurs efforts.

Et à présent, Paul était prié de partir. Ses deux complices étaient déjà partis, sous la garde de leurs parents furieux.

Mark alla le chercher en voiture, mais revint sans Paul. Il avait refusé de repartir avec lui et était resté sur son lit à bouder. Il affirmait qu'il ne s'en irait pas.

Martha s'y rendit à son tour. Comme tant de fois déjà, elle traversa les terrains de jeux verdoyants, passa devant d'anciennes bâtisses converties en logements de pensionnaires, vit des cohortes d'enfants à l'air bien portant qui couraient et s'amusaient dans l'air doux et pur de la campagne anglaise. Un garçon s'arrêta en l'apercevant, et lui annonça que Paul l'avait chargé d'un message : il acceptait de parler avec elle, sur tel banc, à tel endroit.

Martha se dirigea vers le banc en question, placé sous un frêne et d'où l'on voyait un terrain couvert de petits garçons qui jouaient au cricket, et elle attendit. Paul s'approcha alors, l'air particulièrement maussade.

« Tu dois absolument partir, tu sais.

— Je ne partirai pas. »

Il se tenait là, frêle et buté, avec tout le charme de la révolte dans ses grands yeux noirs. Il portait l'uniforme de son âge : chandail et blue-jeans.

« Si tu ne reviens pas à la maison, ils t'y forceront.

— Ce n'est pas ma maison.

— Tu n'en as pas d'autre.

— Et si je ne veux pas ?

— Tant pis. Que feras-tu à la place ?

— Quand je serai grand, je m'enfuirai.

— Quand tu seras grand, tu auras le droit.

— J'irai rejoindre mon père à Moscou.

— S'il est à Moscou.

— S'il n'est pas mort, tu veux dire.

— Il l'est peut-être. Je n'en sais rien. »

Long silence. Comme elle, il contemplait les enfants occupés à jouer au cricket. Il était excellent joueur.

« Tu croyais qu'ils n'allaient pas te chasser parce qu'ils t'admireraient d'avoir fait un vrai travail de professionnel, hein ? »

Lancé à tâtons, le coup atteignit son but. Il se retourna violemment vers elle d'un air haineux, l'œil étincelant de rage.

« Eh bien, n'est-ce pas vrai ?

— Je ne partirai pas.

— Je ne pense pas qu'ils appelleront la police pour t'emmener.
— C'est mon école. Ils ne peuvent rien faire.
— Tu savais très bien qu'on t'exclurait si tu recommençais. »
Et maintenant, l'instant de la défaite : il s'affaissa et perdit toute assurance, trop malheureux pour tenir encore tête. Il ne l'avait pas compris ; il ne l'avait pas cru ; il était impossible que cette école, sa vraie maison, sa vraie famille, comme il la voyait, pût le flanquer à la porte ainsi.

« S'il n'y avait pas eu deux autres élèves impliqués, et si ces deux autres-là n'avaient pas dû partir, j'aurais peut-être pu rafistoler les choses, mais à présent je ne le puis plus. Ce ne serait pas juste que tu restes ; tu dois bien le comprendre, non ?
— Pas juste ! s'exclama-t-il.
— Eh bien, vas-tu rentrer avec moi, cette fois ? Ils n'auront qu'à t'envoyer tes affaires.
— Non. »
Il se leva et se mit à courir en direction du bâtiment principal, bondissant comme un cerf en plein élan. Il était extraordinairement gracieux. Croisant un groupe d'enfants qui le saluaient, il les salua d'un ample geste de la main ponctué d'un cri.
Martha rentra à Londres. Plusieurs appels téléphoniques à la pension révélèrent qu'il restait assis sur son lit, en silence, entouré de piles d'objets volés. Il attendait. Sans doute la police. Le directeur et les enseignants tentèrent de le raisonner, mais il se refusait à répondre. Il plaçait le monde des adultes dans la position d'avoir à le transporter de force dans une voiture ou dans un train. Peut-être attendait-il même de voir la police le ramener chez lui ou le conduire en prison. Et pendant tout ce temps, il restait sur son lit.
Cependant, les vacances de Francis approchaient. Il venait de passer une année à Eton. Il ne s'y plaisait guère, mais avait lui-même choisi d'y aller.
Depuis plusieurs années, il téléphonait deux ou trois jours avant le début des vacances : « Paul sera-t-il là ?
— Oui, sûrement.
— Alors je vais chez les Butts. »
Ou bien : « Non, il passe les vacances chez un ami.
— Je prendrai le train de onze heures douze. »
Jamais le sujet n'avait été discuté, ni même abordé. Avec Paul, on pouvait tout dire. Avec Francis, au contraire, on ne pouvait rien dire, il fallait se montrer attentif, plein de tact, à peine allusif. Et Mark, pourtant si ouvert et si bien à son aise avec Paul, ne pouvait pas parler à son fils.
Francis téléphona : « Est-ce vrai que Paul est renvoyé ?
— Oui.
— Alors il sera à la maison ?
— Certainement, oui. Il va sans doute aller dans une école d'externat, désormais.
— C'est un voleur !
— Eh, oui. »

Long silence chargé d'attente. Dans une soudaine impulsion, Martha déclara : « Je pense que tu devrais revenir, Francis. »
Il ne répondit rien.
« Je t'en prie, Francis. »
Il ne disait toujours rien. Mais il ne raccrochait pas.
Elle insista encore : « Francis, il faut que tu reviennes.
— Bon, puisque je suis obligé. » Mais il semblait plutôt content. Avait-il attendu de recevoir cet ordre ?
Il arriva deux jours plus tard, et reprit possession de sa chambre.
Mark traînait et contemplait son fils sans savoir que faire ni que dire, et Francis se montrait parfaitement poli, répondait oui et non en attendant que Mark s'en aille.
Pourtant il attendait.
Francis avait à présent treize ans. Il était un petit adulte, et non plus un enfant. Il ressemblait à Mark. Lorsqu'ils se trouvaient dans la même pièce, on voyait Mark, et puis cette copie plus petite, brune et trapue, ramassée. Il n'était pas encore à l'adolescence, cette période de charme maladroit, poétique et mi-crasseux.
Au cours des cinq dernières années, il n'avait pas passé plus de six mois dans cette maison — la sienne. Quand il y venait, il s'y comportait toujours avec une intolérable correction. Et il continuait. Martha se rappelait le petit garçon qui avait tant pleuré chaque nuit de son enfance. Et lui, s'en souvenait-il ? Les adultes observent les enfants et interrogent secrètement : Te souviens-tu ? Comme s'il importait qu'ils se rappellent les mêmes choses.
Mais il était là, bien qu'il eût revêtu cet uniforme dont il prétendait se sentir encombré.
Il se trouvait assis devant la table de la cuisine en compagnie de Martha. Elle lui servit du thé, lui proposa un sandwich, et attendit, comme il fallait bien s'y résoudre, qu'il voulût lui indiquer un peu ce qu'il souhaitait s'entendre dire.
Ce fut en fin de compte elle qui commença : « Paul va sans doute devoir habiter ici, désormais. »
Il ne répondit rien. Puis, dans une espèce de ricanement qui répercutait le snobisme de son éducation : « En externat ?
— Oui. Aucune loi n'oblige les garçons à aller en pension. »
Une fois le déclic actionné, il redevenait lui-même — il avait exprimé sa loyauté envers ce qu'on lui enseignait. A présent, il paraissait réfléchir.
« Bah, il doit y en avoir de bons, j'imagine.
— Je serais bien étonnée qu'on nous l'accepte dans un bon externat.
— Je ne vais pas le plaindre, quand même, marmonna-t-il en rougissant, l'air très malheureux.
— Ce qui signifie qu'à présent, tu le plains ?
Silence. Thé. Il se beurra une tranche de pain grillé.
Le dos tourné, il reprit : « Lynda va être ravie, s'il reste ici pour toujours ? »
Et maintenant, voilà, le moment était venu. Elle déclara : « N'as-tu

jamais envisagé que ta mère avait pu favoriser Paul pour la simple raison qu'elle ne te voyait jamais ? »

Adressée à Paul, cette remarque n'aurait guère différé du genre d'analyse auquel on procédait couramment dans son école. Mais c'était trop brutal pour Francis.

Il se leva, laissa brûler une tartine, la laissa tomber par terre, puis la jeta dans la poubelle, et enfin se rassit. Il s'était forcé à s'asseoir, au lieu de quitter la cuisine. L'effort de rester et de lui faire face l'avait fait pâlir.

Martha reprit : « C'est *ta* mère. Pas celle de Paul. »

Il bredouilla : « Eh bien, c'est rudement mal joué, dans ce cas. » Mais il braquait sur elle des yeux suppliants.

« Pourquoi n'essaies-tu pas ? »

Il se leva et sortit. Elle resta immobile, découragée. Cela n'avait servi à rien, songea-t-elle. Mais il réapparut presque aussitôt, se forçant à revenir. Il ne s'assit pas, cependant.

« Mais il va être là tout le temps ! articula-t-il.

— Ce n'est pas une question de... compétition. Elle est ta mère. Tu es son fils.

— Et c'est parfait, n'est-ce pas ?

— Et puis il n'y a aucune raison que tu restes à Eton si tu ne t'y plais pas, non ?

— Je n'ai jamais dit que j'avais envie de quitter Eton.

— Non. Mais tu ne t'y plais guère, n'est-ce pas ?

— Je ne pense pas que ce soit fait pour qu'on s'y plaise, observa-t-il gravement, dans l'espoir d'obtenir une réponse.

— Et alors, pourquoi ne devrait-on pas se plaire à l'école ? Tu y es encore pour un certain temps, non ? »

Après un long moment où il semblait prêt à sortir de nouveau, il tourna sur lui-même pour faire admirer à Martha ses vêtements et leur absurdité, avec une gravité que masquait la gouaille.

« Cet uniforme est-il plus drôle qu'un autre ? demanda-t-il.

— Si tu veux, nous nous renseignerons sur les écoles de Londres qui sont... appropriées. »

Elle voulait dire : et non pas ce que tu jugerais, après tes années de pension et ce bref séjour à Eton, excentrique. Et il la comprit.

« D'accord, dit-il.

— Pourquoi ne quittes-tu pas cette tenue, maintenant ? Ce sont les vacances, après tout.

— Je pensais que ce serait parfait pour rendre visite à Lynda. » Le ton railleur de cette boutade les blessa tous deux ; il lui lança un regard effrayé, et quitta la cuisine en hâte. Quelques minutes plus tard, elle l'entendit redescendre et frapper à la porte du sous-sol. Lynda cria : « Entrez ! », et il descendit.

Deux heures plus tard, il revint à la cuisine, où Martha préparait le dîner.

Il s'était changé avant sa visite, et portait des vêtements ordinaires. Il semblait très las.

« Lynda était seule ?

— Je ne serais pas resté s'il y avait eu cette sale bonne femme, annonça-t-il, exprimant pour la première fois son opinion.

— Lynda a besoin d'elle.

— Ma mère va-t-elle mieux qu'avant ?

— A peu près pareil, je pense.

— *Elle est cinglée* », articula-t-il, les yeux fixés sur le visage de Martha pour y déceler la moindre trace d'information ; il n'attendait rien des paroles qu'elle pourrait prononcer, comme l'exprimait son regard avide.

« Mais elle ne se limite pas à cela, Francis », objecta Martha.

Il la scrutait, penché en avant.

« Et elle n'a pas choisi de l'être.

— Je n'y peux rien, n'est-ce pas ? Si Paul était descendu la voir dans cet uniforme... Lynda aurait trouvé cela très drôle, non ?

— Lynda n'a pas aimé te voir dedans ?

— Je ne pense pas que cela lui plaise beaucoup. Mais si cela avait été Paul, ils en auraient fait un jeu.

— Oui, mais Paul n'est pas son fils. » Elle insistait sur ce point, penchée à son tour, offrant son visage au regard anxieux de Francis pour accentuer encore la force de son insistance.

« Je crois que je la rends encore pire », poursuivit-il, soudain très pâle. Il semblait pris de nausée, et il s'approcha de la fenêtre pour avoir un peu d'air.

« Pourquoi n'essayerais-tu pas un peu... pour lui donner sa chance ?

— Bon, d'accord », admit-il. « Mais juste pour les vacances. »

Pendant trois semaines, Francis essaya. Et Lynda aussi. Francis n'aimait pas Dorothy ; Lynda pria donc Dorothy de s'en aller quand Francis descendait la voir. Cela alla même jusqu'à prier Dorothy de prendre des rendez-vous à l'extérieur pour le soir ; ou d'aller se promener, d'aller au cinéma. D'effroyables scènes éclataient entre les deux femmes ; on les entendait hurler l'une contre l'autre. On entendait des sanglots, et des bruits d'objets fracassés.

Francis montait voir Martha, s'asseyait, la dévisageait comme si la force de son désespoir avait eu le pouvoir de la contraindre à prononcer les paroles susceptibles de dénouer le drame, de le faire disparaître.

« Je crois que tu devrais tenir jusqu'au bout, disait Martha.

— Bon, je tiendrai », répondait-il.

Quand Mark rentrait à la maison, Francis restait un peu, fixant son regard perçant et buté sur ce visage qui ressemblait tant au sien et qui, comme le sien, se protégeait contre les émotions. Au bout d'un moment, il marmonnait un prétexte et montait dans sa chambre.

Un soir que Mark n'était pas là, il entra dans la chambre de Martha avec un gros livre qu'il déposa sur la table et dont il se mit à tourner les pages. Elle s'approcha de lui. Il s'agissait d'un registre aux pages blanches, où il avait collé des coupures de presse et des photographies.

Il voulait qu'elle le regarde, et elle le feuilleta pour voir.

« Tu es abonné à un service d'argus de la presse ?

— Oui.
— Depuis combien de temps ?
— Depuis le début. »

Son livre commençait en 1949. Sur les pages du gros registre s'étalait tout ce que les journaux avaient dit de Mark pendant cette longue et pénible période. Il n'y avait rien là qui ne fût douloureux : et pour un petit garçon qui lisait ces choses au sujet de son père, on ne pouvait imaginer l'effet cumulatif que tout cela avait produit. Martha en éprouva un choc — et se trouva tout d'abord incapable de l'affronter. Elle s'assit, alluma une cigarette, et à son tour le regarda d'un air découragé, attendant qu'il l'aide un peu.

Mais il continuait à tourner les pages. Il voulait qu'elle regarde encore. Comme elle ne se relevait pas, il lui apporta le livre, le lui posa sur les genoux, et l'ouvrit aux dernières pages utilisées, là où il avait collé les critiques du nouveau livre sous le titre *Été de la Saint-Martin pour une hôtesse conservatrice*. En sous-titre il avait ajouté : Ma Grand-Mère.

Ces critiques étaient celles qui, pour l'essentiel, reprochaient à Mark de ne pas vivre avec son époque, d'être réactionnaire, et ainsi de suite.

« Mon père a-t-il changé d'avis ?
— A quel sujet, Francis ?
— Au sujet du communisme ?
— Je ne pense pas qu'il ait changé d'avis — d'opinion. Mais de sentiment, oui. »

Il la dévisagea d'un air interrogateur.

« Mais il n'est plus communiste, désormais ?
— Il ne l'a jamais été. »

Il reprit le livre, le referma soigneusement, et s'assit au pied du lit en contemplant l'arbre par la fenêtre. Le vieux chat noir, trop gros pour des genoux frêles, se coucha contre lui. Il avait le même âge que Francis, et vivait dans cette maison depuis sa naissance. C'était le chat de Francis. Francis caressait le chat d'une main, et semblait désespéré.

« Ton père adorait son frère, commença Martha.
— Je ne comprends vraiment pas pourquoi », répondit platement Francis.

Martha subissait à présent cet échec émotionnel que vous imposent les jeunes en s'emparant de votre passé et en l'annulant, d'une certaine façon ; ou du moins en bouleversant la forme qu'il avait jusqu'alors présentée, et ce sans le moindre égard.

Elle renonça à riposter : Il n'y a absolument aucune raison que tu puisses comprendre cela, et se contenta de dire gentiment : « Mark est assez cohérent, vois-tu : il a toujours suivi sa propre ligne — et il y a là une logique émotionnelle. Ce qui change, c'est le *zeitgeist*, emploie le mot que tu voudras.

— Bon, *d'accord* », s'écria-t-il violemment. « Mais c'est quand même une sacrée *blague*.

— Cela aurait fort bien pu ne pas être une blague du tout », répondit-elle pour l'avertir, du fond de son expérience, l'expérience de sa génération sur ce qui est possible. Mais il la regarda d'un œil vague, car ce n'était pas là ce qui l'intéressait et, au bout d'un moment, il reprit son livre — le *dossier des preuves à charge*, songea Martha en manière de petite plaisanterie intime et triste, et s'en alla.

Le lendemain, comme il devait retourner à Eton, il leur demanda d'établir une liste des écoles qui ne seraient ni « public schools » ni « agressivement » progressives.

Il déclara également qu'à l'avenir il reviendrait passer ses vacances à la maison. « Il le faudra bien un jour, non ? » soupira-t-il de cette façon désespérée qu'il avait de souligner son point de vue. « Mais je ne peux pas changer pour un externat. Il faut me limiter à de petites doses. C'est vraiment trop bon. »

Qu'il pût parler de cette manière relativement ouverte et directe, cela montrait bien ce qu'avait accompli cette brève période de vacances.

Et Francis retourna passer un dernier trimestre à Eton.

Paul revint à ce moment-là, car ses vacances scolaires commençaient alors. Il avait passé près d'un mois assis sur son lit, quand il n'était pas occupé à défier l'autorité en parcourant l'école comme s'il en avait encore eu le droit, ou bien à prendre ses repas. Il n'avait plus assisté aux cours ; mais les élèves n'y étaient pas contraints, même s'ils y allaient tous — sauf en cas de crise aiguë comme celle-ci ; et il avait tenu à assister à tous les services religieux, qui consistaient en un étrange amalgame de douze sectes chrétiennes diverses sous la conduite d'un seul professeur. Jamais jusqu'alors il n'était venu à ces célébrations, mais pendant ce mois-là, il n'en avait pas manqué une seule. L'école ne risquait pas de rater le message qu'il lançait ainsi. Il revint donc à la maison, puisque les vacances commençaient et que tout le monde rentrait chez soi. Il n'avait pas été renvoyé et, bien que « prié de partir », pouvait dire qu'il n'était pas parti.

Il n'allait toutefois pas y retourner ; il savait que tôt ou tard il lui faudrait aller dans une autre école.

Il se trouvait dans une humeur violente, agressive. Sa pension, sa vraie maison n'existait plus pour lui : elle lui avait failli, c'était là ce qu'il ressentait. Et il avait appris par le téléphone arabe qui relie les élèves de différentes écoles que Francis était rentré passer toutes les vacances chez lui : ce qu'il n'avait encore jamais fait.

Dès son arrivée, Paul descendit voir Lynda au sous-sol. Il la trouva au lit, en proie à la migraine. Elle pouvait à peine parler. Paul comprit fort bien ce qui se passait. Il se mit à hurler : « Eh bien, je te déteste ! Je te déteste aussi ! » Et il remonta en courant pour s'enfermer à double tour dans sa chambre.

Lynda continua à se sentir mal. Elle n'était guère plus malade que la plupart du temps, mais Dorothy se sentait trahie et sacrifiée au profit de Francis, et refusait de l'aider. Jusqu'alors, quand Lynda avait été malade, Dorothy l'avait soignée, dorlotée, et avait compati ; à présent, elle mettait son point d'honneur à avoir trop à faire.

Lynda, pour qui la présence de Francis représentait une torture d'amour impuissant et coupable et qui avait fait plus d'efforts que jamais dans sa vie entière, avait attendu avec impatience le moment où il retournerait en pension. Mais elle confia à Martha qu'elle se sentait également plus heureuse qu'elle ne l'avait jamais été. Elle savait que grâce aussi aux efforts de Francis, qui ne la traitait plus, dans son sous-sol, en domaine interdit, « comme une lépreuse contagieuse » —, elle pourrait apprendre à rester avec lui sans être malade ni bouleversée. Il lui semblait que tout irait mieux aux prochaines vacances. A présent, elle avait besoin de repos.

Elle n'avait plus d'énergie pour Paul. Elle sacrifiait Paul, son compagnon de jeux, pour son fils ; elle était parfaitement lucide sur ce point. Et quand Paul, après s'être enfermé dans sa chambre pendant deux jours, ne descendant à la cuisine pour se nourrir que la nuit, en grand secret, pour ne rencontrer personne et ne parler à personne, quand donc il redescendit au sous-sol pour tempêter et hurler et accuser, elle se contenta de fermer à clé la porte de sa chambre et de remonter les couvertures par-dessus sa tête.

Quelques jours après le retour de Paul, Lynda sortit un matin de la maison sans prévenir personne, alla trouver le Dr Lamb, et demanda à retourner à l'hôpital. Sinon, disait-elle, elle sentait qu'elle risquait de tuer Dorothy. Mais elle ne voulait pas retourner au même hôpital qu'avant : elle voulait épargner les finances de Mark. Un hôpital ordinaire ferait l'affaire. Elle s'y rendit directement de chez le Dr Lamb : et Martha lui fit parvenir des vêtements. Dorothy n'était plus qu'un amas de désespoir au sous-sol, en proie à une sorte de dépression nerveuse.

Il devint évident que c'était Lynda qui soutenait Dorothy et non pas, comme ils l'avaient imaginé, Dorothy qui maintenait Lynda en état de survie. En tout cas, Dorothy, qui avait occupé un emploi, tenu un monsieur en haleine, et envisagé de temps à autre d'épouser le gérant de sa papeterie, eh bien cette Dorothy-là ne quittait plus le sous-sol, où elle passait l'essentiel de son temps au lit.

Quand ils descendaient la voir, Mark et Martha rencontraient non plus une unité de deux femmes en équilibre précaire, mais la seule Dorothy, vindicative, volubile et trahie.

Toutes sortes de choses devinrent claires. Tout d'abord, les médicaments. Depuis un an, Lynda y avait renoncé. Elle avait décidé que, si elle ne pouvait plus s'en passer, la vie ne valait plus la peine d'être vécue. Car le fait de vivre avec toutes les drogues que lui donnait l'hôpital, sédatifs, somnifères, excitants, et ainsi de suite, signifiait qu'elle n'était jamais « elle-même ». « Ce n'est pas qu'elles créent une accoutumance », expliquait Dorothy avec cet humour aigre qui caractérisait le sous-sol quand il allait « bien » par opposition à « mal », ou à « crises de violence », « mais simplement qu'on ne peut plus s'en passer ». En y renonçant, Lynda avait commencé de dormir mal, d'être sans cesse vulnérable, en rupture d'équilibre : elle y était revenue plusieurs fois, et y avait chaque fois renoncé. Dans cette bataille était intervenue la décision de Francis de récupérer sa mère et sa maison. Et Lynda n'avait pas cherché refuge dans les médicaments. Puis le conflit au sujet de Paul : elle l'aimait, mais avait dû le trahir. Également trahie, Dorothy l'avait incitée à revenir aux drogues. Dorothy ne pouvait pas s'en passer. Tout d'abord elle avait aidé Lynda, l'avait soutenue; elle, Dorothy, n'était pas assez forte pour livrer cette bataille-là, mais si Lynda pouvait y parvenir... puis elle changea de camp, et Lynda trouva des boîtes de médicaments partout, placées là par Dorothy qui connaissait toutes ses faiblesses, ses moments les plus vulnérables. Dorothy prenait davantage de drogues, en doses plus fortes. Vivre avec Lynda dans un cocon d'euphorie créé par la drogue, ou de léthargie, était une chose, mais c'en était une autre quand Lynda tombait dans l'insomnie, la nervosité, l'angoisse. En tout cas, les drogues avaient constitué le champ de bataille où s'affrontaient tous leurs différends accumulés.

Dorothy ne voulait pas rester sans Lynda. Elle demanda au Dr Lamb de l'envoyer dans le même hôpital, mais le Dr Lamb en jugea autrement. Tout d'abord, Lynda n'en voulait pas. Dorothy lui rendit visite dans son hôpital mais Lynda, réfugiée dans une tour d'ivoire créée par ses médicaments, refusa de lui dire un seul mot.

Dorothy comprit, ou crut comprendre, que Lynda souhaitait se débarrasser d'elle. Elle se convainquit également que la maisonnée entière voulait la voir partir.

Elle montait de temps en temps, vêtue de sa robe de chambre, et hurlait, ou bien faisait des observations, ou encore devenait enjôleuse, selon son humeur, pour dire qu'ils désiraient tous lui voir tourner les talons.

Ils la rassuraient; mais en vérité, bien sûr, ils n'attendaient rien d'autre.

Il leur fallait garder Paul à l'écart de Dorothy, et elle à l'écart de Paul. Ils l'avaient entendue le traiter de « sale petit youpin » en hurlant.

Paul observa : « Elle est jalouse parce que j'habite ici et pas elle. »

Mais il parlait d'une femme qui lui avait en quelque sorte servi de mère, tandis que Lynda avait plutôt été le compagnon de jeux. Son école l'avait quitté; Lynda l'avait quitté; et maintenant, Dorothy l'insultait.

La jeunesse a priorité : si Dorothy allait « bouleverser » Paul, alors...

Environ un mois après le départ de Lynda à l'hôpital, Dorothy s'ouvrit les poignets à une profondeur alarmante; on l'emmena d'urgence dans un autre hôpital, et non dans celui où se trouvait Lynda.

Pendant ce temps, conversation avec Paul.

C'était en fait Dorothy qui en avait suggéré la direction. Le fait de vivre avec des gens « dérangés » mentalement constitue une leçon quant à nos propres divisions, désaccords, ou contradictions. Personne ne manifestait plus d'intelligence au sujet de Paul que Dorothy, à condition qu'il ne fût pas dans la même pièce. Elle avait dit : « Ce qu'il faut lui faire comprendre, c'est qu'on ne le laissera pas s'en tirer comme cela. Sinon, il sera tout étonné de se retrouver en prison. »

Martha : « Quand le trimestre reprendra, tu vas devoir aller en classe. »

Paul : « Je refuse. »

Martha : « C'est la loi. »

Paul : « Je resterai ici. Je ne veux pas aller dans cette école-là. » (Il avait été admis à l'école de quartier.)

Martha : « Si tu nous avais écoutés, si tu nous avais crus, tu serais toujours dans ton ancienne école. »

Paul : « Si je promets de ne pas recommencer, me reprendront-ils ? »

Martha : « Non, c'est trop tard. »

Paul : « Je ne veux plus aller en classe, pourquoi faudrait-il que j'y aille quand même ? »

Martha : « Il faut que tu ailles en classe pendant encore au moins trois ans. C'est la loi. Je n'ai pas inventé la loi. Ton oncle n'a pas inventé la loi. Mais la loi exige que tu ailles en classe jusqu'à l'âge de quinze ans. Tu m'écoutes, Paul ? »

Il portait un chandail rouge, et un pantalon noir très serré. Il se tenait recroquevillé sur une chaise sous la fenêtre de la cuisine, sur ses gardes, cramponné aux barreaux de son siège et les yeux braqués sur Martha.

Martha : « Si tu n'écoutes pas, tu te montres aussi bête que quand tu n'écoutais pas au sujet de ta pension. Nous t'avions prédit exactement ce qui t'arriverait, mais tu n'y as pas cru. Tu ferais mieux d'y croire, à présent. »

Il grinçait des dents, sous l'emprise de sa haine : ses grands yeux noirs et désespérés fixaient ce monde cruel, fixaient Martha. Mais, songea-t-elle, il l'écoutait vraisemblablement.

Martha : « Si tu n'habitais pas cette maison, si tu n'étais pas le neveu de Mark, privilégié, membre d'une classe privilégiée, ce serait la maison de correction de Borstal, les tribunaux pour enfants. Mais tu es privilégié. Tu as du retard à combler. Mais pas trop. Si tu refuses d'aller en classe, tu vas commencer par traîner un peu ici, et puis les représentants de l'autorité viendront. La machine se mettra en mouvement. Une fois qu'elle est en marche... tu ferais mieux d'y réfléchir. Pour toi, ce ne serait pas Borstal et les juges pour enfants. Ce seraient les psychiatres et une école spécialement conçue pour les « enfants à problèmes ». Si c'est ce que tu veux, rien de plus facile : continue. »

Paul restait immobile, recroquevillé et agrippé des deux mains aux barreaux de la chaise, et il la contemplait d'un regard fixe et haineux que tentait de masquer la ruse.

Un jour au zoo, Martha avait vu un babouin qui, le dos tourné au public, accroupi par terre, frottait quelque chose sur le ciment de sa cage. L'objet qu'il tenait raclait, raclait, raclait sans cesse. Mark plaisanta : « Il aiguise une pierre. »

Ce n'était pas une plaisanterie. L'animal avait déniché un galet quelque part. Comment ? Penché entre les barreaux de sa cage pour atteindre le caillou que lui avait lancé un enfant, peut-être ? En tout

cas, il tenait un galet en main et tentait de l'aiguiser. Triste, douloureux : c'était un galet rond et lisse. Mais c'était le seul objet qu'il eût
pu se procurer. Après quelques minutes de travail, il s'était retourné,
le dos toujours de face pour se protéger des éventuels ennemis et
espions, et s'était mis à scier le fil de fer de sa cage avec ce galet rond
et lisse. Il travaillait, raclait, essayait encore, et puis recommençait.
Puis déçu, vaincu, il s'était assis après avoir soigneusement caché le
caillou sous de la paille et s'être retourné pour faire face au public :
Martha et Mark. Le regard de ses yeux était le même que celui que
Martha voyait à présent dans les yeux de Paul. Quels fantasmes, quels
projets de vengeance, ou quelle haine, quels rêves d'évasion nourrissait
ce malheureux babouin, assis là avec son galet rond, sa seule arme,
sa seule possession, dissimulée sous un peu de paille ?

Martha poursuivit : « Paul, le trimestre commence dans dix jours.
Si tu es raisonnable, tu iras à l'école dès le premier jour. Et en attendant, tu ferais mieux de réfléchir un peu : il y a des limites à ce que
ton oncle peut faire. Et ne te laisse pas prendre dans cet engrenage :
quand elle se met en marche, la machine ne s'arrête plus, et peu lui
importe qui tu es, les gens sensés s'en tiennent à l'écart. »

Il gardait le silence, et la dévisageait. Puis il quitta sa chaise et
monta dans sa chambre.

Lynda téléphona : Martha voulait-elle bien venir la voir ? Les messages précédents stipulaient que Lynda ne voulait voir ni Mark ni
Martha.

L'hôpital se trouvait à proximité d'une petite ville. Martha prit le
train, et traversa de jolis paysages de la campagne anglaise. Elle
quitta ensuite le train pour prendre un car ; elle parcourut de respectables banlieues, avec des petits jardins, des petites maisons, des
familles, des mamans, des papas, et un, deux, trois enfants qui
allaient à l'école jusqu'à l'âge de quinze ans (les non-privilégiés) ou
bien vingt-trois ans, s'ils étaient destinés à l'université. En bordure de
la petite ville, un bois de bouleaux apparut, et puis un long mur très
haut, en briques rouges. Elle franchit une grille verte fraîchement
repeinte, et se retrouva de l'autre côté du mur, dans une sorte de parc
agrémenté d'arbres, de massifs et de parterres de fleurs, parmi lesquels se dressaient çà et là toutes sortes de constructions, les unes
grandes et les autres petites, certaines comme des villas, et d'autres
comme des casernes ou même des prisons. Car cet hôpital psychiatrique était immense et traitait des milliers de patients, depuis les cas
très graves, que l'on regroupait dans les bâtiments semblables à des
prisons et qui faisaient l'objet de plaisanteries parmi les autres :
Abandonnez tout espoir, vous tous qui entrez ici, jusqu'aux privilégiés
comme Lynda. Lynda ne logeait pas dans un pavillon, mais dans un
immeuble de taille moyenne. On y parvenait en longeant des massifs
de roses parfaitement entretenus, où travaillaient quelques patients.
On les reconnaissait pour tels à leur lenteur indifférente. Martha parcourut des couloirs étincelants de propreté et des salles où des gens
fumaient, regardaient la télévision, bavardaient entre eux, jouaient aux
cartes, dans cette atmosphère d'hôpital psychiatrique aisément recon-

naissable où tout marche au ralenti, les mouvements, les voix, l'air, les sensations. Les médicaments. L'odeur des médicaments. Des gens bourrés de drogues, ralentis : comme s'ils étaient entrés dans un monde de rêve aquatique et s'y mouvaient dans une dimension nouvelle, hypnotisés.

Lynda logeait dans une salle où se trouvaient six autres lits. C'était une salle propre et resplendissante. Il y régnait un ordre presque fou. Chaque lit se complétait d'un placard, et il y avait une chaise pour deux lits.

Assise sur son lit, Lynda portait un peignoir grisâtre, d'allure assez misérable. Et ses mains si belles laissaient paraître des taches de sang autour des ongles.

« Martha », déclara-t-elle aussitôt d'une voix précipitée, mais avec un effort, comme en luttant contre l'apathie créée par les drogues : « Il faut absolument que je sorte d'ici. »

Martha s'était assise sur la chaise placée auprès du lit. C'était un lit très haut, un lit d'hôpital, et une chaise très basse. Elle devait lever la tête vers Lynda, dont le visage semblait à proximité du plafond. Elle se releva, et s'assit sur le lit, à côté de Lynda.

« Mais, Lynda, rien ne te force à y rester, n'est-ce pas ? »

C'était idiot. Trop raisonnable. Au début, quand on pénétrait dans cet univers, on se montrait toujours trop raisonnable. Il fallait s'ajuster.

« Ils m'ont dit qu'ils allaient me forcer, qu'ils allaient m'enfermer... la dernière fois que j'ai fait des bêtises. »

Martha savait, Lynda savait, qu'il s'agissait uniquement d'une menace ; cela faisait partie du jeu : vilaine fille, méchante fille, tiens-toi bien, ou sinon tu vas voir.

« Que dit Mark ? » s'enquit Lynda en approchant son visage de celui de Martha ; ce ravissant visage malade, ces grands yeux malades n'étaient qu'à quelques centimètres de ceux de Martha. Elle recula un peu. Lynda aussi, qui s'écria d'une voix maussade : « Tous les gens du dehors sont... vous avez tous peur d'atterrir ici aussi, voilà ce que vous avez ! »

Elle tremblait de fureur.

« Mark aimerait bien venir te voir », répondit Martha.

Lynda frissonna, se détourna, chercha une boîte sur le dessus de son placard, en tira un cachet, et l'avala.

« Je suis devenue violente », annonça-t-elle. « Cela m'arrive, quelquefois. On me donne des piqûres et des cachets — alors je me débats et je deviens violente. Ils disent qu'ils vont m'enfermer à *Abandonnez Tout Espoir*. Je leur demande tout le temps de ne plus me donner de médicaments, j'arrive à m'en passer. Mais ils m'en donnent quand même. Tu te rappelles, quand tu m'avais parlé de ta mémoire qui revenait ? Tu n'aurais jamais pu, si on t'avait droguée jusqu'aux yeux, non ? Je leur ai dit : j'ai une amie qui avait perdu la mémoire, mais elle l'a retrouvée. Cela en dit long, non ? Mais ils ont cru que je parlais de moi-même. J'avais oublié comme il faut faire attention à ce qu'on dit. Ce doit être dans mon dossier, à présent, que j'ai perdu la mémoire.

— Lynda, pourquoi ne reviens-tu pas tout simplement à la maison ?
— Parce que je sais que Mark ne veut pas de moi là-bas.
— Ce n'est pas vrai », protesta aussitôt Martha d'une voix convaincue.

Toute tremblante, Lynda se pencha pour scruter le visage de Martha, entièrement appuyée sur ses deux mains. Une infirmière apparut. C'était une jeune femme à l'air très professionnel. Elle tira un rideau, et ajusta une couverture au pied du lit. Elle ne regarda pas Lynda directement, non plus qu'une autre jeune femme qui somnolait dans un fauteuil, mais elle avait absorbé l'atmosphère, vérifié si Martha « troublait » Lynda, et elle savait comment en rendre compte aux infirmières en chef et aux médecins. Elle passa à proximité du lit, sourit à Martha, adressa un signe de tête à Lynda, et sortit.

« Cette histoire de mémoire, le médecin y revient sans arrêt. Ils ne me croient plus. Le plus drôle, c'est que je me dis : Je ne peux plus me rappeler telle chose, ou telle autre. La plupart des gens ne se souviennent plus. Mais moi, je suis obligée de me le redire : il est normal que je ne me rappelle plus ceci ou cela. Il faut que je sorte d'ici... » Elle se mit à pleurer. « Je ne peux pas m'empêcher de pleurer. C'est à cause de leurs foutus médicaments.

— Lynda, veux-tu t'en aller ? Rentrer à la maison ? »

Lynda soupira, se détendit, cessa de pleurer.

« Tout le problème est là. Sais-tu pourquoi je suis venue ? Je savais qu'ils me drogueraient jusqu'aux yeux dès l'instant où j'arriverais. Et ce serait leur faute. Pas la mienne. Voilà la vraie raison. Mais j'ai découvert quelque chose. Je m'en suis passé pendant une année entière. Et je ne m'étais pas rendu compte des progrès que j'avais faits — parce que j'en avais fait, tu sais. J'avais oublié ce que c'était que d'être bourrée de cochonneries tout le temps. Et je me disais : À quoi bon, autant les prendre. Mais quand je suis revenue ici et que j'ai recommencé, j'ai compris à quel point j'avais changé. On n'a plus de *volonté*, on ne veut plus rien, on n'a plus envie que de rester à ne rien faire. Mais maintenant j'ai peur. Si je rentre à la maison... ce n'est pas la peine que je rentre à la maison et que je continue à prendre des médicaments. Je pourrais tout aussi bien rester ici. Dorothy ne sera plus là, tu sais. »

En vérité, Lynda déclarait qu'elle allait se trouver seule. Elle ne voulait pas être seule.

« Tu pourrais revenir et essayer de... faire partie de la maison. »

Lynda reprit vite, réagit. Toute la question était là.

« Oui, mais Francis ? Que deviendra Francis ? Ce n'est pas grave pour Mark et pour toi, vous êtes habitués à moi.

— Et Paul, rappela Martha.

— Oui.

— Je pense que tu devrais revenir, et essayer.

— Veux-tu demander d'abord à Mark ? C'est-à-dire que Mark pourrait ne pas... »

Lynda retomba sur son oreiller et y resta inerte, à pleurer, un mouchoir serré dans la main crispée sur sa joue.

« Oh, n'y fais pas attention », sanglota-t-elle. « Je pleure sans arrêt, et je ne sais même pas pourquoi. »

L'infirmière reparut, sourit à Martha, et resta un moment auprès du lit de Lynda.

« Madame Colridge, commença-t-elle, voulez-vous vous lever maintenant pour descendre dîner ?

— Non, répondit Lynda.

— Je pense que vous devriez essayer. Vous avez perdu beaucoup trop de poids, vous savez. Vous ne voudriez pas que nous soyons obligés de vous traiter à l'insuline, n'est-ce pas ?

— Traitez-moi à l'arsenic si vous voulez, répliqua Lynda.

— Allons, allons, madame Colridge, protesta l'infirmière.

— Bon, d'accord. Je descends dans une minute. »

L'infirmière s'attarda un peu, puis sortit. Lynda se redressa.

« Parle à Mark », recommanda-t-elle. Assise sur son lit, elle ôta son peignoir. Elle était en effet très maigre, avec des salières très marquées, et des omoplates extrêmement saillantes. Elle se pencha, tira un chiffon rose de son placard, le brandit au-dessus de sa tête, se laissa glisser lourdement à terre, et déroula le chiffon rose tout au long de son corps. Convenablement entretenue et repassée, cette robe avait été fort jolie. Lynda resta un moment debout, dans cette loque rose qui pendouillait sur son corps, à lisser de sa main abîmée ses cheveux sales.

« Je vais aller m'alimenter », marmonna-t-elle. « N'oublie pas de parler à Mark. »

Martha l'embrassa, et repartit à travers les massifs de fleurs et les arbres.

Elle alla trouver le Dr Lamb.

Une semaine environ avant que Dorothy s'ouvrît les veines, Martha avait vu, parmi les images qui défilaient dans sa vision intérieure (très nombreuses en ce moment), une scène où Dorothy, revêtue d'une combinaison noire dont la dentelle était déchirée sous le bras, se tenait penchée au-dessus du lavabo dans la salle de bains du sous-sol. Martha la voyait de dos, légèrement à l'oblique. Dorothy se retournait, et le sang coulait d'un de ses poignets. Dans la main dont le poignet saignait, elle tenait une lame de rasoir et se tailladait l'autre côté. Ce qui impressionnait particulièrement Martha, c'était le soin avec lequel Dorothy procédait. Son visage vindicatif s'était crispé sous l'effet de la concentration. Une traînée de sang lui maculait la pommette.

Lorsque Martha descendit au sous-sol, le matin où la scène réelle se déroula, alertée par les hurlements de la femme de ménage, Dorothy s'était évanouie. Elle portait une combinaison en dentelle noire déchirée sous le bras, et elle avait le visage et les deux poignets tachés de sang.

Ce n'était pas la première fois, loin de là, que ce genre de chose s'était produit, mais Martha réfléchissait à présent aux responsabilités qui lui incombaient peut-être. Aurait-elle dû aller trouver Dorothy et lui dire : « Excusez-moi, mais vous allez vous ouvrir les veines, alors je vous en prie, ne le faites pas ! Enfin, à moins que vous ne l'ayez déjà fait auparavant ? Vous porterez ce jour-là une combinaison en dentelle noire », etc.

Ou bien elle aurait pu téléphoner au Dr Lamb : Dorothy va s'ouvrir les veines. Ne faudrait-il pas la convaincre de n'en rien faire ? Oui, je sais qu'elle a déjà pris des doses trop fortes de médicaments dans le passé, mais cette fois ce seront les veines.

A Dorothy elle aurait même pu dire, jouant les Rosa Mellendip : Attention à la combinaison noire dont la dentelle est déchirée sous un bras !

En vérité, elle répugnait extrêmement à penser à ces choses : par lâcheté. Elle savait parfaitement que c'était par lâcheté ; et elle aborda le Dr Lamb à la manière oblique d'un crabe, en s'efforçant de trouver des questions qui lui permettraient de ne pas s'exposer en première ligne. Elle redoutait le Dr Lamb — l'appareil psychiatrique. Elle n'avait personne d'autre à qui demander : le problème résidait là. Très curieux, cela, quand on y réfléchissait. Elle craignait le Dr Lamb et le pouvoir qu'il détenait, et pourtant, il n'y avait personne dans cette société complexe et sophistiquée à qui elle pût poser certaines questions particulières.

Il n'existait personne qui pût approcher le Dr Lamb sans une sorte de panique. Lorsqu'il parlait au tribunal, ou qu'il conseillait des policiers, ou qu'il formulait un jugement sur telle ou telle personne, lorsqu'un être humain mortellement désemparé se trouvait devant lui, ce que disait le Dr Lamb était la vérité. Très, très curieux, quelque point de vue qu'on adoptât.

A l'exception de l'épouse, de la maîtresse, ou de l'enfant du Dr Lamb, ou d'un proche ami, personne ne pouvait l'approcher sans cette crainte, ce retrait silencieux de l'esclave derrière ses positions.

Quant aux gens qui devenaient les patients du Dr Lamb, et qui devaient se soumettre à tel ou tel traitement, ils y venaient tous en conséquence de pressions, de forces directes ou détournées — celles de la société, de leur famille, d'un médecin traitant pris au dépourvu. Qu'il fût bienveillant, cruel, épris de puissance ou doté d'intuition, le Dr Lamb se trouvait toujours en position de force. Car c'était lui qui savait — la société en avait décidé ainsi — tout ce qu'on pouvait savoir sur l'esprit humain. Ou plus exactement, même s'il était le premier à admettre que sa connaissance était toute relative, cela n'apparaissait pas dans la manière dont il traitait les patients.

Tel était le fait central, essentiel, de cet immense système de psychiatres, de psychanalystes, de psychologues, d'assistants sociaux, de cliniques, d'hôpitaux psychiatriques, qui s'occupaient de ce qu'on appelait le département de la santé mentale. Dans toute situation, partout, il existe toujours une donnée essentielle. Mais ce sont habituellement toutes les autres données, des milliers de données, qui sont examinées, discutées, traitées. La donnée centrale est habituellement ignorée, ou méconnue.

Le fait essentiel, ici, était que personne n'abordait le Dr Lamb sans y être obligé. En approchant le Dr Lamb, on approchait du pouvoir. Il était difficile de concevoir une puissance pareille, dans son absolu, son arbitraire, sa liberté d'agir suivant son gré sans contrôle d'aucun autre pouvoir.

Il n'existait en vérité qu'un seul contrôle : le Dr Lamb manifestait-il par nature la moindre humilité quant à la position qu'il occupait, et qui était un pouvoir pratiquement illimité, fondé sur une ignorance reconnue ?

Le Dr Lamb n'avait pas pris place dans son fauteuil, mais au bout de la pièce, où se trouvaient deux petites chaises basses près de la fenêtre. Martha avait annoncé au téléphone que cette visite ne relevait pas de son propre traitement, et il se montrait donc plein de tact et de délicatesse. L'occasion allait donc ressembler à une mondanité. Le thé fut presque aussitôt servi.

« J'ai vu Lynda », commença Martha. « Je suis allée la voir à l'hôpital.

— Ah ! j'ai tenté de la faire entrer plutôt dans un autre, mais nous manquions de temps, et il n'y avait guère de choix. »

Il s'excusait pour l'hôpital.

« Pensez-vous que Lynda aille moins bien qu'auparavant ?

— Bien entendu, je ne la traite pas personnellement. Mais j'ai parlé ce matin avec le médecin qui la suit. » Il ôta ses lunettes, les posa. Il paraissait extrêmement fatigué.

« Évidemment, vous étiez allée voir Mme Colridge avant, à la clinique privée ? Vous savez, ces frais considérables que paient les familles, ce n'est pas pour obtenir de meilleurs soins, bien au contraire, et c'est souvent pire.

— Je suppose, répliqua Martha, qu'ils ont le sentiment de mieux contrôler la situation s'ils paient... »

Il fixa sur elle un regard perçant, mais il ne voyait pas où elle voulait en venir. « C'est du gaspillage, reprit-il, à moins bien sûr que les proches ne cherchent à se débarrasser de quelqu'un et ne paient pour qu'on s'en occupe dans de meilleures conditions de confort — c'est alors de l'argent de conscience. Mais pour quelqu'un de vraiment malade, jamais je ne recommanderais les institutions privées.

— Lynda veut revenir à la maison, interrompit Martha.

— C'est elle qui a voulu aller ici. Elle peut en partir quand elle voudra. Mais si c'est pour revenir à la situation qui, si vous voulez, l'a déboussolée, alors... »

Il s'agissait là d'une question. Il voulait savoir ce qui avait déclenché la crise. Cela signifiait que le médecin actuellement chargé de soigner Lynda l'ignorait ; ou que le Dr Lamb ne faisait pas grand cas de ce médecin ; ou bien que le Dr Lamb cherchait à découvrir quelque chose à son sujet à elle, Martha.

Martha poursuivit : « Lynda a cessé de prendre des médicaments depuis un an. C'était une chose. Et puis son fils a décidé de... tenter un rapprochement. Deux choses. Et puis Dorothy — trois choses. »

Il la dévisagea. Puis : « Son fils a pris la décision ? »

La panique envahit Martha. Elle expliqua : « Mark et moi en parlions — en fait, nous en parlions depuis des années. Vous savez... Paul

309

et Francis. Francis ne revient jamais à cause de Paul. Paul va revenir définitivement. Nous pensions...
— C'était l'idée de Mark ? »
Une honte coupable submergea Martha : c'était sa faute à elle. Elle refoula l'idée.
« C'était tout autant la *sienne*, oui — mais c'est moi qui ai suggéré que nous tentions de faire revenir davantage Francis à la maison. »
Il garda le silence.
« Eh bien, était-ce la chose à ne pas faire ?
— Non, si elle peut le supporter.
— Je pense qu'elle l'aurait pu si elle n'avait pas dû toujours lutter contre les médicaments. Et si Dorothy n'avait pas été aussi jalouse. »
Martha réfléchit : en cinq minutes, je me retrouve accablée de honte. Pourquoi ? Est-ce normal ? Le fait-il exprès ? Pour un peu, et je me sauverais tout de suite sans dire ce que je voulais dire... Elle se força à rester calmement assise.
« Pour ce qui est de Dorothy, ce n'est pas la peine de vous en préoccuper avant que le problème ne se pose. Elle n'est absolument pas en état de quitter l'hôpital pour le moment. Elle a de nouveau tenté de se suicider. Quant à l'autre point : lorsque des patients dans l'état de Mme Colridge cessent de prendre leurs médicaments, ils se retrouvent généralement très vite à l'hôpital.
— Bien, et maintenant voici ce que je voulais vous demander. Supposons que Lynda soit arrivée à l'hôpital et qu'on ne lui ait pas donné de drogues, que se serait-il passé ? »
Il ne répondit rien : il arborait une expression interrogatrice.
« Je précise ma question : connaissez-vous l'effet sur quelqu'un qui, pendant des années et des années — près de quinze ans dans le cas de Lynda —, se trouve sans relâche sous l'effet de drogues ?
— Je comprends. »
Le silence s'appesantissait. « Madame Hesse, je ne pense pas qu'il existe un seul médecin en Angleterre qui s'estime satisfait des conditions dans lesquelles il doit travailler. Si nous pouvions bénéficier de conditions idéales — mais ce n'est pas le cas. En ce qui concerne Mme Colridge, je puis définitivement vous répondre : Oui, il faut qu'elle prenne ce que nous lui prescrivons. »
Le Dr Lamb fuyait la responsabilité, comme bien sûr il en avait le droit.

Quelques années auparavant, une loi avait supprimé les fenêtres grillagées, les verrous, les camisoles de force et les cellules capitonnées, pour créer des hôpitaux qui fussent civilisés. Enfin, pas tout à fait. Car pour faire appliquer cette loi bien intentionnée, il aurait fallu dépenser des sommes considérables pour construire de nouveaux bâtiments, rémunérer des médecins et des infirmières. Jamais ce budget n'avait été débloqué. (On consacrait plutôt cet argent à la guerre, le fait essentiel de notre époque, et reconnu comme tel.)
Dans les dizaines d'institutions psychiatriques disséminées à travers le pays, construites comme des prisons, se trouvaient des milliers de gens qui avaient connu la camisole de force, l'alimentation

forcée, la cellule capitonnée, les coups (en vérité, fait central, qui avaient eu leur volonté brisée), et qui étaient à présent des épaves, « détériorées ». Ce n'était pas la faute du Dr Lamb, qui se contentait de faire fonctionner des mécanismes qu'il n'avait pas inventés. De même que les éducateurs, les médecins généralistes — et tout le reste — il faisait partie d'un système censé fonctionner selon un projet qui n'avait en vérité jamais été mis en œuvre, pour la simple raison qu'on ne consacrait jamais d'argent aux écoles, aux hôpitaux, et aux hôpitaux psychiatriques. L'argent était réservé à la guerre. Des milliers et des milliers de gens dans le pays ne pouvaient attendre que la mort : ils étaient les victimes, les pertes du passé. Et pendant ce temps dans tout le pays, des centaines et des milliers de gens, plus nombreux chaque jour, se trouvaient dans des conditions que le Dr Lamb aurait souhaité voir s'améliorer, mais ce n'était pas sa faute si cela ne se produisait pas.

C'est à ce moment là que Martha faillit s'en aller — par lâcheté. Elle déclara : « Je cherche à découvrir quelque chose. J'essaie de comprendre — vous dites que Lynda est schizophrène.

— Oui. » Il sourit. « Mais vous ne l'êtes pas, madame Hesse.

— Savez-vous ce qu'est la schizophrénie ?

— Non, mais il existe différentes théories. Et nous la traitons mieux à présent que nous ne le faisions naguère.

— Supposons que je vienne vous trouver et que je vous dise : J'entends des voix. Serais-je schizophrène ? »

Il répondit de bonne grâce : « Cela dépend. Quel genre de voix ?

— Et des visions ?

— Beaucoup de gens voient des choses, généralement avant de s'endormir, et en se réveillant. Et ils entendent des voix.

— C'est normal, ce n'est pas schizophrène ?

— Tout à fait normal.

— Si je vous disais... » commença Martha, et puis elle changea de ton. « Non, je vous le *dis* vraiment : J'ai vu une scène, une vision, si vous voulez, où Dorothy s'ouvrait les veines avant qu'elle ne le fasse en réalité. »

Il resta immobile. Mais les muscles de son visage se crispèrent ; elle perdait son temps, car il allait désormais mesurer ses paroles, et ne plus poser que des questions pour son diagnostic.

« Avez-vous déjà entendu parler du *déjà vu* ?

— Oui. Et j'ai beaucoup lu à ce sujet.

— Dorothy a déjà tenté de se suicider auparavant, reprit-il. Vous le saviez ?

— Oui. Elle avait pris trop de barbituriques, n'est-ce pas ?

— Oui. C'est un type suicidaire.

— J'ai vu une scène que j'étais prédisposée à voir ?

— Oui. Vous l'avez imaginée.

— Docteur Lamb, qu'est-ce que l'imagination ? »

Il hésitait à présent. Il lui adressa un charmant sourire, presque taquin. « Madame Hesse, vous n'êtes pas malade, je puis vous l'affirmer.

— Oh, vous pensez que je suis bouleversée à cause du départ de Lynda et de Dorothy pour l'hôpital ?

— Êtes-vous certaine du contraire ?

— Eh bien... non, je veux continuer. Si quelqu'un venait vous trouver ici et vous disait : Docteur Lamb, j'entends des voix — non, ne souriez pas. Je veux savoir ce qui dans leurs paroles, leur comportement, vous ferait dire " schizophrène ", et non pas : Oh, tout le monde en fait autant ?

— Je leur demanderais, l'imaginez-vous ? Et leur réponse serait : Non, j'entends de vraies voix. Comme la vôtre ou la mienne, madame Hesse. » Il insistait sur ce point, la regardait droit dans les yeux, en partie pour l'interroger, et en partie pour la convaincre.

« Une voix imaginaire relève du fantasme, alors... c'est une sorte de rêve éveillé — c'est l'imagination ?

— Oui.

— Mais une *vraie* voix, c'est sérieux ?

— Une réponse typique serait : tout le monde parle de moi, tout le monde se moque de moi. Ils veulent me tuer. »

Martha se retint d'observer : Mais peut-être est-ce vrai ? et demanda simplement : « Que se passe-t-il, alors ?

— Nous les traitons.

— Et les voix et les visions finissent par disparaître ?

— Telle est l'intention, oui.

— Docteur Lamb, si. quelqu'un entend des voix et a des visions, il doit se sentir anormal — différent. Les gens détestent se sentir différents des autres. Pensez-vous que...

— Cela se produit deux ou trois fois par semaine. L'homme qui était ici avant vous, par exemple. Je lui dis : " Je sais que vous entendez des voix. Ce n'est pas la peine de chercher à m'en convaincre. Mais je suis médecin, et beaucoup, beaucoup de gens viennent me trouver pour me dire qu'ils entendent des voix. Je vous assure que vous vous trompez. Mais nous pouvons traiter cet état. " Je vous garantis que ni moi ni aucun de mes collègues n'essayons de leur faire ressentir une différence, ni d'aggraver les choses.

— Vous dites : Je sais que vous entendez des voix, je le sais, mais vous vous trompez ?

— Oui, parce que c'est vrai, insista-t-il doucement.

— Peut-être existe-t-il différentes sortes de voix ?

— Oui, si l'on veut. Les uns disent qu'ils entendent des voix en l'air, d'autres disent qu'elles sortent des murs. D'autres encore affirment que les voix se trouvent dans leurs têtes. De vraies voix. Comme la mienne ou la vôtre.

— Mais le véritable critère, le test, c'est quand la personne affirme qu'elle entend réellement des voix. Si elle dit oui, qu'elle les entend vraiment, que ce n'est pas l'imagination, et que vous ne pouvez pas la convaincre de son illusion, alors ça y est, elle se trompe ?

— Eh bien, en quelque sorte, oui, schématiquement.

— Alors si l'on persiste, si l'on tient bon, on a des chances de se retrouver classé comme schizophrène, et traité comme tel. Mais si l'on vous dit...

— Madame Hesse, reprit-il, je vous promets, et vous pouvez me croire sur parole, que vous n'êtes pas schizophrène.

— Bon, d'accord, docteur Lamb, mais supposons que j'affirme avec persistance que j'ai assisté au suicide de Dorothy exactement tel qu'il s'est ensuite déroulé, et que j'insiste, et que vous me disiez non, et que je me fâche, et que je crie, et que je continue à crier et que je vous insulte, comment me classeriez-vous, dans ce cas?

— Mais vous ne criez pas », observa-t-il. « Vous êtes patiente, calme et rationnelle. »

Il attendait, parfaitement disposé à se montrer attentif, rassurant — et le cas échéant à prescrire des médicaments.

Elle déclara : « Bon, eh bien je vous remercie. Quant à Lynda — si elle revient à la maison —, vous pouvez considérer qu'elle essayera certainement de se passer des médicaments.

— Elle est libre, bien sûr. Mais si j'étais vous, je tenterais de la convaincre, car je ne pense pas que ce séjour à l'hôpital lui ait fait grand bien. Il lui faudra du temps pour s'en remettre.

— Voudrez-vous donner des instructions pour qu'elle puisse sortir?

— Madame Hesse, il lui suffit de dire au médecin qu'elle veut s'en aller.

— Je comprends. Merci beaucoup. Soyez gentil de m'envoyer votre note d'honoraires, car je suis venue pour satisfaire ma propre curiosité.

— Parfait. Et ne vous surmenez pas trop.

— Non, j'y veillerai.

— Et comment va votre mère?

— Elle est morte. Un an à peine après son retour là-bas.

— Était-ce votre faute? s'enquit-il avec humour.

— Quand vous le dites ainsi, je ne puis m'empêcher de penser que peut-être, oui. Mais pas quand j'y réfléchis. »

Lynda ne revint pas aussitôt. Les hôpitaux étaient apparemment surpeuplés, et les patients ne voyaient le médecin qu'une seule fois par semaine — et puis une visite hebdomadaire sauta parce que le médecin était malade. Finalement, le Dr Lamb intercéda et elle put rentrer chez elle. Elle était extrêmement amaigrie, abattue, elle fondait volontiers en larmes et s'accusait de toutes les fautes passées et à venir.

Cependant, Paul était allé à l'école. Il s'y rendit le premier jour du trimestre, et revint furieux, en se plaignant violemment. Après la liberté de la pension qu'il avait dû quitter, cette école-ci allait lui paraître dure. Et puis il se trouvait en classe avec quarante autres enfants.

Soudain, Martha était à nouveau fort occupée. Soudain, elle n'avait plus le temps de s'isoler pour réfléchir dans sa chambre. Le matin de bonne heure, il lui fallait réveiller Paul, le nourrir, l'envoyer à l'école — une lutte de chaque instant, épuisante. Et puis Lynda,

désormais seule, avait besoin de compagnie et surtout de réconfort.
Martha se mit à rêver. Ses nuits s'emplirent de rêves fantastiques,
instinctifs, coutumiers. Il semblait que quelque chose en elle revendiquât la possibilité de parler, de s'exprimer, de conseiller, d'utiliser tel ou tel moyen d'expression — des images, ou des voix — quand elle
pouvait s'asseoir dans le calme de sa chambre pour écouter, pour
attendre. Et sinon, ce quelque chose semblait tout disposé à se servir
des rêves en échange.

CHAPITRE DEUX

Une visite chez Margaret Patten au cours de l'été 1958; non pas une visite en passant, pour chercher des enfants ou des plantes, mais un événement organisé, prévu, construit, douloureusement ressenti, ou du moins de manière aiguë, et ensuite gardé en mémoire. Une visite caractéristique de ce genre d'occasions, par sa qualité de confusion, d'embrouillement, d'irritation générale — car les choses se poursuivaient ainsi. Il semblait impossible que ces gens ne fussent point tous pris dans des malentendus.

L'invitation de Margaret à venir passer l'après-midi avait été formulée de manière détendue, et répétée dans une demi-douzaine d'entretiens téléphoniques au sujet d'autres choses. Elle semblait de plus en plus honteuse, mais elle restait désinvolte. Mark avait dit : « Elle mijote quelque chose. »

Elle les manipulait. Que voulait-elle? Depuis plusieurs semaines, il essayait de la voir mais, comme il le disait, de la voir « vraiment ». Il avait essayé d'amener sa mère à parler de Colin — son fils, et son frère à lui. Mark était revenu de Moscou depuis plus de deux mois : Margaret n'avait pas eu le temps d'en écouter davantage qu'un très bref compte rendu téléphonique, et un autre encore plus bref un soir qu'elle se hâtait d'aller au théâtre. Elle n'avait pas trouvé le temps de parler de Colin, mais elle voulait obtenir la complicité de Mark et de Martha dans un projet encore mystérieux. Ces deux besoins — celui de Mark, celui de Margaret — se rejoignaient-ils en un point invisible?

Deux ans auparavant, lorsque la guerre froide avait officiellement été déclarée périmée — c'est-à-dire que les journaux et la télévision l'avaient présentée comme une chose du passé —, Margaret avait demandé à un vieux copain qui revenait de l'ambassade britannique à Moscou, si l'on savait quelque chose au sujet de Colin. Il répondit que non. On avait mené des recherches à un certain niveau, mais on avait cru comprendre qu'il devait être mort. Puis un ami de Patty, qui était allé à Moscou dans le cadre d'un genre de délégation, déclara qu'un de ses amis avait mentionné un certain M. Colridge, rencontré chez quelqu'un. Mark était-il allé à Moscou? Après en avoir discuté avec Patty, qui après tout restait dans le cercle, même si ce n'était que rétrospectif, Mark demanda un visa pour l'Union soviétique, en tant qu'écrivain. Il l'obtint sans aucune difficulté. A Moscou, il avait demandé à son interprète, une jeune femme extrêmement serviable, s'il lui serait possible de rencontrer son frère; il parlait comme s'il n'avait existé aucun doute que tout Moscou sût où trouver Colin. Prudente, l'interprète répondit qu'elle se renseignerait. Après deux ou trois jours de ballets, de théâtre, et d'excursions diverses, l'interprète répondit que, bien sûr, il serait tout à fait normal que M. Colridge puisse voir son frère, après tant d'années. Et elle lui donna le numéro de téléphone de Colin.

Mark composa le numéro, et ce fut la voix de son frère qui répondit. Colin n'avait apparemment pas soupçonné que cela pourrait se produire car, lorsque Mark se nomma, il garda le silence pendant un bref moment avant de s'enquérir : « Comment m'as-tu retrouvé ? » — « C'est l'Intourist qui m'a donné ton numéro », répondit Mark.

Ils se rencontrèrent une heure plus tard chez Colin, à une demi-heure à peine de l'hôtel en autobus. C'était un petit appartement accueillant, dans un groupe d'immeubles neufs où logeaient des chercheurs scientifiques. Meublé de manière moderne et anonyme, il aurait pu se trouver en n'importe quel point du globe. Colin avait épousé une charmante femme russe qui enseignait la danse à des enfants. Elle avait un fils d'un mariage précédent ; son mari était mort à Stalingrad. Le garçon avait quinze ans. De ce second mariage était issue une petite fille. Mark pénétrait dans un univers familial, et y recevait un accueil chaleureux.

En décrivant la scène à Martha, Mark avait pris cette intonation d'humour lugubre qui sert d'alternative aux larmes — le ton de toute une génération. Mais ce n'était pas ce qu'il avait éprouvé sur le moment.

Au cours de la soirée, les enfants avaient été présentés à l'oncle Mark, qui venait d'Angleterre. Ils avaient mangé des quantités d'excellentes choses. Et la mort de Sally-Sarah avait enfin été commentée : ils avaient bien fait sentir à Mark que le suicide représentait une forme de lâcheté inhérente au capitalisme, peut-être un manque d'*esprit de corps*. Galina répéta à plusieurs reprises que la vie était un don précieux ; elle ne comprenait vraiment pas les gens qui se suicidaient. Elle semblait à la fois compassée, et seule dépositaire de la vraie valeur de la vie. Mark en était exaspéré, et en même temps honteux de l'être : l'existence tragiquement héroïque de Galina semblait lui conférer tous les droits. Peut-être une attitude poseuse révélait-elle la vraie vertu, de même que dans les pays chauds les fourmilières révèlent la présence d'eau au-dessous. Après tout, les Victoriens... il semblait inévitable que la révolution dût évoquer les Victoriens. Colin demanda des nouvelles de Paul, et proposa qu'il vienne leur rendre visite à Moscou. Mark lui parla longuement de l'enfant et, à la fin de la soirée, Colin entreprit de fouiller une haute pile de disques, et en tira plusieurs chants traditionnels pour les offrir en cadeau à Paul. Colin et Galina insistèrent tous deux vivement pour que Mark revienne les voir lors de son prochain séjour à Moscou. Ils portèrent plusieurs toasts, à l'amitié et à la paix. Mark avait ensuite regagné son hôtel, où il s'était soudain retrouvé à jurer violemment en jetant tout par terre comme un fou.

« Je ne pouvais pas y croire. Pendant toute la soirée j'ai eu l'impression de m'être trompé de scène, trompé de pièce. Rien n'était vrai. Je commençais à croire que rien de tout cela n'était arrivé vraiment. J'ai téléphoné à Colin. Il devait être quatre heures du matin. Je dois dire que l'émotion m'avait submergé. J'ai exigé de le voir immédiatement. Il s'est montré froid. J'ai d'abord pensé que peut-être je manquais de discrétion — police secrète et ainsi de suite. Mais non, avec le recul je me rends compte que j'ai simplement téléphoné très tard dans la nuit. Le voir seul. Il m'a dit, bien sûr, qu'il en parlerait à Galina et que, si elle n'y voyait pas d'inconvénient, il me retrouverait au parc dans l'après-midi. »

Mark ne s'était pas couché. Il se demandait surtout pourquoi on lui avait donné le numéro de téléphone de Colin. Peut-être l'avait-on lui-même considéré comme un espion ? Des fantasmes de ce genre lui occupèrent l'esprit pendant plusieurs heures, mais il finit par conclure qu'il s'agissait certainement d'une confusion. Après tout, c'était presque toujours le cas. En Angleterre, il existait six, non sept, organisations diverses pour l'espionnage, qui s'affairaient essentiellement à s'espionner les unes les autres : toute opération dont on risquait d'entendre parler n'était jamais que confusion, mais une confusion grotesque, douloureuse, ridicule. L'Union soviétique était de plus en plus prospère, développée, stable ; nul doute que les organisations d'espionnage n'eussent, là aussi, proliféré jusqu'à se faire concurrence entre elles. Sans doute un fonctionnaire s'était-il dit : Bah, donnons-lui le numéro, et puis voyons ce qui va se passer... Ou même : Son frère ? Bien sûr, les liens de famille... On pouvait même imaginer un sourire humaniste.

C'était tout de même cela qui avait piqué Mark, plus que tout autre chose : le numéro de téléphone de son frère, proprement noté sur une feuille de papier et qu'on lui donnait ainsi, comme si rien n'avait été plus naturel. Chaque fois qu'il y repensait, son humeur s'assombrissait et devenait plus passionnelle, si bien que lorsqu'il retrouva enfin Colin, il se trouvait dans un bel état. Mais il comprit aussitôt que plus il s'enflammait, et plus il s'éloignait de son frère, qui se montrait encore plus dégagé que la veille.

Ils déambulaient dans un parc de la culture et des loisirs, en mangeant une glace. Mark désirait ardemment poser une question, la question clé : Colin, pourquoi as-tu quitté ton pays ? Avais-tu peur ? Étais-tu menacé ? Coupable ? Et même si tu étais obligé de partir, pourquoi n'es-tu pas revenu ensuite ?

Mark approchait du sujet — et puis au dernier moment l'esquivait. Il supposait que certainement Colin s'attendait à ces questions-là. Mais il n'en manifestait rien. Il paraissait d'excellente humeur : il parla beaucoup de Galina, avec qui il était heureux ; il n'expliqua pas en détail que cela le changeait agréablement de Sally-Sarah, mais c'était ce qu'il voulait dire. Il parla du fils de Galina, qui avait eu du mal à l'accepter, lui, Colin, comme père ; il faisait preuve de délicatesse et d'intuition sur ce point. Le temps passait. Il avait annoncé qu'il leur faudrait se séparer à quatre heures : il voulait aller travailler plus tard à son Institut. Finalement, Mark fit une remarque sur le départ d'Angleterre de Colin. Colin parut embarrassé, comme si son frère avait délibérément choisi de manquer de tact. Mark lui posait une question directe : Étais-tu obligé de partir et, dans ce cas, pour quelle raison ?

Alors Colin se mit à parler. Il s'expliqua longuement et de façon cohérente jusqu'au moment où il dut partir travailler et dire adieu à son frère. Ce qu'il disait constituait une sorte de théorie abstraite des opinions répandues dix ans auparavant dans les milieux communistes, et demeurait parfaitement impersonnel. Ses propres émotions, ses attitudes n'apparaissaient pas un seul instant.

Ce fut ainsi qu'ils se séparèrent.

Pendant tout le trajet jusqu'à l'aéroport, Mark avait lutté contre deux types d'émotions, ou de points de vue — il s'efforçait de faire coïncider les dix années qu'il venait de vivre avec l'ombre de la « fuite vers le communisme » de son frère, et sa responsabilité envers Paul ; et il luttait contre ce qu'il avait ressenti en compagnie de Colin dans la vie duquel apparaissait un fossé qui annulait en quelque sorte tout ce qui s'était passé avant. Mais il ne parvenait pas à faire tenir ensemble ces deux attitudes, ces deux paysages.

De retour à Londres, il en parla avec Martha, ils en discutèrent, en débattirent, et finirent par en tirer une série de faits et de conclusions. Colin était homme de science. Il l'avait toujours été. Depuis son enfance, depuis son premier jeu de petit chimiste, il avait toujours su ce qu'il était. En trahissant, il avait agi en homme de science. En Union soviétique, il demeurait scientifique. Non, pas à un niveau aussi élevé que celui auquel il aurait pu prétendre en Grande-Bretagne, car (et il comptait bien sur l'approbation de Mark, puisqu'il eût été déraisonnable d'espérer autre chose) il constituerait toujours un facteur de risque en Union soviétique. S'il comprenait quelque chose, c'était bien l'enjeu, et dans son cas particulier, cela signifiait qu'il serait toujours un élément de risque, partout où il irait. Mais la science était toute sa vie, et le demeurerait. Le plus curieux, c'était que Colin ne s'intéressait pas à la politique, et ne s'y était jamais intéressé. Il décrivait l'univers capitaliste comme X, Y et Z, de même qu'il aurait défini l'univers communiste comme Z, Y et X s'il était resté en Grande-Bretagne ou parti pour l'Amérique. Quoi qu'il fût dans le domaine de la science, il était conformiste en politique.

Mais bien que l'Angleterre fût corrompue, décadente, et ainsi de suite, et que sa propre famille en constituât par définition l'exemple parfait, il avait exprimé le souhait que sa mère vienne le voir : l'Union soviétique lui plairait sûrement beaucoup.

Plusieurs semaines après le retour de Mark, Margaret n'avait toujours pas eu le temps d'en parler. Il devenait évident que tout cela basculerait dans le passé sans avoir été discuté, mis en lumière, résolu.

Pourquoi ? Pourquoi devait-ce être ainsi ? Parce que Mark ne pouvait pas le supporter. Colin, son frère tant aimé, la seule personne qui lui eût été proche dans leur jeunesse, lui était perdu à jamais, c'était terminé. Mais il s'était mis dans le cœur de faire voir à leur mère — quoi donc ? Martha ne voyait pas ce qu'il attendait de Margaret. C'est ma faute, j'ai honte, pardonne-moi ! s'écrierait-elle peut-être, et alors le passé serait effacé... sans doute quelque chose de ce genre. Ou bien Mark se confesserait. Je me suis trompé ! Le communisme est une erreur ! Et ils s'embrasseraient.

La maison de Margaret se trouvait sur la route qui menait de Londres à l'hôpital où Lynda avait séjourné deux ans auparavant, environ quinze kilomètres avant. Mais en allant chez Margaret, il était difficile de se dire : Si je continuais cette route... De même qu'elle n'avait pas songé, en allant voir Lynda : je pourrais m'arrêter pour voir Margaret... Tant la destination donne sa coloration propre au voyage.

Les grilles étaient discrètes, et en retrait de la grand-route où la circulation apparaissait toujours très intense ; villes et villages se succédaient, mais on apercevait ici et là des champs, des bois. C'était la campagne, telle que la perçoivent ceux qui ne franchissent pas ces grilles.

Toutes ces îles sont quadrillées de grand-routes encombrées et de villages et de panneaux annonçant des villes — la campagne. Et, discrètement espacées tout au long de ces routes, on trouve des grilles, parfois agrémentées d'un petit pavillon de gardiens. Cachées ainsi — combien ? Mille maisons ? Dix mille ? Un type de maisons absolument magique, qui doit avoir des racines aériennes, car elles s'alimentent assurément à un air différent de celui des maisons ordinaires. Peut-être est-ce le souffle des jardins, des forêts domptées...

L'allée qui menait à la maison de Margaret s'étirait sur près d'un kilomètre, parmi de vieux arbres. La maison constituait une présence civilisée, blanche. Elle datait de l'époque géorgienne, et venait d'être classée monument national. Mark l'approchait comme on approche un lieu d'habitation, tandis que Martha ne pouvait s'empêcher d'y voir un musée.

Au-delà de la maison coulait une rivière ; entre la maison et la rivière, des pelouses. Sur les pelouses, on pouvait voir des massifs, des ombres de nuages, une table à thé, des gens, des roses : un dimanche après-midi chez Margaret Patten.

Mais depuis trois ou quatre ans, les invités avaient changé. Un seul regard aux visages et aux noms qui leur correspondaient — mais non, quoi qu'elle pût être d'autre, elle n'était pas cynique ni sans doute même calculatrice. Pour être ce genre d'hôtesse, il faut de la passivité. Dix ans auparavant, sur ces pelouses, avaient été projetés les éditeurs, les critiques, les pontifes, les auteurs de la guerre froide ; ils n'avaient pas disparu, on pouvait encore en observer un ou deux, dans la posture de l'expérience, de la maturité, le dos tourné aux roses, mais c'étaient les jeunes qui piétinaient les pelouses : les nouveaux socialistes. En un seul coup d'œil derrière la maison, on pouvait voir Graham Patten, Patty Samuels, et toute une foule de gens issus de son petit théâtre. Car depuis deux ans, le théâtre avait rattrapé le reste : et nulle part mieux qu'en ce jardin on ne pouvait observer ce changement, car ici se trouvaient les acteurs, les actrices, les metteurs en scène des deux petits théâtres socialistes qui depuis des années avaient joué devant des salles vides et s'étaient contentés de comptes rendus hautains, et qui soudain devenaient les vedettes de la vie théâtrale. Ainsi la pièce de Mark, reprise à cause du changement de température, avait remporté un grand succès et reçu des appréciations enthousiastes des critiques, qui analysaient toutes les raisons de leur revirement à l'exception d'une, la principale, et on la jouait à présent dans le West End depuis plusieurs mois. Rachel et Aaron conversaient avec Graham Patten, et Mark, qui observait la scène sans être vu, se retira dans l'orangerie en compagnie de Martha. Cette salle ornée de chintz, de plantes en pots et de guirlandes donnait sur un salon de matin, à présent plongé dans l'ombre. Ils restèrent un moment côte à côte sans rien dire, à contempler l'herbe ensoleillée et les allées et venues des gens derrière les vitres tièdes. Ils regardaient l'exquise Rachel aux yeux sombres, le bel Aaron passionné, le frère et la sœur marqués par le destin. Mais pas marqués ici, non, parfaitement en sécurité, car il semblait que cette scène, un après-midi d'été en Angleterre, eût toujours existé et dût exister à jamais, comme s'il avait suffi, en toute saison, de venir derrière cette paroi vitrée et de contempler les gens souriants dans l'herbe drue et parmi les roses.

Margaret s'approchait de la maison. Elle n'avait pas changé beaucoup. Ses cheveux avaient la couleur des feuilles d'automne, sa peau restait veloutée, et ses grands yeux gris songeurs. Elle portait un pantalon de toile vert sombre, et un chemisier de cotonnade jaune orangé. Comme tout le monde, elle semblait excessivement ornementale. En la voyant, on prenait conscience de ses propres vêtements — que tout avait donc changé, pour que l'on songeât tant aux vêtements, à les regarder, les toucher, et que l'on pût les admirer, les envier. Martha espérait que sa robe d'été convenait — c'était ce qu'elle avait pensé à la maison, avant de venir ; et Mark marmonna que, merde, il aurait dû se changer.

Margaret entra. A présent qu'elle se trouvait tout près, elle semblait lasse et triste.

« Ne venez-vous pas dehors ? s'enquit-elle, déjà offensée.

— Non.

— Mais ce sont vos amis, non ? Graham est là.

— Il était déjà avec nous hier soir. »

Elle lui jeta un regard irrité, et s'assit.

« C'est en effet ce qu'il m'a dit ce matin. Nous pouvons donc parler ici. »

Mark parut fâché, croyant qu'elle avait encore assez honte de Colin pour vouloir le tenir secret.

Elle déclara d'une voix mondaine : « Graham connaît quelqu'un qui écrit un livre sur Colin — sur toute cette affaire. Patty dit qu'elle le connaît aussi. Il va sans doute venir me demander des précisions, des documents. »

Mark avait blêmi. Mauvais signe. Elle le regarda avec étonnement.

« Je pense que vous devriez venir dehors... regardez, voici Rosie et Barney. Ils vous adorent. »

Rosie et Barney étaient Rachel et Aaron.

« Des gens charmants », murmura Mark.

Elle lui décocha un regard où se lisait l'intention de souffrir jusqu'au bout le martyre qu'il lui infligeait. La semaine précédente, elle s'était exclamée : « Ce n'est pas comme s'il s'agissait encore de tous ces vieux raseurs, c'est la jeune génération active et passionnante. »

Elle était assise sur une vieille chaise en bambou, près d'une console couverte de fleurs roses et blanches.

Mark avait pris place sur un banc de bois — sa façon à lui de dire qu'il était pressé. Quant à Martha, dans un souci de compromis, elle s'était assise près de lui, mais accepta une tasse de thé.

« Comment va Lynda ?

— Elle avait pensé venir, mais finalement elle a décidé de rester.

— Francis m'a écrit — il dit qu'il va bientôt arriver.

— Oui, il est à la maison en ce moment. Ce sont les vacances du milieu du trimestre. »

Margaret soupira à nouveau : Francis ne voulait pas être ami avec sa grand-mère. Elle voulait leur faire dire pourquoi il n'était pas venu cet après-midi, mais ils étaient bien décidés à le taire ; il leur aurait fallu se montrer grossiers, ou bien dire des mensonges.

« Et Paul va très bien, poursuivit Mark pour en finir.

— Parfait, parfait... je pourrais proposer à Graham de passer prendre une tasse de thé ici avec nous, suggéra Margaret.

— Vraiment, nous n'avons pas le temps. J'ai un message de la part de Colin...

— Oui ?

— Il demande pourquoi vous n'iriez pas le voir là-bas ?

— Oui, c'est une idée », répondit Margaret, surprise. Paisiblement assise et profitant de ce moment de repos, elle laissait pendre sa main avec une cigarette, comme on ferait dans l'eau : toujours difficile, Mark redevenait difficile une fois de plus, songeait-elle, et elle le manifestait clairement.

« Galina ? Charmante, n'est-ce pas ?

— Oui, très.

—, Eh bien, peut-être viendront-ils en vacances ? »

Mark se retenait d'exploser.

« Il serait sans doute assez dangereux qu'il vienne, observa Martha.

— Oh, je ne sais pas, dit Margaret.

— Il pourrait être pendu, noyé, écartelé — interdit, s'exclama farouchement Mark.

— Eh bien, sans doute vaudrait-il mieux qu'il ne vienne pas. Dommage. Nous devons recevoir des Russes la semaine prochaine, justement. C'est le Conseil qui nous a demandé de leur offrir l'hospitalité. Deux écrivains, une danseuse de ballet, et un rédacteur de journal. »

Elle souriait de plaisir. Derrière Mark et Martha, elle regardait en direction de ses pelouses animées. De même que toute bonne hôtesse ou, plus exactement, que toute hôtesse-née, elle contemplait presque certainement, non pas les gens qu'elle voyait réellement là, mais ceux qu'elle imaginait pour la semaine prochaine, ou l'année prochaine ou... si seulement l'on pouvait voir qui circulerait parmi ces parterres dans dix ans!

Assis le dos voûté, Mark dévisageait sa mère. Elle détourna son attention de ses invités, vrais et imaginaires, et lui sourit. Elle voyait bien qu'il luttait intérieurement contre toutes sortes de colères, d'émotions, de rancœurs. Elle ne comprenait vraiment pas pourquoi, et se demandait comment revenir à *son* sujet, Graham.

« J'y ferai peut-être un saut l'an prochain — après tout, nous avons son adresse, désormais.

— Pourquoi pas?

— A quoi travaille-t-il — pas des bombes, j'espère?

— J'ai pris grand soin de ne pas le lui demander!

— Oh, je suppose que non. Mais je ne sais pas, nous ne comprendrions pas ce qu'il nous expliquerait, de toute façon. Et les bombes sont tout à fait... enfin, comparées aux autres choses que tout le monde semble fabriquer, j'imagine qu'on devrait plutôt se réjouir s'il ne fabrique pas des gaz paralysants ou des maladies ou je ne sais quoi encore.

— Pour autant que je sache, c'est sûrement ce qu'il fait. Bon... Il faut absolument que je rentre.

— Mais tu viens tout juste... »

Elle se leva en même temps que lui; ils restèrent un moment à se dévisager, déçus, peinés, et totalement incompréhensifs l'un de l'autre.

« Je ne comprends pas pourquoi tu... Tout ce que je sais, c'est qu'avec toi tout est toujours ma faute », déclara-t-elle d'une voix basse et amère. Des larmes brillaient dans ses yeux.

« Oh, à quoi bon! riposta Mark.

— Ce n'est tout de même pas comme si je n'avais jamais essayé de comprendre ton point de vue!

— En quoi est-ce donc si difficile? Il ne s'agit que de loyauté. Mais nos idées concernant la loyauté diffèrent considérablement.

— *Oh!* » s'écria-t-elle en se redressant, prête à subir l'ironie, à soutenir l'attaque; mais cette ardeur farouche la désarçonna.

« La loyauté personnelle, précisa Mark.

— Bah, je ne... » Elle se mit à rire, à l'improviste. Elle faillit sortir en riant, traverser la serre, et rejoindre ses amis.

Mais l'expression de Mark la retint. « C'est inutile », reprit-elle. « Ce n'est pas que je n'y aie pas réfléchi. Tu dis des choses comme : Mon ami a tort ou raison, mon frère a tort ou raison. Bon, c'est parfait, n'est-ce pas, sauf que quand il se produit vraiment quelque chose, et qu'il faut vivre avec — non, attends une minute, je veux dire ce que j'ai à dire, je ne l'avais encore jamais fait, n'est-ce pas? Je suis une criminelle, tout simplement, et j'ai totalement tort. Mais quand Colin... a fait cela, il ne pensait pas à moi. Ni à sa famille. Ni à sa femme — jamais il n'a songé à Sally, ni à Paul. Il a simplement enfourché un cheval de bataille, et tant pis pour tous les autres, tant pis pour moi — et toi, Mark, ce qui me reste en travers de la gorge, c'est cette approche si *morale* de toutes choses. Tu as raison. Eh bien, pourquoi ? Peut-être que tu as eu raison, mais peut-être que non. Mais comment peux-tu savoir si *moi* je n'avais pas raison ? Mais à présent, chaque fois que je suis près de toi, j'ai l'impression... »

Elle se redressa de toute sa hauteur, et eut un petit rire amer et insouciant ; en face d'elle se tenait Mark, rétréci dans sa vieille amertume, son incompréhension — elle n'était qu'émotion et couleur ; lui, blanc et froid. Il avait dû avoir la même expression, dans sa chambre d'hôtel à Moscou, en attendant de voir son frère, puis après leurs adieux. Ce visage qu'elle lui voyait à présent, c'était celui de ce qu'il ressentait vraiment avant de le transformer en sécheresse, en ironie, en patience.

« En tout cas, reprit Margaret, j'allais te demander... mais à quoi bon ! Je vais encore te marcher sur les pieds, sans doute, bien que j'ignore en quoi... » Elle hocha la tête et sourit à Martha, lança à Mark un regard aussi angoissé que celui qu'il fixait sur elle, et sortit rejoindre ses invités.

« Viens », déclara Mark. « A moins que tu ne préfères... » Il hocha la tête en direction du groupe.

« Non, répondit-elle.

— Tu mènes une vie absurde », reprit-il. « Pourquoi ne pourrais-tu... après tout, ce genre de chose est fort agréable, j'imagine, et les gens s'y divertissent... »

Chaque fois qu'il se trouvait à proximité de Margaret, Mark se mettait à souffrir pour Martha : il se rappelait les commentaires et les jugements des autres et, pendant quelque temps — quelques minutes, une demi-journée, une semaine —, il marmonnait et ressassait qu'il exploitait Martha. Le reste du temps, tous deux s'accommodaient fort bien de leurs tâches respectives. Elle espérait à présent que sa tristesse due à sa mère n'allait pas se muer en navrance à son sujet à elle, Martha.

« Peu importe », répondit-elle. « Et puis c'est Lynda qui s'occupe du dîner, et s'il y a encore une meute d'enfants... »

Au coin de la maison, hors de vue des autres, il l'embrassa. Un baiser de vieux amants composé, telle une liqueur, de cent ingrédients divers, dont le plus fort aujourd'hui était la colère : il mit fin à son baiser en s'exclamant : « Bon Dieu ! Suis-je fou ? Ou bien est-ce elle ? »

De la maison sortait Patty Samuels, jolie fille juive souriante : encore très « fille » bien qu'arrivée à la quarantaine, car elle en arborait encore toute sa spontanéité. Elle portait une courte robe à rayures blanches et vertes, comme une chemise de nuit, avec un volant en bas. Sa forte carrure renforçait encore l'impression de bonne santé. Son sourire, malicieux quand elle les observait, se fit doux et embarrassé lorsqu'il l'embrassa aussi. Tous trois restèrent un moment rapprochés, avec beaucoup trop d'émotion dangereuse en liberté, tandis que la colère perçait derrière leurs regards souriants.

« Oh, Mark, s'écria Patty, tu es toujours si compliqué ! Pourquoi ne peux-tu pas jouer le jeu, tout simplement ? Cela lui ferait plaisir, et c'est tellement bizarre d'avoir des principes là-dessus !

— Quoi ? Qu'a-t-elle dit ? De quoi s'agit-il, *maintenant* ?
— Pourquoi lui as-tu dit qu'il n'en était pas question ?
— Pas question de quoi ? »
Graham Patten s'approchait. Il entoura Patty de son bras : il fallait toujours se faire voir entourant quelqu'un de son bras. Il semblait vexé.
« Pourquoi as-tu changé d'avis, Mark ? demanda-t-il.
— Écoute, je rentre chez moi, un point c'est tout — je n'ai pas la moindre idée...
— Tu n'as pas dit à ta mère que tu refusais d'entrer au comité ?
— La question n'a même pas été mentionnée. »
Graham, qui pendant ce temps n'avait pas cessé de caresser Patty et de la serrer contre lui — et elle se laissait faire en souriant —, laissa retomber son bras — il l'avait oubliée. Elle se secoua tranquillement et se rajusta comme un oiseau au sortir de l'eau, tandis qu'il se penchait et s'exclamait d'une voix théâtrale :
« J'ai l'impression qu'il s'agit là d'un grave malentendu.
— Il n'y a rien de bien grave à cela. Je vous ai déjà dit que je signerais l'appel, et je le ferai — ma mère n'a rien à y voir. »
L'atmosphère se figea un instant dans la spéculation. Patty et Graham échangèrent un imperceptible regard.
« Mais de quoi s'agit-il ? » insista Mark, devenu soucieux. « Dans quoi s'est-elle encore fourrée, cette fois ?
— Si tu retournes à Londres, tu pourrais me déposer, suggéra Graham.
— Non, nous devons nous arrêter chez des amis à Bone Hill.
— Si ce sont les Mowbrays, faites-leur mes amitiés. »
Mark se dirigea vers la voiture. Graham le regardait et, Patty n'étant pas à portée de main, il passa son bras autour de Martha.
« Je me demande si les Mowbrays aimeraient que je vienne aussi ; je la connaissais bien, elle. Une femme exquise. »
Martha garda le silence, afin de bien lui faire comprendre que Mark avait menti, et qu'il ne voulait pas de Graham.
Mais à cette époque de sa vie, Graham ne pouvait pas imaginer qu'on pût ne pas vouloir de lui.
Une nouvelle soirée en sa compagnie, et peut-être avec des amis à lui, semblait imminente. Patty s'approcha de Mark, qui avait déjà pris place au volant, en lançant avec tact : « Je vais clarifier la situation avec Mark, mon chou, et ensuite... »
Le tact était à présent la fonction essentielle de Patty. Officiellement, elle était régisseur du *Royal Shilling*. Elle passait ses journées et la moitié de ses nuits à huiler les rouages entre les orbites contradictoires d'une douzaine de vedettes en bourgeons, à s'occuper de la presse, à s'occuper de Graham, le soleil bienveillant autour duquel les gens gravitaient. La patience et l'astuce que lui avaient enseignées les années difficiles lui ménageaient à présent une situation appréciable. Le succès et les marques d'estime l'avaient réchauffée, embellie, mais elle était profondément compétente. Graham avait eu une brève aventure avec elle et maintenant, en la regardant se pencher à la fenêtre

pour converser avec Mark, il se souvint d'avoir entendu dire qu'elle avait autrefois eu une liaison avec Mark. A côté de lui se tenait Martha, dont les relations avec Mark faisaient l'objet de multiples rumeurs.

Graham se mit à bécoter amoureusement le cou et l'oreille de Martha, en se penchant pour ce faire car il était très grand, et en prenant une expression de jeune homme jalousant la réussite d'un homme plus âgé.

« Je t'adore, murmura-t-il en regardant la voiture par-dessus le front de Martha, pourquoi ne nous voyons-nous jamais ? »

Cette question portait la marque de ce nouveau style que l'on n'avait pas encore baptisé, qui n'était pas encore devenu délibéré. Et ce n'aurait guère été possible, car la mode était précisément aux grands cœurs et aux tendres préoccupations altruistes. Quand quelqu'un murmurait : « Oh, tu charries », ce n'était pas pour rendre hommage à une vivacité d'esprit, à une outrance, à un culot vraiment excessif (comme si, des quatre as qui viennent de faire gagner un joueur, l'un était sorti de sa manche au vu et au su de tout le monde, mais avec trop de dextérité pour qu'on puisse vraiment le contester), mais plutôt à une homosexualité délibérément marquée par un apprêtement vestimentaire ou par la voix qui, dans l'ambiance politique dominante, ne pouvait constituer qu'une variété de courage contestataire.

Martha ne pouvait qu'en rire, les libérant ainsi tous deux de leur enlacement. D'abord, il n'était parti la veille qu'à trois heures du matin. Et encore, il avait fallu le jeter dehors tandis qu'il protestait : « Mais j'ai horreur d'aller me coucher de bonne heure ! Je ne le fais jamais ! » Il était resté, expliquait-il, à cause d'une des petites filles de Phœbe : tout le monde lisait *Lolita* et, comme tout le monde, il avait ainsi eu la révélation d'une tendance qui représentait, selon ses affirmations, son second vice par ordre d'importance. Les petites filles de Phœbe avaient lu *Lolita*, et s'étaient déclarées flattées. Elles étaient cependant allées se coucher à dix heures. Il avait téléphoné ce matin de bonne heure pour s'excuser : il avait cru se montrer spirituel. Le problème était que le ton général de l'époque ne convenait pas à Graham, qui était censé en figurer l'exemple type.

Il serait beaucoup plus à son aise cinq ou six ans plus tard ; mais en attendant, il était contraint de voir l'esprit comme l'ennemi du cœur « organe qui n'a, hélas, jamais été mon point fort ».

Dans sa voiture, Mark apparaissait détendu, souriant.

« Elle est merveilleuse », déclara Graham. « Comment fait-elle donc ? Partout où passe Patty, ce ne sont que sourires et visages heureux... »

Elle le rejoignit. « Tout va bien. Mark n'a absolument pas changé d'avis. C'est Margaret qui a mal compris.

— Ah bon... dans ce cas nous pourrons en parler dans la voiture. » Il hâta le pas en direction de la voiture tandis que Patty et Martha, résignées, haussaient les épaules.

« Je pense que Margaret redoute de voir John aller en prison », murmura Patty sur un ton d'avertissement. Elle voulait dire : Tâche de calmer Mark, car Margaret perd la tête.

« Existe-t-il un risque réel ?

— Oui. Kenny a eu six mois la semaine dernière. »

Elles regardaient Graham monter à l'arrière de la voiture. Déjà retombé dans sa maussaderie, Mark fit signe à Martha de venir. Elle le rejoignit tandis que Patty retournait vers les pelouses ensoleillées.

Ils regagnèrent Londres sans qu'un seul mot fût prononcé quant à la fameuse visite chez des amis, Mowbrays ou non, à Bone Hill.

Le jeune Graham était extrêmement actif depuis le récent retournement de l'opinion publique à l'encontre des homosexuels. Car cette année ce n'était plus le communisme mais l'homosexualité qui pourrissait la nation. Les journalistes et les rédacteurs lançaient des anathèmes et des menaces et des avertissements et des malédictions depuis des semaines et des semaines, et le malheureux John Patten avait été pris dans ces filets. Il avait été accusé de draguer à Green Park. Il existait un important comité, essentiellement grâce aux efforts de Graham, et une pétition circulait, sous le patronage de toutes sortes de gens importants. Mark avait accepté, la semaine précédente, de signer toutes les pétitions qu'on voudrait, mais se refusait à adhérer à un comité — ce n'était pas son fort, estimait-il : et il n'avait pas songé un instant que c'était peut-être justement ce que Margaret attendait de lui aujourd'hui.

Il devenait désormais évident que Margaret pensait que Mark ne se sentait nulle obligation de *la* soutenir dans ses luttes, puisqu'elle ne l'avait pas soutenu naguère.

Elle était revenue à ses invités en murmurant que Mark se révélait toujours très difficile. Ils avaient aussitôt compris qu'il ne soutiendrait pas la « cause » actuelle. Cela ne surprit personne. On le connaissait pour un réactionnaire.

Ainsi, quand on lui demandait pourquoi il n'écrivait pas d'autre pièce de théâtre, après le succès de *Rachel et Aaron*, il répondait que rien ne l'y forçait, puisqu'il disposait de revenus personnels. Cela constituait une telle fausse note dans l'esprit actuel qu'ils en éprouvaient tous un certain malaise, et se sentaient obligés de lui trouver des alibis. Ce genre d'homme pouvait fort bien refuser de signer une pétition en faveur de son beau-père.

Graham ne se rendait pas compte de l'humeur où avait sombré Mark. Il parlait de cette pauvre Margaret, qui était si bouleversée : elle craignait, tout d'abord, qu'on les prie (avec le plus grand tact, bien sûr) de ne pas recevoir chez eux les Russes tant attendus, même si finalement John n'allait pas en prison. Et d'ici un mois elle devait accueillir toute une ribambelle d'Américains, écrivains et poètes.

Il continuait à parler, tandis que Mark s'obstinait à garder le silence, et se demandait s'il s'agissait d'un reproche à retardement pour les restrictions passées de la vie mondaine de Margaret. Mais il semblait finalement que non : Graham avait oublié, comme tout le monde.

Et la « cause » n'avait rien à voir avec la présence aujourd'hui de Graham dans la voiture : comme sa vie prenait un nouveau virage, il souhaitait une fois de plus connaître l'opinion de son oncle.

Sa carrière dans l'industrie cinématographique n'avait pas prospéré longtemps, mais il estimait n'avoir pas perdu son temps. Il avait donné des quantités de bons conseils à des hommes riches mais bien intentionnés. Si l'oxygène qui désormais circulait dans les autres arts n'avait pas encore atteint le cinéma anglais, cela ne pouvait cependant pas manquer de se produire enfin, et il ne faisait aucun doute que Graham Patten y aurait sa part de mérite.

Pendant quelques mois, il s'était trouvé un peu désemparé. Ressuscitant, ou plus exactement *employant* sa personnalité d'ancien élève d'Oxford, il avait publié un volume d'essais intitulé *Nuits grises*, et qui étaient spirituels, raffinés et érudits, mais dont le succès le mit mal à l'aise ; et pendant ce temps, il donnait tout son cœur au jazz, introduisant en Grande-Bretagne quelques musiciens américains, et affichant une liaison avec une chanteuse noire de blues, originaire de Brixton.

Et puis soudain, Budapest et Suez. L'année à cinq étoiles ; mais Suez ne l'avait intéressé que rétrospectivement, car il se trouvait alors à Budapest pour la révolution. Il y était parti, devait-il avouer par la suite, « mû par l'impulsion de faire l'expérience totale ». Il y avait prononcé quelques harangues « au nom des Anglais de bonne volonté », vu tuer des gens et en libérer d'autres de leurs prisons, et rencontré d'autres Anglais, tous issus des bonnes universités et aussi romantiques que lui-même. En eux il avait rencontré un miroir inquiétant. Après en avoir vu un, complètement ivre, discourir sur une barricade au sujet de la révolution mondiale pour affirmer ensuite qu'il « avait fait son devoir à l'égard de Balliol * », il s'était pris d'horreur pour l'amateurisme. Pendant plusieurs mois il avait parcouru l'Europe de l'Est et l'Union soviétique, à l'affût surtout du théâtre ; puis il avait regagné l'Angleterre, prêt à être le prophète du réalisme socialiste, de Brecht, de l'humanisme contemporain, et du révisionnisme — ce dernier très atténué pour la scène anglaise. En vérité, d'autres déjà avaient fait ou faisaient la même chose, chacun se prenant pour un précurseur incompris et solitaire. Une demi-douzaine de jeunes gens extrêmement instruits et influents, lorsqu'ils ont la marée en poupe, peuvent accomplir beaucoup : il constituait l'une des forces qui avaient métamorphosé le théâtre stagnant, clos, du début des années cinquante. Mais là se trouvait précisément le nœud de son dilemme. Et maintenant ? Comme il l'avait dit, et le répétait : « Je n'ai pas encore trente ans, et j'ai déjà atteint le sommet ! »

Ce n'était pas une plaisanterie car, bien qu'il se fût comparé à Max Beerbohm et qu'il eût bénéficié de tous les à-côtés possibles grâce à sa position, il n'en restait pas moins qu'il avait conquis Londres — quels

---

* Collège anglais.

autres sommets pouvait-il atteindre ? Après cela, il ne pouvait plus exister que des pentes déclinantes.

Mark lui avait suggéré l'Amérique : après tout, il y avait déjà au moins trois ans que Graham en était parti. Graham était donc retourné à New York, et y avait connu un grand succès. Il avait emporté le jazz, il revenait avec le marxisme qui offrait toute la séduction de la nouveauté, car nul ne pouvait se souvenir d'avoir jamais rien entendu de pareil, leurs propres communistes ayant été réduits au silence pendant des années, ou bien en prison, ou bien réfugiés en Angleterre quand ils ne s'étaient pas suicidés et qu'ils n'étaient pas internés en milieu psychiatrique. En vérité, l'époque de Joe McCarthy était si loin derrière eux que la plupart des gens ne pouvaient pas s'en souvenir, et affirmaient même que cela n'avait jamais existé. Une chose était sûre : personne ne voulait croire que cela pût se reproduire. Comme le disait Graham, en rapportant la nouvelle du libéralisme des Américains et de leur amour pour la liberté : « Ils sont tous tellement adorables, gentils, merveilleux — je t'assure, Mark, je m'y suis senti en sécurité autant qu'à Moscou. »

Mais à présent qu'il était rentré, que faire ? Pour garder la main à la pâte, il monta une production de *La Tempête* qui, très clairement, mettait en valeur le message de Shakespeare sur les déshérités : Caliban était africain, et le texte du programme établissait des comparaisons avec l'Afrique du Sud. Il monta *Le Crapaud de Castelcrapaud* (une parabole sur la société de classes) pour un théâtre de Shaftsbury Avenue. Puis — quoi ? Il lui fallait conquérir un nouveau territoire. La télévision ?

Le problème n'était toujours pas résolu quand ils parvinrent à Hammersmith Bridge, où vivait un ami de Graham qui avait promis d'adhérer au comité. La facilité avec laquelle cet ami s'y était engagé rappela à Graham l'intransigeance de Mark, et il se mit à insister pour faire adhérer Mark. Celui-ci répondit oui, à condition de n'avoir pas à assister aux réunions. Graham, encore novice dans l'univers politique, ne pensait pas que cela fût possible.

Mark développa alors son point de vue : lorsque la mère patrie se trouve en état d'indignation morale, moins on en dit, mieux on agit.

« Voyons, tu ne vas quand même pas me dire que nous ne devrions rien faire *du tout* ?

— Au contraire. Il faut agir au maximum, et le plus discrètement possible. Car tout finira par se dissiper — autrement, les têtes vont tomber, et l'on cherchera des boucs émissaires.

— Se dissiper ! Mais toute cette situation est révoltante !

— Je suis bien d'accord. Mais quand ils se lasseront de l'homosexualité, ils s'en prendront à autre chose. Il leur faut toujours quelque chose. »

Graham ne pouvait pas comprendre cela : car rien ne peut remplacer l'expérience. Il pensait que s'il discutait suffisamment longtemps avec lui, Mark finirait par changer d'avis puisque lui, Graham, avait manifestement raison tandis que Mark était tout à la fois pusillanime et mal informé.

Discutant toujours, ils arrivèrent à la maison et y trouvèrent **Patty** : elle avait trouvé quelqu'un pour la reconduire, et les attendait pour parler avec Mark et Graham.

La maison semblait remplie de gens de tous les âges : et de diverses sources on entendait de la musique. Comme la cuisine et le salon étaient déjà pris, ils se réfugièrent dans la salle à manger déserte.

Patty était embarrassée ; et agitée, aussi.

Il s'agissait là d'attributs professionnels, superficiels : en vérité elle était fâchée, tout à fait autre chose, parce qu'elle avait espéré passer une agréable soirée chez Margaret, et qu'elle s'était trouvée dans l'obligation de revenir à Londres pour y calmer de force certains esprits — comme d'habitude.

Quand elle avait rejoint les autres invités en annonçant que Mark signerait la pétition, et que Graham retournait à Londres avec lui, Margaret avait murmuré : bon, parfait.

Elle aurait avec joie laissé les choses suivre leur cours, mais c'était là son talent et son talon d'Achille à la fois : en ne disant rien et en laissant les gens se faire l'idée qu'ils pouvaient, Mark se plaçait dans une fausse position. Elle le savait, mais ne comprenait pas bien en quoi elle se trouvait en faute. Elle était également en fausse position, et l'embarras que pouvait éprouver Mark n'était rien en comparaison du sien.

En découvrant que son troisième mari — et le dernier, avait-elle espéré — était, tout au moins en partie, homosexuel, elle avait éprouvé de l'angoisse, mais à l'exception d'un ou deux mots brefs à Patty, sa grande amie, elle n'avait pas dit grand-chose d'autre que, « à mon âge, c'est le compagnonnage qui compte ». De nombreuses femmes à la recherche d'une attitude y trouvèrent un excellent exemple. Mais entre cette prise de position et le fait de se trouver au cœur d'une bataille publique sur le principe, il y avait un fossé. Son beau-fils la contrariait, sans qu'elle pût le dire. Pourquoi les gens éprouvaient-ils toujours ce besoin de monter à des tribunes, de faire des proclamations et des histoires ? (En bref, son attitude ressemblait plutôt à celle de Mark, bien que ni l'un ni l'autre ne pussent le voir.) Elle était désespérément navrée pour ce malheureux John qui était parti séjourner avec sa vieille mère, loin de la foule et des projecteurs et des gens qui tourbillonnaient autour d'elle, Margaret, si satisfaits de prendre parti pour lui ; mais elle aurait souhaité qu'ils trouvent une autre maison où établir leur centre, ou l'un de leurs centres, de protestation. Mais elle ne pouvait pas le dire.

A présent, elle se taisait en écoutant quelqu'un, qui ignorait que Mark Colridge fût le fils de Margaret Patten, proférer des remarques sur le fait qu'il vivait avec deux femmes, et sur l'immoralité hétérosexuelle, tellement plus choquante que celle des homosexuels, et ainsi de suite. Elle en éprouva de la colère, ainsi qu'une forte migraine. Car de même que beaucoup d'autres gens, elle était disposée à souhaiter tous les bonheurs et toutes les réussites aux autres dans leurs entreprises intimes, mais elle aurait préféré que cela ne l'entraîne pas à soutenir leurs prétentions à une supériorité morale. La même personne poursuivit en observant que l'attitude de Mark Colridge ne l'étonnait pas du tout : ses romans révélaient un authentique réactionnaire ; conservateur et, bien sûr, favorable à l'autorité.

A quoi Margaret répliqua que c'était absurde, Mark était communiste comme elle supposait qu'ils le savaient tous.

Personne ne le savait ; l'époque nouvelle avait effacé toutes les autres. La personne qui avait parlé apprit par un chuchotement qu'elle avait attaqué le fils de Margaret ; et sa riposte fut donc attribuée à une contrariété naturelle.

Il s'ensuivit un moment de silence, et puis la conversation changea de cours. Quelqu'un prit Patty à part pour lui signaler qu'il ne fallait pas associer Mark au comité s'il était communiste — cela ne ferait qu'embrouiller les choses. Patty rétorqua qu'elle ferait mieux, dans ce cas, de ne pas y figurer non plus car elle se trouvait dans la même position.

L'embarras était à présent général. L'atmosphère de l'après-midi ensoleillée était tout assombrie par la contrariété, l'embarras, et le doute. Quelqu'un demanda — de quoi s'agissait-il, en fin de compte ? Très juste, mais il était trop tard pour commencer à s'interroger. L'après-midi avait mal tourné. Margaret déclara qu'elle souffrait de migraine, et ses invités prirent congé.

Ce milieu étant ce qu'il était, nourri de ragots et de malveillances, Patty savait que Mark recevrait bientôt un coup de téléphone lui relatant ce qui s'était passé. Auquel cas, fatigué de toute l'affaire, il s'en retirerait certainement. Patty connaissait son métier : car c'était son métier, ce pour quoi elle gagnait un salaire important.

Elle allait, comme toujours, agir en conducteur de la foudre, jouer en somme le rôle de la terre. Et c'est pourquoi elle se tenait là, dans la salle à manger, intimement furieuse et n'aspirant qu'à se coucher avec un bon livre et un verre de lait froid, mais apparemment débordante de préoccupations altruistes et affectueuses.

« Pas de chance, déclara Graham, mais je n'ai pas l'intention de m'associer à la chasse aux sorcières, quelle qu'elle soit. Et si Mark doit se retirer, moi aussi.

— C'est absurde », répliqua Mark. « Tâche d'avoir un peu le sens des proportions, pour l'amour du ciel. »

Le téléphone sonna. C'était Margaret, qui voulait dire à Mark de ne pas croire « les histoires sur elle — non, elle n'allait pas entrer dans les détails, mais ce qu'il entendait dire était faux... voilà ».

Elle raccrocha. Mark poursuivit : « Écoute. Voici trois jours, je t'ai dit que je signerais la pétition, Graham. C'est ce que je vais faire. C'est parfaitement simple.

— Ah, non ! C'est vraiment trop... » Graham protestait et Patty aussi, chacun attendant de voir comment s'équilibrerait l'affaire, et lançant de temps à autre un coup d'œil à Martha pour qu'elle pût alimenter la flamme ou bien au contraire l'étouffer.

Patty savait que ce genre d'explosion émotionnelle devait suivre son cours. Il fallait que Graham termine son élan d'indignation morale quant aux indignations morales mal orientées, et que Mark, cet homme lent à s'enflammer, têtu, se consume jusqu'à ce que Graham ait fini, tandis que Martha, « du genre silencieux, la vache ! », ne servirait pas à grand-chose... Parfois, au théâtre, quand il y avait une femme adéquate, Patty pouvait mettre fin à ce genre d'incident en deux ou trois minutes à peine. Depuis des années Patty remplissait cette fonction sans avoir bien conscience de ce qu'elle faisait. Certaines fois, sachant qu'extérieurement elle était en effervescence alors qu'intérieurement elle restait calme, elle aurait pu crier des « Oy, oy, oy », de lamentation parodique à la façon juive. Et lorsqu'on l'avait qualifiée d'hystérique, elle avait marqué une indignation amusée : « Quoi ! Moi, hystérique ? » Et puis le mécanisme lui était apparu plus clairement : elle parvenait souvent à le diriger. Mais pas avec ces deux hommes, dont l'un était si violent, si sentimental, et l'autre si lent à s'enflammer.

Soudain Martha y mit fin ; elle déclara : « Dans ce cas, si les gens vont prendre des positions de principe, je ne pense pas que Mark, ni toi, ni Margaret, ne deviez vous y laisser entraîner — vous êtes de la famille, et les gens qui travaillent avec vous pourraient se trouver embarrassés... » Graham explosa aussitôt en mille exclamations sur son absurdité — il se montra fort grossier. Elle retomba alors dans le silence ; enragé contre une femme muette, il ne put le supporter et continua à l'attaquer, dans ce qui semblait d'abord être un assaut mais évolua en effusions et en baisers : Mon Dieu, Martha, j'ai tellement, *tellement* honte, je ne sais pas *comment*...

C'était fini. Patty se demanda si Martha l'avait fait exprès.

En tout cas, elle semblait employer une tactique quand elle demanda à Graham d'aller voir à la cuisine si Lynda voulait qu'on mette le couvert ici, et pour combien de personnes, et à Mark de s'assurer que Paul allait bien.

Les deux femmes restèrent seules.

« Dieu seul sait comment tu arrives à supporter cela, observa Martha.

— Mais c'est le théâtre, ma chérie, c'est le théâtre !

— Ce n'est pas le théâtre, c'est tout. En tout cas... »

Graham passa la tête par la porte et annonça que Lynda préférait qu'on dîne à la cuisine.

Patty avait écarté une chaise de la longue table et s'y était installée, sans défense pour quelques instants ; les yeux clos, elle fumait.

La salle à manger ne servait guère, car ils préféraient tous la cuisine. Patty, joyeuse enfant potelée et vêtue d'une robe de nurse très à la mode, se tenait comme une petite fille dans la scène d'adultes, grave et pesante.

« Est-ce que tu as fait tout cela exprès ? » demanda brusquement Martha. « Dis ? »

La petite fille ouvrit de grands yeux extraordinairement circonspects, et adressa un clin d'œil à Martha. Elle les referma. « Seigneur ! » s'exclama Martha. « Je viens juste de... oui. *Bien sûr.*

— Bien sûr », répéta platement Patty. « Mais je t'assure, cela vous épuise, cela vous... tu crois que je pourrais m'allonger un peu avant le dîner — si tu m'invites à dîner ? Je t'en supplie. Je ne pourrais pas supporter de me trouver seule dans ma chambre ce soir.

— Qu'est devenu Éric ?

— Ah, tu peux bien le demander ! »

En d'autres circonstances, et dans une autre humeur, Patty en aurait parlé : mais le fond même de son problème n'avait pas changé. Elle était trop vieille pour un « vrai » mariage. A moins d'accepter un homme âgé ou un névrosé, elle ne se marierait jamais ; cependant elle demeurait « sur la liste des femmes parvenues à maturité — il en faut, hein ? — ce doit être une fonction sociale, j'imagine »... Elle avait commencé à se renseigner pour adopter un enfant.

Martha l'envoya dormir dans sa chambre et passa au salon.

Graham avait sombré sur un grand sofa, avec une fille de chaque côté. Il se tenait recroquevillé, les mains serrées entre ses genoux, le menton affaissé, les yeux enflammés. Jill et Gwen, deux superbes filles blondes aux yeux bleus, avaient pris place auprès de leur oncle Graham si drôle, mais c'étaient leur cousin Francis et son charmant ami Nick Anderson, revenu avec lui de pension, qu'elles contemplaient avec passion. Ces deux beaux garçons et les ravissantes petites filles n'avaient d'yeux pour personne d'autre : en dehors de leur cercle enchanté, se trouvaient deux Africains, amis de Phœbe, qui observaient cette scène londonienne avec une curiosité polie, et Graham qui donnait à comprendre qu'il souffrait tous les tourments de la concupiscence, car il avait beau distribuer autant de câlins, de baisers et de caresses sur les joues et dans les décolletés des femmes mûres qu'elles voulaient bien le lui permettre, c'était là qu'il trouvait sa vérité.

« Ça va ? » interrogea Martha en regardant Graham dans une intention de raillerie ouverte. Il leva ses yeux bouffis et répondit : « Non.

— Peut-être voudrais-tu m'aider à mettre le couvert, mon cher Graham ?

— Non.

— Je crois néanmoins comprendre que tu comptes rester dîner ?

— Oui.

— Je suppose que Lynda est au courant ?

— Sûrement, voyons ! »

Martha se rendit à la cuisine, où Lynda, toute seule, préparait le repas. Elle portait une robe, et comptait donc dîner avec eux. Elle préparait souvent les repas, en ce moment, mais au dernier moment elle s'enfuyait dans son sous-sol ; trop d'invités l'affolaient.

Elle semblait aller beaucoup mieux. Elle avait un peu grossi. La bataille des médicaments n'était pas entièrement gagnée, car elle prenait encore parfois des somnifères, mais après tout, comme elle le disait, beaucoup de gens en consommaient. Une année auparavant, elle avait à nouveau craqué, bruyamment, quand Mark avait cru comprendre que puisqu'elle allait mieux, elle allait bien — il lui avait à nouveau proposé de remonter vivre parmi eux, et de redevenir sa femme. Elle avait refusé de retourner à l'hôpital, public ou privé, bien que le Dr Lamb lui eût promis qu'on ne la droguerait pas : elle n'avait aucune confiance en lui, déclara-t-elle. Elle expliqua également à Martha, en confidence, qu'elle n'avait aucune confiance en elle-même non plus : dans une atmosphère où tout le monde prenait des médicaments, et où l'on attendait que vous en preniez, elle savait qu'elle céderait à la tentation. Elle ne pouvait plus rester seule au sous-sol, car elle savait qu'elle casserait des choses et pleurerait et hurlerait — Paul vivait désormais là à plein temps ; Francis revenait souvent de sa nouvelle école ; que fallait-il faire ? Soudain tout le monde se rappela Dorothy et se mit à parler d'elle — elle était morte.

Une tentative de suicide avait réussi : ils pensaient que Dorothy n'en avait pas réellement eu l'intention. En se souvenant de Dorothy, toujours si gentille quand Lynda « faisait l'idiote », celle-ci tomba dans une profonde dépression. Martha chercha un appartement où Lynda pourrait « faire l'idiote » à son aise. Ils en trouvèrent un, à un prix considérable. Lynda découvrit comme c'était cher, et commença à se découvrir tous les torts du monde. Une infirmière alla vivre avec elle dans l'appartement, et chaque matin elle téléphonait pour donner des nouvelles de Mme Colridge : Un peu mieux aujourd'hui, je pense ; non, dans l'ensemble pas tellement bien, je le crains... Lynda revint soudain à la maison, demanda qu'on abandonne l'appartement et l'infirmière, et annonça qu'elle allait fort bien. L'infirmière déclara qu'elle s'était extrêmement bien comportée, et qu'elle avait toujours été fort calme.

Calme, grâce à d'immenses efforts, Lynda l'était demeurée depuis lors. Le terrain difficile, à présent, c'était... Lynda et Paul. Paul à présent haïssait Lynda, brusquement et cruellement, et c'était là l'une des raisons pour lesquelles Lynda redoutait de venir à table. Elle disait simplement que Paul était plus qu'elle ne pouvait supporter. Elle ne comprenait pas à quel point il avait souffert de son abandon. Elle ne croyait pas qu'elle eût quelque chose à donner ; elle ne croyait pas qu'elle eût donné quelque chose à Paul, pendant cette longue période où en vérité elle avait été son unique amie. En s'écartant de lui, elle ne pouvait pas comprendre qu'elle l'eût privé de quelque chose.

Lorsque Francis revenait en vacances, la mère et le fils, lentement, forgeaient une amitié. Car ils ressemblaient à deux vieux amis trop longtemps séparés, et désormais réunis. Ils faisaient preuve de patience, de tact, de considération. Pendant plusieurs jours, une semaine ou même un mois, tout allait bien et puis soudain, Lynda se raidissait, arborait un sourire forcé, et observait tout avec une circonspection méticuleuse ; ses propres gestes, ses regards, ses sourires ne s'offraient à l'inspection d'autrui qu'avec méfiance, et les autres se sentaient scrutés ; Francis devenait alors très pâle, et montait dans sa chambre. Là, il pleurait. Comme il avait pleuré dans son enfance il pleurait à présent, et sans honte il descendait dîner avec des yeux rougis. Et Lynda pleurait aussi dans son sous-sol.

Puis, une fois l'effort et la tension expulsés, tous deux s'efforçaient de recommencer.

Depuis deux mois que Mark était rentré de Moscou, Paul s'était montré — mais des mots comme mieux ou pire semblaient inadéquats. L'un des experts consultés avait déclaré que plus Paul se conduisait mal, et mieux cela valait : l'obéissance, le silence, la malléabilité, tout cela était dangereux. Dans cette optique, Paul allait très bien et Francis très mal. Le comportement excessivement docile de Francis avait toujours paru inquiétant — mais cela ne pouvait-il pas tout aussi bien représenter une sorte d'autoprotection, de muraille, derrière laquelle le garçon se développait et croissait en paix ? Mais les manières de Francis, ainsi que son rythme de vie, décourageaient toute question, surtout quand Paul requérait toujours et sans cesse tellement de temps, tellement d'énergie affective. Si l'on considérait ses exigences envers les adultes, il était bien pire. Il était abominable.

A son retour de Moscou, Mark n'avait d'abord pas parlé des disques — il avait honte pour son frère. Ensuite, avec Martha et Lynda, il essaya d'imaginer si quelques disques et une vague invitation à se rendre à Moscou étaient mieux que rien, ou constituaient au contraire une ultime cruauté. La discussion se poursuivit pendant plusieurs jours.

L'effet que tout cela produisit finalement sur Paul demeura incertain, mais l'incident montrait bien dans quel état ils vivaient à cette époque. A l'extérieur, tout était si chaleureux, si facile, si libéral ; des marées de joyeux guerriers allaient et venaient dans la maison, et il régnait une atmosphère d'optimisme amical ; pourtant, c'était un univers où, du moins leur semblait-il, il eût mieux valu pour Paul lui dire : Mon cher Paul, tu n'es pas plus irremplaçable qu'un autre, et tu as bien de la chance déjà de recevoir un message de ton père — après tout, bien des pères sont morts. Et comparé aux neuf dixièmes de la population mondiale, tu n'es vraiment pas à plaindre... Au lieu de cela, des adultes prudents, angoissés, discutaient, envisageaient, s'inquiétaient pour l'équilibre et la santé de cette minorité dérisoire et privilégiée.

Fallait-il penser ainsi ? Oh non, très certainement. Comment pouvait-on savoir ? Et puisqu'ils se sentaient dans une atmosphère, sur une longueur d'ondes, en tout cas orientés à l'égard du monde différemment de ce que semblaient vivre les autres, devaient-ils prendre la responsabilité d'infliger cela à Paul, à Francis ? N'auraient-ils pas plutôt dû être protégés ? Même si l'on ne croyait pas un instant que leur existence future pût être protégée, pût être autre chose que violente, et précaire !

Les disques furent emballés dans un papier brun, et mis de côté en attendant que Paul pose une question — après tout, il savait que Mark était allé à Moscou. Mais Paul ne disait rien.

Finalement, Mark monta voir Paul dans sa chambre, où l'on avait fait installer la télévision.

Paul regardait une émission beaucoup trop enfantine pour son âge, et continua après avoir vu entrer son oncle.

« Paul, j'ai quelque chose à te dire... »

Il dut répéter sa phrase, et Paul éteignit alors la télévision.

« Quoi ?

— J'ai vu ton père, à Moscou. »

Pas un mot de Paul. Il contemplait fixement l'écran vide.

« Il t'envoie ces disques. »

Mark posa les disques sur la table ; Paul y jeta un coup d'œil, hocha la tête, et ralluma la télévision.

Mais depuis ce jour-là il écoutait sans arrêt les disques de chants populaires envoyés par son père.

La maison vibrait d'émotion enregistrée : au point que les autres furent contraints de se demander s'il voulait leur dire : Voilà ce que je ressens.

Il ne mentionna pas le voyage de Mark, ni son père, ni ne demanda le moindre détail concernant la vie actuelle de son père.

Ses résultats scolaires, toujours en dents de scie, tombèrent à un niveau catastrophique, et le maître envoya un mot d'avertissement.

Lorsqu'il était entré dans cette nouvelle école, il s'était permis une période de brio, juste le temps de prouver qu'il pouvait être premier quand il le voulait. Puis il s'en désintéressa. Il continuait à affirmer que, dès qu'il en aurait le droit, il quitterait l'école.

Mark pensait qu'il faudrait le forcer à y rester ; Lynda, qu'il fallait le laisser choisir de partir ; et pendant ce temps Martha luttait avec lui.

Mais il tentait d'éviter le combat avec Martha : il aimait se battre avec Lynda, qui se laissait bouleverser et se mettait à hurler — il pouvait alors se sentir mal traité.

Quand ils rentraient après une absence, Martha et Mark retrouvaient Lynda éperdue de honte : elle s'était encore disputée avec Paul.

Ce soir-là, elle annonça : « Il est descendu boire un verre de lait. » Elle semblait dénoncer un crime.

« A-t-il encore été grossier ?

— Non. Mais je pense que je redescendrai dîner au sous-sol, finalement. Je t'assure : un de ces jours, je le frapperai si fort...

— A-t-il parlé de ses devoirs ?

— Oh, Martha, qui s'inquiète de ses devoirs ! Je n'en ai jamais fait de ma vie ! »

La cuisine était pleine d'odeurs exquises ; une marmite de soupe mijotait. Au milieu de la table, trônait un immense pain de mie. La salade était prête, il ne restait plus qu'à la tourner. Mark y venait souvent, à présent. « Cette cuisine est redevenue comme autrefois... », disait-il, bien qu'à cette époque-là, il en fût sûr, il n'eût jamais été question d'y prendre un repas. Et Mark s'attardait, *sans* regarder Lynda, pour voir si elle resterait dîner, si elle recréerait la famille, assise au haut de la table pour servir le potage. Et, *sans* regarder Mark, bien souvent elle s'en allait. Mais elle préparait les repas. Elle cuisinait bien, et y prenait plaisir.

« As-tu bien dit à Paul que cela n'avait aucune importance ?

— Je le lui dis toujours. C'est justement ce qui le met en colère.

— Oui, je sais.

— Mais, Martha, je ne comprends pas pourquoi... je veux tout simplement... pourquoi faut-il que je le déteste tant, à présent ? »

Quelques mois auparavant, Lynda avait reparlé d'une époque antérieure, où elle avait aimé Paul, et où Paul avait passé beaucoup de temps auprès d'elle.

Un après-midi, une violente querelle avait éclaté entre Dorothy et Lynda, en présence de Paul. Lynda et Paul se tenaient dans la chambre où ils jouaient à l'un de leurs jeux de fantasmes, avec des mots, de la musique, du silence, leur image dans les miroirs, et tout cela s'intégrait dans un récit que personne d'autre n'aurait pu comprendre. Dorothy en était exclue, comme toujours, parce qu'elle était trop terre à terre, et qu'elle gâchait tout. Le jeu durait depuis trop longtemps, ou bien elle était de mauvaise humeur, mais elle avait crié derrière la porte close que Lynda oubliait — qu'elle n'était rien qu'une enfant.

Apparemment, Lynda avait déclaré à l'un des suppléants du Dr Lamb que, si elle n'était bonne à rien d'autre, elle savait au moins comment se comporter avec les enfants. Le médecin avait répondu : « C'est parce que vous êtes un enfant vous-même ; vous vous sentez en sécurité avec les enfants. Ils ne vous imposent aucune exigence. »

Lynda avait répliqué que c'était vrai, elle le savait bien ; mais c'était quand même déjà quelque chose ? Le médecin lui avait alors expliqué qu'il s'agissait d'une forme de régression, d'un refus de devenir adulte.

En tout cas, chaque visite de Paul au sous-sol avait ensuite provoqué une agression de Dorothy envers Lynda, qui n'était rien-qu'un-enfant.

Elle n'avait plus jamais pu se sentir à l'aise et détendue en compagnie de Paul — c'était ce qu'elle affirmait à présent. Elle admettait que sans doute elle antidatait une émotion plus récente.

Mais les soirs où Martha descendait la voir et où Lynda parlait des enfants, elle revenait sans cesse sur ce point — et s'arrêtait là. Elle se faisait violence sur tous les autres sujets sauf celui-là, où semblait se trouver un nœud, un blocage dans ses émotions. Elle détestait Paul, et c'était la faute du Dr X — elle ne se souvenait même plus de son nom.

« Martha, sais-tu ce que je pense ? Mark et toi, vous devriez faire attention : je te jure qu'un de ces jours, vous reviendrez pour nous trouver entretués, Paul et moi... » Elle baissa la voix, bien que son visage s'éclairât d'une joie mauvaise, et jeta un coup d'œil vers la porte entrouverte où, tout le monde le savait, Paul s'attardait pour écouter ce qu'on disait. « Et je vais même te dire autre chose : *j'adorerais* cela — et lui aussi. Je voudrais le tuer lentement, en lui faisant vraiment mal, tu sais. Je n'avais jamais compris la torture, jusqu'au jour où Paul m'a dit : Tu aimerais bien me torturer, hein, Lynda, avoue ? Et il avait raison, bien sûr. J'y prendrais un plaisir immense. Il y a quelque chose dans ce genre voyant, crasseux — tu sais, comme s'il avait des boutons sur ses jolies fesses et qu'il prenait le pus pour se gominer les cheveux ? Je voudrais l'étouffer lentement avec un oreiller et le regarder se défendre, ou bien l'étrangler, ou encore... et il éprouve exactement la même chose à mon égard... » Au milieu de cette phrase qu'elle prononça très vite et à voix basse, monologue souriant et enjoué, elle traversa la pièce et, tout à fait inconsciemment, ferma la porte comme si quelqu'un risquait de l'entendre — elle les protégeait, n'importe qui, Paul, d'elle-même. « Et tu sais pourquoi ? Oh, c'est évident quand on y pense, c'est parce qu'il est si malheureux. C'est une pauvre créature malade et handicapée — comme moi. Personne ne peut nous supporter. Personne. C'est la vérité, je peux te le dire... les gens n'ont qu'une envie, c'est de nous faire tous disparaître — les sains d'esprit voudraient nous mettre tous ensemble, et... mais nous sommes trop nombreux, ils ne peuvent pas... nous flanquer tous en tas et nous jeter dans les chambres à gaz, oui...

— C'est intéressant, de chercher à définir qui est sain d'esprit », observa Martha d'une voix plate, presque en bâillant — la voix qu'il fallait prendre avec Lynda quand elle commençait à déraper ainsi. Elle l'avait appris peu à peu.

Lynda se ressaisit et resta un moment immobile, empourprée, le souffle rapide. « Bon, reprit-elle, mais quand même ? Il y a du vrai dans ce que je dis, n'est-ce pas ? Viendras-tu discuter en bas, après le dîner ?

— Si tout le monde part d'assez bonne heure.

— Pauvre Martha », déclara Lynda d'un air un peu méchant, avec ce sourire merveilleusement gai. « Mais je sais ce que tu penses. Tu te disais qu'il fallait surveiller Graham avec Jill et Gwen, pour qu'il ne fasse rien de mal. Et alors, pourquoi pas ? Pourquoi les gens n'agiraient-ils pas comme bon leur semble ? Et nous aussi ? Et pourquoi ne pourrais-je pas torturer Paul à mort... pourquoi... »

Elle s'interrompit à l'entrée de Francis, en compagnie de son ami Nick.

« Voudras-tu dîner avec nous, Lynda ? s'enquit Francis.

— Non... je ne pense pas... pas ce soir... bonne nuit, mon chéri... » Elle s'enfuit. Déçu, Francis se força à se ressaisir.

« Je vais voir Paul », annonça Martha. « Assurez-vous qu'il y a des assiettes pour tout le monde, et dites-leur...

— Je vais te dire une chose, Martha. Si Paul recommence à se montrer grossier envers Nicky, je lui casserai la figure.

— Après moi », corrigea Nicky avec bonne humeur.

C'était un grand garçon gracieux, très anglais, d'environ dix-sept ans — un peu plus âgé que Francis. Jamais personne ne l'avait vu en colère, ni décontenancé, ni autrement que calme et poli. Cependant en parlant de Paul, il avait les yeux rétrécis dans un bref plaisir de haine pure.

« Décidément, soupira Martha, tout le monde en veut à Paul, ce soir... dîner dans une demi-heure, Francis. »

Elle gravit l'escalier, dans une maison divisée en fonction des gens qui l'habitaient, en zones climatiques dont chacune avait sa propre personnalité et dégageait des sensations spécifiques : les pièces de Mark, aisément reconnaissables, même en fermant les yeux, même en supprimant les bruits, à leur atmosphère renfermée, stable, obstinée ; la chambre de Francis, qui demeurait immuablement la même depuis tant d'années — une chambre de garçon, encombrée de battes de cricket et de vitrines pleines de papillons ; la chambre de Martha, nichée dans le microclimat du sycomore qui servait de thermostat, en fonction de l'extérieur plutôt que l'intérieur de la maison, fixant la circulation d'air, d'humidité, de chaleur, de lumière ; et puis le quartier réservé de Paul. Des marches mêmes de l'escalier qui menait à l'étage de Paul émanait une sorte d'orage électrique, car ici ni le silence ni le sommeil ne pouvaient apaiser les lieux. Même de la rue, en levant les yeux, on s'attendait à voir jaillir des éclairs bleutés des ouvertures du troisième étage, et l'on était tout étonné de ne voir que deux jolies fenêtres bien propres, semblables aux autres qui ouvraient à la lumière cette haute maison étroite.

Dans l'escalier qui menait chez Paul, on attendait un instant, pour reprendre son souffle et son équilibre... quelle extraordinaire position dans une famille que celle d'adulte déjà mûre ; cela donne l'impression d'être une sorte d'instrument spécial, sensible à l'humeur, aux besoins, à la situation. Car pour approcher Paul, il fallait ce degré d'attention ; et pour Lynda et Mark, d'autres vitesses se mettaient en marche, mais automatiquement. Pas toujours automatiquement : dans l'escalier de Paul, on s'arrêtait pour reprendre son souffle et son équilibre en sachant exactement pourquoi l'on agissait ainsi.

Et debout là, avec le sentiment d'être (à la surface d'elle-même) une masse de fragments, ou de facettes, ou de miettes de miroir réfléchissant les qualités personnifiées par d'autres gens, elle contemplait les marches qui s'élevaient au-devant d'elle, beaucoup plus hautes et plus étroites qu'aux deux étages précédents, et elle remarqua à l'usure des bords des marches que le tapis avait besoin d'être remplacé. Il n'était pourtant là que depuis cinq ans à peine... la rampe avait été vernie avec un produit de mauvaise qualité qui était devenu pâteux et collant, il fallait le décaper et puis revernir. Et la peinture des murs s'abîmait. Mais cette partie de la maison avait été refaite à neuf voilà trois ans.

Toute la maison était ainsi, rien ne se cassait ou ne s'écaillait vraiment, mais partout perçait l'usure et la misère, et il ne semblait exister aucun cœur dans cette maison, rien qui la tienne unie (comme cela avait dû exister autrefois, quand une vraie famille l'avait occupée). Ce n'était qu'une masse de choses séparées, de surfaces, de formes, qui toutes requéraient une attention différente, et différentes formes d'entretien. Telle était la situation d'adulte déjà mûre : représenter le cœur de la maison, organiser les choses, les entretenir, les faire fonctionner. Une bataille permanente avec des détails. Pourtant, la maison avait été complètement refaite à deux reprises, depuis l'arrivée de Martha — mais rien n'allait quand même ; tout était médiocre, tout s'effilochait. Telle était la vérité de ce qui se passait, non seulement ici, mais partout ; tout s'abîmait et s'effritait pour finalement s'émietter dans la main... une masse de fragments comme un miroir brisé. Elle ouvrit la porte sur un bruit de télévision. Des hommes se battaient sur l'écran, et des mitrailleuses crépitaient. Paul la vit, et changea aussitôt de chaîne pour regarder un programme destiné aux tout-petits. Il se rassit ensuite en lui tournant le dos. Il boudait ostensiblement, en professionnel. Il portait des vêtements bariolés et sa chambre, en effroyable désordre mais avec quelques secteurs limités où certains objets apparaissaient disposés de manière précise et intentionnelle, était toute entière faite de couleurs violentes et heurtées. Si l'on détaillait le cadre même de la pièce, sa structure, on s'étonnait de le trouver banal — chaises, lits, armoires. Mais les objets qu'il amassait avaient tous en commun de briller, de scintiller. Et il en amassait sans cesse davantage, à l'école, sur les marchés, en faisant des échanges avec ses amis. Il rentrait rarement à la maison sans un nouvel objet, un coussin, ou un morceau d'étoffe soyeuse.

« Paul, as-tu fait tes devoirs ?

— Non, et je ne les ferai pas. »

Cet échange, ouverture d'un jeu familier, leur permettait à présent de se détendre. Martha s'assit. Paul lui lança un regard hostile, mais par pure forme. Il se pencha en avant pour augmenter le son.

La voix de la présentatrice, telle qu'on la juge souhaitable pour s'adresser aux petits enfants à la télévision ou à la radio, interprétait le dialogue d'adorables petits animaux en peluche.

« Tu rates ton western », observa Martha.

Le sourire acide et extrêmement réticent de Paul disait clairement : Tu marques un point ! et aussi : Je te déteste.

« Éteins ce truc, alors, puisque je te parle. »

Il fit une grimace, puis éteignit. Il soupira exagérément, leva les yeux au ciel, puis se tassa sur son siège d'un air résigné, tel un oiseau triste. Il portait un pantalon bleu sombre et un chandail rouge violacé. Les yeux rivés au sol, il attendait.

En s'occupant de Paul, Martha avait découvert, ou plus exactement créé, un personnage autoritaire et puissant qui l'avait tout d'abord consternée, et qui à présent la surprenait tout au plus. Tout simplement, elle n'y croyait pas — elle n'aimait pas cette façon de traiter les enfants, et ne pouvait pas croire que Paul ne vît pas au travers d'elle quand elle faisait appel à cette personnalité particulière en elle-même. Quand il recevait des ordres, des instructions, il boudait et se débattait, mais il obéissait — en tout cas, souvent, comme si le jeu avait été vrai. L'un des nombreux psychiatres consultés au sujet de Paul avait déclaré qu'il lui fallait de l'autorité. Mark avait répliqué : C'est absurde ! Ce qui signifiait qu'il n'essaierait même pas. Martha, ne sachant plus comment s'y prendre avec Paul, avait essayé l' « autorité » comme on essaye un manteau. Mais elle gardait l'impression de mimer une charade, même quand cela marchait. Et cela marchait, curieusement.

Paul était donc assis là, immobile, vivant portrait du martyre et de la rancœur. Et Martha était là, personnifiant l'autorité. Elle avait envie de rire. Croisant le regard de Paul, elle ne put retenir un sourire : et il lui sourit en retour, d'un sourire vif et superbe, amusé, qu'il effaça aussitôt. Car cela ne faisait pas partie du jeu en cours.

A présent, Martha pouvait poursuivre, au risque d'engager une vraie bataille serrée, ou bien tenter de le prendre du bon côté à force de cajoleries et de taquineries.

Elle était fatiguée. Elle aurait beaucoup mieux aimé descendre dans sa chambre, fermer sa porte à clé, et passer la soirée seule. Mais la solitude était devenue un luxe, un rare bienfait — une heure ou même une demi-heure grappillées ici et là. La soirée s'étirait devant elle : un dîner interminable où il faudrait maintenir un équilibre à base de cajoleries et de petites protections entre tant de personnalités discordantes ; et puis ensuite, les filles de Phœbe et le jeune Nicky resteraient peut-être dormir ; et puis Lynda qui voulait lui parler... et puis, et puis...

Qu'il était donc extraordinaire d'être à cet âge de maturité, d'être celle qui organisait et dirigeait et tenait tout en équilibre... c'était comme si, plus que jamais, l'on se retrouvait bloqué en soi-même là où l'on s'observait ; tandis que tout autour de l'observateur se dressaient des défenses, des créatures secondaires sur leurs gardes, toujours à l'œuvre, toujours occupées — et là résidait le problème — à ressusciter d'anciennes versions d'elle-même, car la compagnie des jeunes signifiait de revivre sans cesse en soi-même telle scène, tel état d'âme, telle humeur, puisqu'ils ne disaient jamais rien que l'on n'eût déjà dit, déjà vécu.

A l'exception de Paul, cependant, car Martha ne se souvenait pas de cette créature tragique, ni en elle-même ni chez d'autres gens qu'elle avait pu connaître... il y avait bien eu Stella, évidemment. Mais il s'agissait d'une jeune femme mariée. Et puis la mère de Paul, bien sûr, Sally-Sarah. Mais Martha elle-même n'avait jamais été, pour autant qu'elle pût s'en souvenir, le moins du monde semblable à Paul, alors que ni Francis, ni Jill, ni Gwen ne pouvaient la surprendre.

« Eh bien, commença Paul, magnanime comme un hôte, j'ai éteint la télévision, non ? »

Martha opta pour le combat.

« Eh bien, c'est parfait. Maintenant, tu peux te mettre à tes devoirs.

— Je ne crois pas que j'en aie envie. »

Et Paul s'étira voluptueusement en bâillant, les bras tendus derrière sa tête avant d'en ramener un pour se couvrir la bouche d'un geste gracieux du dos de la main. Par-dessus la main, ses yeux s'abaissèrent sur Martha avec une langueur parfaitement appropriée à la notion du manque d'envie. Elle se retint d'applaudir.

« Il te reste une demi-heure avant le dîner.

— Tu ne peux pas me forcer à faire des devoirs.

— Non, mais je puis faire en sorte que tu n'aies rien à manger.

— Je n'ai pas faim. J'ai bu du lait.

— Bon, très bien. Dans ce cas, tu n'auras rien d'autre. »

A présent Martha attendit, effarée par l'absurdité de cette scène. Si Paul le voulait, il pouvait descendre pendant le dîner, et il savait aussi bien qu'elle que, bien sûr, elle ne lui ferait pas de scène en présence des autres, et qu'il pourrait dîner avec eux. Et s'il ne voulait pas de cela, il pouvait descendre à n'importe quel autre moment dans la cuisine, quand il n'y aurait plus personne à table, pour prendre ce qu'il voudrait dans le réfrigérateur.

Il ne s'agissait donc que d'un rituel.

Silence. Il se détourna d'elle, afin qu'elle eût le loisir de bien l'observer, le menton appuyé sur une main, les yeux perdus dans un lointain quasi prophétique.

Il se redressa brusquement, d'un seul bond, et déclara : « Bon, d'accord pour une demi-heure. »

Il disparut dans sa chambre, de l'autre côté du palier, où Martha savait bien qu'il ne ferait sans doute pas ses devoirs, mais que peut-être il lirait. Qu'avait-elle donc accompli, dans cette scène de farce ? Rien ?

Elle resta un moment assise devant l'écran de télévision vide. En ce qui la concernait, la scène qu'ils venaient de jouer n'était pas plus réelle que ce qu'ils pouvaient voir sur cet écran en tournant un bouton.

Elle alluma la télévision assez fort : à ceux qui voudraient savoir où est Martha, on pourrait répondre : Elle regarde les informations.

Les gens d'âge mûr s'organisent, luttent, négocient pour ces pauses de dix minutes d'intimité. Elle se détourna de l'appareil, car cette présence bardée de fils électriques et de boutons lui semblait étrangère et hostile dans cette pièce qui appartenait plutôt au XVIIIe siècle. A l'exception de ce qu'y apportait Paul, bien sûr : mais on pouvait se débarrasser de toutes ces choses bigarrées qu'il y déposait en faisant simplement le tour de la pièce pour les ramasser à deux mains et les abandonner derrière la porte — comme c'était curieux. Cette pièce pourtant hurlait Paul, Paul, Paul. Personnalité : celle de Paul, une moue théâtrale, de grands yeux sombres alanguis, et un chatoiement sur ses pièces semblable à celui de la lumière sur l'aile d'un oiseau. Avec la personnalité de Paul, on se battait. Batailles ridicules, en ce qui la concernait.

Quand un petit bébé vous regarde en face pour la première fois, quand ses yeux perdent leur fixité laiteuse, on contemple des yeux qui resteront les mêmes aussi longtemps que l'enfant vivra. Ensuite, ces yeux pourront appartenir à un enfant hurlant de rage, un garçon manqué, un enfant docile, un adolescent perdu dans ses rêves, quelqu'un saisi d'amour — en vérité, il n'y avait pas moyen de tricher, de tourner autour du pot, avec le petit bébé et tout le reste. N'importe qui, Paul, devait aussi longtemps qu'il le fallait être cet enfant hurlant, cet adolescent renfrogné, et puis cette femme déjà mûre dont les dix-huit heures par jour étaient remplies d'un million de détails, de fragments réfléchis par le miroir à facettes que constituait sa personnalité, et qui réagissait sans relâche, à chaque instant, à ces *en-soi* passés, à ces voix passées, à ces visiteurs éphémères. Et ce n'était pas si bête, pas si absurde, en fin de compte, d'insister sur le droit à ressentir, pendant qu'on jouait à ces jeux ridicules : Fais tes devoirs ; souviens-toi que Lynda est malade ; sois gentille avec Paul ; que pendant tout ce temps on communiquait avec autre chose, avec cette personne qui ne changeait jamais, et qui regardait de ses yeux provisoirement nuancés de colère, de peine, de rancœur. Car une fois les nécessaires concessions accordées à la rancœur, à la peine ou à la souffrance, la récompense était que l'on s'adressait alors à la personne permanente en Paul, ou Francis, ou n'importe qui d'autre.

Si elle ne l'avait pas sincèrement pensé, elle n'aurait pas pu rester là, dans cette maison, avec ces deux personnes inquiétantes que devenaient Paul et Francis, en partie sous ses soins, en partie sous sa responsabilité. Car le reste de leur expérience, ce que la vie leur avait donné, était tellement excentré qu'il n'y avait pas moyen de se reposer sur la normalité, comme les gens ordinaires, les familles, pouvaient le faire. (Quels gens, quelles familles ordinaires ?)

Dépouillés : ils se faisaient dépouiller. Ils *s'étaient* fait dépouiller, par leur seule naissance, de tout ce à quoi un enfant normal (qui, où ?) pouvait s'accrocher.

Les conversations qui se déroulaient, essentiellement sous-entendues avec Francis, candides et à la vérité scandaleuses avec Paul, semblaient constituer un stade de croissance par lequel tout le monde devait passer (enfance, puberté, etc.), du fait de la qualité d'irréalité qu'elles concentraient, et ce malgré — sans doute plutôt *à cause de* — leur propos de morale classique.

Avec Paul, on se retrouvait toujours nu et désarmé, non seulement à cause de son histoire, mais tout simplement parce qu'il n'avait pas le moindre sens du bien et du mal. Lorsqu'on avait terminé avec les maîtres, les directeurs d'école, les psychiatres, et toutes les explications et prescriptions, c'était extrêmement simple : le sens moral n'entrait pas dans sa constitution.

Son extraordinaire intelligence lui permettait de saisir très vite, comme un singe, ce que les autres attendaient de lui.

« Je volais de l'affection, c'est tout », avait-il, récemment encore, déclaré d'un air léger ; et il pouvait fort bien le dire encore.

Mais ce qui rendait le fait si étrange, si troublant, c'était qu'il en fasse un dogme parce qu'il l'avait trouvé dans l'air.

Si un enfant volait, il volait de l'affection — il l'avait lu, ou entendu dire, ou bien c'était dans l'air à son ancienne pension, et désormais il l'affirmait comme on pouvait affirmer : « Le dimanche est le septième jour de la semaine. »

« Je ne sais pas qui je suis, vois-tu, alors je vole ces choses qui sont le symbole de ce que je veux être. »

Et il dévisageait d'un œil plein d'espoir, et aussi stupéfait, Mark ou Martha ou la personne qui se trouvait là, pour voir s'ils étaient d'accord, ou si la formule semblait inacceptable.

Ou bien : « Je ne sais pas qui je suis, et je cherche donc toujours à définir mes limites. »

Derrière tout cela, la réalité ; un étonnement rageur, renfrogné, de voir que le meilleur en lui, le plus brillant, n'était pas accepté, pas aimé, pas apprécié. Car son vrai talent s'appliquait au vol, sous une forme ou une autre. Depuis deux ans qu'il fréquentait cette nouvelle école, il n'avait pas monté de gros coup mais tout le monde savait qu'il... non, il ne chapardait pas, le mot était trop anodin pour Paul, mais qu'il organisait constamment de petits vols. Il ne s'abaissait pas à des actes de kleptomanie : il avait manifesté une violente indignation quand on l'avait traité de kleptomane, car il se prétendait parfaitement responsable de ce qu'il faisait. Mais il organisait l'irruption de cinq ou six garçons dans un magasin, qui en ressortaient chargés d'une centaine d'objets déterminés à l'avance par Paul, dans un souci professionnel de la facilité de leur revente ensuite. Tous les adultes l'observaient et attendaient, priant pour qu'il n'aille pas trop loin, qu'il ne bascule pas dans l'expulsion et la disgrâce avant d'avoir quinze ans — dans deux mois ; là, il pourrait légalement quitter l'école.

« Pourquoi ne voles-tu pas, Martha ?
— Parce que je me ferais prendre.
— C'est parce que tu t'y prendrais de manière à te laisser prendre.
— C'est possible.
— Oui. Mais tu pourrais voler de manière à ne pas te faire prendre.
— Pour quoi faire ?
— Suppose que tu crèves de faim et que tu n'aies pas d'argent, le ferais-tu ?
— Je ne sais pas. Probablement.
— Mais je veux que tu y réfléchisses. Tu te contentes d'esquiver la question.
— Bon, d'accord. Je pense que je chercherais plutôt du travail.
— Suppose que tu n'en trouves pas ?
— Alors je volerais.
— Te sentirais-tu coupable ?
— Écoute, Paul : nous avons déjà parlé de tout cela — si c'est pour me faire dire que Marks et Spencers ou Selfridges ne souffriront pas de quelques centaines de livres en moins, je te l'accorde volontiers. Mais ce n'est pas la question. La question, c'est que je me sentirais coupable. J'ai été élevée ainsi. Je ne m'intéresse pas à la moralité du problème. Et toi, tu ne te sens nullement coupable. Et alors ? Peu importe ce que tu éprouves ou ce que j'éprouve, quand on vole, on va en prison.
— Pas si tu ne te fais pas prendre.
— La plupart des gens se font prendre.
— Non, Martha... » Et à présent il se penchait vers elle, plein d'ardeur, passionné par son point de vue avec une intensité ridiculement théâtrale, car on pouvait voir qu'il y concentrait une gigantesque énergie de réflexion, de bouderie, de rancœur. Il fallait qu'il ait la réponse. « Je veux que tu me répondes sincèrement. Crois-tu vraiment que ce soit mal, de voler ?
— Cela dépend de qui tu voles. »
Son visage se crispa, s'assombrit, et ses poings se serrèrent — il lui fallait une déclaration de Martha sur la morale du vol, sur le bien et le mal. Le jeu, la règle de l'éducation des enfants exigeait : Oui c'est bien, non c'est mal.
Elle ne pouvait pas le dire.
« Tu dois bien le savoir, Martha. Ou c'est bien ou c'est mal.

— Je ne pense pas que ce soit tout bien ou tout mal. Cela dépend entièrement des circonstances. Tout dépend toujours des circonstances. »

Des yeux furieux — trahis — la dévisageaient.

« Pourquoi ne demandes-tu pas cela à quelqu'un qui te répondra blanc ou noir, puisque c'est cela que tu veux ? Tu sais bien ce que je vais te dire ! »

Il rougit, puis prit un air important, avec un lent sourire, comme s'il avait compté les points dans le jeu qu'il jouait. « Tu as un de plus », ou « J'ai un de plus » : « Mais c'est toi qui m'élèves, non ?

— En partie, oui.

— Alors si je tourne mal, c'est ta faute ?

— Quelle bêtise ! Bon, si c'est cela que tu veux — les assistantes sociales et les psychiatres, et les directeurs de prison diront : Pauvre Paul, il a eu une vie difficile, pauvre, pauvre Paul. Mais je ne le dirai pas, moi. *Et toi non plus...* »

C'est à ce moment-là que jaillit ce bref éclair qui faisait que tout cela en valait la peine — seulement un éclair, l'espace d'un instant, avant que l'autre jeu se poursuive, quand elle croisait son regard empreint d'une gravité responsable, et qu'une sorte de vérité se communiquait entre eux pour être partagée.

« Oh, bon, d'accord », se renfrogna-t-il. « Mais si jamais j'ai des ennuis, je suis content de savoir que je pourrais me rattraper là-dessus, pauvre Paul, pauvre Paul, pauvre Paul, pauvre Paul...

— Si tu as envie de te laisser aller... et de toute façon ce pauvre Paul n'a plus grand-chose de particulier. Parce que tant de gens mènent une vie affreuse, de mal en pis, que je vois très bien le cas où tu sortiras ton atout, pauvre Paul, avec sa maman morte et son père envolé chez les communistes, élevé par un oncle fou et sa prétendue maîtresse, et tout le monde te regardera poliment — parce qu'ils ont vécu bien autre chose eux-mêmes. Et le Roi Paul sera nu...

— Bon, d'accord, Martha. Mais si c'est vrai et que je ne l'admets pas, pourquoi essayer d'être bon, ou juste, ou je ne sais quoi du même genre ?

— Parce que tu peux poser la question — voilà la réponse.

— Mais je ne veux pas !

— Alors c'est ton enterrement ! »

Derrière elle, le téléviseur émettait des bruits d'êtres humains en violent conflit. Cet appareil était le véritable éducateur des enfants de la nation. Francis, qui passait beaucoup de temps à l'école, lui en consacrait fort peu. Mais Paul le regardait quatre ou cinq heures par jour. Tous deux avaient traversé diverses phases à cet égard, la plus intéressante étant celle-ci : ils avaient entendu dire, ou avaient lu, en tout cas ils avaient absorbé l'idée qu'on leur imposait, à eux, « les héritiers de notre avenir », une vision du monde, de la vie, qui n'était que meurtre et violence. Tous deux avaient utilisé cette notion pour attaquer le monde des adultes : se mettant délibérément en scène, ils s'étaient vus corrompus depuis leur naissance. Les adultes, acquiesçant aussitôt de tout leur cœur à cette notion, avaient revendiqué la même situation pour eux-mêmes. Francis avait réagi en réfléchissant : le processus l'avait entraîné un peu plus loin sur la voie de la responsabilité. Mais Paul, plus jeune que Francis, se démenait encore frénétiquement sur une scène pleine de meurtre, de crime, et de sexualité vile. Il semblait fort probable qu'il y resterait toute sa vie. Comme d'ailleurs beaucoup d'autres gens.

Il était temps de penser au dîner. Elle allait redescendre en appelant au passage Paul, Patty, Mark, Graham, Jill, Gwen, etc., d'une voix calme et compétente, la voix de la femme déjà mûre qui tient toutes les cordes bien en main. Elle était devenue cette personne qu'elle avait autrefois détestée et redoutée plus que toute autre — la femme mûre et compétente. Mais quelle alternative y avait-il ? A présent qu'elle se trouvait là, dans cette même position (mais on ne restait heureusement jamais très longtemps à aucun stade, ces caravansérails n'étaient prévus que pour de brèves visites), elle comprenait la source de ce malaise. C'était qu'à force de consacrer les neuf dixièmes de son temps à penser aux autres, on acquérait une intuition effrayante jusque pour soi-même. Le pouvoir. Se reportant quinze ans en arrière, dans le salon de Mme Van der Bylt, elle était à la fois la personne assise là, qui regardait Mme Van d'un œil amusé et inquiet, totalement préoccupée de protéger son intimité tandis que ces petits yeux vifs et bleus la scrutaient et la comprenaient, et Mme Van qui regardait Martha et savait : Elle fera ceci, elle pourrait faire cela, si je fais ceci, cela lui sera épargné ; ou : Si elle se brûle les doigts, eh bien tant pis, elle apprendra... Intolérable !

Martha appela : « Paul ! A table ! » Elle descendit, sachant qu'il ne répondrait pas ; mais qu'il arriverait avec un quart d'heure de retard afin de bien marquer le coup. Là où le radiateur du chauffage central avait été réparé l'hiver précédent, le plâtre utilisé pour encastrer les tuyaux dans le mur s'était effondré. Elle nota dans sa tête, comme un général plantant une épingle sur une carte, « le mur derrière le radiateur dans l'escalier de Paul », et continua son chemin ; en passant devant sa propre chambre, elle frappa à la porte et cria : « Patty ! à table ! » Un grognement sonore et teinté d'humour répondit : « Oh, mon Dieu, il faut vraiment que je me réveille ? Jamais ! » Mais Patty apparaîtrait propre et respendissante à table d'ici cinq minutes. « Mark, Graham, Francis... Lynda, veux-tu changer d'avis... »

Dans la cuisine, Francis ménageait de nouvelles places à table. Phœbe venait d'arriver, avec des collègues. Francis rayonnait de plaisir. Il adorait que des gens passent, qu'il y ait de l'animation, des visites, que règne une atmosphère de vie familiale active et détendue. Et il adorait cela avec toute l'incrédulité protectrice d'un amant mal aimé — Mark et Martha ne comprenaient que maintenant à quel point Francis avait souffert pendant toute cette époque où son père était demeuré en disgrâce, et où il n'avait pas eu d'amis. Car c'était la vérité. On le comprenait à présent, en le voyant si heureux d'être normal. Mais pour lui, ce ne serait jamais normal. L'amitié était une merveille, un don, quelque chose à vénérer comme l'amour.

En regardant Francis, personne ne songeait à l'amour. Il avait seize ans. Il s'était soudain épanoui dans la floraison de l'adolescence. Il ressemblait toujours à Mark. Martha, qui avait aimé Mark, regardait Francis et le reconnaissait : mais elle s'en cachait bien. C'était un grand garçon brun, avec un visage ouvert et assez plat, et les yeux bruns de son père. Il ressemblait également beaucoup à Lynda, mais cela ne semblait pas fixé dans la chair. Lynda étincelait soudain dans un regard ou un sourire de son fils. A l'âge de seize ans et en pleine période d'auto-assimilation, tout empli de lui-même et de ses revendications, Francis n'avait pourtant jamais été aussi peu lui-même. Ses parents apparaissaient sans cesse en lui, et sa chair semblait incandescente ; Martha et Patty se confiaient combien elles comprenaient l'amour des hommes pour les garçons — car existait-il une seule fille qui eût cet instant de floraison si perversement belle ? Tout résidait dans sa mortalité ; c'était comme d'admirer un crocus, parfait l'espace d'un seul jour ; et toute la chair de Francis qui, avant et après ce moment, devait être solide, sensée, utile apparaissait aussi sauvagement vulnérable que la chair de l'orchidée. Et ce n'était pas en tant que femmes que Martha et Patty contemplaient cette créature, et qu'elles auraient pu pleurer, ou rendre grâces — non ; en elles de vieux mâles s'animaient et se souvenaient, souhaitant et redoutant à la fois de rendre hommage. Pas à Francis. Même quand il posait des couteaux et des fourchettes sur une nappe, même quand il disposait des assiettes, il n'était pas Francis. Il était si beau que la gorge de Martha se serra douloureusement. Elle s'assit en silence, et le regarda : tout cela aurait disparu dans six mois. En attendant, il exultait de se sentir ordinaire, normal, de savoir que dans cinq minutes des amis et des membres de sa famille arriveraient, pour dîner longuement tous ensemble.

Les filles de Phœbe entrèrent. Elles étaient également fort belles. Blondes, avec des yeux bleus et des joues roses — charmantes. Mais elles n'irradiaient aucun éclat sauvage. Elles avaient quatorze et quinze ans, elles se formaient tout juste, « prenant » comme une gelée. Toutes deux regardèrent Francis et soupirèrent. Pas du tout comme aurait pu le faire Martha, ou Patty : de jolies filles voyaient un beau garçon. Pour discerner le reste, il fallait avoir conspiré avec le temps. Et lorsque entra Nicky, qui avait passé par une phase poétique et puis était redevenu normal, les filles partagèrent leur attention entre Francis et Nicky. Tous les quatre prirent place au bout de la table, formant une enclave de jeunesse. Francis n'était pas le seul que stimulât cette soirée familiale : Jill et Gwen trouvaient dans la normalité — ou tout au moins cette approximation — une drogue qui leur faisait briller les yeux et rosir les joues de bonheur. Car Phœbe et Arthur s'étaient tout aussi subitement transformés, de vils criminels en citoyens admirables, et leurs noms, aussi fréquemment cités dans la presse qu'ils l'avaient été pendant les temps de malheur, semblaient suggérer une notion de bon sens héroïque. Ces enfants en plein épanouissement confessaient par leur seul bonheur combien ils avaient été malheureux sans jamais l'avouer.

Phœbe arriva, accompagnée de deux Africains et d'un type d'un des comités. Il s'appelait Jim Troyes, et était un syndicaliste entre deux âges, originaire de Bradfort. Il admirait Phœbe. L'attitude des filles à son égard exprimait de la jalousie. Sans doute le soupçonnaient-elles d'être son amant, mais elles étaient jusqu'à présent si heureuses d'admirer leur mère que le seul indice en était le nombre de fois où elles répétaient combien Jim leur semblait gentil.

Lorsque Graham entra, il regarda s'il pourrait s'asseoir entre les deux filles et poursuivre son calvaire, mais il ne restait pas de place pour lui. Il dut s'asseoir entre Phœbe, qu'il admirait bruyamment, et Patty, qui allait passer tout le temps du repas à le manœuvrer sans qu'il s'en aperçoive. Mark prit place au bout de la table. A présent, tout le monde était là. Sauf Paul. Une chaise demeurait éloquemment vide. Comme Martha commençait à servir la soupe, Paul apparut, semblant ne voir personne, se dirigea vers sa place, s'assit, et resta seul au cœur de la multitude. Les gens (à moins que l'on ne fît quelque chose) l'examinaient continuellement sans même s'en apercevoir, et la tension augmentait. Et puis il s'affirmait brusquement, et une explosion se produisait, d'une manière ou d'une autre, qui lui permettait d'effectuer une sortie théâtrale.

Martha fit un signe à Mark. Il grimaça un acquiescement et entreprit, tel un berger isolant un mouton du troupeau, une conversation destinée à bientôt inclure Paul et, ainsi, le désamorcer.

Il s'agissait de fournir à Paul l'occasion d'apparaître comme un individu superbement solitaire et original, avant qu'il ne fût contraint de la trouver lui-même. En fait, l'occasion se présenta vite. Dès le début du repas, tout le monde se mit à parler de la manifestation qui s'était déroulée l'après-midi même au sujet de l'Afrique centrale, et Mark demanda à Paul s'il y était allé avec les autres. Paul répliqua d'une voix acerbe qu'il jugeait les manifestations puériles ; les autres jeunes protestèrent et le critiquèrent. Il maintint sa position, et devint grossier. Finalement il céda, et ils purent tous continuer à manger.

Le repas promettait d'être long, ne fût-ce que grâce à la présence de Phœbe, qui pouvait répondre aux questions sur une bonne demi-douzaine de sujets qui les intéressaient tous. Il était bien agréable de la voir redevenir elle-même, après tant d'années passées dans l'ombre. Son visage s'était adouci ; en fin de compte, c'était une femme très séduisante. Et Jim Troyes, qui lui faisait face, le pensait assurément : il la contemplait et lui souriait sans cesse avec une affectueuse admiration. Ses charmantes filles étaient enchantées de l'avoir pour mère et, quand la conversation ralentissait, elles jouaient l'ignorance sur tel ou tel sujet afin que Phœbe pût continuer à apparaître comme l'unique personne présente en possession de tous les faits et les chiffres, depuis l'éventuelle organisation de la marche d'Aldermaston, jusqu'à la situation actuelle au Kenya, pays désormais indépendant et pacifique. Les deux Africains, qui venaient de manifester cet après-midi avec les jeunes gens, plaisantèrent que, « comme tous les amis » de Phœbe, ils venaient d'achever leur période d'emprisonnement obligatoire pour activité séditieuse, et que c'était bon signe pour leur propre indépendance. Ils invitèrent Phœbe à leur rendre visite quand cela se produirait : « Quand nous aurons notre liberté. » Ils parlaient de la liberté avec une simplicité d'approche qui rappelait aux Blancs les complications de leur propre attitude : le sujet de la liberté fut rapidement abandonné, dans l'intérêt de l'atmosphère générale.

Vers ce moment-là se succédèrent trois appels téléphoniques ; l'un de Margaret, qui versait des larmes d'angoisse parce qu'un journaliste l'avait appelée pour lui demander pourquoi son fils refusait d'adhérer à « son » comité ; et deux autres de journalistes qui voulaient savoir si Mark comptait refaire une déclaration sur son opposition au projet de réforme de la loi sur l'homosexualité. Il répondit à ces trois appels dans une autre pièce, mais il était contrarié, et cela se voyait.

Graham se mit à vociférer sur l'injustice qu'il y avait à enfermer les hommes à cause de leurs instincts naturels, etc., et il fallut expliquer aux Africains pourquoi cette cause revêtait la même importance que d'autres — par exemple la lutte pour l'abolition des préjugés raciaux en Grande-Bretagne.

Mais alors que certaines attitudes politiques semblaient parfaitement normales à tout le monde autour de cette table, et à des milliers d'autres gens, certaines autres avaient le pouvoir d'exaspérer et d'épouvanter. L'attitude envers l'Afrique du Sud ou l'Afrique centrale qui, dix ans auparavant, n'avait été l'apanage que d'une petite minorité de gens essentiellement de gauche, était suffisamment répandue à présent pour qu'on pût parler de l' « opinion publique informée ». Mais déclarer que les préjugés raciaux constituaient un problème grave en Grande-Bretagne donnait aussitôt à tous un air fort embarrassé. Ces pauvres bougres ne pouvaient qu'y être extrêmement sensibles, disaient les visages poliment souriants. Graham tenta de changer de sujet et d'introduire la question qui l'intéressait ce soir, mais Phœbe continua d'écouter les Africains qui cherchaient à convaincre les jeunes gens que les préjugés raciaux étaient « presque aussi mauvais » en Angleterre qu'en Afrique. Francis déclara que ce ne pouvait pas être vrai, car il avait un ami de couleur à l'école, et tout le monde l'aimait beaucoup. Phœbe suggéra qu'il y avait certainement du vrai dans ce que disaient Matthew et Freddie, mais... Graham tenta à nouveau d'attirer son attention ; Jim Troyes se mit alors, pour contrebalancer leur amertume, à parler de l'attitude de la presse vis-à-vis des homosexuels. Il avait été l'ennemi déclaré des homosexuels et avait approuvé la presse jusqu'au jour où il avait rencontré Phœbe, et découvert qu'il était réactionnaire. Phœbe, Jim et Graham se lancèrent dans une discussion au sujet du comité de Graham, tandis que Mark entamait une conversation avec Paul — il s'était senti ignoré, et commençait à laisser paraître des signes annonciateurs de colère ou de scène explosive. Patty expliquait à Jill et à Gwen comment faire cuire du bœuf sans employer de liquide. Jill et Gwen se plaignirent soudain bruyamment qu'elles ne connaissaient rien à la cuisine, et que leur mère n'avait jamais le temps de rien leur enseigner. Tous se rappelèrent alors comme la paix demeurait précaire entre la mère et ses filles, et comme Phœbe les trouvait difficiles, et comme elles jugeaient leur mère indifférente. Phœbe interrompit sa propre conversation pour écouter, puis déclara qu'elle faisait souvent ce plat-là, et qu'elle ne comprenait pas pourquoi Jill et Gwen devaient jouer les orphelines frustrées. Elle éprouvait une réelle contrariété. « Oui, mais tu ne nous apprends jamais rien », insista Jill.

Afin d'éviter une dispute, Patty se mit à décrire une autre recette, à parler de la nourriture, de l'art de faire le marché. En quelques instants, toute la tablée se retrouva plongée dans la gourmandise — car à cette époque, il était impossible à quiconque de se désintéresser de la nourriture et de la cuisine, étant donné l'amplitude de l'oscillation de ce pendule. Bientôt, le silence des deux Africains qui écoutaient cette conversation, devenue soudain (aux oreilles des Blancs qui maintenant l'entendaient à travers eux) grossièrement goinfre, fit déclarer à Phœbe qu'il ne fallait surtout pas croire que les Anglais ne pensaient qu'à leur ventre. Souriant poliment, Matthew observa que, partout où ils allaient, les gens parlaient de nourriture. Il regrettait que son propre peuple fût encore si éloigné de tels critères.

Pour la troisième fois, les Africains avaient abaissé la température de la réunion.

Il fallait un sujet inoffensif. Il n'en existait qu'un, et c'était la « bombe », ou la marche d'Aldermaston. Graham était ravi, maintenant, car il voulait faire venir Phœbe à la télévision pour parler de ce phénomène.

Le problème, bien que la première marche n'eût eu lieu que peu de mois auparavant, était que les faits réels de la situation avaient déjà été absorbés dans un mythe (plus rapidement même que les événements publics ne le font habituellement), et cette marche ressemblait désormais à une sorte de phœnix qui avait surgi, de son propre chef, et à partir de rien. C'était précisément l'aspect qui intéressait Graham, mais Patty aussi bien que Phœbe refusèrent poliment de le suivre sur ce terrain.

Depuis dix ans, depuis la fin de la dernière guerre, Phœbe et des gens comme elle, d'un certain angle politique, et Patty d'un autre angle, ainsi que des gens comme elle également, avaient organisé des manifestations, des pétitions, des comités, etc., pour la paix. Ils étaient de tendance communiste, ou bien travailliste ; pacifistes, libéraux, indépendants ; soutenus par tel ou tel pays, tel ou tel bloc ; ils s'obstinaient farouchement dans une atmosphère de suspicion, de haine et d'hostilité en Angleterre, et en Amérique les gens se voyaient confisquer leur passeport, allaient en prison, et subissaient toutes sortes de menaces. Si la Russie organisait une conférence pour la paix, le gouvernement anglais pouvait fort bien refuser leur visa aux délégués ; si une organisation non communiste s'y risquait, les Russes ordonnaient à leurs satellites de suivre leur politique de boycott. Et tout cela durait depuis des années, *ad nauseam :* des gens se battaient pour sortir la « paix » (une question à l'ordre du jour parmi tant d'autres, sur la longue liste des bonnes causes) d'une atmosphère où rien ne pouvait marcher, ni réussir, ni rien faire d'autre qu'envenimer des rancœurs. Et il allait sans dire que les « jeunes », Graham entre autres, avaient considéré toute cette activité comme parfaitement absurde. Quand huit cents personnes s'étaient mises en marche à Trafalgar Square ce Vendredi saint-là, ce n'était rien de plus que ce qui se faisait depuis des années sous un patronage ou un autre — celui de Patty, celui de Phœbe, avec ce qu'elles représentaient toutes deux. Les organisateurs n'attendaient rien d'autre de cette marche que le rassemblement de cent, cinq cents, ou mille personnes qui, pour la plupart, se connaissaient entre elles, et qui ensuite se disperseraient tandis que les journaux ne feraient qu'un bref commentaire aigrelet, et même s'ils en faisaient, et que la plupart des habitants des Iles Britanniques n'en sauraient rien du tout. Pourtant, à la fin de cet exceptionnel week-end de Pâques, plusieurs milliers de personnes, des jeunes surtout, avaient défilé sous des drapeaux noirs et blancs, et les journaux ainsi que la télévision en avaient longuement parlé. Personne n'aurait pu être plus étonné que les organisateurs.

Pourquoi? Que s'était-il passé? Nul n'en savait rien.

Et cette question, la plus intéressante, avait été complètement négligée : en partie à cause de l'étonnement ravi qu'ils avaient éprouvé à découvrir un appui là où ils n'en avaient jamais eu ; en partie parce qu'une bonne cause en suscitait une autre, et que les gens dotés d'expérience politique se trouvaient brusquement appelés de toutes parts et débordés d'activité. Il était difficile à présent d'imaginer un climat où les jeunes gens ne seraient pas partis presque tous les week-ends pour manifester à tel ou tel sujet — hier, Francis, Nick, Gwen et Jill avaient marché pour la Paix ; aujourd'hui, ils avaient manifesté en faveur de l'Afrique. Et pratiquement tous les gens qu'ils rencontraient avaient participé à cette marche qui avait créé une fraternité entre tant d'individus.

Mais, maintenant, Graham voulait faire une émission d'une heure sous le titre : *La Paix, ce phœnix.* Sans que l'on sût pourquoi, Phœbe et Patty étaient devenues nerveuses, et elles sombraient dans des silences où l'on imaginait aisément qu'elles devaient compter lentement jusqu'à dix en s'exhortant au calme. Graham continuait, insistait auprès d'elles. Peut-être voudraient-elles composer l'émission ensemble? Là, Martha se mit à rire, Patty à glousser, et Phœbe à sourire aigrement.

Jimmy Troyes s'exclama : « Ah oui, ce serait une sacrée collaboration! »

— Je ne comprends vraiment pas pourquoi vous vous comportez de cette manière absurde », déclara Graham. Et il se tourna vers Mark.

L'attitude de Mark était la suivante : quand une « cause » devenait inoffensive, sans même parler de devenir « populaire », on pouvait la considérer comme perdue — ce qui se passait en Afrique du Sud et en Rhodésie le prouvait bien.

Graham lui reprocha son attitude « négative à un point impossible ».

Mark n'était d'abord pas allé à cette grande marche : il n'était, par nature, nullement manifestant. Le quatrième jour, comme la foule approchait d'Aldermaston, Phœbe était arrivée à Radlett Street en réclamant que Mark vienne aussi — c'était plein d'écrivains, d'artistes, d'acteurs; de « gens connus », comme elle disait en organisatrice qu'elle était, et risquant par cette expression de s'entendre opposer un refus éternel de la part de Mark.

Il déclara qu'il « semblait qu'on pût croire » que la seule garantie de paix possible consisterait dans l'équipement de chaque pays en bombes et en armements de la même puissance exactement. C'était par cette formule inadéquate que sombrait dans l'oubli la prise de position probable de son frère — et sans doute aussi la raison de sa disgrâce et de son exil. Phœbe avait oublié que Mark risquait fort de ne pas voir le problème sous le même angle qu'elle, car elle s'écria : « Oh, vraiment, Mark, tu n'y crois quand même pas !

— Et pourquoi pas ?

— Mais c'est une vision si négative des choses !

— Bon, eh bien je ferais sans doute mieux de céder — quand on entend cela, c'est qu'il est temps de remiser la raison au grenier pour la durée de l'affaire.

— Alors, que crois-tu ?

— Croire, croire ? Pourquoi croirait-on une chose plutôt qu'une autre ?

— Que fais-tu donc, alors, avec ces cartes affichées dans ton bureau ?

— Ce sont strictement des faits. Il existe un fait essentiel : c'est qu'il y a de plus en plus de bombes partout, et de plus en plus grosses, de plus en plus nocives. Si tu crois que quelques milliers de gens vont y changer quelque chose rien qu'en parcourant la campagne — eh bien, bonne chance !

— Si tu ne viens pas, pourrons-nous au moins envoyer un photographe pour prendre des photos de ton bureau ?

— Si tu veux, bien sûr. A ton avis, combien de gens verront ces photos ? Et combien de gens en tiendront compte, s'ils les voient ? »

Martha et Mark avaient regardé les premières informations sur la grande marche à la télévision. Quoi que l'on pût penser à la télévision, cela « leur » (tous les dissimulateurs et les déformateurs) rendait plus difficile la pratique de « n'en faire qu'à leur tête ». On allait sans doute devoir dire de la télévision ce qu'on disait des journaux : c'était le prix qu'il fallait payer pour avoir une démocratie.

Le quatrième jour, tout à la fin, Mark était allé rejoindre la marche. Il arborait un costume sombre, et portait un parapluie roulé. Il avait horreur des vêtements négligés, des foules qui défilaient en brandissant des drapeaux, des slogans scandés, et des provocations à l'adresse de la police. Mais il semblait qu'on n'y pût plus vraiment rien. Cette marche apparaissait comme une nouvelle occasion de « défendre le mauvais contre le pire ». Comme un journaliste lui demandait pourquoi il marchait aussi, il répondit que c'était parce qu'il croyait à la démocratie ; la réponse parut tellement hors de propos que le journaliste se mit en quête de quelqu'un d'autre, prêt à dire des choses qu'on pourrait citer.

Il n'avait rien à dire qui n'eût été qualifié de « négatif ».

Il ne croyait pas que cette marche, ni d'ailleurs rien d'autre, eût le pouvoir d'interrompre la fabrication d'armements guerriers ; trop de gens s'y enrichissaient, ou souhaitaient la guerre. Il ne croyait pas qu'un seul gouvernement tînt compte le moins du monde de l'opinion publique, sauf qu'il s'agissait de la manipuler. Il croyait que d'ici à dix ans, ou vingt, ou trente, une guerre surviendrait sous une forme ou sous une autre. Il n'était venu que sous de faux prétextes — jusqu'au moment où, parlant avec des hommes de sa génération, il découvrit que bon nombre d'entre eux partageaient son avis. Il valait mieux protester contre son destin que se taire, éprouvaient beaucoup de gens ; et il était rassurant de voir des milliers de jeunes prêts à se sentir concernés par les affaires mondiales.

Parce qu'il s'était montré parmi ces foules et qu'il était apparenté à Francis, Gwen et Jill, Mark était désormais considéré comme « l'un des nôtres », un membre du nouveau Londres progressiste. Il pensait bien ; il avait le cœur placé du bon côté, et ainsi de suite ; mais si on ne le connaissait pas, bien sûr, on le prenait forcément pour un réactionnaire.

Graham passa le reste du dîner à définir le niveau exact de « réaction » de Mark : Stendhal était le plus proche, à son avis ; à moins que ce fût Alexander Blok ?

Mark déclara qu'il n'avait jamais lu Alexander Blok.

Les deux Africains avouèrent qu'eux non plus. Étudier le droit apparaissait plus utile qu'étudier la littérature, lorsqu'il vous manquait encore la liberté. Le cycle complet s'était déroulé, et pour couper court à toute nouvelle tentative de définir la liberté, Patty fit observer qu'il était déjà onze heures.

Phœbe bondit — elle voulait se rendre aux Communes pour y retrouver son ex-mari et lui présenter Jim Troyes, qui souhaitait obtenir le soutien d'Arthur Colridge pour un nouveau comité concernant les vendeurs et vendeuses. Quant à Phœbe, elle voulait faire signer à Arthur une pétition pour la libération de certains prisonniers en Irlande du Nord. Elle avait la pétition sur elle : tout le monde signa. Graham avait sa pétition en faveur des homosexuels : il la leur donna également à parapher.

Graham s'en alla rejoindre l'objet de sa passion actuelle, une jeune Jamaïcaine qui chantait dans un nouveau club ; et pour la seconde fois en deux jours, il salua les deux nymphettes avec l'air d'un homme qui fait ses adieux à la poésie. Il emmena Patty. Les filles devaient rester dormir — elles montèrent avec Francis et Nicky. Paul accompagna Mark dans son bureau ; Mark profitait des moments où Paul semblait disposé à se montrer amical, même si c'était uniquement dû au fait qu'il se sentait exclu des groupes de son âge, pour essayer de l'intéresser à son travail scolaire. Cause perdue : tout le monde savait qu'une fois arrivé dans le bureau de Mark, une fois Mark gagné sur les autres, Paul se désintéresserait de lui et remonterait chez lui, où il allumerait la radio si fort que quelqu'un devrait protester.

Martha descendit voir Lynda.

Elles passaient deux ou trois heures ensemble chaque soir — plus facile pour Lynda, qui dormait tard le matin, que pour Martha.

Cet arrangement, ou plutôt cette habitude, n'avait jamais été commenté, ni même organisé — il s'était créé de lui-même. Et elles n'en parlaient à présent qu'indirectement.

Cela avait commencé pendant la période qui avait suivi la sortie d'hôpital de Lynda, quand, sans Dorothy, elle avait entrepris de lourds efforts pour mener une vie normale. Mark s'était alors laissé aller à rêver d'une nouvelle vie avec Lynda, d'un vrai mariage.

Comment Martha le savait-elle?

Eh bien, elle l'avait entendu. Une nuit, dans son lit, elle avait écouté d'étranges propos, des bribes de phrases, des suites de mots qui se déroulaient dans son esprit. Son attention, d'abord distraite, était revenue à ces phrases avec une soudaine connaissance étonnée : mais ce n'est pas le genre de choses que je pense : Mon Dieu, serais-je éprise de Lynda? Saisis d'effroi, les mots, les phrases cessèrent. Silence. Puis, tandis que son cerveau se décrispait et qu'une obscurité tolérante s'étendait, les mots reprirent. Si elle était éprise de Lynda, c'était avec cette région d'elle-même qui n'avait jamais été familiarisée avec... qu'elle n'avait seulement jamais aperçue. C'était un langage de passion d'écolière! Cette personne inconnue en Martha adorait Lynda, la vénérait, désirait enrouler ses longs cheveux doux autour de ses mains, soupirait : Pauvre petit enfant, pauvre petite fille, pourquoi ne veux-tu pas te laisser dorloter par moi?

Eh bien, songeait Martha, qui l'aurait cru? Je suis lesbienne, et une lesbienne encore écolière, qui plus est. En écoutant ce qu'elle crut, pendant un moment, être elle-même, elle entendit : « Si tu montes, ma chérie, je te promets, je te jure, que tu pourras fermer ta porte à clé autant que tu voudras pourvu que... laisse-moi être près de toi. »

Elle comprit que ce n'était pas elle-même, mais Mark. On avait beau accepter toutes sortes de concessions à l'égard de son inconscient, il restait quand même effarant d'adopter pour soi-même des attitudes que l'on avait somme toute eues sous les yeux pendant des années, en la personne de Mark.

Ce n'était pas sa manière d'employer les mots : voilà ce que pense Mark.

Puis : Je *crois* peut-être que c'est ce que Mark pourrait penser.

Mais il n'y avait moyen de rien prouver, de rien décider — mieux valait effacer toute l'affaire.

Elle détourna fermement son attention pour se consacrer à des problèmes matériels de routine. Le lendemain, au petit déjeuner, Mark prononça certaines des paroles qu'elle l'avait entendu employer : il confessait, avec une sorte de désespoir embarrassé, qu'il allait essayer de ramener Lynda vers lui, vers leur chambre. « Mais si elle préfère, je lui promettrais de garder la porte fermée à clé jusqu'à ce qu'elle se sente... »

Comme il était étrange d'entendre cet homme parler de ses projets concernant Lynda, de sa voix triste, fiévreuse, gênée, après avoir entendu ses pensées s'écouler impersonnellement, sans la coloration de l'émotion.

Mais Lynda recommença alors à « faire l'idiote », pour devancer toute tentative de pression.

Martha oublia l'incident.

Plus tard, elle se mit à entendre Paul. Tout d'abord, elle s'efforça de rester sourde. Mon Dieu, ce n'était pas bien d'écouter aux portes ou de lire des lettres adressées aux autres. Et puis, c'était atroce d'écouter Paul, comme d'écouter un animal pris au piège.

Tous ses fantasmes visaient à posséder le pouvoir, sous une forme ou sous une autre. Dans ses rêves éveillés, il dépassait, écrasait, minait, triomphait, il les obligeait tous à rester aux aguets, à courir, à se tenir sur la défensive. Il faisait tourner les tables, et révélait les gens pour ce qu'ils étaient — interminablement, chaque nuit, quand la radio s'arrêtait là-haut, il semblait qu'une autre s'allumât.

Mais... après quelque temps, des questions surgirent. Et elle ne savait pas comment y répondre, ni même où chercher les réponses.

Par exemple : si une personne réfléchit ou, tout du moins, laisse tourbillonner ses fantasmes, des mots, un schéma de notions circulent dans la tête de cette personne — et c'est à cela que se résume la pensée de la plupart des gens, seize heures par jour, et puis bien sûr sous une forme différente pendant leur sommeil, et puis ensuite quelqu'un d'autre, Martha par exemple, entend par hasard cette curieuse phrase, cette brève suite de mots, et alors on se demande : Pourquoi ces mots ? Pourquoi pas d'autres ? Ce que pensait Mark, ce que pensait Paul, apparaissait dans l'esprit de Martha comme un petit filet de mots. Ce qu'elle avait relevé représentait-il la forme originale de la pensée ? Ou bien existait-il un mécanisme capable de relever une idée, plutôt que des mots, dans le cerveau de Paul ou de Mark, et capable ensuite de le traduire en mots — comme un interprète simultané à une conférence. Ou bien, on disait que c'était possible, comme un ordinateur traduisant un langage dans un autre. Ou bien peut-être cela ne commençait-il pas par des mots, mais par une émotion. Qui savait ? Qui pouvait lui dire ? Car même s'il semblait à peu près certain que l'impulsion originale se fût exprimée en paroles, puisqu'elle avait entendu la formulation de Paul ou de Mark indiscutablement, cela ne prouvait rien. Il était somme toute concevable qu'une forte vague émotionnelle en Paul frappât Martha comme étant celle de Paul, et de personne d'autre ; et cette émotion se traduisait en mots identiques à ceux de Paul.

Il semblait que Martha ramassât une idée, une émotion, a, b, c, parce qu'elle était « branchée » sur a, b, c. Car il était intéressant de constater que, même si elle pouvait entendre des choses qui l'étonnaient ou la choquaient parce qu'elle ne s'attendait pas à les entendre (ramasser) à ce moment-là, elle n'avait jamais ramassé une idée, un ensemble de mots dont elle n'eût pu décider aussitôt qu'il appartenait au comportement-type de Paul ou de Mark. Cela pouvait signifier, ou bien qu'elle les connaissait assez pour que leur attitude ne pût jamais comporter de surprises aux yeux de Martha — possible ; ou que les impulsions, idées, émotions en eux, qu'elle ne s'attendait pas à rencontrer chez eux, qu'elle n'associait pas à eux, se traduisaient en impulsions, idées, émotions aussi proches que possible de celles que Martha pouvait accepter. Entendre.

Et elle revint alors, en un moment curieux et tellement inattendu, à cette loi répandue parmi les amis de Rosa Mellendip : à savoir que l'on ne peut jamais rien apprendre que l'on ne sache déjà, même si ce « savoir » était bien sûr caché en soi-même.

Dans ce royaume, on n'entendait rien, on ne ramassait rien que l'on ne sût déjà, ou que l'on ne fût déjà préparé à accepter. Peut-être s'agissait-il davantage de se souvenir — terme plus approprié.

Et puis — mais les questions se succédaient rapidement. Pourquoi n'entendait-elle pas Francis ? Pour autant qu'elle pût savoir, elle ne l'avait jamais entendu. Ou Lynda ? Parfois, quand elles se trouvaient dans la même pièce, oui, mais pas par hasard, pas quand elle ne s'y attendait pas...

Si l'émotion, comme on l'appelait, servait de conducteur à ces pulsions, cela expliquait pourquoi Paul était presque sans cesse « à l'antenne » — puisqu'il était, plus qu'aucun autre membre de la maisonnée, générateur d'émotions. Mais alors pourquoi Mark et non Francis ? Mark était un homme frémissant, renfermé ; Francis un garçon frémissant, renfermé. Ni l'un ni l'autre n'étaient aussi violemment émotionnels que Paul.

Elle connaissait Mark très bien ; et Francis moins bien. Elle pensait connaître Lynda aussi bien que n'importe qui... alors pourquoi ?

Elle se mit à réfléchir, songer, s'interroger, et plus que jamais souhaiter avoir quelqu'un à qui parler. Et l'autre désir revint, presque une certitude — elle entrerait dans une pièce, ou s'arrêterait près d'un groupe de terrassiers dans la rue, ou demanderait à une vendeuse dans une crémerie, et elle, ou il, ou ils, lui répondraient : Bien sûr, vous trouverez la réponse à ce que vous cherchez, *là*... il y a un homme qui...

Une nuit, comme elle descendait voir si Lynda allait bien avant de monter se coucher, elle lui demanda : « Lynda, t'arrive-t-il d'entendre ce que pensent les gens ? »

Ravie, Lynda se retourna aussitôt : « Oh ! s'exclama-t-elle, toi aussi ? J'attendais que tu... »

Et déjà Martha se sentait idiote. En effet, que disait donc Lynda, depuis tant d'années et sous tant de formes ? Mais Martha ne l'avait pas entendue. Elle n'avait pas *pu* entendre. Il lui avait manqué le moyen d'entendre — rien ne pouvant remplacer l'expérience.

En bref, la porte s'était ouverte, comme cela tend à se produire, sous les yeux de Martha, et elle y était longtemps restée ouverte, sans être vue de Martha qui n'avait pas pris la peine de regarder là, et qui avait cherché partout où c'était inutile.

Mais une fois ce pas franchi, eh bien, quoi ? — un autre mur nu, un autre contrôle.

Martha descendait chaque nuit, après les tâches de la journée, pour parler avec Lynda, pendant les moments où elles pouvaient être seules sans personne pour les déranger.

Elles appelaient cela « travailler ».

Mais elles ne savaient pas vraiment comment l'exprimer, ni comment procéder.

Questions. Il s'agissait d'une recherche intime, méfiante — mais si elles avaient su comment l'exprimer, elles auraient su par où commencer. Et il leur fallait garder le secret ; non pas à cause de décisions prises, mais parce que les circonstances l'exigeaient.

Il ne fallait pas troubler Mark ; Mark trouvait tout cela extrêmement troublant.

Il ne fallait pas détourner les enfants de leur éducation, ni leur permettre de se sentir plus différents qu'ils n'étaient destinés à le ressentir.

Les vieux fous du sous-sol, Mme Mellendip et les autres, s'étaient dispersés au départ de Dorothy, mais Lynda voyait encore parfois Rosa Mellendip, qui au moins comprenait de quoi elles parlaient quand elles parlaient de ce qui les intéressait. Mais Rosa était occupée ; elle faisait une carrière florissante à présent. Et puis, comme tout spécialiste, elle tendait à s'impatienter ou, pis encore, à se montrer condescendante quand elles voulaient l'interroger en dehors de son domaine — les lignes de la main, les cartes, l'horoscope.

Quelque part, c'était sûr, devaient exister des gens à qui elles pourraient parler.

Elles traquaient les idées, les intuitions, elles écrivaient à des gens dont les observations exprimées dans la presse ou à la télévision semblaient prometteuses d'espoir ; elles écrivaient à des auteurs ; elles questionnaient les gens qu'elles rencontraient, quand ils disaient quelque chose susceptible de pouvoir ouvrir des portes. Elles se servaient de leurs rêves, de leurs lapsus, de leurs fantasmes, non pas comme le Dr Lamb aurait pu souhaiter le leur voir faire, mais comme des cartes ou des pancartes leur révélant un pays situé juste au-delà, ou à l'intérieur des frontières qu'elles pouvaient atteindre.

Elles commandèrent toutes sortes de revues qu'il leur fallait dissimuler, avec des titres comme *Destinée* ou *Le temps des étoiles*, et les dévoraient dans l'espoir d'y dénicher des étincelles d'information, qui pouvaient apparaître aux endroits les plus invraisemblables. Mais là, dans cette région déjà connue, ou du moins en partie connue grâce à Rosa et aux doux dingues de naguère, c'était quelque chose de trop facile, trop complaisant. Cette porte pouvait si facilement s'ouvrir sur un quartier où tout le monde se connaissait déjà si bien, se sentait déjà bien à l'aise, dans une atmosphère de minorité initiée et partageant des vérités refusées au monde extérieur — répugnant ; mais il fallait se méfier des occasions manquées d'apprendre telle ou telle chose parce qu'on trouvait certaines réalités déplaisantes.

Et puis il y avait eu l'affaire de Jimmy Wood. Il avait à présent publié deux romans de science-fiction intersidérale, qui tous deux avaient remporté un succès considérable. Les intrigues de ces deux romans reposaient sur l'existence de gens dotés de plus de sens physiques qu'il n'est considéré comme normal. Le dernier avait traité d'un conflit entre une race douée de vision et d'audition intérieure, et une race capable d'imiter ces qualités avec des machines. La race équipée de machines anéantissait l'autre espèce, sous prétexte qu'elle était anormale.

Ayant lu ce livre avec passion, Martha coinça Jimmy dans la cuisine pour lui parler. Il souriait comme d'habitude tandis qu'elle essayait de lui faire dire où il trouvait ses idées de sujets — question qu'il semblait juger naïve. Elles étaient dans l'air, finit-il par déclarer. Et il poursuivit en expliquant que « nous écrivons tous » sur les mêmes sujets. Par « nous tous », il voulait parler des autres auteurs de science-fiction. Il lui décrivit ensuite un nouvel appareil auquel il travaillait, capable de stimuler ou de détruire certaines zones du cerveau, et ce sans rien de grossier comme des décharges électriques émises dans le cerveau à l'aide de fils, mais en utilisant des fréquences de son, ou des vibrations que l'on pouvait employer, d'après Jimmy, avec une très grande précision. Il était déjà sur le point de sélectionner un secteur cérébral gros comme un petit pois...

Oui, répondit Martha, mais supposons qu'il n'existe pas de machines. Cette race qu'il avait décrite, par exemple, n'avait-il lui-même jamais rien éprouvé qui pût?... mais il n'écoutait pas. N'écoutait pas en ce sens qu'il ne pouvait pas écouter : son expérience ne concordait pas avec ce qu'elle disait. Il n'était pas capable d'entendre.

Mark accompagnait souvent Jimmy dans un certain pub où se retrouvaient des auteurs de science-fiction. Il trouvait leur compagnie stimulante, car les idées exprimées dans leurs livres n'apparaissaient généralement pas dans les œuvres d'auteurs reconnus « littéraires ».

Il se serait toutefois montré aussi poli que Jimmy si Martha lui avait demandé s'il y allait par conviction personnelle ou pour en faire l'expérience. Martha l'y accompagna. Une vingtaine d'hommes et une ou deux femmes y parlaient de leur métier. Martha approchait tantôt l'un, tantôt l'autre, avec des questions prudentes. Il était curieux que cela dût se faire ainsi : tel homme, auteur de cinq ou six livres sur des gens dotés de tel ou tel sens hors du commun, apparaît embarrassé quand on lui demande s'il pourrait exister des gens ayant précisément cette particularité. Plus qu'étrange, quand on y pensait... Mais Martha dut revenir avouer à Lynda qu'elle avait manqué son but. Elles manquaient partout leur but.

Pourtant, dans leur propre expérience intime, c'était une période de possibilité. Comme si des portes s'étaient sans cesse ouvertes dans leur cerveau, juste assez pour admettre une nouvelle sensation, ou une étincelle de quelque chose — et elles avaient beau se refermer, il en restait quelque chose. Uniquement pour Lynda et Martha, et non pour tous les autres qu'elles rencontraient et interrogeaient, prudemment certes, mais anxieusement. Cependant la poésie, la tragédie, le théâtre ancien — partout, elles y trouvaient des allusions et des suggestions concernant ce qu'elles cherchaient ! Pendant cette période, toutes deux lurent ou relurent des poèmes, des auteurs oubliés depuis des années : elles comprenaient ce que voulait dire « les écailles tombèrent de leurs yeux » — les écailles étaient tombées. Les mots où elles n'avaient vu qu'obscurité, quand même elles ne les avaient pas sautés, s'éclairaient soudain. Ce qu'elles voulaient, appelaient, cherchaient se trouvait partout, tout autour d'elles, comme un air plus pur frémissant dans l'air banal et quotidien. Mais pour poser la main dessus, pour le prendre au filet, c'était tout autre chose. On eût dit que la lointaine douceur vécue dans un rêve, cette douceur impossible et immatérielle, moins la chose elle-même que le désir ou le besoin d'elle, une question et sa réponse unies dans la même note haute et claire — on eût dit que cette douceur, connue toute sa vie, douloureusement hors d'atteinte, s'était rapprochée, un tout petit peu, de sorte que l'on tournait continuellement la tête pour voir une chose entr'aperçue du coin de l'œil, ou que l'on s'efforçait d'affiner ses sens pour attraper quelque chose situé juste au-delà...

Elles appelaient cela travailler.

Cependant, elles pouvaient passer la nuit entière, seules dans le salon de Lynda, sans dire un mot, à écouter, à tenter d'être réceptives, à rester à l'affût. Il pouvait en sortir une idée ; ou rien du tout. Ou bien elles exploraient tel mot, telle expression ou telle pensée, en la laissant flotter dans l'air où elles pouvaient la sentir, la deviner, la goûter ; afin qu'elle puisse accumuler d'autres sons, d'autres mots, d'autres idées semblables. Parfois elles parlaient, en essayant de ne pas parler trop logiquement ou rationnellement, mais plutôt de laisser couler leurs paroles, car dans les espaces entre les mots, entre les phrases, pouvait se glisser autre chose. Elles ne savaient pas vraiment ce qu'elles faisaient, ni comment elles le faisaient. Pourtant, de toute cette matière rassemblée, elles commençaient à apercevoir une nouvelle sorte de compréhension.

Elles ne détenaient pas de mot pour cela non plus. Quand elles en parlaient, ou qu'elles essayaient, elles retombaient facilement dans des propos sur la folie de Lynda.

Peut-être était-ce parce que, si la société est à ce point organisée, ou plutôt développée, qu'elle refuse d'admettre ce que l'on sait vrai, sauf si cela arrive déformé par la folie, c'est alors dans la folie et ses composantes qu'il faut le chercher.

Fait essentiel, certaines de leurs découvertes les auraient trop effrayées pour qu'elles pussent continuer si Lynda n'avait pas été folle.

CHAPITRE TROIS

La maison continuait, sinon divisée contre elle-même, du moins découpée en atmosphères ou climats. Léger remaniement : Francis s'était installé au dernier étage quand il avait quitté l'école ; de sorte qu'à présent, de haut en bas, il y avait Francis, Paul, Martha, Mark, Lynda.

Quelques semaines avant son baccalauréat, Francis était revenu à la maison et demandé que l'on tienne « une conférence au sommet ». C'était là son expression même (non dénuée d'humour) pour ce genre de séances qui pouvaient, et cela se produisait même souvent, durer la moitié de la nuit. Cette fois, il désirait savoir pourquoi ils tenaient tant à lui voir passer cet examen. Mark, Martha et Lynda lui ayant soumis toutes les raisons dictées par le bon sens, tandis qu'il les écoutait d'un air assez raisonnable, il annonça qu'il se proposait de quitter immédiatement l'école. Aucun d'eux trois n'avait eu besoin de diplômes pour mener sa vie, observa-t-il ; il méprisait les examens et ce qu'ils représentaient ; et de toute façon, il rencontrait sans arrêt des gens frais émoulus de l'Université et, franchement, qui pouvait avoir envie de leur ressembler ? Il n'y avait qu'à regarder cet imbécile d'oncle Graham — voilà le genre de gens que produisaient les universités, dans le meilleur des cas.

Il retourna en pension pour faire ses bagages et revenir aussitôt. Ils croyaient à demi qu'il s'agissait simplement de l'anxiété causée par la proximité des examens, et qu'il les passerait quand même — ses professeurs annonçaient qu'il serait très honorablement reçu.

Mais il revint. Il avait des hauts et des bas — tantôt d'une gaieté désespérée, tantôt morose et silencieux. Il allait sans cesse voir son père dans son bureau, mais ils avaient encore du mal à parler ensemble ; il entrait dans la chambre de Martha, où il s'attardait comme dans l'attente qu'elle dirait quelque chose d'utile, et puis il entreprenait d'imiter ses professeurs et ses camarades. Il descendait ensuite voir Lynda. Il passait des heures avec elle, voulait l'emmener au théâtre, au restaurant ; réclamait qu'elle achète des vêtements neufs. Elle ne se faisait pas justice : tout le monde s'extasiait sur sa beauté. Le désespoir atteignit également Lynda : il la traitait en petite amie, et elle ne pouvait pas comprendre pourquoi, puisqu'il avait des amies.

Aucun d'eux ne savait que faire. Après des nuits entières passées à ressasser l'incohérence, l'illogisme et l'aspect frustrant de la situation, les adultes renoncèrent : après tout, on ne pouvait forcer personne à étudier. Plus tard, bien sûr, ils comprirent par où toutes ces délibérations avaient péché : ils avaient considéré Francis comme un cas isolé. Mais il n'était qu'un seul parmi des milliers, convaincus que l'éducation offerte ne leur convenait pas. Lorsqu'un être jeune, se sentant seul et sans défense, lutte contre des pressions qu'il croit presque invincibles, le combat est toujours oblique, désespéré, sans merci. (Bien longtemps auparavant, Martha avait pris la même décision, s'était battue sans relâche avec la ruse du désespoir, sans bien savoir ce qu'elle faisait, sinon qu'elle disait : Non, non, je n'en ferai rien.)

A présent, grâce à l'aide de Patty, Francis trouva un emploi de machiniste dans un théâtre, où il se mit à dépenser énormément. Il avait toujours beaucoup travaillé. Quelques semaines après avoir quitté l'école, il gagnait (comme il tenait à le préciser) ce dont beaucoup de gens en Angleterre devaient se contenter pour nourrir leur famille.

Ils continuèrent à parler de sa décision ; ils entamèrent une sorte de rapport provisoire qui se présentait ainsi : la plupart des gens qui habitaient ou fréquentaient la maison considéraient comme une perte de temps tout ce qu'on enseignait dans les écoles, à l'exception de quelques techniques mineures telles que la lecture, l'écriture, et l'emploi des livres de référence ; ils considéraient tout enseignement dispensé sous la rubrique Histoire, Art, Littérature, comme particulièrement dangereux puisque, par définition, ce ne pouvait pas être vrai — et c'était nécessairement le produit d'esprits dérivés qui représentaient temporairement des attitudes académiques congelées dans des formules momentanément rigides. Quiconque voulait apprendre quelque chose pouvait le faire tout seul dans une bibliothèque, ou en quelques semaines avec l'aide d'un tuteur, au lieu de toutes ces années requises par les écoles et les universités. Dans les sociétés modernes, l'éducation était principalement une éducation du conformisme. Ces convictions et ces attitudes étaient si profondément ancrées en eux qu'il n'était guère besoin de les énoncer. C'était implicite. De temps à autre, ils les avaient exprimées sous forme d'avertissements, ou d'instructions, à l'intention de Francis : Bah, il faut le faire, débrouille-toi pour t'en débarrasser, finis-en, mais ne prends pas cela au sérieux. Autrement dit, sa famille avait exigé qu'il travaille beaucoup, ou du moins suffisamment, mais tout en lui faisant clairement comprendre que le but de son travail était sans importance, si ce n'était même dangereux. On n'avait pas exigé davantage des saints. Quant à son école — « semi-progressive » —, elle semait tout autant de confusion. De même que la douzaine d'écoles du même genre, elle déplorait le système de sélection et ce qu'il représentait, elle prétendait offrir à ses élèves quelque chose de bien plus élevé, bien plus profond, bien plus ample que ce que pouvait être l'étude en vue d'examens ; mais en même temps, à cause du « système », elle était forcée de consacrer autant de temps à préparer les élèves aux examens que n'importe quelle école ordinaire.

Telles étaient donc les grandes lignes du « rapport provisoire » — classé et oublié quand ils découvrirent l'ampleur du mouvement auquel appartenait Francis sans s'en douter.

Beaucoup plus tard, Francis leur parla d'un incident qui s'était produit lorsqu'il avait environ treize ans et qui, d'après lui, avait constitué un tournant essentiel de sa vie. Mark ne s'en souvenait plus. Hélas, bien souvent les parents ont oublié ces moments que les enfants portent comme des cicatrices.

Francis avait rapporté de sa nouvelle école (la semi-progressive) des copies « d'examen blanc » en histoire et en anglais. Étant Francis, il les avait laissées traîner sur la table de la cuisine, où Mark ne pouvait manquer de les trouver en prenant le petit déjeuner, au lieu de les lui montrer, ou bien à Martha, pour lui demander son avis. Mark avait jeté un coup d'œil sur le devoir d'anglais, et demandé s'ils s'agissait d'une plaisanterie — peut-être était-ce un pastiche ? Francis n'avait rien dit, simplement écouté. Il avait particulièrement bien réussi ce devoir-là. Mark n'avait pas poursuivi — il trouvait apparemment le devoir si ridicule que cela ne valait pas la peine d'en dire davantage. La copie d'histoire avait reçu le même accueil (Le Monde antique — Égypte, Crète, Grèce, Rome). Mark s'abonna à une revue qui relatait les découvertes archéologiques, et conseilla à Francis de ne plus perdre son temps avec les cours d'histoire. C'était à ce moment-là que Francis avait renoncé à l'anglais et l'histoire comme matières principales, et qu'il s'était plutôt décidé en faveur des mathématiques, de la chimie et de la biologie, domaines dans lesquels il espérait que les faits constitueraient des vérités éternelles.

Son retour à la maison transforma celle-ci. Le grenier était vaste, et suffisait à héberger non seulement Francis, mais aussi Nicky, qui demeurait très souvent chez eux ; il ne s'entendait pas avec ses parents. Jill et Gwen auraient tout aussi bien pu venir s'établir aussi ; elles allaient encore en classe, mais n'obtenaient que des résultats fort médiocres — par principe, proclamait Phœbe.

Le grenier n'était que vibrations politiques, surtout du fait de Nicky. Il se prononçait pour le « Comité des Cent » plutôt que pour celui du « Désarmement Nucléaire ». Il était également anarchiste. Il n'avait pas dès le début adhéré au Comité des Cent, qui se trouvait déjà englouti dans le mythe après quelques mois à peine. (Les adultes auraient fort bien pu retenir ce petit événement public à l'appui de leur mépris pour l'histoire : mais quel événement ne disparaît pas en quelques semaines dans les mensonges et les demi-vérités ?)

On pouvait discuter que Nicky fût politique par tempérament : il avait été aspiré dans la politique par hasard. Lors d'un meeting à Trafalgar Square (méprisant la politique, il y était allé par curiosité), il observait avec un ami le déroulement de la manifestation quand des fascistes s'étaient mis à crier et à commencer une bagarre. Attirée par la haute stature de Nicky qui se démenait, la police l'avait interpellé, jeté à terre, et rudoyé. Ils s'étaient mis à six pour lui donner des coups de pied dans les parties génitales et les reins, et puis ils l'avaient flanqué dans un car de police avec son manteau tiré par-dessus sa tête de sorte que, comme il était évanoui, il aurait suffoqué s'il ne s'était trouvé quelqu'un pour le dégager. Au commissariat, il avait protesté de son innocence. On l'avait inculpé de coups et outrages à agents. Il avait téléphoné à Mark, qui avait téléphoné à un avocat, lequel lui avait conseillé de plaider coupable, puisque les magistrats choisissaient toujours de croire la version de la police. Jeune et passionnément intègre, comme il l'était encore à cette époque, Nicky avait refusé et, le lendemain matin, avait plaidé non coupable devant le tribunal. Un jeune policier qu'il n'avait jamais vu vint lire une déclaration, selon laquelle Nicky l'avait attaqué et frappé. Le juge avait condamné Nicky à une amende de quatorze livres sterling, en observant que ce jeune homme était manifestement porté à la violence.

Cette expérience avait fait basculer Nicky dans l'activisme politique. S'il n'avait pas grandi dans la bourgeoisie et la conviction que les policiers étaient en quelque sorte des domestiques, l'incident n'aurait pas eu de suite. Il avait déjà été arrêté une demi-douzaine de fois, à présent, et avait effectué un bref séjour en prison pour avoir participé à un « sit-in » devant une base aérienne américaine.

Francis, son ami de longue date, était prêt à le suivre dans la politique. Mais l'histoire de son enfance lui rendait la politique douloureusement grave : et l'on savait dans la maison que, dans l'intimité, il contestait souvent les positions de Nicky, qu'il les jugeait simplistes, et qu'il trouvait frivoles certains de ses compères.

Quant aux filles, elles se montraient violemment favorables au Comité des Cent. Comme l'expliquait Phœbe : « Bien sûr. Que pourraient-elles faire d'autre ? Il faut bien qu'elles manifestent leur haine à mon égard d'une manière ou d'une autre — et à moins d'aller militer chez les conservateurs, que peuvent-elles faire ? »

Gwen et Jill avaient toutes deux été arrêtées de nombreuses fois ; mais rien de sérieux n'avait jamais été retenu contre elles. A leur grand chagrin. Elles se plaignaient que c'était à cause de leur âge, ou parce que leur père était député. En vérité, l'explication devait plutôt résider dans leur genre particulier de beauté, encore douillettement blanche et rose, qui trompait aussi bien les policiers que les autres et leur donnait à penser qu'elles devaient être innocentes de tout. S'estimant victimes d'une discrimination, elles travaillaient d'arrache-pied dans des groupes dont les principales énergies s'employaient à insulter Phœbe et ses camarades : car cette nouvelle résurgence de la gauche, de même que toutes ses floraisons précédentes, suivait fidèlement la loi du genre : on y consacrait davantage de temps à combattre ses alliés et ses camarades qu'à combattre l'ennemi. Cinq ou six ans après avoir été une extrémiste criminelle et traîtresse, dont le courrier consistait pour moitié en lettres d'injures et de menaces, Phœbe découvrait à présent qu'elle était lâche et opportuniste.

Au début, elle prit la chose avec humour ; puis avec moins d'humour — elle partit se reposer chez Nanny Butts. A son retour, elle se mit à appeler Martha plusieurs fois par jour pour se plaindre de ses filles : elle souffrait de migraines, de nausées, d'insomnies. Phœbe ne croyait toujours pas à la « psychologie » ; elle croyait dans la vertu de redresser la tête. Mais elle avait quand même bel et bien une dépression nerveuse.

Margaret également ; mais dans son cas, l'expression ne fut jamais employée. Comme Mark jugeait nécessaire de l'expliquer, les grandes familles ont toujours fait éclore un vaste éventail d'excentricités.

Pendant environ deux ans, la maison de Margaret était demeurée un centre d'animation en faveur de la légalisation de l'homosexualité. Son époux, John, s'était vu épargner la prison, mais deux de ses amis s'y trouvaient enfermés. De l'avis général, il avait été un homosexuel non pratiquant ; mais désormais, peut-être à cause de la sympathie qu'il découvrait autour de lui à ce sujet, il se permit quelques aventures et envisagea même un moment de quitter Margaret.

Elle n'exprima pas ce qu'elle en pensait. Sa maison restait un lieu de rencontre pour des foules de gens charmants : elle n'avait jamais eu d'amis intimes.

Comme une bonne cause mène à une autre, les initiateurs de la campagne pour la suppression de la peine de mort la recrutèrent, et il apparut bientôt que, chaque fois qu'on rencontrait Margaret ou qu'on allait chez elle, on avait une nouvelle pétition à faire signer ou un comité à patronner. Elle observait parfois en souriant qu'elle était une vieille conservatrice, une vieille dure-à-cuire ; elle ne s'était jamais vue comme une meneuse de croisades. Mais ce n'était pas tellement une plaisanterie, en fin de compte. Secrètement, elle se demandait comment elle avait pu se retrouver dans cette situation — elle avait épousé John, un gentleman aimablement incliné à la littérature et doté d'amis nombreux et intéressants, avec un fils qu'on disait brillant, et elle s'était brusquement trouvée transformée en pilier du progressisme, avec son nom imprimé sur une vingtaine de papiers à en-tête.

C'était la faute de Graham. Faute ? Ne croyait-elle donc pas à la nécessité de réformer la loi sur l'homosexualité, de supprimer la peine capitale, et ainsi de suite ? Bon, si bien sûr — bien que l'homosexualité ne l'eût jamais intéressée, ou ne l'eût jamais défiée, jusqu'à l'histoire de John ; et bien qu'en effet la peine de mort pût paraître démodée, ce n'était certes pas une cause qu'elle eût de son propre chef choisi de brandir. Bon, l'avait-on forcée à choisir ? Lui avait-on collé un revolver sur la tempe ? Non, bien sûr que non, mais... Pourquoi fallait-il que Graham considérât de son devoir d'élargir l'esprit de la nation en autant de directions ? Non, non, il n'y avait vraiment aucune raison pour qu'il ne fût pas une personnalité de la télévision ; elle éprouvait une vive fierté d'avoir fait bon accueil à la télévision quand tant de gens, du même milieu et du même genre, sans parler des intellectuels, l'avaient méprisée. « Tout le monde » à présent passait à la télévision, et la regardait. C'était simplement que — eh bien, qu'était-ce au juste ? Rien qu'elle pût discerner précisément, ni même affronter d'un esprit logique. (Pourquoi fallait-il toujours être logique, cohérent ?) Elle en avait assez de tout — et en particulier de Graham. Il allait toujours se marier, ou presque, et puis il changeait d'avis ; il se fiançait à son de trompe ; il annonçait de nouvelles émissions, et parfois rien ne se produisait ; il lançait un nouveau comité, une nouvelle pétition. Oui, oui, elle l'aimait beaucoup, elle était fière de lui. C'était un garçon adorable. Il avait près de trente-cinq ans — *n'était-il pas temps de se fixer ?*

Elle aurait voulu... elle n'avait pas la moindre idée de ce qu'elle aurait voulu, ou de ce qu'elle regrettait. Peut-être avait-elle envie d'une maison vide, d'un téléphone silencieux, d'un mari qui ne fût pas comme un invité, exquis dans les dîners ou les garden-parties, mais invisible le reste du temps. D'elle, en tout cas.

Elle partit pour de longues vacances dans un petit village « préservé » sur la Costa del Sol, où elle noua d'agréables relations avec un pêcheur qui, l'été, promenait des touristes dans son bateau. Il avait environ quarante-cinq ans ; il était beau ; il avait une femme et des enfants ; et elle comprit qu'elle l'aimait passionnément en découvrant qu'elle estimait avoir gâché sa vie. Mark reçut une longue lettre embrouillée, et en parla longuement avec Martha. Sans doute souhaitait-elle qu'on vienne à son secours. Qui, Mark ? Mais Mark n'éprouvait aucune compassion. Il était fâché ; critique. Elle n'aurait certainement jamais dû s'adresser à Mark — mais à qui aurait-elle dû écrire, alors, et que voulait-elle exactement ? Fallait-il que Martha aille la chercher ? Mais avec tous ces jeunes gens, et en particulier les filles de Phœbe, sans parler de Paul, dans cet état d'émotion bouillonnante, elle n'avait aucune envie de s'en aller. Qui, alors ? Margaret n'avait-elle donc pas d'amis ? Il semblait que non. Finalement, ce fut Patty Samuels qui partit. Margaret aimait bien Patty ; Patty admirait Margaret. Patty trouva Margaret installée dans une chambre qui coûtait cinq shillings par jour, chez une veuve et sa fille mariée : elle prenait ses repas dans un petit restaurant où elle pouvait se nourrir copieusement pour cinq ou six shillings. Le pêcheur était inexplicablement parti pour Valence. Margaret babillait beaucoup sur les joies d'une vie simple, des vraies valeurs, et ainsi de suite. Patty l'écouta gentiment pendant deux jours. Elle se rendait bien compte que Margaret allait mal, mais c'était le genre de dépression nerveuse qui peut fort bien passer inaperçue. Margaret demeurait assez vague, elle divaguait un peu ; elle apparaissait fort dépendante, mais sans rien de spectaculaire.

Patty la ramena chez elle et demeura quelques semaines auprès d'elle en disant que Margaret avait attrapé une mauvaise grippe en Espagne. John Patten repartit séjourner chez sa mère très âgée. Margaret, sachant que sa petite Patty chérie allait bientôt devoir s'en aller, venait sans cesse dans la maison de Radlett Street, en quête d'amour, de vie familiale et de valeurs simples.

Elle disait à Patty qu'elle adorait ses petits-enfants ; mais pour diverses raisons, Paul, les deux filles et Francis traversaient cette phase de l'existence où ils pouvaient le moins l'aimer. Elle cherchait constamment à les allécher par des vacances, des voyages, des soirées au théâtre ; mais ils rejetaient toutes ses offres, et elle en souffrait. Elle souffrait affreusement, et Patty demeurait auprès d'elle, toujours gaie, drôle, calme, terre à terre. Margaret ne savait pas que, si Mark avait aussi peu de temps pour la voir, bien moins que d'habitude, c'était à cause de Lynda qui faisait à nouveau « l'idiote », et dont il s'occupait à présent sans l'aide d'aucune infirmière.

Au-dessous de chez Francis, Paul poursuivait son parcours solitaire.

A présent, comme toujours, ces deux-là n'avaient rien à se dire. On les avait élevés ensemble ; et pourtant, ils n'avaient certainement pas passé six heures côte à côte de leur propre choix au cours de toutes ces années. Les repas s'écoulaient sans qu'aucun semblât s'apercevoir de la présence de l'autre. Et si quelqu'un entrait dans une pièce où ils se trouvaient tous deux, à lire ou ne rien faire, on eût dit qu'ils étaient chacun seul.

Paul, bien sûr, en parlait volontiers, avec volubilité : et Francis avec difficulté. Paul affirmait que Francis était jaloux parce qu'il représentait le canard boîteux de la couvée. Francis estimait qu'ils n'étaient pas sur la même longueur d'ondes. Les filles et Nicky étudiaient la question en profondeur, et s'efforçaient parfois de rapprocher les deux garçons : c'est-à-dire de faire descendre un étage à Francis, pour rendre visite à Paul. Très polis, respirant la bonne volonté et l'embarras, ils se tenaient comme en spectacle tandis que les autres regardaient, à l'affût d'un indice, d'un début d'entente psychologique, ou de rencontre... En vérité, les gens diffèrent considérablement les uns des autres. Beaucoup plus qu'on n'aime à le reconnaître. Pourquoi est-ce donc si dur à admettre ? Comme si le seul fait de l'admettre revenait à reconnaître autre chose de bien pis, un échec de l'humanité, la mort ou la disparition d'une espérance pour nous tous. Il apparaissait clairement qu'en ces rares occasions où quelqu'un — généralement Jill et Gwen — avait tenté de rapprocher Paul et Francis, tout le monde se montrait humble et doux, avec une tendance à s'excuser abondamment pour la moindre chose, tandis que Paul et Francis se donnaient beaucoup de mal pour se passer le sel ou le pain à table et que Paul plaisantait sur les rivalités entre gens de même descendance. Et quand Paul eut Zena, tellement bien sur sa longueur d'ondes, et qu'il cessa d'afficher cette douloureuse solitude chargée de reproches, avec quel soulagement les occupants du dernier étage oublièrent le besoin, ou le devoir, d'inclure Paul dans leur univers.

Il avait quitté l'école. Trois mois avant l'examen de fin du premier cycle secondaire, et alors qu'il n'avait absolument rien fait jusqu'alors, il se mit soudain à travailler frénétiquement. Son professeur avait dit devant toute la classe qu'avec un cerveau pareil, rien ne devrait pouvoir empêcher Paul de passer brillamment dix matières de l'examen. Paul avait alors insisté pour présenter dix matières à l'examen. Il s'en était bien tiré dans trois sujets, médiocrement dans deux autres, et avait totalement échoué dans les cinq autres. Brillant résultat dans l'ensemble, si l'on considérait le peu de préparation ; mais c'est alors qu'apparut la première preuve (du moins était-ce la première fois qu'ils en prenaient conscience) d'une forme de raisonnement particulière à Paul, et qui devait réapparaître sous diverses formes. On l'avait laissé tomber, d'après lui. Ce n'était pas sa faute, s'il avait autant échoué. Pas du tout. En apprenant qu'il n'avait pas brillamment réussi dans les dix matières présentées, il avait commencé par bouder, puis par faire une violente colère, et puis par s'en prendre à son professeur : « Vous n'avez pas tenu votre promesse. » L'effarante absurdité de ce reproche valut à Mark d'être convoqué par le professeur. Le fait central dans ce cas était que, comme tous les enseignants des écoles publiques, il était tellement débordé de travail qu'on ne pouvait pas attendre grand-chose de lui. Il observa : « Il se comporte comme si j'avais passé un contrat avec lui — quelque chose de ce genre ! Peut-être pourriez-vous éclairer la situation... »

« Il l'a dit ! Il ne peut quand même pas prétendre qu'il ne l'a pas dit », répétait Paul. Il ne voulait plus retourner dans cette école-là, ni dans aucune autre. Il semblait croire à présent qu'il n'avait promis de rester une année supplémentaire après l'étape fatidique des quinze ans que parce qu'on lui avait promis ces bonnes notes dans dix matières à l'examen. La direction de l'école suggéra de mener Paul voir un psychiatre.

Paul en avait déjà vu plusieurs, mais à petite doses. Le Dr Lamb fut une fois de plus consulté, et Paul eut un entretien, non pas avec le Dr Lamb lui-même, à présent trop élevé dans la hiérarchie de sa profession pour accepter les gros risques — ce qu'était Paul, très exactement —, mais avec un confrère de moindre réputation. On estimait dans l'ensemble que Paul, de même que Lynda, ne semblait pas adapté à la notion de thérapie. Il lui manquait la base nécessaire.

Qu'était donc cette base ? En traduisant dans le langage de la vie ordinaire, on se retrouvait au même point qu'avant : Paul n'avait pas le moindre sens du bien et du mal.

Sans doute cela lui manquait-il en effet, mais il avait autre chose, peut-être un sens d'autopréservation ? Il semblait toujours guetter ce que pensaient les autres du bien et du mal ; cela ne suffisait-il pas ? Dans l'ensemble, on pensait plutôt que non.

Paul demanda quand commencerait sa thérapie ; et s'entendit répondre que rien n'allait commencer. Il répliqua d'abord : « Vous ne payez pas de frais de scolarité pour moi. Je ne vois pas pourquoi vous ne pourriez pas me payer une analyse. » Et ensuite : « Pour autant que je puisse voir, je suis trop malade pour qu'on puisse me soigner ? Jusqu'à quel degré dois-je guérir, avant qu'on me prenne ? »

Il devint clair que le fait de *ne pas* suivre une thérapie lui apparaître comme un symptôme supplémentaire de son anormalité ; Mark fit donc en sorte qu'il eût un traitement avec un analyste moins demandé. Paul y alla deux fois et déclara qu'il ne remettrait plus les pieds chez ce vieux crétin.

Pendant un certain temps, il ne fit rien ; il restait dans son coin, regardait la télévision, lisait un peu, et se battait avec Martha : il la suivait à travers la maison, en quête d'occasions.

Ces occasions se présentaient généralement lors des repas. Il mangeait beaucoup.

« Martha, penses-tu que si je mange beaucoup, c'est pour me rassurer ?

— Quelqu'un te l'a-t-il dit ?

– Deux médecins, oui.
– Peut-être es-tu tout simplement gourmand ?
– Mais ce n'est plus le genre de vice qu'on a, à l'heure actuelle. On peut être gros – ça, c'est un vice. Mais manger trop n'en est pas un. Je ne suis pas gros du tout. Je suis maigre, au contraire. Je peux donc manger jusqu'à la folie et, d'après nos idées actuelles, ce n'est pas un vice.
– Alors ressers-toi, je t'en prie.
– Je me suis déjà resservi une fois. Encore, s'il te plaît... »

Dans sa chambre s'accumulaient des objets bizarres, beaux ou sinistres. Jusqu'à fort récemment, ses objets, les coussins et les soieries et les diverses saletés qui portaient sa marque, semblaient une peau exotique par-dessus la base sobre du lit, des sièges et de la commode de la vieille maison. Mais il s'était débarrassé des meubles, et avait pris possession de tout l'étage. Il ramassait des choses sur les marchés, dans les boutiques, dans les coins et les recoins de Londres, la grande brocante. Il ne les volait pas. Il ne volait plus, pour le moment. Il ne voyait aucune raison de ne pas le faire ; mais d'autres gens volaient : et il faisait preuve d'une grande magnanimité à leur égard. Il discutait, marchandait, mégotait ; il passait des journées entières à faire des prodiges d'ingéniosité pour obtenir ce vieux fauteuil, ce tapis, cette table : il ne s'intéressait pas à ce qu'il pouvait avoir sans peine.

« Mais je ne l'ai pas volé, Martha, alors pourquoi prends-tu cet air ? » Il se renfrognait, ou bien s'enflammait : il obéissait à la loi, il obéissait à leurs règles, alors pourquoi prenaient-ils, prenait-elle, toujours, cet air ?

Car Martha savait fort bien qu'il n'avait pas pu se procurer tel ou tel objet pour ce prix, à moins que le brocanteur, le marchand, la ménagère – il frappait aux portes, dans les quartiers pauvres, et employait tout son charme et son ingéniosité à se faire introduire dans les maisons – eût été assommé, chloroformé par cette qualité d'excès qui apparaissait en lui. Dans le jeu du marchandage existent certaines règles : implicites, mais reconnues et appliquées. Ce besoin impérieux qu'avait Paul de posséder, de rouler, de duper n'en faisait pas partie. On prétend volontiers que ce sont les fondements mêmes du marchandage. Mais en vérité, le fondement du marchandage est une sorte de bonne humeur. Quelque part derrière cette affaire d'échange qui permet la circulation au sein des villes d'objets de toutes sortes, gît la reconnaissance d'un besoin humain qui s'épanouit dans le troc, dans l'échange d'un sac de pommes de terre contre une poule qui a passé l'âge de couver. Mais Paul se contentait d'admettre qu'il existait des lois disant qu'il ne fallait pas simplement prendre.

« Que comptes-tu faire ? Ouvrir une boutique de brocante ?
– Et qu'y aurait-il de mal à cela si je le faisais ?
– Rien du tout.
– Mais tu préférerais que j'aille travailler dans un bureau ?
– Pourquoi n'ouvres-tu pas une boutique de brocante ?
– Pourquoi veux-tu que j'aille payer un loyer ailleurs, quand je

peux rester ici ? Si tu refais ce délicieux gâteau demain, je te donnerai ma nouvelle gravure.

— Je le referai de toute façon si cela te fait plaisir. »

Mais la chambre de Martha s'encombrait peu à peu de petits bibelots.

« Oh, je sais ! Ils ne te plaisent pas vraiment ! Mais tu pourras prendre ce coussin si tu me fabriques une chemise en soie noire.

— Je regrette, mais je ne pourrai pas m'y résoudre — c'est ma génération. Je ne pourrais ni faire ni porter une chemise noire.

— Dieu, que c'est ridicule ! Dieu, que c'est sentimental !

— Si tu veux. Mais tu m'as posé la question en sachant pertinemment ce que j'allais te répondre. Alors je te fais ce plaisir. »

Il se renfrognait, et faisait étinceler ses beaux yeux boudeurs. Il était trahi. Des jeux. Les jeux qu'il faut jouer. Elle les jouait. Et une nuit elle entendait ce fantasme de Paul : *Si ce crétin de Harry Singer dit qu'il ne voulait pas vraiment me laisser prendre ce coussin, je dirai qu'il a été volé. La police le trouvera dans la chambre de Martha. Et elle ira en prison.*

Il rencontra Zena dans un magasin de chaussures, où elle travaillait. Elle s'était sauvée de chez elle, à Birmingham. Elle avait dix-huit ans, et habitait « chez un ami ». D'après ce que comprit Martha, l'ami était un ancien amant de sa mère. Zena était l'image féminine de Paul : souple et brune avec des yeux noirs. Ils passaient des heures ensemble à l'étage de Paul, à jouer devant un grand miroir et à s'envelopper dans des morceaux d'étoffe, à poser devant des photographes imaginaires. Elle restait parfois dormir.

« Martha, tu crois sûrement qu'on couche ensemble. Vous avez tous l'esprit tellement dégoûtant.

— Je me moque bien de savoir si vous couchez ensemble ou non.

— Et pourquoi donc ? Tu es censée t'occuper de moi, non ? Suppose que Zena se retrouve enceinte ?

— Eh bien, nous verrons cela quand la question se posera.

— Ah, tu vois — tu as l'esprit sale. Nous ne couchons pas ensemble. Tu ne le croiras jamais bien sûr, et elle vit avec ce vieux dégueulasse qui l'adore, mais elle ne lui permet pas de la toucher. Elle n'aime pas qu'on la touche.

— Eh bien, alors tout va bien ?

— Tu ne le penses pas, hein ? Tu préférerais qu'on baise jour et nuit... tu trouverais ça normal, hein ?

— Chacun son goût », répondit Martha.

Elle entendait les fantasmes de Paul en petites phrases dénuées d'émotion qui lui coulaient paisiblement dans la tête, de sorte qu'elle avait l'impression d'une caricature violemment tracée, avec des mots proprement alignés dans une bulle minuscule au-dessus de l'image : *Je dirai à Martha qu'en vérité Zena couche avec le vieux cochon. Je lui dirai : Zena a attrapé la vérole, a employé ta serviette, ce n'est pas grave, dis ?*

Paul déclara au petit déjeuner : « L'amant de la mère de Zena a des habitudes dégoûtantes.

— Pauvre Zena.

— Comment savoir si elle n'a pas attrapé quelque chose, sur une serviette ? Ils partagent la même salle de bains.

— Eh bien, quand cela se produira, j'imagine que nous le saurons vite.

— Dégoûtante ! Tu es dégoûtante ! » Il était pris d'un désespoir aigu, ses yeux brillaient de haine : c'était qu'il contemplait le monde extérieur. Mais avec lui, à l'écart du monde, en sécurité, il y avait Zena. A table ils se faisaient face, et s'adressaient de petits coups d'œil doux comme des baisers ou des caresses de chat. Ils portaient des blue-jeans, des chandails aux couleurs éclatantes, et leur chevelure noire étincelait. Dans la chambre de Paul, ils s'asseyaient par terre l'un en face de l'autre, et s'adoraient sans se toucher. Ils descendaient l'escalier côte à côte, main dans la main, leurs yeux doux et noirs fixés droit devant eux. Paul et Zena, Zena et Paul. Les autres les appelaient les Siamois.

« Te rends-tu compte, Paul, disait Jill avec ardeur, que pour vous deux il s'agit là de pur narcissisme ?

— Merci », répondait Paul. « Nous le savons. Mais l'amour est toujours narcissique. Regarde la plupart des couples mariés — ce n'est pas qu'ils ont fini par se ressembler. Ils se ressemblaient dès le départ. Et c'est pour cela qu'ils se sont choisis l'un l'autre, consciemment ou non. Mais regarde comme ils sont *laids*. *Hideux*. Ils savent qu'ils sont *laids*, alors ils choisissent quelqu'un d'aussi laid, pour pouvoir se mettre au lit et contempler leur propre visage *hideux*. Mais nous sommes beaux. Zena et moi sommes extrêmement beaux.

— Ah, écoutez-le !

— C'est vrai. Et vous ne pouvez pas vous empêcher de nous regarder. Vous nous regardez sans arrêt. »

Au-dessous de Paul et Zena — Martha. Mais de toutes les époques de sa vie, jamais elle n'avait été moins Martha qu'à présent. En partie parce que Lynda était à nouveau malade ; et en partie à cause des jeunes gens : elle n'était jamais seule, et se sentait toujours fatiguée ; elle se contentait de survivre. Peu importe : tout passe.

Sa chambre même n'était plus vraiment sienne : elle s'ouvrait brusquement à tout instant, sous la pression de quelque nouvelle exigence. Les autres pièces de son étage, les anciennes chambres de James et de Francis, servaient à nouveau — généralement à Jill et Gwen, qui ne pouvaient tout de même pas dormir dans la chambre de Francis, même si elles y passaient le plus clair de leur temps. Elles n'habitaient pas vraiment là : elles continuaient d'habiter avec Phœbe, leur mère. Mais la dépression nerveuse de Phœbe provoquait des querelles — ou bien leurs querelles expliquaient la dépression nerveuse. C'était plus agréable ici. Souvent la seconde famille d'Arthur Colridge — les demi-sœurs des filles — venait aussi. Cet étage résonnait de rires étouffés de jeunes filles, d'interminables conversations menées à voix basse tandis qu'elles se coiffaient et se maquillaient sans cesse — et elles allaient et venaient chez Martha pour lui emprunter ses vêtements et ses chaussures en s'excusant à peine. C'est là une des fonctions que remplissent les femmes plus âgées à l'égard des jeunes, et elle s'en acquittait donc, tout d'abord parce qu'il le fallait, et ensuite par gratitude envers ce qui lui était ainsi fait. Après une année ou deux, avec ses possessions naguère chéries, les chaussures, les robes, les foulards, les chemisiers, le parfum, qui font toujours partie du décor pour une jeune fille, tous les charmants accessoires de la séduction avaient cessé de lui appartenir en propre. Il lui semblait qu'une coquille, ou une peau, avait été ôtée, comme si un aspect d'elle-même s'était évanoui pour s'intégrer à cette créature fluide et située hors du temps, la Jeune Fille, dont les traits étaient aussi peu ceux de Jill ou de Gwen qu'ils étaient les siens.

Et plus jamais elle n'avait pu acheter un foulard ou une paire de boucles d'oreilles, sauf pour quelque personnage hiérarchique dont il fallait temporairement remplir la fonction, ou bien pour un personnage de théâtre. La rejuvénation que donne une jeune fille à sa mère, ou à toute autre femme d'un âge avancé, est une libération sur la voie de l'impersonnalisation, et aussi une libération de son passé intime.

Chaque fois que Martha regrettait de ne pouvoir gifler Gwen ou traiter Jill de monstre — elle se souvenait de Martha Quest. Cette fille rageuse, violente, cruelle, glaciale, qui employait toutes les armes, même les plus malhonnêtes, pour survivre, comme elle avait dû le faire et comme c'était la première tâche de toute personne, cette fille, donc, avait disparu, elle en avait été dépouillée, et ce n'était plus qu'un personnage utilisé un jour ou deux, une semaine ou deux, un an, six ans, par Gwen et Jill ou quiconque en éprouvait le besoin.

Il existait des rôles écrits, prêts à servir ; il existait une pièce, fixe comme un devoir.

Apparemment, sans se rendre compte le moins du monde qu'elle se comportait comme sur une scène, dans le rôle d'une mère de deux filles adolescentes, Phœbe récitait un rôle que Martha se rappelait mot à mot pour l'avoir entendu réciter à sa mère. A certains moments, Martha s'entendait proférer des choses qu'elle n'éprouvait pas plus, ou n'éprouvait pas plus personnellement, que des choses dites par Phèdre ou Lady Macbeth. « Si tu n'as pas plus de considération pour... », « Attends seulement d'avoir mon âge et tu verras... », « Quand tu auras tes propres responsabilités, alors... ».

Arthur Colridge, qui avait quitté le sein de sa famille conservatrice à l'âge de dix-huit ans après s'être tant querellé avec sa mère que, maintenant encore, Margaret et lui pouvaient à peine être polis l'un envers l'autre, avait été assisté dans sa fuite par un premier amour, la veuve d'un poète communiste qui avait trouvé la mort en Espagne. Son premier acte public avait donc été aussi sexuel que politique et avait mis fin à son éducation. Il avait sur la morale publique des idées libérales. Mais il répétait au moins deux fois par semaine à Gwen et Jill qu'elles devaient terminer leurs études (si possible universitaires) avant d'aller « batifoler » et se lancer dans les expériences sexuelles et que, si elles rentraient le soir après dix heures, il espérait que Phœbe faisait preuve de sévérité.

Certains membres de sa génération trouvaient ce rôle plus difficile à assumer que d'autres... mais Martha demeurait convaincue que « les enfants » n'étaient jamais plus heureux, jamais plus béatement furieux qu'en entendant un beau sermon de morale traditionnelle.

« Je te déteste », hurlait Jill quand Martha déclarait : « Évidemment qu'il ne faut jamais laisser un homme t'embrasser la première fois que vous sortez ensemble. » « Tu es *sordide* », gémissait Jill. Mais une demi-heure plus tard, elle était allongée sur le lit de Martha à parler de vêtements et d'amour comme s'il ne s'était rien passé du tout.

Et Paul aurait été ravi si Mark ou Martha lui avaient infligé des sermons, avaient redouté le pire dans ses relations avec Zena. Paul descendait au sous-sol pour provoquer Lynda et lui faire dire qu'elle détestait Zena, ou qu'elle trouvait Paul paresseux. Il estimait que Lynda avait un sens moral, contrairement à Mark, qui ne donnait jamais son avis, et contrairement à Martha, dont on ne pouvait guère compter que la réprobation fût plus qu'intermittente.

Quand Lynda hurlait : « Tu n'es qu'une sale bête complaisante ! » Paul rayonnait de satisfaction.

Fallait-il se forcer à réciter tel ou tel rôle d'une pièce ancienne, même si l'on n'y croyait pas ? Elle revenait sans relâche sur ce point, le seul point important, éprouvait-elle, quant à l'éducation des enfants, quant à la proximité des enfants : dès l'instant où un bébé fixait son regard sur vous, si direct, si grave, et si absolument semblable au regard que, devenu adulte, il conserverait, alors c'était comme s'il fallait jouer, marquer le temps, jusqu'à ce que le bébé apparût dans les yeux. Il n'était pas possible de prendre le jeu au sérieux. Mais bien sûr, il fallait jouer juste... pourtant, c'était totalement absurde. Pourtant, Martha restait éveillée pour se tourmenter : Devrais-je faire ceci, devrais-je faire cela ; et Mark et Martha et Lynda se réunissaient pour s'inquiéter encore : Qu'en penses-tu ? Devons-nous ? Mais si plutôt nous...

Et pourtant, quand elle avait fini le cruel combat qu'elle devait mener contre Paul (il était un point sur lequel ils tombaient tous d'accord, y compris Paul lui-même qui le disait, c'était qu'on ne devait rien lui laisser passer), l'instant où Paul croisait son regard pour partager avec elle cette certitude, ou cet amusement : *comme c'est ridicule*, ce moment-là était réel.

Et puis les jeux reprenaient, ils réintégraient leurs personnages, adolescents et adultes, et faisaient tout ce qu'il convenait de faire.

Exactement comme avec Jill et Gwen, les jolies adolescentes. Entre elles et Martha régnait une compréhension détendue, une sympathie. Mais les jeux se poursuivaient, les bouderies et les regards furieux et les portes claquées et les plaintes au sujet de leur mère, les plaintes au sujet de la vie.

Lorsque le jeu, quel qu'il fût, se terminait, l'une ou les deux venaient dans la chambre de Martha, franches, droites, charmantes, et elles y passaient une heure, ou bien la soirée. Et leurs yeux laissaient paraître l'intelligence limpide d'un regard d'enfant, ou d'un regard d'adulte mûr... jusqu'à l'heure de reprendre cet autre schéma, en tâtonnant ou bien en récitant un rôle, le besoin d'alimenter et de développer l'adolescent.

On eût dit que des voiles de brume glissaient sans cesse entre eux ; que des lumières éternellement allumées, toujours présentes, s'éloignaient et se rapprochaient les unes des autres, d'un mouvement uniforme, tandis que des ondes de turbulence venaient s'interposer, et s'agitaient furieusement pendant un moment avant de s'éloigner ; les lumières brillaient alors à nouveau, et communiquaient entre elles.

Les filles venaient vers Martha parce que leur mère était malade.

La maladie avait été précipitée lorsque Phœbe avait accepté d'épouser Jim Troyes, et que le mariage ne s'était finalement pas fait. Pendant quelque temps, tout s'était bien passé. Tout le monde semblait heureux que la travailleuse Phœbe pût enfin connaître l'amour et la joie. Et même le prestige — car Jim ne voyait pas que Phœbe fût ennuyeuse, ou minée par le devoir. Au contraire, il avait surtout connu la politique locale des villes du Nord, et Phœbe différait beaucoup des femmes avec qui il avait travaillé. D'abord, elle avait été l'épouse, et était demeurée l'amie, du farouche militant Arthur Colridge. Elle apparaissait parfaitement à son aise dans les milieux politiques de Londres, bien plus vastes que simplement travaillistes. Il se sentait bien sûr choqué de constater que les démarcations politiques de son expérience se fondaient, ici, à Londres, dans ce qu'il ne pouvait s'empêcher de voir comme une indifférence de principe. (Quand il quittait Londres, c'était toujours avec le sentiment de s'éloigner d'un danger moral.) Et puis Phœbe semblait tout autant à son aise dans les milieux littéraires — ainsi voyait-il Mark Colridge. Elle appelait par leur prénom une douzaine de nouveaux dirigeants africains, qui avaient autrefois été ses amis. Et pourtant, cette femme accomplie et multiple avait besoin de lui. Phœbe l'enchantait, et il était prêt à se laisser ravir par les petites filles : ses propres enfants avaient atteint l'âge adulte, et il était divorcé.

Ce furent les petites filles qui firent tourner court toute l'affaire ; bien qu'il eût sans doute été difficile de définir comment. Plus tard, bien sûr, elles s'exclameraient : Seigneur, que j'étais donc odieuse... Mais ce n'était vraiment pas de chance pour Phœbe que leur période affreuse coïncidât avec Jim Troyes. Tout d'abord, elles le traitèrent avec condescendance : elles étaient d'abominables petites snobs. Il apportait à Phœbe des boîtes de chocolats, mais ce n'était pas la bonne marque ; il lui offrait de gros bouquets de fleurs, qu'elles « arrangeaient » avec infiniment de sophistication dans tout l'appartement ; il achetait des billets de théâtre, mais pas pour voir les spectacles dont « tout le monde » parlait. Il ne comprit pas tout de suite qu'elles le traitaient de haut ; et quand il s'en aperçut, il les prit en main fermement et gentiment, et elles commencèrent à le respecter.

Ensuite, elles flirtèrent avec lui. Il était enchanté. Ces deux exquises gamines fraîches et roses, avec leur abondante chevelure couleur de miel et leurs grands yeux bleus, lui paraissaient délicieusement touchantes. Pauvres enfants sans père, songeait-il ; si elles avaient eu un vrai père, elles ne se seraient jamais comportées ainsi — et peut-être avait-il raison. Mais chaque fois que Phœbe entrait dans une pièce, il fallait que Jill fût sur un bras du fauteuil dans lequel était assis Jim, ou Gwen assise à ses pieds, le dévisageant d'un œil extatique. Et puis Jill se mit à l'embrasser en lui jetant les bras autour du cou pour lui souhaiter une bonne nuit, à la manière d'une petite fille d'une autre époque, et comme elle avait dû voir faire au cinéma. Phœbe ne pouvait pas supporter cela. Elle jugeait Jill cruelle et malhonnête. Elle avait seize ans — ce n'était plus du tout une petite fille. Phœbe bénéficiait également du journal de Jill, qui traînait exprès pour qu'elle pût le lire, et elle savait ainsi ce que Jill pensait de Jim et d'elle-même, Phœbe.

En même temps que la rage, elle éprouvait une vive méfiance à l'égard d'elle-même : son honnêteté morose, mais rigide, lui disait qu'elle jalousait ses filles. Dans sa jeunesse, le maquillage et les jolis vêtements n'avaient pas existé, et elle n'avait jamais embrassé d'homme avant l'âge de vingt ans. Elle éprouvait une joie sincère à voir ses filles mener joyeuse vie, être belles et libres. Mais elle leur en voulait aussi.

Elle commença à laisser exploser sa colère. Elle perdit son équilibre, son assurance. Elle se querella avec Jim au sujet des filles, et il partit prendre un peu de repos à Bradfort ; pendant qu'il s'y trouvait, elle lui écrivit pour rompre définitivement. À peine l'avait-elle fait que Jill commença à se moquer d'elle parce qu'elle « n'était même pas capable de garder un type, pauvre vieille maman, il lui manque le truc essentiel, etc. ».

C'était là que Phœbe avait craqué : elle ne savait plus où se tourner, ni vers qui. Elle rendit visite à la directrice de l'école que fréquentaient ses filles, et apprit que toutes deux étaient fort paresseuses, mais guère plus que la plupart des autres : oui, Jill lui paraissait être une enfant tout à fait normale, les filles de cet âge posaient toujours des problèmes, etc. A la fin de l'entretien, Phœbe se sentait extrêmement coupable ; la directrice lui avait parlé comme si elle, leur mère, avait manqué de compréhension à l'égard de ses filles. Phœbe ne pouvait plus trouver le sommeil, la nuit, à force de chercher où elle avait fait fausse route dans l'éducation de ses filles. Mais elle ne trouvait pas : à moins qu'elle n'ait eu tort en n'épousant pas l'un de ceux qui le lui avaient proposé ? Oui, bien sûr, elle aurait dû se marier dans l'intérêt de ses filles... mais à la vérité, elle avait aimé Arthur Colridge, et jamais personne ne lui avait semblé même à moitié aussi merveilleux. Et en tout cas sûrement pas Jim Troyes, qui lui-même considérait Arthur comme une sorte de héros.

Le journal de Jill, qu'elle avait ignoré pendant des mois puisqu'on ne lisait pas les lettres et les papiers intimes des autres, jusqu'au jour où elle l'avait trouvé sur sa coiffeuse, ouvert à une page essentielle, lui apprit qu'elle était égoïste, névrotique, et froide : « Ratée comme femme aussi bien que comme mère. »

Elle alla trouver Martha et Mark, qui lui affirmèrent qu'elle « en sortirait ». C'était parfait pour *eux*, qui ne prétendaient nullement à mener une vie normale, ni à avoir des relations normales ; et à présent, les filles y passaient tout leur temps ; quant à elle, Phœbe, c'était bien la peine qu'elle se soit donné tout ce mal pour tenter de leur procurer une vie normale et convenable, alors que n'importe quelle ambiance délirante aurait fait l'affaire. Mais à la triste vérité, elle appréciait vivement les séjours de ses filles à Radlett Street, car elle en était arrivée à redouter ce moment où, s'approchant de l'évier, de sa table, ou même de son lit, elle trouverait le journal de Jill, ouvert à une page où le message serait si affreux qu'elle en aurait le souffle coupé, et qu'elle devrait s'allonger.

Elle consulta son médecin, qui l'envoya chez une psychanalyste. Une femme. Leur relation dura environ deux mois, dans une extrême confusion. Le fait dominant apparaissait aussi manifestement que le soleil sous les tropiques : les deux femmes étaient atteintes d'une véritable imbécillité quand il s'agissait des gens, et de leurs relations entre elles. Toutes deux étaient perfectionnistes, autoritaires, et dogmatiques par nature. Mme John était freudienne, et savait tout sur Phœbe depuis leur premier entretien. Phœbe croyait à la maîtrise de soi, à l'accomplissement du devoir, et à la droiture vis-à-vis des autres même s'ils agissaient à tort — elle ne comprenait pas ce qu'il pouvait y avoir de mal à cela.

En vérité, personne n'atteint jamais ce point de confusion morale où l'on se trouve assis en face d'un être humain doté du privilège de pouvoir statuer sur votre état sans avoir hésité, souffert, douté... Phœbe se connaissait fort bien pour une âme tristement rigide. Mais elle se retrouvait assise devant une autre du même genre ! Qui était donc cette Mme John pour statuer ainsi sur son cas à elle, Phœbe ? Phœbe espérait constamment que Mme John arriverait au cœur du problème : il devait bien y en avoir un, non ? Car ses manières donnaient à entendre que les vérités se trouvaient en pleine lumière, mais chaque fois qu'une vérité ou une suggestion de vérité émergeait, Phœbe la jugeait suspecte. Ainsi, Mme John semblait trouver curieuse cette longue amitié avec Arthur et la femme qui avait succédé à Phœbe. Vue par Phœbe, la décision de poursuivre cette relation avait été la plus difficile de son existence : il lui avait fallu ravaler son orgueil et son désespoir : elle aurait bien préféré effacer complètement Arthur de sa vie. Mais il y avait aussi les deux petites filles, et elles auraient souffert d'être séparées de leur père. Elle avait parfois pensé que, si elle n'avait pas autant vu Arthur, son mari (elle continuait à le voir comme tel — elle n'en avait jamais eu d'autre, après tout !), elle aurait sans doute trouvé plus facile de se remarier avec un autre. Avait-elle eu tort ? Mme John le croyait. Phœbe n'était pas prête à l'admettre.

Et puis surgissait aussi le problème de la vie politique de Phœbe. Mme John estimait que la politique n'avait rien à voir ici, et Phœbe s'efforçait de lui accorder le bénéfice du doute. Mais pour Mme John, la politique consistait à voter tous les cinq ans, et à manifester du tact à l'égard des gens travaillistes ; Phœbe espérait qu'une telle ignorance sur la situation nationale ne portait pas préjudice à la compréhension supérieure des relations mère-fille. Puis il apparut que la longue carrière politique de Phœbe était « masculine », elle se mesurait aux hommes ; elle regrettait de ne pas en être un. Phœbe reconnut aussitôt que, si elle avait eu le choix, elle aurait choisi d'être un homme, parce que leur vie était tellement plus facile — mais toutes les femmes n'en diraient-elles pas autant, si elles étaient honnêtes ? Mme John jugeait l'aveu important, mais Phœbe ne voyait pas pourquoi. Oui, bien sûr, elle avait trouvé dur de grandir sans mère, oui, bien sûr, elle avait trouvé dur de ne jamais avoir de jolis vêtements et de n'avoir pas le droit de se maquiller, oui, bien sûr, elle s'était jugée plus malheureuse que les autres filles. Bien sûr. Elle attendait que Mme John aborde la vraie question, et pendant ce temps elle sombrait de plus en plus profondément dans la maladie, et ne dormait plus du tout — elle en était convaincue. Elle avait l'impression de souffrir de partout. Mais rien ne servait de céder, de se laisser aller, de s'écouter gémir. Elle faisait contre mauvaise fortune bon cœur, et poursuivait son existence habituelle.

Pourquoi travaillait-elle tant ? voulait savoir Mme John.

Eh bien, parce que je suis ainsi faite, répondait Phœbe.

Elle méprisait les gens qui ne travaillaient pas aussi intensément, n'est-ce pas ? Non, Phœbe ne le pensait pas : mais elle revenait toujours « au commencement », qui pour elle était son divorce d'avec Arthur Colridge, et se demandait si elle avait eu raison de choisir cette vie de labeur acharné.

Car elle aurait pu, bien sûr, gagner beaucoup d'argent ; elle aurait pu jouir d'une existence beaucoup plus facile. Mais cela ne l'avait seulement jamais tentée : elle ne s'intéressait pas à la vie facile. Bon, mais peut-être ses filles en avaient-elles souffert ? Jill se lamentait : « Tu fais toujours passer ta carrière avant nous ! » Était-ce vrai ? Aurait-elle plutôt dû devenir une femme accrochée à une vraie carrière ? Du genre ambitieux, et qui gagne plein d'argent ? « Négligée comme je l'ai été... » comme pouvait fort bien l'écrire Jill dans son journal.

Pendant des années, Phœbe s'était levée chaque jour à six heures pour faire son ménage et préparer le petit déjeuner de ses filles et d'elle-même. Avant de grandir et de comprendre que tout le monde ne démarrait pas sa journée deux heures avant le lever du jour pour préparer le petit déjeuner, les filles avaient beaucoup aimé ce repas en compagnie de leur mère. Elle les conduisait ensuite à l'école, puis allait travailler. Elle faisait ses courses à l'heure du déjeuner. L'après-midi, elle s'arrangeait pour que les enfants pussent aller chez quelqu'un, ou bien que quelqu'un vînt leur tenir compagnie à la maison. Phœbe revenait le soir préparer leur dîner et les mettre au lit ou vérifier qu'elles avaient bien fait leurs devoirs, avant de partir à des réunions ou des assemblées. Elle avait vécu ainsi pendant des années. Jamais de vacances, sauf avec les enfants — il lui était parfois arrivé de partir en week-end chez Nanny Butts, toute seule, quand les filles partaient chez leur père. Mais elle avait fait en sorte de leur procurer de jolis vêtements, beaucoup d'amis, et de petites fêtes comme les autres enfants — elle s'était toujours donné du mal pour qu'elles mangent bien. Elle était excellente cuisinière.

Environ deux mois après le début de sa thérapie avec Mme John, elle dut décommander un rendez-vous parce qu'elle préparait un grand dîner pour des Américains qui s'intéressaient aux questions africaines ; il s'agissait d'obtenir une subvention d'une fondation américaine pour construire des écoles dans une région où il n'y en avait pas.

Le lendemain, Mme John l'interrogea sur le dîner, et Phœbe lui décrivit la nourriture ; elle n'aborda pas l'objet même du dîner, car Mme John n'aurait pas compris. Mme John la félicita alors pour ce nouveau pas en direction d'une féminité acceptée. Phœbe lui demanda ce qu'elle voulait dire : il apparut que Mme John voyait la préparation d'un dîner comme une démarche féminine, et donc bonne par définition.

Phœbe ne comprenait pas. Elle finit par lui faire observer qu'elle avait toujours bien su cuisiner, et y avait toujours pris plaisir. Mme John murmura d'une voix encourageante : « Très bien... c'est vraiment très bien, oui. »

Phœbe rentra chez elle en proie à un fort soupçon : en fin de compte, c'était très simple, Mme John n'était pas très intelligente ou, si elle l'était, elle vivait dans quelque monde lointain où les femmes ne cuisinaient pas, ne faisaient pas le ménage, n'élevaient pas d'enfants, ne travaillaient pas, ne réparaient pas la plomberie et l'électricité, et dans leurs moments libres ne confectionnaient pas de vêtements ni ne jardinaient.

Elle se renseigna. Mme John avait un mari professeur de physique, trois enfants, une maison, et une jeune fille au pair. La vie de Mme John ressemblait à celle de Phœbe, en vérité ; sauf que la fille au pair se chargeait presque entièrement de la cuisine.

Phœbe renonça à comprendre Mme John ou la psychothérapie.

En apprenant que Phœbe envisageait de « mettre fin à l'expérience », Mme John déclara que le problème de sa patiente, c'était qu'elle refusait d'admettre qu'elle, Mme John, était plus intelligente que Phœbe.

Phœbe répondit qu'elle ne pensait pas que Mme John fût plus intelligente qu'elle ; mais là n'était pas la raison. Elle trouvait que toutes deux ne s'entendaient pas très bien.

Elle commença par réagir de manière hystérique, et par beaucoup sangloter. Puis elle arbora un humour sec et froid. Mais dans l'ensemble, toute cette histoire ne lui avait pas fait grand bien — l'intuition et la « psychologie » l'ayant trahie, elle retourna à son ancienne personnalité. Après sa dépression, elle devint plus Phœbe que jamais. Si seulement elle avait pu maîtriser sa « dépression », l'explorer, la développer, s'en servir ; mais elle se détournait et refusait la moindre possibilité de s'ouvrir, d'absorber quelque chose de neuf. Au lieu de cela, elle devint plus rigide encore, et plus retenue.

La crise avec ses filles prit fin, ou du moins sembla cesser, le jour où Jill rentra après une semaine entière passée chez Mark, et s'enten-

dit annoncer par Phœbe, pressée de sortir pour assister à une conférence, que si elle ne revenait pas habiter ici, elle, Phœbe, allait se
débarrasser de l'appartement pour en trouver un plus petit : elle ne
voyait aucune raison d'entretenir un grand appartement fort coûteux
pour des enfants qui n'étaient jamais là. Elle avait une semaine pour
se décider, conclut Phœbe en sortant.

Quand le journal de Jill arriva ce soir-là sur sa coiffeuse, avec des
passages soulignés en rouge, Phœbe le jeta à la poubelle.

Jill déménagea toutes ses affaires chez Mark, et Gwen suivit son
exemple. Puis elles apprirent que Phœbe avait effectivement mis l'appartement en vente ; ce n'était plus un jeu. Elles revinrent chez elles
écumantes de rage, et se trouvèrent devant une mère qui ne jouait
plus ; elle avait pris ses distances et, dans une ferme réprobation,
attendait que la « raison » leur vienne. C'était absolument affreux,
tout le monde le savait. Quand elles revenaient en visite à Radlett
Street, elles semblaient fort malheureuses ; elles se plaignaient :
« Notre mère nous déteste ». Elles se sentaient haïes. Phœbe se sentait
haïe. Les trois femmes s'adressaient à peine la parole. De temps à
autre, l'une d'elles téléphonait à Radlett Street, ou bien passait pour
demander un conseil, attendre des suggestions. Nous sommes tous
nés avec la certitude qu'il existe des solutions aux problèmes. Si Mark
disait ceci, ou si Martha disait cela, alors Phœbe dirait ou ferait telle
ou telle chose, et alors Jill ou Gwen pourraient devenir comme ceci ou
comme cela... Il existe quelque part un bouton que l'on peut presser
– nous aimons à le croire – mais en vérité, la situation restait
immuable.

Et à Radlett Street, Lynda se débattait pour sortir de son état
d' « idiotie ».

C'était Francis qui l'avait fait retomber dans cet état : mais tout le
monde, y compris Lynda, prenait grand soin de le lui dissimuler.
Toutefois il n'était plus un enfant désormais ; il devenait un jeune
homme. S'entendant dire que, dans l'ensemble, il vaudrait mieux
qu'il laisse sa mère en paix pendant quelque temps, il acquiesça et
parla d'autre chose – et puis revint à la charge deux jours plus tard :
« Pour Lynda, c'était un peu sa faute de ne pas m'avoir dit que je
représentais une pression trop forte pour elle. Mais je ne pense pas
qu'elle ait intérêt à tomber dans l'autre extrême. Il vaudrait mieux
pour elle qu'elle me laisse la voir un peu de temps en temps. »

Le message fut transmis à Lynda, loque humaine qui se balançait
d'avant en arrière sur le sol, tournant le dos à Mark qui la gardait
constamment. Elle le perçut. Au bout d'un moment, elle déclara que
Francis devrait venir la voir le soir même. Puis elle prit un bain, s'habilla, se coiffa, et se mit à l'attendre. C'était l'après-midi ; et là-haut
Francis guetta l'heure, jusqu'au soir. Il descendit, s'assit en face
d'elle, et demanda doucement : « Bonsoir, Lynda, comment vas-
tu ?

– Pas terriblement bien. »

Elle arborait un sourire pathétique. Et son sourire à lui exprimait
autant de souffrance. Ils parlèrent quelques minutes, et puis elle le

pria de partir : « C'est embarrassant pour moi, vois-tu », expliqua-t-elle.

Il l'embrassa et s'en alla. Il pleurait. Il n'avait jusqu'alors jamais vu Lynda quand elle allait vraiment mal. Il s'enferma dans son grenier et redescendit deux jours plus tard pour demander à Mark et à Martha un entretien sérieux. Il voulait connaître l'histoire complète de la maladie de sa mère, « depuis le début ».

Ce n'était pas facile ; mais ils firent de leur mieux. Ils ne manquaient pas de rapports à lui montrer, faits par de nombreux médecins. Cette fois encore il écouta, hocha la tête, s'en alla, et y réfléchit. Après avoir réfléchi, il revint pour leur demander s'ils étaient d'accord avec lui que ce serait bon pour Lynda d'avoir à faire l'effort de s'habiller et de le voir régulièrement, disons chaque jour.

Cela revêtait une importance considérable pour lui ; pour eux, cela signifiait qu'ils souffraient à l'idée de sa souffrance à lui quand il voyait Lynda transformée en sorcière malade, ou même pire. Mais cette fois encore ils transmirent le message à Lynda, qui le reçut avec un affolement rageur. Elle voulait qu'on la laisse tranquille, qu'on la laisse tranquille, qu'on la laisse tranquille, marmonnait-elle, et grognait-elle, et hurlait-elle. Le hurlement s'adressait aux oreilles de Francis — et peut-être y parvint-il. Mais Francis était obstiné : il savait ce qu'il pensait ; il était convaincu d'avoir raison. Lynda déclara : Non, pas tous les jours, mais elle essayerait... elle s'habillait donc quand Francis lui faisait transmettre un message ou qu'il lui téléphonait. Elle se forçait à sourire, et prenait place devant sa table en l'attendant.

Le point capital, c'est qu'elle était capable de le faire. Jusque-là, ils avaient toujours imaginé le problème comme une sorte de commutateur qui se déclenchait, et qui faisait glisser Lynda hors d'elle-même ; il lui fallait alors suivre le cycle complet avant d'aller mieux. Ils se souvenaient que la dernière fois, quand elle était partie vivre dans un appartement avec une infirmière, elle n'y était restée que fort peu de temps (à leur grande surprise) avant de revenir en bien meilleur état que d'habitude en aussi peu de temps.

Pendant toute cette crise, pendant ce maléfice, elle avait pensé à Francis par intermittence, mais d'un esprit responsable.

Quant à lui, c'était au cours de cette période qu'il avait atteint la maturité. Pendant quelque temps il avait parlé de quitter la maison, de renoncer à son travail, et de partir quelque part, peut-être en Australie, mais il n'était pas parti, il avait tenu bon. Le changement en lui avait même touché son aspect physique ; il ne restait plus rien du garçon si beau. Il s'était transformé en un jeune homme massif, calme, réservé, et ses yeux bruns assurés exprimaient la patience, l'obstination, la force. C'était tout Mark, mais Mark le jugeait beaucoup plus fort et plus sûr que lui-même à cet âge. Reconnaissant leurs ressemblances, tous deux essayaient de communiquer, d'être ensemble : ils savaient toute l'affection qu'ils éprouvaient l'un pour l'autre, mais leurs tentatives n'aboutissaient généralement qu'à une politesse guindée.

Et puis Mark n'avait pas beaucoup de réserves, étant donné ce que Lynda lui coûtait d'énergie. Car si elle savait se contrôler et bien se tenir avec son fils, elle se montrait abominable avec son mari, et ne faisait pas le moindre effort. A un moment, Martha crut bien que Mark allait craquer aussi : il le pensa lui-même. Tous les trois, Mark, Martha, Lynda, se trouvaient étroitement noués dans une tension partagée, d'où toute vie normale avait disparu ; car Martha y était profondément mêlée, même si elle ne voyait guère Lynda. Pour Mark, puisqu'il avait lui-même décidé de garder Lynda au lieu de l'envoyer à l'hôpital, il lui incombait entièrement, et non à Martha, d'en supporter le poids. Mais il apparut finalement qu'il ne pouvait vraiment pas y parvenir tout seul.

Une semaine ou deux après la rechute de Lynda, Mark était monté réveiller Martha à quatre heures du matin. Il était malade d'épuisement, à force de se maintenir d'une seule pièce pendant que Lynda se morcelait. Mais ce n'était pas seulement l'épuisement, la fatigue ordinaire. Il venait trouver Martha pour faire l'amour. Non pas pour son plaisir, ni pour son confort, ni pour satisfaire un fantasme, ni pour l'amitié. C'était pour faire exploser une tension psychique intolérable. Il venait vers elle comme jamais encore elle ne l'avait vu : plus rien en lui ne demeurait de Mark le chevalier, Mark l'ami, Mark l'ancien amant. Il n'était plus que violence et désespoir, comme s'il avait eu en lui une charge électrique susceptible de le faire éclater en mille miettes si elle se libérait. Et il s'impliquait dans l'acte sexuel plus qu'il ne l'avait jamais fait — cela semblait le cas, tout au moins. Elle ne le connaissait pas.

Ils ne pouvaient pas demeurer dans la chambre de Martha. Car son rôle de plein jour, Martha la gardienne du fort, la mère de la maisonnée, l'amie des adolescents, signifiait entre autres choses qu'elle n'avait plus droit à la moindre intimité. On pouvait entrer dans sa chambre à toute heure. Si elle s'enfermait à clé, des gens frappaient à la porte jusqu'à ce qu'elle ouvre. Paul et Francis lui accordaient un peu de répit — mais pas les filles. Elle ne souhaitait pas non plus aller dans sa chambre à lui, qui restait malgré tout, et après tant d'années, la pièce où Mark était l'époux de Lynda. Il avait beau affirmer que non, elle l'entendait penser, se souvenir.

Ils allèrent dans le bureau, où nul n'entrait sans formalité. Sur les murs se multipliaient les cartes des usines de mort, des usines de poisons, des usines où l'on fabriquait des instruments pour maîtriser les cerveaux ; les cartes de la Faim, de la Misère, de la Guerre Civile, et ainsi de suite ; les atlas de l'air empoisonné et de la terre empoisonnée et des endroits où avaient explosé des bombes sous la mer, où avaient été enfouis dans la mer des déchets atomiques, où les navires lâchaient dans la mer leurs huiles usagées, où les mers intérieures étaient mortes, ou mouraient.

Sur un épais tapis, dans la pièce qui avait autrefois servi de bureau au père de Mark, tous deux s'allongèrent derrière la porte fermée à clé, deux corps qui explosaient l'un dans l'autre, avant que Mark ne dût dormir un peu, mettre des vêtements frais, et redescendre au sous-sol

pour être avec sa femme. Un acte silencieux, désespéré — de survie ?
Il le semblait. Mark disait qu'il avait peur. Ils gisaient, enlacés dans
les bras l'un de l'autre, le visage ruisselant des larmes de leur tension
partagée, et ils se reposaient sous les cartes du monde empoisonné,
dans une maison silencieuse. Quelque part là-haut, Paul ou Francis
écoutaient parfois de la musique, ou bien Paul descendait sans bruit
avec Zena pour dîner seuls à la cuisine. Ou encore Lynda se réveillait :
ils l'entendaient aller et venir au-dessous d'eux dans une sorte de
mouvement lent et traînant, tout en marmonnant, en chantant, en
heurtant des objets.

« Pourquoi faisons-nous donc tout cela ? Lynda n'est jamais qu'une
seule femme.

— Mais que pouvons-nous faire d'autre ?

— Je m'assieds, et je me dis : Lynda n'est jamais qu'une femme
parmi d'autres.

— Nous ne pouvons pas penser ainsi.

— *Je* pense ainsi — de plus en plus. Il y a sûrement quelque chose
d'autre à faire, forcément, que de rester là à attendre d'être tous
contaminés... ou peut-être suis-je aussi fou qu'elle. C'est peut-être
cela.

— Cela ne durera pas. Rien ne dure jamais.

— Quelquefois on dirait... Je ne sais pas comment l'expliquer... on
dirait... non pas qu'*elle* est folle, mais que la folie règne. Une sorte d'onde
de folie — elle s'y accroche et s'en décroche quand il lui plaît. Je
pourrais m'y accrocher tout aussi facilement. Ou elle pourrait s'accrocher en moi — elle est dans l'air.

— Ou en moi », suggéra Martha. Elle était immobile, la tête posée
sur le bras étendu de Mark.

« Oui, bien sûr. Bon — mais que puis-je faire ? Aller trouver une
prostituée ? Je ne pourrais pas. Je ne l'ai jamais fait. »

Bien sûr, Martha aurait pu répondre : « Mais oui, profites-en
donc ! » ou « Tu te sers de moi ! » ou « Pour qui me prends-tu ! » — elle
aurait pu reprendre à son compte n'importe laquelle de ces expressions qui traînent précisément pour ce genre de circonstances. Mais
elle ne les ressentait pas. Elles lui traversaient l'esprit, comme pour
se présenter à elle afin d'être retenues ou rejetées.

Ce qu'elle ressentait, elle ne pouvait pas le dire à Mark, car cela ne
l'aurait guère aidé, ni lui ni Lynda.

Elle débordait d'une tension exaspérée qui lui était inconnue. Cela
n'avait rien à voir avec le fait d'être « satisfaite » ou « insatisfaite ».
Cela n'avait sans doute pas grand-chose à voir avec sa sexualité. Jour
après jour, ou nuit après nuit, quand Mark remontait du sous-sol,
pendant que Lynda dormait un peu, pour s'emparer de Martha et l'inclure dans cette intense énergie, elle se chargeait d'une électricité
fiévreuse — si c'était là le mot adéquat. Elle ne savait pas qu'en faire.
Elle ne savait pas ce que c'était. Elle était désespérée. Mais ce qui se
créait en elle n'était pas la « femme amoureuse » destinée à n'être
jamais assouvie, l'épouse, la maîtresse, etc. La sexualité... Qu'est-ce
que la sexualité ? Nous employons toujours ces mots, et que

signifient-ils, après tout ? Le terme de sexualité recouvre tant d'expériences diverses, comme celui d'énergie, et il n'est jamais que ce qu'on en fait... du mouvement, elle avait besoin de mouvement. Elle enfilait un vieux manteau et mettait un foulard sur sa tête, et elle parcourait des rues noires. Londres après minuit n'est guère un lieu de promenade agréable, quand on est femme. Même si l'on n'est pas chargée d'une énergie qui fait de vous un centre pour les rôdeurs furtifs en quête d'expérience sexuelle. Les grandes villes du monde ne sont guère hospitalières à la promeneuse nocturne : mieux vaut encore une forêt, ou une lande : moins dangereuse, moins effrayante. Après minuit dans une ville, une femme est une femme, même si elle se déguise d'un vieux manteau qui a autrefois appartenu à Mme Van der Bylt, et d'un vilain foulard.

Elle songeait : Si j'étais un homme, j'irais voir une prostituée.

Mais Mark n'y allait pas.

Elle songeait : Devrais-je me fâcher contre un homme qui me met dans cet état ? Quel état ?

Elle téléphona à Jack. « Martha ! Crois-moi, je suis heureux d'entendre ta voix. Oui. Quand ? Une seconde, attends, je vais voir si... »

Elle attendit. Il semblait le même, un garçon de la campagne tout simple et plein d'enthousiasme. Pourtant, il ne semblait pas *tout à fait* le même... Martha écouta le silence tandis qu'il vérifiait son emploi du temps avec une autre femme, ou qu'il cherchait dans son agenda, et elle se sentit mal à l'aise. Pourquoi faisait-elle cela ?

Il revint, et déclara : « Trois heures me conviendrait mieux que deux — cela te va ?

— Oui, très bien.

— Crois-moi, Martha, c'est formidable de t'entendre. J'ai souvent pensé à toi, me croiras-tu ?

— Oui, bien sûr. » Elle se sentait *très* mal à son aise. Il semblait guetter quelque chose, fouiner, ou essayer ?

« Et jamais nos chemins ne se sont, pendant toutes ces années, croisés.

— Sans doute se sont-ils croisés sans que nous le sachions.

— Oui, j'en suis sûr ! Martha, j'attends avec impatience l'heure de te revoir — tu me crois, n'est-ce pas ? »

A la fin de la conversation, elle faillit le rappeler pour lui dire que c'était une erreur, qu'elle partait pour le pôle Sud — n'importe quoi. Un avertissement lui résonnait à l'oreille — *n'y va pas*.

La nuit suivante, elle parcourut une rue bourgeoise et paisible où seules deux ou trois fenêtres brillaient encore, jaunes dans la blancheur éclatante du clair de lune. De petits arbres décoratifs, tels des enfants autorisés à se coucher plus tard, se dressaient dans de petits jardins qui délimitaient des portes d'entrée individuelles, chacune sur son trente et un, avec un heurtoir, une fente de boîte aux lettres, et une sonnette, bien astiqués. Chacune de ces maisons, intérieurement étayée, sous le plâtre et la peinture, par mille dispositifs de fortune, semblait solide et désirable ; derrière elles s'étirait paisiblement le canal, où se reflétait discrètement le clair de lune. Ailleurs, la lune berçait des océans dans leurs lits, rembourrait des oreillers pleins de rêves indésirables, incitait les médecins à doubler leurs doses de sédatifs pour les fous tristes dans les hôpitaux, faisait hurler les chiens, et remonter les poissons pour contempler de leurs gros yeux les filaments de lumière blanche.

La porte noire de Jack s'ornait d'un heurtoir en tête de loup, et d'un judas. Martha regarda le minuscule rond, et sut que quelqu'un la voyait tout entière. Elle faillit s'en aller. La porte s'ouvrit. Jack n'avait absolument pas vieilli, il était toujours le même garçon de la campagne, avec son chandail vert déchiré au coude, et il se tenait pieds nus sur un épais tapis sombre. Derrière lui s'étendait l'entrée, peinte d'une bonne peinture blanche coûteuse avec des boiseries sombres, où trônait une table octogonale en marqueterie.

« Martha, déclara-t-il, je suis tellement heureux. Tu m'as beaucoup manqué, le croiras-tu ? »

Des yeux bruns dans un visage lisse et brun. Il attendait de voir ce qu'elle allait faire. Bien sûr, il avait toujours agi ainsi. Elle entra, passa devant la pièce où autrefois le garçon fou s'était tenu aux aguets. La porte était ouverte sur... oui, le mot était « salon ». Elle alluma la lumière, et contempla une pièce manifestement inspirée d'une salle de château : ce n'était pas anglais. Élégant, cérémonieux, mais aussi séduisant − il y avait là quelque chose de sournois.

« Cela te plaît ? Tu aimes ce que j'ai fait ? »

Toute la maison présentait cette ambiguïté : une surface conventionnelle et solide, morne même, et autre chose au-dessous. C'était là une maison de fantasme : et même une maison destinée à servir de décor à des fantasmes.

La chambre du premier étage n'avait pas changé. Immuable, avec ses radiateurs à huile et ses fenêtres condamnées, avec ce lit prêt pour l'action. Martha observa que cette pièce lui rappelait la salle des machines sur un paquebot. Il la dévisagea attentivement, d'un œil soupçonneux − il ne riait pas. Puis il s'autorisa une dose de rire, l'employa jusqu'au bout, et s'assit sur le lit en croisant les jambes, les yeux rivés sur elle.

Martha savait qu'elle n'aurait pas dû venir, mais ne s'en alla pas. Curiosité. C'était pourtant la curiosité qui devait tuer le chat.

Elle ne pouvait s'empêcher de penser : Ma mémoire me joue des tours, je me rappelle comment c'était, mais complètement de travers − je dois me tromper. Mais elle savait que non. Jack avait changé. Il avait changé fondamentalement.

Pendant toutes ces années, depuis l'époque où elle venait chez lui pour faire l'amour, elle s'était exercée à retenir des gens ce qui leur est permanent, tandis que les humeurs, les phases, les étapes se succédaient ; élever des enfants, qu'est-ce d'autre ? Elle avait appris à reconnaître la permanence d'une personne. Autrefois, elle aurait pu le jurer, elle avait senti le contact avec Jack, en totale communication avec ce qu'il était. Mais à présent elle devait tâtonner, attendre que Jack dise quelque chose, qu'il lui parle. C'était comme avec Jimmy Wood − seulement dans la mesure où il s'agissait de guetter un écho, une résonance, bien sûr ; elle s'adressait sans relâche à Jack, mais Jack ne répondait pas.

Assis sur son lit, il attendait. Elle prit place sur assez jolie chaise ancienne, près du radiateur. Elle tenait une tasse de chocolat, et pardessus le plancher nu contemplait Jack. Il attendait qu'elle s'approche et s'asseye auprès de lui, mais se refusait à le lui suggérer. Il planait dans cette chambre une sensation... d'attente. Et même d'attente intense, attentive, impérieuse. Sans en avoir l'air, Jack observait tous ses gestes, les recevait comme des gestes vers lui, ou s'éloignant de lui. Elle sentait la volonté de Jack la ceindre.

« Parle-moi de la maison, Jack... tu oublies que je ne sais rien.

— J'aimerais beaucoup t'en parler, je vais le faire...

— Tu vis seul ici ?

— Tu sais bien comment je veux vivre. Je n'ai pas changé.

— Tu veux toutes tes femmes sous un seul toit ? »

Il acquiesça. Des larmes apparurent dans ses yeux. Il n'avait pas cherché à les faire venir — mais il ne les chassait pas : il les gardait là pour qu'elle pût les voir.

« Tu n'es plus malade ?

— Non.

— Vraiment ? C'est complètement fini ?

— As-tu peur que je te contamine ? » Il semblait offensé.

Martha s'en étonna : jamais il n'aurait dit cela, autrefois.

« Non, je suis sûre que tu ne laisserais jamais personne se faire contaminer — mais on n'attrape pas la tuberculose ainsi, quand même ?

— Non. Je ne sais pas. Je suis guéri. Je suis guéri depuis des années. Mais il faut que je fasse attention. »

Elle plaisanta : « En te nourrissant de façon régulière et en te couchant de bonne heure ! »

Il paraissait souffrir, et tenait sa tête penchée. Il déclara d'une voix douce : « J'attends toujours que l'on me fasse confiance. Crois-moi, Martha, c'est l'unique but de ma vie. »

Tout cela était discordant. Elle se leva, prête à partir. Il avait légèrement tourné la tête pour la voir sans en avoir l'air.

« Eh bien, je vois que tu t'en vas, Martha. Je le regrette, crois-moi. Mais je voudrais tant pouvoir te parler de la maison... »

Elle se rassit. Et sentit la volonté de Jack se détendre. Il entreprit alors de lui raconter, d'une voix douce et étudiée, comment il avait acheté la maison, la payant peu à peu et la restaurant — mais il ne précisa pas d'où lui venait l'argent. Il expliqua : « J'ai loué cette partie-là de la maison jusqu'à ce que j'aie assez d'argent pour la refaire et puis... Je veux te parler de la pièce que tu as vue — elle te plaisait, je l'ai noté. Eh bien, je l'ai faite pour Jeanne. Je ne savais pas quoi en faire. Jeanne venait des bords de la Loire. Elle se trouvait à Londres comme fille au pair. Et sa mère travaillait dans un de ces châteaux. Quand elle était petite, Jeanne accompagnait souvent sa mère pour l'aider — elle faisait le ménage. Jeanne avait toujours rêvé d'une chambre comme cela. Je la lui ai faite.

« — Y a-t-elle vécu ? Où habitait-elle ? »

Il attendit un peu. Sans la regarder, mais sans manquer une seule de ses réactions, il poursuivit : « Elle n'est pas ici. Elle venait juste en visite. Mais c'était sa chambre... tu me comprends, Martha ?

— Oui, très bien. » Et s'adressant à l'ancien Jack, elle ajouta en souriant : « Eh bien, si tu refais une pièce de fond en comble pour chaque femme avec qui tu couches ! »

Mais il attendait autre chose : un sourire d'une humilité théâtrale apparut sur son visage tandis qu'il disait : « Crois-moi, Martha, il n'est rien que je ne fasse, rien, pour une femme que j'aime — tu le sais. Mais ce n'est pas ce que je veux, de les voir aller et venir, je veux que toutes les femmes que j'ai restent auprès de moi pour toujours. Tu le sais. »

Il la regardait bien en face, à présent, et souhaitait qu'elle s'approche. Elle n'en avait aucune envie, mais elle le fit. Il s'assit au pied du lit. Elle se souvenait d'avoir été assise à cette même place, et lui là où il s'asseyait maintenant. Il ne pouvait retenir un sourire de plaisir qu'elle fût venue : un sourire triomphant, comme un petit garçon autorisé à faire ce qu'il veut. Il se mit à parler, lentement, de la chambre et de Jeanne. Il observait chacune de ses réactions. Il décrivait lentement Jeanne, jusque dans les moindres détails de ses avantages visibles et invisibles. Autrefois, il aurait décrit une femme par besoin de partager le plaisir de sa beauté. Mais à présent il cherchait à exciter Martha. Et le sachant, en écoutant Jack et en le regardant, elle se laissait exciter. Il poursuivit en lui expliquant l'usage exact de différents objets qui se trouvaient dans la pièce du bas ; et comment Jeanne, tout d'abord à contrecœur et puis ensuite avec plaisir, avait participé à telle ou telle posture sur le sofa, sur le tabouret, ou sur la table.

Manipulée, Martha observait comme elle se laissait faire et attendait. Elle attendait (elle s'en rendit compte ensuite) le retour du « vrai » Jack, afin qu'ils pussent tout reprendre là où ils en étaient restés. Elle attendait qu'il entame le lent rituel de l'excitation par l'atmosphère, les yeux, la tension. Mais il continuait à parler de Jeanne, de ses seins comme ceci, de son pubis comme cela, et de puis de ses aisselles. Il passa ensuite à une autre femme, Olive. Et peu à peu se dessina la géographie de la maison, en termes de fantaisie sexuelle. Il y avait par exemple au rez-de-chaussée une chambre hexagonale, avec six alcôves ou niches. Il imaginait six filles nues (« toutes de leur plein gré, Martha, crois-moi, il n'y aurait sans cela aucun plaisir ») enchaînées dans les alcôves. Un chien alsacien spécialement dressé les lécherait alors pour les exciter sexuellement, pendant que lui-même se contenterait de regarder : il serait tout habillé. Puis enfin il se dévêtirait et, tout en caressant le chien, il laisserait les femmes le supplier. Il imaginait comme elles gémiraient, pleureraient, hurleraient. Il s'exécuterait ou non : « Je m'en irais peut-être simplement en souriant. Tu imagines, Martha, moi tout nu, m'éloignant avec le chien pendant qu'elles m'insulteraient et m'imploreraient. »

Le matin approchait vite. Sans aucun doute, il persistait à vivre sans la moindre référence au temps. Mais elle allait devoir rentrer avant le matin. Elle se glissa au lit avec lui quand elle comprit enfin qu'il avait oublié ce qu'il avait été, et qu'il était devenu tel qu'elle le voyait à présent.

Maintenant, elle savait dans quel sens il avait changé : il était devenu dur, cruel, tyrannique ; il n'était plus que domination et souffrance infligée.

Il lui semblait être avec un homme inconnu.

On aurait dit un test d'endurance. De son côté à elle : *Jusqu'où pourrai-je tenir ?* et lui : *Jusqu'où pourrai-je l'entraîner ?*

Quand le matin fut tout proche, elle annonça qu'elle devait s'en aller. Il ne lui demanda pas quand elle reviendrait. Au lieu de cela, il se mit à lui parler, en l'observant d'un air théâtralement rusé (si fabriqué qu'elle en fut confondue), d'une autre fille qui aimait telle et telle chose, et qui avait désormais bien compris pourquoi il avait raison d'insister pour qu'elle se soumette à telle ou telle fantaisie qu'il lui prenait d'exiger.

Avant de partir, elle lui demanda : « Jack, t'arrive-t-il de faire l'amour comme autrefois — te souviens-tu ? »

Il la dévisagea de cette nouvelle manière oblique et sournoise, et pourtant ouverte, faite pour être perçue. Il essayait de deviner ce qu'elle voulait dire. Il avait oublié.

« J'ai toujours beaucoup aimé faire l'amour avec toi, Martha, tu le sais.

— Oui, mais... tu as changé. Le savais-tu ? »

A sa nouvelle façon entremêlée d'arrogance et d'humilité, il répondit : « On peut toujours s'instruire davantage.

— Non, je ne voulais pas dire... bah, peut-être ai-je changé aussi. » Elle prononça ces paroles afin de pouvoir esquiver le sujet, mais à présent il s'alarmait. « Oh non, mais pas du tout, je t'assure ! » Il éprouvait un chagrin sincère à l'idée qu'elle aurait pu se croire changée. Cela la troubla à nouveau.

« Veux-tu dire que tu as changé parce que tu as vieilli ? Cela m'est égal. Tu ne me connais vraiment pas si tu peux penser que j'attache la moindre importance à cela. Oh, si seulement tu me faisais confiance ! »

Il pleurait presque — c'était sincère.

Elle s'éloigna dans la rue ressuscitée quand le soleil se levait, tout rouge, au-dessus du canal.

Elle ne savait vraiment pas que penser. Sauf une chose : le Jack de dix ans auparavant et le Jack d'aujourd'hui n'étaient pas la même personne. Vraiment pas, littéralement pas. Qu'est-ce que cela signifiait ? Elle n'en savait rien.

Et elle savait aussi que ce qui s'était passé avec lui, dans sa maison transformée en décor pour des fantasmes sexuels pervers, n'avait rien de commun avec la tension électrique communiquée par Mark. Il s'agissait pourtant dans les deux cas de ce qu'on appelait la « sexualité ».

Elle était allée trouver Jack à cause d'un besoin exaspéré que lui communiquait Mark, et que lui-même acquérait au sous-sol, où Lynda était malade. Mais Jack ne se trouvait pas sur la même longueur d'ondes. Elle était physiquement fatiguée, physiquement satisfaite. Mais elle se sentait toujours aussi tendue qu'un câble à haute tension, et elle aurait tout aussi bien pu n'être jamais allée voir Jack.

Il était donc inutile de retourner le voir. Elle décida de ne plus y aller. Mais elle y alla. D'abord, quand une femme couche avec un homme, un certain nombre de règles psychologiques se mettent en action, et les choses doivent suivre leur cours. Un développement, ou un aspect, de ces règles était le processus du besoin qu'il éprouvait de voir jusqu'où elle irait, et de son attente à elle de voir jusqu'où elle irait : c'était un aspect de l'autorité-masculine-et-la-soumission-féminine.

Et puis quand elle le quittait, elle se demandait toujours : Où est Jack ? Elle songeait : Je dois imaginer qu'il est ainsi, maintenant. Car elle se souvenait très clairement de ce qu'il avait été. Ou bien elle pensait le contraire : Je dois inventer ce qu'il était voici dix ans. Mais elle savait qu'elle ne l'avait pas inventé. Il avait autrefois rayonné d'intelligence physique et subtile. A présent, il était devenu stupide. Son corps s'était totalement asservi à une sorte de sournoiserie qui éprouvait le besoin de soumettre une femme à sa volonté, afin de la dégrader — mais de la dégrader moralement. Il s'agissait là d'un processus absolument clair, dénué de toute ambiguïté. Il fallait que son cerveau, sa volonté, grâce aux techniques les plus gauches pour intéresser puis exciter une femme, la mettent physiquement dans une position où elle devrait se soumettre aux rudoiements. Mais ce n'étaient pas les rudoiements qui importaient — elle aurait pu jurer que cela ne l'intéressait guère. C'était la destruction, l'avilissement qui la menait là, dont il avait besoin. Il était devenu ce besoin.

On pouvait observer la manière dont il employait cette sorte de technique psychologique assez gauche pour faire monter votre température sexuelle et émotionnelle. Et très certainement les autres femmes devaient observer aussi : seule une femme idiote ou inexpérimentée pouvait ne pas voir ce qu'il faisait.

Ou du moins voir à demi : car cette gaucherie, ce côté théâtral créaient une certaine confusion. Elle aurait pu jurer qu'autrefois, il n'avait été ni rusé ni caricatural.

Pendant toutes ces années que Martha avaient vécues chez Mark, Jack était resté ici, à créer une maison qui semblait le bordel de quelque milliardaire perverti, immobile et attentif comme une araignée tandis que des femmes allaient et venaient.

Et puis il avait été malade, bien sûr. Très malade. Son corps douloureusement maigre, qui l'avait toujours effrayé, l'avait obligé à rester au lit pendant des mois en sanatorium, puis dans la chambre aux fenêtres condamnées et au plancher nu qui occupait le premier étage de sa maison.

Jack affirmait qu'elle, Martha, n'avait pas changé du tout. Il avait besoin de le croire. Lorsqu'il répétait avec insistance qu'elle n'avait pas changé, c'était le seul moment où il ne mentait pas, ne rusait pas, ne jouait pas — avec elle ou avec lui-même.

L'ancien Jack avait tout simplement dû mourir ou disparaître pendant sa maladie, et cette nouvelle personne était venue prendre possession de la place laissée vacante.

CHAPITRE QUATRE

Lundi de Pâques. Knightsbridge. Ils avançaient, quatre ou cinq de front, sous les drapeaux noirs et blancs, sous les affiches noires et blanches, escortés par la police. Les drapeaux, les banderoles, les emblèmes, les tracts, les badges, les affiches exprimaient en noir et blanc ce qu'ils avaient à dire. Quant au reste, la foule défilait en couleurs bigarrées. Ils défilaient depuis trois heures — impressionnant. D'en haut, les hélicoptères de la télévision avaient découvert dans le paysage bocager de l'Angleterre une route sur laquelle s'étirait une colonne de minuscules silhouettes, sur huit kilomètres, et ils avaient volé très bas pour saisir de leur mieux ce phénomène « national », de même que les journalistes avaient cité des estimations généreuses, à douze mille, plutôt que sévères à six mille. Les médias préféraient surestimer, plutôt que sous-estimer. Pourquoi ? On pourrait facilement répondre que « rien ne réussit comme le succès » ; à moins bien sûr que l'on ne préférât se rappeler l'objectif original de la Marche, qui entendait non seulement mettre fin à toute guerre conduite par des moyens nucléaires, mais mettre un terme aux armes nucléaires ; mettre fin à la guerre.

Et puis ces chiffres impressionnants (plus vraisemblablement à mi-chemin, vers huit mille, plutôt que douze mille ou six mille) devenaient moins impressionnants quand on se rappelait que n'importe quelle fête du Parti communiste ou du Parti travailliste pouvait rassembler cinq, huit, dix mille personnes ; mais ces chiffres descendaient généralement à « quelques centaines » par le fait de rédactions peu enclines à sympathiser, quand même elles daignaient mentionner les Marches : ce qui vous amenait tout naturellement à vous interroger sur la nature non seulement des « nouvelles » mais des faits.

Car il ne faisait aucun doute que le fait d'avoir participé à une Marche ignorée par la presse et la télévision différait considérablement de cette expérience-ci, où pendant tout le congé de Pâques on pouvait compter que la Marche serait couverte par la totalité des médias.

Non seulement cela ; c'était un autre genre de fait, quand on lisait un article commencé dans ces termes : « Les Marcheurs d'Aldermaston ont pris la route ce matin sous le soleil/la pluie/le brouillard/la neige, ils étaient deux/trois/quatre/cinq mille... » ou bien qu'on voyait une photo de plusieurs milliers de gens défilant sous leurs drapeaux noirs et blancs ; tout aussi différent que le fait de marcher plusieurs kilomètres, en procession sous tel ou tel genre de banderoles, sans en trouver un seul mot dans les journaux ni une seule image à la télévision.

Il y avait dans cette foule des gens qui avaient parcouru diverses régions du Royaume-Uni sous des banderoles pendant des dizaines d'années. Parfois ces Marches avaient constitué des faits publics, comme les marches de la Faim; d'autres étaient restées presque intimes, comme une excursion entre amis.

De temps à autre, des gens en foule se sentent obligés d'exprimer certains sentiments en marchant tous ensemble le long des routes vers un certain but, armés de drapeaux et de banderoles : les Croisés (pour tirer un peu sur le temps), bien sûr, ne disposaient pas d'autres moyens de locomotion que leurs pieds, ou bien des chevaux. Mais les sentiments sur l'emploi de l'énergie nucléaire pour la destruction ne s'exprimaient pas par des voyages intercontinentaux ultra-rapides en train ou en avion, ni même en automobile, mais en posant un pied devant l'autre sur la terre. Curieux. Supposons qu'aucune de ces personnes n'ait jamais rien lu sur ces Marches antérieures, les Croisades ? Ou sur ces pèlerinages vers des lieux saints, à pied, à travers des pays entiers ? Continueraient-ils, continuerions-nous, à poser un pied devant l'autre à travers la terre pour dire : A bas... Non à... Plus d'argent pour... Eh bien, oui, cela paraît plus que probable. Se déplacer d'un point à un autre sur ses pieds est un moyen d'expression répandu, pour les questions qui semblent essentielles.

Dans d'autres régions d'Angleterre, en ce lundi de Pâques, des groupes de jeunes gens, surtout de jeunes hommes, se précipitaient violemment d'un endroit à un autre en bandes, à moto ou bien à pied, mais sans qu'apparût clairement ce qu'ils réclamaient ou condamnaient. Ils faisaient également la une de l'actualité, et on leur accordait même en vérité plus d'espace qu'aux Marches pour la Paix — car l'homosexualité avait quitté le devant de la scène, et la Violence des Jeunes l'avait remplacée.

La plupart des Marcheurs étaient adolescents... sans doute les trois quarts. Certains d'eux eux étaient violents. Quand on se déplaçait rapidement le long du cortège, de l'arrière vers l'avant, ou bien qu'on s'arrêtait pour le laisser passer, on se sentait pris dans une sorte de fleuve, parfois paisible et parfois tumultueux. Parfois il courait presque — violent; des gens criaient des slogans, et provoquaient de la colère; la température montait. Quelques minutes plus tard, ils s'étaient calmés. Ceux qui avaient besoin de cette forte température, et qui n'étaient pas tous adolescents bien au contraire, étaient attirés vers les secteurs du cortège où l'on scandait des slogans et où l'on chantait des hymnes provocants. D'autres se déplaçaient au contraire vers les secteurs où l'on conversait et où, si l'on chantait, c'était sans flamme. En vérité, ces Marcheurs unis par leurs drapeaux noirs et blancs différaient extrêmement entre eux, et n'avaient guère en commun que le levain des organisateurs.

Cette pensée, comme tant d'autres, devait se garder pour soi, ou bien se partager avec quelqu'un du même âge. Martha, adossée à un arbre, attendait Lynda qui avait promis de venir. Elle attendait également Mark, qui devait forcément se trouver en queue du cortège. Comme toujours, il avait bien failli ne pas venir. La semaine précédente, par hasard, il avait reçu deux visites, l'une d'un Américain et l'autre d'un Hongrois, tous deux persuadés que Mark Colridge, le marxiste bien connu, devait être une sommité du mouvement antinucléaire. Mark avait tenté de les envoyer à son frère Arthur mais, comme chacun sait, les écrivains semblent toujours plus intéressants que les politiciens. Pourquoi ? Répondre à cette question équivaudrait à vouloir expliquer pourquoi les universités embauchent des écrivains pour donner des conférences sur « l'écriture créatrice » alors qu'il ne sort jamais aucune écriture créatrice de ces cours. Cela reviendrait à expliquer pourquoi même on demande aux écrivains de faire des conférences. Cela reviendrait à comprendre pourquoi les écrivains...

Pourquoi ; comment ; où ; quand. Ces questions sont soulevées par des centaines de phénomènes sociaux tels que la Marche d'Aldermaston et son esprit ; qui était quelque chose d'assez chaleureux, généreux, un peu moqueur sur soi-même, et très romantique.

Cinq, ou huit, ou douze mille personnes avancent sur la terre mouillée, à Pâques, pour protester contre les arsenaux d'armes vénéneuses dans le monde entier. Mais comme ils en plaisantaient volontiers dans les rangs, chaque week-end, sur les terrains de football, des centaines de milliers de gens donnaient des fortunes pour regarder des groupes d'hommes taper dans un petit ballon.

Lors de la première Marche d'Aldermaston, une jolie femme élancée poussait un landau et brandissait une petite pancarte pour dire : Caroline Dit Non.

Cela avait-il la moindre importance, ce que disait Caroline ? Eh bien, cet immense rassemblement de gens rendait hommage à cette proposition contre toute raison et probabilité, ce que disait Caroline comptait.

Mais si ce que disait partout ailleurs Caroline comptait aussi, au Parlement par exemple, cette Marche aurait-elle eu lieu ? Sûrement pas, mais on ne peut jamais savoir.

Ce genre d'idées négatives, on les a en Angleterre quand, adossée à un arbre, on regarde passer cinq ou douze mille personnes. En Angleterre, nous sommes privilégiés. Le visiteur hongrois était un communiste d'environ quarante-cinq ans, emprisonné et torturé sous Horthy, puis emprisonné et torturé par les nazis, puis emprisonné et torturé par cet aspect du communisme que l'on appelle désormais le stalinisme. Il jouissait d'une situation proéminente dans la Hongrie communiste récemment libérée, et débordait d'un enthousiasme communicatif pour les excellentes qualités de l'espèce humaine. Quand il déjeuna avec Mark, il ne put rien manger d'autre que des pommes de terre bouillies parce que ses diverses périodes de détention lui avaient ruiné l'estomac, et il dut passer presque tout son temps debout parce que son dos, maltraité lors d'une séance de torture, le faisait souffrir quand il restait assis longuement. Il enjoignait à Mark « au nom de tous ceux qui aiment la liberté, dans le monde entier » de continuer à marcher et manifester, non pas que ces activités pussent avoir le moindre effet sur la course aux armements, bien sûr — il espérait que

Mark ne le croirait pas si naïf; mais il était essentiel que les jeunes de son pays, la Hongrie, constatent aux actualités et dans les journaux qu'il existait des pays où les gens protestaient, pouvaient protester, avaient le droit de protester. Liberté! Démocratie! Pour eux, il fallait que Mark se lève, et aille défiler d'Aldermaston à Londres sous des banderoles; ce que proclamaient ces banderoles ne comptait guère. Mark répondit oui; et c'était pour cela qu'il marchait, bien que cela ne lui plût guère. Son visiteur lui avait alors serré la main en l'appelant « Camarade », et il était parti pour un banquet organisé par le Conseil des Arts.

L'Américain, âgé de vingt-cinq ans et fils de socialistes dont l'un, le père, travaillait dans un magasin parce qu'un comité McCarthy avait fait en sorte qu'il ne pût plus travailler dans une université, et l'autre, la mère, se trouvait en hôpital psychiatrique grâce à l'excès d'attention que lui avait prodigué la police, vint voir Mark pour lui dire qu'il devait absolument participer à la Marche, ainsi que tous les gens comme lui, parce que les films d'actualité, et les comptes rendus de presse lui facilitaient « ainsi qu'aux vingt personnes comme lui aux États-Unis » la tâche d'éveiller la conscience politique des jeunes là-bas. « Vous faites plus pour défaire ce qu'a fait McCarthy, déclara Brandon Stone, que n'importe qui d'autre au monde. » Il était parti pour prononcer une allocution sur la misère en Amérique à un congrès des nouveaux socialistes; mais il savait que c'était là une perte de temps. Car pour tout le monde sauf les pauvres d'Amérique, l'Amérique était encore non seulement riche, mais tellement riche qu'il n'y existait pas de pauvres. Affirmer autre chose à cette époque, c'était s'attirer à coup sûr des sourires tolérants ou irrités, ou bien des critiques obstinément négatives.

Liberté. Justice. Démocratie.

Caroline disait non.

Mark se trouvait dans la foule, quelque part. Phœbe avait téléphoné dans la nuit, en bonne et infatigable organisatrice qu'elle était, pour demander: « Vas-tu venir, *oui* ou *non?*

— Eh bien, je suis toujours venu jusqu'à présent, non?

— Oui, mais tu es tellement *irritant*. Je suppose que tu vas encore faire l'enfant? » Cette note acide répondait aux raisons perverses pour lesquelles il venait manifester: elle espérait simplement qu'il se tairait, et ne corromprait pas les esprits purs; « comme toutes les autres vedettes », il ne voulait encore pas marcher devant, là où l'on aurait pu le voir.

Quel est l'intérêt de ta participation, cria-t-elle, si personne n'en sait rien? Ce fut ainsi qu'elle résuma l'intéressant problème de la nature du fait: comment sa présentation peut modifier un événement. Car si la télévision et les photographes de presse avaient montré Mark Colridge, il ne faisait aucun doute qu'il aurait été davantage « présent » que si son nom était simplement mentionné; alors que s'il faisait « même tout le parcours » c'était comme de n'y être pas allé, puisqu'il n'était ni photographié ni même mentionné. Et l'on pouvait dire qu'une photographie prise devant la colonne Nelson, à Trafalgar

Square, sans que l'on eût fait un seul pas, marquait mieux la « présence » que d'avoir fait « tout le parcours ». Tout au moins d'après une organisatrice qui, taquinée – « Mais je témoigne, Phœbe » –, répliquait : « Qui s'intéresse à ta conscience ? »

Entre des gens comme Phœbe et Caroline, avec son petit carton, existaient des abîmes de perspective.

« Je ne te comprends vraiment pas, Mark – tu n'es quand même pas encore fâché contre les journaux ? Ils sont tous de notre côté, cette fois-ci. »

Contemplant les murs et le plafond de son bureau, revêtus de leur message de mort, Mark au téléphone répondit : « Cela n'a foutrement pas d'importance, qu'ils soient d'un côté ou de l'autre. J'étais idiot de m'en préoccuper à l'époque, et la prochaine fois que le vent tournera, je me souviendrai de ce que cela vaut. » Et quand Miles Tangin, actuellement producteur d'une émission d'actualités télévisées, aperçut Mark le second jour et lui serra la main, l'œil humide d'émotion à la vue de ces milliers de gens en marche, Mark prit la peine de lui donner plein de bons conseils pour son prochain roman. Car Miles faisait « un bout de chemin » avec eux.

Qui était « ils », cette année, pour la plus spectaculaire des Marches d'Aldermaston ? Le phénomène avait atteint son apogée. Mais pourquoi ? Qui aurait pu le savoir ? Qui sait comment programmer une telle courbe ? Cela avait commencé par surprise, s'était développé suivant une logique propre, avait atteint un sommet, et allait désormais décliner. A l'apogée, cette année, comme à tous les apogées de sentiment politique, se trouvaient rassemblés des milliers de gens qui, jusqu'alors, n'avaient jamais rien fait de même vaguement politique, et qui bientôt se disperseraient et jugeraient, pour des raisons diverses, que les choses même vaguement politiques les dégoûtaient. « Puéril » – ce mot allait resurgir, comme toujours au début d'une période réactionnaire. En attendant, les banderoles étaient celles que l'on peut voir dans toutes les manifestations : Comité Anti-Nucléaire... Paix... Travaillistes... Communistes... Pacifistes... Syndicalistes... Jeunes... Jeunesse... Juifs... Allemands... Français... Trotskistes... Anarchistes... Et puis les groupes de théâtre, les groupes musicaux, les danseurs, les chanteurs.

Mais au cœur de tout cela, des gens de tous les coins du monde qui s'agitaient et protestaient et contestaient et se battaient. Un journaliste conservateur marmonnait que, si l'on avait pu lâcher une bombe là-dessus, il n'y aurait plus eu de problème pendant au moins dix ans. Il partageait en fait l'opinion de Caroline : quand les gens, individuellement, disaient non, cela comptait.

Réconfortant ; sauf qu'à rester sous un arbre pour regarder défiler une manifestation, on voyait sur quel infime noyau reposait la certitude de devoir dire non.

Supposons que l'on ait dû se tenir là sans pouvoir repérer tel visage, et tel autre ; supposons que l'on ne sût pas comment douze mille fondaient jusqu'à n'être plus qu'une vingtaine dès que la chaleur montait ? Et alors on cherchait les visages – un ici, un là, pour la plupart aussi quelconques, aussi peu remarquables que celui de Phœbe.

Celui de Joss Cohen, par exemple. Comme il avait aidé à organiser un important mouvement de masse, « là-haut dans le Nord », le gouvernement colonial l'avait expulsé et il vivait à présent en Angleterre, chez Phœbe, où il dispensait son aide et ses conseils, et où il récoltait de l'argent pour des Africains de divers pays d'Afrique. Il était devenu un homme grassouillet dont les yeux irradiaient le même bon sens que toujours derrière ses lunettes. Il recevait des messages de Jasmine, qui attendait de passer en jugement pour trahison en Afrique du Sud. De ces messages émanait l'optimisme, un optimisme assez banal. Elle avait soigneusement choisi ses mots pour qu'ils pussent être cités dans la presse, et donner une bonne image de « la cause ». « A bas les Nationalistes ! » en était un. Un autre : « Hommes et Femmes de bonne volonté, poursuivez le combat ! » Mais si Jasmine avait été là, on ne l'aurait même pas remarquée, personne n'aurait arrêté son regard sur cette femme à l'air flegmatique qui arborait des vêtements coûteux. Il était à peu près certain qu'elle irait bientôt en prison, et qu'elle n'en sortirait pas avant longtemps.

Le noyau de la Marche se composait de gens analogues. Et pourtant, on avait l'impression, à les voir, que le socialisme avait décidé de s'offrir un carnaval. On y décelait une discordance, un esprit de parodie ou de dérision de soi, dans ce qui semblait être des déguisements de carnaval. Et pourquoi ? Que pouvait-on porter de plus pratique qu'un jeans et un duffle-coat, ou l'imperméable en matière plastique bleue de Phœbe avec un foulard sur la tête, ou encore les cirés jaunes des filles de Phœbe ? Peut-être est-ce simplement que les grandes foules doivent avoir l'air costumé s'il n'existe pas de tenue précisément adéquate ? Mark, qui se levait chaque matin à six heures pour cirer ses chaussures, se raser et brosser son costume et son parapluie, pour se joindre à la Marche dès le départ — où que cela eût lieu ce jour-là — s'habilla en gentleman-farmer et se fit acclamer par les jeunes en jeans et duffle-coats. Un groupe de jeunes conservateurs, portant le pantalon rayé, la veste noire et le chapeau melon (par principe, comme ils prenaient la peine de l'expliquer) provoqua d'autres applaudissements appréciateurs et ironiques. Il n'était point de costume ou de comportement qui ne fût jovialement accueilli ; et sans doute l'incident le plus significatif de la Marche eut-il lieu quand un membre conservateur du Parlement, irrité contre cette manifestationt, vint s'établir dans un champ détrempé, sur le chemin des manifestants, et joua un disque sur un électrophone portatif en criant des insultes aux marcheurs. Mais comme personne ne pouvait entendre de quel disque il s'agissait (c'était l'hymne national) ni ce qu'il criait, on le prit pour un sympathisant excentrique et on l'acclama. De même, lors de la première Marche en 1958, le sacristain de la cathédrale de Reading avait fait sonner les cloches à l'arrivée des marcheurs pour exprimer son hostilité, mais ils y virent un geste d'amitié et l'applaudirent bruyamment. Et un spectateur hostile qui criait : « Dommage que je n'aie pas de bombe à vous jeter sur la gueule » fut attiré dans les rangs des manifestants par des filles aux longs cheveux mouillés et aux visages ruisselants de pluie, et se retrouva finalement en train de boire du thé dans un pré, sous des arbres dégouttants d'eau, et de chanter : « Oh, when the saints... »

Mais le soir, quand ils se réchauffaient en buvant du cognac dans le bureau de Mark, Mark, Lynda, Martha (pas les enfants, qui dormaient dans des gymnases d'écoles sur leur route) s'installaient silencieusement ensemble, trois personnes d'âge déjà mûr dont l'expérience du monde ne pouvait en rien les aider à avoir foi en l'utilité du non de Caroline. Ils s'asseyaient dans le bureau de Mark, et ils regardaient les murs. Ils regardaient les murs et ils buvaient du cognac et ils parlaient de la dernière guerre, dont jamais personne n'avait eu la maîtrise ni même imaginé l'envergure avant qu'elle commençât. Ils songeaient que Caroline, qui marchait en sandales, avec ses longs cheveux dénoués, et poussant un petit bébé dans un landau, disait non ; et ils se demandaient si peut-être l'esprit de la Marche, cette gaieté grimaçante, sa raillerie douce n'étaient pas un hommage à la connaissance que nul ne souhaitait acquérir ; et le désespoir constituant son propre antidote, il faisait jaillir de son noyau quelque chose comme un rire.

Pendant son agonie, M. Quest avait observé autour de lui, dans un moment d'extralucidité, ces créatures qui s'agitaient autour de son lit, ces animaux habillés qui faisaient de curieux bruits avec leurs bouches et leurs nez pour communiquer et pour exprimer leurs sentiments, et il avait dit : « C'est drôle, le rire — ça sert à quoi ? » Ils ne l'avaient pas compris ; alors il s'était tu, et il était redevenu un vieillard presque mort que l'on gavait de médicaments.

Quand ils quittaient le bureau de Mark, chaque matin, pour rejoindre la manifestation là où elle se trouvait, ils quittaient une lumière froide et claire pour aller vers une lumière de carnaval.

Un carnaval, disait-on en manière de critique ou d'approbation, d'enfants. Eh bien, une façon de regarder cette Marche consistait à se souvenir que les trois quarts de ces gens étaient des enfants nés pendant la guerre ou bien juste après. Une façon de « faire » la Marche était de parler aux enfants. On pouvait marcher, jour après jour, d'Aldermaston, avec ses immenses barbelés électrifiés et ses chiens policiers et son air d'officialité et de mystère officiel, jusqu'à Reading, la ville la plus hideuse qui eût jamais été, de Reading à Staines, en bordure de rivière, de Staines jusqu'à Chiswick, et puis traverser Londres et ses rues condamnées jusqu'à Hyde Park et Trafalgar Square, en ne parlant qu'avec des gens âgés de moins de vingt et un ans. On pouvait aussi chercher à déterminer le rôle qu'avait joué la guerre dans les débuts de l'existence de ces gens. On s'apercevait qu'il n'y avait sans doute pas une seule personne ici dont la conception, la prime enfance, l'enfance ou la jeunesse n'eût été « perturbée » (pour employer l'expression des psychiatres) par cette guerre. On pouvait aussi entreprendre d'interroger ces gens sur leurs parents, dont la plupart avaient sans aucun doute été fondamentalement impliqués dans la guerre précédente. Il y avait en vérité fort peu de gens dans cette manifestation, ou proches, ou associés, dont la vie n'eût pas en elle un abîme où s'était perdue toute civilisation, du moins temporairement. Il n'y avait sans doute personne ici dont la vie eût même vaguement ressemblé à celle décrite autrefois par Thomas, où l'on pouvait « naître sous l'orme, vivre, aimer, se marier, mourir, et être enterré sous l'orme ».

Ces gens avaient tous été dépouillés. Et leur conversation, lorsqu'on dépassait les slogans et l'excitation momentanée de cette grande Marche et de toute cette foule, apparaissait extrêmement raisonnable. Et assez triste. Tout d'abord, fort peu d'entre eux pensaient avoir un avenir, dans le sens où leurs grands-parents auraient défini comme tel. C'étaient là des gens qui savaient avant d'avoir vingt ans ce que leurs grands-parents avaient peut-être su avant de mourir.

Ils apparaissaient également prêts à protéger leurs parents des réalités déplaisantes. Ainsi, pendant tout un après-midi de marche, Martha s'était trouvée derrière un groupe d'étudiants qui parlaient des potions en cours de préparation dans les marmites des laboratoires du monde entier, qui nous transformeront tous en spectres ou en crapauds. Ils parlaient de leurs enfants, qui pourraient se révéler des génies ou des imbéciles ; qui seraient presque certainement des mutants d'un genre ou d'un autre ; et ils parlaient de leur propre attitude à ce moment-là. Le père de l'une des filles engagées dans cette discussion vint à passer, entendit une bribe de conversation et s'exclama sèchement qu'ils étaient bien négatifs. Les étudiants le dirigèrent aussitôt vers une voie plus rassurante jusqu'à ce qu'il s'en allât, enfin apaisé, et qu'ils pussent reprendre leur discussion. Quel genre de mutants pouvait-on concevoir ? Comment les reconnaîtrait-on ? Quel genre de capacité cérébrale, affective, imaginative serait bien accueillie ou au contraire redoutée ? Peut-être étaient-ils déjà des mutants pour le meilleur ou pour le pire, sans que personne le sût encore. Après tout, il flottait déjà tellement de matière radioactive dans l'air et la terre et l'eau qu'il devait sûrement exister déjà certains changements. Et dans ce cas... la discussion se poursuivit jusqu'au moment de s'arrêter dans un champ pour un repas. Le père de la fille reparut, et lui demanda en plaisantant si elle était toujours aussi pessimiste. A quoi elle répondit en le qualifiant de bourgeois, utilisant le mot fort à propos pour définir une personne qui préfère la sécurité, le confort, l'illusion aux risques et aux aventures de la révolution. Mais dans ce cas la révolution était venue de l'intérieur, elle s'inscrivait dans la structure de la substance vitale.

C'était là un incident typique. Les discussions qui se déroulaient tout au long des colonnes en marche devançaient considérablement les slogans inscrits sur les banderoles et les pancartes ; ce qui expliquait sans doute le nombre de gens qui scandaient des slogans comme « A bas la Bombe ! » et ainsi de suite, comme s'ils en avaient trouvé les syllabes absurdes. Bien sûr, on ne peut pas scander de slogans politiques autres que simples, et de ce fait absurdes. Mais il n'y a sans doute jamais eu de manifestation politique où le contenu des conversations entre manifestants eût davantage différé des banderoles sous lesquelles ils défilaient. En imagination, ils exploraient des univers de possibilités extraordinaires, de changements, de découvertes, de révolutions; et pendant ce temps ils scandaient « A bas la Bombe, Nucléaire au Cimetière, Bas les Pattes... »

Quand Mark apparut, il se trouvait tout à fait en queue de la manifestation, et entouré de lycéens qui soufflaient dans des mirlitons à plumes et portaient des chapeaux burlesques. Leur banderole annonçait : « Jeunes Socialistes de Moxton pour la Paix ». Mark marchait en compagnie de Jimmy Wood, dont le dernier livre traitait d'un mutant que l'humanité ordinaire ne pouvait pas repérer, du fait de son apparence normale. Mais qui détenait cependant des qualités surhumaines. Ces enfants avaient lu *Le Locataire du 17;* ils n'avaient jamais entendu parler de Mark Colridge. Comme la fin de la manifestation s'étirait à travers Hyde Park, les enfants suggéraient à Jimmy diverses aptitudes que l'humanité pourrait juger utiles, si seulement on pouvait les développer : et Jimmy les notait très sérieusement au dos d'une enveloppe; Mark agitait le bras en direction de Martha, et cherchait Lynda des yeux.

Un groupe musical jouait si fort, près de l'entrée, qu'on était obligé de se taire jusqu'à ce qu'on soit suffisamment éloigné de « Oh, when the saints... »

Dans ce secteur de Hyde Park, une véritable marée humaine affluait. La rumeur circula qu'il y avait là cent mille personnes; peut-être deux cent mille? Non, c'était trop, autant de gens que pour un match de football se trouvaient là, debout ou assis sur l'herbe détrempée, ou encore s'apprêtaient à quitter cette halte : la tête de la colonne avait repris le départ comme la queue arrivait.

Et enfin apparut Lynda. Elle portait son manteau clair et élimé, ses cheveux ternes étaient relevés en un petit chignon serré, et son pâle visage souriait. Assise sur une canne-siège, elle s'efforçait de peler une orange dans un mouchoir en papier, de ses mains chaudement gantées. Elle ne pouvait pas ôter ses gants à cause de ses doigts tout rongés à leur extrémité.

Ils la rejoignirent et restèrent un moment à regarder les gens, eux-mêmes occupés à dévisager tout le monde à la recherche d'amis, de parents, de camarades d'armes originaires d'autres pays.

Ils ressentaient tous cette légèreté de cœur, cette délicieuse irréalité que l'on éprouve à regarder une innombrable foule déambuler apparemment sans but dans un espace. Les arbres aux feuilles toutes neuves semblaient se déplacer en même temps que les gens, en même temps que soi-même; et au-dessus des têtes circulaient d'énormes nuages. Lynda, Mark, Martha regardaient. Dans une grande foule, on peut regarder Martha, Lynda, Mark, passer et repasser devant soi, véritables variations sur un thème.

Ainsi, Francis passa tout près en compagnie de Nicky et d'une fille solidement charpentée, à l'air bien vivant, qui avait des cheveux jaunes coupés court, et des yeux sombres. Nicky, en femme, serait une Lynda; Francis serait son père — et combien de formes Martha avait-elle déjà prises? Une femme entre deux âges, lourde et brune avec des cheveux grisonnants, s'accrochait au bras de son mari, un homme grand et maigre, légèrement voûté, aux cheveux blonds tirant sur le gris et aux yeux bleus perdus dans une contemplation intérieure ; une fille rondelette au visage plat les accompagnait, avec un regard fixe et des cheveux lisses et doux. Martha, Lynda, Mark. Trois étudiants passèrent, une grande fille blonde à l'air penché, avec de grands yeux gris, et une blonde énergique et trapue qui donnait la main à un garçon grassouillet et souriant. Un homme solidement bâti, sans doute journaliste ou écrivain, accompagnait une femme ronde au visage lunaire et aux yeux bruns, peut-être sa femme ; un grand garçon blond, peut-être leur fils, marchait avec eux. Martha, Mark, Lynda.

Ils passaient et repassaient sur l'herbe épaisse du printemps, sous les nuages gris qui roulaient dans le ciel.

« Ta mère est là, annonça Lynda.

— Sûrement pour pointer sa liste d'invités, marmonna Mark.

— Pour la dernière fois », observa Lynda. La nuit précédente, Lynda, qui n'allait pas très bien, avait déclaré qu'il lui fallait absolument être présente aujourd'hui, car elle sentait que ce serait la Marche la plus spectaculaire, et elle ne voulait pas manquer cela. La foule était bien plus nombreuse que l'an dernier. Et l'année prochaine, Phœbe et ses semblables pensaient qu'il viendrait encore plus de monde. L'évidente justesse de leur point de vue ferait surgir chaque année des foules plus nombreuses, jusqu'à ce que l'île entière, de Land's End à O'Groats, fleurisse de symboles... et de leurs épées, ils forgeront des socs sur-le-champ. Quelque chose de ce genre.

Mais l'année prochaine, Margaret ne serait pas là.

« Je rentre à la maison », déclara Lynda. « Toute cette foule me fait penser à un essaim d'abeilles. »

Margaret s'approcha. Elle n'approuvait pas vraiment cette Marche, mais tant de ses amis y participaient qu'elle avait, en voiture, apporté des paniers de pique-nique pour ceux d'entre eux qui se trouveraient là à l'heure du déjeuner. Bien entendu, la nourriture qu'elle avait apportée était délicieuse. Derrière elle venait son mari, John, tout souriant. Les projecteurs de l'actualité s'étant détournés de l'homosexualité au profit d'autre chose, John se révélait dans l'ensemble un mari meilleur. Dans leur cercle intime, ils plaisantaient volontiers (Graham avait commencé) que son père n'avait plus besoin de faire ses preuves. Margaret rentrait tout juste d'un voyage à Moscou, où elle avait vu son fils prodigue et assisté à de nombreux banquets : elle venait d'accueillir chez elle des officiels soviétiques.

Elle observa un instant son fils, gentleman-farmer solidement campé sur ses pieds et qui employait son parapluie en guide de canne, son épouse qui pelait une orange, et Martha qui mangeait des quartiers de l'orange de Lynda.

« Charmant ménage à trois, murmura-t-elle moins par rouerie que pour tenter de définir une situation.

— Mon Dieu, sommes-nous donc ainsi ? s'écria Lynda.

— Que voulez-vous que j'en sache ! répliqua Margaret.

— Je dirais que parfois oui, et parfois non, déclara Martha.

— Qu'importe ce qu'on peut dire, intervint Mark.

— Oh, tu es fâché. Je suis navrée », répondit Margaret. « Et maintenant tu ne vas plus vouloir venir dîner. Avec tant de copains à toi qui seront là !

— Je ne peux malheureusement pas venir, confirma Mark.

— Ces très chers amis russes se passionnent tellement pour le livre que tu m'as consacré, reprit Margaret, qu'ils parlent de le traduire. »

Mark ne répliqua pas. Margaret sourit, les salua de la tête, et repartit vers ses invités. John la suivit.

Phœbe arriva, enveloppée dans son imperméable en plastique bleu transparent ; elle semblait renfrognée.

« Ma chère Phœbe, s'exclama Lynda, quel succès ! Et puis quelle organisation !

— Ce serait encore mieux sans tous ces cinglés. »

C'est alors que s'approcha d'eux l'un des cinglés, Francis. Comme toujours, il lança à sa mère un regard circonspect pour voir si l'orage menaçait ; et comme toujours, Lynda sourit à son intention. Il accepta un quartier d'orange.

« Vraiment, poursuivit Phœbe, pourquoi faut-il que vous veniez toujours tout gâcher ? La police est encore revenue — quel est l'intérêt d'aller m'entendre avec la police si vous allez tout changer ?

— Ce que tu veux dire, suggéra Francis, c'est : Pourquoi ne me laissez-vous pas tout organiser à votre place, puisque je sais le faire et pas vous ?

— Non, mais...

— *Si*. Et j'en oublie encore, hein ? Me voici, avec les forces de l'ordre et de la loi.

— Bon, dis à ton Nicky de venir me voir ce soir, il faut absolument que je lui en parle.

— Je le lui *suggérerai*. Mais ce soir, il sera sûrement en prison. »

Nicky avait quitté la grande Marche pour aller se joindre à une manifestation du Comité des Cent devant l'ambassade soviétique. Personnellement, Phœbe approuvait cette manifestation ; mais elle savait que la majorité de son comité ne serait pas d'accord. Ils s'étaient formellement désolidarisés de cette manifestation-là.

Plusieurs fois par semaine, Phœbe appelait Francis pour le charger de diverses instructions à l'intention de Nicky ; Francis demeurait poli.

« As-tu vu Gwen ?

— Elle est avec Nick.

— Oh, mon Dieu, si on l'arrête *encore*, je suppose... » Elle s'interrompit en voyant qu'il n'attendait rien d'autre. Il souriait courtoisement.

« Et j'imagine que Jill est ici aussi ?

— Elle doit regarder, quelque part dans le secteur », répondit-il doucement.

Quelques mois auparavant, Jill s'était trouvée enceinte d'un musicien de jazz originaire des Antilles, et venu en tournée. Elle avait refusé de se faire avorter jusqu'au dernier moment. Phœbe la pressait de le faire, et Jill avait répété quinze fois par jour que si Phœbe voulait la faire avorter, c'était que son soutien aux Africains n'était qu'une imposture. Au fond, expliquait Jill, sa mère devait détester les gens de couleur ; sinon, elle aurait adoré que sa fille ait « un amour de petit bébé noir ». Cette expression exaspérait follement Phœbe. Au bout d'environ trois mois, Phœbe déclara qu'il était sans doute trop tard pour une intervention, désormais, et qu'elle aiderait Jill à élever l'enfant.

Jill décida alors de se faire avorter, en fin de compte ; mais elle était déjà enceinte de presque quatre mois quand elle entra à l'hôpital, et elle passa de très mauvais moments. Tout le monde passa un moment exécrable.

Phœbe comptait beaucoup sur Francis. Cette femme qui ne sollicitait jamais d'aide, car elle ne croyait pas qu'on pût en donner, en demandait à présent continuellement, par sa voix, ses gestes, ses regards, mais sans s'en rendre compte. Et elle s'adressait habituellement à Francis, ce roc de bon sens, qui s'entendait bien avec Jill.

« Je garderai un œil sur elle, ne t'inquiète pas », promit-il.

Elle eut un sourire raide, pathétique. Compter sur Francis n'était pas une sinécure. Un jour qu'elle se plaignait du comportement de Jill, il s'était contenté de dire : Comment étais-tu, à dix-sept ans ? Cela avait mis Phœbe en rage : c'était injuste. Oui, elle voyait bien que pour Francis l'immoralité de tout cela (l'insouciance, l'indifférence au bonheur de l'enfant) n'entrait pas en ligne de compte : il voulait simplement dire que tout le monde était difficile à dix-sept ans. Manifestement, leur manière d'être difficile importait peu. Phœbe ressassa à nouveau qu'elle s'était mariée vierge avec Arthur, et qu'elle s'était imaginée très mûre et maîtresse d'elle-même.

Cependant, elle dépendait à présent de Francis qui, ronchonnait-elle intérieurement, la traitait comme si elle avait été aussi méchante et cruelle que Jill. Quand il s'éloigna dans la foule, elle partit à sa suite comme après un sauveur possible. Elle avait l'air de le filer, avec son nez rougi qui dépassait du capuchon de plastique bleu, et ses mains cramponnées à des papiers et des dossiers de toutes sortes.

Paul ne tarda pas à passer aussi, en compagnie du groupe théâtral auquel il s'était attaché. Il ne vit pas tout de suite les trois personnes qu'il désignait, avec ce mélange caractéristique de charme et d'insolence, « ma famille au sens large ». Il parlait à un metteur en scène de Hambourg, qui l'écoutait avec un sourire qui exprimait bien comme il s'amusait. Paul les vit. Des expressions se succédèrent sur son visage, chacune bien distincte de l'autre. Tout d'abord, l'air d'un animal qui voit une chose peut-être dangereuse ; puis un rayonnement d'affection pure et spontanée ; puis une expression destinée à être vue d'eux et de qui voudrait, révélant une tolérance amusée à l'égard de l'absurde ; et enfin, ce qu'il pensait être un sourire d'aisance mondaine. Il caressa gentiment Zena qui l'accompagnait, avec un autre sourire encore où l'on décelait l'indulgence, la douceur, puis il s'élança gracieusement vers les trois. Parmi les gens qu'il avait quittés, certains se retournèrent et remarquèrent l'écrivain Mark Colridge; sans en avoir trop l'air, Paul regarda pour voir qui se retournait. « Quoi, pas d'orange pour moi ? » demanda-t-il à Lynda, qui aussitôt lui tendit un quartier avec un sourire pour dire, mais avec affection : Tu ne m'auras pas, tu sais. Tous deux étaient récemment redevenus amis; du moins respectaient-ils une trêve.

« Oui, je sais », déclara Paul d'une voix sonore. « Mais comme je ne dépends strictement que de mes propres ressources, et que je ne puis compter sur personne que moi-même pour faire mon chemin dans ce monde cruel, il faut bien vous attendre que je me serve de vous.

— Absolument pas », répliqua Mark.

Paul leur adressa un sourire affectueux nuancé d'effronterie et retourna en courant d'un pas léger auprès de son groupe. Ils virent comme il commençait par rassurer Zena d'un regard et d'une caresse avant de se glisser à nouveau auprès du célèbre metteur en scène allemand.

Ils échangèrent des regards mais n'exprimèrent pas ce qu'ils ressentaient, car à cinquante mètres d'eux Paul tendait le cou en arrière pour voir s'il était allé trop loin. Son visage laissait paraître de l'appréhension. Ils lui adressèrent des gestes joyeux et, ravi, il agita les bras dans leur direction.

Dans l'ensemble, ils étaient contents de lui.

Quelques mois plus tôt. il avait déclaré que « grâce à eux, il n'avait pas plus d'instruction qu'un fils d'ouvrier », et que donc il lui faudrait bien s'instruire tout seul, puisqu'ils refusaient de s'en occuper.

Il entreprit donc de se procurer une instruction, ou plus exactement de l'information, exactement comme il s'était procuré des objets et des vieilleries sur les marchés de Londres. Il suivait même secrètement des programmes éducatifs à la télévision — mais il ne voulait pas qu'on le sache. Pendant les quatre jours de la Marche, il avait abordé des gens, pas nécessairement célèbres, qui pouvaient lui donner un peu de ce qu'il recherchait. Le metteur en scène allemand se trouvait actuellement au premier rang de l'actualité : Paul avait annoncé avant le week-end qu'il deviendrait « un de ses amis, vous verrez ». Un ami de Francis, d'origine allemande, venait de passer une semaine chez eux, et Paul s'était découvert un don pour les langues : il avait appris suffisamment d'allemand pour parler avec le metteur en scène. Le jeu voulait que Paul ne mentionnât pas le nom de Mark — enfin, pas avant d'avoir établi un contact avec la personne qu'il visait. Cette règle, comme les autres, avait été instaurée dès le début; une autre exigeait qu'il n'eût jamais à payer pour rien. Tout devait fonctionner grâce à son charme exclusivement.

Les adultes assisteraient à ce qui devait être la naissance d'un intrigant; mais après tout, cela valait beaucoup mieux que certains autres avenirs, qu'ils n'imaginaient que trop aisément. Et puis il y avait l'autre côté de Paul — Zena, par exemple. Elle était désormais sous la responsabilité de Paul, qui ne s'enfermait plus dans son royaume avec ses belles étoffes et ses miroirs et ses trésors. Elle y restait lorsqu'il s'absentait, ravissante petite créature passive et silencieuse à qui personne d'autre ne savait parler. Elle demeurait là, pâle et anxieuse, à attendre Paul. Son enfance s'était déroulée dans de si mauvaises conditions, semblait-il, qu'elle n'attendait rien de personne : elle s'étonnait quand on lui offrait quelque chose, et demeurait convaincue qu'on le lui reprendrait bientôt. Elle savait bien que Paul disparaîtrait un jour, ou qu'il lui marquerait de l'impatience, comme déjà tant d'autres avant lui.

Mais Paul ne la renvoyait pas. Il n'était pas méchant. Il était même allé trouver « le vieux », l'ancien amant de la mère de Zena, qui était videur dans un club de jeux, pour lui dire que s'il faisait du mal à Zena, lui, Paul, irait trouver la police. Le « vieux » avait jeté Zena dehors. Paul l'avait recueillie. Comme il le disait : elle habite pratiquement ici de toute façon, alors quelle différence cela fait-il ? Il se rendit à Birmingham, où vivait désormais la mère de Zena, pour comprendre la situation ; Zena s'était contentée d'affirmer : « Ma mère ne veut pas de moi. » C'était à moitié vrai. La mère avait eu beaucoup d'enfants, et continuerait probablement : elle n'avait encore que quarante ans, et faisait preuve de la même passivité que Zena. Elle parlait de Zena avec un intérêt détaché, comme si elle n'avait pas été sa fille. Paul lui avait demandé si Zena ne pourrait pas venir en week-end, ou bien pour un congé : « Sa famille lui manque », avait-il expliqué. La mère si passive avait trouvé l'idée bonne, mais sans dire que Zena devait venir. Zena persistait à penser qu'elle ne serait pas bienvenue. Paul l'avait alors emmenée passer le week-end chez sa mère : ce garçon qui ne se souciait apparemment que de beauté, de succès, de réussite, de confort, avait forcé une femme épuisée et son mari malade, ou du moins ivrogne, à se montrer gentils envers Zena pendant plusieurs jours. Il avait même fait la vaisselle, et nourri les petits enfants.

Mais ils savaient tous qu'un jour Paul devrait abandonner Zena : que pouvait-il faire d'autre ?

Vint ensuite à passer, en compagnie d'un autre groupe théâtral, Patty Samuels. Elle était avec son petit jeune homme du moment, un de ces nouveaux jeunes acteurs ouvriers montés de leur province. Elle ne se montrait pas sous son meilleur jour, avec cet imperméable et ce foulard : elle avait l'air d'une saine ménagère juive. Il était beau, et profitait avec assurance de la vogue en faveur de sa classe sociale, avec des yeux à l'affût de tous les avantages éventuels. Il espionnait Mark : ils le regardèrent diriger Patty hors du rang pour venir saluer l'écrivain. Patty résistait — elle leur adressa même un ample haussement d'épaules et un clin d'œil amusé, comme pour dire : Ne venez pas me le reprocher !

Quelques semaines auparavant, elle avait téléphoné pour leur annoncer qu'il « serait le dernier de ses coqs de combat — elle le jurait ». En dehors de toute autre considération, ils la ruinaient : ce n'était pas qu'aucun d'eux fût un tapeur intentionnel — mais qui l'est, franchement ? Comme le disait Patty, la conjugaison d'une chaleureuse image maternelle gagnant bien sa vie et d'un jeune homme bourré de talent et destiné à gagner trop peu, cette conjugaison se révélait tout simplement *fatale* — il fallait qu'elle y mette un terme.

« Quand ce brave garçon prendra son envol, il faudra que je dise non au suivant. »

En plaisantant, elle continuait à les aider sur leur voie tandis qu'elle, c'était évident, s'en tirait fort mal sur tous les plans autres que financiers. Elle affirmait que si elle n'avait pas déjà eu une dépression nerveuse, elle l'aurait maintenant — « mais on se lasse de tout, y compris d'être névrosée ». Elle le disait... elle disait beaucoup, ce qui revenait au même, qu'elle ne s'intéressait plus à elle-même. La futilité, l'aigreur, la violente lumière d'autocritique, qui accompagnent toute période d'existence où l'on reproduit des types de comportement éculés, la vieillissaient, l'aigrissaient. Pourtant, elle ne pouvait pas s'arrêter. Elle n'avait pas pu adopter d'enfant — elle ne représentait pas une candidate acceptable. Le bon sens lui confirmait que les autorités avaient raison : quel temps pourrait-elle consacrer à un enfant, quand elle travaillait toute la journée ? Pourtant, c'étaient des enfants qu'elle désirait. Elle disait que, quand elle chasserait de sa vie le dernier de ses jeunes gens, ce serait la fin de l'amour — et elle ne pouvait pas affronter la perspective de dormir seule. En se retournant sur sa vie, tellement pleine de travail pour le théâtre, la politique, elle affirmait que rien n'y était réel que les hommes, la sexualité, l'amour.

Elle le disait à Mark, l'un de ces hommes, en présence de Lynda et de Martha. Elle l'avait dit en riant, mais elle riait sans cesse, et elle parlait nerveusement, en demandant tout le temps : Eh bien, qu'en penses-tu ? Que trouves-tu à répondre ? Ne reste pas là à me regarder, dis-moi ce que je dois faire ?

Et ainsi de suite.

Elle agissait de même avec tous ses amis établis ou, selon son expression, « avec tous ceux qui avaient réussi à partager le lit de quelqu'un pendant plus d'un an ». Elle se faisait des ennemis ; elle irritait les gens, car ils se révélaient évidemment incapables de discerner qu'elle était malade.

Elle disait à Mark qu'il figurait l'Anglais type — c'est-à-dire qu'il ne pouvait supporter une femme que si elle « était à l'étranger, ou morte, ou mariée à un autre, ou encore s'il ne l'avait vue qu'une seule fois et de loin, comme Béatrice ». Et que si Lynda se rétablissait, Mark ne pourrait pas le supporter : il s'enfuirait.

« Il tomberait sans doute follement amoureux de toi, Martha, et il rêverait à toi de loin, car bien entendu tu ne pourrais pas supporter que Mark t'aime, ou du moins qu'il te souhaite comblée — tu es l'équivalent féminin de Mark. »

Tout cela s'était déroulé récemment pendant un dîner. Lynda, Martha, Mark, et le jeune homme, Derek, originaire de Leeds, avaient été perturbés chacun à sa façon. Le jeune homme, nouvellement arrivé à Londres, déclara qu'il n'avait pas l'habitude « des manières libres et désinvoltes des intellectuels ».

« Nous n'y sommes pas habitués non plus, avait répliqué Lynda, et je ne suis pas une intellectuelle.

— Oh, pardon », se hâta-t-il d'ajouter ; il s'excusait trop. Mais elle avait manifesté trop de mécontentement. S'en rendant compte, elle reprit avec ce sourire si particulier : « Oh, ce n'est pas grave, je vous en prie... »

En retour, elle se sentait engloutie dans une ample vague de sa spécialité à lui, une sympathie chaleureuse et détendue. Lynda, qui réagissait toujours à une chaleur physique rassurante, sourit à nouveau en se tournant vers lui comme un tournesol. Il fit de même en la fixant droit dans les yeux, puis se souvint de Patty, qui suivait la scène d'un œil sardonique. Il se carra dans son fauteuil, et se plongea dans la contemplation de son assiette.

Pour les spectateurs, cela ressemblait au jet d'une grosse pierre dans une flaque d'eau ; des vagues disproportionnées giclaient en tous sens.

Ce jeune homme de vingt-cinq ans avait employé toutes les vertus dont on a besoin pour s'arracher à la province et s'implanter dans la cité des arts et du talent. Il s'était montré têtu, patient, homme de ressources ; il avait cultivé l'intégrité et son talent. Mais une fois arrivé à Londres, il avait découvert qu'aucune de ces qualités ne comptait autant qu'une certaine autre, qu'il avait toujours considérée comme allant de soi : une chaleur humaine directe, une spontanéité généreuse. Il avait bien sûr lu D.H. Lawrence dans le cadre de son circuit d'autodidacte. Il comprenait à présent de quoi parlait cet auteur. Il comprenait qu'il était un héros lawrencien.

Ce n'était pas qu'il eût consciemment décidé d'évoluer dans ces milieux comme une pile de sympathie sexy-émotionnelle ; il découvrait tout simplement qu'il en était ainsi. Il lui arrivait de songer farouchement que Londres était corrompu : il se remémorait alors toutes les vertus de la province.

« C'est-à-dire, disait Patty en gardant son regard perçant fixé sur les paupières sagement baissées de son jeune homme, que je ne peux imaginer aucun de vous, aucun Anglais de ton genre, Mark, vivant avec la personne que vous aimez et y prenant plaisir. Je ne parle pas de faire contre mauvaise fortune bon cœur, ni de se montrer salaud et hargneux en éternel martyr de telle manière que la pauvre épouse en ait pleinement conscience, ni de s'absenter mentalement comme ils le font tous, mais de vivre vraiment et complètement avec une femme.

— Moi, si, intervint Derek d'une voix vigoureuse pour défendre sa position personnelle.

— Bien sûr, mon chéri, mais tu es différent des autres, n'est-ce pas ? »

C'est alors que Francis était arrivé.

« Et maintenant, ferme-la, ordonna Mark à Patty.

— Pas devant les enfants », déclara Francis en souriant, son visage rond d'enfant toujours prêt à souffrir, avec un regard interrogateur à la ronde.

« Ni devant moi, renchérit Lynda.

— Oh, je vous en prie », s'écria Patty en incluant Francis dans son ample camaderie d'un sourire qui se voulait chaleureux et détendu, « Francis n'est plus un petit garçon. »

— Si, justement », répliqua Francis en pâlissant, pour établir une distance. « Si tu parles encore du genre de sujet que je devine, alors si, j'en suis un. »

Patty ne décela pas la gravité de sa protestation, et s'apprêta à continuer. Derek lui donna un coup de pied sous la table. « Oh, tu m'emmerdes », s'exclama-t-elle en se penchant pour se masser la cheville. « Quel tact, vraiment !

— C'est ce que tu préfères, mais maintenant ferme-la ! » insista Derek.

Plus tard, elle téléphona pour dire qu'elle était navrée ; elle n'avait voulu perturber personne.

Cela s'était produit la dernière fois qu'ils avaient vu Patty et l'atmosphère se crispa quand elle s'approcha en compagnie de Derek.

Il s'arrêta auprès de Mark, et commença à lui relater quelques anecdotes sur sa journée de marche.

« Allons, viens, mon chéri, déclara Patty, sinon nous ne retrouverons plus notre groupe.

— Dans une minute. »

Il observait une partie de la foule où les gens se regroupaient, prêts à quitter le grand pré. Bientôt une banderole s'éleva dans l'air, soutenue par des bâtons comme un cheval ou une vache se redressant sur ses pattes ; et au-dessous ils reconnurent Graham Patten, qui allait passer à dix mètres d'eux.

« Allons, viens », s'impatienta Patty, contrariée, en comprenant pourquoi il s'attardait là.

« Pars devant, ma chérie », répondit-il. « Je te rattraperai. »

Patty se força à sourire, puis se résigna à attendre sur le côté. Ils faisaient attention de ne pas croiser son regard.

Graham les vit, et rompit le rang pour les rejoindre, les englobant tous dans son sourire bienveillant d'homme qui se donne en spectacle. « Ma toute belle... ma chérie... » murmurait-il en embrassant Martha et Lynda, puis il salua de la tête Mark, qui était le véritable objet de sa présence parmi eux. Il se plaça auprès de Patty et lui moula les fesses de sa large main, d'une manière qui semblait la congédier. La valeur de Patty dans l'échelle du succès était joliment basse, en partie parce que son état d'anxiété névrotique la rendait moins utile à ses employeurs ; même s'ils ne s'en rendaient pas compte, car ils ignoraient la raison pour laquelle elle était inestimable. C'était également dû en partie à la méchanceté de ces divers jeunes gens qui la quittaient après s'être servis d'elle : ils comptaient plus que personne dans l'établissement d'un ton, d'une humeur, d'un style.

Quand on se trouvait avec Graham, on savait exactement où l'on était sur le marché de la réussite : non seulement Patty parut contrariée, mais elle pâlit. Elle leur avoua plus tard dans la soirée qu'elle n'avait pas compris, jusqu'à cet instant, combien bas elle était tombée. Cette fois, elle ne supporta pas la main tendrement possessive mais condescendante comme elle aurait dû. « Oh, je t'en *prie* ! » s'exclama-t-elle rageusement. Affable et charmant, Graham haussa les sourcils, s'écarta d'un pas, et l'exclut de son attention. Il se tourna vers Mark, mais trouva Derek à côté de lui.

Derek adressait des signes de compréhension compatissante à Patty, mais marquait une indulgence amusée à l'égard de Graham. Des messages crépitaient entre Graham et Derek : ils se rencontraient pour la première fois.

« Et puis quelle chevelure, aussi, déclara Graham après un moment de silence, ... quelle chevelure ! » En prononçant ces mots, il fixait avec une mélancolie pas le moins du monde forcée le jeune homme, droit dans les yeux. En même temps, il tendit la main pour caresser les cheveux de Patty. Elle en avait une masse dont on pouvait vanter le charmant désordre, mais qui grisonnait.

Patty était trop en colère pour protester, à présent ; mais elle nota en même temps l'échange intervenu entre le jeune homme et Graham, et disséqua le geste multifonctionnel de ce dernier. En lui caressant les cheveux, il faisait valoir son droit à le faire ; et puis il la mettait dans une position où, qu'elle se défende ou non, elle serait ridicule. Également, il informait le jeune homme que lui, Graham, disposait d'une priorité sur elle, qu'il avait (très vraisemblablement) eu Patty à un moment ou un autre. Enfin, il se donnait quelque chose à faire pendant qu'il se remettait du choc d'avoir rencontré le jeune homme. Car en dévisageant ce Derek venu de Leeds, les femmes alertées par la gravité soudaine et sincère de Graham virent à nouveau comme il était merveilleusement, extraordinairement beau : un véritable héros contemporain. Ses cheveux, d'une substance vivante et lumineuse, couleur d'or pâle et qu'il portait assez longs, laissaient paraître des oreilles exprimant une sensibilité aiguë ; ses yeux brillaient d'une exceptionnelle intelligence, et sa bouche parvenait à conjuguer un bon sens de policier ou de lutteur avec un air d'être sans cesse humide de baisers.

Dans tous les esprits se mirent soudain à danser des images d'amour : des oreilles, des mains, des fesses, des cuisses, des bouches tournoyaient autour d'eux comme des feuilles dans un tourbillon de printemps et, comme la température montait, Graham, haletant et riant de soi-même, récita : « Je frissonne et...

« Et moi, répliqua Patty, je n'achèverai pas la citation.

— Mais non, ma chérie, pas encore ! Pourquoi l'achèverais-tu ? Et d'ailleurs je ne le ferais pas non plus, à ta place. »

Graham s'attardait auprès d'eux, ou de Derek, tandis que les colonnes se déroulaient vers la sortie du parc. Il avait oublié pourquoi il était là, et qui était de faire venir Mark à son émission. Il allait rejoindre les marcheurs quand il s'en souvint, et demanda à Mark : « As-tu réfléchi ?

— La vérité, c'est que je suis à court d'argent actuellement », répondit Mark.

Accoutumé à son demi-frère, Graham ne regarda pas s'il avait voulu se montrer blessant : il savait que non. D'autres gens avaient trouvé Mark blessant.

« A très très bientôt, mes chéris », proclama Graham à sa manière de présenter les choses qu'il se croyait obligé de dire. Après une brève inclinaison involontaire vers les yeux du jeune homme, il s'arracha à leur compagnie pour se fondre dans la foule. Derek le suivit des yeux : la nouvelle émission télévisée de Graham semblait devoir remporter un succès particulier.

« Et mes chéris vont-ils rentrer chez eux très très bientôt ? s'enquit Patty.

— Oui », répondit Mark. « Et pas de discours. A aucun prix.

— Alors j'irai avec vous si... » Elle regarda son jeune homme, et suggéra : « Peut-être préférerais-tu rester avec les autres. »

Il s'illumina de soulagement. « Merci, dit-il, merci... » Il s'élançait déjà sur l'herbe quand il se souvint, fit demi-tour, et embrassa hâtivement Patty ; puis il se mit à courir d'un pas léger sous les gros arbres trempés pour se perdre dans la foule en mouvement.

« Oh, mon Dieu », soupira Patty dans un élan de souffrance soudain incontrôlable. « Mon Dieu. Eh bien, voilà, c'est fini, n'est-ce pas ?

— Dans l'ensemble, oui, acquiesça Lynda.

— On dirait bien, ajouta Martha.

— De toute façon, déclara Mark, il ne semble pas bon à grand-chose, si ce n'est...

— Oh, oui, justement », s'écria Patty avec un rire fâché. Elle se mit alors à sangloter bruyamment, toute secouée de hoquets de son émotion tandis qu'ils s'éloignaient dans la direction opposée, vers Marble Arch.

« Je sais que je suis idiote », hoqueta Patty en s'agrippant à Mark, qui était le plus proche, avec une telle violence de chagrin qu'elle lui sortit l'épaule de son imperméable. Elle titubait et il fallait la soutenir ; elle avait le visage rouge et gonflé, comme une femme ivre.

Il fallait absolument la ramener, afin qu'elle pût se coucher. Pour quelque raison inconnue, il n'y avait aucun taxi en vue. Ils s'arrêtèrent sur le trottoir pour en attendre un, tandis que Patty pleurait et s'injuriait à mi-voix.

Lynda émit deux ou trois réflexions impatientes et glaciales.

Mark lui fit observer : « Lynda, tu t'exprimes comme une vieille fille racornie. »

Lynda devint très pâle ; elle saisit la main de Martha comme une petite fille apeurée. Un taxi apparut et Mark, angoissé d'avoir manqué de gentillesse à l'égard de sa bien-aimée, déclara : « Lynda, prends celui-ci avec Martha, et je vous suivrai dans un autre en compagnie de Patty.

— Oh, non », protesta Patty. « Ne vous donnez pas tout ce mal pour moi. Je ne suis qu'une idiote, et je mérite...

— Mais oui, mais oui », coupa Mark en la poussant dans la voiture, puis s'engageant à sa suite. « Vous nous rejoignez, alors », dit-il aux deux autres femmes restées dehors, puis il cogna un petit coup à la vitre de séparation pour dire au chauffeur de démarrer.

Lynda et Martha demeurèrent sur le trottoir à attendre, et Lynda resta cramponnée à la main de Martha.

Parmi les gens qui traversaient la rue en venant du parc, apparut Jack. Il se tenait incliné, dans une attitude attentive, au-dessus d'une jeune fille au visage frais. En atteignant le trottoir, il reconnut Martha, hésita, décida de ne pas manifester qu'il l'avait vue, et poursuivit son chemin en marquant de la déférence à la jeune fille qui semblait irlandaise, à la manière d'un gentleman d'une autre époque.

Martha ne l'avait pas revu depuis bien longtemps.

Elle avait découvert comment il gagnait son argent. Il formait des filles pour un bordel. Mais il les formait d'une certaine façon, car il s'agissait d'un certain type de bordel.

Jack avait décrit les méthodes à Martha, tandis qu'elle se récriait sottement, oui, mais je ne vois pas pourquoi... pourquoi veux-tu... quel est l'intérêt de... jusqu'au moment où elle avait compris que cette façon de lui parler, qui conjuguait une brutalité injurieuse et désinvolte quant aux objectifs avec un souci méticuleux, humble, patient, exprimé dans les « j'aimerais tant que tu me croies ; je t'en supplie, Martha, il faut me croire... ce que je désire par-dessus tout, c'est la confiance... » était en fait la technique employée avec ces filles. Et il n'était pas besoin de s'enquérir pourquoi, comment, dans quel but, car elle n'avait qu'à voir ses propres réactions pour comprendre le fonctionnement de sa méthode.

Il s'agissait essentiellement d'un processus de dégradation. Mais pas d'un seul coup. Cela n'aurait pas marché, par exemple, s'il avait entraîné une fille et l'avait frappée, ou violée, ou emmenée de force dans un bordel, ou soumise par la violence à tel ou tel acte. Il fallait conduire la fille pas à pas, sur un chemin où elle comprenait et se soumettait à demi à sa propre dégradation. Il s'agissait de la briser psychologiquement. Lorsque Jack décrivait pas à pas la manière dont telle fille innocente (les vierges étant les meilleures) était amenée à rester de son plein gré au bordel, ce qu'il décrivait en réalité était la manière dont il brisait Martha, dans la mesure où elle apparaissait disposée à écouter et accepter. Car tout était calculé, mesuré, pour atteindre Martha.

Il entendait parler d'une nouvelle venue dans le quartier, ou bien la voyait, qui travaillait dans une teinturerie ou un magasin. Sans doute venait-elle de province, ou d'Irlande, ou du continent. Il passait dans le magasin où elle travaillait, toujours cérémonieux, digne, et s'intéressant à elle d'un air grave. Elle notait habituellement, à ce premier stade, qu'elle appréciait ce comportement respectueux contraire à celui de tant de jeunes gens. Mais pendant cette première phase, il se permettait quelques propos ou quelques gestes tout à fait déplacés chez une personne aussi correcte. Il éructait soudain un chapelet d'obscénités, ou la pelotait ; peu importait quoi — mais il agissait toujours brièvement, et reprenait aussitôt son attitude de grand seigneur qui (comme il avait été garçon de ferme dans le haut veld) lui allait comme un chapeau haut de forme à un fermier. Il y avait dans tout cela quelque chose de grossièrement factice — exprès.

La fille se demandait si elle avait imaginé les propos grossiers, le geste. Si elle lui en parlait, il prenait un air surpris, ou choqué, pour dire : « De quoi parlez-vous ? »

A un certain point, il annonçait quelque chose comme : « J'ai un ami qui aimerait beaucoup vous rencontrer. » Elle suggérait alors un café du quartier, et lui sa maison (mais il disait « la maison de mon ami » ou « son appartement » — n'importe quoi qui ne fût *pas* la vérité). « N'avez-vous donc pas confiance en moi ? » soupirait-il avec une résignation mélancolique quand elle refusait de venir chez lui. Elle finissait par accepter. Elle se trouvait alors devant Jack déguisé en Turc ou en Arabe. Et quand elle s'exclamait : « Oh, Jack, que faites-vous dans ce costume ? » Il répondait : « Vous devez vous tromper. Je suis Abdullah » — ou autre chose du même genre. Elle gloussait nerveusement, et lui demeurait grave et distant, comme pour lui faire honte de ses mauvaises manières. Ils buvaient du café turc (« venu de ma patrie ») ou mangeaient des loukoums. L'unique objectif de cette rencontre était de décontenancer la fille avec tout cet imbroglio. Qui pouvait varier. Il pouvait être son propre jeune frère, ou bien il y avait quelqu'un d'autre dans la maison : une autre fille, persuadée de jouer un rôle de sœur ; ou bien un autre homme associé dans l'affaire du bordel, et faisant semblant d'être ce qu'il n'était manifestement pas.

Troublée, elle retournait à son travail sans pouvoir chasser l'incident de son esprit, tout à la fois intriguée et insultée, fâchée. Il ne revenait pas aussitôt la voir — pas avant plusieurs jours. Quand il le faisait, il ne mentionnait pas la rencontre précédente avant qu'elle en parle. Elle s'enquérait : « Mais, Jack, quel jeu jouiez-vous, l'autre jour ? » Ou bien : « Était-ce réellement votre sœur ? » A nouveau, il lui faisait sentir de graves reproches. Cependant (exactement comme il avait employé des termes ou des gestes hors de propos) il disait brusquement, et avec une vulgarité inattendue, quelque chose comme : « Oh, vous voyez clair en moi. J'aime les filles qu'on ne peut pas rouler. »

Et tandis qu'elle souriait, flattée, soulagée que la farce fût terminée, et furieuse qu'il la prît pour une imbécile, il s'en allait, drapé dans sa dignité de grand-guignol. Il la laissait tranquille pendant quelque temps. Et il ne revenait la voir dans sa boutique ou sa teinturerie que lorsque l'incident mis en scène par lui était devenu un souvenir plus humiliant qu'agréable. Il arrivait dans un état d'extrême indignation ; tout d'abord, il se montrait farouchement déterminé à sauvegarder sa dignité blessée, puis (comme si on le contraignait à s'expliquer) lui reprochait de n'avoir pas confiance en lui, d'écouter des ragots, et ainsi de suite. Elle, naturellement, protestait de son innocence. Mais pour lui prouver sa confiance, il fallait qu'elle revînt chez lui (ou chez son ami). Elle y allait avec un sentiment de s'être laissé faussement accuser, et de commettre une terrible erreur. Chez lui, Jack la menait dans une de ces pièces étrangement décorées. Il ne s'y disait alors rien de bien particulier, mais l'atmosphère était très forte. Il traînait quelque chose — un fouet, ou bien une corde en nylon avec un nœud coulant. « Un de mes amis s'est pendu la semaine dernière — je l'aimais beaucoup. » Pendant ce temps, l'invitée se voyait offrir le thé sur un plateau d'argent, par une jeune fille ou un jeune homme qui jouait au domestique. A ce moment-là, elle craquait généralement et s'en allait. Mais il ne faisait rien pour la retenir, et se contentait d'observer : « Vous partez déjà ? Oh, vraiment, quel dommage. Vous me croyez, quand je vous dis que je suis navré ? » Elle pouvait s'en aller pour de bon, et le chasser de son esprit : mais c'était très rare. Il semblerait que les femmes de tête ne soient pas bien nombreuses ; ou alors il les choisissait bien au départ. Elle s'en allait, mais se surprenait à revenir, atteinte d'une émotion incongrue— elle avait tort, elle s'était comportée grossièrement. Mais cette émotion se trouvait en violent conflit avec la suspicion, le malaise, la peur. Ou bien elle allait jusqu'à la porte, et faisait demi-tour pour revenir en disant : « Excusez-moi, Jack. Je ne veux pas que vous me croyiez idiote. »

Elle était prête, à présent, pour l'étape suivante. Jack passait beaucoup de temps à y réfléchir, car il se régalait de choisir le degré exact de discordance pour chaque fille. Comme il l'expliquait : « Si tu tombes sur une fille débarquée tout droit de l'ouest de l'Irlande, eh bien, si tu peux l'amener à flirter juste un peu au-delà des limites auxquelles elle tient sous un crucifix, le tour est joué. Mais attention, il faut choisir la taille et le style exacts du crucifix. »

Ce pouvait être n'importe quel incident de ce genre. Par exemple, il avait connu une fille qui se vantait d'être large d'esprit et anticonformiste. Au beau milieu d'un thé cérémonieux, elle s'était écriée : « Où est le pipi-room, Jack, il faut que j'y aille. » Il l'avait escortée d'un air grave jusqu'à la porte des toilettes, la lui avait tenue ouverte, et puis était entré avec elle. Comme elle hésitait, il avait observé : « Je sais toujours lesquelles de mes filles m'aiment, selon qu'elles me montrent qu'elles sont à moi en me laissant rester avec elles. » Cette phrase l'avait complètement déroutée. D'abord, elle ignorait jusqu'alors qu'elle fût « une de ses filles ». Ou que l'amour eût à y voir, déjà ou dans l'avenir proche. Elle pouvait le prier de sortir, ou bien hésiter, et puis prendre place en souriant.

Bientôt, la fille allait se demander pourquoi il ne l'embrassait pas car il ne l'avait habituellement pas encore fait. Il parlait beaucoup de sa vie sexuelle, en termes quelque peu horrifiants, mais il la traitait avec une solennité guindée, à l'exception de ces brefs instants d'obscénités ou de gestes inattendus. C'était finalement la fille, par nervosité ou par curiosité, qui faisait le premier mouvement. Jack se lançait alors dans une grande comédie émotionnelle, peu importait quoi. Il l'aimait contenter « mais pas comme cela ». Ou bien il l'aimait sexuellement, mais se rendait compte qu'elle était du genre à ne pas se contenter de « sexe ordinaire ». Ou encore il avait déjà cinq filles, et ne pourrait pas satisfaire ses besoins sexuels. Elle le rassurait alors, et ils se mettaient au lit dans son admirable chambre, toute d'austérité noire et blanche au milieu de cette maison semblable à un bordel. (Ce n'en était pas un : le bordel était ailleurs ; il ne s'agissait là que d'un lieu de formation.) A nouveau, elle se laissait manipuler et acceptait une posture, un geste ou une technique, peu importait quoi, qui se trouvait juste un degré au-delà de ce qu'elle trouvait bien. Lorsque c'était fini, il lui avait assuré sans répit que cet acte particulier constituait non seulement l'essence de la véritable sexualité, dont Jack était l'interprète et pour lequel elle manifestait un don exceptionnel, mais que c'était jugé inadmissible par le monde conventionnel (laissé dans le vague — mais à ce moment-là apparaissait la notion de « eux » par opposition à « nous ».) Elle avait ainsi connu un extrême du plaisir sexuel ; mêlé ou non, selon ses dispositions, pour la souffrance, à des moments de rébellion rageuse et d'humiliation qu'*elle*, et non lui, avait surmontés.

Bientôt, pour prouver sa confiance en Jack, elle allait rester dans la chambre pendant qu'il ferait l'amour (en général très différemment de la manière qu'il pratiquait avec elle), ou bien faire l'amour avec lui pendant qu'une autre personne, homme ou femme, les regardait. Après chacun de ses actes, elle éprouvait des réactions violentes contre lui, contre ce qu'elle avait fait. Mais jamais il ne l'approchait, ne la persuadait, ne la forçait, sauf par exemple en apparaissant derrière la vitrine du magasin où elle travaillait, l'air pâle et défait, tel un spectre tragique revenu parmi les hommes, et en y restant facilement une heure, ou même deux, à lui adresser des regards expressifs. Puis il disparaissait sans un mot. Si elle lui téléphonait ou qu'elle passait le voir, elle s'entendait affirmer : « Je ne peux pas vivre sans toi, tu le sais. » Et cinq minutes plus tard, il déclarait avec un rire désinvolte et grossier : « Et toi, tu ne peux pas vivre sans... (là, une expression particulièrement dégoûtante, ou du moins qu'elle jugerait telle). Si ? Oh, non, je te connais. »

Après quelques mois de ce régime, elle avait la volonté brisée et pouvait faire tout ce qu'il lui demandait ; elle commençait alors à faire le trottoir, mais seulement d'une manière très subtile, pour commencer. Il choisissait un homme pour elle, attendait devant la porte d'une chambre que ce fût terminé, et puis la ramenait chez lui en la remerciant humblement pendant le trajet. Au début, il n'acceptait pas l'argent. C'était souvent elle qui suggérait de passer au second acte, car il n'en faisait rien : peut-être lui avait-il vaguement laissé entendre qu'elle ne s'était pas montrée parfaite, que le client n'était pas satisfait. Le moment venu, elle allait s'établir dans la maison que possédaient ensemble Jack et un homme de Glasgow. Il s'y trouvait plusieurs filles. Elles accueillaient des hommes et des femmes dont les goûts s'orientaient vers le sado-masochisme psychologique aussi bien que physique. En fait, les filles venaient de temps en temps voir Jack pour « baiser normalement », à cause des pervers qui fréquentaient la maison — une entreprise extrêmement profitable, où la clientèle comptait de nombreux citoyens fort respectés. Jack courait les réunions publiques en tout genre pour y dénicher des clients et des filles.

Il ne garda pas celle qu'il avait trouvée parmi les marcheurs — du moins sembla-t-il. Devant chez Lyons, elle s'en alla, le laissant seul. A présent il lança un coup d'œil vers Martha, en se demandant s'il devait manifester qu'il l'avait vue. Mais il avait décidé qu'elle ne lui rapporterait rien. C'est-à-dire qu'un affrontement de leurs deux volontés avait fait match nul ; ayant compris que sa colère « parce qu'il était trop bête pour voir qu'elle comprenait tout ce qu'il tentait », faisait partie, en fait, du mécanisme menant à la soumission, elle avait déclaré qu'elle ferait l'amour comme ceci, mais pas comme cela. Il avait riposté en observant qu'elle manquait totalement de féminité — toujours une arme sûre contre les femmes émancipées. Caractéristiquement, il lui reprochait son manque de féminité quand elle désirait jouir de satisfactions féminines ; tout se retournait et devenait son contraire dans la maison de Jack.

Il ne pouvait vraiment apprécier que le processus de *briser*.

Mais jamais elle ne put découvrir dans quelle mesure il employait consciemment ces techniques identiques à celles que l'on utilise pour la torture ; ainsi que dans certaines armées ou certains ordres religieux où l'on doit briser la volonté du novice, et dans certaines écoles de psychanalyse. Le facteur commun de tout cela consiste dans le fait qu'une partie de la personne manipulée doit devenir complice de la personne qui manipule.

Martha avait compris qu'elle ferait bien d'avoir peur — pas de Jack. Ils s'étaient donc séparés après une brève période de retrouvailles.

Il examinait attentivement Lynda. Il ne pouvait qu'être attiré par l'air malade de Lynda, et par ses vêtements d'aristocrate campagnarde. Martha voyait bien qu'il hésitait à venir... Elle se demandait quel genre d'approche il manigançait. Un taxi passa, et elle l'arrêta. Il se retourna légèrement pour regarder les deux femmes monter en voiture. Pendant que Lynda tournait son regard ailleurs, il adressa un sourire de conspirateur à Martha, comme pour dire : garde-la moi. Elle parvint à répondre d'un hochement de tête et d'un salut glacé, et il ne put retenir une petite grimace d'admiration, néanmoins teintée de contrariété : il allait passer plusieurs minutes à inventer des humiliations pour elle. Comme le taxi s'engageait dans une rue perpendiculaire, il repartit en quête d'une nouvelle proie dans le parc où des centaines de gens attendaient encore de partir. La tête de la colonne avait dû atteindre Trafalgar Square depuis longtemps.

Quand elle rentra à la maison, Martha s'aperçut que Mark avait oublié tous ces gens qui devaient venir, et qu'il était monté travailler dans son bureau. Mais Patty était perturbée, Lynda était perturbée : il fallait donc que Mark et Martha préparent le dîner, organisent un nombre inconnu de bains, prévoient des vêtements pour ceux qui seraient mouillés... Ils s'activèrent à toutes ces choses avec une mauvaise humeur lasse, tandis que l'image déplaisante de Patty pleurant sur la fin de ses amours là-haut les empêchait de se regarder tendrement, eux deux, ces gens entre deux âges, car ils se trouvaient dans cette situation où tout amour désormais ne pourrait être que pathétique, mais où leurs amours passés étaient annulés aussi. Ils ne pouvaient pas croire que Mark, Martha, ou n'importe qui d'autre, eût pu se bercer au rythme de son propre cœur dans de jeunes bras, sans penser invariablement à... Patty, là-haut.

Mais cette maladie lamentable entre toutes de l'âge mûr trouvait son antidote chez les jeunes avec leur chair immortelle ; et dès qu'une bonne vingtaine de jeunes gens réclamant des bains et beaucoup à manger eut envahi la maison, Patty elle-même descendit, raisonnable, le visage lavé et les cheveux soignés.

Après le dîner, ils se rendirent tous dans le bureau de Mark : il s'agissait d'une « tradition ». Cela était devenu vrai après la seconde Marche et, même s'ils plaisantaient tous volontiers sur une tradition vieille de trois ans, ils montèrent dans le bureau.

Ce bureau ne ressemblait absolument plus à une pièce. Peut-être davantage à un campement médiéval décoré de tapisseries suivant un même thème : en tout cas, il ne restait pas le moindre emplacement libre aux murs. Ni même au plafond, car on y lisait, écrits à l'encre noire par Mark, qui avait pris la peine de grimper sur une grande échelle pour ce faire, des faits et des dates concernant les voyages dans l'espace, tels que : 16 septembre 1959 : *Capsule lancée de la Terre à la Lune.* Et ce fait, cette observation, s'agrémentait d'une étoile ou marque de couleur (Mark en employait douze ou quinze) qui correspondait à un ou plusieurs faits ou observations notés en divers lieux de la pièce. Ainsi, la première capsule spatiale s'accompagnait (entre autres symboles) d'un triangle violet ; ce triangle violet reparaissait en d'autres points de la pièce, auprès de données objectives et subjectives, dont l'une était ce texte dactylographié : *Nuit du 14, 1959 : Lynda rêve qu'un grand œil glauque, qui se débat pour maintenir la vie, la reçoit par une flèche : des pluies de larmes jaillissent de l'œil, noyant tout au-dessous dans une tache sombre.* Un autre triangle violet accompagnait une notation sur le quatrième mur : *D'après les découvertes des savants soviétiques, la Lune est un organisme vivant.* Et puis : *Attention la semaine prochaine : pleine lune. Elle me perturbe toujours* (de l'écriture de Dorothy).

Ce coin-là de la pièce avait commencé avec des notes trouvées dans les affaires de Dorothy après sa mort. Ils avaient trouvé des cartons pleins de papiers — feuillets volants, carnets, etc. Il semblait qu'elle eût ainsi commencé une sorte de journal, mais d'un genre extrêmement ménager, pour tenter de se maintenir à un niveau régulier, en équilibre dans la vie ordinaire. « Ne pas oublier de commander de nouvelles ampoules électriques » — ce genre de memorandum. Et puis ses notations s'étaient développées en comptes rendus des transactions domestiques, d'abord pour enregistrer précisément ses souvenirs, et apparemment pour s'en servir éventuellement lors de controverses avec des sociétés ou même dans des procès, et par la suite elles étaient devenues, dans un sentiment de frustration aigrie, une soupape de sécurité, comme des lettres à elle-même.

« 3 mars 1955. Des hommes ont livré les nouveaux annuaires téléphoniques, seulement pour là-haut, pas pour nous. Signalé qu'il en fallait un second jeu. Ils ont dit qu'ils l'apporteraient « demain ». 4 mars. Pas d'annuaires. Téléphoné au Bureau central : aucune trace de notre numéro. Je leur ai fait observer que *ce n'était pas possible.* Déclaré qu'ils chercheraient. 5 mars. Aucune nouvelle du Bureau central. Prié Mark de faire jouer son autorité. Il m'a proposé les vieux annuaires. *Ce n'est pas le problème.* Appelé Bureau central. Attendu communication pendant quinze minutes. Parlé à une femme qui ne trouvait aucune trace d'appel précédent. Déclaré qu'elle s'informerait. Rappellerait. Pas rappelé. 6 mars. Appelé Bureau central. Appris que j'appelais le mauvais service depuis le début. " Nous avons du personnel débutant. " Noté autre numéro. Appelé : Un certain M. Getnert a promis de rappeler. Pas rappelé. 7 mars. Écrit au Bureau central. 8 mars. Accusé de réception. 10 mars. Visite d'un homme pour enquêter sur " plainte ". Demandé nouveaux annuaires téléphoniques. Il a promis de suivre l'affaire. 11 mars. Livraison d'un annuaire. Seulement A-D. Demandé au livreur les 3 autres. Répondu qu'il n'en avait plus. Repasserait " demain ". 12 mars. Pas d'annuaires. Téléphoné au numéro qu'on m'a donné comme bon. Aucune trace des appels précédents. Demandé à Mark d'intervenir. D'accord, mais si c'est se montrer difficile, pourquoi se donner la peine *d'attendre quoi que ce soit.* Payons-nous pour ce service, oui ou non ? Il m'a donné les trois annuaires manquants. Acceptés. 20 mars. Téléphoné hier soir pour avoir un taxi pour Rose. Pas employé ce numéro de taxi-radio depuis longtemps. Reçu appel du Bureau central parce que numéro appelé protestait. N'est plus radio-taxi mais domicile privé, femme réveillée dans le premier sommeil. Bureau central : Pourquoi je n'emploie pas l'annuaire mis à jour ? Je leur ai dit pourquoi. Promis de faire le nécessaire. »

Ce n'était là qu'un récit succinct. Certains couvraient des mois d'affilée.

Lorsque le « mur de gauche » avait commencé, on l'avait considéré comme une plaisanterie de mauvais goût, ou bien une sorte de rétribution personnelle de Lynda à l'intention de la pauvre Dorothy. Mais c'était Mark qui continuait obstinément à recouvrir le mur ; et avec un grand sérieux, de sorte qu'il leur fallait considérer sérieusement ce qu'il disait, à savoir que ce mur représentait le facteur X ; ce fait absolument évident, exposé aux yeux de tous, et que personne ne voyait encore ; et qui était le même, que ce fût une histoire de capsule retombant au moment du lancement ou de court-circuit de fer à repasser le premier jour où il sert, ou encore d'immeubles ou de tours de refroidissements s'effondrant soudain.

Et si eux, les « enfants », commençaient à dire « oui, bien sûr », sans prendre la peine d'envisager les extensions et les ramifications, alors pourquoi pensaient-ils, ces « enfants », que lui, Mark, passait autant de temps à manipuler cette foutue pièce ? Pour lui-même ? Bon, en partie, parce que cela l'aidait à s'éclaircir l'esprit, à imbriquer un fait dans un autre, ce qui, on pouvait dire ce qu'on voudrait, était la chose la plus difficile au monde — mais non, il le faisait pour eux. Il était bien censé les élever, non ? Lui, Dieu était témoin, eux. Lui et Lynda et Martha n'en faisaient pas une telle affaire, mais s'il ne pouvait pas leur transmettre *cela,* ce que cette pièce signifiait dans ses possibilités de gloire et d'horreur, alors ce n'était vraiment pas la peine qu'il se soit donné le mal de leur faire apprendre à lire et écrire.

Après le dîner, la première personne arrivée dans le bureau fut Paul, encore tout coloré, non pas de tant d'efforts physiques, mais de sa réussite, car il avait remporté une invitation de Karl Holdt à venir le voir et demeurer une semaine chez lui. Il avait annoncé la nouvelle à table, et tout le monde l'avait bruyamment congratulé — avec un fond d'ironie, bien sûr, mais Paul ne comprenait jamais pourquoi ses réussites recevaient toujours cet accueil ambigu. Mais sous son plaisir rôdait l'anxiété : et c'était pourquoi il rejoignait vite les « adultes » — Martha, Mark, Lynda, assis dans de gros fauteuils parmi les cartes et les diagrammes, et qui buvaient du cognac, tels des voyageurs s'attardant un moment encore avant de partir pour un voyage dangereux.

Il s'assit par terre, et les dévisagea.

« Tu es perturbé, déclara Lynda, parce que Karl Holdt t'a dit que tu ne pourrais pas emmener Zena en Allemagne ? » Paul acquiesça. « Et tu voudrais que nous prenions soin d'elle pendant ton absence, mais ce n'est pas le problème ?

— C'est-à-dire, commença-t-il, que je viens seulement de comprendre... » Ses yeux s'emplirent soudain de larmes. Il n'avait pas vraiment eu l'intention de leur... cette faiblesse constituait pour lui la pire des trahisons. Il reprit d'une voix agressive : « Bon, d'accord, d'accord, mais vous rendez-vous compte que Zena et moi sommes *ensemble* depuis plus de deux ans ?

— Que t'a dit Herr Holdt ? interrompit Martha.

— Mais...

— Bon, qui d'autre, alors ? Tu as passé la journée entière avec lui, et il t'a manifestement fait grande impression !

— Qu'avez-vous contre lui ?

— Mais rien du tout, qui a rien dit de tel ?

— Oh, je pensais... vous tous tellement antiallemands. Je pensais... si, vous l'êtes, vous l'êtes, tous tant que vous êtes, et vous faites tout le temps semblant de ne pas l'être... J'aime mieux Karl Holdt que vous. Aujourd'hui, c'était une vraie journée, une de ces journées qui comptent », reprit-il en se penchant comme pour tenter de les convaincre de sa beauté. Mais il resplendissait. Il n'avait pas encore dix-huit ans, un enfant presque, et il était d'une beauté merveilleuse. Son charme vous coupait le souffle. Ce n'était pas du tout cette lumière qui avait effleuré un moment Francis, qui était beau, certes, mais sans rien d'exceptionnel : non, c'était quelque chose en lui, dans ses traits aquilins, ses yeux noirs liquides, ses mouvements semblables à ceux d'un animal. Pourtant, il allait et venait dans Londres — où un beau garçon courait cent fois plus de danger que la plus jolie fille — parfaitement en sécurité parce que... cela ne l'intéressait pas. Il maintenait toujours que Zena et lui n'avaient jamais fait plus que s'embrasser. Il le proclamait violemment, comme un point d'honneur. Il consacrait des heures à ses vêtements, à son apparence ; mais il manifestait un mépris virulent à l'égard des gens qui le trouvaient séduisant. Et dans ces moments-là, quand il cherchait à faire comprendre aux autres l'importance d'une étape de croissance dans sa compréhension, il se penchait en avant, tout en charme impérieux et en grands yeux noirs, et pourtant il semblait souhaiter de pouvoir disparaître ou exorciser son moi si beau par un acte de volonté – car sinon, qui le prendrait au sérieux ?

« Aujourd'hui j'ai compris quelque chose, pas seulement à propos de Zena.

– Eh bien, dis-le-nous, suggéra Lynda.

– Tu es justement celle à qui j'aurais cru ne jamais devoir le dire, répondit Paul, comme pris de remords.

– Ah ?

– Si tu n'avais pas eu un riche mari – enfin, de l'argent, et s'il n'y avait pas eu Martha, que te serait-il arrivé ? »

Lynda prit son souffle, et calma d'un signe de tête Mark, déjà prêt à la rassurer ou à atténuer le coup.

« Bien sûr, j'y ai songé », dit-elle. « J'imagine que je serais sans doute à... Abandonnez Tout espoir. Je plaisante », ajouta-t-elle, « je voulais dire que je serais noyée – détruite. Une épave gavée de drogues dans un hôpital psychiatrique. On dirait que je suis très « diminuée » ou...

– Bon, d'accord », coupa Paul. Car la voix de Lynda se faisait perçante, et tremblait.

« Je ne voulais pas te... Karl Holdt m'a dit – il a été en camp de concentration, dans son enfance, le saviez-vous ?

– Nous ne le connaissons pas.

– Oui. Deux ans dans un camp. Et puis cinq dans un camp de personnes déplacées. Il en est sorti à dix-huit ans – c'est mon âge.

– Oui.

– Il aurait pu être ma mère. C'est vrai, si elle n'avait pas été une femme et si elle n'était pas venue en Angleterre...

– Oui.

– Quand il a vu que j'avais envie d'amener Zena en Allemagne, il a dit non, qu'il regrettait. »

Une violente souffrance s'apprêtait à lui arracher des larmes ; et il était cramoisi dans l'effort de les refouler.

Lynda reprit : « Ce que tu veux dire, c'est que tu ne pourras pas toujours protéger Zena ; et tu ne penses pas que nous le ferons non plus – et tu as l'impression qu'elle ne... sera pas heureuse », achevat-elle lamentablement.

« Merci ! » s'écria-t-il sauvagement. Joyeux – brillante analyse. « Sans moi... *Elle n'a rien d'autre que moi...* oui, mais Karl me parlait, il se montrait *gentil* – il m'expliquait quelque chose, m'a-t-il dit. Dans le monde entier il existe une couche de gens – comme une tache dans l'eau – comme une algue colorée – de gens sortis des camps de concentration et des camps de travail – de ces endroits-là. Et ce qu'ils savent de la vie est tellement atroce que personne ne peut les supporter parmi les gens ordinaires – alors ils se taisent. Ils sont obligés. Karl disait que si ils ne se taisaient pas, les gens ordinaires les enfermeraient à nouveau.

– Comme Zena ? s'enquit Lynda.

– Il disait que nous étions corrompus. Non, tout le monde. Il m'a dit : Nous sommes tous tellement corrompus que nous ne le voyons même plus. Il disait que les deux guerres mondiales, surtout la seconde, la *vôtre*, avaient corrompu tout le monde... Je lui ai demandé ce qu'il adviendrait de Zena, et il m'a répondu que les vers s'amusaient bien.

— C'est très allemand, protesta aussitôt Mark d'un air dégoûté.

— Qu'est-ce que cela signifie? » interrogea froidement Paul. « Ma mère était allemande! Elle vivait en Allemagne... allemande, juive... » Il vit que les trois adultes demeuraient saisis, et il poursuivit : « Eh bien, allez-y, racontez-moi? Je crois que votre génération a tout simplement inventé les Juifs dans un but particulier... » Il devenait hystérique, à présent, il savait qu'il avait marqué un point, et il insistait de toutes ses forces, en frappant ses poings l'un contre l'autre : « L'Allemagne, l'Allemagne, mais c'est juste là, de l'autre côté de la Manche, à trois cents kilomètres, et le reste du monde ne l'a pas arrêtée, alors pourquoi l'Allemagne, l'Allemagne? »

— Ne... t'excite pas ainsi », supplia Lynda. « Je sens que je vais encore recommencer. »

— Oui », répliqua Paul d'une voix amère. « Tu peux dire cela — mais pas Zena. Karl m'a dit : '' Votre jeune amie va sûrement se mettre à la drogue. Elle a le type. '' Requiescat in pace.

— Bon, je comprends », déclara Mark. « Mais tu sembles croire que c'est notre faute. T'en rends-tu compte? Si tu vas à Hambourg et que nous prenons Zena en charge, cela ne sert à rien — elle sait parfaitement bien... » Il s'interrompit.

— Oh, je sais », déclara Paul, à nouveau glacial. « Vous croyez que je veux la quitter. Mais pas du tout. C'est seulement que je... » Soudain, des flots de larmes. « Oh, Bon Dieu, s'écria-t-il, et les autres... » Il bondit sur ses pieds et lança une chaise contre la porte, puis, comme elle ne se cassait pas, il y resta adossé.

Mark s'approcha, l'écarta, et resta planté auprès de lui. Angoissé, Paul se posta à la fenêtre en leur tournant le dos, pour lutter contre l'envie de pleurer.

« Il me l'a dit », reprit enfin Paul en s'efforçant de garder le contrôle de sa voix. « Il m'a dit : '' Tu dois comprendre qu'il y a des gens pour qui l'on ne peut rien — ils sont en dehors de la vie ordinaire... '' Mais j'ai réfléchi, et j'ai compris ceci... » Il se retourna pour leur faire face. « Il y a sûrement autant de gens incapables de se débrouiller dans la vie ordinaire — que de gens ordinaires. Il suffit de penser aux gens que nous connaissons, déjà... et c'est cela qu'il voulait dire quand il parlait de corruption. Je l'ai compris *après* son départ — il allait à un grand dîner. Il voulait vraiment dire *corrompus*. Brisés. Gâchés. Incapables de faire face. R.I.P. »

Des pas dans l'escalier. Des voix joyeuses — les « enfants » arrivaient. Martha s'écarta de la porte. Paul baissa la voix pour dire très vite : « Je sais ce que vous pensez — que j'irai à Munich et que je m'amuserai bien et que tant pis pour Zena... mais je ne le ferai pas... vous m'entendez? Je ne sais pas comment j'y arriverai, mais je la protégerai. Je me débrouillerai... ou en tout cas, conclut-il, si j'y vais, ce sera seulement pour deux ou trois jours, et elle pourra rester ici jusqu'à mon retour ?

— Ce ne sera pas la première fois, n'est-ce pas ? »

La porte s'ouvrit, et les autres entrèrent.

Paul s'éloigna vivement dans un coin plus sombre. Un instant plus tard, il pouvait reparaître, tout souriant, et peut-être à peine bouffi. *C'est drôle, de pleurer, cela sert à quoi ?*

Il garda le silence pendant le reste de la soirée, à observer tout le monde d'un œil curieux, et cette distance même trahissait son état d'esprit : car nos camarades d'humanité ne nous apparaissent remarquables que lorsque nous sommes nous-mêmes dans un état d'élévation. Longtemps après il devait leur rappeler cette nuit : Vous souvenez-vous de cette nuit où j'ai décidé de vous envoyer au diable ? ou bien : La nuit de Karl Holdt.

Patty entra, accompagnée de son jeune homme, qui avait finalement jugé qu'il était parti un peu hâtivement : il s'était soumis, bien que la rancœur éprouvée par les jeunes quand on leur impose d'être les cibles d'émotions qu'ils n'ont pas réclamées apparût dans ses regards mal contrôlés et ses intonations. Et puis aussi, il éprouvait une certaine curiosité à l'égard de Patty, et s'efforçait à tâtons de comprendre le changement intervenu en elle. Pendant les cinq ou six heures qui s'étaient écoulées depuis son départ de Hyde Park, Patty avait franchi le point de non-retour : ce qui ne signifiait nullement qu'elle ne succomberait plus à son charme ni à celui d'un autre jeune homme. Mais dans son attitude apparaissait déjà cette ironie qui marque le début de cette austérité ambiguë où, ne possédant plus d'amours charnelles, on les possède toutes puisqu'il n'est plus d'yeux, de bouche, que l'on n'ait embrassés, étant soi-même devenu tout yeux, mains, bouches, baisers.

Il y avait à présent une douzaine de personnes dans le bureau, et il régnait cette atmosphère de retombée qui succède à une période d'animation publique et d'exaltation. Ils se rendaient compte que depuis quatre jours ils avaient à peine dormi, mangé de manière irrégulière et insuffisante et avaient dépensé une activité considérable — ils avaient accompli par période de vingt-quatre heures cinq ou six fois ce qu'ils faisaient normalement ; et demain, ils réintégreraient la cage de l'habitude. L'année précédente, quatre jeunes gens qui avaient participé à la Marche « pour s'amuser » étaient allés s'engager dans l'armée la semaine suivante, parce qu'ils voulaient « se sortir d'eux-mêmes ». Pendant le dîner, Francis les avait consternés en affirmant qu'il comprenait cela : il envisageait parfois d'en faire autant. Il paraissait sérieux. Jill en fut troublée. Se câlinant contre lui, elle avait déclaré : « Nous ne te laisserons pas partir pour faire le soldat », avec une pétulance complaisante d'enfant gâtée. Mais aussi comme si elle avait eu le droit de le dire. Les adultes le remarquèrent, mais apparemment pas Francis. Il semblait croire qu'il ménageait une petite fille. Encadrant leur cousin, Gwen et Jill ne ressemblaient plus du tout à des esquisses un peu floues, peintes à l'aquarelle, de cette même fille qui avait servi de modèle pour Phœbe, Marjorie, ou même des variantes inachevées ou à naître. Gwen était encore une fille fraîche et potelée. Jill était mince, d'une beauté assez maladive : elle dévorait Francis de regards idolâtres.

Jimmy Wood était venu dîner ; puis il était monté dans le bureau pour la même raison, semblait-il, que celle de sa participaion d'un jour à la manifestation : il était passé près de là, et avait eu l'idée de s'y joindre.

Jimmy s'était assis par terre auprès de Brandon, l'Américain, qui ressemblait à un garçon de ferme sain et solide et qui, de même que Jimmy, souriait sans cesse. Mais le sourire de Brandon éveillait des comparaisons avec la bouche rose de Jimmy, car il semblait vouloir dire : « Ne me frappez pas. »

Il avait plaisanté au cours du repas sur le fait que dans son pays, où il vivait en exclu à cause de ses opinions extrémistes, il ne s'était jamais senti aussi exclu que pendant ce week-end, entouré de radicaux qui « croyaient — corrigez-moi si je me trompe — que la contestation politique consiste à énoncer un problème ».

Il l'avait dit deux fois. Mais les mots avaient sombré dans l'écume des conversations sur les gens, la nourriture, les événements de la journée.

« Que tu es intellectuel ! » s'était exclamée Gwen, et il avait aussitôt répliqué d'un air contrarié : « Mais non, c'est toute la question. »

Il revint à la charge : « Monsieur, j'aimerais revenir à ce que j'ai dit tout à l'heure. »

Mark, gentleman-farmer toujours assez peu enclin au débat — tout au moins depuis la mort des comités officieux — répondit : « Allez-y », mais lui offrit une goutte de cognac, comme on trempe dans un sirop calmant la sucette d'un bébé.

Brandon s'en rendit compte, et insista poliment : « Non, je tiens vraiment à... pourquoi accumulez-vous tout cela dans votre bureau ? Parce que, à mon avis, vous vous contentez de poser le problème.

— C'est déjà assez difficile à faire, non ? » répliqua Mark avec raideur. Il apparaissait clairement à ses contemporains qu'il allait s'esquiver, partir se coucher, n'importe quoi plutôt que d'avoir à subir ce genre de propos.

Lynda déclara soudain : « Non, Mark, parce qu'il dit une chose que tu penses — c'est juste une question de langage.

— Merci, lui dit le garçon avec cette courtoisie typiquement américaine.

— D'accord, convint Mark, expliquez-moi.

— Je croyais que j'avais — mais cela apporte de l'eau à mon moulin. Je déclare quelque chose — et je pense avoir accompli un changement. Comme la Marche — c'est une déclaration : '' Nous ne voulons plus de guerre. '' Fin de la déclaration. Mais rien n'aura changé demain, quand tout le monde reprendra le travail. »

Grognements de protestations tout autour de la pièce.

« Oui, admit Francis, mais que faire d'autre — nous ne savons pas que faire. Si nous le savions, nous le ferions.

— Mais si cette déclaration n'avait pas lieu, que pourrait-il advenir à sa place ? » insista Brandon en souriant. « Voyez-vous ce que je veux dire ? »

Pour sa part, Martha comprit qu'elle assistait à un moment visionnaire de quelqu'un d'autre : ces rares moments où une porte s'entrouvre, la lumière se porte sur un point d'un fait ou d'un objet connu, que l'on n'a pas vu depuis des années. Brandon s'efforçait de faire naître cet instant. Penché en avant, ses yeux bleus de fermier étincelants, il vibrait d'énergie.

Il reprit : « Aux États-Unis, je fais une déclaration. Je déclare : Je revendique le droit d'être une personne politisée. Ce droit que McCarthy a arraché à l'Amérique, moi, je le réclame. C'est une déclaration. D'autres gens diront : Je revendique le droit d'être politisé, d'avoir mes propres opinions. Très bien ! Vous me suivez ?

— Non », répondit gravement Mark. Il essayait.

La plupart des autres avaient déjà renoncé à suivre : leurs yeux fixes le prouvaient.

« Je viens ici, poursuivit Brandon, et je déclare : la situation aux États-Unis pue. Vous nous rendez un bien mauvais service, ainsi qu'à vous-mêmes, en n'y prenant pas garde. C'est une déclaration. Elle pourrait entraîner d'autres déclarations, d'autres gens diraient que la situation pue, etc. Et alors ? Voyez-vous ?

— Qui se ressemble s'assemble », intervint Martha. Sa réflexion jouait au niveau intellectuel, en ce qui la concernait, car elle ne ressentait pas la même chose que lui : il se retourna vivement pour la voir, pour saisir ses paroles, mais comme ils n'avaient aucune compréhension réciproque derrière eux, aucune étincelle ne jaillit. Il acquiesça par pure politesse : « Oui. Mais davantage. On dirait qu'il existe juste assez d'énergie pour énoncer le problème. Et pas beaucoup plus. L'énoncé épuise les possibilités. Vous comprenez ? Vous me suivez ?

— Bon, répondit Mark, voyons. Supposons que votre déclaration en provoque d'autres, et qu'il devienne à nouveau possible d'affirmer son désaccord aux États-Unis, cela détruirait-il votre construction ?

— Pas s'il n'y avait que cela. Pas si une déclaration n'entraîne que des déclarations du même ordre.

— Oh ! », s'exclama soudain Lynda. « Je comprends. Oh oui, et même trop bien. Oh *oui*. Mais alors cela signifie... » Ses yeux s'emplirent de larmes ; pour les dissimuler, elle alluma une cigarette.

« Oui », l'encouragea Brandon avec enthousiasme. « *Oui.* »

Les autres fixèrent à nouveau leur attention sur la discussion. L'émotion vibrait entre Lynda et Brandon, et rejaillissait en partie sur Martha.

Quelque chose s'entrouvrait dans son esprit. Elle observa : « C'est comme Jimmy. Il écrit des livres sur la télépathie et ainsi de suite — à présent, ce sont les mutants. Mais une fois qu'il a fait sa déclaration, c'est terminé. Il ne peut pas franchir le pas suivant... Jimmy, te rends-tu compte de l'étrangeté de tout cela ? »

Jimmy tourna vers elle ses lunettes rondes, et elle contempla son sourire rose et humide.

« Les possibilités m'intéressent, expliqua-t-il.

— Oui, mais il y a quelque chose d'autre, que tu ne prends pas en considération — d'où te viennent tes idées ?

— Oh, c'est facile, dit-il en souriant — je te montrerai, si tu veux.

— Dans d'autres romans extra-terrestres, intervint Mark.

— Oh non, protesta Lynda, c'est partout — tout autour de soi quand on sait regarder, depuis la Bible jusqu'à la poésie et à chaque édition de chaque journal, ou bien si l'on s'interroge sur la façon dont soi-même on...

— Trouves-tu tes sujets dans la Bible ? demanda Jill à Jimmy pour le taquiner.

— Je ne connais rien à la Bible, répondit-il.

— Où ? demanda Martha.

— Si tu viens à l'usine, un jour, je te montrerai.

— Volontiers. »

L'affaire faillit s'arrêter là, à Jimmy. Mais Brandon s'obstina :

« Et puis cette pièce, qu'est-ce qui vous fait croire qu'en posant le problème, vous n'épuisez pas vos possibilités d'action ?

— Ah, s'écria soudain Mark, maintenant je comprends. Oui. » Sa voix s'animait, et il fixait le jeune homme avec un intérêt nouveau. « Oui. Mais, voyez-vous, c'est le plus loin que je sache aller.

— Merci », déclara gravement Brandon. « Bien des gens n'auraient pas pris la peine de chercher à me suivre ainsi.

— D'accord, admit Mark, mais vous ne pouvez pas en rester là. J'étais obligé d'agir ainsi — vous comprenez, d'exposer un problème, de lui donner forme. Mais maintenant ? Je m'assieds ici et je m'en imprègne, c'est tout.

— Et alors ? s'enquit Brandon, très sérieux.

— Et c'est cela que j'attends.

— Quelqu'un d'autre vient ici ? demanda Brandon.

— Moi, répondit Francis. Je viens dans cette pièce, seul.

— Moi aussi, déclara Paul.

— Et moi, ajouta Martha.

— Jusque-là, vous posez simplement le problème, conclut Brandon.

Ils gardaient tous le silence.

« Parce qu'il ne reste pas tellement de temps, n'est-ce pas ? insista-t-il en souriant, d'une voix douce.

— Je ne sais pas s'il s'agit vraiment de seulement énoncer le problème », intervint Lynda. « Parce que vous partez de l'idée que penser une chose en est la fin — une pensée étant complète par elle-même, étant une fin en soi. Eh bien, non, justement. »

Il tourna vers elle son visage souriant. A présent, c'était lui qui se trouvait dérouté.

« Oui », poursuivit Lynda. « Mais je suppose qu'il faut en faire l'expérience soi-même. »

Et maintenant la conversation s'était asséchée dans les sables. Brandon s'intéressait trop à Lynda pour remettre le circuit en marche. Penché en avant, il la dévorait des yeux : il la respectait, il savait qu'elle disait quelque chose d'important pour elle-même, et donc probablement aussi pour lui — mais les mots qu'elle employait étaient morts pour lui.

« Mais c'est aussi déplorable, reprit-elle, parce que toute idée, ou pensée, qui s'achève dans cette pièce — c'est ainsi que vous le voyez — ou qui en sort, transforme d'autres pensées, comme *je* le vois, il s'agit toujours, si vous le voulez, " d'énoncer un problème ". La seule issue consisterait, au lieu de lancer un caillou dans une mare et de ne produire que des rides éphémères, à savoir comment le lancer pour que les ondes se répercutent comme on le voudrait. Voyez-vous ? » Elle s'exprimait d'une voix haletante et fumait de toutes ses forces, en tenant sa cigarette entre le pouce et l'index de sa main gantée de soie vert pomme. Les efforts de la journée l'avaient épuisée : elle était livide.

Brandon décida qu'elle était dingue. « On m'a dit qu'elle était dingue », songea-t-il, et il s'adossa confortablement en souriant poliment.

Martha essaya d'expliquer Lynda à Brandon.

« C'est comme cette Marche », déclara-t-elle. Brandon se tourna vers elle, ainsi que les autres. Mais sa voix était morte pour eux : leur attention s'était détournée — elle le savait, à la façon dont sa voix tombait avec un bruit sourd dans une mare de politesse.

« Quand Phœbe et Patty et les gens comme elles ont accompli tout ce travail d'organisation de marches pour la paix et de comités pendant la guerre froide, les Marches d'Aldermaston sont bien la dernière chose qu'elles auraient imaginée. C'est ce que veut dire Lynda, et c'est la même chose s'il s'agit d'une action, défiler d'un endroit à un autre, ou d'une pensée, ou d'un livre de Mark. Mark écrit un livre. Puis il observe ce qui se passe comme on observe de la rive les ondes provoquées par le plongeon d'un rat d'eau.

— On peut observer une pensée dans sa propre tête », reprit Lynda. « On assiste à l'impulsion qui lui donne naissance. Puis la pensée se répand dans votre esprit, plus ou moins fort selon la puissance de la première impulsion. Mais l'impulsion n'allait pas nécessairement produire cette pensée-là. Il aurait tout aussi bien pu en découler une autre.

— Ce que veut dire Lynda, expliqua Martha, c'est que votre déclaration : " Je revendique la liberté de dire ce que je veux en tant qu'être politique ", pourrait entraîner des déclarations analogues, ou bien produire un nouveau McCarthy qui dirait : " Je ne vous laisserai pas dire ce que vous voulez. " »

Ils pouvaient entendre qu'au rez-de-chaussée, quelqu'un arrivait. Jill et Gwen échangèrent un regard. Peu de temps auparavant, ces regards-là étaient voyants comme des soupirs de comédie, destinés à être vus, à faire entendre au monde entier : Ah, notre horrible mère ! Ils étaient désormais intimes, et indiquaient des collusions intimes.

Gwen déclara à voix haute : « Je vais rentrer. Jill peut rester ? » Celle-ci dévisageait Francis, et il répondit affectueusement à la petite Jill :

« Mais bien sûr, n'est-ce pas Martha ? »

Phœbe entra portée par la crête d'une vague d'émotion triomphante, qui avait commencé plusieurs jours auparavant et culminé ce soir devant la présentation télévisée de la plus grande de toutes les Marches. L'organisation en avait été parfaite, et la presse, la télévision, la police s'étaient montrées extrêmement coopératives.

Tous les gens qu'elle avait rencontrés au cours de ces derniers jours (et cela représentait des gens des quatre coins du monde) étaient de gauche, et estimaient, comme elle, qu'il y aurait bientôt un gouvernement travailliste. Après les derniers discours prononcés à Trafalgar Square, elle était partie en compagnie d'une vingtaine de personnes, presque tous âgés de moins de quarante ans, tous partisans du parti travailliste, tous compétents, bien informés, énergiques. Ils avaient parlé de l'avenir ; il ne faisait aucun doute que les conservateurs, après dix années désastreuses de pouvoir, seraient bientôt chassés ; et ici, parmi eux, se trouvait la matière même d'une administration efficace et progressiste.

Elle arriva dans le bureau enflammée d'exaltation, l'œil étincelant, enivrée d'une espérance confiante.

Entre elle et les gens déjà installés dans le bureau, dont la température baissait inexorablement depuis plusieurs heures, aucune rencontre n'était possible.

« Mon Dieu, s'exclama-t-elle en souriant, vous avez l'air bien accablés ! »

Elle voulut savoir de quoi ils avaient parlé. Brandon répondit : « L'action politique accomplit-elle quelque chose ou non ?

— Eh bien, répliqua sèchement Phœbe, vous devez tous être bien fatigués !

— Et le *changement* », reprit Brandon. « Pouvons-nous faire *changer* les choses ou non ?

— Que c'est intellectuel », dit Phœbe. Parce qu'elle était déçue, parce qu'elle ne voulait pas renoncer à l'exultation qui la transportait, elle faisait sonner sa réflexion comme une réprimande.

Jimmy Wood se leva, déclara qu'il était tard et qu'il lui fallait se lever tôt demain matin.

Chacun se leva de là où il était assis. Phœbe protesta qu'elle ne voulait pas donner le signal du départ.

En cinq minutes, il ne restait plus une seule personne jeune dans la pièce, à l'exception de Gwen, soudain pâle de fatigue et qui se tenait immobile à la porte, attendant ostensiblement que sa mère la ramène à la maison.

Phœbe se leva et partit.

On entendit sa voix protester : « Je ne sais pas pourquoi, mais on me donne toujours à sentir que je suis de trop quand je viens avec vous. »

La réponse de Gwen était inaudible.

Mark ramassa par terre un tract oublié, « D'Aldermaston à Londres, la Marche de Pâques », orné du symbole noir et blanc, et l'épingla au mur en y adjoignant une étiquette orange pour le relier à d'autres faits, par exemple les projections budgétaires de la Défense américaine pour 1961 — un chiffre tellement énorme qu'il ne signifiait plus rien pour l'esprit moyen, de même qu'une distance exprimée en années-lumière.

QUATRIÈME PARTIE

Si l'on prend une cellule de l'estomac d'un crapaud et qu'on la transplante dans la tête du crapaud, la cellule de l'estomac contient toute l'information nécessaire pour devenir cellule de la tête.

Émission radiophonique scolaire

De royaume en royaume avançait l'homme, atteignant son raisonnement, sa connaissance, sa robustesse présente — oubliant les formes antérieures de l'intelligence. De même passera-t-il au-delà des formes courantes de la perception... Il existe mille autres formes d'esprit...
Mais il s'est endormi. Il dira : « J'avais oublié mon accomplissement, ignorant que le sommeil et le rêve étaient la cause de mes tourments. »
Il dit : « Mes expériences dans le sommeil ne comptent pas. »
Venez, laissez ces ânes à leur prairie.
Sous l'effet d'une nécessité, l'homme acquiert des organes. Alors, homme de nécessité, accrois tes besoins...

Le maître RUMI DE BALKH, né en 1207 av. J.-C.

Les Soufis croient que l'humanité, exprimée d'une certaine manière, évolue vers une certaine destinée. Nous participons tous de cette évolution. Ce sont les besoins d'organes spécifiques qui créent les organes. L'organisme de l'être humain produit un nouveau complexe d'organes en réponse à ce besoin, en cette époque de transcendance du temps et de l'espace. Ce que les gens considèrent ordinairement comme des accès sporadiques et occasionnels de pouvoir télépathique et prophétique, les Soufis y décèlent les premières turbulences de ces mêmes organes. La différence entre toute évolution jusqu'à maintenant et l'actuel besoin d'évolution réside dans le fait que, depuis environ dix mille ans, la possibilité nous a été donnée d'une évolution consciente. Cette évolution raréfiée est tellement essentielle que notre avenir en dépend.

IDRIES SHAH. *Les Soufis*

CHAPITRE PREMIER

Martha se retrouva soudain moins occupée. D'abord, elle n'était plus l'intermédiaire par lequel d'énormes quantités de nourriture quittaient les marchés de Londres pour arriver sur la table familiale. Et puis elle ne jouait plus de rôle dans cette représentation de « moralité » adolescente, où les adultes doivent parler par des masques choisis pour figurer « l'Oppresseur », « l'Exemple », ou « l'Horrible Avertissement ». Quand elle se trouvait avec Francis, Paul, Jill et les autres, elle pouvait à présent se sentir elle-même et dire ce qu'elle désirait dire ; elle communiquait avec Francis, Paul, Jill, et non avec quelque usurpateur angoissé ou furieux. En bref, « les enfants » avaient grandi. Il semblait soudain que des amis se retrouvaient après une longue séparation, quand Francis, Paul, Jill et les autres passaient pour bavarder, ou pour partager le repas de Mark, Martha et Lynda : ils éprouvaient une curiosité tendrement grimaçante, « maintenant que c'était fini », pour ce qu'ils étaient *réellement*. La grimace servait à commémorer l'angoisse désormais éteinte (mais nécessaire ?). Et aussi en partie ce sentiment d'une chose dépassée, terminée, surmontée.

« Nous avons réussi *cela*, n'est-ce pas ? » s'étonnaient parfois Martha, Mark ou Lynda ; et l'un d'eux répondait : « Et maintenant, qu'est-ce qui nous attend ? »

Ils ne le savaient pas ; mais ils savaient que cela constituerait une étape dans ce qu'ils avaient accompli en eux-mêmes aussi bien que chez les enfants. Avoir surmonté, avoir tenu bon dans cet orage que représentait l'adolescence des jeunes, c'était en fin de compte s'être libéré de la sienne propre.

Avoir affirmé patiemment pendant des années : J'étais ainsi, j'ai fait cela, j'ai ressenti telle et telle émotion ; Francis, Paul, Jill et les autres — ils étaient moi, j'étais ce qu'ils sont ; eh bien, pour cette chance de pouvoir connaître cela, les aînés contractent une dette envers les jeunes. Mais cela ne sera évidemment pas compris (cette variation particulière de l'amour ambigu) avant que les jeunes ne fassent eux-mêmes demi-tour pour affronter leur propre passé en leurs enfants. Et c'est donc dans cette remarquable circulation entre parents et enfants qu'existe toute une série de billets à ordre, postdatés, crédités sous la forme d'un amour retenu et patient et qui arrivent à terme l'un après l'autre quand on s'y attend le moins : « Ainsi donc, j'ai fait cela ? J'ai traversé telle phase ? » Oui, si vous voulez, on dirait ces plantes apparemment mortes, qui ressemblent à des brindilles noircies et s'agrippent à la roche dans les pays où les pluies sont rares, et qui soudain deviennent d'un vert vif et brillant quand l'eau les abreuve.

Ce qui ne signifie absolument pas que les vies de tous ces jeunes fussent d'un parcours lisse ou conventionnel — comment l'auraient-ils pu ? Bien au contraire, aucun d'entre eux ni de leurs amis n'avait la moindre intention de se comporter comme s'étaient comportées les générations précédentes (ainsi que Margaret s'obstinait à le leur rappeler). Ils ne décidaient pas : je veux être soldat, marin, agriculteur, voleur, ou même directeur de banque ou fonctionnaire. Ils étaient tous devenus des gens indépendants et chacun avait cent talents. Aucun ne se souciait apparemment de rémunération ni de succès : aucun n'envisageait d'âge mûr stable et rassurant ou, s'ils y aspiraient, ils ne faisaient rien en ce sens.

Visiblement, la même passion intérieure les menait, qui faisait s'interroger Mark, Lynda ou Martha : « Nous avons accompli cela, n'est-ce pas ? » Comme s'il était né une génération où, non pas une personne par hasard, mais des dizaines de gens, beaucoup, fonctionnaient avec ce processus de *dépouillement*, d'aiguisement, de sensibilisation, qui emploie les formes de la vie ordinaire comme de simples outils, des méthodes.

Ainsi, Francis. Il pensait être un homme de théâtre ; mais un schéma se poursuivait : quand arrivait un moment de succès, il le refusait, ou s'en éloignait. Dans le petit théâtre où il gagnait quelques livres sterling par semaine et apprenait consciencieusement ce qu'il pouvait, on lui avait offert, l'influence de Graham Patten aidant, de monter un spectacle tout à lui. Il pourrait choisir la pièce qu'il voudrait, les acteurs qu'il voudrait — franchir ce pas pour sortir de ce qu'il était, à savoir rien de particulier. Il était très jeune bien sûr — mais comme disait Graham : « Avoir atteint les sommets, comme je l'ai fait, à vingt-cinq ans, c'était une réussite, mais maintenant que la jeunesse est tout, c'est bien le moins qu'on puisse faire. » Bien que Francis n'eût pas vraiment refusé, l'affaire n'aboutit pas. Il se demandait si peut-être Londres ne voyait pas trop de Shakespeare ; si Londres avait vraiment besoin que l'on monte encore une pièce d'Ibsen ou de Tchekhov ; il parlait d'une pièce écrite par une amie d'amie : puis Jill tomba malade, et il l'emmena en vacances ; pendant son absence de Londres, il écrivit des sketches et des chansons pour un nouveau spectacle. Il avait déjà participé à la conception d'un spectacle dit « satirique », et fréquentait de jeunes talents dont les visages, grâce à la télévision, étaient connus de millions de gens. Francis avait *failli* être l'un d'eux ; ou plus exactement, le visage et le talent du « clown », cette personnalité de son enfance retrouvée et ressuscitée dans ce but, avaient brièvement fait l'objet de commentaires. On lui offrit la possibilité de se joindre à une équipe pour créer une nouvelle émission de télévision. Ce n'était pas qu'il eût jamais répondu non, ou même paru manquer d'enthousiasme. Il écrivait des textes, au contraire, et soumettait des idées. Mais quand il fallait entrer dans le vif du sujet, il n'était plus là. Il était parti avec Jill. Ou bien il se trouvait dans le bureau de son père, à établir des corrélations entre des faits et des chiffres, à trouver sur les murs et sur le plafond des idées que ses amis pourraient utiliser. Ou encore il discutait avec son père ou avec Martha. Il se plaignait de n'avoir jamais eu conscience de sa nature satirique avant de l'apprendre par la presse. Il se plaignait d'être dans une position fausse : il éprouvait non seulement une contrariété présente, mais une anxiété ancienne : il était forcé de se rappeler, pour la revivre, cette période de son enfance où son père avait été l'ennemi de sa propre patrie. A présent, c'était avec son père et avec les deux femmes entre qui son père avait partagé sa vie, qu'il explorait le présent. Il répétait constamment, alors même que son visage se tordait dans l'effort qu'il lui fallait faire pour affronter ce qu'il se rappelait, alors même qu'il pâlissait et transpirait, qu'il était heureux que cela fût arrivé, qu'il était heureux d'avoir appris que c'était possible. Car sachant ce qui pouvait arriver (semblait-il suggérer), pourquoi se soucier d'être un metteur en scène célèbre à vingt et un ans, ou même un satiriste ?

Pour certaines personnes, le processus de dépouillement commence si jeune qu'on semble avoir proclamé : Ne vous préoccupez de rien d'autre ; voici ce qu'il faut faire. Le mot *satire*, employé comme on l'employait, lui valut sa première expérience, en tant qu'adulte, de l'absurdité des rouages qui nous gouvernent : il avait passivement souffert de leur cruauté dans son enfance ; à présent il s'efforçait de comprendre ce paradoxe, en dépit du fait (ou grâce à lui ?) que la société n'avait jamais eu une conscience plus aiguë d'elle-même qu'aujourd'hui, qu'il s'agit d'un organisme totalement incapable de penser, et dont la caractéristique essentielle réside dans l'inaptitude à établir son propre diagnostic. On dirait l'une de ces créatures marines qui ont des tentacules ou des bras armés de poisons paralysants : toute apparition nouvelle, qu'elle soit utile ou hostile, doit être réduite à l'immobilité ou pour le moins encerclée de poison ou d'un nuage de couleur trompeuse.

Le processus reste le même sous diverses formes. Il existe un phénomène nouveau, ou bien conçu pour l'être ; la créature en alerte, submergée de terreur, ne se préoccupe que d'une seule chose : comment l'écarter, comment demeurer saine et sauve. Dans notre société, ce processus s'accomplit par les mots. Un mot ou une expression apparaît : communisme, traître, espionnage, homosexualité, violence des jeunes — par exemple. Ou colère, ou engagement, ou satire. L'organe (qui est cette partie de la créature ostensiblement destinée à fonctionner vers la compréhension de soi-même, la presse, le cinéma, la télévision, et les paroles qui s'échangent entre ceux qui influencent la société) trouve un mot pour ce qui menace.

Anarchie, irresponsabilité, décadence, égoïsme : dans cette boîte, sous cette étiquette, se trouvent entassées toutes sortes de comportements qui rendent nerveuse la créature, à la grande surprise — ou la contrariété — des gens ainsi décrits ou étiquetés. Finalement, le processus devient ridicule, même aux yeux de la créature. Vite, vite, un sous cette étiquette se trouvent entassées toutes sortes de comporte- « mysticisme » ? N'importe quoi pourvu que cela interrompe le processus de pensée pour quelque temps, n'importe quoi, pour stériliser ou rendre inoffensif : pour cloisonner, pour créer des compartiments.

Après des jours et des jours de cette lente interrogation intérieure par laquelle il parvenait à ses décisions, Francis déclara qu'il ne pensait pas avoir envie de devenir « satiriste ». Ce qui ne l'empêcha pas de continuer à écrire pour ses amis. De même que son glissement vers la décision de ne pas monter la pièce qu'on lui offrait de choisir ne l'empêchait pas de continuer à travailler au théâtre aussi consciencieusement qu'auparavant.

Son centre, alors, son point de développement ne se trouvait donc pas là où devait résider son ambition ? Mais où, alors ?

Ce centre était auprès de Jill, qu'il avait commencé par défendre et aider, et fini par aimer. La famille supposait qu'il vivait toujours à la maison, puisqu'il conservait ses pièces du grenier et qu'il s'y trouvait souvent. Mais sa vie émotionnelle se déroulait avec Jill. Elle habitait un grand appartement dans un quartier de Londres qui, quatre ans à peine auparavant, était encore sordide, mais qui déjà devenait à la mode. Francis en payait le loyer. Jill ne voulait pas recevoir d'argent de Phœbe, qui de toute façon n'en avait guère à lui prodiguer. Jill ne détestait plus sa mère, et avait oublié les années dont Phœbe gardait un souvenir de cruelle persécution. A présent, Jill était disposée à devenir son amie. Et même, elle avait besoin d'une mère. Mais Phœbe ne la comprenait pas : elle voyait dans le mode de vie de Jill une continuation du besoin qu'elle avait eu dans son adolescence de la provoquer, elle, Phœbe. Peu de temps après son avortement, trois ans plus tôt, Jill s'était à nouveau trouvée enceinte du même musicien originaire des Antilles. Interrogée par Phœbe et d'autres sur la raison de son premier avortement, elle répondit : « C'était uniquement pour faire plaisir à tout le monde. » Jill élevait sa petite fille et, quand elle pouvait espérer se faire entendre de Phœbe, l'appelait « ma petite négrillonne ». Elle avait eu un second enfant depuis lors, mais nul ne savait de qui. Francis disait que ce n'était pas lui, mais il aidait Jill à élever les deux enfants.

Mark ne pardonnait pas à son fils d'aimer déraisonnablement — comme il l'avait lui-même fait, et le faisait encore. C'est-à-dire qu'il ne pouvait pas accepter ce que faisait Francis comme une chose qu'il devait faire : il revenait sans cesse à la charge. De sorte que Francis passait des heures avec son père à parler de leur travail, de ce qui les unissait le plus — leur préoccupation concernant l'avenir ; mais dès que Mark mentionnait Jill, le garçon s'excusait et partait. C'était avec les deux femmes qu'il parlait de Jill.

Lynda disait : « Mais tu es comme ton père, Francis. Regarde-moi ! » et elle s'offrait sincèrement à son inspection, avec son visage douloureux, ses cheveux mornes et grisonnants, ses doigts brûlés et jaunes.

« Oui, je pense que je lui ressemble beaucoup.

— Bien sûr, mais la vraie question est de savoir si tu pourras sortir de cette phase-là assez rapidement ? »

Le sourire de Francis montrait comme il comprenait bien leur façon de le voir.

« Comment cela ?

— On peut se trouver coincé, embourbé...

— Est-ce ton cas, Lynda ?

— Oui. A moins de pouvoir partir — sortir — être indépendante. Il faut que j'essaye. »

Lynda disait cela à Martha, et à son fils. Mais pas à Mark : les rêves de ces deux personnes mariées depuis si longtemps étaient absolument opposés.

« Et si tu ne peux pas ?

— Eh bien, je serai vaincue.

— Vraiment ? Aussi simplement que cela ?

— Oui, je le pense.

— Et toi, Martha ? Que fais-tu ?

— Je paie des dettes.

— Encore ! Et maintenant que nous sommes tous grands ?

— Je ne sais pas ce que j'attends — quelque chose. »

Car tout en sachant qu'il lui fallait faire un pas en avant, Martha n'avait pas la moindre idée de la direction à prendre. C'était sous son nez, bien sûr. Toujours — le pas suivant. Mais elle ne le voyait pas.

« Le problème », avait-elle insisté, et essayait-elle encore d'insister, « c'est qu'il nous faut traverser ce qui nous a été donné — bien sûr. Il n'est pas possible de le contourner. Mais n'y passe pas ta vie.

— Comme mon père, tu veux dire ? »

Lynda intervint : « Jill, c'est moi — si tu veux, Jill était inévitable dans la mesure où tu m'as eue pour mère ; mais ta vie ne devrait pas se limiter à cela !

— On commence à grandir pour soi quand on a surmonté tout ce qu'on avait reçu au départ. Jusque-là, on paye simplement ses dettes », expliqua Martha.

Il demanda à nouveau : « Pourquoi tenez-vous tant à ce que je fasse mieux que mon père ? Pourquoi ? »

Il semblait que ce fût là sa position pour le moment. Il vouait à son père un amour extraordinaire — très protecteur, comme si Mark eût été son fils. Il paraissait souvent soucieux d'épargner à son père les hideuses réalités de la vie. Ainsi, Mark ne connaissait pas les difficultés de la coexistence avec Jill. C'était Lynda qui allait la voir et faisait en sorte que Jill eût de quoi vêtir les enfants, et bénéficiât d'un soutien de la part de sa famille. Car Mark jugeait Jill « névrotique et inadaptée », et Margaret Patten fondait sans cesse sur le couple avec des brassées de conseils.

« Francis, tu ne peux pas l'épouser : elle est ta cousine.

— Je n'ai jamais dit que j'allais l'épouser. »

En vérité il souhaitait l'épouser, mais Jill partageait avec Lynda la triste connaissance de son inaptitude à la vie normale, et elle ne voulait pas épouser Francis. Elle ne l'aimait pas, affirmait-elle. Qu'était-ce donc qu'aimer ? interrogeait-elle. Ce qu'elle avait vu de cette qualité qu'on appelle l'amour ne l'incitait pas à la respecter, ni eux. Mais si Francis voulait vivre avec elle, elle n'y voyait pas d'inconvénient.

« Eh bien, alors, insistait Margaret, pourquoi continuer ?

431

— Vous voulez dire que vous voudriez que je me marie et que je me range, n'est-ce pas, grand-mère ?

— Il fut un temps où j'aspirais à devenir grand-mère », répliquait Margaret. « Après tout, je *suis* ta grand-mère ! » Elle avait récemment sauté le pas, d'ex-beauté à vieille dame : en arborant avec tact (croyait-elle) un corps bien droit et des boucles blanches bien serrées, comme un uniforme convenant à son âge. Mais il demeurait quelque chose de gênant : ses mouvements étaient sinueux, insinuants, et ses grands yeux laissaient paraître une dépendance anxieuse, comme ceux d'une jeune femme. Elle avait besoin d'être rassurée. Elle avait besoin que d'autres gens voient sa vie comme elle-même la voyait.

« Vous voulez dire, grand-mère, que je devrais me marier *juste une fois*, et avoir, disons, deux enfants ? Trois ? Quatre ? Et avoir une maison en ville, et une à la campagne ? Et quoi d'autre, encore ?

— Je ne te comprends pas », répliquait Margaret d'une voix méfiante. « Je n'ai jamais dit qu'il fallait copier ma façon de vivre, n'est-ce pas ?

— Et pourquoi ne pas le dire, si c'est ce que vous ressentez ? Tant qu'à faire, s'il faut vivre, cette vie-là en vaut bien une autre, non ? Mais ce n'est pas la mienne, voilà ! »

Deux semaines plus tard, on présenta un sketch à la télévision qui s'intitulait : « Elle en vaut bien une autre. » Francis en était l'auteur, et montrait une hôtesse littéraire âgée qui pourchassait tous les jeunes lions de Londres avec ce refrain : « Je ne suis peut-être pas bonne à grand-chose, mais je suis bien assez bonne pour vous. »

Margaret vit l'émission, et avant la fin appela Francis aux studios.

« Francis, mon chéri, c'est ta grand-mère qui t'appelle.

— Ah, bonsoir grand-mère.

— Je t'appelle pour t'inviter à dîner... non, pas seulement toi, mon chéri, je peux t'avoir n'importe quand, mais toi et tes brillants amis.

— Pourquoi pas ? Je vais leur demander. »

Margaret donna alors le plus grand, le plus élégant dîner qu'elle pût organiser, mêlant ces « noms » de la génération aînée des lions qui avaient critiqué les jeunes avec le plus de volubilité malveillante, aux jeunes lions les plus réputés par leur iconoclasme. Ce fut un grand succès : ils se plurent les uns aux autres, et leur malveillance, leurs critiques et leur iconoclasme allaient s'en trouver considérablement modifiés par la suite. Elle avait, en bref, rempli sa fonction qui consistait à aider l'œuvre de Londres à faire un tout homogène de la société littéraire, politique et artistique. Quand à Francis, il prit congé aussitôt après le repas, pour retourner auprès de Jill qui, affirma-t-il, souffrait d'une violente migraine, s'en tenant à son propre point de vue et proclamant que celui de Margaret ne lui importait guère.

« N'as-tu donc pas envie de devenir riche ? lui demandait-elle. Vous tous, jeunes gens d'avenir, semblez y parvenir si facilement !

— Pas le moins du monde », rétorquait Francis. « Ne devriez-vous pas vous accrocher à Paul, plutôt qu'à moi ?

— Je regrette que tu puisses me croire accrochée à qui que ce soit... »

432

Paul, qui n'avait pas encore vingt ans, semblait bien en chemin pour devenir riche. Plus que jamais son troisième étage servait de dépôt à d'étranges et beaux objets, qu'il employait brièvement pour y dormir, s'y asseoir ou s'en revêtir, mais qui étaient toujours en cours de vente ou d'échange. Grâce à cette activité, il avait déposé environ trois cents livres sterling à la banque. Mais il annonçait qu'il cherchait le moyen de gagner « vraiment de l'argent ».

Il était fort intégré au nouveau Londres des jeunes, et semblait se soucier davantage de vêtements et de meubles que de tout autre chose. Les vêtements et les meubles constituaient le boire et le manger de Paul — tout au moins pouvait-on le croire. Boutique de mode ? Décoration ? Il envisageait tout cela, mais sans s'y décider. Cependant il avait rencontré une fille à une soirée — très jeune, ravissante, et nouvellement arrivée à Londres. Elle s'appelait Molly Grinham, et voulait devenir chanteuse. Elle chantait suffisamment bien, étant donné sa beauté et cette sorte de bravoure apparente qu'il estimait excellente pour un lancement sur le marché. Il l'aimait beaucoup. Il l'habilla, transforma sa coiffure, lui fit prendre des leçons de chant — ou plus exactement des leçons pour placer sa voix, ce qui n'est pas la même chose, et lui donna un nouveau nom. Sally — tout simplement, pour suggérer l'image d'une orpheline aux grands yeux perdus. Ses parents tenaient une épicerie à Tunbridge Wells. Paul venait de la présenter à un nouveau groupe pop et il semblait qu'elle dût bientôt se voir offrir de travailler avec eux, lorsqu'un autre impresario potentiel la vit, et lui proposa un accord. Il n'y avait aucune raison que Paul perdît la tête : son rival n'avait rien de plus à offrir que lui-même. Mais il la perdit complètement. Il écrivit à la fille une lettre chargée de reproches : notre amitié, tout ce que j'ai fait pour toi, etc. Et il s'y ajoutait une expression de peur aiguë : « *... et aux termes de notre contrat...* » Jamais Paul n'avait suggéré la moindre contrepartie pour ce qu'il faisait en faveur de la fille ; et d'ailleurs il n'éprouvait rien de tout cela dans ses bons moments. Mais, apeurée et bouleversée, la fille montra la lettre à son nouvel admirateur, qui la porta à un avocat — l'un de ces requins presque en marge des lois qui faisaient alors fortune dans ce nouveau Londres. Paul reçut une lettre de menaces vagues. Il se trouva un avocat aussi : les avocats de l'ombre et des marécages se léchaient les babines. Mark entendit pour la première fois parler de l'affaire quand Paul vint lui demander deux cents livres sterling. Si lui, Paul, remettait deux cents livres entre les mains d'un certain avocat, « l'affaire n'aurait pas de suite ». Quelle « affaire » ? Qu'avait donc fait Paul ? Mais il était à nouveau pris de panique, redevenait un petit garçon vitupérant, virulent, hors d'état de se maîtriser. Mark consulta son propre avocat, et il apparut en effet que Paul avait agi stupidement. Il avait surgi au milieu de la nuit devant chez Sally en hurlant des histoires de trahison, de police, et de Dieu sait quoi. Après avoir donné quelques coups de pieds dans la porte de l'appartement et éclaté en sanglots, il s'était sauvé en courant. Mark déclara à Paul qu'il s'agissait là de pur chantage, et qu'il ne fallait absolument rien faire. Mais l'affaire avait dépassé les limites de la raison. Paul voulait deux cents livres. Il lui semblait que s'il donnait à l'avocat ces deux cents livres, lui, Paul, serait sauvé. Sauvé de quoi ? Paul ne pouvait pas le dire. D'ailleurs, Paul « avait entendu dire » que, si Sally obtenait ces deux cents livres, son nouvel imprésario lui trouverait plus facilement un emploi... Mais, lui fit observer Mark, jamais Sally ne s'en tirerait avec deux cents livres — il lui en resterait plus probablement une cinquantaine, quand les avocats auraient pris leur part. L'argent n'est jamais qu'une monnaie imaginaire : il n'existe pas. Jamais cette vérité n'apparut plus clairement que dans cette affaire des deux cents livres de Paul qui, comme il l'affirma par la suite, « le mirent sur orbite ». D'abord, il possédait déjà trois cents livres sterling à la banque. Mais cet argent résultait de plusieurs années d'un travail patient : des achats et des ventes éclairées. Ce n'était pas de l'or magique, comme les deux cents livres sterling qui n'atteignirent même jamais le point d'être un chiffre sur un chèque.

Finalement, Mark déclara à Paul que s'il voulait jeter deux cents livres par la fenêtre, en sachant qu'il jetait deux cents livres par la fenêtre pour garnir la poche d'une bande d'escrocs, eh bien, lui, Mark, lui donnerait ces deux cents livres sterling. Paul fondit de gratitude. Il se mit à courir partout en proclamant qu'il était sauvé, que son oncle le sauvait. Pendant ce temps, Sally se trouvait pratiquement prisonnière dans son appartement, privée de Paul après tout ce qu'il avait fait pour elle, lui qui l'avait littéralement créée. Elle réfléchit qu'elle servait d'instrument pour extorquer deux cents livres à Paul. Elle en éprouvait à présent de la honte : son nouveau protecteur se révélait un vilain personnage, et l'air qu'elle respirait était imprégné de lois et de vagues menaces. Elle se glissa hors de chez elle une nuit, et appela Paul. Ils se retrouvèrent dans un salon de thé Lyons et pleurèrent ensemble. Elle alla ensuite rejoindre son protecteur, et lui annonça qu'elle le quitterait s'il prenait les deux cents livres de Paul. Il lui fallut pour cela rassembler tout son courage : elle imaginait pour le moins la prison. Qu'elle n'eût jamais signé aucun contrat ne signifiait rien pour elle : de même que Paul, elle se référait à un autre univers. Magnanime, le protecteur accepta de payer lui-même les honoraires de l'avocat, mais exigea en retour qu'elle se liât à lui. Elle considéra que c'était bien le moins qu'elle pût faire, et Paul reçut donc une lettre l'informant qu'il n'avait plus à payer cette fameuse somme. Paul estima qu'il avait gagné deux cents livres.

Paul possédait donc deux sommes d'argent bien distinctes, de deux sortes distinctes. L'une se composait des trois cents livres en banque, et il décelait une association entre cette somme et quelque chose comme des lingots d'or ; le travail qu'il avait accompli pour les acquérir en faisait quelque chose d'honnête. Les autres deux cents livres, estimait-il, représentaient ce « vrai » argent qu'il avait attendu de pouvoir s'approprier.

Paul ne pouvait comprendre l'argent qu'ainsi : une nature fantasque. Pendant les quelques semaines qui suivirent ce « gain » de deux cents livres, il se mit à fleurir et s'épanouir comme s'il avait mis la main sur la carte d'un trésor caché.

En association avec trois autres camarades, il acheta un salon de coiffure dans une morne banlieue pleine de jeunes gens tous avides de profiter du nouveau Londres. Le prodige de l'accord fut qu'à aucun moment Paul ne versa réellement d'argent : c'est-à-dire que par une série de feintes, de retards, de ruses, jamais il ne signa le chèque de deux cents livres qui représentait sa contribution à l'affaire. Cependant la somme existait — car lorsqu'ils revendirent le salon de coiffure six mois plus tard pour le double de ce qu'ils l'avaient payé, la part de Paul s'éleva à quatre cents livres. Payée par chèque.

A partir d'absolument rien du tout, ou plus exactement de quelques paroles, *deux cents livres sterling*, et puis l'effet que Paul imposait aux autres, un autre rien-du-tout, à savoir un morceau de papier sur lequel on pouvait lire « quatre cents livres sterling », était entré en sa possession, était à lui... En ce moment de ravissement, tout était possible : Paul aurait fort bien pu prendre son envol dans la haute finance, devenir conseiller financier auprès de gouvernements — ou bien se tourner vers l'escroquerie légale.

Mais ce fut comme si le fait de se trouver soudain libéré, de savoir comment sont dirigées les finances du monde entier, lui avait suffi.

Il eut d'innombrables rêves sur ce qu'il était possible de faire, mais pour employer cette fois conventionnellement ses quatre cents livres, il signa des chèques pour acheter un nouveau salon de coiffure avec son groupe d'amis. Ils avaient tous du flair, du goût, du panache — un an après que Paul eut « gagné » ses deux cents premières livres, il en possédait mille.

Cette fois, il passa plusieurs semaines à couver sa fortune comme une poule, à la mitonner, à la rassembler et la presser contre lui, à la choyer, à la réchauffer. Pendant des heures et des heures il parla d'argent à Mark, à Martha, à Lynda (redevenue une véritable amie qu'il aimait). Ils se contentaient de l'écouter, n'appartenant pas à cet univers de chances rapides, de gains rapides, d'affaires rapides — d'or magique, où la dernière chose que pouvait faire une personne sensée consistait à occuper un emploi honnête et travailler.

« Je me demande pourquoi tu me regardes ainsi, Martha : je n'enfreins pas la loi, n'est-ce pas ? Et oncle Mark n'aime pas cela non plus. Pourquoi ? Et Lynda se moque de moi. Oh, je sais bien voir quand on se moque de moi. Ce n'est pas grave, j'adore Lynda, si elle veut rire. Mais que préféreriez-vous me voir faire ? »

Il ne tarda pas à acheter la moitié d'une maison dans un quartier dont personne n'avait vu qu'il « montait ». Il la meubla de manière extravagante et superbe, avec ce qu'il avait entassé dans ses pièces de Radlett Street. Et ensuite, après s'être vanté pendant des semaines entières du revenu confortable et régulier qu'il tirerait de cette mine d'or, rendant hommage, de cette manière qui semblait déjà profondément incompatible avec le personnage, aux matières vraies (lingots d'or et ainsi de suite), il installa, au dernier étage de la maison, sa vieille amie Zena. Qu'il n'avait jamais perdue de vue ni cessé d'aider. Elle avait quitté Radlett Street de son propre chef, s'enfuyant une nuit pendant que Paul se trouvait en voyage. Par orgueil, disait Paul. Mais il l'avait retrouvée, et l'avait aidée à trouver une chambre chez des amis. Puis elle avait fait un séjour en hôpital psychiatrique. En sortant, elle était revenue à Radlett Street. Et cela continuait ainsi : c'était une brave fille qui se donnait beaucoup de mal, mais qui ne parvenait jamais à se débrouiller vraiment sans aide. Et Paul lui prodiguait la sienne.

En l'installant dans sa nouvelle maison, il savait bien que jamais elle ne paierait de loyer, et que sa mine d'or s'en trouverait diminuée d'autant. Il lui promit qu'elle pourrait demeurer là : cela signifiait qu'il ne pourrait plus revendre pour faire un bénéfice rapide. En bref, au cœur même de sa préoccupation, de sa joie secrète, de son point de croissance, de l'argent, et du romantisme qui l'accompagnait, se trouvait ce qu'aucun de ses aînés et éducateurs ne l'avait cru capable de posséder — et lui-même s'en moquait avec bonne humeur. « Vous croyiez bien que j'allais devenir une sorte de propriétaire sordide, n'est-ce pas, Lynda ? N'est-ce pas, Martha ? Oh, je le sais ! Mais comment pouvez-vous savoir si je ne finirai pas ainsi, après tout ! »

Dans cette maison échoua bientôt une autre épave, un ami de Zena, ou peut-être un amant ; en tout cas, quelqu'un comme Zena, incapable de vivre normalement. Et en peu de temps se trouva installée là, vivant à demi aux crochets de Paul, une demi-douzaine de jeunes gens qui, pour une raison ou une autre, n'avaient plus de parents, ou s'entendaient mal avec eux, et qui avaient besoin d'habiter quelque part.

Mais le capital de Paul était bloqué. Il pria même Mark de lui en prêter. « Non. Je ne veux pas l'argent. Je veux m'entendre dire que je peux l'avoir. Cela revient au même, non ? »

Mark conservait mille livres sterling, dont il n'avait jamais révélé l'existence à Paul, qui provenait de la vente des biens de Colin quand il avait disparu à Moscou. Il remit cette somme à Paul, qui la reçut avec cette tolérance moqueuse que l'on marque à de gentils imbéciles. Manifestement, il ne pouvait concevoir qu'une personne sensée, à la tête de mille livres sterling, se contentât de la placer à cinq pour cent. Trois mois plus tard, il vint leur annoncer qu'il l'avait triplée. Comment, voulurent-ils savoir. Légalement, ils l'espéraient ! Il les écouta avec amusement. Ah, qu'ils étaient donc vieux jeu ! Et absurdes !

Et il achetait une nouvelle maison. L'argent manipulé à la baguette magique n'était pas pour Paul, sauf comme moyen, ou comme plaisir. La brique, le ciment, la terre, les meubles anciens, les tableaux — c'était ainsi qu'il passait son temps. Incroyablement beau, avec ces yeux sombres et étincelants, ces dents blanches, il était toujours admirablement vêtu, aimable, vif et occupé, occupé toute la journée ; et le soir il allait à des soirées, où on le voyait en compagnie de la dernière beauté en vogue. Il ne couchait avec personne, ni fille ni garçon, mais aimait à le faire croire. Il ramenait chez lui une superbe créature après un départ très remarqué de la soirée, et ils passaient la nuit dans un immense lit à baldaquin ramassé pour dix shillings sur un marché de campagne, tendres et protégeant chacun la solitude de l'autre, mais sans la moindre étincelle de sexualité.

Un signe des temps : lors d'un congrès à Londres destiné à commenter une interprétation ésotérique d'*Hamlet,* une cinquantaine d'adultes, mâles et femelles, discutèrent pendant une journée entière — *Hamlet* se trouvant oublié au profit d'une affaire plus pressante — de « la jeunesse », en des termes exactement identiques à ceux d'un comité d'assistantes sociales issues de la moyenne bourgeoisie et parlant des habitants de taudis, ou d'une réunion d'agriculteurs blancs, en Rhodésie, pour évoquer leurs ouvriers noirs. A aucun moment de cette journée alourdie de rancœurs maussades ou de commentaires tolérants, il ne fut suggéré ou rappelé que les gens dont ils parlaient habitaient les mêmes maisons, prenaient leurs repas aux mêmes tables, et étaient dans bien des cas leurs propres enfants.

Autre signe des temps : Elisabeth, la fille de James Colridge, qui avait épousé un avocat ambitieux de Bristol, après sa liaison avec Graham, et qui avait eu deux enfants, écrivit soudain une lettre à Mark pour lui demander le vrai nom et l'emplacement de sa « cité ». Elle souhaitait aller y vivre. Apprenant que, « comme il l'avait cru évident », il s'agissait d'un lieu imaginaire, elle lui écrivit à nouveau pour lui demander pourquoi il n'en organisait pas une, et même ne la construisait pas. « Dans ce cas préviens-moi, et j'irai donner un coup de main. » En attendant, elle quittait son mari et se proposait de secourir les drogués. Car la drogue venait de succéder à la violence des jeunes en tête des préoccupations de l'opinion publique.

Ce n'était certes pas la première fois que Mark recevait des lettres au sujet de cette cité. Peut-être se trouvait-elle en Algérie ? Ou en Arabie ? Peut-être avait-il des contacts susceptibles d'aider une personne sincèrement intéressée ?

Dans l'ensemble, ce livre était pourtant devenu illisible : il représentait un hiatus complet avec l'époque. De même que le livre de guerre : la Seconde Guerre mondiale était à la mode, mais seulement sous son aspect d'aventure, de terrifiantes évasions, etc., le roman de Mark n'avait pas le ton qu'il fallait. Et il en avait encore écrit un qui provoquait des contrariétés. La pièce sur Aaron et Rachel avait fini par mourir : la contestation au grand cœur avait fait son temps. Mais le frère et la sœur condamnés s'attardaient en Mark, refusaient de mourir. En rêvant à eux, à Sally-Sarah, au manuscrit de Thomas qu'avait conservé Martha, il avait donné naissance à une nouvelle personne, résultat composite de tous ces gens (mais, affirmait Mark, plus l'enfant de Thomas que personne), un garçon qui n'était pas mort dans les camps de concentration, qui avait survécu aux camps pour les personnes dépossédées, et avait grandi avec une seule idée en tête, aller en Israël. Arrivé là, il devint un de ceux qui tournaient le dos à la religion, à l'histoire, au talent pour la souffrance. Il était soldat, soldat et rien d'autre, et il détestait plus que personne les croyances de joue tendue, de patience, de tolérance, d'endurance. Sa seule foi consistait à se battre, à frapper fort pour chaque coup reçu, pour n'importe quelle raison. Sa vie exprimait un besoin : celui de se débattre pour s'arracher au sombre sacrifice sanglant qu'avait représenté pour ses parents l'appartenance juive. Pourtant, c'était un homme à la recherche de la mort, entraîné, équipé, et qui l'attendait. Il était devenu le reflet de ses parents et de ses ancêtres ; et son avenir, de même que le leur, allait se réaliser dans la mort, dans un holocauste.

Il s'agissait là d'un roman bref et sec, implicite et non expliqué. L'éditeur de Mark avait hésité à le publier : on risquait de le juger antisémite. Paul fut prié de le lire car sa mère, fantôme encore fertile, apparaissait dans le livre. Mais il n'aimait pas lire. Il pouvait regarder la télévision pendant des heures, en se plaignant que les programmes étaient minables ; il allait au cinéma et jugeait les films d'un œil sévère. Mais il lisait comme un enfant de sept ans, un mot après l'autre, et il était heureux quand la corvée s'achevait. Il affirma à Mark qu'il trouvait idiotes toutes ces histoires d'appartenance juive. Que « tout le monde voyait bien » que les Allemands étaient allemands à cause de leur situation prisonnière au milieu de l'Europe — c'était là leur Histoire, et c'était donc cela être allemand. Et le livre de Mark parlait de Juifs enfermés au cœur de l'Europe, de Juifs sur la défensive, alors pourquoi employer des mots comme Allemand ou Juif ? Il trouvait tout le monde idiot, et préférait décidément regarder la télévision.

Francis lut le livre, mais s'enquit comme toujours, avec son ancienne angoisse patiemment endurée : l'aimeraient-ils, *eux* ? Non, non, il ne suggérait pas que Mark pût écrire des livres qui plairaient, mais... il rentra sa tête entre ses épaules comme s'il avait pris un fardeau, tandis que son menton pointait, sur la défensive, comme avait fait celui d'un petit garçon de huit ou neuf ans en lisant ce qu'écrivaient les journalistes sur son père.

Le livre reçut un accueil assez froid : M. Colridge n'était pas juif, signalait-on par exemple, peut-être eût-il mieux valu qu'il s'en tînt à des sujets qu'il comprenait. On suggérait également que peut-être il était un écrivain trop mineur pour s'attaquer à des sujets aussi consistants. Et pendant ce temps, le livre de Mark, qu'il considérait lui-même comme le plus apte à faire bouillir la marmite, touchait soudain et sans qu'on pût s'y attendre, le point sensible du moment. *Le Cheminement d'une hôtesse conservatrice* avait été réédité, tourné pour la télévision, publié en feuilleton dans un journal, et on parlait d'en faire une comédie musicale. La secrétaire de Mark était donc à nouveau fort occupée, et cela lui arrivait peu de mois après avoir pris conscience que les enfants étaient devenus adultes, et qu'il ne lui restait plus grand-chose à faire.

Au cours de ces six ou sept derniers mois, elle avait fait une découverte intéressante. Depuis longtemps elle se disait : quand je ne serai plus aussi occupée, sans doute cesserai-je de rêver ? Elle entendait par là que, quand elle ne subirait plus de pressions, son invisible mentor n'aurait plus besoin de lui parler, de lui expliquer, de l'exhorter, de la développer par le truchement des rêves, car elle aurait le temps et l'énergie de rechercher d'autres méthodes. Quelles méthodes ? Mais elle n'en savait rien. Les qualités qu'elle avait développées durant cette longue période où elle avait dû lutter pour s'arracher d'un puits étaient sans doute encore là, et devaient pouvoir être ravivées, bien qu'elle s'étonnât souvent au souvenir de cette époque, ne pouvant croire que cela eût vraiment eu lieu.

Pendant des années, tandis que tous ses efforts intérieurs (pas les siens, ceux de son mentor) avaient convergé dans ses rêves, elle avait dressé la carte de ce territoire tentant, dangereux, éblouissant, qui se trouvait juste derrière, ou bien mélangé à ce monde où les paysages, les rivages, les terres interdites et les terres déclarées ouvertes, chacune avec son air et ses climats et ses habitants vivants et morts, avec ses jardins et ses forêts et ses mers et ses lacs, étaient devenus si proches, si familiers qu'une texture ou un parfum de rêve pouvait envahir ou interpénétrer une scène de la vie quotidienne lorsqu'une tête se tournait ou que passaient le parfum, l'expression, le sourire d'une personne dans la rue comme si il, ou elle, avait pu jaillir à cet instant d'un paysage uniquement visité en rêve.

Et bien entendu, lorsque les mois de relative oisiveté commencèrent, les rêves diminuèrent. Mais elle ne savait pas où chercher autre chose; car Lynda n'était pas disponible pour « travailler »; elle s'était lancée dans une aventure. Une nouvelle période d'activité commença alors pour Martha, et elle supposa que ses rêves feraient de même. Mais non, il apparut finalement qu'elle avait fait tout ce qu'elle pouvait dans ce domaine pour le moment. Elle le savait grâce à ces signes qui apparaissent lorsque nous en avons fini avec quelque chose, ou avec une personne, un pays, un mode de comportement. Il y avait là une certaine qualité de résistance. En pénétrant (pas *encore!* semblait se plaindre la texture du rêve) dans un jardin de rêve où elle s'était sentie chez elle, ou en reconnaissant le nouvel épisode d'un rêve-feuilleton, elle éprouvait une lourdeur immobile, un manque de mouvement. Il semblait que la matière boudât, comme un sourire de bienvenue devenu machinal. Non, pour le moment, la route à suivre n'était pas là, dans ce pays glissant d'illusion et délicieusement libre de toute logique de gravité propre aux corps ordinaires, où même la souffrance semblait retenir une furieuse impatience qui constituait sa propre promesse.

Aucun mouvement n'apparaissait dans son sommeil, et ses journées étaient trop occupées pour ce lent processus d'attente et d'observation patientes, essentielles à la capture d'oiseaux rares, de visiteurs fugaces. Elle travaillait pour Mark, et elle travaillait pour Lynda, dans *son* aventure à elle qui, pauvre Lynda, allait encore représenter une tentative d'existence normale, ordinaire.

Des années auparavant, Lynda avait commencé à préparer quelques repas, mais en redescendant bien souvent chez elle pendant que les autres mangeaient ce qu'elle avait cuisiné. Puis, quand la maison se trouva moins envahie d'adolescents, et que les repas commencèrent à exiger moins d'efforts, elle continua à les préparer mais en restant pour les manger ensuite. Bientôt elle commença à organiser elle-même les menus, et il lui arrivait même d'aller acheter ce qui manquait dans les magasins. Elle pensait qu'un jour peut-être elle reprendrait la direction de la maison.

Ce pas en avant, elle l'avait accompli en renonçant aux médicaments, même aux somnifères. Lorsque les renouvellements d'ordonnances arrivaient de chez son médecin, automatiquement, elle les remettait à Mark ou Martha pour qu'ils les enferment sous clef, avec l'instruction de ne jamais les lui donner « même si elle les suppliait en pleurant ».

La tâche de Martha avait alors consisté en un retrait plein de tact, pour permettre à Lynda de devenir la femme de Mark, tout au moins dans la mesure où c'était possible malgré l'impossibilité absolue de se laisser toucher, car elle redescendait toujours dormir au sous-sol.

Ce que désirait Mark se passe d'être dit : l'étape suivante qu'entreprit Lynda fut de mener une existence sociale ordinaire. Elle annonça qu'elle voulait bien essayer une invitation à dîner, une soirée au théâtre, une visite de *leur* Londres avec Francis et Paul.

Elle formula cette exigence d'une manière presque impersonnelle : de la part de sa maladie, en quelque sorte, ou d'un effort qu'il leur fallait tous applaudir ; exactement comme elle avait naguère annoncé qu'elle allait recommencer à « faire l'idiote », et qu'il lui faudrait donc le secours d'une infirmière, ou bien l'assistance de Mark.

La cuisine devint une cuisine ; elle n'était plus le cœur de la maison. La salle à manger, que l'on avait si longtemps délaissée, fut rouverte, et la longue table cirée débarrassée des livres et des papiers qui s'y étaient accumulés. Les nappes sortirent des tiroirs ; l'argenterie et la porcelaine que jamais ce couple marié, Mark et Lynda, n'avait employées, furent mises en usage. Une femme de ménage supplémentaire fut engagée, puis Lynda et Martha entreprirent de penser à leur garde-robe.

Matière première : deux femmes d'une quarantaine d'années. Le corps de Lynda était façonné pour porter des vêtements élégants ; nue, elle n'avait que les os sur la peau, mais elle était mince, grande, souple. Martha était plus petite, plus trapue. Mais elle traversait à nouveau une phase mince. Elle ferait l'affaire. Elle teignit d'argent terne ses cheveux courts où le gris le disputait au blond, comme si elle avait choisi de blanchir : c'était vraiment très amusant. Et la masse des cheveux presque gris de Lynda fut transformée en une crinière lisse et dorée.

Oui, elles s'en tireraient bien toutes les deux. Elles passèrent de longs moments dans la chambre de Paul, devant son grand miroir, et se contemplèrent comme ni l'une ni l'autre ne l'avait fait depuis longtemps, de ce regard particulier qui ne se concentre pas sur ce que peuvent apprécier un amant, un mari, des amis, ou sur ce qu'ils peuvent souhaiter vous voir porter, mais qui, à l'extérieur, observe la mode.

Ce fut Paul qui leur fit remarquer que Lynda possédait des vêtements mis de côté depuis bientôt trente ans, et qu'il était absurde d'en acheter d'autres. Car déjà, au début des années soixante, Londres avait démarré cette extraordinaire danse tourbillonnante, comme si les modes de cinquante années s'étaient trouvées projetées en l'air toutes ensemble, telles des feuilles mortes dans la bourrasque, et peu importait désormais ce que l'on portait ; ou bien, si l'on préfère, c'était comme un film découpé pour être remonté n'importe comment, présentant en vrac les modes des années vingt, trente, quarante, de l'époque édouardienne, victorienne, au hasard, et sans la moindre logique — au gré de cette désespérance intérieure qui constituait le réel appétit de l'époque. Les vêtements parodiaient, rappelaient, semblaient exprimer des fantasmes personnels; ils plaisantaient, moquaient, paradaient; et Lynda et Martha confièrent une cinquantaine de robes à Paul, qui instruisit un couturier sur ce qu'il convenait d'en faire.

Et c'est ainsi qu'elle devinrent, pour peu de temps, des femmes à la mode.

A présent, il ne leur manquait plus que des invités.

Note sur les hôtes et les invités : il est intéressant de noter qu'il existe fort peu de gens dans ces deux catégories. Si l'on dit à un homme dont on a entendu dire qu'il avait depuis des mois passé chacune de ses soirées en compagnie des gens les plus en vogue : « J'ai entendu dire que vous étiez une personnalité fort en vue, ces derniers temps », il vous répondra presque certainement : « Moi? Mon Dieu non, je vis presque en ermite... » Car les virées qu'il a faites dans les milieux à la mode n'ont représenté qu'une quête d'information, à la manière d'un sociologue en expédition; ou la recherche d'une nouvelle maîtresse; ou le sauvetage de l'âme en perdition d'un ami : « Mais ne feriez-vous pas mieux de travailler, au lieu de ?... Pardonnez-moi, mais j'admire tellement votre talent... » Ce qui explique pourquoi, pendant près de dix ans, les étrangers vinrent à Londres en pèlerinage pour partager ce moment éphémère de style et d'éclat, mais sans presque jamais le trouver, car les cinq cents personnes qui le composaient se contentaient de passer le temps agréablement en compagnie de leurs amis intimes.

De même, il existe fort peu de véritables hôtesses. Margaret avait organisé sa vie, ses mariages, ses maisons de manière à séduire ces gens qui, momentanément, resplendissent de ce halo créé par la jalousie des autres; mais elle se fâchait contre quiconque le lui disait. « Jamais je n'ai reçu chez moi quelqu'un que je n'aimais pas, et je compte bien continuer ainsi! »

Pendant les cinq ou six mois où la maison de Radlett Street devint un haut lieu de réceptions, on put affirmer que les Colridge comptaient parmi les très rares familles de Londres qui *recevaient*.

Leurs invités (mais la maison devint réputée pour être un endroit où l'on ne pouvait jamais savoir qui l'on rencontrerait) étaient les vieux amis de Margaret, les combattants littéraires de la guerre froide, déjà revenus en faveur, principalement grâce au *cachet* désormais attaché au fait d'avoir peut-être été l'ami d'un espion célèbre, ou tout au moins d'en avoir connu ou même seulement rencontré; ses nouveaux amis, la « nouvelle vague » de la fin des années cinquante; les chanteurs « pop » et les impresarios, les coiffeurs et les restaurateurs — par l'entremise de Paul; les journalistes et les commentateurs de la télévision, les personnages mi-littéraires et mi-politiques — par l'intermédiaire de Graham Patten; l'immuable strate des politiciens de gauche — grâce à Phœbe et son ex-mari, Arthur ; ainsi que les organisateurs de telle ou telle Campagne, Marche, Fonds de Soutien, Organisation pour la Lutte contre la Faim... tous ces gens ensemble allaient et venaient dans cette maison, ainsi qu'une dizaine d'autres du même genre, et semblaient trouver un prolongement privé dans la demi-douzaine de restaurants, clubs, bars qu'ils fréquentaient, qu'ils avaient financièrement aidés à démarrer, et qui étaient tenus par des amis à eux.

Certaines croyances les unissaient. Par exemple, qu'ils étaient absolument dissemblables entre eux, puisqu'ils venaient de différentes catégories sociales et d'un ou deux pays. Cela signifiait qu'ils se rencontraient avec cette curiosité contrôlée par une agression bien exercée qui constitue la première condition pour tomber amoureux. Une autre de leurs croyances était que l'histoire sociale avait démarré en 1956, 1957 ou 1958 (trois années « à étoiles » qui avaient donné naissance à cette nouvelle époque), car déjà les nouveaux cinéastes, auteurs dramatiques, vedettes de cinéma, journalistes, qui s'étaient élevés sur cette vague dominaient tout, et la rapidité et l'aisance de cette ascension avaient créé une atmosphère de joyeux optimisme quant à l'avenir : il était extraordinaire que cette humeur eût contaminé des gens qui, pourtant, auraient dû se montrer mieux avertis, comme Phœbe, par exemple : la gauche responsable. Troisièmement, ils tendaient à voir le monde entier, sans même parler du Royaume-Uni, selon leur propre optique, ou en tout cas se comportaient comme si cela eût été vrai. C'était une sorte d'auto-hypnose : comme si la ville eût été une forêt enchantée, où l'on perdait toute notion en entrant. Le fait qu'à l'exception de ces quelques milliers de gens Londres n'eût pas changé, et qu'à l'extérieur de Londres très peu de choses eussent évolué, tout cela était oublié dès le premier pas au sein de la forêt magique.

Où, comme dans les contes de fées, coexistaient les plus extraordinaires contradictions. Ainsi, Graham Patten était demeuré marxiste, et il adorait dire que « tout est entre les mains de dix ou douze types de ma promotion à Oxford et Cambridge ». Il l'affirmait avec fierté. Comme son père aurait pu le faire, ou bien le père de Mark. Ce qui ne l'empêchait pas plus que les autres de saluer la nouvelle égalité des classes — c'est-à-dire que quelques jeunes talents venus de province ou issus des classes inférieures, attirés vers Londres, y avaient été absorbés —, exactement comme cela s'était toujours produit.

Car ce qui distinguait cette strate composée de quelques milliers de personnes était l'uniformité : en y venant, il fallait devenir comme tous les autres. C'était une sous-société qui fonctionnait à la manière de ces grands tambours remplis de pierres que l'on agite ensemble pour les glisser et les uniformiser ; c'était comme du lait homogénéisé.

D'apparence, c'était une fièvre de discussion, de compétition, d'intérêt en violente contradiction. De grandes entités d'affaires s'affrontaient mais dans les coulisses elles œuvraient ensemble et employaient les mêmes compagnies, les mêmes gens. La presse qui restait pouvait se proclamer de droite, de gauche, ou libérale, mais les gens qui écrivaient pour elle étaient interchangeables, car ces gens écrivaient pour tous les journaux en même temps, ou en succession rapide. Il en allait de même à la télévision : les émissions portaient les noms de différentes compagnies ou institutions, mais on ne pouvait guère les distinguer car c'étaient les mêmes gens qui les imaginaient, les produisaient, les écrivaient, les jouaient. La même chose se vérifiait au théâtre. Et partout ailleurs.

Le processus d'érosion allait si vite, *tout* allait si vite, qu'on aurait dit que quelque part, invisible, un mécanisme du temps était détraqué, car des systèmes qui avaient jusqu'alors fonctionné lentement pendant des années se trouvaient à présent accélérés. Ainsi, naguère, un mot, une expression, ou une idée pouvait être « dans l'air » et prendre cinq ans pour cheminer dans la presse, les dîners, la radio, les critiques littéraires, les plaisanteries. A présent l'opinion, l'expression à la mode, l'idée pouvaient apparaître une semaine et avoir disparu la semaine suivante. Et pendant ce temps des centaines de bouches proclamaient cette nouvelle vérité avec le même regard solennel, adouci, sincère ; car c'était là une opinion destinée à rapporter la plus haute estime à celui qui l'exprimerait, puisqu'à cette époque tout le monde avait l'esprit fort élevé.

A l'intérieur de ce cercle enchanté, il était bien sûr difficile de croire que des choses déplaisantes pussent exister ailleurs, et moins encore reparaître ici même.

Ah, que tout était donc charmant ! Civilisé ! Tolérant ! Que les gens s'habillaient merveilleusement ! Que nous cuisinions bien, que nous mangions bien ! Qu'il était merveilleux de rencontrer, dans n'importe quel salon, une demi-douzaine de Noirs ou de gens de couleur, exactement semblables à nous-mêmes, et une demi-douzaine de gens issus des classes laborieuses, tous aussi talentueux et aussi progressistes, dans cette harmonie si facilement atteinte... fait qui semblait en lui-même proclamer la vérité que bientôt, quand le parti travailliste arriverait au pouvoir, tout le monde sans exception d'un bout à l'autre du royaume, homme ou femme, nègre ou docker, pourrait bénéficier de tous les avantages sociaux que jusqu'alors on n'avait associés qu'à des gens comme Mark Colridge ou Graham Patten.

Mais de toutes les personnalités qui marquèrent Londres pendant cette dizaine d'années, ce fut assurément Graham Patten qui en présenta l'exemple le plus parfait. Plus affable et plus brillant que jamais, il écumait non seulement Londres, mais les couches équivalentes de la société new-yorkaise, berlinoise, parisienne ou polonaise, qui toutes appréciaient en lui cette qualité si particulière d'être l'équivalent social du papier de tournesol, ou du compteur Geiger. Ce qui ne veut pas dire qu'il fût caméléon — mais plutôt que, en atteignant l'âge adulte, il avait deviné le Londres qu'il allait personnifier, et était devenu celui qu'il était avant que Londres eût perçu son destin. Les autres gens, styles, modes, s'adaptaient à lui. Il avait été dandy depuis l'âge de quinze ans : il ne fallut pas longtemps pour que les hommes partout deviennent des paons, des chevaliers, des dandies : « Londres » devint socialiste, Graham le demeura. En le suivant, « Londres » se mit tendrement à tolérer absolument tout. Et ayant compris que là où il avait d'abord décelé un échec résidait sa force, il se mit à cultiver sa versatilité. Il montait des pièces, les mettait en scène, les jouait ; il conseillait d'autres metteurs en scène dans leurs choix de spectacles, et les critiquait quand ils n'en tenaient pas compte. Il écrivait des livres, tantôt drôles et durs, tantôt sincères et ardents. Il lança un restaurant, où l'une de ses maîtresses faisait la cuisine, et qu'il appela « La Chaîne de Pâquerette » ; il avait de l'argent placé dans de nombreuses boutiques. Sa vie émotionnelle restait extrêmement aiguë car, bien qu'il se fût marié deux fois, il continuait à éprouver de douloureuses passions pour les nouveaux venus — quel que fût leur sexe ou leur couleur de peau.

Son vrai domaine demeurait cependant la télévision, et il tendait à s'en excuser. « Oui, je sais, mais il faut la prendre pour ce qu'elle est... » C'était quand même là qu'il touchait vraiment le pouls de *maintenant*, qu'il offrait ce que personne d'autre n'avait fait, ou n'avait pu faire, et en particulier dans une émission qui consistait en entretiens entre ses divers amis, tous connus et tous associés au monde artistique. C'était là, dans cette émission et toutes ses variantes, que culminait cette attitude à l'égard des arts qui était née dans la première moitié du XIXe siècle, et qui correspondait essentiellement à un besoin de s'identifier à la vie de l'artiste. Il eût été difficile de trouver un meilleur moyen de satisfaire ce besoin qu'en présentant sur l'écran, une semaine après l'autre, des artistes de toutes sortes, auteurs, peintres, musiciens, et ainsi de suite, ou, quand le filon d'artistes s'épuisait, des « personnalités » de genres multiples, assis en rond dans un faux salon et jouant à un jeu qui consiste à faire semblant que les caméras n'existent pas, et qu'ils sont simplement un groupe d'amis ne vivant que pour l'interrogation libre, passionnée, libérale, et qu'ils ont justement choisi ce moment pour exprimer et commenter leurs pensées à voix haute. Là, des gens qui s'étaient rencontrés une demi-heure avant pour l'entretien préliminaire ou bien pendant la séance de maquillage (« Bonjour, ça va ? — Bien, et vous ? ») dans le miroir, s'appelaient par leurs prénoms et discutaient les détails les plus intimes de leur existence comme s'ils avaient été seuls avec des proches. Ils ressemblaient à des enfants privilégiés dans une réception, sous l'œil envieux et émerveillé des enfants pauvres qui regardent par la fenêtre. Mais les enfants aux aguets n'enviaient plus, c'était au contraire une forme de mépris, car c'étaient eux qui payaient le coût de la fête, et qui choisissaient les figurants pour leur faire représenter les fantasmes de leur choix ; et si les figurants acceptaient d'employer leurs existences véritables (une forme de sacrifice) pour représenter les fantasmes, eh bien, tant mieux, mais peu importait.

C'était en effet à la télévision qu'on avait créé un commentaire continu, ou miroir, de la « vie réelle ». En allumant son téléviseur chaque jour au début des programmes, l'esprit légèrement abattu, ou bien avec un peu de fièvre, ou encore très fatigué, et en regardant sans relâche, pendant des heures, ces petites silhouettes, ces gens rétrécis, habillés en cow-boys ou en chauffeurs d'autobus, ou en costumes de l'époque victorienne, parlant avec tel ou tel accent, dans tel ou tel décor, parfois un hôpital, parfois un bureau ou un avion, tantôt « imaginaire » (c'est-à-dire le produit d'imagination d'une personne ou d'une équipe), on voyait exactement ce qu'on aurait vu en reportant son attention vers l'extérieur, vers la vie : on aurait dit que l'extrême variété avait créé l'uniformité, que l'humanité avait accepté de devenir un défilé insignifiant de gens revêtus d'accoutrements variés pour se tuer (« réel » ou « imaginaire »), jouer divers types de sports, ou parler d'art, d'amour, de sexe, d'éthique (en « jeu » ou en « vrai »). Car au bout d'une heure environ, on ne distinguait plus la différence entre les informations, le théâtre, la réalité, l'imagination, le vrai, le faux. Si quelqu'un était passé assister à une soirée entière de projection, après un an d'exil dans un lieu privé de télévision, ou fraîchement débarqué de Mars, il aurait bien pu croire que ce flot ininterrompu de petites images, tellement uniformes par le ton et la signification, faisait partie d'un unique programme conçu ou même sans doute écrit par un seul patron qui, afin de rompre la monotonie, avait prévu de légères variations de costumes et de décors (bureau, parc, ballet, école, avion, guerre) et joué par une équipe restreinte de comédiens — car les mêmes gens y jouaient une dizaine de rôles différents.

Tout cela était aussi vide et dénué d'intérêt qu'un pain blanc rassis ; et pourtant composé de tous les extrêmes de la vilenie dans une frénésie de dislocation, d'incohérence, comme si l'on s'était posté au coin d'une rue pour regarder passer une demi-douzaine de variations de l'animal humain, dans une dizaine de styles, de costumes et de visages, comme aurait pu l'expérimenter la petite Amanda Colridge (qui allait bientôt devenir la belle-fille légale de Francis) en parcourant la rue pour aller dans les magasins, tap, tap, tap, les grandes créatures encombrantes aux multiples déguisements marchaient ou couraient ou bavardaient sur son chemin dans un tintamarre d'objets métalliques tandis qu'une créature à quatre pattes et enveloppée de fourrure, plus grande qu'elle, et à l'odeur aigre entêtante, courait entre les jambes et en levait parfois une pour faire gicler un liquide odorant et jaunâtre contre un mur de brique humide. Une minuscule enfant aux immenses yeux noirs bordés de longs cils recourbés dans un visage brun crémeux (elle arborait toutes les nuances d'un brun délicieux, mis en valeur par une robe blanche et des chaussures blanches), s'agrippait à la main d'une jeune Anglaise aux yeux bleus, blonde, et blanche et rose, qui poussait un landau de son autre main ; et les gens qui la croisaient cillaient en la regardant, puis levaient les yeux sur sa mère, le regard soudain rétréci, ou coupant, ou malveillant, ou bien encore ils se penchaient pour sourire de toutes leurs dents, et puis hop ils passaient leur chemin ; et c'était pareil à la maison, quand Amanda s'asseyait dans le grand fauteuil, en face du coin de mur où défilaient des images toute la journée. Sa mère se tenait auprès d'elle, et berçait le nouveau bébé. « Maman, maman, maman, criait-elle, regarde-moi, occupe-toi de moi, jette ce bébé que j'aime beaucoup, ou bien étouffe-le », et Jill répondait : « Regarde le beau cheval, à la télévision, ma chérie », en faisant passer le bébé d'un sein doux et gonflé à l'autre. Et puis arrivait Francis qui n'était pas son papa. « Non, ce n'est pas ton papa. C'est Frankie, ton papa », et Francis venait vers elle, la lançait en l'air et la rattrapait pour la serrer contre lui dans un grand élan d'amour tendre qui les rassurait bien au chaud l'un contre l'autre, et puis ils s'asseyaient pour regarder ensemble les images sur l'écran. « Bon Dieu, s'exclamait Jill, il est vraiment en forme, ce soir », tandis qu'Arthur Colridge frappait d'estoc et de taille, penché en avant dans le feu de la discussion, apparaissant et disparaissant parmi les images qui défilaient sur l'écran. « Qui c'est ? » — « C'est mon papa. » — « Mon papa ? » — « Non, le mien, l'ordure. » Ou bien apparaissait un visage dont la bouche s'étirait et se tordait et se débattait : « Voici Phœbe Colridge, l'une des candidates à... » — « Non, mais *regarde-la* », disait Jill ; et Francis-pas-son-papa, qui l'adorait, s'empressait d'ajouter : « Je trouve qu'elle s'en tire très bien. » — « Oh, comme toujours, la vieille vache », puis, comme le bébé commençait à chanter et rire quelque part dans la pièce, derrière le gros fauteuil : « Ah, éteignez-moi donc cette saloperie », et alors Amanda se met à pleurer : « Non, non, non, je veux, je la veux... » — « Bon, alors laisse-la, de toute façon il faut que j'aille préparer son dîner. Tu restes dîner, Francis ? » — « Non, je dois retourner au théâtre. » — « Bon, salut. » — « Salut, mon canard. » Et revoilà Francis parti, hop, l'homme qui va et vient est reparti, mais maintenant voici qu'arrive, hop, une grande dame qui sent les bonbons et la confiture, c'est-ta-grand-mère-Lynda, et elle apporte des chocolats, des bouteilles de sirop aux fruits, des poulets surgelés, des fleurs, exactement comme la publicité à la télévision, en gros tas sur la table, et puis hop, elle repart. « Maman, où est ma grand-mère ? » — « Elle est rentrée chez elle, ma chérie. » Hop, hop, des visages, des gens, des animaux, vêtus, dévêtus, transportant des choux-fleurs ou buvant du lait dans des grandes tasses décorées d'images de la télé ou s'entretuant ou s'embrassant, les mêmes visages toujours et sans cesse, comme si lors d'un gigantesque bal costumé l'hôtesse avait prié tous ses invités de mettre le même masque, juste à peine différent, de sorte que telle ou telle grimace peut s'intituler RIRE OU LARMES OU JE T'AIME OU MEURS, hop, hop, comme les visages de tous ces gens qui, pendant cette brève période précédant la rechute de Lynda, vinrent déjeuner et dîner à Radlett Street, fantômes projetés en l'air comme l'écume au sommet des vagues, fantômes charmants, courtois, intelligents, et si merveilleusement habillés, si merveilleusement équipés pour une existence de bonnes discussions et de bonne chère et de bonne réflexion.

Nourriture, nourriture, nourriture — et vêtements. Vêtements et meubles. Maquillage et vêtements et nourriture et décoration des maisons.

Quinze, dix, sept ans auparavant, Martha (et ses semblables) avait écumé un Londres plein de gens, éteints, démunis, malgracieux, et elle avait guetté un reflet de couleur, un indice de goût, d'élégance, de flair ; elle avait rêvé d'un petit restaurant où l'on eût servi de la vraie nourriture, de vêtements dont la qualité eût même été la moitié de ce qu'on pouvait imaginer. A présent, elle se demandait dans quelle mesure cette faim inassouvie avait donné naissance au Londres des années soixante qui ne semblait penser à rien d'autre qu'à la nourriture et aux vêtements.

A parler de nourriture, de vêtements, d'art et de politique, les trois hôtes se confondaient avec leurs invités, et n'étonnaient vraiment personne qu'eux-mêmes. Lynda, en particulier, remportait un succès considérable. Elle était acceptée comme normale par des gens qui, s'ils avaient entendu parler d'elle, savaient qu'elle représentait une sorte de demi-secret douloureux.

« Tu vois, Lynda, tu as vraiment été superbe, mais je leur ai dit que tu étais juste un petit peu bizarre de temps en temps, alors ce n'est pas la peine de t'en faire, cela arrive à tout le monde, de nos jours... » C'était Paul qui lui facilitait les choses.

Mais même si la bizarrerie fait occasionnellement partie de la vie des gens, de nos jours, il était curieux d'observer que ces gens si talentueux et si perspicaces pouvaient parfaitement accepter Lynda sur le plan où elle choisissait de se présenter. C'était une grande femme souriante et peu diserte, qui s'habillait extraordinairement bien, toujours avec de longs gants de couleur (très élégant, cela) et lorsqu'elle s'absentait une demi-heure de ses propres réceptions pour téléphoner, eh bien, elle s'absentait, voilà tout ; et puis cet air de concentration... bah, elle avait dû boire un peu trop. Oui, Lynda devait boire. Mais qui ne buvait pas, somme toute ?

En une ou deux occasions, elle n'avait pas tellement craqué que plutôt divagué, devenant un peu décousue et confuse dans ses propos ; mais en faisant le nécessaire pour la protéger, Mark et Martha se rendirent compte qu'il n'était nul besoin de camoufler la situation.

En vérité, Lynda, qui était « totalement incapable de mener une vie ordinaire », ressemblait à tout le monde aux yeux de ses invités qui, par définition, présentaient la plus vive sensibilité et le talent le plus aigu.

Et folle ? Mais certainement pas !

« Vous dites que Lynda est sujette aux dépressions ? »

Extraordinaire. Mais cette pensée en entraîne une autre... (Banale, bien sûr, mais tout de même pas sans utilité ni sans surprises.) Alors, qui est fou ? Lynda, pour commencer et assurément. Martha ? Bon, il ne manque pas de preuves pour étayer... Mark ? Certainement pas, il était artiste. Graham Patten ? Mon Dieu, non, ou alors s'il l'est, qui ne l'est pas ? Francis, Paul ? Trop tôt pour juger. Jill ? Mais le fait d'avoir des enfants illégitimes, et pratiquement par principe, ne suffit pas à déterminer. Margaret ? Son mari John ? Non, non, cet enchaînement systématique ne convient pas. Mieux vaut adopter l'humilité des psychiatres (qu'ils manifestent ici et nulle part ailleurs) quand ils disent qu'on peut peut-être juger moins équilibrée qu'il ne serait souhaitable une personne apparemment incapable de mener une vie ordinaire. Et nous voici ramenés à Lynda. Lynda, certainement, entre dans cette rubrique. Martha ? Jill... Et le Dr Lamb ou Mme John ? Non, on va voir que cette quête de définition ne mène pas bien loin. Surtout que... en vérité, pendant les six mois où Lynda se comporta en hôtesse, et en hôtesse véritable, ne recevant qu'une aide très raisonnable de la part de Mark et de Martha, entourée jour et nuit d'invités, et mettant toute son énergie à se faire coiffer régulièrement, à faire entretenir ses chaussures, à ne pas dépareiller ses paires de bas, et à organiser des menus absolument parfaits, Lynda, qui était folle et qui chaque jour laissait davantage paraître l'effort, ne frappait personne comme étant plus que simplement « différente » — et d'une manière séduisante.

Ses gants, par exemple ; ils charmaient tout le monde. Quand on lui demandait pourquoi elle les portait, elle répondait que c'était parce qu'elle se rongeait les ongles jusqu'au sang. « Les gants de Lynda » devinrent une sorte de plaisanterie familiale — pour quelques dizaines de gens.

Quand on lui demandait pourquoi elle n'avait pas de liaison, Lynda répondait qu'elle ne le pouvait pas, puisqu'elle n'ôtait jamais ses gants — cela fut considéré comme l'essence même de la désinvolture et de l'absurde chic.

Pendant ce temps, ses deux camarades, son mari et Martha, en profitaient jusqu'au bout. Martha y prenait plaisir — plus ou moins. Mais au détriment de cette partie d'elle-même qui lui tenait le plus à cœur. Manger et boire jusqu'au milieu de la nuit, se coucher à trois ou quatre heures du matin ; puis se lever très tard pour s'occuper de ses vêtements et aider Lynda à régler les questions de nourriture et de femmes de ménage ; parler, parler, parler ; rencontrer chaque soir dix ou quinze nouvelles têtes, toutes plus sympathiques et plus intelligentes les unes que les autres — c'était absolument épuisant. Martha ne comprenait pas comment des gens pouvaient tenir ainsi longtemps ; mais beaucoup y parvenaient pourtant très bien. Elle était plus épuisée que Lynda, qui semblait s'approvisionner à une batterie d'excellente énergie nerveuse, que Martha ne connaissait pas. Elle était plus épuisée que Mark, qui bouillonnait à petit feu régulier sur fond de patience.

Signe des temps : Un marchand londonien, qui achetait au nom d'universités américaines, écrivit à Mark entre autres pour savoir s'il avait conservé les manuscrits de ses livres. Mark répondit qu'il ne conservait jamais les premières et secondes ébauches, et que de toute façon il travaillait à la machine. Après avoir imploré une entrevue, le marchand vint déclarer que « dans l'intérêt de la littérature », Mark ne devrait jamais détruire ses brouillons, car « lorsque des étudiants voudraient écrire des thèses sur lui, comment pourraient-ils savoir que penser de son œuvre ? » Et puis Mark devrait bien éviter de taper à la machine « s'il pouvait s'en passer », car seules les œuvres réellement manuscrites se vendaient à un bon prix. Tel auteur, qui avait gagné trois cent quarante et une livres sterling avec un roman pourtant bien accueilli par la critique, et qu'il avait écrit directement à la machine, avait passé trois mois, ayant de graves soucis d'argent, à recopier son roman à la main en l'émaillant de notes, ratures et suggestions en marge : cette œuvre d'art s'était vendue neuf cents livres sterling à une université américaine. Paul se fâcha tout rouge quand Mark lui refusa son autorisation de recopier ses premiers romans suivant ce filon. « Tout le monde le faisait », expliquait-il. Non, *bien sûr* que Paul ne cherchait pas à en tirer bénéfice ; il connaissait un jeune peintre qui manquait désespérément d'argent. S'il voulait bien permettre à ce jeune homme de produire une version inventée de, disons *La Cité*, Mark aurait le sentiment d'avoir bien agi : après tout, on ne vérifiait jamais l'écriture. Et pourquoi pas un journal imaginaire ? Cela vaudrait une fortune ; lui, Paul, garantissait au moins dix mille livres sterling. Bon, si Mark était assez riche pour jeter dix mille livres sterling par la fenêtre, libre à lui, mais ne pensait-il donc jamais à tous ces pauvres gens qui mouraient de faim aux quatre coins du monde ? Paul connaissait l'homme idéal pour écrire ce journal imaginaire — il l'avait déjà fait pour le romancier Untel.

Signe des temps : Le jeune narrateur, dans le livre de Mark, *Le Cheminement d'une hôtesse conservatrice*, était parti se battre en Espagne pendant la guerre civile. A présent, et quoi que pût affirmer Mark, on le prenait pour un vétéran de la guerre d'Espagne. Il avait beau protester qu'il s'était alors trouvé en Amérique, qu'à cette époque-là la politique ne l'avait pas du tout intéressé, rien n'y faisait. Ses contradicteurs mettaient tout cela sur le compte de la modestie et du fait (après tout, il était tellement conservateur !) qu'il avait dû choisir le mauvais côté. D'où ses dénégations. Et la fin de son livre n'était tout simplement qu'hypocrisie.

Il reçut ensuite une lettre du *Daily Y* le suppliant de leur réserver ses souvenirs de l'armée aux côtés de Franco. Un éditeur lui en offrit plusieurs milliers de livres. Dans le même temps, comme les espions étaient à la mode, on lui offrait des sommes énormes pour ses souvenirs personnels concernant les espions enfuis dix ans auparavant, et qu'il avait évidemment bien connus puisque son frère en faisait partie.

Cette année-là, il calcula que, s'il avait écrit ses souvenirs de guerre aux côtés de Franco, ses réminiscences de Burgess, McLean et les autres, et s'il avait autorisé Paul à faire recopier ses livres, il aurait pu gagner une trentaine de milliers de livres en seulement six mois — ce qui bien sûr était entièrement dû au fait qu'il se consacrait désormais à cette activité essentielle pour un auteur : être une monnaie forte dans le monde littéraire.

Mais à s'occuper ainsi, il ne pouvait plus rien faire d'autre ; tout livre passé, présent et à venir, à l'exception d'un seul, s'étaient fondus non pas dans *Le Cheminement d'une hôtesse conservatrice*, mais dans une personnalité de révolutionnaire romantique (de droite ou de gauche, peu importait) qui avait connu les barricades en Espagne. Sans doute ne peut-on rien y faire sauf, comme semblent l'avoir découvert certains écrivains, écrire des romans et les baptiser « autobiographies ».

Il était devenu littéralement impossible de lire une œuvre de fiction, sinon dans la perspective de la vie de l'auteur. Depuis qu'ils ont appris à lire, les « vies » d'artistes, les expériences d'artistes, les opinions d'artistes ont été proposées parallèlement aux œuvres d'artistes — qui sont devenues infiniment moins importantes. Pièces, romans, récits, poèmes sont « enseignés » dans les écoles en fonction de la vie des auteurs. Untel ne supportait pas la solitude, tel autre était fou ; X était sourd ; Y était une dame ; X était un homme ; Shakespeare était homosexuel (les soleils de l'univers peuvent ternir si le soleil de notre ciel le peut : que pourrait-ce donc vouloir dire *d'autre ?*), et tel écrivain contemporain s'était marié quatre fois, et avait divorcé tout autant.

Confronté à une jeune femme fort cultivée qui se penche pour demander : « Monsieur Colridge, quand vous étiez en Espagne... » c'est une perte de temps que de répondre : « Je n'ai jamais mis les pieds en Espagne », car une brève lueur de contrariété passe sur le visage de la jeune femme, qui s'interroge sur les raisons qu'il peut bien avoir de se croire obligé de répondre ainsi, quelle prima donna ! et puis elle reprend : « Mais quand vous étiez en Espagne, avez-vous... »

« Il est tout à fait inutile que M. Colridge prétende qu'il n'y a là rien d'autobiographique ; chacun sait que Margaret Colridge a reçu tous les gens qui... »

« L'élément autobiographique se trouve ici parfaitement absorbé dans... »

« Bien entendu, la plupart des romans représentent un mélange d'autobiographie et d'imagination... »

Le mécanisme était à ce point répandu que, si un groupe d'amis avait ensemble écrit un livre, ou rassemblé des morceaux épars, et publié une œuvre anonymement, dans l'espoir que peut-être il se trouverait encore quelqu'un pour accepter d'envisager d'autres approches d'un livre (ou même d'une vie), les critiques auraient sans aucun doute réagi ainsi : « On ne peut comprendre pourquoi les auteurs, dont le contexte rend les identités évidentes, ont recours à un tel... », et poursuivi en établissant un parallèle entre la matière et les faits connus ou imaginés concernant les vies des auteurs.

Cette manière de traiter les livres ne s'applique cependant qu'aux écrivains *sérieux* et jamais, par exemple, à un Jimmy Wood. Il venait de publier un récit intitulé *Les Manipulateurs de la force*, fondé sur l'idée qu'une certaine catégorie d'êtres humains avaient appris à « se brancher » sur les énergies d'autres individus, et à vivre sur eux comme des espèces de vampires. Certaines de ces personnes ainsi dépossédées de leurs énergies en avaient conscience, mais pas toutes. Ceux qui savaient tentaient d'alerter ceux qui ne savaient pas. Les vampires faisaient tout leur possible pour tenir leurs victimes passivement en leur pouvoir. Une guerre commençait entre les vampires et ceux qui voulaient alerter les victimes. A mesure que l'humanité se trouvait plus engagée dans la destruction mutuelle, la guerre devenait une sorte de cheval de Troie psychologique dont la fonction consistait à canaliser l'énergie pour alimenter d'autres planètes, puisque les planètes étaient des êtres vivants et non des tourbillons de feu ou des grumeaux de terre et de pierre. Cette œuvre d'imagination se vendit à trente mille exemplaires dès le premier mois, et les droits d'adaptation cinématographique furent cédés pour vingt mille livres sterling. Mais quand Jimmy Wood venait dîner à Radlett Street, personne n'avait jamais entendu parler de lui.

« Mark m'a dit que vous étiez écrivain ?

— Oh, juste de science-fiction. »

Lynda fit une rechute. Cette fois, ce ne fut ni rapide ni évident : elle lutta jusqu'au bout. Ce fut une défaite pour eux tous. Car cette fois, Mark ne s'était pas permis de suggérer des vacances à deux, ni de proposer à sa femme de revenir vivre avec lui là-haut. Et Martha était demeurée là, à l'arrière-plan, sans jamais proposer son aide à moins que Lynda l'eût requise, sans jamais s'imposer. Mark et Martha avaient pratiqué un effacement attentif. Rien de personnel n'avait été imposé à Lynda. Ou plus exactement, *ils* n'avaient rien imposé de personnel à Lynda.

Mais c'était quand même cela qui l'avait atteinte, « perturbée », par l'intermédiaire de Jill et des enfants.

Lynda trouvait évident que Jill eût besoin de Phœbe ; et Phœbe souffrait par la faute de Jill. Comme le leur dire ne servait à rien, Lynda avait fait comme la personne, dans tel ou tel jeu, qui se glisse hors de vue en laissant les personnes qui l'encadraient se tenir par la main en croyant la tenir, elle. Elle achetait des cadeaux et laissait entendre à Jill qu'ils étaient envoyés par Phœbe ; elle transmettait à Phœbe des messages (inventés) de Jill. Pendant ce temps, elle s'inquiétait pour Francis ; persuadée qu'il fallait le protéger contre ce besoin qu'il avait de s'immoler au service de cette fille et de ses petits enfants.

Lynda entra dans une période de longs accès de sanglots désespérés. Tout était sa faute. Elle téléphona à Phœbe pour lui dire qu'elle était navrée, qu'elle avait fait plus de mal que de bien.

Phœbe appela Radlett Street pour demander si Lynda faisait une rechute.

Signe fort intéressant, ni Mark ni Martha ne s'en étaient encore rendu compte : car jusqu'alors, jamais Lynda n'avait commencé ses rechutes par des larmes et des angoisses déchirantes au sujet de l'humanité, en particulier au sujet de Jill, de Francis, et de Phœbe.

Lynda annonça alors qu'elle se sentait à nouveau malade, et que peut-être Martha devrait l'aider à s'en sortir, puisque Mark voulait se remettre au travail.

Elle comprit qu'elle était malade parce que soudain elle ne se souciait plus de savoir que ses efforts avaient été inutiles ; pendant une semaine elle avait passé ses nuits à se retourner dans son lit sans pouvoir dormir et elle avait sangloté presque sans discontinuer, et puis subitement elle perdait tout intérêt.

Elle s'efforçait de se sentir responsable du mal qu'elle avait causé.

Phœbe, recevant les messages affectueux de Jill, et Jill, recevant les cadeaux de Phœbe, attendaient chacune de son côté que l'autre fît le premier pas. Mais rien ne se produisit.

Phœbe décida de ne pas déranger Jill, qui avait le droit de mener sa propre vie : elle se décrivit sa propre décision comme étant une *conduite sage*. Elle était très seule. Gwen était partie, et partageait un appartement avec plusieurs amies. Tout à fait normal et rassurant. Phœbe disait : « Il faut que les enfants apprennent à voler de leurs propres ailes », et ne disait pas qu'elle n'avait plus de nouvelles de Gwen depuis plusieurs mois.

Puisque par-dessus tout il fallait faire bonne figure, Phœbe ne se permettrait jamais d'avouer que Gwen était partie le jour où Mary, la femme d'Arthur, avait téléphoné pour annoncer qu'Arthur et elle-même allaient sans doute se séparer. Gwen avait accueilli la nouvelle (annoncée sans parti pris par Phœbe, d'une voix neutre, puisqu'il fallait faire bonne figure) en devenant écarlate et avec des yeux fous, comme si on l'avait frappée en lui maintenant les mains liées dans le dos. Phœbe savait exactement ce qu'éprouvait sa fille, mais elle ne voulait pas l'exprimer, ne voulait pas critiquer Arthur. Gwen était ensuite devenue très pâle, et avait vomi.

Arthur avait brièvement envisagé de quitter Mary pour épouser Joyce, l'une de ses admiratrices dévouées. Mary avait brièvement envisagé d'épouser Phil, un charmant conférencier de Cambridge en philosophie. Arthur et Mary étaient tous deux venus trouver Phœbe, séparément bien sûr. Phœbe avait écouté en silence. A Mary, qui l'avait naguère supplantée, elle avait offert des variations sur le thème : « Il faut agir en fonction de tes aspirations réelles. » Mais avec Arthur, elle avait brusquement perdu le contrôle d'elle-même et s'était mise à tourner dans la pièce en heurtant et bousculant tout sur son passage, pour finalement lui crier : « Et puis va-t'en! », blême et prise de nausées.

Le lendemain, il lui avait écrit pour dire que sans doute il manquait de finesse, mais qu'il la considérait comme son amie la plus proche. La lettre qu'elle lui écrivit en réponse, mais ne se permit pas de poster, contenait des années de protestations, de désespoir, de reproches. Quant Arthur l'avait quittée pour épouser Mary, la douce, tendre et jolie Mary (mais manquant de cervelle, avait songé Phœbe sans jamais le dire, car il fallait faire bonne figure), Phœbe avait souffert. Mais ce fut quand Arthur quitta Mary, ou envisagea de le faire, que Phœbe se sentit trahie. La lettre qu'elle ne posta pas contenait ces mots : « Si tu allais si facilement te lasser d'elle, pourquoi m'avoir quittée et avoir infligé tous ces malheurs aux petites ? «

Jamais jusqu'alors elle n'avait laissé entendre que ses responsabilités envers ses filles lui pesaient. Après réflexion, elle décida de ne pas le dire encore cette fois-là. Quand Arthur l'appela un mois plus tard pour lui annoncer que Mary et lui-même restaient ensemble « pour le bien des enfants », Phœbe se comporta parfaitement. Au point même de ne pas lui dire que Gwen avait quitté la maison dans un geste de répudiation définitive à l'égard de ses deux parents. D'ailleurs elle soupçonnait amèrement, ou plutôt aigrement (bien qu'elle ne se reconnût aucun droit à l'aigreur) que Gwen reviendrait bientôt traîner ses guêtres chez son père, tout en persistant à la bouder, elle, Phœbe. N'avait-ce pas toujours été ainsi ?

Arthur, très occupé comme toujours, se consacrait à la politique ; Mary fit durer sa liaison encore quelque temps, et puis ses enfants, parvenant à une adolescence vulnérable, la revendiquèrent. Ils commencèrent à venir voir Phœbe en plaisantant tristement sur les familles élargies. Surprise, Phœbe réalisa au bout d'un moment que ces enfants l'aimaient ; et elle en sanglota de gratitude (à son propre étonnement), une nuit, en comprenant qu'ils avaient besoin d'elle. Et maintenant que ses propres filles l'avaient quittée et souhaitaient la voir le moins possible, elle se consacra aux enfants d'Arthur et de Mary. Gwen allait voir son père et Mary (Phœbe avait vu juste), qui « s'entendaient » coûte que coûte sous tous ces regards attentifs et incrédules. Mais c'était Phœbe qui avait le plus souffert de cette brèche (passagère) dans leur mariage. Elle avait plus que souffert : quelque chose en elle était mort : le sentiment de sa valeur en tant que femme ; plus encore, sa foi en la possibilité d'une quelconque valeur dans tous ces mariages, liaisons, amours, si sordidement précaires. Arthur Colridge l'avait frappée deux fois en plein cœur, et plus terriblement la seconde fois que la première : et personne d'autre qu'elle ne le comprenait.

Phœbe, qui avait toujours relevé la tête, qui ne s'était jamais permis un mot ni un regard de jalousie, ni même une pensée mesquine, Phœbe, à présent, quand elle accompagnait Arthur dans un déplacement politique et qu'il lançait une grosse plaisanterie inoffensive et bien masculine à une fille, ou bien qu'il flirtait ou se faisait un peu choyer — Phœbe désormais pâlissait, serrait les lèvres, et détournait les yeux quand elle ne lançait pas de remarque désobligeante. Elle se disait : Quand je pense que pendant tant d'années j'ai passé mes nuits à pleurer tant et plus à cause d'Arthur — si j'avais su qu'il la quitterait aussi ! Et ses opinions libérales quant à la censure, la morale, la liberté individuelle rétrécissaient. Il lui semblait avoir toujours pensé que les jeunes faisaient beaucoup plus d'histoires à propos de l'amour et de ce genre de choses que cela n'en valait la peine, et qu'il fallait les protéger d'eux-mêmes jusqu'à l'âge de vraie raison. Elle n'osait cependant pas s'en ouvrir à Gwen, les rares fois où elle la rencontrait ; et elle se contentait de dire à Francis, quand il venait la voir : Allons, occupe-toi un peu de toi-même, mon vieux, sois raisonnable. Car elle ne trouvait pas que Jill méritât cette dévotion.

Elle songeait qu'elle se retenait de proférer bien des choses à voix haute, et se demandait si son intégrité s'était érodée. Peut-être était-elle démoralisée par ces treize années d'affilée où le gouvernement représentait tout ce qu'elle détestait, et où le parti qui lui servait de cadre moral s'effritait sous l'effet de ce qui apparaissait comme une situation d'opposition perpétuelle ? Avait-elle été corrompue par ce long exil de ce que, dans sa jeunesse, elle avait cru devoir être l'œuvre de sa vie ?

Des centaines de gens comme elle s'en faisaient une affaire de conscience : elle le savait, car elle voyageait beaucoup pour son travail. La question de « se vendre » ou d' « être acheté » se discutait en permanence parmi les voyageurs du parti lorsque les autres questions étaient réglées. Tard dans la nuit, des hommes et des femmes, généralement rassemblés dans des maisons pauvres, semblables à celles des gens pour qui ils croyaient se battre, tenaient des conversations qui revenaient toujours à ces moments critiques, juste avant la Première Guerre mondiale, où la révolution était imminente ; et la grève générale, qui avait failli être une révolution ; et Ramsay MacDonald et les gouvernements de coalition ; et toutes les campagnes et tous les tournants semblaient contenir une faiblesse fatale : il y avait toujours des hommes qui « retournaient leur veste », qui choisissaient la poignée d'argent ou de rubans. Pourtant, tandis que leur esprit parcourait à nouveau toutes ces années *(L'Histoire du parti travailliste)*, de grands trous subsistaient : la Première Guerre mondiale, la Seconde Guerre mondiale, comme si ces périodes s'inscrivaient hors de la politique, comme si la question de survie nationale effaçait tout le reste.

Près de treize ans d'opposition venaient de s'écouler. Le parti se retrouvait vidé, déchiré, plein de divergences et de divisions et d'hostilité. Tout groupe d'opposition parvient à ce stade : c'est inévitable. Mais Phœbe en était moins affectée que la plupart des autres : elle appartenait à cette section du parti, non pas à l'extrême gauche, avec Arthur, mais là où la gauche rejoignait le centre, ce qui, pensait-elle, représentait l'espoir de tous. C'était justement là, où elle adhérait, qu'apparaissaient la croissance et le développement : c'était là que les gens venaient, manifestaient leur solidarité, discutaient, publiaient des livres. Le ferment était assez fort pour transformer le pays entier ! A condition bien sûr que « le peuple » se décide enfin à voter pour eux et à chasser les conservateurs. Treize ans : ils n'en finissaient plus de regarder, sans rien pouvoir faire, tout se dégrader. Car si l'on redoutait une forme de démoralisation, si on la guettait et qu'on en discutait (sous forme de « se vendre » ou de « retourner sa veste »), il en était une autre bien réelle et visible, fait central qui crevait les yeux. Car si les gens comme Phœbe ne pouvaient plus placer leur confiance dans « le peuple », il ne restait nulle part ailleurs où la placer. Pourtant, ce que « le peuple » soutenait depuis tant d'années, c'était un gouvernement plus corrompu et inefficace qu'aucun autre dans l'histoire du pays. Il n'en avait jamais existé qui eût un tel dossier de promesses non tenues, de mauvaise foi, d'indifférence. C'était à cette époque que la soumission de la Grande-Bretagne à l'Amérique (commencée pendant la guerre froide, tandis que les yeux de la nation demeuraient fixés, hypnotisés, sur la Russie) s'était trouvée confirmée et transformée en pierre angulaire de toute l'économie ; ces années avaient vu apparaître le rôle abject du Royaume-Uni dans la course aux armements ; pendant ces années s'étaient déroulées de douloureuses et ridicules incursions dans les mécanismes guerriers du XIXᵉ siècle — Kenya, Chypre, Suez. A l'intérieur, le pays se trouvait plus bas encore que pendant la guerre : les écoles, les hôpitaux, les services sombraient dans une incompétence démodée ; les vieillards mouraient dans la misère et l'abandon ; la science et la technologie étaient les parents pauvres de cette divinité dépensière et nourricière, la guerre ; rien n'allait bien, nulle part ; et pourtant, la « presse conservatrice » — selon l'expression qu'employait Phœbe depuis toujours —, commençait ainsi ses éditoriaux : « Autrefois, ce pays était divisé en deux nations, l'une riche et l'autre pauvre. Ces mauvais jours sont passés et... » Une sorte d'imbécillité innée, d'aveuglement persistait comme s'il eût été impossible à quiconque de voir ce qui se passait réellement. Et pourtant, le « peuple » s'obstinait à ne pas chasser les conservateurs. Au gré des élections municipales et parlementaires, la popularité du gouvernement variait ; mais ces fluctuations ne semblaient avoir rien à voir avec ce que faisait le gouvernement, ou les promesses non tenues, ou les occasions manquées, rien à voir avec un bon ou un mauvais gouvernement.

C'était là que les gens comme Phœbe se sentaient punis, là qu'ils subissaient un vrai préjudice : car s'ils ne pouvaient plus croire dans les « gens », où pouvaient-ils placer leur confiance ? Les conservateurs n'avaient jamais prétendu avoir la moindre foi dans les « gens ». Leur cynisme le proclamait. Mais le parti travailliste, le mouvement travailliste, s'il n'était rien d'autre, se référait au « peuple » — qui ne semblait guère se soucier des mensonges qu'on lui débitait, ni du nombre de fois où on le trahissait, ni du glissement du pays entier dans l'abîme de l'incompétence. Il faut avoir la foi ! Il faut croire aux profondeurs de force et d'intégrité du peuple : il faut s'agripper à la certitude que le peuple, si on lui « donne une chance », donnera sa foi et sa confiance. Au cœur même du mouvement travailliste, là où réside sa force, se trouve également cette faiblesse, ou du moins cette ambiguïté.

Car cette *Histoire du parti travailliste* (disons de 1910 à 1965 pour faciliter la discussion), qui laisse de côté les deux guerres mondiales, tend également à ne guère s'étendre sur les autres grands élans d'émotion populaire : le communisme et le fascisme. En vérité, quiconque s'est laissé tenter par la politique au cours des cinquante dernières années, se trouve dans un état de frousse mortelle, à cause du « peuple » et de ce dont il (nous) est capable de faire. L'histoire du xxe siècle, jusqu'au point où nous sommes parvenus, n'est faite que de soudaines éruptions de sentiments violents, une lave rouge et bouillante détruisant tout sur son chemin : Première Guerre mondiale, fascisme, communisme, Seconde Guerre mondiale. Il n'existe nulle part au monde un administrateur ou un politicien qui ne joue ses cartes en gardant un œil terrifié sur la prochaine émanation « du peuple » — pourtant, il semble se le dissimuler même à lui-même.

Phœbe pouvait contempler une feuille de papier sur laquelle s'étalaient des chiffres, les milliards et les milliards de livres dépensées pour la guerre, pour la préparation de la guerre, ou pour des armes qui, un an plus tard, seront périmées (mais auront rempli leur fonction, qui consiste à créer de l'argent et à l'employer), ou pour des machines qui (si la situation s'envenimait, mais les situations s'envenimaient toujours) empoisonneraient l'air, les mers, la terre, les gens ; elle passait des heures à calculer, évaluer, imaginer ce que représentaient ces formules, aussi mystérieuses que celles en usage pour mesurer les distances en années-lumière, et en songeant que la plus infime parcelle de cette somme aurait pu nourrir les affamés, instruire les peuples du monde, elle se répétait comme une incantation : Quand le peuple nous appellera au pouvoir...

Et elle s'aiguisait la conscience, scrutait sa propre intégrité, sa disposition au dévouement. Elle ne s'était pas vendue ! Et les occasions n'avaient pourtant pas manqué ! Quand le démon cherche à tenter votre âme, il ne murmure pas : Tu rates toutes tes chances en faisant ce travail : je te paierai dix fois plus ! Il dit : Ce que tu as d'irremplaçable est ton intégrité ! Oh, non, non, jamais je ne pourrais l'acheter. Cela n'a pas de prix. Combien te paie-t-on, actuellement ? Trois mille livres ? Eh bien, je t'en offrirai quatre mille (le coût de la vie augmente), et je ne m'intéresse qu'à ton merveilleux sens des valeurs, de la réalité...

Phœbe et ses amis étaient devenus experts dans l'art de débusquer ces appâts, de s'imaginer dans cinq ans, si seulement ils quittaient le droit chemin. Seigneur, mais regardez donc l'histoire de leur parti !

Lorsque Phœbe contemplait toutes ces luttes internes, ces propagations de ragots et ces malveillances délibérées, après ces treize années de pouvoir conservateur, elle ne pouvait s'empêcher de songer : *Mais quand viendra notre tour, comment diable parviendrons-nous à former une équipe tous ensemble ?* —, puis elle se souvenait d'une bonne dizaine d'emplois à responsabilités qu'elle avait refusés ; elle pensait à la nature conquérante d'Arthur Colridge, qui parcourait le pays pour proclamer la vérité au lieu de porter la lumière et l'intégrité dans les hautes sphères de la presse conservatrice ; elle pensait aux compagnons du parti travailliste, si dévoués, si sincères, si actifs, qui arpentaient inlassablement le Royaume-Uni, et elle se disait : *Quand nous serons au pouvoir...*

C'était là une époque où tout conspirait à confirmer le bien-fondé de se bien comporter, et de s'être bien comporté. Ainsi, sa candidature à une élection inopinée de remplacement. Elle savait que dans un autre genre de parti, quelqu'un comme elle, après trente années de dur labeur et d'expérience consommée, aurait été assuré d'obtenir un siège. On l'envoya se battre dans une circonscription marginale : on était certain que Phœbe Colridge serait disposée à se donner un mal de chien pour mener une campagne difficile tout en sachant d'avance qu'elle perdrait, pour l'amour du parti. Mais contrairement à toute attente, elle fut élue. Et elle ferait un excellent député : elle le savait ; cependant elle ne l'avait jamais sollicité, et ne l'avait jamais escompté.

Et puis il y avait le problème de « ses » Africains, dont tant occupaient à présent des postes gouvernementaux dans des pays où, cinq ans, dix ans auparavant, ils avaient été exilés, mis en prison, contraints à la clandestinité (par les conservateurs, bien sûr : les erreurs du même type commises par son parti, elle les atténuait comme

autant de fautes mineures), et où elle se rendait à présent en invitée
d'honneur, d'autant mieux accueillie qu'elle en comprenait les
limites. Calme, bienveillante, prête à donner son avis quand on le lui
demandait, elle acceptait des invitations à des thés officiels chez des
hommes qu'elle avait nourris, logés, aidés à survivre en leur donnant
de l'argent; des hommes pour qui elle avait obtenu une aide juridique, et dont elle avait aidé les petites amies à se faire avorter. Bien
sûr : en aidant des gens dont la cause était juste, elle n'avait jamais
escompté aucune récompense ni représailles. Elle opposait par
exemple sa propre conduite à l'exil de Joss Cohen, dont elle jugeait
déplaisant le dévouement teinté de dérision (communiste un jour,
communiste toujours!) et qui à présent souffrait (plaisanterie de Martha, sans doute drôle, si elle essayait — mais communiste un jour,
communiste toujours!) de « symptômes de retrait ». Joss, relégué
bien malgré lui en Angleterre depuis des années après avoir été
chassé de son pays pour sédition et complicité de délit, pouvait désormais retourner en Afrique, et le faisait fréquemment. Il était toujours revenu de telle ou telle région d'Afrique, pour un stage dans le
bureau de Phœbe, en se montrant très réservé quand à ses visites là-
bas. Il n'avait apparemment pas compris que la cinquantaine de
Blancs semblables à lui-même, qui s'étaient totalement identifiés à la
cause africaine, constituait un sujet d'embarras pour les Africains
arrivés au pouvoir, exactement comme les héros revenant de la guerre
pour leurs gouvernements. Il avait imaginé Dieu sait quel avenir,
compagnon itinérant du parti, ou conseiller, ou membre du gouvernement dans tel ou tel territoire africain : et en approchant des hommes
dont il avait été le camarade pendant les temps difficiles, il s'était
comporté comme si eux n'étaient pas, entre-temps, devenus premiers
ministres ou chefs de cabinet, alors que lui-même demeurait une
matière assez incertaine, du genre que tout gouvernement, n'importe
où, doit soupçonner.

Il en avait eu le cœur brisé. Pour faire usage d'une expression que l'on
emploie quand la marche avant de la vie de quelqu'un se trouve bloquée. Et il ne pouvait pas y croire! A Phœbe, qui l'écoutait avec tact,
il racontait comment, téléphonant à son vieil ami X, il s'entendait
répondre par un ancien fonctionnaire colonial qui avait mis en prison
non seulement lui-même, Joss, mais aussi le vieil ami X, et qui à présent servait X comme si la cause africaine lui avait toujours tenu à
cœur : « Je regrette infiniment... Voulez-vous m'épeler votre nom ?
M. X est extrêmement occupé en ce moment... Peut-être pourriez-vous
avoir l'obligeance d'écrire ? »

Phœbe souriait, elle ne pouvait pas s'en empêcher; Joss ne pouvait
pas sourire : voilà ce qui résulte de... *ne s'être pas bien comporté;*
Phœbe le voyait ainsi.

« Phœbe, protestait-il, bon, d'accord, mais que dirais-tu si,
disons Aneurin Bevan, pour l'exemple, était un jour devenu premier
ministre, et que tu l'appelais pour prendre une bière ou un casse-
croûte, et que le ministre de l'Intérieur du précédent gouvernement
conservateur, devenu pour Dieu sait quelle raison son secrétaire par-

ticulier, te répondait : " Il est trop occupé pour vous recevoir ? " »

Et le sourire de Phœbe cette fois se faisait expressif, car il s'écriait : « Ne me dis pas que tu n'en serais pas choquée ? »

Prenant intérieurement parti pour le « peuple », Phœbe répliquait sèchement qu'elle ne pensait pas qu'il fût lui, Joss (qui avait passé vingt années de son existence à vivre dramatiquement la politique), doué pour la politique ordinaire — et quant à elle, elle n'en voyait pas d'autre qui valût la peine. Elle ajoutait que s'il voulait se rendre utile, il pouvait toujours commencer à combattre les préjugés raciaux à Brighton, à Liverpool, ou à Notting Hill Gate ; point n'était besoin d'aller en Afrique ; elle concluait, enfin, en observant que, si les gens se lançaient dans la politique pour une raison autre que le désir de servir, elle n'avait pas de temps à perdre avec eux.

Pendant les derniers mois qui précédèrent l'accession tant attendue du parti travailliste au pouvoir, Phœbe, comme d'autres, se mit à ressembler à une pâte trop longtemps laissée à gonfler près du four ; elle n'avait « jamais eu de temps à perdre » avec les gens qui ne regardaient pas les faits en face ; elle se targuait de savoir les reconnaître, et de les regarder en face même quand ils étaient négatifs. Cependant, des secteurs entiers de faits se trouvaient effacés ou, tout au moins, atténués.

Par exemple, jamais encore le parti travailliste n'avait accédé au pouvoir autrement qu'en période de crise aiguë, dont la gravité l'empêchait toujours de faire ce qu'il voulait ou ce qu'il avait promis à son électorat : et manifestment, il s'agissait à nouveau d'une de ces périodes de crise.

Et encore : le pays n'avait pas la moindre idée de la situation ; la « propagande conservatrice » avait fait le nécessaire ; avant que l'on pût faire la moindre chose, il allait falloir enseigner la réalité aux gens qui, elle en était persuadée, avaient voté pour eux pour les mauvaises raisons. Et cela prenait toujours du temps.

Et puis le parti travailliste dans son ensemble ne se composait pas de gens comme elle, tournés vers l'avenir, d'allure moderne, confiants dans la science, raisonnables, calmes, et pour la plupart jeunes — dix ou quinze ans de moins que Phœbe, elle-même beaucoup plus jeune que la plupart des députés conservateurs. Non : et quand le parti formerait le gouvernement, ce ne seraient pas que des gens comme Phœbe — loin de là ; bon nombre d'entre eux étaient pires que les conservateurs, à son avis.

Et puis aussi : l'humeur du « peuple » lui paraissait particulièrement peu propice à une administration travailliste ; nul ne se souciait de rien, ils ne pensaient qu'à s'amuser ou à gagner de l'argent : les jeunes étaient tous complètement démoralisés... par l'interminable régime conservateur, bien sûr. Prenez le cas de Francis qui disait qu'il se moquait bien de voir les rouges ou les conservateurs au pouvoir, c'étaient tous les mêmes. Et Paul — mais Paul lui paraissait particulièrement effrayant. Et ses filles, à elle, Phœbe ! L'une comme l'autre parlaient des mécanismes gouvernementaux d'une manière pire encore que l'irresponsabilité. Et puis encore — qui pouvait-on trouver parmi les jeunes qui eût seulement une idée raisonnable en tête ?

Phœbe se rendait bien compte qu'elle atténuait délibérément ce qu'elle pensait réellement des jeunes : elle choisissait ses mots, elle temporisait. Mais était-ce souhaitable ? Ne se laissait-elle pas plutôt corrompre ? Les jeunes qu'elle connaissait étaient irresponsables, *mais quand le parti travailliste arriverait au pouvoir...* Elle rêvait de nouvelles armées de jeunes gens brandissant des drapeaux rouges, et le cœur empli de bon sens. Elle effectua avec Arthur et Mary une longue tournée électorale à travers l'Angleterre, et jamais elle ne s'était sentie plus proche de son mari (c'était encore ainsi qu'elle le considérait, tant pis pour le diagnostic de Mme John) et, lorsqu'ils arrêtaient la voiture devant une école, l'une de ces effroyables écoles-taudis qui officiellement n'existaient plus, ou bien un « collège » dont même les pourceaux n'auraient pas voulu, qui n'avait absolument rien d'un collège, elle savait, car elle le connaissait bien, qu'il songeait comme elle, dans un immense élan d'émotion chaleureuse qui incluait non seulement ces enfants-là, mais tous les enfants des îles Britanniques : « Attendez un peu, quand viendra votre tour, nous changerons tout cela... quand le peuple nous élira... »

CHAPITRE DEUX

Martha, qui ne s'était pas occupée de Lynda lors de ses crises, demanda à Mark comment il valait mieux se comporter. Il supposait que sans doute il fallait faire preuve de bon sens.

Le bon sens : oui, oui, bien sûr. Après tout, quand n'était-il pas souhaitable de se montrer sensé ?

Mais il y avait ceux pour qui Mark ne faisait preuve d'aucun bon sens en s'obstinant dans son mariage avec Lynda ; et ceux qui protestaient que, pour un homme chargé de responsabilités (envers l'art, les lettres, la littérature, et ainsi de suite), il était vraiment insensé de consacrer des mois d'affilée à une femme folle au lieu de la confier à une institution spécialisée. En oubliant toutes ces critiques, comme le faisait Mark, et en passant du général au particulier, on pouvait se demander si Mark avait oublié comment il s'était retrouvé au second étage, refoulé par la déraison de Lynda, acculé à s'enfouir en Martha ? Elle s'interrogeait. A présent, Mark parlait de cette époque en ces termes : « Jamais je n'aurais pu faire cela et rester sain d'esprit si tu n'étais pas demeurée à mes côtés. » Mark n'avait donc pas oublié : mais il ne voulait plus y penser. (Même chose ?) Il ne voulait pas, ou n'avait pas pu, renoncer à la normalité pour sombrer en Lynda. Et, ne renonçant pas à la normalité, s'agrippant au bon sens, il n'avait pas pu demander : « Qu'est-ce ? Pourquoi ? Quelle est cette force qui me guide ? » Mais si Martha souhaitait se laisser aller, sombrer, c'était son affaire. Il disait qu'il n'avait fait aucun bien à Lynda, et que son exemple ne servait donc pas à grand-chose, n'est-ce pas ? En bref, il était occupé, il traversait une phase personnelle. Un livre, expliquait-il ; mais il ne semblait pas que ce fût un livre, ni même un projet de livre. Il s'était à nouveau retiré de toute vie sociale. Il avait cessé de fréquenter les cafés où se réunissaient les auteurs de science-fiction. Il passait une partie importante de son temps à l'usine ; et il se trouvait certainement engagé dans quelque bataille avec Jimmy Wood, car ils échangeaient des coups de téléphone sans aménité.

« *Je n'aurais pas cru que...*

— *Eh bien, dans ce cas, pourquoi...* »

Lynda observa : « Mark mijote quelque chose — oh si ! » C'était un jour de bon sens. C'est-à-dire qu'on pouvait lui parler comme à n'importe qui d'autre, même si elle était malade et bouleversée. Un autre jour, elle pouvait apparaître hors de portée et n'entendait rien, ou n'entendait que ce qu'elle voulait. Pourtant, tout cela était bien plus étrange qu'il n'y paraissait. Après tout, elle n'avait craqué qu'après le départ des invités, au bon moment. Et maintenant, vraisemblablement, cette personne qui en avait autorisé une autre à « faire l'idiote » se trouvait là, quelque part derrière les grands yeux las que Lynda dressait devant Martha comme un bouclier sur lequel était écrit : *Non, non, je suis hors d'atteinte !* Et même : *Non, il n'y a personne ici.* Son appartement revêtait le même aspect de ruse, de duplicité. Il était toujours aussi beau et riche. Comme l'avait un jour dit Lynda pour protester :« On dirait une sorte d'appartement ancien idéal, comme s'il avait été installé par Christie's ou Sotheby's.» A l'époque où l'on avait fabriqué ces tables et ces chaises et ces armoires, on construisait pour durer : et tous les mauvais traitements que leur avaient infligés Lynda et Dorothy ne leur avaient pas fait grand mal. Martha retrouva une ancienne pensée en songeant : Une semaine de peinture et de petits raccords ici et là — et nul ne pourrait plus imaginer les horreurs et les désespoirs qui s'étaient déroulés ici.

Non : si quelqu'un était entré ici pour la première fois, il aurait été charmé par la sérénité des meubles et l'épaisseur moelleuse des tapis ; seulement pour être saisi d'un malaise qui ne s'expliquait pas tout de suite.

Ainsi, tout autour des murs se trouvait un espace vide comme un couloir, comme s'il y avait eu un second mur invisible contre lequel s'appuyaient une table, des chaises, des étagères. Et puis tout au long des murs, à environ deux mètres de haut, le papier apparaissait irrégulièrement taché de rouille, mais il s'agissait en vérité de taches de sang dues aux contours d'ongles rongés et mordus de Lynda. Et puis encore, une paire de chaussures apparemment oubliée gisait sur une chaise, mais si on la regardait attentivement, elle revêtait une signification de salut amical ou fraternel comme de la part d'un gitan ou d'un Indien en voyage : l'une des chaussures formait un angle très précis avec l'autre. Ou bien un coussin brodé de cette pauvre Dorothy, sur lequel on pouvait lire *Dieu est Amour*, était juxtaposé avec une publicité théâtrale montrant une présentation traditionnelle. Et ainsi de suite : au bout d'un moment, ce qui était apparu comme un logement tout à fait normal devenait un lieu d'où l'on aspirait à sortir le plus vite possible. Cela, ou bien au contraire un lieu à examiner, à assimiler, où se laisser engloutir.

Lynda portait une vieille robe de chambre en flanelle qu'elle avait enfilée comme un vêtement de travail ou un uniforme. Elle avait à la taille un cordon proprement noué, et avait retroussé ses manches comme on fait pour frotter les parquets ou laver la vaisselle. Sa masse de cheveux auburn laissait à présent paraître deux gros fils gris, et elle les avait retenus sur sa nuque avec un ruban. Elle s'était ainsi préparée à la tâche, ou au défi, d'être malade.

Elle se déplaçait dans l'espace qui séparait le mur visible du mur invisible, le dos tourné à la pièce. Elle avançait lentement, les yeux fixes, dirigeant la pression de son regard sur des secteurs du mur en face d'elle ; et elle y pressait ses paumes d'une manière implorante et désespérée, comme si par ce geste elle avait pu le faire tomber vers l'extérieur et enfin sortir en enjambant les gravats. Ou bien alors, le mouvement de ses mains semblait chercher quelque chose : est-il bien solide ? Ou : De quoi est-il fait ? Êtes-vous certain qu'il n'est pas *mou?* Ou bien encore elle lui tournait le dos pour faire face à la pièce ; elle se tenait alors droite comme un i de la tête jusqu'aux fesses, et se cognait au mur par petits élans réguliers, pan, pan, pan ; et ce mouvement semblait affirmer : « Il faut que je continue à le faire, il faut que je persiste dans une activité, jusqu'à ce que j'en tire assez d'énergie pour pouvoir me retourner et reprendre... » Après un bref moment de récupération, par ce mouvement de presque-repos, ou de méditation, elle se tournait et poursuivait son avance le long du mur, tâtant, frappant, appuyant — tout autour de la pièce, inlassablement. Quand elle arrivait à la fenêtre, où les rideaux avaient été tirés, formant une vaste prairie de velours vert profond, elle poursuivait son chemin à tâtons en se limitant à des gestes des doigts beaucoup plus subtils ; et lors de ces étapes on se demandait — puisque c'était là une fenêtre, une ouverture — si ses pressions et ses coups sur les murs signifiaient : Puis-je sortir ? Quelle est votre force ? Car peut-être ils signifiaient tout autre chose.

Assise au milieu de la pièce dans un fauteuil confortable, Martha la regardait : et Lynda, ignorant Martha, poursuivait son chemin. Et pourtant, alors même qu'elle semblait ignorer la présence de Martha, au point même de chercher à passer au travers d'elle si elle s'était trouvée sur son chemin, Martha éprouvait le sentiment que Lynda attendait d'elle quelque chose, un mot, un geste ; dans sa posture, la raideur de son port de tête, et même dans ses regards furtifs, se lisait la suggestion d'un défi retenu, mais gardé prêt : *Je ne ferai pas ce que tu me dis de faire!* Mais Martha n'avait pas la moindre idée de ce que Lynda attendait d'elle : de ce que l'expérience de Lynda lui faisait attendre. Quand Lynda sombra dans le sommeil, affaissée contre le mur comme une prisonnière mourant contre l'inexorable barrière derrière laquelle elle est enfermée, Martha monta trouver Mark. Cette crise durait depuis près de deux jours : Martha avait somnolé, dormi dans le fauteuil : mais pas Lynda, à sa connaissance. Mark se trouvait dans son bureau, mais ne travaillait pas : affalé dans un siège profond, il s'efforçait d'absorber ce que les murs disaient. (Il y avait une nouvelle cloison mobile, recouverte de faits et de chiffres concernant les hôpitaux psychiatriques, les asiles, les malades, les fous, les gens inadaptés, dans tous les pays du monde.) Il semblait également suivre ce qui se passait au sous-sol, ou le suivre en esprit.

« Quand Lynda tourne et tourne autour des murs, que fais-tu ?

— Il n'y a pas grand-chose à faire. Je lui répète sans cesse : '' Tu n'es pas enfermée, Lynda, tu peux sortir absolument comme tu le souhaites. ''

— Oh, je ne lui ai rien dit du tout.

— Il faut la garder en contact avec la réalité, ce genre de chose ?

— Je le suppose, oui. »

Lorsque Martha eut pris un bain et mangé un peu, elle redescendit au sous-sol et y trouva Lynda assise par terre, comme un enfant, qui chantonnait et se balançait d'avant en arrière. Elle semblait satisfaite ; ou du moins assez profondément plongée en elle-même pour ne pas se préoccuper du monde extérieur. Elle vit Martha et lui décocha un regard haineux. C'était mélodramatique. Puis elle se leva et reprit sa marche autour de la pièce, en jetant des regards inquisiteurs et furieux en direction de Martha.

Martha expérimenta : « Lynda, tu n'es pas enfermée, tu peux sortir si tu le désires : voici la porte. »

L'effet fut saisissant, bien que Martha l'eût à demi prévu. Lynda accéléra le pas, et se mit à frapper les murs à coups de poing brefs et violents, sans quitter Martha des yeux. C'était extrêmement théâtral. Quelque part en Lynda, quelqu'un observait ce qu'elle faisait, de sorte que le regard de défi qu'elle fixait sur Martha semblait... drôle ? Non. Pourtant Martha avait envie de rire — elle refoulait des éclats de rire hystériques. Lynda allait de plus en plus vite, elle attendait que Martha répète ce qu'elle avait dit. Martha ne disait rien : les mouvements de Lynda devinrent rageurs et saccadés, tandis que ses yeux s'élargissaient dans une fureur préméditée. « Lynda, ce sont des murs ordinaires. C'est ici que tu habites. Tu peux sortir autant que tu veux. »

Cette fois, Lynda s'élança sur Martha comme un tourbillon, empoignant une lourde chaise victorienne recouverte de cuir et la brandissant au-dessus de sa tête. Il était incroyable qu'elle eût tant de force : et pourtant, elle la maintenait ainsi en grinçant des dents à l'intention de Martha jusqu'au moment où, comme Martha lui faisait face sans bouger, en souriant du mieux qu'elle pouvait, elle reposa la chaise à terre en marmonnant indistinctement, puis hocha la tête comme pour dire : *Tu ne peux m'entendre parce que tu ne le veux pas* — et reprit son parcours le long des murs. Plus vite qu'auparavant ; en maugréant à mi-voix et jetant ses regards théâtralement furibards ; elle jouait le rôle : Laisse-moi tranquille, tu n'es pas là.

Martha ne disait donc rien. Lynda voulait-elle que Martha soit « raisonnable » pour ne plus pouvoir la défier ? Ou bien Lynda souhaitait-elle la présence de Martha, de quelqu'un, mais neutre et muette ; voulait-elle tout simplement rester seule ? En tout cas, pendant une journée entière, puis deux, Lynda continua à tourner sans relâche tandis que Martha demeurait dans le fauteuil. Pendant tout ce temps, Lynda ne dormit point et, au bout d'un moment, puisque Martha ne lui disait plus : « Ce sont tes murs, et non ceux d'une prison », elle commença à aller plus lentement ; et puis il lui arriva de s'arrêter une heure ou deux, à peine consciente de la présence de Martha, la tête posée sur ses poignets appuyés au mur. Mais ses yeux restaient ouverts. Elle était complètement rentrée en elle-même et ne regardait plus jamais Martha, mais à un moment Martha s'assoupit et découvrit ensuite Lynda accroupie auprès d'elle, les yeux fixés sur elle à la manière dont un enfant scrute une grenouille ou une fourmi quand il la voit pour la première fois. Puis elle remarqua que Lynda avait glissé un coussin près de sa tête pour l'empêcher de glisser. Et une autre fois, Lynda observa d'une voix parfaitement normale : « Il fait bien froid, ici, si nous allumions le chauffage ? »

Cependant elle ne mangeait rien, ni ne buvait, non plus qu'elle ne semblait éprouver le besoin de s'asseoir, ou de s'allonger pour dormir. Un autre jour s'écoula. Il y eut une petite crise, qui aurait pu plus mal tourner, quand Lynda émergea de la salle de bains avec des médicaments dans la main. Sans regarder Martha, elle aligna les comprimés sur la table, comme autant de petits jouets joliment colorés, ou de bonbons, et fit mine de vouloir les avaler. Son désir de pousser Martha à se lever et à formuler une interdiction était si fort que Martha dut réellement lutter pour ne rien dire. Mais elle garda le silence. Lynda fit alors glisser tous les comprimés dans le creux de sa main en les poussant de son autre main et, sans en prendre un seul, les lâcha dans une soucoupe. Et ils y demeurèrent, délaissés, comme si Lynda avait déclaré : Regarde, tu vois, je ne les prends *pas*.

A présent, Martha ne pouvait plus refouler son inquiétude en voyant Lynda s'obstiner à ne rien manger ni boire. Elle était toujours trop maigre : à présent, elle n'était plus qu'un squelette revêtu d'une vieille robe de chambre ficelée à la taille, et son crâne semblait s'agrandir tandis que ses yeux et ses joues se creusaient davantage. Martha prépara un peu de nourriture facile à avaler dans la cuisine, apporta le plateau et, sans mot dire, le posa sur la table. Aussitôt Lynda reprit sa posture de méfiance et jeta à Martha des regards furieux en marmonnant inaudiblement.

« Si tu ne bois pas un peu, tu vas être malade », déclara Martha ; à ces mots, Lynda empoigna le plateau et le lança contre la porte. Puis elle reprit sa marche le long des murs. Martha sortit nettoyer des choses puis entreprit de ramasser de la vaisselle cassée, des œufs et du lait répandus ; Lynda l'observait, à sa manière habituelle de ne pas en avoir l'air. Puis elle s'approcha, s'agenouilla sur le tapis, et se mit à laper du lait dans une soucoupe brisée. Elle gardait les yeux fixés sur Martha. Celle-ci éprouva une extraordinaire envie d'en faire autant. Puis elle se rendit compte que ce n'était pas une impulsion qui avait amené Lynda à laper ce lait par terre, à quatre pattes : elle avait préparé son coup ; elle avait fort bien su ce qu'elle faisait. Maintenant, agenouillée auprès de Lynda, Martha s'interrogeait sur ce qu'il convenait de faire : elle sentait bien que « si-je-fais-ceci-elle-fera-cela » correspondait aux préméditations de Lynda. Là résidait un danger. Quelle sorte de danger ? La « raison », le « bon sens » étaient toujours déplacés, apparemment ; c'était finalement cela qui se révélait dangereux, et s'achevait dans des brandissements de chaises et des bris de vaisselle. En se disant : « C'est dangereux pour moi, pas pour Lynda », elle versa dans une assiette le reste de lait qui se trouvait dans le renflement d'un pot renversé, le porta à sa bouche (elle ne se mit pas à quatre pattes) et but symboliquement, sans vraiment aller jusqu'à laper. Lynda se redressa, quittant sa position d'animal, et la contempla en souriant. D'un sourire aigre. Triomphant ? Non. Elle reconnaissait quelque chose, admettait quelque chose ? Martha n'en avait pas la moindre idée. Puis Lynda se mit debout, alla dans la cuisine, et revint un moment plus tard avec une grande carafe pleine d'eau et un verre. D'un geste mal assuré, elle versa de l'eau dans le verre en arrosant tout alentour, et la but. La maladresse due au manque d'alimentation et de sommeil alarma Martha, mais elle se

La Cité promise

força à garder le silence. Lynda but ainsi plusieurs verres d'eau à la
suite sans regarder Martha, avec un air désespérément pressé de revenir à sa véritable activité de défi, ou de contrôle, ou de prise de conscience, ou de soutien, des murs. Ce qu'elle fit aussitôt après.

On étouffait dans cette grande pièce à plafond bas où les lampes
brûlaient toutes à cause des rideaux tirés et où le chauffage fonctionnait à plein régime. Mais Lynda ne voulut rien entendre quand Martha suggéra d'ouvrir la fenêtre. Il régnait une forte odeur de sueur.
Lynda transpirait terriblement. Lynda aurait dû prendre un bain ;
Lynda aurait dû dormir ; Lynda aurait dû manger ; Lynda aurait dû,
aurait dû, aurait dû, aurait dû... Le temps passait. Là-haut, Mark était
sans doute dans son bureau, à « travailler », ou à tenter de trouver un
sens à tout ce qui recouvrait les murs. Dehors, dans la rue, la vie continuait. En effet, on pouvait entendre le bruit que faisaient des
ouvriers en démolissant la rue pour réparer les canalisations du gaz,
ou de l'électricité, ou du téléphone ; tout près de là, il y avait un
marteau piqueur en action. Tout autour et au-dessus d'elles, Londres
travaillait, mangeait, dormait, discutait, faisait la fête, mais ici on
vivait comme au fond de l'eau, ou emprisonné, ou comme en regardant d'une autre dimension la vie ordinaire.

Martha s'aperçut qu'elle éprouvait un vif désir de bouger : elle se
persuada qu'elle était une personne active, qu'elle n'était pas faite
pour rester assise ainsi pendant des jours et des jours, à contrôler ses
gestes, à contrôler ses mots. Ses jambes impatientes voulaient redevenir actives. Puis elle comprit qu'une partie d'elle-même souhaitait
accompagner Lynda dans son voyage le long des murs : elle n'avait
aucune envie de quitter l'appartement. Bien sûr que non — comment
aurait-elle pu penser quelque chose d'aussi absurde que cette idée de
quitter l'appartement ? Comment Lynda aurait-elle pu sortir, éreintée
et décharnée comme elle l'était, pour se révéler à un univers
qui la jugerait « avec bon sens » ? Et comment Martha aurait-elle pu
sortir, puisqu'elle faisait partie de Lynda ? Dans un moment, elle aussi
allait se lever et marcher le long de ces parois, à tourner sans
relâche.

Rester assise là pendant que Lynda s'acharnait à remplir sa tâche,
était-ce une attitude sans cœur ? Aurait-elle plutôt dû se joindre à
Lynda comme elle l'avait déjà (presque) fait, et laper du lait dans une
soucoupe comme un chat ou un chien ? Presque... elle ne l'avait pas
vraiment fait.

Elle ne put plus supporter de rester assise un instant de plus. Elle
se leva, en proie à ce qui semblait une explosion potentielle d'énergie
et, après avoir dégagé un coin du tapis taché par le lait renversé, elle
entreprit de faire des exercices de gymnastique au ralenti, sans prêter
la moindre attention à Lynda.

Bouger, employer ses muscles après une longue période en position assise, inactive, quel don, quelle bénédiction ! Elle continua lentement, avec ravissement, à s'étirer, se pencher, forcer, pour venir à
bout de la nervosité impatiente de son corps. Et Lynda s'adossa au
mur pour la regarder. Sans aucune agressivité, sans le moindre

besoin de défier, sans dire : Laisse-moi tranquille, ou, Tu ne peux pas m'atteindre.

Lorsque Martha eut terminé ses exercices, elle annonça à Lynda : « Je monte prendre un bain ; je resterai absente un certain temps. » Car elle avait réfléchi : pendant toutes ces années que Lynda avait passées à l'hôpital ou bien sous la surveillance d'infirmières ou de Mark, elle n'avait jamais blessé personne, et ne s'était même jamais sérieusement blessée elle-même. Il y avait eu des choses lancées, une ou deux querelles, une vitre cassée. On disait qu'elle était violente — elle-même se déclarait violente quand elle « faisait l'idiote ». Mais en vérité, elle ne blessait pas : personne n'avait été blessé. Martha passa un long moment dans le bain ; elle se changea, se nourrit. Elle dormit même une heure ou deux. Puis elle redescendit et trouva Lynda assise au milieu du tapis. Lynda ne regarda pas Martha, mais se leva, alla dans la salle de bains, et se baigna. Longuement et en faisant beaucoup de désordre ; Martha entendait l'eau gicler sur le carrelage, et des objets tomber. Lynda chantait et marmonnait. Des bribes de chansons, des bouts de conversation, une rafale de rire ordurier. C'était écœurant, répugnant ; mais les obscénités avaient quelque chose de rapide, répétitif, presque rituel. Lynda, comme les femmes dans la rue qui criaient des grossièretés envieuses à une prostituée réputée, ou à une vedette de cinéma — ou comme Mme Quest — avait décidé de visiter cette région particulière de l'esprit humain ; et, comme Mme Quest, avait décidé de ne pas y demeurer. Elle sortit de la salle de bains comme une petite fille sage et propre, vêtue d'une nouvelle robe de chambre, cette fois de coton rose sombre, et ses cheveux soigneusement lavés étaient retenus par un ruban neuf. Elle retourna s'asseoir sur le tapis. Martha et elles se regardèrent longuement, et du côté de Martha ce regard signifiait : Lynda, es-tu prête à redevenir normale ? Tandis que du côté de Lynda il disait : Non, pas encore, je n'ai pas envie.

A présent Lynda se balançait d'avant en arrière et se chantait des petites chansons, des comptines pour enfants, tandis que Martha nettoyait la salle de bains inondée et lavait le peignoir trempé de sueur de Lynda. Puis elle revint s'asseoir. Le temps passa : des jours et des nuits. Elles ne dormaient pas. Ou bien elles dormaient par petits à-coups, mais ce n'était pas un vrai sommeil sain. Lynda buvait de l'eau. Elle ne voulait rien manger. Mais Martha l'observa qui ramassait des miettes sur une étagère de la cuisine, et elle apporta des paquets de biscuits de l'autre cuisine, là-haut. Mark descendit de son bureau pour la voir. Elle remarqua qu'elle le regardait à présent d'un œil non pas hostile, mais critique, d'une distance où elle pouvait également observer une femme à l'air lointain, vêtue d'une blouse de coton bleu délavé et arborant des doigts jaunis par la nicotine, qui se déplaçait dans un climat d'air rance et de tabagie. Un homme rasé de frais, propre, fort, aux yeux intelligents, mit ses bras autour de cette femme, et demanda : « Tu vas bien ? »

Elle l'écouta soigneusement : ce qu'il avait dit semblait extraordinaire, chaque mot pesait d'un poids qui forçait l'attention : elle ne les avait encore jamais entendus et n'y avait assurément jamais réfléchi. Elle comprit soudain que quand Lynda marmonnait, protégeant ses paroles de Martha, c'était parce qu'elle les écoutait, à l'affût de leur sonorité ; et elle savait que si Martha les manipulait, s'en servait, leur sens réel s'en trouverait détruit. Elle n'avait pas répondu à Mark, et à présent elle le voyait alarmé. Dans cet état d'esprit limpide et attentif où elle se trouvait, ce regard, cette alarme, telles d'autres émotions ou réactions, apparaissaient clairement et distinctement sur ses traits comme si elle avait vu l'inquiétude et l'alarme pour la première fois de sa vie. Mais il fallait qu'elle parle ; retrouvant un sourire normal et les mots justes, elle répondit : « Oui, je vais bien, et je pense qu'elle ira bientôt mieux. » Tandis qu'elle parlait, ce qu'elle disait semblait ridicule : les sons que produisait la race humaine pour communiquer étaient absurdes : pourquoi ces créatures s'en contentaient-elles ? Car en vérité, si Mark et elle-même, cette femme mince et vibrante d'une tension nerveuse qui provenait d'un air meilleur, ou du moins plus puissant, n'avaient pas proféré un mot pendant cette rencontre, ils auraient pu communiquer tout aussi bien : Mark savait qu'elle allait bien, en dépit de son épuisement et de la façon dont la chair se détachait de son ossature : il l'avait su dès l'instant où il avait posé les yeux sur elle ; le reste n'était que formalité de routine.

Il l'embrassa. Les lèvres, une fente dans la chair d'un visage, se pressaient contre une fine couche de chair qui leur évitait de se heurter à une double rangée de dents qui contenaient des morceaux de métal. Puis ces lèvres se déplacèrent pour toucher l'ouverture dont elle était munie pour introduire de la nourriture ou du liquide, ou pour émettre des sons. Un baiser. La personne qui, en Martha, observait cet étrange rituel se sentait emplie d'une compassion protectrice à l'égard de ces deux ridicules petites créatures — comme si d'invisibles et gigantesques bras, pacifiques et maternels, les enveloppaient et les berçaient comme de l'eau.

L'observateur et Martha redescendirent avec des biscuits et une tranche de cake. Oui, elle s'était avancée très profondément dans l'univers de Lynda. Oui, elle était — saine ? Elle tenait la situation bien en main, assurément. Et elle n'avait pas peur. Elle était curieuse, et fâchée contre elle-même de ne pas l'avoir fait plus tôt. Bon Dieu,' cette porte (comme tant d'autres, très certainement) avait toujours été là, à sa disposition, pour qu'elle y entre quand elle le voudrait. Mais elle n'était pas entrée, jamais.

Lynda mangea quelques biscuits. Elle but de l'eau. Elle prit un bain. Combien de temps après le premier ? Depuis combien de temps Martha et Lynda étaient-elles à l'œuvre ? Elles ne pouvaient pas perdre leur temps à calculer. Elles ne dormaient pas. Martha pensait avoir oublié comment on dort. Elle considérait d'un œil incrédule ce monde où les gens se couchaient à intervalles réguliers pour dormir — mais elle avait déjà connu cela. Quand ? De nombreuses années auparavant. Où ? Oui, c'était sur un bateau, un paquebot. Elle retrouvait la sensation du tangage et de l'air salé. Sur le bateau, elle avait ressenti la même chose : comme il était extraordinaire que des gens pussent volontairement, et même ardemment, gaspiller leur précieuse existence dans le sommeil.

Elle connaissait très bien cette région de l'esprit où le fonctionnement de la vie ordinaire paraissait plus qu'absurde, ressemblait à un piège terrifiant. Et elle l'avait connu bien avant le bateau. Quand ? Où ? Son cerveau semblait être une texture légère et fine au travers de laquelle passaient d'autres substances. Oh, cela datait de bien avant son voyage vers l'Angleterre... Soudain Martha se retrouva dans une pièce qu'elle avait oubliée, à regarder des gens énormes, des géants, occupés à... oui, elle avait été enfant, elle avait ressenti cela dans sa petite enfance, en regardant les adultes assis autour d'une table, revêtus d'habits qui les faisaient ressembler à ses poupées, quand ils se parlaient et se souriaient entre eux avec des regards et des sourires faux. Car ils ne croyaient pas un seul mot de ce qu'ils disaient. Ils se craignaient les uns les autres : la petite fille avait défini cette activité comme « mensonges ». Elle avait bien regardé (A quel âge ? Assez petite pour qu'un genou lui parût énorme et menaçant comme les pattes d'un cheval en action), et jugé lâches et menteurs ces géants occupés — incroyablement — à des activités et des rituels sans but, comme se vêtir et se dévêtir et manger et parler, et leur crainte les uns des autres, leur angoisse étaient telles qu'ils ne pouvaient pas se rencontrer sans aussitôt se raidir sur leurs gardes, étirer leur bouche et faire des gestes qui exprimaient clairement : Je ne vous ferai aucun mal si vous ne m'en faites pas non plus ; regardez comme je suis gentil et attentif, ne me blessez pas... Martha avait vu tout cela, l'avait compris, s'était même juré, dans l'angoisse de se laisser un jour engloutir aussi : Ne te laisse jamais prendre, souviens-toi, souviens-toi, *souviens-toi* — mais elle ne s'était plus souvenue, elle s'était laissé prendre, elle était devenue lâche et menteuse comme les autres.

Martha sanglota amèrement sur ces années gâchées. Et Lynda, assise par terre, la regardait en souriant de son sourire compréhensif — que Martha comprenait à présent fort bien. Ce n'était pas un sourire amer, ni même critique. C'était un sourire triste. Martha pleura : et Lynda resta assise en silence jusqu'à ce qu'elle eût fini. Puis Lynda déclara : « Oui... mais comment sortir, sortir, *sortir*... » Et elle reprit sa déambulation.

Martha demeurait assise là à se répéter, exactement comme elle l'avait fait quand elle avait — quel âge : Souviens-toi, *souviens-toi*, n'oublie pas quand tu retourneras à la vie normale, n'oublie pas — mais elle se sentait également effrayée. Car elle avait déjà dit cela, bien éveillée ; et puis elle s'était laissé empoisonner et hypnotiser : qu'est-ce qui empêcherait donc cela de recommencer ? Assise, elle contemplait Lynda. A présent, elle comprenait très bien ce que faisait Lynda. Lorsqu'elle pressait, évaluait, mesurait ces murs, c'étaient les murs de son propre cerveau qu'elle explorait. Elle demandait : Pourquoi ne puis-je pas sortir ? Quelle est cette chose qui me retient enfermée ? Pourquoi est-ce si fort *quand je puis imaginer, et même me rappeler à demi, ce qu'il y a dehors ?* Pourquoi suis-je à moitié endormie dans cette pièce, droguée, empoisonnée, comme quand on crie dans un cauchemar pour appeler à l'aide et qu'aucun son ne sort de votre gorge harassée ?

Lynda tournait sans répit parce qu'elle s'était un jour promis, il y avait de cela très longtemps, peut-être dans son enfance ? : Souviens-toi, ne te laisse pas aller à dormir ; et si tu continues sans t'arrêter de palper les murs à la recherche d'un point faible, un jour, tu te retrouveras tout simplement dehors, libre.

Ce sera comme si, à cet endroit plus faible, les murs s'étaient effondrés. Et la pièce ressemblera alors à une horrible petite cellule souillée par un animal.

Assise par terre, Lynda se balançait légèrement. D'avant en arrière, et de gauche à droite... sans relâche. Elle fredonnait ou chantait, puis se taisait. Puis elle articulait un mot à voix haute, et l'écoutait. Martha l'écoutait aussi. Lynda disait : « Pain », et écoutait. Martha écoutait le mot à répercuter, plein de messages secrets et précieux, comme si le mot lui-même avait contenu de petites charges en profondeur qui explosaient dans le cerveau : pain, pain. Pain. Ou bien Lynda disait : « Vin », et elle écoutait.

Les mots tombaient sans cesse dans l'espace attentif qu'était l'esprit de Martha. Elle savait que, si une personne devait prendre un mot et l'écouter, ou une pierre ou un bijou et le regarder, le mot ou la pierre renoncerait finalement à son vrai sens et au sens de toute chose. Mais elle l'avait déjà su, et l'avait laissé disparaître... Ses membres, son corps s'exaspéraient d'impatience. Elle était ballottée par de petites tempêtes, des vagues de — quoi ? C'était un courant qui donnait à ses jambes l'envie de danser et sauter. Lynda, toujours assise, se balançait d'avant en arrière, et puis tout en rond, et elle semblait ainsi produire une force, une énergie, qui se répandait en Martha et lui courait dans les bras et les jambes, lui communiquant l'ardente envie de danser, de bouger, de... faire quelque chose, elle ne se rappelait plus quoi.

Elle comprit que c'était précisément cela qui avait envoyé Mark vers Martha pour faire l'amour. Quelle extraordinaire expression, « faire l'amour ». L'amour, l'amour... Martha écoutait le mot « amour » exploser et croître, et se remémora l'acte qu'elle avait accompli tant et tant de fois avec des gens différents : elle revoyait Martha, sous différentes formes et de différentes tailles selon l'époque, enlacée avec tel homme, ou tel autre, toujours de la même façon, ou du moins était-ce son impression à présent, avec le recul, mais subjectivement ; en se replaçant au sein de l'acte, il ne lui était plus possible d'employer les même paroles pour ce qu'elle avait ressenti. Quand il était monté, possédé par cette même force explosive dont elle était à présent la proie, et qu'il avait fait l'amour, Mark avait employé une énergie très différente de celle qu'avait utilisée Jack, si longtemps auparavant, quand il avait fait de leurs corps des conducteurs pour la force qui les animait et les transportait ; elle ne pouvait plus se rappeler où, seulement que si elle ne trouvait pas un moyen d'y retourner, ce serait une véritable trahison d'elle-même. Et puis il y avait

Thomas : oh oui, mais ce n'était pas un nom, maintenant encore, qu'elle pouvait prononcer ou évoquer sans que l'émotion la transperce comme une flamme violente... Elle marmonnait comme autrefois : Nous ne comprenons absolument rien à ce qui se passe, rien du tout. « Faire l'amour. » « Sexualité. » « Orgasme. » Ce n'était qu'absurdité, des mots, des sons, inventés par des êtres à demi bêtes qui ne comprenaient rien du tout. De vastes forces, impersonnelles comme le tonnerre ou les éclairs ou la lumière du soleil ou le mouvement des océans que la lune contractait et ramassait et roulait dans leurs lits, circulaient dans les corps, et maintenant elle savait très bien pourquoi Mark était monté aveuglément jusqu'au corps amical le plus proche, en proie à cette force — ou à l'*une* de ces forces. Et non pas au désir sexuel. Pas nécessairement. A moins qu'on ne l'eût choisi.

Jack avait dit un jour : « Les mille volts. » Il parlait alors de la haine. « Les mille volts de la haine. » Et mille volts d'amour ? Mille volts de compassion ? De charité ?

Lorsqu'elle, Martha, était allée vers Jack comme Mark était venu vers elle, pour décharger sa force, et qu'elle avait découvert comme Jack, au cours des ans, était devenu possédé, avait succombé (A quoi ? Elle ne le savait pas — à moins que l'on ne préférât choisir des mots raccourcis comme « le mal », pour ne plus avoir à y réfléchir), alors tout simplement, puisqu'il le fallait, elle avait découvert en elle-même ce lieu où la force pouvait être maîtrisée, dominée, contenue. Il l'avait fallu. Mais elle avait oublié depuis lors qu'elle avait appris à le faire parce qu'elle avait dû l'apprendre.

« Branché » sur Lynda, Mark était allé vers Martha ; « branchée » sur Mark, Martha était allée trouver Jack. Mais Jack s'était détourné, il avait fait un pas de côté (n'importe quelle expression de ce type devrait convenir) pour entrer dans un nouveau domaine, sur un autre territoire. Il existait une quantité d'expressions pour définir cela, ou pour y réfléchir. L'une était : Jack s'était laissé envahir par une forme vile et dégradée de l'esprit, presque comme une entité, ou un démon médiéval. Au Moyen Age, on l'aurait déclaré possédé. Cette description en valait une autre. Ou bien l'on pouvait dire : Jack est devenu sadique... bien, parfait ! Et alors ? Cela n'allait pas plus loin que de le décréter possédé. C'était une description.

Mais la question était (pour elle) qu'avec ce nouveau Jack (à moins que ce ne fût le côté caché de l'ancien Jack, désormais tourné à l'extérieur) elle pouvait séparer en elle-même divers niveaux simplement parce qu'il avait basculé vers un extrême, et qu'elle se trouvait donc obligée de procéder à des définitions afin de se protéger. Il y avait une femme qui venait vers un homme pour faire l'amour, et ses réactions ... attendues, sues, comprises. Il y avait une femme qui découvrait quelque chose de nouveau : le sadisme, le masochisme — qui y succombait puis le repoussait, le refusait, l'examinait. Et puis, différent de ces deux niveaux, un courant impersonnel qu'elle tenait de Mark, qui le tenait de Lynda, qui le tenait de... l'océan impersonnel.

Mais elle avait fort bien su qu'en amenant ce courant à Jack, qui se trouvait à présent branché (un terme qui en valait un autre) sur la haine, comme il avait craint de l'être tant d'années auparavant, elle courait un danger. Elle avait su qu'elle était en danger. L'océan impersonnel pouvait devenir les mille volts de la haine aussi facilement que ceux de l'amour — beaucoup plus facilement, les êtres humains étant ce qu'ils sont.

Elle était partie parce qu'elle avait dû partir. Devant partir, elle avait appris à contenir ce que Mark apportait de Lynda et ce qu'elle ressentait d'abord comme un impérieux besoin de bouger, que ce fût en dansant, en marchant, en faisant de la gymnastique ; et cela avant de penser (et d'agir) : « Sexualité — mais qui ? Oui, Jack ». En quittant Jack et revenant vers Mark, elle refoulait quelque chose. Elle avait oublié qu'elle avait appris à refouler. Oui, elle oubliait, elle oubliait, elle oubliait encore, la vie vous ramène en des lieux de vous-même, là où se trouve le contrôle, sans relâche et de différentes manières, exprimant sans paroles : voici où tu pouvais apprendre si tu le désirais. Vas-tu apprendre, cette fois-ci, ou non ? Non ? Eh bien, c'est parfait, je t'attendrai. Si tu n'es pas prêt maintenant, tant pis ! Je trouverai des moyens de t'y ramener encore. Et quand tu seras prêt...

Immobile sur son siège, Martha se sentait trembler au point presque de se morceler sous l'effet de cette force qui se dégageait dans la pièce, et qui lui rappelait ce qu'elle avait appris en quittant Jack. Il s'agissait essentiellement de rester immobile, retenue, en attente. Elle demeurait donc immobile : et au lieu de laisser ses bras et ses jambes, ou même son imagination — même chose ? — courir le long des murs, aspirer à bouger, se balancer comme Lynda d'avant en arrière puis d'un mouvement circulaire, au lieu de déverser, ou d'employer cette énergie de quelque manière que ce fût, elle la laissait s'accumuler — oui, c'était cela, bien sûr, elle avait aussi appris cela, et l'avait oublié — il faut la laisser croître...

Sa tête devint extrêmement lucide, légère, réceptive, une bulle délicatement éclairée au-dessus de la violence d'un corps dont les membres voulaient bouger, s'agiter, et même danser ; dont le sexe était en éveil, prêt à s'animer, à réclamer ; où des vagues de ... quoi ? allaient et venaient, galopant en une marée qui semblait provenir d'un autre invisible océan de force. Si elle demeurait assise, immobile, ou bien si elle marchait d'un pas régulier autour de la pièce, l'espace de sa tête restait régulier, ou bien s'éclairait et s'assombrissait comme le pouls irrégulier de la mer. Elle avait déjà connu cette légèreté et cette lucidité — oui, en parcourant Londres, bien longtemps auparavant. Et là aussi, cela lui était venu grâce au fait de ne pas manger, de ne pas dormir, d'utiliser son corps comme un moteur pour sortir de la petite prison lugubre de chaque jour. Mais comment avait-elle pu se permettre d'oublier, et de ne pas consacrer chaque instant de son temps depuis lors à retrouver cela, à revenir là où l'on pouvait au moins commencer de voir la sortie, devant soi ?

Martha restait assise, ou bien marchait doucement ; elle écoutait, attentive, et attendait. Et Lynda, assise sur le tapis, se balançait en fredonnant parfois, surtout des comptines pour enfants, ou bien gardait le silence. Elles ne se prêtaient aucune attention l'une à l'autre.

Martha pouvait aisément entendre ce que pensait Lynda. Étant à présent beaucoup plus réceptive qu'avant, elle entendait mieux : normalement, elle pouvait entendre une expression isolée, un mot clé, une phrase ou deux, qui résumait ce qui se passait dans la tête de quelqu'un ; à présent, elle n'était plus loin de se trouver dans la tête même de Lynda, car le fouillis de mots et d'expressions liés ensemble par l'expérience passée qui représente la plupart du temps notre façon de « penser » (une association mécanique de notions, comme des chapelets de saucisses), ce flot circulait dans son cerveau à côté du sien propre, ou parfois même le déplaçait. Lynda pensait non pas au présent, mais à ce qu'aurait été sa vie si elle n'avait pas été malade — n'avait pas (Martha distinguait les mots) « été assez bête pour dire ce que je sais ». Lynda songeait sans violence, sans chagrin, calmement, qu'elle aurait aimé grandir tranquillement à la campagne, parmi des frères et sœurs, en ayant des rapports tout simples avec ses parents, et puis épouser un agriculteur, ou un jardinier, et avoir beaucoup d'enfants. Il s'agissait là d'un fantasme si simple et si complet, à la manière du quatre-quarts de Nanny Butts, si différent de tout ce qui se passait maintenant que Lynda avait l'air capricieuse et gâtée, comme si elle avait réclamé : « Je veux habiter dans une maison en pâte d'amandes. » Et puis ses pensées se tournèrent vers Mark : si seulement Mark ne l'avait pas abandonnée entre les mains du médecin, si seulement Mark lui avait fait confiance — et puis, plus tôt encore, si seulement son père ne l'avait pas montrée au médecin, et si seulement elle, Lynda, n'avait pas dit ce qu'elle savait, si seulement elle en avait su assez pour se taire...

Entre ces deux ruisseaux de mots régnait un grand chaos de sons. Martha pouvait tout juste l'entendre. Elle se demandait : est-ce dans la tête de Lynda, ou bien dans la mienne ? Puis, avec un sursaut d'impatience contre son propre aveuglement (car elle s'était assez souvent trouvée à ce carrefour pour n'avoir pas à s'interroger) : voyons, il ne s'agit évidemment pas de « l'esprit de Lynda » ou de « l'esprit de Martha », mais de l'esprit humain, ou d'une de ses régions, et Lynda ou Martha peuvent choisir de s'y brancher ou non. Ce qu'elle avait bien su, très bien su, cette manière de tracer la carte des nouveaux territoires signifiait un effort continuel et douloureux de découverte, de tentative de compréhension, de perception de liens et de sens, et puis de retombée, d'oubli ; et puis un nouvel effort vers l'avant : un bébé apprenant à marcher, voilà ce qu'elle était ; mais ce n'était sans doute pas la peine, cela ne servait à rien, car il était manifestement impossible que Lynda, Martha fussent les deux seules personnes occupées à tracer des cartes de ces territoires. Ce devait plutôt être une question de chercher, et trouver, les guides nécessaires.

On aurait dit qu'un million de postes de radio fonctionnait en même temps, et que son esprit se branchait rapidement sur l'un après l'autre, de sorte que les mots, les expressions, les chansons, les sons se faisaient brièvement entendre et puis s'estompaient. Le fouillis et la confusion étaient encore pires quand elle laissait le courant en elle échapper à son contrôle pour s'élever, bouillonner, et déborder ;

l'océan de son devenait plus maniable quand elle se retenait et restait immobile. Mais même ainsi, c'était tout ce qu'elle pouvait faire pour s'agripper ; Martha suivait le courant, minuscule bateau sur un fleuve rapide, ou dérisoire avion dans la tempête, son propre corps roulant et basculant au-dessous d'elle ; et des mots, des cris, des rafales de tir, des explosions, des phrases arrivaient, s'estompaient, ou bien demeuraient. Quand quelque chose demeurait, cela pouvait se développer ou devenir plus bruyant, ou se gonfler d'autres mots, d'autres sons, d'autres expressions, du même type de texture, comme un morceau de métal attirant des particules de substance d'une certaine nature, de telle sorte qu'un mot, « pain », proliférait en « pain de vie », explosait en un chant pur comme celui d'un rossignol, de la *Neuvième Symphonie*, puis retombait dans la banalité avec *On ne sert pas de pain avec une seule saucisse*, donnait des aperçus de recettes pour le pain autrefois cuit au feu de bois, ricanait, lorgnait, menaçait, sur une longueur d'onde de moquerie, jusqu'à ce que soudain — en comprenant (à nouveau) comment les mots, les expressions, les sons, provenaient de cette longueur d'onde suivant une relation précise avec une humeur ou un élan en elle-même (aussi vague et floue que l'on veuille), Martha comprit qu'elle se laissait emporter ; elle se trouvait entraînée parce qu'elle s'était laissé effrayer. Tout son corps vibrait, tremblait, éclatait en morceaux sous l'effet de cette force par laquelle la mer de son entrait en elle. Sa tête n'était plus que trépidation, tintamarre ; mais alors qu'elle allait crier, hurler, perdre tout contrôle, peut-être cogner sa tête en émeute contre les murs, elle regarda Lynda paisiblement assise sur sa moitié du tapis et se souvint que, quelques jours auparavant, au cours de la longue course de Lynda tout autour des murs, elle avait dit : « Il faut que je franchisse le mur du son. Le mur du son est ici. Je dois le franchir. » Tandis que Martha se souvenait de ces mots proférés par Lynda, Lynda déclara : « Tu peux, mais c'est difficile. Si tu le laisses gagner, ensuite il est difficile de s'en défaire. Fais attention. » Ces mots plongèrent tout d'abord Martha dans la terreur ; et puis, comme elle se jetait par terre à côté de Lynda en songeant qu'il était impossible de « passer » et qu'elle était à jamais condamnée à se laisser fracasser par des sons aussi puissants que les marteaux pneumatiques, son être entier, apparemment sur le point d'exploser et tout tremblant et frémissant, résista à l'invasion, se crispa sur la défensive, et s'agrippa, se contint, s'arc-bouta, se calma. Martha sombra soudain dans le sommeil, totalement, mais sans doute pas plus de quelques instants, le temps de quelques battements de cœur. Lorsqu'elle s'éveilla, ou revint à elle, elle avait le corps reposé et l'esprit revenu à ce point de clarté lucide et légère, à l'écoute, cependant que l'océan de son n'était plus qu'un bruit sourd et lointain.

Elle se reposa, face contre terre, les yeux clos, l'esprit vide, comme en se berçant sur de longues vagues dans une crique, tandis qu'au loin mugissait la mer furieuse.

En se reposant, sans se laisser envahir par l'océan sonore, elle vit que de petites images s'animaient devant ses yeux. Était-ce donc que dans cet état d'élation on se trouvait plus proche, ou plus vulnérable à ce lieu plus intelligent ou perceptif en soi-même qui pouvait communiquer par le son, ou par les petites images animées, ou, si l'on traversait une phase de bon sommeil attentif, par les rêves ? Ou bien était-ce que quelque chose, *devant* se communiquer, trouvait tout simplement, comme l'eau, la voie la plus facile au travers du roc d'incompréhension qu'était Martha dans son état normal, ou en plein jour ?

Lynda déclara : « Je recherche sans cesse des gens qui sachent, mais je n'en ai encore jamais trouvé. Ils doivent pourtant bien être quelque part. »

Elle fredonnait légèrement pour elle-même. *Combien de milles jusqu'à Babylone ? Trois fois vingt mille et encore dix. Y parviendrai-je à la lueur de ma chandelle ? Oui, et puis je reviendrai.* Ces vers semblaient pleins d'informations, juste hors d'atteinte de Martha, mais un jour elle pourrait les saisir. En attendant, devant ses yeux s'étalaient des jardins en terrasses qui montaient jusqu'aux jets d'eau des fontaines, qui s'élançaient dans des nuages blancs en mouvement ; et l'eau retombait, s'égouttait, coulait, éclaboussait, chantait. Elle sentait l'odeur du soleil sur le feuillage humide.

A présent, Martha voyait Lynda revêtue d'un manteau élimé et passé, assise dans une sorte de salon de thé ou de self-service, en face d'un Indien gras et souriant.

« Je te vois avec un Indien dans un restaurant, annonça Martha.

— Oh, oui, c'est vrai. Ce doit être le gourou aux fleurs, tu sais, il est venu. J'ai entendu parler de lui dans tous ces livres, tu sais. Je l'ai rencontré dans un salon de thé. Il était toujours installé là, à sourire et à dire que Dieu est Amour. Et je lui répondais toujours, mais oui, j'en suis sûre — car je trouve que les gens comme nous n'ont pas le droit de parler de Dieu, Martha. »

Martha, qui observait la scène et ne voulait pas la dissiper par ses propres paroles, ne répondit rien.

« Il m'a donné une grosse rose rose, et m'a dit : " Voici l'Amour. " Alors je l'ai passée à ma boutonnière.

— Non, protesta Martha, tu l'as gardée à la main. » Elle s'exprimait d'une voix rapide et monocorde, pour garder la scène en équilibre.

« Ah bon ? Je croyais que... et puis j'ai répondu : " Je ne sais rien de l'amour. Ce sont d'autres gens qui doivent s'occuper de moi. Je n'ai jamais su aimer personne. J'ai aimé mon enfant, mais je n'ai pas pu m'occuper de lui. Je ne peux même pas aimer mon mari. Je le rends malheureux depuis des années et des années parce que je ne peux pas supporter qu'il me touche. " Alors il m'a dit que la mère infinie m'avait peut-être choisie pour être l'une de ses filles libérées de la tyrannie de la chair — la luxure, disait-il. J'ai répondu zut à tout cela. Je lui ai fait observer que si j'avais pu coucher avec mon mari et lui permettre d'être heureux, j'aurais le sentiment d'avoir accompli un grand pas en direction de l'amour. Il a déclaré que j'étais victime de la pensée occidentale, et j'ai répliqué que si Dieu était une rose, il était aussi un sexe. Est ou ouest, c'est quand même chez soi qu'on est le mieux. Et il continuait à sourire, sachant fort bien dans son cœur

qu'en mûrissant je verrais les choses comme lui — comme le Dr Lamb.
Alors je me suis levée et je suis partie.
— Tu lui as rendu la rose, précisa Martha.
— Ah bon ? Était-ce quand je... »
Martha se mit à rire ; c'était à la fois triste et drôle de voir cet
Indien doux et gras qui souriait, tandis que Lynda se tenait debout
devant lui, avec un sourire poli aux lèvres, retenant d'une main son
ample manteau de fourrure blanche, et de l'autre la rose. Puis elle se
penchait brusquement en avant et la lui tendait, sans l'avoir vraiment
décidé, mais avec le sentiment de devoir être polie, comme une petite
fille.
Lynda quitta alors le restaurant, et la scène s'évanouit.
« Des machines, observa Lynda.
— Oui, mais combien ?
— Ce que nous voulons, j'imagine... »
Martha était certainement une radio : et Lynda aussi. Martha était
un téléviseur mais, contrairement au téléviseur, n'était pas tenue par
le temps. Elle était une caméra : on pouvait prendre des photos de
n'importe quel objet ou personne avec ses yeux, et les ressortir ensuite
pour les examiner — en fonction de la concentration que l'on y avait
apportée, et de la manière de regarder ensuite. Quoi d'autre ?
Lynda déclara : « Dans ce premier hôpital où Dorothy était malade,
elle a eu une amie. Hortense savait de quelle humeur étaient les médecins d'après les couleurs qui formaient un halo autour de leurs
visages. Le docteur d'avant le Dr Lamb était horrible, il apparaissait
toujours enveloppé d'un affreux jaune sale, comme du brouillard ou
une mauvaise haleine, et quand il se fâchait l'air se striait de rouge.
— J'ai vu rouge, acquiesça Martha, et c'était toujours dans des
moments de colère.
— Alors elle hurlait quand il s'approchait, elle disait qu'elle suffoquait. Il lui a mis des appareils sur la tête. Après avoir eu les appareils plusieurs fois, elle ne pouvait plus voir les couleurs. Et moi, je
voyais des images, avant d'avoir les appareils sur la tête.
— Je me demande de quelle couleur serait le Dr Lamb ?
— Oh, je ne tiens pas à le savoir. Gris. Froid. Un gris froid et vif.
Il y avait une infirmière, dans cet hôpital, qui était toujours noire
comme du charbon, d'après Hortense, à plusieurs mètres à la ronde
l'air était noir comme du charbon, sauf quand elle faisait les piqûres
— elle restait là à sourire, et le noir commençait à laisser paraître des
flammes, comme celles de l'enfer, mais la vérité, c'est que nous
mélangeons tout, nous prétendons que les hommes inventent les
machines, mais nous en fabriquons pour faire ce que nous pourrions
faire nous-mêmes. Si nous n'avions pas de machines et que quelqu'un
nous disait : Vous n'en avez pas besoin, vos cerveaux sont là pour cela,
vous n'avez pas besoin d'ordinateurs, peut-être n'aurions-nous plus
jamais à fabriquer de machines. Pour quoi faire, voulons-nous ces
machines ? Pour creuser des fossés et construire des routes, mais nos
cerveaux pourraient être des fusées et des satellites expérimentaux,
s'ils peuvent être des radios et des téléviseurs. »

Elle disait tout cela d'une voix rapide et basse, tout en se balançant d'avant en arrière. C'était le murmure monotone et entièrement occupé de lui-même de la folie, car peu lui importait en vérité que Martha lui répondît ou non. A moins que ce ton monotone et régulier ne fût un moyen de se maintenir en équilibre, tandis que Martha gardait le silence ou bien parlait d'une voix contenue afin de ne pas brouiller les images. Peut-être ce murmure était-il plutôt un moyen de dire à Martha : Ne m'interromps pas, cette façon de parler est une façon de penser, je découvre en parlant ce que je pense.

Mais si Lynda s'était ainsi exprimée devant une infirmière, dans un hôpital psychiatrique, ou devant un psychiatre, ils auraient décrété : « Mme Colridge se trouve dans une grande confusion, aujourd'hui. »

Martha objecta : « Mais si le cerveau humain pouvait être un satellite ou un radar ou un robot sur la Lune, il pourrait aussi être une bombe ou un désintégrateur, et les gens s'en serviraient pour détruire, ils ne sont pas suffisamment adaptés. »

Martha gisait face contre terre, les yeux clos, à contempler des jardins féeriques, merveilleux... jamais elle n'avait imaginé de tels jardins, cette beauté lui donnait envie de crier : Docteur, docteur, je vois de si beaux jardins !

« Vraiment, chère amie ? Vous êtes un peu hallucinée ; prenez donc ce comprimé, et vous allez dormir. »

Lynda reprit : « C'est comme un homme privé de sa main droite ; il emploie une main mécanique à la place. Mais il faut faire attention, Martha, attention, ne leur dis jamais ce que tu sais, ils t'enfermeraient. Ils veulent des machines, pas des personnes... Mais tu peux y arriver. Un jour j'ai cru que je pourrais le faire, mais je ne peux pas. Je suis fichue, tu vois. Mon esprit a été ruiné par toutes ces drogues, mon cerveau ne vaut plus rien, et puis il y a eu cet appareil électrique qu'on m'a mis sur la tête quand j'étais très jeune, et depuis lors je n'ai plus jamais été comme avant. Je fais parfois semblant d'être comme avant, pour moi-même, mais ce n'est pas vrai. Toi, tu pourrais le faire, tu peux trouver le moyen, je suis sûre qu'il existe quelque part des gens qui savent. »

Le mot *drogue* avait heurté l'attention de Martha. Elle songea : si les drogues peuvent provoquer la lucidité, l'exacerber, rendre les images plus riches, ouvrir la porte à... Ses jambes l'avaient fait lever et aller dans la salle de bains. Les flacons de médicaments de Lynda s'alignaient tout au long d'une étagère d'un mètre cinquante. Si elle prenait... Elle se sentit empoignée par-derrière et les comprimés qu'elle tenait déjà à la main tombèrent dans la baignoire. Mais elle avait à demi escompté que Lynda la suivrait ; elle l'y avait même invitée, sollicitée ; de même qu'un enfant provoque ses parents pour obtenir leur attention. Lynda repoussa Martha et se mit à genoux pour ramasser les pilules colorées comme des bonbons qui étaient tombées à terre. Puis elle les jeta dans la baignoire avec les autres, tourna les robinets, et les fit disparaître par la bonde. Puis, sans un seul regard pour Martha, elle regagna sa place sur le tapis, et Martha retourna s'allonger auprès d'elle.

Lynda déclara : « Tu as fait cela uniquement parce que tu as eu peur quand je t'ai dit qu'il fallait y arriver, qu'il fallait s'en sortir. Tu sais que ce sera très dur, et tu t'es dit : si je prends des drogues, j'aurai une excuse pour ne pas essayer, parce que je serai fichue — c'est exactement ce que tu t'es dit. »

Martha était fatiguée. Et pourtant, elle éprouvait de l'impatience. Elle avait envie de sortir se promener comme elle ne s'était plus jamais promenée depuis les premiers mois de son séjour à Londres. Il fallait absolument qu'elle marche, mais quand elle écarta les rideaux et qu'elle regarda dehors, elle vit le temps mort de la nuit. Il devait être deux heures du matin.

« Je sortirai quand il fera jour », annonça-t-elle, et elle se laissa retomber à terre pour sombrer aussitôt dans le sommeil, en s'enjoignant : Réveille-moi à neuf heures.

Son sommeil était inondé d'une lumière dorée comme celle qui suit immédiatement l'orage, quand le soleil reparaît et que le ciel, les feuilles, la terre, les nuages brillent et scintillent, et que les dernières gouttes du nuage mobile qui s'est dégonflé explosent en minuscules étincelles d'or. Ses rêves n'avaient été que de bonheur : cette faim, cette aspiration si haute, si intense qu'elle baigne dans la qualité de beauté qu'elle désire, de sorte que le désir et l'objet du désir se confondent dans une douleur exquise. S'éveiller d'un tel sommeil, si lumineux, si délicieux, si prometteur, vers une telle journée... Martha s'éveilla dans un sanglot : elle pleurait parce qu'il lui fallait s'éveiller, et elle vit Lynda assise devant le mur, qui se balançait d'avant en arrière, d'avant en arrière, de sorte que son front venait régulièrement heurter le mur, comme un enfant chasse la tension. Martha se souvint que dans son rêve, à côté d'elle, dans une douce lueur dorée, était entrée Lynda, toute jeune et souriante, et qu'ensemble elles s'étaient approchées d'un homme dont le visage exprimait la confiance et la sympathie. C'était Mark. Réveillée, Martha voyait une sorcière sale et échevelée, à l'odeur aigre, qui se cognait la tête contre un mur souillé de petites taches de sang. La lumière apparaissait fortement autour des rideaux. Il était neuf heures.

Elle se leva pour sortir, et Lynda l'avertit : « C'est affreux, quand on regarde dehors. Ne regarde pas. Tu le regretteras. »

Dehors il faisait un temps superbe, mais elle ne pouvait pas sortir revêtue de la robe qu'elle portait, et qui était sale et froissée. Elle prit un bain rapide, mais ne put trouver aucune robe. Elle ne voulait pas remonter maintenant, car elle craignait de déranger Mark qui lui demanderait : Tu te sens bien ? Tu veux que je t'accompagne ? Elle enfila le manteau de Lynda par-dessus un jupon, et s'esquiva sans bruit.

Le jour était tout neuf, et le monde repeint de frais. Elle s'arrêta sur un trottoir pour contempler un ciel où de petits nuages blancs et doux ruisselaient de lumière. Elle avait envie de pleurer tellement c'était beau. Depuis combien de temps n'avait-elle pas regardé, mais vraiment regardé le ciel, si beau même quand il s'appuyait sur de grands immeubles ? Elle resta ainsi un long moment à fixer le ciel jusqu'à ce que ses yeux parussent s'absorber dans la substance cristalline du ciel avec ces blocs de nuages semblables à des nappes de neige, et il lui semblait s'écouler hors d'elle-même jusque là-haut, mais des sons lui parvinrent alors : des pas résonaient sur le trottoir, et elle abaissa les yeux sur une créature extraordinairement hideuse qui la dévisageait, avec des yeux qui ressemblaient à des grumeaux de gélatine colorée entourés et surmontés de touffes de poils, et qui sortait à demi d'une forme lourde et flasque en mastic rosâtre, ou en substance pâteuse. La fente au-dessous de la bosse, où étaient ménagés deux trous d'aération, s'étirait dans une grimace comme pour dire : Que faites-vous donc ? Qu'y a-t-il là-haut ? Vais-je manquer quelque chose si je ne regarde pas en l'air ? Quand la créature vit que Martha la voyait à son tour, la grimace se contorsionna et des dents sales apparurent dans la fente, comme si un animal avait imploré, de son museau froncé et de ses crocs à demi dénudés et de sa patte dressée, pour ne pas être frappé, mais la supplication contenait également une menace, si l'animal pensait à mordre avant d'être attaqué. Cette créature n'était exposée que dans la région du visage, car tout le reste était recouvert de diverses substances, depuis le sommet de la tête, encastrée dans une sorte de coquille brune, jusqu'aux pieds, rangés dans des emballages rigides faits d'une matière brillante. Le corps était caché dans une enveloppe épaisse et velue où des ouvertures permettaient à la tête et aux pieds d'émerger, et divers replis, fentes, et renflements y étaient prévus pour l'accomplissement de fonctions naturelles ou pour le transport d'objets et d'outils.

La créature ne souhaitait être jugée, ou tout au moins n'était exposée, que par cette surface grumeleuse d'étoffe rosâtre, enveloppée et surmontée de poils, et où apparaissaient deux yeux.

Elle sentait affreusement mauvais, d'une puanteur qu'elle semblait transporter avec elle. La créature articula quelque chose, mais sans attendre particulièrement de réponse, car lorsque Martha reprit son chemin, la fente relâcha sa position contractée pour retomber dans une moue avachie, et la créature s'éloigna en plaçant l'un devant l'autre ses deux appendices inférieurs, dans un équilibre incertain. Comme elle s'en allait, une autre créature à quatre pattes recouverte de longs poils noirs sortit de derrière un parapet en brique et, abaissant la partie postérieure de son corps, déféqua parmi les pieds d'autres créatures à deux appendices inférieurs, qui s'approchaient. Car tout au long des chemins qu'ils parcouraient s'amoncelaient des tas d'excréments, et tous les pieds de réverbères et tous les coins d'immeubles étaient trempés d'urine à l'odeur aigre et forte.

Martha releva les yeux vers le ciel, chassant de sa vue la rue, et accéléra le pas. Le ciel, oh le ciel ! et les arbres de la place, dont les branches mollement agitées par l'air lui lançaient de tels messages de joie, de paix, qu'elle leur criait : Arbres, je vous aime, et ciel je t'aime ! et le nuage tout là-haut, tellement absurde, tellement charmant, tout blanc et doux, qui se traîne délicieusement dans le ciel bleu, elle avait envie de le prendre dans ses bras et de l'embrasser. Mon Dieu, se mit-elle à prier, faites que je puisse retenir tout cela, laissez-moi le respirer, oh, comment ai-je pu supporter toutes ces années, toute cette vie, morte et endormie et sans voir cela, sans rien voir ; car à présent tout était là d'une présence ardente, dans une effusion de délices, s'offrant à elle jusqu'à ce qu'elle ne vît plus qu'un prolongement d'elle-même et un prolongement de tout ; cette joie et la sienne chantaient ensemble, au point qu'il lui semblait presque entendre proclamer des Martha ! Martha ! de pur bonheur, car elle voyait tout cela, et le ressentait après une aussi longue absence.

Elle marcha, marcha, regardant, contemplant, et ses yeux devenaient nuage, arbre, ciel, chaleur du soleil sur un grand mur lumineux. Jusqu'à ce que soudain la petite voix du mentor lui chuchotât à l'oreille : *Et seul l'homme est vil ?* Et elle abaissa son regard à nouveau, prise du désir de courir se cacher, s'abriter, n'importe où, là où elle n'aurait pas à voir ces êtres tout autour d'elle. Quelle extraordinaire race, ou presque race, de demi-créatures, inachevées. Elles étaient là, molles comme des limaces pâles, ou des limaces sombres, avec leur chair flasque d'où jaillissaient des touffes de poils, et ces choses à leurs pieds qui semblaient des sabots cornés, et ces capitonnages de poils au sommet de leurs têtes. Elles étaient là, tout autour d'elle, avec leurs têtes rondes et osseuses d'où dépassaient de chaque côté des appendices de chair, et puis la protubérance du milieu équipée de deux trous d'aération, et les yeux, ces yeux couleur de gelée dont le mouvement pivotant leur donnait une vie propre, de sorte qu'ils semblaient des créatures autonomes, minuscules bêtes jumelles vivant dans la chair du visage, mais ces organes, les yeux, avaient un air de contredire leur fonction — qui était de voir, d'observer, car en croisant ces paires d'yeux l'une après l'autre, elle constata qu'ils semblaient tous à demi drogués, ou endormis, ternes, comme si les créatures avaient été empoisonnées ou hypnotisées. Car ces gens marchaient dans leurs rues souillées et dégoûtantes, pleines de saletés et d'ordures, comme s'ils n'avaient pas eu conscience de leur existence ici, comme s'ils s'étaient trouvés ailleurs ; et ils *étaient* ailleurs, car seulement un pour cent de ces semi-animaux aurait pu dire : « Je suis ici en ce moment, et conscient d'être ici en ce moment, conscient de voir ce qui m'entoure » ; car chacun était occupé à imaginer comme il, ou elle, triomphait lors d'une altercation avec le propriétaire ou l'épicier ou un collègue, ou comme il fait l'amour, ou comme son enfant avait fait telle ou telle action, ou comme il allait bientôt manger quelque chose. Elle éprouvait une souffrance d'un genre qu'elle n'avait pas connu, une honte affligée, à marcher ici aujourd'hui, parmi sa propre espèce, à les regarder tels qu'ils étaient, à les voir, eux, nous, la race humaine, comme un visiteur débarqué de sa soucoupe volante aurait pu les voir, s'il était venu à Londres ou ailleurs pour enquêter. « Cette planète est massivement habitée par des animaux à l'évolution défectueuse... »

Car leurs yeux étaient à peu près inutilisables : nombre d'entre eux portaient des morceaux de verre correcteur par-dessus ces organes détériorés ou ratés ; nombre d'entre eux portaient des appareils pour pouvoir entendre ne fût-ce que les sons émis par leurs compagnons ;

et leurs bouches étaient pleines de métal et de substances étrangères pour compléter des dents pourrissantes, quand elles n'étaient pas entièrement équipées de dents artificielles faute d'avoir pu garder les leurs ; et ils avaient les tripes pleines de médicaments parce qu'ils ne parvenaient pas à déféquer normalement ; et leurs systèmes nerveux étaient assoupis par les drogues qu'ils consommaient pour alléger les dégâts causés par le tintamarre dans lequel ils avaient choisi de vivre, la peur et l'angoisse et la tension de leur existence. Et ils puaient. Ils sentaient atrocement mauvais, en dépit de tous les produits chimiques qu'ils employaient pour dissimuler leur propre odeur. Ils respiraient un air qui ressemblait à une épaisse soupe de pétrole et de fumée et d'odeur de sueur et de l'air fétide qu'exhalaient leurs poumons pleins de cette fumée qu'ils utilisaient comme narcotique, et qu'exhalaient leurs boyaux.

Mais le plus effrayant était encore ceci : ils marchaient et se déplaçaient et vaquaient à leurs activités dans un état somnambule : ils n'avaient pas conscience d'eux-mêmes, des autres, de ce qui se passait autour d'eux. Pas même les jeunes, même s'ils avaient meilleur aspect que les vieux ; un groupe de ces derniers pouvait s'arrêter pour contempler les autres : ils se tenaient là, immobiles, avec la peau qui leur pendait autour du visage, et leurs fentes faciales s'étiraient au gré des sons qu'ils émettaient pour communiquer, ou bien se produisait une série de halètements lourds et bruyants qui était un moyen d'indiquer la surprise, ou le besoin de relâcher une tension. Mais ceux-là mêmes n'écoutaient pas ce que disaient les autres, ou alors uniquement en fonction des sons qu'eux-mêmes produisaient : chacun semblait muré dans une cage invisible qui l'empêchait de ressentir les pensées de ses compagnons, ou leurs vies, ou leurs besoins. Ils étaient essentiellement isolés, enfermés dans leurs corps hideusement défectueux, derrière leurs yeux rêveurs et drogués, par-dessus tout, à l'intérieur d'un filet de désirs et de besoins qui les empêchait totalement de penser à autre chose.

Elle marchait, marchait vite, pressée de s'en aller, jusqu'au moment où elle approcha d'une vaste surface brillante et vit avancer vers elle une créature enveloppée d'une fourrure animale, avec une autre fourrure courte et pâle sur sa tête, et de grands yeux horrifiés qui semblaient fuir quelque chose ou chercher un endroit où se cacher. Au bout d'un moment, elle se rendit compte qu'il s'agissait là d'elle-même, Martha, qui si peu de temps auparavant s'était émerveillée de joie à la vue d'un nuage illuminé de soleil au-dessus d'une masse de feuillages ondulants.

Elle s'élança dans Oxford Street en fixant l'étroit ruban d'air bleu qui surplombait la rue et où régnait une explosion de lumière dorée, et imagina comment le voyageur de l'espace, s'éloignant en hâte de cette bulle de gaz dorés et mouvants, pourrait concevoir les termes de son rapport : « Le troisième globe de substance solide à partir du tourbillon central de lumière vive, autour duquel tournoie en une sorte de spirale plate une variété de morceaux de matière solide ou gazeuse, est le globe sur lequel vivent les créatures décrites plus haut, à la Section II B. A aucun moment elles n'ont paru déceler la présence d'aucun membre de notre équipe : leurs facultés d'attention et de comparaison sont atrophiées, ou bien encore insuffisamment développées, au point que nous avons pu vivre et travailler parmi eux aussi longtemps que nous l'avons souhaité, sans devoir faire plus que simplement employer leur mode d'habillement et leur système de communication (en partie sonore — oral) et leur dissimuler le fait que notre vue, notre ouïe, etc., sont mille fois plus développées que les leurs. Ils sont tellement vulnérables à la flatterie qu'on peut en faire ce que l'on veut ; à condition de ne pas leur laisser deviner leur infériorité. Car ils sont tellement vaniteux qu'ils tueraient ou emprisonneraient ou mutileraient certainement quiconque serait soupçonné d'être mieux loti qu'eux. »

Un violent tintamarre lui avait envahi la tête. Lui venait-il d'ailleurs ? Non, c'était de la musique en provenance d'un magasin. Elle entra avec l'impression de s'asphyxier dans l'air vicié, et se fraya un chemin parmi une foule grouillante de créatures affairées à acquérir des objets dans un boucan et une agitation qui donnèrent à Martha envie de vomir. Elle escalada quelques marches d'un escalier afin de pouvoir regarder la situation d'en haut. Au-dessous d'elle, un espace bondé de choses, d'objets, et de gens, de gens, de gens. Ces derniers, habitants d'un des pays les plus riches du monde, privilégiés de l'humanité, qui ne cessaient jamais de lire, parler, penser, et se préoccuper de leur santé, leur beauté, leur élégance, étaient occupés à acheter ce qu'il leur fallait pour acquérir ou entretenir ces qualités — et regardez-les ! Si l'on scrutait cet océan, à la recherche d'un visage qui ne fût pas drogué par l'angoisse ou le rêve ; absorbé dans des fantasmes, défiguré par la colère, ou l'inquiétude, ou l'avidité, eh bien, il fallait chercher, chercher... Où y avait-il une seule personne qui fût saine — sans lunettes, sans appareil acoustique, sans fausses dents, qui dormît bien, qui ne prît pas une demi-douzaine de médicaments chaque jour, qui ne courût pas sans cesse chez les médecins et les psychiatres ? C'était là l'un des pays privilégiés de la terre, un pays que d'autres enviaient, et ces gens comptaient parmi les privilégiés de ce pays. Supposons que l'on ait fermé la porte de ce grand magasin pendant vingt-quatre heures et que l'on ait attelé une équipe de chercheurs à la tâche de trouver, parmi ces milliers de gens, dix personnes tout simplement entières, avec des organes tous normaux, dormant bien, et ne prenant pas de médicaments. Dix ? Et supposons que ces chercheurs se soient efforcés de trouver dix personnes capables de contrôler leur quantité de nourriture, la fumée qu'elles aspiraient dans leurs poumons, l'alcool dont elles s'abrutissaient, et leur activité sexuelle. Les auraient-ils trouvées ?

Martha se souvint à présent que Lynda l'avait prévenue qu'elle réagirait ainsi, l'avait mise en garde : elle ne souhaitait plus maintenant que retourner auprès de Lynda. Elle se faufila parmi la foule jusqu'à la rue, puis se fraya un chemin sur le trottoir. Elle n'avait pas d'argent, et se trouvait réduite à rentrer à pied. Elle s'enfuyait au milieu de cette espèce, la sienne, avec l'obsession de se cacher.

De dissimuler sa propre laideur, de dissimuler ce qu'elle pensait. Elle passa en courant presque devant les arbres et la lumière de la place : oui, le prix qu'on payait pour être éveillée, pour entrer dans cet état de grâce, c'était qu'en marchant parmi sa propre espèce il fallait les voir, se voir, tels qu'ils étaient, tel qu'on était. Elle ne voulait plus — et elle retournait en courant à son sous-sol.

Dans les pièces du sous-sol de la lourde maison, les lumières brûlaient derrière les rideaux tirés, et Lynda, assise exactement là où Martha l'avait laissée, continuait à se cogner la tête contre le mur.

Martha rejeta la peau de bête qu'elle avait employée comme déguisement, et s'allongea par terre sur le dos. La lumière du plafond, accrochée très bas, projetait une lueur orange tachetée de jaune dans un grand cercle dessiné sur la peinture. La lueur orange et les points jaunes semblaient retenus, ou enfermés, dans un éclat de lumière blanche plus imaginé que vu ; mais pourtant présent et devenant sans cesse plus visible à mesure qu'elle concentrait son regard. Et maintenant, imminent derrière le blanc, apparaissait une ombre bleuâtre, comme si la base d'orange, de jaune, de blanc avait en vérité été bleue, d'un bleu doux et lumineux, une cloche de lumière douce et bleuâtre, toujours là, mais pas regardée, ou pas décelée, à moins de s'allonger à terre, l'attention aiguisée par le jeûne et le manque de sommeil et le fait d'avoir marché dans un monde plein d'invalides drogués qui étaient vos compagnons de race humaine. Oh, elle ne pouvait plus supporter de sortir, elle ne sortirait plus, même si le fait de déambuler parmi les demi-animaux défectueux signifiait aussi de circuler parmi les arbres, les nuages, les fleurs, la lumière, qui semblaient la présence d'un autre monde dont l'existence juste derrière celui-ci lui donnait envie de crier d'impatience, de faim. Elle resterait désormais au sous-sol avec Lynda. Plus jamais elle ne sortirait. Lynda et elle-même vivraient ici, et Mark leur passerait de la nourriture et des fournitures indispensables par la porte, cette porte qui ressemblait à une trappe de sous-marin, au seuil d'un sas. Et elles vivraient ici. Pourquoi leur faudrait-il sortir ? Elles avaient des appareils de radio, leur propre télévision interne, leur radar, leurs machines à parcourir le temps... elle gloussa. Elle entendit ce bruit se détacher d'elle-même comme une bulle dans l'eau. C'était une variété de rire. Le rire, c'étaient ces bruits qu'émettait l'espèce dans la rue, quand il lui fallait associer deux formes de faits ou d'informations qui différaient l'une de l'autre par leur substance ; car les cerveaux étaient tellement compartimentés que les organismes se trouvaient sans cesse déséquilibrés par la nécessité d'admettre, ou du moins de subir, deux ou trois sortes de faits différents à la fois, activité pour laquelle ces créatures n'étaient pas adéquatement équipées. C'était cela, le rire : un genre de mécanisme équilibrant, absorbeur de chocs. Mais le gloussement exprimait un retrait devant un fait qu'il fallait affronter.

Dans ses pires moments, Lynda gloussait beaucoup. Elle-même disait que c'était mauvais signe quand elle se mettait à glousser. Et à présent Martha, couchée par terre, gloussait. Elle n'avait aucune envie de cesser. Elle gisait derrière une barrière, qui était l'acte de glousser.

Un choc, une alarme, un avertissement atteignit ses défenses externes : mais elle choisit de ne pas en tenir compte. Ou pas maintenant. Elle songeait : mieux vaut la folie, si le prix à payer pour n'être pas folle doit être de devenir une masse inerte et léthargique qui emploiera tous les stratagèmes possibles pour demeurer ainsi. Elle s'allongeait par terre et regardait défiler les images de la lanterne magique... elle fermait les yeux, devinait la clarté du plafond à travers ses paupières, et attendait les images. Mais ses paupières restaient parfois sombres. Pourquoi ? Pourquoi certaines fois des images, et certaines autres fois non ? Pourquoi certaines fois une dimension sonore, et certaines autres fois non ? Pourquoi certaines personnes à certains moments de leur existence ? Pourquoi certaines personnes, dotées de l'une ou l'autre de ces aptitudes, ne craignaient-elles pas de les développer, tandis que d'autres s'empressaient de les refouler ou de se cacher ou de s'enfuir dans un recoin obscur ? Pourquoi certaines personnes éprouvaient-elles le besoin d'en blesser d'autres qui avaient ces aptitudes, alors que certaines autres les aidaient et les développaient ?

Les premières révélations de ce don s'étaient manifestées pendant l'enfance, juste avant le sommeil ou bien au réveil : un vague éclat de couleur, peut-être une image ou deux, ou un fragment musical, ou quelques mots, ou bien son nom prononcé sur un ton de rappel ou d'avertissement : *Souviens-toi, souviens-toi.* Bon, beaucoup de gens éprouvaient cela mais, respectant l'ordre et la discipline, bien dressés, dociles, ils entendaient les médecins ou les prêtres dire ce qu'ordonnait le dogme du moment, et c'était tout : ils étaient prêts à enterrer les preuves de leurs propres sens, ils fuyaient. Et de même que toute faculté inemployée, celle-ci tombait en désuétude et s'atrophiait.

Plus tard, elle avait eu des expériences lors de grandes fatigues, ou de légère maladie, ou d'extrême tension, ou bien en faisant l'amour... mais seulement avec Jack.

Et puis, pendant le combat pour la récupération de sa mémoire, quelque chose s'était ouvert, avait changé — car alors les images, les sons, étaient devenus plus que de simples éclairs ou suggestions ou événements occasionnels, mais quelque chose, au contraire, d'assez fréquent. Qu'elle ne pouvait toutefois pas maîtriser... Imaginons que l'on puisse contrôler cela... *Comment ?*

Où se trouvaient donc les gens qui savaient ? Il n'était pas possible que chacun, sans aucune exception, eût été réduit à l'obéissance par la terreur !

Non. D'abord il y avait Rosa Mellendip, une femme parfaitement sensée, même si elle était liée par ses paquets de cartes et ses feuilles de thé. Oui, mais ce n'était pas là que l'on découvrirait ce dont on avait besoin. Ce monde était repu, satisfait, stagnant, miroir et reflet du monde orthodoxe et scientifique qui se montrait tout aussi repu, satisfait et stagnant. L'un consistait en un rationalisme autrefois nécessaire, un schéma de pensées coutumières déjà dépassées par ce qui se passait à ses propres avant-postes. L'autre, formé par sa naissance en contradiction avec « la science », et donc contraint de se maintenir à un niveau de minorité tolérée, présentait le même caractère d'absence de vie.

Ailleurs se trouvait le sentiment de changement aigu, d'explosion de la pensée ancienne, de flux et de mouvement ; c'est-à-dire dans la vie — dans ce que l'on expérimentait, dans ce que l'on apprenait. Là résidait une vie pleine de défi et d'attrait, une vitalité à l'œuvre. Mais pas dans les eaux croupies du « rationalisme » qui constituait la culture officielle, ni dans le miroir de cette culture officielle. Mme Mellendip — devenue riche (et elle employait son argent avec une sagesse avisée, en bonne femme d'affaires, et avec autant de bonté et de générosité qu'une autre) et respectable ; car « tout le monde » à présent se faisait déchiffrer l'avenir et, de son bureau situé à Kensington, elle conseillait certaines des principales entreprises du pays sur la manière d'harmoniser leurs activités avec celles des étoiles. Il n'y avait à présent plus rien de douteux à dissimuler à son sujet : elle s'était réalisée car, comme elle le disait à sa manière familière qui parvenait pourtant à suggérer des profondeurs de sagesse : « Ce qui monte descendra. » Parfaitement juste bien sûr, mais c'était l'apothéose de Rosa Mellendip en femme respectable qui indiquait la fin des deux mondes, l'un conformiste/rationnel, et l'autre non conformiste/excentrique ; car on peut être assuré que, quand un mouvement jusqu'alors rejeté devient toléré par ce qui l'avait combattu, tous deux vont se trouver en butte à des attaques venues d'ailleurs.

Mais cette vitalité fourmillait, comme si la substance de la vie ordinaire avait été arrosée ou bombardée par un type d'atome particulièrement vivace — ce sentiment qu'elle, son univers n'en faisait pas comprendre davantage que, disons, Graham Patten, dont les émissions télévisées sur le « pouvoir occulte » (très prisées) finissaient toujours par évoquer un débat de bons élèves en classe de terminale, l'un du côté « littéraire » (*Il y a plus de choses dans les arcanes de la terre et du ciel...*) et un autre « assumant » la science.

Et c'était précisément cette qualité à l'œuvre partout, ce levain qui amenait Martha à s'agripper à cette chose première qu'elle avait apprise dans sa vie, qu'elle avait dû apprendre et apprendre encore, de sorte qu'elle la connaissait comme on connaît les choses qui sont entrées dans sa propre substance, à partir desquelles on peut agir parce que leur connaissance est soi-même : et si elle ressentait quelque chose, de cette façon particulière, avec cette authenticité, cette irrésistibilité d'un point de croissance, alors elle n'était pas seule, d'autres éprouvaient la même chose, car le point de croissance n'était jamais, ne pouvait jamais être celui de Martha uniquement ; ne pouvait pas être la propriété ou le territoire d'un seul individu. Non, si elle expérimentait et posait des questions, alors d'autres comme elle expérimentaient et posaient des questions, d'autres la cherchaient comme elle les cherchait. Quelque part, tout près de là, se trouvaient des gens à qui elle pourrait dire « télévision », « radio »,

« radar », « machine à parcourir le temps », « caméra » — ou n'importe quelle autre expression abrégée qui pût convenir, et ces gens ne répondraient pas : « Vous êtes hallucinée, malade, vous imaginez tout cela. »

Non plus qu'ils ne diraient, comme dans l'univers de Rosa Mellendip : « *Nous* le savons, bien sûr... » n'ayant plus rien à ajouter, tout ayant déjà été dit ; ils ne vous dévisageraient pas non plus avec effarement, comme dans le territoire de Jimmy, à la seule suggestion qu'il pût exister le moindre rapport entre ce que les gens écrivaient et ce qu'ils estimaient possible.

Partout, c'était Jimmy Wood qui avait brandi une petite pancarte. Il avait dit à Martha que, si elle venait à l'usine, il lui montrerait où il dénichait les intrigues de ses romans. Elle avait imaginé qu'il lui demanderait peut-être d'appliquer son œil sur un microscope pour regarder des animalcules se battre avec fureur pour survivre et croître — ce que devient une goutte de sang ou une miette de chair lorsque, tel un plongeur, l'œil descend à cette dimension — ou bien peut-être de regarder dans un télescope pour voir les étoiles tournoyer, se morceler, s'engloutir les unes les autres, exploser, danser, chanter — peut-être elles-mêmes animalcules pour d'autres ? Mais cela ne s'était pas produit.

Dans l'entrepôt de l'usine, parmi les étagères recouvertes d'engins et d'objets que Jimmy décrivait comme des « machines qui n'avaient pas encore décollé, mais qui décolleraient sans doute quand il aurait de nouvelles idées », se trouvaient des livres qu'on se serait attendu à voir chez Rosa Mellendip, mais certainement pas ici.

Il y avait là des livres sur les rose-croix et les alchimistes antiques ; des livres sur le bouddhisme et sur les dix ou quinze sortes de yoga ; ici, des ouvrages sur le zoroastrisme et le christianisme ésotérique ; là, des fascicules sur les I Ching, zen, sorcellerie, magie, astrologie, vampirisme ; et des traités savants sur le soufisme, et des œuvres de mystiques chrétiens. En bref, c'était là une sorte de bibliothèque représentant tout ce que la culture et l'étude officielles avaient rejeté. Il apparut que la malheureuse épouse de Jimmy (qui menait désormais une existence de veuve en compagnie de ses sœurs, bien que Jimmy allât de temps en temps la voir pour lui proposer de reprendre la vie commune, puisque d'après lui ils s'entendaient tous deux fort bien) avait entrepris d'étudier l'astrologie quelques années plus tôt, à l'époque où Jimmy s'était mis à lire de la science-fiction, et où il avait décidé qu'il pourrait faire tout aussi bien. Écrire ne dépassait manifestement pas les capacités d'un individu moyen, puisque Mark Colridge travaillait ici avec lui ; quant au fond de la question, il connaissait bien mieux les problèmes scientifiques que les auteurs de ces livres. Les intrigues venaient à l'esprit en grand nombre. La plupart avaient toutefois déjà servi, comme il s'en rendit compte lorsqu'il se mit à lire systématiquement d'énormes quantités de science-fiction. Il ne s'agissait évidemment plus d'inventer de nouveaux sujets, mais de développer différemment les idées anciennes. Un article paru dans la revue *Destiny*, que lisait sa femme, le mena à une librairie spécialisée dans ce type de littérature ; et ce qu'il y découvrit résolut tous ses problèmes. Car, puisqu'il n'avait pas reçu de formation littéraire et se déclarait lui-même insensible au style et au goût, un langage démodé ou trop fleuri ou gauche ne le rebutait pas, et il pouvait donc déterrer des idées et des renseignements là où ils existaient. Et il s'était ainsi trouvé amené à employer de vieux manuscrits d'alchimie, qui n'avaient pour la plupart jamais été traduits et qui gisaient inutilement sur les étagères des musées et des universités : il y découvrait des quantités de surprises et d'éléments précieux.

Et Martha se retrouvait à présent — comme déjà bien des fois avec Jimmy — devant ce mur d'incompréhension qu'elle ne pouvait encore pas mesurer. Il était assis là, dans cette petite salle poussiéreuse qui faisait suite au bureau moderne et efficace, génie scientifique, ainsi que Mark y insistait toujours, plus précis qu'aucun ordinateur, selon Mark, car on pouvait lui citer des dizaines et des dizaines de faits et de chiffres — et la réponse vous venait comme si l'on avait pressé un bouton ; il inventait des machines, et il était aussi fort à lui tout seul qu'une bibliothèque d'information scientifique ; mais quand Martha lui disait : « Mais, Jimmy, comment conçois-tu tout ce... », elle ne pouvait pas finir sa phrase. Car avant de pouvoir poser une question à un interlocuteur, il faut d'abord supposer qu'elle va trouver sa place en lui. Son visage rond et rose, son corps rond et (vraisemblablement) rose, présentait à Martha son invariable sourire de celluloïd rose et la surface de ses lunettes rondes et moirées. Non, il n'éprouvait aucun embarras. L'embarras n'est pas même une caractéristique humaine : un chat intelligent ou un chien, si des humains parlent froidement de lui en sa présence, manifestera une détresse qui est de l'embarras.

Jimmy ne voyait aucun inconvénient à se laisser interroger, à se laisser fouiller, et il aurait certainement passé autant de temps que Martha l'aurait souhaité à lui expliquer n'importe quel problème dont elle souhaitait comprendre la solution. Mais il était parfaitement inutile de dire à Jimmy des choses comme : Quel effet cette matière, ces idées ont-elles sur toi, sur le Jimmy Wood interne ? Penses-tu qu'en un moment donné, il y a de cela trois ou quatre cents ans, la science a jeté un bébé très important avec l'eau du bain ? Que penses-tu de ces aptitudes dont tu parles et que tu appelles télépathie, seconde vue, lévitation, et ainsi de suite ? Aimerais-tu développer de telles aptitudes en toi-même, si c'était possible ? Que penses-tu de... Car quand elle approchait de tels sujets, il la dévisageait attentivement pour tenter de voir ce qu'elle voulait dire, et puis pour toute réponse sélectionnait un livre qui décrivait ou prescrivait ces croyances ou ces phénomènes, et le lui tendait. Ou bien, avec un sourire de bonne volonté qui disait : Je fais tout ce que je peux pour te satisfaire, il lui tendait un exemplaire de son dernier roman.

C'est seulement quand on rencontre le type extrême, pur, de quelque chose ou de quelqu'un, que l'on peut commencer à comprendre les choses, les gens de l'entre-deux du type impur, bâtard ; en Jack, Martha avait connu, et tout au moins commencé à comprendre, l'existence de tels êtres ; une personne qui fonctionnait, comprenait, *était* dans son corps, dans son être animal. C'était là qu'il vivait, qu'il avait son centre.

Et en Jimmy elle voyait quelqu'un qui vivait, qui avait son être — où ? Facile à dire : son esprit. Aussi facile que dire « corps » pour Jack — encore un raccourci, des mots maladroits pour ce que nous ne comprenons pas. Ainsi, le terme « esprit » recouvre par exemple l'intuition qui, elle-même, peut inclure des variations et des extrêmes. Le mot « esprit » ne conviendrait pas ; et pourtant, il semblait que Jimmy fût né avec l'un des compartiments de l'esprit humain développé jusqu'à son extrême possibilité, mais au détriment de tout le reste. Mark affirmait « en plaisantant » qu'il était un ordinateur humain. Bien, parfait, très utile ; jusqu'au moment où l'on se souvenait que le fait essentiel d'un ordinateur consiste dans sa programmation par un être humain. Vaincue par les définitions et les tentatives de définition. Martha concluait : il ne tourne pas rond. Lynda disait : il n'est jamais complètement présent. Sa femme disait : il me flanque la frousse, je n'y peux rien, je sais que c'est ma faute.

Martha lui demanda si elle pourrait lui emprunter tous ces livres. Elle les fourra dans des sacs à linge, mit les sacs dans la voiture, et rentra à la maison. Puis elle recommença ce processus qui consistait à déchiqueter le cœur, la substance d'un sujet lorsqu'elle était prête pour ce sujet. Elle restait dans sa chambre avec les livres ; puis elle prenait la voiture et allait acheter d'autres livres dans les rues libraires de Londres ; elle accumulait tous les livres qui semblaient pouvoir peut-être lui révéler la vérité, d'où qu'ils puissent provenir.

Elle en avait tiré deux conclusions principales. L'une était que toutes ces différentes croyances, ou assemblages d'idées, parlaient des mêmes processus, des mêmes vérités psychologiques. Elle lisait différents langages ou dialectes, décrivant la même chose. C'était vrai de tous, depuis les poèmes de saint Jean de la Croix jusqu'aux états d'esprit exposés dans les Upanishads. La seconde était qu'il semblait tout de même extraordinaire que son éducation, l'éducation de toute sa génération (et de combien de générations auparavant ?), eût été conçue et programmée de telle manière que pas un seul mot de toute cette information n'avait pu lui parvenir, à l'exception de fragments décousus, d'expressions, de notions, chacune saturée de « loufoquerie », d' « excentricité », et baignant dans une pénombre déplaisante et malsaine.

Cette seconde conclusion évoquait d'intéressantes réminiscences. Ainsi, avant même d'aborder cette matière il lui fallait refouler le dégoût, une réticence implantée en elle par son environnement. Certaines terminologies se révélaient plus déplaisantes que d'autres. Certains mots ou expressions étaient si chargés d'un « facteur dégoût » (pour forger un terme) qu'il lui fallait se retenir de glousser ou de s'excuser aux yeux d'invisibles critiques. Des mots comme « prana », « aura », « astral » étaient particulièrement puissants ; pourtant, ils pouvaient aisément se traduire en d'autres termes provenant d'autres systèmes qui ne provoquaient aucun dégoût, ce dernier étant une forme de crainte. Ces réactions s'apparentaient à celles qu'elle avait expérimentées dans le domaine politique. De même qu'elle s'était naguère trouvée dans un état d'esprit étiqueté « droite », craignant et haïssant les étiquettes de « gauche » ; et puis elle avait viré à « gauche », et les cibles de ce qu'elle haïssait et redoutait avaient viré aussi ; de sorte que depuis lors elle avait pu, suivant son gré, choisir l'une ou l'autre de ces attitudes ; de même elle entrait et sortait à présent de positions mentales contradictoires (mais elles étaient émotionnelles, ou atteintes, contrôlées, maintenues, par l'univers émotionnel), et de l'une pouvait en observer une autre. Les mécanismes apparaissaient toujours exactement identiques, qu'ils fussent politiques, religieux, psychologiques, philosophiques. Des dragons gardaient les entrées et les sorties de chaque niveau de l'éventail des croyances ou des opinions ; et les dragons étaient toujours exactement les mêmes dragons, quels que fussent les noms qu'on leur attribuait. Le dragon était peur ; peur de ce que pouvaient penser les autres, d'être différents ; peur d'être isolés ; peur du troupeau auquel nous appartenons, peur de cette section du troupeau à laquelle nous appartenons.

Elle avait redouté d'approcher cette masse de matière qui lui en avait révélé bien plus qu'elle ne l'aurait imaginé, lorsqu'elle s'y était finalement attelée. (Et cela lui rappelait comme nous nous laissons facilement effrayer.) Elle y rencontra partout des lueurs de vie, une note ou pulsion authentique de vitalité, impossible à confondre. Pourtant, alors que le message — l'affirmation centrale — était toujours le même, employant divers styles, assemblages de mots, termes, références historiques, disciplines, nulle part n'apparaissait la porte que Martha savait exister quelque part. Ou plus exactement, il y avait trop de portes.

Et Lynda, à qui elle avait suggéré de lire ces livres, disait la même chose. Lynda expliquait qu'elle avait « déjà fait tout cela » au début, avec Rosa Mellendip : elle n'en voyait pas l'intérêt, ce n'était vraiment pas pour elle.

Sollicité à son tour, Mark prit une demi-douzaine de ces livres, les lut en partie, et les rapporta à Martha dans cet état de réticence murée qui exprime aussi clairement que les mots : je suis imperméable à tout cela, et demanda : « Oui, mais même si certaines choses sont vraies, quel est l'intérêt de tout cela ? », car il était déjà préoccupé, et même obsédé, par l'avenir immédiat de l'humanité, et il passait tout son temps dans son bureau avec ses diagrammes, ses cartes, ses chiffres, les pages déchirées du journal de Dorothy, et le manuscrit de Thomas.

« Lorsque les ossements des ancêtres de notre peuple pourriront sous l'eau qui inondera ce lieu, et que les esprits seront noyés, la bouche remplie d'eau, incapables désormais de garder et chérir la tribu qui les a nourris dans la mort pour les tenir en vie — alors la tribu sera emmenée par des camions dans un lieu élevé et sec, à des centaines de kilomètres d'ici, et sera gardée par la police blanche et la police noire. Ce sera la mort de la tribu, quand les ancêtres et les enfants seront séparés par l'eau. Ensuite le feu traversera les terres hautes jusqu'au nouveau village et le détruira. Le nouveau village construit par l'homme blanc sera un lieu de mort. Ainsi mourra notre peuple. » *Note de Thomas :* « Le vieillard, frère de la femme du chef, a parlé la nuit dernière. Il se trouvait dans une sorte de transe. C'était après une danse de la bière. Il a prédit une inondation dans cette partie de la vallée. Ces sauvages croient que les pensées des vivants alimentent les esprits des morts : et en retour les esprits protègent les vivants en leur annonçant les dangers à venir. Près d'ici se dresse un arbre près d'un rocher : c'est un lieu sacré. Le sorcier y place de la bière et du maïs indigène lorsque change la lune. Lors de la dernière pleine lune, un troupeau d'élans y est venu renverser les offrandes ; les traces de leurs sabots dans la terre trempée de bière ont durci. Le vent a soufflé du maïs dans les empreintes. La rosée a fait lever le maïs. La piste des animaux sous l'arbre sacré était marquée de vert — vert sur la terre desséchée. Un signe : la récolte sera bonne cette année. » Et puis en diagonale, tracé au crayon rouge : *Je te gratterai le dos et tu gratteras le mien.*

Note de Mark : ces mots furent écrits près de dix ans avant l'achèvement du barrage de Kariba et l'inondation de la vallée.

Quand Martha écoutait Lynda sans la regarder, les heurts réguliers de sa tête sur le mur et le souffle irrégulier qui accompagnait ses marmonnements rapides constituaient un message très différent de ce qu'elle entendait quand elle écoutait les marmonnements mêmes. Mais Martha savait que les heurts, de même que le bruit des femmes pilant le grain, représentaient pour Lynda moins un son que les sensations dans sa tête quand elle la cognait : et l'essentiel de ses discours murmurés s'adressait également à elle-même. La manière dont Lynda l'expérimentait était que les heurts, la respiration, les paroles basses, tout était personnel — tout à l'exception d'un éventuel mot prononcé plus fort avec l'intention de communiquer avec Martha, et que celle-ci comprenait parfois. Comme « folle » répété en crescendo : folle, folle, Folle, FOLLE, *FOLLE*... et que Martha comprenait parfaitement. Cependant, alors même que Lynda ne voyait dans ce mot occasionnel qu'un pont lancé vers Martha, Martha, qu'elle écoutât Lynda ou la regardât, pouvait comprendre Lynda, ce que Lynda était en ce moment précis, grâce à un tout, la vue, le son, l'odeur, la *sensation* de Lynda.

Lynda s'était réfugiée en elle-même, s'efforçant de s'isoler parce qu'elle discutait avec quelqu'un.

Elle se défendait contre quelqu'un, quelque chose : Martha se rendit soudain compte que Lynda vivait toujours dans un univers de son, ou tout près, menacée par lui. En essayant d'imaginer cela, Martha éprouva de la terreur. Mon Dieu ! Se trouver, même pour peu de temps, proche de cet océan de son, assez proche pour que l'invasion menace, c'était assez pour l'épouvanter ! Mais Lynda s'en trouvait littéralement inondée : il lui arrivait de vivre sous cet océan de son pendant des jours et des jours. Et pas seulement Lynda — combien de gens ?

Il y avait des gens dont les mécanismes s'étaient détraqués, et qui ressemblaient à des appareils de radio branchés sur dix ou quinze programmes à la fois, au lieu d'un seul. *Et ils ne savaient pas comment les éteindre.* Le seul fait d'imaginer un tel enfer vous donnait envie de courir très loin en vous bouchant les oreilles. Martha ne pouvait pas courir. Elle savait qu'il lui faudrait un jour prendre le risque de procéder à l'exploration. Parce qu'elle n'avait même pas commencé à poser les questions. Elle ne savait pas quelles questions poser. Avant de savoir, elle devrait prendre des risques.

Elle était allongée, écoutant des sons ordinaires avec ses oreilles ordinaires. Le marmonnement de Lynda, sa respiration, puis sa propre respiration à elle, Martha, devinrent extraordinairement bruyants : puis elle entendit les bruits de la rue comme s'ils s'étaient produits dans la pièce même, des pas, des voix, un marteau piqueur en action. Même le frottement râpeux et régulier de sa manche qui bougeait au rythme de sa respiration devint comme une lime d'acier sur ses nerfs — puis le bruit extérieur disparut, mourut. La mer intérieure de son monta, se fit plus forte : et en s'approchant, ou en la laissant approcher, elle sentit venir l'ennemie qu'elle se rappelait depuis si longtemps, un besoin de rire, de pleurer, de crier, un fatras d'émotion arraché d'elle par ses nerfs contractés. Oui : l'hystérie. Ce territoire, le territoire ou l'océan de son, la longueur d'ondes où les voix babillent et enragent et chantent et rient, et où des bruits de guerre et de la musique et des chants d'oiseaux et tous les sons imaginables se produisent en même temps — ce territoire s'abordait, tout au moins pour elle, ou tout au moins à ce moment-là, par le truchement de l'hystérie. Eh bien, parfait, elle serait hystérique. Elle se tenait crispée, comme sur le point de brancher des milliers de volts, tout en écoutant très fort et sans se soucier de savoir si elle serait hystérique — car qui avait-elle pour compagne, en fin de compte ? La pauvre Lynda qui ne s'effrayerait pas. Martha criait, sanglotait, rampait ; l'émotion la submergeait. Puis l'une des voix se détacha et se rapprocha de son oreille interne : tantôt forte, et tantôt douce ; c'était une voix désinvolte, intérieurement ricanante, mais sa caractéristique dominante était l'antagonisme, la haine de Martha et Martha hurlait à son encontre : elle avait besoin de s'excuser, de demander pardon, il lui fallait plaire et acheter l'absolution. Elle se tordait sur le tapis en pleurant tandis que la voix proférait des accusations haineuses.

Lynda avait quitté le mur et s'était agenouillée auprès d'elle, le regard abaissé vers elle. Au-dessus de Martha se penchait une créature osseuse, avec une chair jaunâtre à l'odeur aigre, avec deux grands globes d'eau bleue collés au milieu du visage. Lynda disait : « Non, Martha, arrête, arrête, Martha, non », comme un disque rayé.

Mais pendant un moment Martha ne put plus s'arrêter. Puis elle vit Lynda se redresser péniblement et se diriger vers l'ouverture qui séparait le monde d'en bas de celui d'en haut. Elle allait chercher Mark. Alors Martha s'assit et éteignit le contact avec l'océan sonore. Elle frémissait comme une machine construite pour produire des volts, mais dont une pièce eût été défectueuse. « Tout va bien, Lynda », déclara-t-elle.

Lynda revint sur ses pas et s'enquit : « En es-tu sûre ? » puis poursuivit un hochement de tête péremptoire : « Il ne faut pas faire cela, Martha. Je ne le supporte pas. » Puis elle reprit sa posture près du mur. Martha était fâchée : mais elle comprenait que, oui, bien sûr, c'était raisonnable. Lynda n'était pas aussi forte qu'elle. Si elle, Martha, voulait découvrir ce qu'était cet océan sonore, il falait qu'elle soit seule. Lynda reprit : « Il ne faut pas te bloquer. Martha. Moi, je ne peux pas m'en empêcher, mais toi, tu peux. Et quand tu y arriveras, ce sera pour moi aussi. »

Ce message était parfaitement intelligible pour Martha. Elle acquiesça. Bien sûr : ceux qui pouvaient détenaient une responsabilité à l'égard de ceux qui ne pouvaient pas. Elle le ferait pour Lynda. Mais chaque chose à son tour. A présent il lui fallait être normale parce que Lynda ne pourrait pas supporter qu'elle perde le contrôle. Il s'agissait de trouver un lieu où elle pût être seule, et ne bouleverser personne. Mais plus tard : quand Lynda apparaîtrait à nouveau désireuse d'aller mieux.

Car une fois elle demanda, ou déclara, parmi ses paroles marmonnées : « On s'arrête, maintenant, Martha ? Oui, je pense — bientôt. Pas tout de suite », et elle reprit le fil de sa conversation intérieure, ou de sa discussion.

L'antagoniste de Lynda, comme Martha le comprit soudain, venant d'en éprouver un petit avant-goût, était ce même ennemi haineux et ricanant qui — c'était clair à présent — n'était pas personnel à Martha, mais devait se trouver en beaucoup de gens. Tout le monde ? Tous les membres de cette culture spécifique ? Fallait-il aller au-devant de lui, lui faire face, trouver un compromis, ou le circonvenir ? Existait-il un moyen de le contourner ? Qui était-il ? Pourquoi ? Telles étaient les questions qu'elle se poserait — quand elle le pourrait. Mais pas maintenant. Il fallait d'abord attendre Lynda.

L'esprit ainsi tourné vers l'avant, vers le sommet où elle pourrait procéder à ses propres explorations, elle écouta Lynda ; reportant à plus tard ses propres interrogations, elle tenta d'entendre, de déchiffrer le monologue de Lynda. On eût dit que les mots isolés et prononcés plus fort lui étaient lancés comme autant d'indices, d'allusions. *Folle* en était un. *Docteur* un autre, *bouc émissaire... peur... seule...* jusqu'au moment où ce devint comme un jeu où l'on doit inventer une histoire à partir de douze mots donnés. Elle écouta. Soudain elle commença à comprendre : elle se rendit compte que c'était un de ces moments, dans une existence, où, après quelques jours, ou quelques heures, ou des mois, ou même des années, passés à manipuler dans son cerveau et à analyser et à combattre une certaine matière, soudain tout commence à trouver sa place, à trouver son sens.

Au lieu de tourner à vide comme un moteur à l'arrêt pendant que parlait Lynda, elle entra dans son discours, et les indices commencèrent à s'imbriquer : elle comprenait ce que disait, essayait de dire la pauvre Lynda depuis des années.

D'abord, il apparut à Martha que les mots, ou l'atmosphère qui les envahissait, n'appartenaient pas à Lynda, mais à une fille. Une jeune fille. Une jeune fille, en cette femme à l'odeur forte et aux cheveux défaits, se querellait avec... l'antagoniste. Était-il possible que Lynda eût été forcée d'affronter cet antagoniste en elle (en chacun) trop tôt, ou seule, et n'eût jamais pu le vaincre ? Était-il possible que l'on se trouvât vaincu dans cette bataille, et que l'on fût à jamais, comme Lynda, « malade », « inadapté à la vie normale », pour avoir dû affronter ce haïsseur enfoui en soi-même quand on n'était pas suffisamment fort ?

Toutes ces années que Martha avait vécues ici, dans cette maison, dans la vie de Lynda et dans son mariage, avec son enfant, elle était demeurée une motte inerte, sans rien comprendre au problème de Lynda, qui était... qu'elle n'aurait jamais dû être malade du tout. Elle contempla cette pauvre créature endommagée, dont les grands yeux semblables à ceux de Thomas naguère révélaient des profondeurs de lumière où l'on pouvait se pencher, tels des bassins, des nuages, des arbres, et se sentit gagner par de grandes vagues de compréhension, d'intuition, de connaissance : les idées se succédaient à une telle vitesse qu'elle ne pouvait plus suivre.

Voici ce qui avait plus ou moins dû arriver à Lynda : après la Première Guerre mondiale, son père avait été un jeune Londonien, à cette époque où la jeunesse vous donnait de la valeur, et pour la même raison que maintenant — quand la vie est menacée, les jeunes acquièrent l'éclat du pathos, et donc le droit de s'amuser. Dans le joyeux Londres des mille fêtes, il avait épousé la ravissante mère de Lynda. Pendant des années ils avaient été pauvres, comme tous ceux de leur espèce, et ils eurent un enfant, Lynda, qui devint l'enjeu de leur mariage raté. Ils l' « adoraient » et renoncèrent à se séparer ou divorcer pour son bien. Avant même de savoir parler, Lynda avait acquis cette acuité des enfants dont les parents se détestent et, portant sans cesse un masque, se disputent pour des vétilles plutôt que pour la vraie raison de leur mésentente, car il est plus sûr de se quereller pour des histoires de théière ou de chaussettes. L'antenne pour déceler les atmosphères et les tensions et ce qui se camouflait sous les mots fut l'organe qui se développa en premier chez Lynda. Le couple, qui poursuivait sans joie son existence forcée, s'était formé une routine suivant laquelle la mère de Lynda passait beaucoup de temps chez ses parents, des gens de la campagne : « La campagne fait beaucoup de bien aux enfants ». Lynda avait donc vécu au grand air et caracolé à cheval ; et quand ses parents se retrouvaient, elle les observait, tous les sens en alerte et à l'affût des premiers signes de la tempête. Elle savait exactement ce qu'ils pensaient l'un de l'autre. Quand elle atteignit l'âge de onze ans, sa mère mourut. Lynda préférait vivre avec ses grands-parents à la campagne plutôt qu'à Londres avec son père ; mais son père voulait être un bon père, et souhaitait construire un vrai foyer pour sa fille. Il s'éprit d'une femme parfaite en tous points pour un second mariage : une veuve de la première guerre, charmante, douce, intelligente. Mais elle avait redouté d'épouser un homme déjà doté d'une fille, ou avait cru devoir le redouter, ou en tout cas y avait trop pensé, car Lynda s'était perçue comme un obstacle au bonheur de son père. Ils passèrent un week-end dans le Somerset, tous les trois ensemble. Lynda déclara à la fin du week-end que cette nouvelle femme ne l'aimait pas. Son père en fut très fâché car il savait que sa future épouse aimait Lynda : elle le lui avait confié et n'était pas femme à mentir. Mais Lynda savait exactement ce que pensait cette femme : elle jugeait Lynda gâtée et « difficile ».

Lynda annonça que cela n'avait aucune importance, qu'elle irait vivre chez son grand-père et sa grand-mère. « Ils m'aiment et de toute façon je serai bientôt adulte. » Elle s'expliquait sur un ton raisonnable : elle trouvait tout cela fort raisonnable. Mais son père s'était mis en colère, car il croyait déceler des accusations dans les paroles de sa fille. Il s'ensuivit une grande scène de larmes, de confrontations, de fureur. Lynda avait quatorze ans : un âge difficile, chacun s'accordait à le reconnaître. Il n'était absolument pas vrai que Rosemary ne l'aimât point. Ils repartiraient tous encore en vacances ensemble, en France cette fois, pour apprendre à mieux se connaître. Et ils étaient donc allés en France. Lynda commença par garder le silence et se comporter correctement. Puis elle devint hystérique et se mit à hurler qu'elle savait bien que Rosemary la détestait et souhaitait sa mort : elle l'avait entendue le penser. Cette remarque avait plongé son père dans une panique rageuse. « Mais que veut-elle dire, quand elle dit qu'elle l'a entendue penser ? » et ainsi de suite. Terrifiée, Rosemary les quitta définitivement.

Pour Lynda, c'était un moment de grande confusion en elle-même. Elle avait été seule pendant presque toute son enfance. A l'école, elle avait eu une ou deux amies, mais elle était par nature solitaire et avait toujours su ce que pensaient les gens : elle l'expliqua aux médecins qui furent consultés. N'était-ce pas vrai pour tout le monde ? Car Lynda n'avait jamais su que tout le monde n'entendait pas ce que pensaient les autres. Elle avait cru qu'il en allait de même pour tous. Elle n'avait jamais imaginé qu'elle pût être anormale. A présent tous les médecins l'un après l'autre lui disaient qu'elle allait mal — elle souffrait d'hallucinations. Elle commença à se défendre, à insister sur le fait qu'elle ne mentait pas, qu'elle n'imaginait pas : puis elle se mit à hurler et à se débattre. Le médecin la détestait, affirmait-elle — elle l'entendait penser. Ce n'était pas encore le Dr Lamb, mais une version antérieure de lui, beaucoup moins sophistiquée et diplomatique, et qui employait des méthodes fort différentes de celles que le Dr Lamb allait utiliser dix ou quinze ans plus tard. Lynda avait été internée dans une clinique psychiatrique privée et fort coûteuse, où on l'avait traitée aux électrochocs. Après cinq ou six séances, les électrochocs avaient cédé la place à un traitement d'insuline. Le médecin trouvait son état très nettement amélioré. Car elle se montrait à présent coopérative. Quand on lui disait qu'elle était malade, elle se taisait. Elle avait observé à la clinique que les patients réellement désireux de sortir faisaient ce qu'on leur disait de faire et gardaient le silence sur leurs symptômes. Elle essayait donc d'en faire autant. Il lui arrivait cependant d'avoir des accès de violence — une fois, lorsqu'une autre patiente avait de force été plongée dans un bain glacé, et qu'elle se débattait pour y échapper. Et, une autre fois, quand on l'avait menacée de lui faire des électrochocs si elle n'obéissait pas.

Lynda fut rendue à un père qui faisait de son mieux pour ne pas reprocher à sa fille malade la perte de Rosemary et tout disposé à aider Lynda sur le chemin d'une vie normale. Pendant deux ans, Lynda avait mené un combat silencieux pour la « réalité ». Elle se jugeait bien pire quand on la croyait mieux. Tout d'abord, ces voix naguère amicales et serviables étaient à présent horribles. Elle avait l'impression qu'un ennemi haineux s'était installé dans sa tête, et lui répétait sans cesse qu'elle était méchante et mauvaise et désobéissante et cruelle envers son père. Auparavant, elle avait plutôt eu un ami très proche pour lui « raconter des choses et lui tenir compagnie. » Mais désormais elle essayait de bien se tenir à cause de ce cruel bourreau dans sa tête. Elle se taisait, prêtait une grande attention à ses vêtements (car elle avait remarqué « qu'ils » y voyaient un bon signe), resplendissait, et vivait dans la terreur.

Elle avait alors rencontré Mark. Elle imagina qu'elle l'aimait car, en écoutant ce qu'il pensait, elle avait compris qu'il était bon. Mais elle se tourmentait à l'idée qu'il ignorait comment elle était vraiment, et n'osait pas lui parler d'elle-même. Et, pire que tout, elle avait traversé, depuis son traitement aux électrochocs, des périodes d'hébétement, d'angoisse, de perte de contrôle. Elle avait donc épousé Mark, et quitté son père qui l'avait abandonnée sans défense entre les mains des médecins contre qui elle avait lutté et s'était débattue, et qui l'avaient réduite au silence par des piqûres et des comprimés, maintenue de force avec l'aide d'infirmières, et traînée hurlante pour lui faire subir les électrochocs.

Elle s'agrippait à Mark, « Sauve-moi, sauve-moi ! » ; mais, quand il lui faisait l'amour, elle se sentait agressée, jusqu'au jour où, craquant à nouveau sous les attaques de son ennemi intérieur, qui lui disait qu'elle était cruelle et méchante avec Mark, elle avait trouvé refuge à l'hôpital psychiatrique où le Dr Lamb avait su faire taire les voix pour de longues périodes grâce à de merveilleux médicaments qui la maintenaient en permanence dans un état où elle n'avait plus besoin de savoir qu'elle différait des autres.

Ainsi donc, jamais Lynda n'aurait dû être malade.

Ce fait, évident quand on y parvenait, avait échappé aux personnes les plus proches d'elle, Mark, Martha ; même lorsque Martha avait eu en sa possession certains des faits qui rendaient tout cela évident. Quelque chose dans l'esprit humain fait que l'on peut tenir dans un tiroir un fait A qui complète un fait B gardé dans un autre tiroir ; mais les deux faits peuvent exister côte à côte pendant des années, des siècles, sans jamais se trouver rapprochés. Peut-être la description la plus juste du cerveau humain est-elle la suivante : « C'est une machine qui marche dans la division ; elle se compose d'éléments qui fonctionnent dans des compartiments parfaitement isolés les uns des autres. » Ou bien : « Ta main gauche ignore ce que fait ta main droite. »

La race humaine civilisée savait que ses membres primitifs (par exemple les Boschimans) employaient toutes sortes de sens qu'elle-même n'utilisait plus, ou alors sans le reconnaître : l'intuition, la télépathie, les visions, etc. Elle savait que les civilisations anciennes, dont certaines avaient connu un extrême développement, cultivaient ces sens et ces dons. Elle savait que des membres de sa propre espèce affirmaient à certaines époques qu'ils bénéficiaient de ces dons. Mais elle était apparemment incapable de mettre ces faits ensemble pour envisager la possibilité que peut-être elle appelait « fous » des gens qui tout simplement possédaient certaines facultés à l'état embryonnaire.

Supposons que Lynda ait eu quinze ans dans une société où le fait d' « entendre des voix » n'était pas un symptôme de maladie mais une aptitude que possédaient certaines personnes ; beaucoup de gens en vérité, s'ils ne l'avaient pas refoulée. Supposons qu'elle ait rencontré quelqu'un capable de lui expliquer que, quand elle entendait sa future belle-mère dire qu'elle la détestait, qu'elle avait envie de la tuer, ce pouvait être de la mauvaise humeur, le genre d'impulsion que n'importe qui peut éprouver et puis oublier. Cette personne aurait pu demander à Lynda, qui était une fille raisonnable et désireuse de l'être : « Voudrais-tu être jugée sur tes fantasmes, Lynda ? *Réfléchis.* Es-tu ce que tu imagines dans tes pires moments ? » Ou bien supposons que le médecin ait été l'un de ces médecins en avance sur leur temps et qui, à cause des préjugés de leur profession, doivent cacher ce qu'ils savent ; il aurait pu la soutenir, consoler et conseiller son père, et lui suggérer de se taire pour ne pas se faire interner.

Mais elle n'avait pas eu cette chance ; on en avait fait une infirme psychologique avant même qu'elle eût atteint sa vingtième année.

Comme des centaines de milliers d'autres. Sans doute des millions. Il n'y avait aucun moyen de savoir combien. Ces gens handicapés, détruits, formeront une nouvelle statistique, comme les quarante millions « environ » de morts de la Seconde Guerre mondiale, ou les X millions qui meurent lorsque survient la famine, alors qu'on pourrait les garder en vie avec tout ce qui part dans les poubelles d'Amérique ou d'Angleterre.

Bientôt, dans une dizaine d'années peut-être, il faudra admettre la vérité. On l'admettra de mauvaise grâce, on la fardera, on l'atténuera. Et de même qu'aujourd'hui l'on peut dire, « pendant deux ou trois siècles on a brûlé et noyé les sorcières par faute d'une terreur ignorante et primitive », bientôt nous affirmerons : « Quand on a cessé de torturer et de tuer les sorcières, on a enfermé dans des asiles de fous les gens dotés de certaines qualités en leur disant qu'ils étaient anormaux, et on les a forcés à se conformer grâce à toute une variété de tortures qui comprenaient les chocs électriques, la réclusion solitaire, les bains glacés et l'alimentation forcée. On employait tous les modes de dégradation morale et physique. A mesure que les méthodes de contrôle et de manipulation dont disposait la société s'affinaient, on découvrit que les violences physiques extrêmes étaient moins efficaces que certaines drogues, qui privaient les victimes de leur énergie morale et de leur aptitude à se défendre; et plus efficaces que les drogues étaient les techniques de persuasion et de lavage de cerveau. Par ces moyens, les membres de la population dotés de capacités supérieures à la normale (ces gens désormais reconnus pour constituer la ligne principale de l'évolution) étaient systématiquement détruits, soit par la peur, soit par l'inhibition de leur développement dès le tout début (pour la majorité d'entre eux), soit encore par leur relégation parmi les handicapés congénitaux... »

Bientôt, le Dr Lamb allait pouvoir dire : « Oui, il semble que nous ayons fait erreur. » Le Dr Lamb ? Sans doute quelqu'un au cœur de la profession. Suivant un solide principe, si l'on veut découvrir la réaction à une certaine chose, il faut la chercher au cœur même de cette chose. En attendant, il est prudent de se tenir à l'écart.

Lynda, sanglotant par terre : « Non, docteur, non, ce n'est pas vrai, c'est vous, comment pouvez-vous savoir si ce n'est pas vous, personne n'a dit le contraire, vous n'êtes pas Dieu, pourquoi dites-vous cela quand ce n'est pas vrai, non, je ne suis pas cruelle, je ne suis pas une meurtrière, je ne suis pas mauvaise, j'ai des pensées effroyables, docteur, oh, je suis maudite, je veux tuer les gens, je veux les blesser, non, je vous en supplie, ne me faites pas cette piqûre, je vous en supplie, ma tête devient idiote et bizarre, oh non, oui, oui, donnez-moi, donnez-moi, donnez-moi mes cachets, s'il vous plaît, je vous en supplie... oh oui, punissez-moi, je suis mauvaise, je veux vous tuer, je veux tuer tout le monde, oui, punissez-moi... » Et ainsi de suite dans un hurlement, si un chuchotement monocorde peut être un hurlement — et puis un hurlement réel, lorsque Lynda se souvenait, ou vivait à nouveau, ou reprenait un rituel répétitif : « Non, non, non, non, ce n'est pas vrai, vous vous trompez... oui, je suis maudite... Martha, si on arrêtait maintenant ? »

Lynda roula sur le dos et s'endormit. Martha aussi.

Quand elles s'éveillèrent, elles prirent un bain, mangèrent un peu, et se soutinrent mutuellement jusque chez le coiffeur, car leur sens de la réalité, c'est-à-dire leur aptitude à se conformer au monde extérieur, était encore bien faible.

Près d'un mois s'était écoulé au sous-sol. Le monde ordinaire était extraordinaire : délicieux ou caricatural, tout brillait d'une redécouverte à leurs yeux neufs.

Elles auraient voulu étonner Mark par leur retour à la norme humaine, mais il n'était pas dans son bureau.

Le gracieux chignon de Lynda était d'un auburn très chaud. Ses yeux immenses étaient soulignés d'un trait d'argent et d'une ombre de jade à reflets gris. Son maquillage mettait en valeur ses pommettes. Les semaines de privations avaient fait fondre ses seins et ses fesses, mais dans une robe des années vingt qui avait appartenu à sa mère, en mousseline vert amande dont la jupe descendait depuis le genou droit jusqu'à la cheville gauche, en une diagonale de brèves hachures semblables au contour d'une feuille, et avec un long fume-cigarette d'argent pâle assorti aux gants gris argent qui lui montaient aux coudes, elle apparaissait tout à la fois élégante, et très belle d'une certaine façon étrangement endommagée.

Les cheveux de Martha étaient châtain clair, coupés suivant la nouvelle mode qui était apparue durant son immolation au sous-sol, en une sorte de casque court et brillant. Depuis toujours elle savait qu'un air sain lui seyait, et elle avait le visage d'une teinte rose tirant légèrement sur l'abricot. Elle avait le regard agrandi par d'immenses faux cils presque noirs, et par un maquillage couleur de cannelle blond et noir. Mettant en valeur son extrême minceur, avec des creux aux hanches et à la base du cou, elle portait une blouse édouardienne avec un plastron de filet crème, et une jupe à traîne de taffetas grenat, si serrée qu'elle devait rester debout ou s'asseoir de côté à l'extrême bord des chaises ; la taille ne mesurait que cinquante centimètres. Cette robe avait appartenu à la sœur aînée de Margaret. Et Martha avait dû rembourrer son soutien-gorge avec des bas afin de simuler la poitrine ample et basse que requérait son accoutrement.

En attendant Mark, elles burent son meilleur cognac et examinèrent les nouvelles dispositions de ses informations murales. Pour la plupart elles concernaient le développement des maladies mentales, et le manque d'équipements pour y remédier. Les feuillets du journal de Dorothy avaient gagné une région proche du plafond d'où semblaient décoller des satellites et des fusées pour dresser la carte des étoiles et/ou étudier le moyen de tuer ou blesser le plus d'humains possible. En montant sur une chaise, Martha lut : « Rappelé les services du gaz. Promis d'envoyer quelqu'un. Temps passé à tenter d'obtenir la communication : douze minutes. Leur ai dit de téléphoner avant de venir. Personne n'est venu. *Lendemain.* Téléphoné pour savoir quand viendrait le réparateur. Temps d'avoir la communication : huit minutes. La fille m'a répondu qu'elle n'en savait rien : une fois qu'elle a transmis, ce n'est plus son affaire. Obligée de sortir. Sortie deux heures : employé du gaz venu pendant mon absence. Lynda dormait − mal fichue. Rappelé service du gaz. La fille a dit qu'elle transmettrait. Demandé de téléphoner avant de venir. *Lendemain.* Réparateur venu à neuf heures du matin. Il a regardé la porte du compartiment à glace, dit qu'il ferait un rapport, et filé. Lendemain, rappelé service du gaz. La fille a dit qu'elle se renseignerait. L'après-midi, nouvel employé est venu. Il a dit qu'il préviendrait le fabricant du frigo, le service du gaz n'a rien à y voir. Prévoir deux semaines. *Trois semaines plus tard.* Retéléphoné au service du gaz pour savoir. (Occupé pendant *vingt minutes !*) Standardiste dit qu'une fois le message transmis, ce n'est plus de son ressort. Suggère que j'appelle le fabricant. Appelé fabricant. Impossible d'avoir quelqu'un. Succursale dit qu'ils ont envoyé des réparateurs à Ealing. Leur transmettra. Leur ai demandé de téléphoner avant de venir. *Deux jours plus tard.* Réparateur est passé quand j'étais sortie avec Lynda. Rappelé le gaz et le fabricant. Réparateur de chez le fabricant est venu. Il a dit qu'il changerait la porte du compartiment à glace.

Trente shillings. Demandé pourquoi il faut payer alors que la porte n'aurait pas dû se casser au bout de trois ans seulement. M'a dit en confidence que ce modèle est dépassé, pas bon, il y en a un nouveau. Nous a conseillé d'en acheter un neuf. J'ai dit non. Il a dit qu'il apporterait une nouvelle porte quand on la commanderait. *Dix jours plus tard.* Venu avec une porte : pas la bonne dimension. Conseillé de garder réfrigérateur sans porte du compartiment à glace : un peu plus cher d'entretien, mais fonctionnerait. J'ai dit non, il faut une porte. *Deux jours plus tard.* Revenu avec porte. *Lendemain.* Porte mal mise; Tombée, cassée. Rappelé fabricant. Aucune trace de transaction. Rappelé succursale. Jeune homme transféré à la succursale d'Acton. Leur ai expliqué. Ont promis d'envoyer quelqu'un... »

Ce fragment se trouvait à côté d'un compte rendu du lancement manqué d'un satellite américain.

Il y avait un roman épique, chef-d'œuvre de la malheureuse Dorothy, qui consistait en une cinquantaine de pages recouverte d'une écriture bien serrée, décrivant en détail les mésaventures relatives à la nouvelle gazinière qui avait été livrée avec une porte de four défectueuse, et qui avait nécessité les visites d'une vingtaine de réparateurs, une attente d'environ trois mois, et où l'appareil avait failli exploser lorsqu'un ouvrier avait allumé quelque chose qu'un autre ouvrier venait de brancher à l'envers.

Le courrier s'était accumulé.

Une lettre annonçait que la maison allait être expropriée pour cause de démolition, ou de restauration.

Une autre, de Maisie, déclarait :

« Ma chère Matty ! Tu te souviens de ta vieille copine ? Oui, c'est moi ! La vie est toujours pareille. Mais je suis à Gokwe, maintenant. Savais-tu que... je me suis *mariée ?* Imagine-toi un peu ! Bah, quand on est marié, on regrette le bon vieux temps et on oublie la solitude de quand on n'avait personne à aimer et à s'occuper. Et toi, comment ça va ? Je voulais juste te dire que ma Rita part pour l'Angleterre. Pourrait-elle séjourner chez toi ? *Si ça te dérange, n'hésite pas à me le dire.* C'est une très brave fille, et si c'est moi qui te le dis ! Elle est très impatiente de te connaître. Je lui parle souvent du bon vieux temps quand on s'amusait et qu'on était jeunes.

Eh bien, voilà pour aujourd'hui.

Maisie Canfield.

(Il s'appelle Denis, Denny pour les intimes.)

Sur le bureau de Mark se trouvaient également quelques feuillets intitulés : *Memorandum pour moi-même.* Mais il n'avait guère avancé :

« Il est clair à présent que, dans les dix ou vingt prochaines années, la question se posera de la survie humaine, mais la survie a certains risques que l'on n'envisage pas actuellement, puisque la catastrophe à venir est aussi peu prévisible dans la forme qu'elle prendra que l'ont été les guerres précédentes. Nous pouvons supposer que les gouvernements réagiront comme par le passé : et qu'il reviendra aux individus de prévoir, d'organiser, de... »

Il s'était arrêté là. Paul ne tarda pas à arriver, agréablement surpris de les voir : oncle Mark l'avait prié de garder l'œil sur elles car il avait dû s'absenter pour un voyage urgent... en Écosse, semblait-il.

Toutes deux étaient superbes : avaient-elles séjourné dans une ferme de retour à la nature et la santé ? Non ? Il les supplia de bien vouloir sortir dîner avec lui sur-le-champ.

Paul était justement la personne que Martha souhaitait voir : si elle allait se retirer quelques semaines dans la solitude pour se laisser aller à toutes les folies qu'elle voudrait, sans le secours des chiens de garde de la société, il lui faudrait la complicité de quelqu'un disposant d'une maison, ou d'un appartement.

Il les emmena au Café Royal. Ainsi vêtues, expliqua-t-il, elles ne pouvaient aller nulle part ailleurs : elles allaient faire sensation. Elles semblaient des personnages de deux romans différents : à son avis Lynda avait un air de *Femmes Amoureuses*, tandis que Martha ressemblait à une *Nouvelle Femme* de Bernard Shaw.

CHAPITRE TROIS

Parmi les contemporains de Martha, il ne se trouvait pas une seule personne à qui elle pût demander : Donne-moi un coin tranquille où je puisse explorer mon être ; promets-moi de ne pas appeler de médecins ni de psychiatres ni la police. Alors qui étaient donc ces jeunes gens à qui elle pouvait si facilement le demander ? La maison de Paul était pleine. (Ainsi que l'autre maison dont il était l'un des propriétaires.)

Il y vivait une vingtaine de personnes, pour la plupart célibataires ; il y avait cependant aussi un couple avec deux enfants qui occupait le sous-sol. Le mari était un ancien alcoolique en proie à d'occasionnelles rechutes, et cela l'empêchait de garder longtemps ses emplois. Il gagnait sa vie comme menuisier, car sa vraie profession d'architecte avait échoué à cause de l'alcoolisme. Il ne payait pas de loyer à Paul, mais en contrepartie s'occupait de la maison. Il s'appelait Briggs ; il avait cette attitude particulière et attentive de ceux qui tiennent un ennemi intérieur sous étroite surveillance ; et son visage (sympathique, amical, bien que définitivement teinté d'une réminiscence écarlate, tel un coucher de soleil) ne changea pas d'expression quand elle lui fit part de ses intentions. Paul avait bien sûr déjà annoncé qu'il faudrait la laisser tranquille. Il pensait qu'elle voulait expérimenter des drogues, et lui déclara qu'hélas la drogue n'était pas « dans le coup » quand la boisson l'avait enjôlé. Elle répondit non, qu'elle ne s'intéressait pas à la drogue, mais il hocha la tête comme pour dire : Bien entendu, il faut faire attention à ce qu'on avoue. Cela se révéla finalement être le passeport grâce auquel elle put circuler dans la maison : l'un après l'autre, tous les locataires vinrent lui confier qu'ils avaient fumé de la marijuana, ou du hash ; pris du L.S.D. ou de la mescaline ; ou qu'ils en prenaient parfois ; ou qu'ils en prendraient quand l'occasion se présenterait ; ou encore qu'ils avaient des amis qui en prenaient. Elle reçut une quantité de conseils, et d'offres de secours. Les gens du même étage et de l'étage au-dessous (elle habitait tout en haut) étaient évidemment du plus grand intérêt. Au-dessous de chez elle habitaient deux jeunes femmes qui travaillaient dans un cabinet d'études de marché. Toutes deux étaient sujettes à la dépression, et elles s'occupaient alors l'une de l'autre, sous la surveillance d'un médecin qui les ravitaillait régulièrement en sédatifs. L'une s'appelait Rose, et l'autre Molly ; elles arboraient toujours un air las, tendu : elles étaient de ces gens pour qui même le cours de la vie ordinaire était trop dur à affronter ; elles le surmontaient, mais toute leur énergie y passait. Elles déclarèrent à Martha que, si elle voulait quelque chose, elle n'aurait qu'à frapper trois coups au plancher — faute de quoi elles la laisseraient tranquille. Elle frappa une seule fois au cours de son séjour, dans un accès de terreur paroxystique dû à cet ennemi intérieur qui la haïssait, mais heureusement elles n'étaient pas chez elles. Martha ne les revit qu'en allant les remercier lors de son départ.

Un couple poli et triste occupait une chambre chez elles. Ils étaient extrêmement jeunes, mais cependant mariés. Elle s'était trouvée enceinte pendant ses études secondaires, et il l'avait épousée : il l'aimait, disait-il, et serait heureux d'élever l'enfant. Quand le bébé était né, ils habitaient un studio à Islington, en banlieue. L'enfant hurlait jour et nuit. Une nuit, le garçon avait frappé le bébé — et l'enfant était mort une semaine plus tard. Une assistante sociale et un médecin avaient étouffé l'affaire. Le garçon était devenu catholique. La fille s'était trouvée enceinte à nouveau (volontairement, et non par accident), et ils en avaient éprouvé beaucoup de joie : ils adoraient les enfants, expliquaient-ils à qui voulait les entendre. Ils n'avaient pas encore vingt ans. Il était emballeur dans une société pharmaceutique. Pendant le chemin de croix de Martha, vers la fin de son séjour dans cette maison, il entra chez elle et apparut très satisfait, quand elle lui expliqua ses mécanismes internes, de penser qu'elle était convertie comme lui-même. Elle dut faire attention de bien substituer le nom de Dieu à celui du démon qui en vérité l'accompagnait dans son voyage ; tant de valeur s'attache à un seul mot. Que Dieu la détestât, la tourmentât, et la punît ainsi apparaissait au garçon un signe de grâce : alors que le démon l'aurait effrayé au point de proposer de faire venir un prêtre.

Dans la grande pièce située sur le même palier vivait Zena. Paul lui avait fait donner des leçons pour apprendre à placer sa voix. Elle chantait parfois dans un club, ou dans une soirée privée. Pas très bien : c'était elle-même qu'elle lançait et exhibait intelligemment ; elle-même que les autres désiraient tellement qu'elle n'avait rien d'autre à faire que se montrer, s'offrir. Cette qualité d'effacement, cette sexualité effrayée, cette passivité particulière, tout cela correspondait si bien à un goût du moment que « tout le monde » la connaissait. Elle était une sorte de courtisane. Beaucoup de messieurs se révélaient disposés à payer très cher le plaisir de l'accompagner à des réceptions et de se montrer en public avec cette fille qui incarnait la victime. Il lui arrivait même de coucher avec eux, sans prétendre le moins du monde en tirer du plaisir. Son attitude exprimait : si vous aimez ce qui m'angoisse tant, je devrais être ravie... Quand on lui offrait de l'argent ou des bijoux, elle s'en servait, ou les donnait, ou les oubliait dans un coin, ou les perdait. Elle n'y attachait aucune importance. Ne s'intéressant absolument à rien, elle errait en souriant de son sourire doux et perdu. Cette chambre constituait son refuge intime. Nul n'y entrait que Paul. A plusieurs reprises pendant le séjour de Martha, elle vint la voir tard dans la nuit, avec une tasse de café à la main. « Paul m'a demandé de m'assurer que tu allais bien, Martha. Bon, eh bien, je te laisse. »

Également sur le même palier vivait Bob Parrinder, qui semblait autrement décidé à s'occuper d'elle. Agé d'environ vingt-sept ans, il était grand et mince... disons plus simplement que, si Lynda avait été un homme, elle lui aurait ressemblé et que, s'il avait été femme, il aurait ressemblé à Lynda. Il avait passé trois ans entre les mains des psychiatres, avant de décider de s'en passer même s'il devait parfois tomber très bas, et requérir les soins d'une petite amie. Entre deux rechutes, il gagnait sa vie à la périphérie de l'industrie cinématographique, suivant toute une variété de façons. Il avait une personnalité saisissante, et beaucoup d'autorité : les gens se sentaient attirés vers lui. Il prodiguait ses conseils et son aide, s'engageait volontiers dans des responsabilités, et changeait souvent de petite amie. Il correspondait à un type assez répandu dans cette couche à demi cachée de la population londonienne, et même délibérément cachée. Il avait adopté un comportement de prophète, de mentor, et il attirait toutes sortes de gens, pas nécessairement affligés de faiblesse psychologique, qui constituaient sa cour, ou ses disciples. A Martha, qui l'informa simplement qu'elle souhaitait faire une « retraite » pendant quelque temps — elle choisit ce terme parce qu'il tendait vers le christianisme —, il offrit une quantité de conseils sur la vie intérieure, mais ajouta que son amie Olive lui ferait très volontiers ses courses et garderait l'œil sur elle pendant qu'il serait parti travailler. Olive, ravissante femme à la peau sombre et mère d'un bébé dont il n'était pas le père, avait cet air de sacrifice extatique qu'éveillent ces hommes-là chez certaines jeunes femmes : mais c'était trop excessif pour durer, songea Martha, et il y paraissait déjà des signes d'usure. Laver les chaussettes de Bob était une chose; servir Martha en était évidemment une autre, même si Bob le lui ordonnait. Elle déclara que le bébé lui prenait beaucoup de temps et que, si Martha voulait quelque chose, elle n'avait qu'à cogner au mur.

En fait, tout était parfait, et Martha put s'enfermer dans une vaste pièce tapissée, car elle l'avait demandé à Paul, d'une épaisse moquette pour étouffer les bruits. Il s'y trouvait aussi un grand lit de cuivre à colonnes : Paul en voulait tellement d'argent qu'il n'arrivait pas à le vendre. Il le conservait donc : sa valeur ne pouvait qu'augmenter. Il y avait enfin quelques chaises et un joli secrétaire du style de la reine Anne, dont Paul affirmait qu'il vaudrait bientôt beaucoup d'argent : quand toutes les antiquités réelles se trouveraient vendues, leurs copies (si elles étaient elles-mêmes assez anciennes) prendraient de la valeur; et sans aucun doute, le moment venu, *leurs* copies aussi...

Elle disposait d'environ trois mois. Ce n'était pas beaucoup, mais la fille de Maisie, Rita, devait ensuite arriver. Martha n'avait aucune idée du temps que Rita demeurerait à Londres; et comme il est toujours plus tard qu'on ne pense et que la maison de Radlett Street pouvait se passer d'elle, mieux valait agir maintenant.

Lynda allait bien : Francis et Jill l'occupaient, ainsi que diverses nouvelles complications. Le pauvre Mark se querellait à présent avec Jimmy Wood. Mark n'était plus que tempête et violence, en alternance avec des moments de désespoir renfermé. Il avait découvert que Jimmy produisait depuis une dizaine d'années des machines conçues par lui-même, et destinées à détruire des secteurs du cerveau humain par l'action de décharges électriques. Ces appareils constituaient le développement d'autres appareils déjà employés pour divers usages légitimes. Ceux de Jimmy présentaient toutes sortes d'intéressantes possibilités, et il les vendait à des instituts de recherche et à des services hospitaliers où jusqu'à présent on les expérimentait avec des animaux. Il avait également perfectionné (sur demande) certains développements de cette machine qu'employaient les gouvernements pour détruire les cerveaux de gens qu'ils jugeaient dangereux et qui, étant faibles, sans défense, ou inconnus, pouvaient disparaître sans qu'il y eût guère de protestations. Jimmy en avait déjà vendu une douzaine, mais suivant certaines conventions qui avaient empêché Mark, peu porté sur la paperasserie, de déceler ses transactions dans les livres de comptes. Jimmy s'apprêtait à vendre (la difficulté résidait dans le fait que les gens ne semblaient pas croire que cela pût servir — mais les ministères de la Défense voient toujours plus loin devant eux qu'aucun autre service public) un appareil à stimuler artificiellement les capacités de télépathie, de « seconde vue », etc. Toutes sortes de sous-entendus et de suggestions qu'il avait dénichées dans de vieux grimoires ou des manuels ésotériques douteux entraient dans la composition de cette machine ; mais le problème, comme il ne l'expliquait que trop volontiers, « résidait dans la possibilité qu'apparemment cela tendait peut-être » à détruire les cerveaux ainsi stimulés (Jimmy craignait que l'appareil ne fût encore très maladroit). Cela signifiait donc que les gouvernements ou les ministères intéressés devaient détenir de vastes réserves de matière humaine renouvelable, une matière à la volonté amoindrie ou traitée de manière à amoindrir sa volonté, car ces extensions de la machine humaine « brûleraient » très vite, et il faudrait donc assurer une rotation permanente. Jimmy imaginait un « banc de personnes », sans doute rassemblées dans des sortes de casernes, bien nourries, et bien sûr disposant de toutes les installations possibles en matière de sport et de loisirs, dont la seule fonction, en cas de besoin, consisterait à être conduites dans une certaine salle d'un certain bâtiment et traitées par la machine de Jimmy, afin, pour une brève période, de pouvoir faire office de radio ou de téléphone. Interrogé sur l'intérêt de la chose, d'abord par un officier anonyme du ministère de la Défense et puis par Mark ensuite — pourquoi s'encombrer d'êtres humains quand on avait des machines ? —, Jimmy laissa paraître toute l'agitation d'un organisme frustré dans son fonctionnement. On pouvait aisément envisager des situations où il serait plus commode d'employer un être humain doté de ces capacités, plutôt qu'une machine. Imaginons par exemple un groupe de personnes pratiquant l'espionnage en territoire étranger : la présence parmi eux d'une telle personne constituerait un avantage sans prix ! Bien entendu, que cette personne fût comme un zombie pouvait (suivant les circonstances) se révéler un handicap, mais le projet n'en était encore qu'au stade expérimental ! Lui, Jimmy Wood, se trouvait, par toutes sortes de lois, empêché de procéder à ses recherches, mais tout le monde savait qu'en temps de guerre, et même en temps de paix dans quelques hôpitaux psychiatriques, certains types de recherches avaient cours. Tandis qu'il s'exprimait de cette voix douce et agitée (pendant des heures et des heures, tandis que Mark l'écoutait), Jimmy tissait la trame de ce qui semblait être un nouveau roman de science-fiction. Le monsieur anonyme du ministère de la Défense qu'il-ne-fallait-surtout-pas-mentionner avait suggéré en plaisantant que Jimmy prenait la science-fiction pour la réalité. Mais il avait demandé à être tenu au courant de l'évolution des choses.

En bref, depuis des années déjà, Jimmy se trouvait engagé dans des activités que Mark ne pouvait trouver qu'ignobles ; et il s'y était engagé ouvertement, sans essayer de duper Mark. Ainsi, lorsqu'ils parcouraient les ateliers, Jimmy expliquait : « Là, c'est pour le projet 25A — tu sais, je t'en ai parlé. » Ou bien Mark lisait dans les registres l'intitulé : Recherche 25A.

La discussion dura des jours et des jours. Mark s'asseyait dans ce bureau où il s'asseyait depuis tant d'années pour alimenter Jimmy en « carburant » verbal, et à présent lui parlait (avec un sentiment de nausée, de colère, de reproche envers lui-même, etc., mais en restant le plus calme possible) pour tenter, comme il l'expliquait à Martha, de « se mettre dans la peau de Jimmy ». Mais le problème était précisément que Jimmy ne comprenait absolument pas le point de vue de son ami — qui était un point de vue d'éthique, estimait Mark, s'il avait le droit d'employer ce terme. Interrogé sur tel projet ou tel appareil, Jimmy parlait volontiers, expliquait, et poursuivait à sa manière sautillante, feutrée, explicative, jusqu'à ce qu'on l'interrompe — jusqu'à ce qu'on l'éteigne. Quand on lui demandait s'il jugeait souhaitable de transformer des êtres humains en zombies, de les traiter de telle ou telle manière, sans même (vraisemblablement) leur demander leur avis, il risquait fort de répondre : « Mais si tu stimules ce secteur-là — regarde le modèle, Mark, là — il semble probable que cette fonction se surimposera à la fonction X ; tu vois, Mark ? »

Et tout cela durait encore lorsque Martha embrassa Mark pour lui dire au revoir (mais seulement pour quelque temps, car elle reviendrait sûrement à Radlett Street de temps en temps) et qu'elle s'en alla faire sa « retraite ».

L'esprit humain était décidément bien extraordinaire. Mark, homme intègre s'il en fut jamais, avait travaillé pendant près de vingt ans avec un homme dont les actions (car il n'avait aucune croyance) contredisaient tout ce à quoi Mark tenait le plus ; mais *pour une raison inexplicable*, Mark n'avait pas pensé qu'il pût en être ainsi, ou n'avait pas... quoi ? Pris la peine ? Eu à cœur ? Si Jimmy Wood était arrêté demain sous l'inculpation d'indifférence presque pathologique aux idées normales de dignité humaine, Mark serait (ou devrait être) arrêté avec lui. Mais bien sûr Jimmy ne serait pas arrêté, il ne souffrirait en aucune façon, car il ne faisait que « contribuer à l'approfondissement de la connaissance humaine ». Cependant, si l'affaire avait été présentée sous forme d'hypothèse à Mark, avec lui-même — mais masqué — dans le rôle qu'il y jouait, il se serait détesté et méprisé.

Mais depuis vingt ans il l'avait supporté, sans jamais « additionner deux et deux ».

Martha, qui vivait depuis des années joue contre joue avec Lynda, et entretenait avec elle ce qu'elle prenait pour la plus étroite des amitiés, n'avait pas vu ce qui hurlait pour se faire voir — bien que Lynda, assurée que personne ne le verrait, pas même Martha, ne l'eût manifesté que dans des moments de défense contre elle-même où les autres (et elle-même) ne voyaient que violence agressive ; et qu'elle n'eût pu le communiquer que par le moyen de « charabias » que seule pouvait déchiffrer une personne (Martha en l'occurrence) enfin parvenue au même degré d'expérience.

Il était pour le moins intéressant que ces découvertes, la sienne au sujet de Lynda, et celle de Mark à propos de Jimmy Wood, ainsi que les réflexions auxquelles donnaient lieu ces découvertes, eussent coïncidé avec la décision de Martha de mettre au défi son propre cerveau.

Seule dans la chambre vide, surplombant les rues bruyantes et grouillantes d'humanité, et cependant enfermée dans un espace capitonné où nul n'entrerait sans qu'elle appelle, elle avait terriblement peur. Elle ne s'y était pas attendue. Car c'est une chose de dire : Oui, c'est évidemment très dangereux ; et c'en est une autre de se jeter vraiment dans ce danger.

Et puis elle ne savait pas comment s'y prendre, à part ce qu'elle avait retenu de son expérience passée : si elle ne mangeait pas, dormait à peine, et demeurait aux aguets, elle s'aiguisait et s'affinait. Mais les deux fois précédentes étaient intervenues à l'improviste, sans qu'elle eût rien décidé à l'avance.

A présent, elle cessa de s'alimenter, mais en continuant à boire du thé et du café, et cessa de dormir ; elle se mit à marcher de long en large sur le lourd tapis qui protégeait Molly et Rose, à l'étage au-dessous.

Elle savait que très certainement il lui faudrait aborder certaines régions : il y aurait le niveau sonore, par exemple. Il y avait aussi des récompenses : oh oui, elle s'en souvenait, mais confusément ; elle se rappelait surtout le fait. En se remémorant l'époque de ses débuts à Londres, et puis l'époque plus récente de son intimité avec Lynda, elle retrouvait surtout une intensité d'expérience accumulée qu'elle aspirait ardemment à revivre. Mais elle n'attendait rien de particulier.

Elle marchait, marchait, marchait de long en large, buvant du café et se forçant à rester éveillée quand elle dérapait dans le sommeil.

Elle pensait à la pauvre Lynda — des vagues de douce compassion l'envahissaient alors. Elle pensait à Mark, pauvre Mark seul dans sa maison, sans son amie Martha, et sans Lynda que (bien qu'il n'en sût rien) il allait bientôt perdre à jamais : Lynda le quittait. Oh, pauvre Mark. Quelle cruauté lui opposait Martha ! Quelle méchanceté de lui dire : Mark, ce n'est vraiment pas de chance pour toi, tu n'as dans ta vie que des femmes déphasées, mais moi je pars pour un bref voyage dans une intimité totalement inconnue et sauvage ! Non, elle n'avait pas dit cela, elle avait dissimulé et atténué. Mais tout de même, comment pouvait-elle traiter Mark ainsi, et comme elle l'avait toujours traité affreusement ! Avec quelle irrévocable froideur elle l'avait chassé de sa vie, de l'amour, ce pauvre Mark dont la vie était déjà si malheureuse avec Lynda, ce pauvre Mark qui avait si peu connu la chaleur dans sa vie et qu'elle avait, elle, Martha, contraint à tomber dans une série d'aventures amoureuses mineures et qui l'ennuyaient... c'était sa faute à elle ! Elle était sans cœur et...

En pénétrant dans l'univers sonore, elle rencontra brusquement l'être de haine intérieure, et si violemment... Oui, bien sûr, elle s'y était à demi attendue et l'avait même espéré ; mais, oh, quel ennemi puissant, quelle force horrible et contraignante, quel effort de lutter... les jours passaient. Un observateur aurait vu une femme couchée à terre, heurtant sa tête contre le sol et pleurant, gémissant, criant, appelant à son aide une ribambelle de divinités officielles et officieuses ; accusant un assaillant inconnu de cruauté, d'insensibilité ; gisant inerte à certains moments, comme endormie, et puis bondissant comme galvanisée par sa conscience ou l'obligation soudaine d'une quelconque activité absurde mais urgente, comme de balayer ou de rincer vigoureusement les tasses dans la cuisine, ou encore de procéder à de violents exercices de gymnastique tandis que les larmes lui ruisselaient sur le visage et qu'elle marmonnait et protestait : ce n'était guère un spectacle instructif ou édifiant. Mais bien plutôt effrayant, ou troublant — cela dépendait de qui serait entré. Ce fut en fin de compte un homme inconnu, qui vivait au second étage et qui, apprenant qu'elle faisait un « voyage », venait voir si tout allait bien. Martha découvrit à sa grande surprise qu'elle n'avait pas sombré si profondément qu'elle ne pût aussitôt se ressaisir et converser calmement et raisonnablement. Elle expliqua qu'elle avait pris du L.S.D. (n'importe quoi pour avoir la paix, se marmonna-t-elle) et qu'elle en avait l'habitude. Il s'en alla, et elle reprit son expérience.

Elle se trouvait à présent totalement la proie de cette personne haineuse, ou de cet aspect d'elle-même. Remords ? Non, c'était plutôt que sa vie entière se retournait de sorte qu'elle la contemplait à l'envers, et il ne s'y trouvait nulle part rien de bon ; tout y apparaissait sombre, cruel, malveillant, « mauvais ». Oh qu'elle était mauvaise, maudite et abominable !

Le temps passait.

Ce fut la plus banale et la plus ordinaire des considérations qui la sauva — elle était là depuis deux semaines, et elle gaspillait son précieux temps. Après tout, pour un être humain de notre société des années soixante, se ménager trois mois de parfaite solitude, sans la moindre interférence, était chose si rare... et voilà qu'elle gaspillait ce précieux moment. Car au-devant d'elle s'apprêtait la visite de Rita, pour laquelle elle devait redevenir normale et active.

On ne pouvait pas dire qu'elle eût vaincu l'en-soi haineux du premier coup ou définitivement — non. Il, ou elle, était trop fort. Mais elle le refoulait pour quelque temps en écrivant sur des feuilles de papier qu'elle avait exprès disposées sur une table, dans un coin de la pièce.

La haine de soi. C'est là ce qui a vaincu Lynda. Elle n'en est jamais libérée.

A côté de cette notation se hérissait une véritable forêt de traits, de points d'exclamation, et de signes divers que Martha y traçait dans une sorte de désespoir : ils étaient là pour lui rappeler ensuite que cette suite de mots n'exprimait pas grand-chose de ce qu'elle voulait dire, n'esquissait qu'une faible éraflure sur la roche, une abréviation pathétique pour ce qu'elle savait. Car la complexité de ce qui se passait (par la suite, elle considéra qu'elle avait en quelque sorte concentré une douzaine d'années d'existence intensive dans ces quelques semaines) et la vitesse à laquelle elle apprenait était telle qu'elle se trouvait sans cesse en proie à la terreur d'oublier, oublier, oublier tout ce qu'elle apprenait ainsi. Car elle se souvenait que l'on oubliait. Oh oui, on oubliait l'univers de son (bien que cette fois elle fût accompagnée de la haine de soi), et elle ne se rappelait qu'en le faisant ce qu'elle avait appris naguère.

Cependant, bien que ses expérimentations ne fussent point sans faille, bien qu'elle fût épouvantée et totalement incompétente pour ce qu'elle entreprenait, elle retrouvait *quand même* des états d'esprit déjà rencontrés (régions, recoins, secteurs, longueurs d'ondes, territoires, lieux) et y saisissait des traits reconnaissables. Ce n'était donc pas que chaos, ce n'était pas que fouillis : on pouvait en vérité trouver un sens à tout cela en utilisant ses facultés habituelles de mémoire, de jugement, de comparaison, de compréhension. En bref, on pouvait ici employer son bon sens, dans cette région hors de tout sens commun, exactement comme dans la vie ordinaire.

Et en se servant de son bon sens...

Mais si l'on avait observé Martha du dehors (une femme couchée sur le tapis qui pleurait, ou bien assise dans un état d'intense réflexion qui lui nouait tous les muscles), il eût été difficile de reconnaître ce calme mental qu'en vérité elle employait... mieux vaut peut-être éviter le compte rendu, détaillé coup par coup, de ce « travail » qu'accomplissait Martha, et plutôt s'en remettre à ses notes.

Qui ne peuvent être, bien sûr, qu'inadéquates ; mais il en irait de même pour une tentative de description.

La femme couchée par terre et qui pleurait, qu'est-ce qui serait le plus subjectif : la voir ainsi, la décrire ainsi, ou bien décrire le déroulement de ses pensées ?

La femme qui griffonnait à une vitesse angoissée, pour tout noter avant que tout s'estompe : est-il plus subjectif de décrire sa posture nouée, son visage contracté, ou de transcrire ses notes ?

Sans doute vaut-il mieux transcrire ses notes, telles de petits signaux, pour d'autres gens qui les trouveraient peut-être utiles.

La première notation après celle qui concernait la haine de soi, disait : *Pourquoi Lynda ne pouvait-elle pas se dégager du dessous ? Je peux l'affaiblir, mais pas le chasser. Les émotions fortes, la réflexion peuvent former une sorte de sillon dans le cerveau, et si l'on fait cela, on ne peut plus en sortir. J'ai peur. Et si je ne pouvais plus jamais le chasser ?*

Mais bientôt des feuillets innombrables se trouvèrent griffonnés, à mesure que ses notes et ses observations s'accumulaient, inscrites si vite qu'elle n'avait pas le temps d'écrire lisiblement.

Il faut être suffisamment aux aguets pour saisir la moindre pensée dès sa naissance. C'est ainsi qu'on distingue. Il existe différentes qualités de pensée. (Le mot *qualités* était encadré et souligné afin de s'inscrire dans l'effort de Martha pour s'en souvenir, pour le mettre en relief.) *Très légères différences de qualité. On devrait pouvoir apprendre à reconnaître une pensée ou une parole surprise chez le haïsseur de soi, par exemple.*

Oui. Il entre dans un esprit différentes qualités de... Entendre une pensée de Lynda, c'est autre chose. En quoi? Aucune émotion. Rappelle-toi cela, souviens-t'en. Des mots qui vous ruissellent dans la tête sans la moindre émotion : on risque fort de la surprendre, la pensée de quelqu'un d'autre. Mais le haïsseur regorge d'émotion. Va-t'en, va-t'en, oh, je t'en supplie, va-t'en, je n'en puis plus, rends-toi compte, les gens vivent toute leur vie avec toi dans leur tête, pauvre, pauvre, pauvre Lynda, comment peut-elle le supporter, une sentence d'enfer à vie. Va-t'en.

Soudain, oui, aujourd'hui c'était Jack. C'est là que Jack a été vaincu. Son corps a été emporté. Son corps est beau. Le corps est neutre. Pour s'en servir. Le corps ne peut pas être mauvais. Une malignité vile a pris possession de son corps. Son corps crie, je ne veux pas être cruel. Si son corps voulait être cruel, ce qu'il fait suffirait amplement. (Ces derniers mots, soulignés, encadrés.) *C'est son esprit qui aime blesser. Un esprit vil, comme ces garçons qui s'amusent à arracher les ailes des mouches.*

Pendant deux jours Martha se cabra. Elle ne pouvait pas poursuivre. Elle se trouvait confrontée à certains aspects d'elle-même concernant le sadisme, le masochisme, le plaisir de blesser. Physiquement. Mais la poursuite de cette voie semblait être le prix de toute continuation : le bourreau ricanant, haïssant, dans sa tête, boudait et, tel un écolier, répétait : Bon, si tu ne veux pas jouer, je vais m'en aller... et il s'en allait, ou bien se taisait. Pleurant et sanglotant, dans une agonie de honte et de réticence à se souvenir, Martha finit par continuer.

Elle écrivait : *Depuis des jours et des jours... très bien, à présent je sais. La prochaine fois que je lirai qu'un homme a étranglé et violé un enfant, je saurai. Ou bien pourquoi la peine de mort était-elle autrefois publique et est-elle encore souhaitée par la majorité des Anglais?* N'OUBLIE JAMAIS QUE TU SAIS.

Elle écrivait : *Trois jours déjà, je crois. Le bourreau et le supplicié. Je suis les deux. Ne suis pas que celui qui inflige. Images de télévision : fumée d'une chambre à gaz dans un camp de concentration. D'abord distinctes puis devenant la même, le déchet en haillons (moi) poussé dans la chambre à gaz et la femme en uniforme (moi) qui poussait.*

Très économique, ce correcteur dans mon cerveau. Il monte merveilleusement les films...

Sur l'écran une demi-douzaine de personnalités, symbolisées. Par exemple, le vieux mouton tricoteur de Lewis Carroll. A côté, un taureau à énormes cornes, maladroit, qui piétine, le taureau de Basan.

Sans doute des jours plus tard. Soudain compris. Il (qui) me montre des caractéristiques (miennes) et leurs contraires (miens). Je suis si dense. C'était parfaitement évident la semaine dernière, si seulement je l'avais saisi. Et maintenant, souviens-t'en.

A présent, Martha resta quelque temps bloquée. Il se produisait quelque chose comme ceci. Elle se surprenait à marmonner des phrases brèves, comme des slogans, ou à éprouver des émotions qui étaient le contraire de ce qu'elle, la Martha saine et rationnelle, croyait. Par exemple elle employait les langages de l'antisémitisme, tout d'abord par une approche sournoise et subtile qui ensuite empirait, au point que pendant quelques heures elle semblait être Goebbels. Et, prise de panique, elle errait dans une sensation de perte totale de sa personnalité. Car elle rapportait de ses propres profondeurs une phrase ou une idée qui incarnait ce qu'elle pensait, mais qui aussitôt s'engloutissait dans son ombre. Cela la plongeait dans un état de terreur et de honte violentes. Puis elle se rendit compte que c'était plutôt comme un embarras, presque un embarras mondain, comme si elle s'était laissé prendre à commettre une gaffe et qu'elle redoutait qu'on s'en aperçût. Avant qu'elle pût le comprendre et y réfléchir, elle passa à un état de haine contre les Noirs. Puis, rapidement, elle s'observa qui employait les langages et les émotions haineuses des Noirs à l'encontre des Blancs, et des Blancs à l'encontre des Noirs ; des Allemands et des Juifs, et des Arabes et des Anglais, etc. Jusqu'à ce que son esprit jacassant et la « télévision » fussent comme un programme de haine organisé pour le plaisir de quelque fou international.

Pourquoi me faut-il si longtemps pour comprendre quelque chose de parfaitement évident ? Je suis idiote. Bien sûr : je suis branchée sur la haine, qui constitue le dessous de tout ce séduisant libéralisme. Mais sous prétexte que nous sommes tous de charmants libéraux, cela ne signifie pas... bon, pourquoi me dit-il (qui ?) cela ? Ne le sais-je pas déjà ?... Pourquoi, je ne... c'est parce que j'oublie sans cesse que je ne peux pas dire, raisonnable, civilisé, etc. En pensant que je le suis. Je suis ce qu'est l'espèce humaine. Je suis : « Les Allemands sont le miroir et le catalyseur de l'Europe », et aussi : « Salaud de Hun, sale nazi ».

Oh Dieu, que je suis fatiguée ! Que je suis donc fatiguée ! Combien de volts sans répit ?

Hurlant de complaisante pitié et d'hystérie.

Est-ce donc ce que tous ces livres appellent « les associations de contraires » ?

Amour, haine, blanc, noir, bon, mauvais, homme, femme.

Vers ce moment-là survint Bob Parrinder. Martha, couchée par terre, pleurait. Sa jolie compagne se tenait derrière lui, dans l'encadrement de la porte, avec son bébé dans les bras. Elle portait un bluejeans serré et délavé, un chandail brun, et une masse de longs cheveux où elle semblait noyée. Il souriait. Martha leva les yeux vers cet homme immensément grand dont la tête touchait presque le plafond. Elle s'assit, et il rapetissa.

Il éprouvait de la compassion. Ses yeux exprimaient le besoin de partager. Martha comprit qu'il venait par suite d'une discussion ou d'une dispute avec son amie. S'il venait vers elle, Martha, et qu'il manifestait son autorité de quelque manière, cela prouverait-il quelque chose à la fille ? Cette fille, songea Martha, n'était vraiment pas très sympathique. (Dix minutes ou dix heures auparavant, elle avait aboli les termes tels que sympathique, antipathique.) Martha n'aimait guère ce visage lent, sot, obstiné. Elle n'aimait pas non plus l'abus d'autorité du jeune homme, mais se disait : Au-dessous de toute cette absurdité, il est gentil, c'est une personne.

Assise par terre avec ses jambes étendues devant elle et ses bras arc-boutés en arrière, tout le poids de son corps appuyé sur ses paumes, Martha s'adressa à lui. « Savez-vous ce que vous voulez réellement ? »

L'homme s'agenouilla auprès d'elle et devint un homme très mince et au sourire doux, avec de longs cheveux blonds et fins. Mais elle savait qu'il voulait dominer et contrôler.

« Etes-vous sûre, s'enquit-il, que vous ne devriez pas vous reposer un peu ?

— Oui, répliqua Martha, fâchée.

— Bon, si vous en êtes sûre...

— Savez-vous ce que vous voulez réellement ? » insista Martha. Car il lui semblait désormais urgent de l'en avertir, afin qu'il pût comprendre, et qu'il pût ainsi être sauvé de ses propres variétés de folie. Elle ne pouvait le faire qu'en le lui *disant*. (Exactement comme si elle ne venait pas d'apprendre qu'il faut expérimenter soi-même pour comprendre.)

« Non, dites-le-moi, répondit-il en souriant.

— Vous voulez quelqu'un qui vous domine, qui vous tienne sous sa volonté. »

Sa bouche s'affaissa hors des contours de son sourire, et s'appliqua à ne pas manifester sa contrariété.

« Je ne le pense pas.

— Et moi je le sais. »

A la porte, la fille indolente changea de pose et se mit à rire pour bien marquer son accord.

« Je crois que c'est *bien* vrai, Bob », déclara-t-elle avec le plus pur accent de Kensington.

« Ce n'est *absolument* pas vrai.

— Si, intervint Martha. Vous tous, les jeunes leaders de quartier, vous n'attendez qu'une chose, c'est de vous abandonner avec vos disciples entre les mains d'un gourou ou d'un gauleiter. Aveugle menant les aveugles.

— Je suis sûr que vous vous sentiriez mieux en prenant un bol de soupe ou quelque chose. Olive, si tu lui donnais de cette soupe que nous avons eue au déjeuner ?

— Vous voulez de la soupe ? » s'enquit Olive.

Le bébé se mit à grogner. Olive le cala sur une superbe hanche, et le berça. On aurait dit une sorte de danse — un shimmy asymétrique, ou boiteux. Ses seins oscillaient et tanguaient.

Martha retomba à terre et se mit à rire. Elle ne pouvait plus s'arrêter.

Quand enfin elle cessa, elle remarqua que Bob attendait en souriant de savoir pourquoi elle riait. Derrière sa tête, une moulure du plafond formait une sorte de halo carré. Elle se remit à rire.

« Savez-vous ce qu'est un halo ? » demanda-t-elle. Car elle venait de comprendre à l'instant ce qu'était exactement un halo.

« Certaines personnes ont des halos. Ils ont une lumière blanche ou jaune autour de la tête. Au lieu de vert comme une mauvaise haleine, ou rouge furieux, ou gris efficace.

— C'est intéressant », observa-t-il en souriant toujours.

Le bébé commença à rire et pleurnicher à la fois, comme le font les bébés quand leur mère les amuse, ou quelqu'un d'autre, et qu'ils se sentent obligés de rire mais qu'en vérité ils sont fâchés et préféreraient avoir le droit de frapper, de mordre, ou de griffer. Un rire en sanglot. Un sanglot de rire.

« Je ne voudrais pas être grossière », déclara Martha avec une politesse guindée, « mais je n'ai plus tellement de temps car Rita va bientôt arriver. C'est la fille de Maisie. Non, bien sûr, vous ne pouvez pas connaître Maisie. Et il faut que je vienne à bout de tout cela sans aller à l'asile de fous — le temps presse.

— Ah, dit-il, je comprends. » Il déplia ses jambes au-dessous de lui et redevint une longue tige atteignant presque le plafond.

Martha vit qu'*il allait repartir, et se disputer avec son amie qui ne lui apporterait pas sa soupe* (maintenant qu'elle voyait cela, elle en éprouvait bien du regret, car son estomac se tordait sous l'effet de la faim), *et qu'ils ne reviendraient plus, en tout cas pas de sitôt. Ils estimaient qu'elle, Martha, avait sans doute besoin d'aide; ils ne voulaient pas contrevenir à leur code de comportement social en appelant un médecin ou la police, ou le menuisier d'en bas qui s'en chargerait : il était donc plus simple de ne pas revenir voir Martha. Bénis soient les lâches et les indolents : que de problèmes ils s'épargnent.*

Cette interruption dans l'activité de la chambre eut l'effet de la modifier. Le haïsseur recula un peu.

Je suis dans l'univers de Bosch. Je sais d'où Bosch a tiré ses peintures. Mon Dieu, regardez cela...

Est-ce toujours là ? Là ? Où ? Je comprends pourquoi ces livres disent qu'il ne faut pas trop s'y intéresser. On pourrait passer sa vie entière à simplement regarder la télévision.

L'univers de Bosch. Si je pouvais peindre et que je peigne cela, je serais un faussaire. Les gens qui se branchent sur l'univers de Bosch sont-ils des faussaires ?

Pourquoi suis-je aussi idiote ? J'ai compris. Si je ne savais pas et que je me trouvais branchée sur la Haine par hasard, je resterais Haineuse. Hitler s'est-il trouvé branché sur la Haine par hasard ? (Par exemple). Une nation peut se trouver branchée sur — une chose ou une autre. Une nation peut être branchée sur l'intermédiaire d'un homme, ou d'un groupe d'hommes, sur — n'importe quoi. Me voici, Martha. Je suis branchée sur la haine des Juifs, haine des Noirs, haine des Blancs, haine des Allemands, haine des Américains, haine. A présent, débranchée. Mais peut-être rebranchée dans dix minutes ?

Voici un paysage de Dali. Je suis branchée sur l'esprit de Dali. Si je pouvais dessiner, peindre, je peindrais cela, ce tableau de Dali. Pourquoi seul Dali se branche-t-il sur l'univers de Dali? Non, Dali et moi. Donc Dali et — plein d'autres. Mais l'infirmière dit: déceptions. Ignorant, on ne pense pas: c'est l'univers de Dali. On pense: voici un tableau idiot. Instruit, on sait, on pense: je suis un tricheur. Ou: ce doit être un tableau de Dali que je n'avais pas vu? (peut-être en est-ce un).

Il ne peut pas en avoir peint autant. Et pourquoi pas ?

Plagiat. *(Y penser plus tard, quand j'aurai le temps.)* Mark écrit quelque chose. Cela flotte dans l'air. On peut s'y brancher. *Une Cité dans le désert est photocopiée dans la photosphère. (Ah! très drôle. Ha! Tu ne mérites qu'un demi-rire pour cela.)*

Pour l'amour du ciel, arrête, sanglota Martha en se prenant les oreilles à deux mains pour faire cesser l'insupportable ritournelle d'une comptine qui lui martelait le crâne.

Couchée à plat ventre, le nez enfoncé dans l'épaisse moquette qui sentait légèrement la poussière, elle se sentait engloutie par les vagues impitoyables de l'océan sonore.

Presque.

Et la ritournelle poursuivait sa ronde. Les yeux clos, elle regardait défiler les images tandis que le rythme sautillant de la comptine s'obstinait, tel un livre d'images et de poèmes destinés aux enfants. Le mouton tricoteur de Lewis Carroll reparaissait.

Agenouillée près de la table basse, Martha griffonnait et griffonnait des notes, des observations — des memoranda pour elle-même plus tard —, mais elle écoutait aussi la ritournelle et fermait sans cesse les yeux pour manquer le moins d'images possible.

Martha, individu doté de respiration et de facettes vertes, réfléchissant le ciel, la maison, la rue, le nuage, l'homme, la femme, le chien, la vilaine femme décharnée, et vêtue d'un vieux peignoir en éponge, regardait défiler les facettes de sa personnalité, regardait et écrivait : *souviens-toi.*

Pour l'amour du ciel, n'oublie pas. Ou il faudra tout recommencer.
Il est plus tard que tu ne penses.
Garçons et filles sortent jouer.
La lune brille comme le soleil en plein jour.
Je suis la création de mon propre esprit.
Je suis la création de mon propre esprit.
Je suis...
Des mots, des mots, des mots. Si les mots viennent, la réalité viendra à leur suite.

Paul entra. Elle dormait par terre. Comme toujours, incroyablement beau; beau, et portant des vêtements qui parvenaient à allier l'élégance à une sorte de semi-dérision, il s'assit au bord du lit à colonnes et contempla Martha d'un œil railleur.

Elle se ressaisit brutalement, dans une habitude d'alarme : voici l'un des « enfants » — elle se comportait de manière irresponsable. « Ce n'est que moi », déclara-t-il.

Elle se recoucha. Il alluma une cigarette et la lui tendit.

« Tu n'es pas dans ton meilleur jour », observa-t-il. « Mais tu sais sans doute ce que tu fais. »

Elle avait dérapé dans une région de terreur jusqu'alors inconnue d'elle. Elle éprouvait un grand soulagement à voir qu'il était venu, et que sa venue l'avait remise d'aplomb.

Elle se leva, lui fit du thé, parla : tout cela dans le but de découvrir jusqu'à quel point elle pouvait lui présenter la normalité. A l'intérieur de sa tête, l'univers sonore, conduit comme un orchestre par le Haïsseur, résonnait, martelait, vrillait. Bientôt, la présence de Paul le fit taire.

Cela permit à Martha de renvoyer Paul avec un message pour Mark, disant que oui, elle pourrait venir au restaurant ce soir. L'annonce du rachat de la maison par la municipalité bouleversait Margaret ; elle échafaudait des projets et des campagnes — au moins un conseil de famille. Elle avait déjà tiré plusieurs ficelles.

Comme elle lui demandait s'il participerait à ce dîner, Paul répondit gentiment : « Mais je n'y ai pas droit, si ? Cette maison ne m'appartient pas. »

Il ne s'agissait là ni d'une requête, ni d'une protestation, ni d'une méchanceté. Il disait ce qu'il éprouvait. Après tout, il possédait sa propre maison — tout au moins la moitié ; et la moitié d'une autre, pareille.

Francis viendrait-il ? On le lui avait proposé, mais il avait répondu que les adultes agiraient certainement pour le mieux.

Martha revêtit un tailleur, se maquilla, et constata dans son miroir que jamais on ne devinerait en elle, quels que fussent les critères retenus dans cette société, une folle à lier. Suivant une logique évidente, le Haïsseur était devenu le Démon et commentait, critiquait ou tournait en dérision le moindre de ses gestes, de ses souvenirs, et de ses pensées. Sa volonté s'arc-boutait dans l'effort de ne pas succomber, tandis qu'en même temps elle écoutait et s'efforçait de ne pas se laisser aller à la peur ou à l'amertume. Elle allait emmener le démon au restaurant, et il n'était pas nécessaire qu'on pût le deviner. Que Paul ne l'eût pas reconnu était de bon augure.

Les convives : Mark. Taciturne, plongé dans ses pensées.

Martha. Accompagnée du Démon.

Lynda, silencieuse et l'air malade : elle avait désormais pris sa décision de quitter Mark et de se comporter « en vraie personne sans béquilles ». En développant ses activités, elle s'était rendu compte qu'elle n'avait pas autant de forces qu'elle l'avait espéré. Elle venait de passer une semaine entière avec des sédatifs, et se trouvait dans un état d'hébétude désagréable. En un mot, elle redoutait l'avenir.

Margaret. Elle apparaissait débordante de colère et de déception. Son mari, John, qui était ivre. Il s'était mis à boire, ces derniers temps, pour s'aider à lutter contre la passion que lui inspirait le commis du marchand de journaux de Marlebridge.

Phœbe, actuellement secrétaire d'État chargée de diverses responsabilités au sein du nouveau gouvernement. Tout ce que faisait le gouvernement allait de mal en pis, comme si le monde entier (lui semblait-il) avait conspiré contre lui, et elle aussi bouillonnait de rage. Également épuisée de travail, surmenée, et n'ayant pas pris de vrai repas depuis plusieurs jours, elle avait commandé un verre de sherry en attendant et apparaissait légèrement ivre.

Arthur, qui ne s'était pas vu attribuer de fonctions dans ce gouvernement parce qu'il était trop à gauche. Il se trouvait exactement dans la même position que toujours : ce gouvernement travailliste, le sien, n'avait rien entrepris de ce à quoi il croyait, de ce qu'il représentait, de ce pourquoi il avait lancé des campagnes, et il n'avait donc pas le sentiment d'être impliqué. Et il attendait toujours, ce bel homme vigoureux qui approchait de la soixantaine, que l'avenir commence enfin.

Son épouse Mary, qui venait de tomber amoureuse cette semaine même d'un charmant garçon, le menuisier qui venait poser de nouvelles étagères dans la salle de bains. Comprenant à ce symptôme qu'elle n'était décidément plus jeune, elle s'était jetée dans une crise psychologique et s'était acheté une robe de grand-mère en lainage qu'elle portait ce soir. Son Arthur avait observé qu'à son avis cette robe ne lui seyait guère — et elle songeait que cet homme intelligent ne l'avait décidément jamais comprise, « non plus qu'aucune de ses émotions ». Cette pensée s'enchâssait dans le petit sourire sec d'un joli visage brouillé par de longs pleurs, et y demeura jusqu'à l'apparition dans la conversation du thème de *la Jeunesse*.

Et puis il y avait Elizabeth, qui avait passé l'après-midi avec Mark pour démarrer une communauté idéale « quelque part dans un pays neuf et libre ». Elle avait bu du cognac tout l'après-midi et se trouvait en état d'ébriété — et elle grésillait littéralement de frustration. Elle ne pouvait décidément pas comprendre Mark, qui avait décrit une cité parfaite, et n'était pas disposée à la réaliser. Elle avait éclaté en sanglots à plusieurs reprises au cours de l'après-midi, et s'était montrée extrêmement grossière. Comprenant qu'elle était en pleine dépression nerveuse, Mark avait appelé le Dr Lamb ; ce dernier allait la voir dès demain. Elle tenait ses yeux affamés fixés sur Mark.

C'était une réunion de famille.

Ils se trouvaient rassemblés là à cause de Margaret. Ils commencèrent par commander le repas, tandis qu'elle entretenait sa flamme.

Une commande de pâté maison, une de pâté de campagne, deux de moules, deux de melon, deux d'artichauts, et une d'avocat à la vinaigrette. Ils buvaient tous du muscadet, à l'exception d'Arthur qui continuait au scotch.

Margaret déclara qu'il était honteux que la maison dût être ainsi expropriée, même si c'était (comme elle avait appris qu'il était vraisemblable) pour l'employer, avec des altérations mineures, pour l'administration. Elle avait préparé une pétition, et ils devaient tous la signer. Elle tira de son sac une feuille de papier, ainsi que plusieurs autres pétitions : l'une en faveur des réfugiés cubains aux États-Unis, une autre en faveur de certains prisonniers d'Amérique latine, une au sujet d'Oxfan, et enfin une lettre au *Times* concernant des écrivains condamnés à des peines de prison en Union soviétique. Voyant cela, Phœbe, sans mot dire, extirpa de son sac quelques autres pétitions. Elle avait celle sur l'Amérique latine et la lettre au *Times* ; mais également un projet de lettre sur l'emprisonnement politique et la torture au Portugal, ainsi qu'une déclaration destinée au *New Statesman* et concernant le comportement de la police.

Ils signèrent tous les pétitions de Phœbe, à l'exception de Margaret, qui refusa d'approuver la protestation à l'encontre de la police : un récent rapport du gouvernement (conservateur) montrait clairement qu'elle se comportait admirablement, et que les protestations provenaient exclusivement d'empêcheurs de tourner en rond. Tous signèrent tous les papiers de Margaret, à l'exception de celui sur les victimes de Fidel Castro, que seule Elizabeth signa.

Il restait à présent la question de la maison. Margaret accusa Mark de ne rien faire et de ne pas même sembler s'en soucier, alors qu'il vivait quand même dans cette maison, non ? Il répliqua brièvement qu'à son avis peu importait qu'on habitât telle maison plutôt que telle autre — l'avenir serait assurément bien trop barbare pour de telles préoccupations. Sollicitée, Lynda revint de très loin, et sourit pour déclarer que Mark avait certainement raison. Margaret n'avait manifestement pas eu l'intention de faire publiquement appel à Martha, comme elle l'aurait sans aucun doute fait dans l'intimité, mais à présent elle lui demanda de prendre position.

Écoutant d'une oreille les ricanements fâchés du Démon quant à sa dureté de cœur, elle qui pouvait manger un avocat quand le monde était à feu et à sang, Martha répondit que ce n'était pas sa maison. La famille entière la dévisagea, elle, la maîtresse (?) de Mark, ou en tout cas sa compagne, avec un air de reproche retenu.

Elle ajouta : « Mon utilité a pris fin, non ? Je ne sers plus à rien. »

A son oreille le Démon ricana : « *Si même tu as jamais servi à quelque chose.* »

Mark lui lança un regard d'avertissement péremptoire : parles-en avec moi, mais pas devant les autres.

« Cela n'intéresse donc pas un seul d'entre vous ? gémit Margaret.

— Mais si, bien sûr, protesta Lynda d'une voix absente. Cette maison a toujours été délicieuse.

— Eh bien, où allez-vous donc tous habiter ? » insista Margaret.

Là, les regards de Lynda, de Mark et de Martha s'engrenèrent : ce contact les réconforta. Tous trois étaient infiniment séparés les uns des autres, et en éprouvaient une peine intense. Un sentiment de séparations imminentes les habitait.

A la vue de cette affirmation instinctive d'un besoin qui durait, les autres préférèrent ne pas insister.

Il fallait à présent commander la suite.

Margaret choisit un plat de canard. Phœbe demanda un filet en croûte, et Martha du bœuf stroganoff. Mary déclara qu'elle ne prendrait rien, mais commanda aussi du bœuf pour leur faire plaisir. John voulait du coq au vin, et Mark du poulet. Arthur choisit du saumon grillé, et Lynda en demanda aussi, mais ne le mangea pas.

« Qu'est-il arrivé aux enfants ? » s'enquit Margaret. « Pourquoi ne sont-ils pas venus ?

— Elizabeth est là », protesta Mark, s'efforçant d'être gentil.

Elizabeth déclara alors d'une voix amère qu'elle n'avait jamais été chez elle nulle part, et qu'apparemment cela durerait toujours.

Interrogée au sujet de Francis, Lynda répondit qu'il semblait décidé à poursuivre la vie commune avec Jill.

« Pour qu'elle puisse le rouler encore davantage », intervint Phœbe.

Questionnée sur Paul, Martha observa qu'ils oubliaient toujours qu'il était lui-même propriétaire d'une maison, même s'il avait à peine plus de vingt ans.

« Eh bien, il nous logera sûrement tous », répliqua Margaret d'une voix acide et désabusée, les yeux brillants de larmes.

« Et vos enfants à vous ? » demanda Phœbe à Arthur et Mary.

— Oh, *elles !* » ricana amèrement Mary, « de sales petites égoïstes. J'attends avec impatience qu'elles aient notre âge, pour voir un peu comment elles s'en tireront, elles sont tellement... »

Scène de l'époque : une salle pleine d'adultes mûrs occupés à manger, préoccupés la moitié du temps par des problèmes de poids, toujours en train de suivre un régime ou un autre, la plupart d'entre eux gros fumeurs — habitude mortelle, comme le leur disait tant de propagande à toute force —, la plupart d'entre eux bourrés de sédatifs et de somnifères, tous buveurs et certains mêmes ivres, parlant de la jeunesse.

Les jeunes se droguaient. Ils étaient irresponsables. Ils étaient égoïstes. Ils étaient sales. Ils étaient complaisants envers eux-mêmes. Ils ne s'intéressaient pas à la politique — intervention de Phœbe, qui répétait sans cesse : si seulement ils allaient démarcher et recruter pour le parti, ils auraient un but dans la vie et n'auraient pas besoin de se droguer.

Margaret, Phœbe, Arthur, Mary se trouvaient parfaitement d'accord sur ce thème et, tandis que le serveur enlevait les assiettes, ils commencèrent à rédiger une lettre pour *The Observer*, sur les motifs du désintérêt des jeunes à l'égard de la politique. Pour Margaret, c'était dû au fait qu'ils n'avaient pas souffert pendant leur enfance, ils avaient mené une existence trop facile. Arthur approuvait.

Le projet s'acheva pendant le café, puis Lynda demanda à Mark s'ils pourraient rentrer maintenant. Mark acquiesça aussitôt... infiniment soulagé, et Martha n'était que trop disposée à partir aussi.

« Mais nous n'avons rien arrêté », protesta Margaret à plusieurs reprises, pathétique, affolée, passant d'un visage à l'autre de ce trio, Mark, Martha, Lynda, son stylo de turquoise et d'argent suspendu au-dessus du projet de lettre.

Malade, Elizabeth dut rentrer avec eux.

Martha demanda à Mark de la déposer chez Paul.

Lynda observa : « On pourrait penser que, s'il y a un démon, il existerait aussi un Dieu.

— Je ne sais pas comment tu peux tenir, répondit Martha, à vivre ainsi tout le temps. Je me tuerais.

— On peut s'habituer à tout, expliqua Lynda.

— Quand reviendras-tu ? s'enquit Mark.

— Disons dans six semaines ? suggéra Martha.

— Tu ne pourrais pas faire un peu plus vite, il y a des choses... » il voulait parler d'Elizabeth, assise auprès de lui et le profil tourné vers lui. Dans la pénombre de la voiture, ses lèvres entrouvertes et son front lisse et calme lui donnaient l'air d'une fille qui s'aventure. Mais elle avait plus de trente ans et, à la lumière, en paraissait davantage.

Lynda demanda : « Elizabeth, as-tu quitté ton mari et tes enfants ?

— Bien sûr que non », s'exclama Elizabeth indignée. « J'ai décidé de trouver un endroit où ils puissent vraiment vivre, c'est tout. J'aime l'idée de la cité de Mark, c'est tout.

— Disons un mois, consentit Martha.

— Mark a besoin de toi avant cela, déclara Lynda.

— Mais non », se hâta-t-il de protester. « Je t'en prie, Martha, pas si...

— Si j'aimais quelqu'un, intervint Elizabeth, que je l'aimais vraiment, je ne le quitterais pas. Pas un seul instant.

— Bon, trois semaines. »

A l'intérieur de sa tête, pendant cet échange, se déroulaient des combats de titans : elle avait extrêmement envie d'arrêter immédiatement. Oh, qu'elle était fatiguée, qu'elle se sentait embrouillée, qu'elle avait peur... Elle sentait qu'elle tenait à présent la meilleure excuse possible pour dire à Paul : je te remercie, mais cela suffit, en tout cas pour le moment — et rentrer à la maison.

Quelle maison ? D'ici à quelques mois, ce ne serait plus ici.

D'ailleurs, trois semaines de tranquillité absolue, mon Dieu, mais qui serait assez bête pour y renoncer, quand on ne savait guère quand la chance s'en présenterait à nouveau ?

Avec la moitié de son élan, elle demeurait en imagination avec Mark chez lui, ce pauvre Mark qui allait passer une nuit à tenter de tenir d'aplomb sa nièce Elizabeth complètement folle, et qui n'avait aucun ami là-bas pour l'aider. Avec le reste de son désir, elle voulait absolument regagner sa retraite, aussi vite que possible.

Revenue dans sa chambre, elle contrôla son corps, l'instrument, l'appareil récepteur. Elle avait beaucoup mangé ; et bu suffisamment. Il lui faudrait au moins vingt-quatre heures pour retrouver son état de sensibilité.

Sensibilité à quoi ?

On supposait toujours que... le problème résidait dans le fait qu'elle ne savait rien, et qu'elle prenait de gros risques : elle pourrait très bien se retrouver entre les mains du Dr Lamb — pourquoi pas ? *Cela ne peut pas m'arriver à moi :* Tout le monde le dit tout le temps.

Cela pouvait lui arriver. Cela lui arrivait. Si elle entrait maintenant dans le cabinet de Dr Lamb et qu'elle lui expose tout cela et qu'elle lui décrive ses symptômes — ce serait irréversible.

Heureusement, elle savait à quoi s'en tenir.

Mais elle ne savait vraiment rien de ce qui se passait dans cette machine, ce mécanisme, ce système, cet organisme. Qui le savait ? Quelqu'un le savait-il ? Pas le Dr Lamb !

Si elle ne comprenait pas, elle pouvait décrire, elle pouvait enregistrer. Et surtout, elle pouvait se souvenir.

Le temps passé hors de chez le Démon l'avait finalement affaibli, comme elle s'en rendit compte en comparant le mobilier mental de la pièce à celui qu'elle avait laissé en sortant.

Elle pouvait à présent le tenir à distance, se retenir de sombrer dans les larmes et les hurlements de pitié de soi pendant un moment. Et pendant ce temps, tel un bébé respirant à fond pour se lancer dans une scène de fureur, mais se retenant le plus longtemps possible afin d'obtenir plus d'effet, elle s'agenouilla devant la table basse et griffonna à toute vitesse avant (comme elle savait qu'il le faudrait) de s'effondrer dans l'abjection.

Cela marche ainsi. La pensée pénètre dans l'esprit. Consciente, la pensée s'exprime en mots. Sinon, si c'est une pensée-association normale, pas de mots. Les mots, c'est quand on se retourne pour regarder. Ce premier mot jaillit alors en d'autres mots et d'autres idées comme une série d'éclairs. Non, comme une eau brandissant soudain une molle branche du fond de la mer. Les mots prolifèrent si vite qu'on ne peut pas les attraper. Un mot : puis une idée suggérée par ce mot. (Qui a suggéré le mot ?) On se dit : mon idée ? Ou de qui ? Faire tenir immobile le mot ou l'image ou l'idée pour pouvoir l'examiner. Puis on peut demander : est-ce une pensée entendue d'ailleurs ? Mais de qui ? Pourquoi ? Ou bien est-ce quelque chose fourni par l'invisible mentor ? Si l'on arrête la pensée, qu'on la chasse complètement de l'esprit, elle peut s'en aller et puis revenir sous forme sonore. Ce son peut prendre de la force. Il peut prendre diverses voix, connues et inconnues. S'il prend une voix connue, on associe généralement cette pensée à cette personne. Cette pensée peut aussi venir de l'angle d'une pièce ou d'une autre partie du corps ou d'une chaise ou d'autre chose. L'esprit est également ventriloque. Le Démon, par exemple, avant que je sorte dîner : il parlait des coins de la chambre.

Essentiel d'être conscient du moment où la pensée pénètre dans l'esprit, sans quoi c'est une pensée perdue.

Et nous voici revenus au même point : si l'on ne sait pas quelque chose, on ne peut pas l'apprendre. On ne peut apprendre une chose que si l'on a déjà commencé. « Je ne peux pas te dire quelque chose que tu ignores. »

Et puis aussi : toute attitude, émotion, pensée a son contraire tenu en équilibre hors de vue, mais sans cesse présent. Que l'on pousse l'une d'elles à l'extrême, et hop ! on bascule dans son contraire.

Je suis bonne et gentille et intelligente. Je suis mauvaise et cruelle et idiote.

Bon, d'accord, d'accord, d'accord. Tiens-toi tranquille encore une minute.

Le jeune homme de l'histoire de Virginia Woolf qui était fou. Il entendait les oiseaux discourir en grec ancien.

Onomatopée. Penses-y!

Une émotion. La peur par exemple. On peut voir comme elle se traduit en pensée — si l'on est assez rapide.

Un corps est une machine faite pour convertir une sorte d'énergie en une autre.

Là, Martha succomba à nouveau au diable.

L'enfer (l'un d'eux?) est chaud. Il y règne une lumière dure. On y éprouve quelque chose de poisseux et agrippant. Le PLUS IMPORTANT DE TOUT, *c'est qu'il bat comme un pouls. Régulier et irrégulier. Comme une pendule folle, comme les lampes à paraffine qui brillent soudain avant de s'éteindre, mais avec une irrégularité régulière. Un genre de pouls hystérique et sauvage, mais cependant régulier. Pourtant à la fois petit et sans importance. Une dureté noire et blanche. Une sensation poisseuse. Lumière sans ombre. Monstres. D'abord on ne voit que les gens, toi et moi. Puis on voit qu'ils, nous, sommes déformés, nos visages tordus de convoitise et de colère. L'épicier, majestueux et lent, au visage coloré. En effet il ricane — on voit qu'il a des crocs de chien, qu'il est sous-humain. Des visages comme des embryons, à demi formés. Une galerie de visages de gens. Des démons. Des gens ordinaires. Les visages sont des vides qui peuvent prendre des masques, bons ou mauvais. La haine, l'envie, la peur glissent si vite sur les visages des gens qu'on peut à peine les saisir.*

C'est alors que Martha dut accomplir son chemin de croix sous la conduite du Démon. Elle ne connaissait rien de ce rituel, n'en avait jamais été instruite, ni n'avait assez bien connu, pour en être affectée, des gens qui l'accomplissaient. C'était cependant comme si elle l'avait su, comme si elle en avait connu le sens. Depuis l'instant où Ponce-Pilate se lava les mains jusqu'à celui où elle, Martha, qui était également le Diable, s'apprêta à monter sur la croix à cause de ses crimes effroyables, elle fut menée à coups de fouet tout le long du rituel par la langue haineuse et flagellante du Démon qui était elle-même, son être haineux et haineux d'elle-même. Mais bien qu'elle ne pût refuser obéissance à ce rituel, elle parvint à se protéger du garçon qui vint la voir pendant cette phase : le garçon qui avait sans le vouloir tué l'enfant qu'il s'était engagé à protéger, et qui à présent faisait pénitence pour le péché qu'il avait commis. C'était un garçon blond et frêle, qui paraissait bien plus jeune que ses dix-neuf ans. Il avait l'air d'un écolier plein de bonne volonté. Assis à l'extrême bord du lit à colonnes, il se tordait les mains et sanglotait tout en expliquant à Martha comment Dieu le punissait par amour ; et comment aussi, s'Il punissait Martha, c'était par amour. Lorsqu'il fut parti — il devait se lever très tôt pour faire son travail d'emballeur dans la société chimique de Tottenham — Martha continua à recevoir les instructions du démon jusqu'à ce que le déroulement de la pièce fût achevé. « Mais j'ai déjà fait cela, j'en ai fini avec tout cela », déclara-t-elle au diable, fâchée et refusant toute autre instruction ; et elle s'allongea pour dormir un peu.

A présent, Martha ne pouvait plus sortir de l'enfer. Tout au moins le pensait-elle. Épuisée, elle disait : « Assez », et s'allongeait pour dormir en enfer. Dans son sommeil, les plus atroces cauchemars la poursuivaient. Mais elle se souvint que dans son enfance elle avait redouté le sommeil à cause des cauchemars, et qu'elle avait employé toutes sortes de trucs et de techniques pour leur échapper. Elle s'en souvenait à présent, et s'en servait à nouveau. Elle se rendit compte qu'elle se croyait perdue à jamais, plongée à jamais dans cette mer aveugle, mais qu'elle pouvait tout de même dire : Je suis fatiguée, je vais dormir — et qu'elle se dormait. Ou, dans son sommeil, dire : Je suis en enfer, réveillons-nous, et elle se réveillait. Ou bien elle accomplissait avant de s'endormir certains rituels qui pouvaient endiguer les cauchemars, et qu'elle avait appris dans son enfance par nécessité.

Cette pensée affaiblit l'emprise du diable et de l'enfer.

Mais ne les chassa pas : elle demeurait encore curieuse.

Si toutes ces créatures sous-humaines sont des aspects de moi, alors je suis une galerie de ratés et de déchets de la nature.

Relis-toi. Idiote. N'apprendras-tu donc jamais ? Ces choses sont là. Toujours. Je puis choisir d'être elles ou non. Je peux les ramasser comme un ramasse-poussière magnétique ramasse la poussière. Ou ne pas les ramasser.

En enfer, la lumière reste sans cesse allumée.

Dans les cellules des prisons et dans les salles de torture et dans les salles cadenassées des hôpitaux psychiatriques, la lumière brûle sans relâche.

L'homme comprend très bien le démon. Le démon lui a enseigné tout ce qu'il sait.

Toute nuit ou toute lumière. Les monstres et les sadiques créent ces conditions. Les monstres et les sadiques y vivent.

Le visage de Bob Parrinder. Son visage n'a pas encore mûri sur lui. Il n'est qu'un petit patron, qui se prend très au sérieux. Son visage ressemble à un paysage avant que le soleil se lève. Les ombres et la lumière le rempliront. Si je brandissais devant lui le masque de l'homme qui se prend au sérieux, comme hier soir quand il m'a dit : Oh, oui, bien sûr, je comprends tout cela, il mourrait de honte. Le visage d'Olive : ce qu'elle est.

M. Briggs le menuisier dit : Une lettre pour vous, Mme Hesse. Il a le visage comme un chou-fleur qui jaunit et pourrit sur les bords. Au-dessous, épuisé et épouvanté.

Le visage de Paul : le petit Paul de Sally-Sarah quand il suçait son pouce et qu'il enfouissait son visage dans le sein soyeux de sa maman.

Pendant une semaine, Martha n'écrivit rien. Elle était trop profondément enfouie en enfer. Mais pas si profondément qu'elle perdît le compte des jours qui passaient : plus que cinq jours, quatre, etc. Dans sa tête martelait l'ennemi : ou bien des voix lui parvenaient d'un mur ou d'une chaise (ce n'était pas accidentel, comme elle commençait à s'en rendre compte ; elle commandait cela elle-même, mais sans savoir encore comment. Et il ne lui restait plus le temps d'apprendre). Elle avait espéré retourner dans la maison de Radlett Street en pleine compétence, mais il lui faudrait le faire sous l'emprise encore du Démon. A ce stade, elle pensait que plus jamais elle ne s'en débarrasserait ; que, comme la pauvre Lynda, elle le porterait en elle à jamais. Elle pensait que ces dernières semaines l'avaient fait basculer par-dessus bord dans un état permanent de branchement sur la mer sonore ; et que cette voix martelante, incessante, exigeante était celle du Démon, celle du punisseur de soi.

Elle prit un bain. But du thé. Mangea une tranche de pain grillé. Elle mit de l'ordre dans la chambre, qu'un cyclone semblait avoir dévastée. Elle s'habilla, et se contempla.

Elle était à nouveau bien trop maigre. Elle semblait hagarde. Cependant, il restait trois semaines avant l'arrivée de Rita, la fille de Maisie, et en attendant Martha et Lynda se résigneraient certainement à elle. Elle irait dès demain chez le coiffeur... Ces pensées pratiques firent reculer l'enfer d'un pas ou deux.

Elle rassembla toutes ses notes et ses griffonnages et, avant de les entasser dans une boîte pour les étudier plus tard, elle écrivit :

1. Ce genre de choses est non seulement dangereux, mais extrêmement inefficace. Il doit exister d'autres moyens de le faire. Et ce ne sont pas les drogues non plus. Je me suis fait passer par-dessus bord.

2. Si un dictateur veut contrôler un parti ou un pays ; si une hiérarchie de prêtres souhaite contrôler son troupeau ; si un homme avide de pouvoir veut créer un groupe manipulé — il ou elle n'a qu'à personnifier le haïsseur de soi. C'est aussi facile que cela. Et c'est très facile à faire.

3. J'ai été retournée comme un gant ou une robe. J'ai été comme le négatif d'une photo. Ou une image reflétée. J'ai vu les soubassements de moi-même. Qui ne sont pas moi — pas plus que ma surface n'est moi-même. Je suis le voyeur, l'écouteur...

Finalement, le fait central. Si, à n'importe quel moment, j'étais allée trouver un médecin ou un psychiatre, cela aurait été la fin. J'ai dépassé la limite. Mais même si je reste ici je peux me débrouiller (comme Lynda). Pourquoi ? Parce que j'en sais juste assez pour ne pas me laisser piétiner. Si, à n'importe quel moment de cette période, j'avais cédé, j'aurais été engloutie. Sans savoir ce que je sais par Lynda, je n'aurais pas pu tenir. Grâce à des allusions et des sous-entendus dans les livres, grâce à ma propre expérience, grâce à Lynda — mais sans tout cela, un médecin ou un psychiatre n'aurait eu qu'à employer le langage du haïsseur de soi, et cela aurait été la fin. Finie, Martha ! Sortez vos appareils, sortez vos médicaments ! Oui, docteur, oui, vous savez, vous : je ferai tout ce que vous me direz. J'ai bien trop peur pour ne pas le faire.

Définition classique de la paranoïa : « Sentiment d'être sous-estimé... favorise la culture secrète d'idées de puissance... ce type de personne peut entrer en conflit avec la loi, soit par l'action directe (meurtre), soit par la revendication (procès en justice), développement qu'il considère comme la conséquence normale de son importance extrême et méconnue, ainsi que de la jalousie et la malveillance d'un monde indifférent... Une impressionnante façade de raison, de bonne volonté et de " normalité " peut camoufler cette psychopathologie jusqu'à un stade alarmant ».

La maison était vide. Lynda avait laissé un mot pour annoncer qu'elle séjournait chez Jill et Francis. Jill pensait être encore enceinte, mais ne savait pas de qui. Le message de Mark annonçait qu'il avait conduit Elizabeth chez Nanny Butts : les médecins affirmaient que quelques semaines de repos renforcé par des médicaments la renverraient certainement auprès de son mari et de ses enfants dans un état d'esprit raisonnable.

Martha trouva également une lettre de Maisie, qui donnait la date d'arrivée de Rita — dans un mois.

Sur le bureau de Mark se trouvait le *Memorandum à moi-même*, maintenant bien plus long.

« ... il appartiendra à des individus de prévoir, organiser, et établir des provisions pour les contingences dont les contours apparaissent déjà.

1. Nous sommes tous hypnotisés par l'idée d'Armageddon, l'éclair plus aveuglant qu'un million de soleils, la convulsion apocalyptique, la guerre de deux minutes, la mort instantanée. La populace plus que le gouvernement ; mais les gouvernements aussi. Tout le monde reste effaré à l'idée d'une prochaine annihilation, comme un animal hypnotisé par le grondement puissant d'une voiture qui approche.

2. Ce phénomène empêche toute préparation psychologique et physique à ce qui est probable. Et qui consistera en catastrophes locales : l'empoisonnement d'un pays, d'une région ; la mort d'une partie du monde ; la contamination d'un secteur pour une période indéterminée. Ces événements seront le développement de ...

3. ... ce qui se produit déjà. Un bombardier transportant des têtes nucléaires s'écrase en Espagne. Toutes sortes de démentis et de prétextes sont aussitôt publiés. On peut prendre pour axiome que tous les gouvernements, partout, mentent — c'est inévitable. Les gens naïfs croient qu'une conspiration, c'est un groupe de sept hommes rassemblés autour d'une table dans une intrigue machiavélique : une conspiration est une atmosphère, ou un état d'esprit dans lequel des gens se trouvent amenés à faire des choses, peut-être précisément des choses que jamais ils ne feraient en tant qu'individus, ou bien qu'ils ne pourraient pas faire dans une atmosphère différente, en d'autres circonstances. Depuis la dernière guerre, les gouvernements n'ont pas cessé d'accumuler toutes les armes imaginables d'attaque aussi bien que de défense, et d'innombrables accidents se sont produits, pour la plupart mineurs, ou bien des menaces d'accidents. Mais la masse n'en a jamais entendu parler, et ne pourra jamais s'en apercevoir que par accident, ou l'apprendre par un membre de la « conspiration » (ministère, commission, usine, etc.) insuffisamment soumis au lavage de cerveau et répandant les secrets, ou bien encore à l'occasion d'un accident spectaculaire comme celui d'un bombardier qui s'écrase quand il transporte des têtes nucléaires radioactives. *Ce qui se produira, c'est un développement de ce qui se produit déjà et qui accélère,*

hors de contrôle, depuis 1914 et le feu vert pour l'extermination de masse. Des régions du monde sont déjà en cours d'empoisonnement, de contamination, ou menacées,etc. Dans cinq, dix, quinze, vingt ans, quelque chose d' « imprévisible » se produira ; par exemple, une mystérieuse maladie décimera un pays, émanant d'une usine qui fabrique de la maladie ; ou bien un container plein de poison ou de matériel destructeur, immergé tout au fond de la mer dans un emballage (indestructible) explosera ou bien répandra son contenu ; ou bien encore, dans un moment de crise aiguë entre des pays, un camp lâchera par accident, dans un accès d'hystérie, des armes qui détruiront totalement son adversaire ou lui-même — quelque chose de ce genre.

4. On peut absolument prendre pour axiome que la vérité ne sera jamais révélée à la masse, à quatre-vingt-dix pour cent parce que les gouvernements ne sauront pas quelle est la vérité, et à dix pour cent à cause de la panique, de la convoitise, de l'hystérie, *de la peur de leurs propres concitoyens.*

5. Il faut donc que des groupes de gens, conscients de cette situation, entreprennent... »

Le mémorandum s'arrêtait là.

Martha appela Lynda.

Qui lui annonça que Jill n'allait pas recommencer à se faire avorter « simplement pour vous faire plaisir à tous ». Francis avait dit qu'elle devait choisir de faire ce qu'elle préférait.

Le problème, lui expliqua Lynda, était le suivant : Où allaient-ils habiter, tous ? Il y avait Francis, Jill, les enfants. Gwen était venue s'installer chez sa sœur. Et puis il y avait aussi, à présent, deux campeurs, ou squatters. L'un était Nicky Anderson, de l'époque d'Aldermaston. Il avait eu une dépression à la suite d'un séjour en prison. On lui avait déclaré qu'il était paranoïaque. Sur le moment, cela lui avait paru convaincant — la définition « classique » de la paranoïa pouvait difficilement manquer de convaincre une personne non préparée — et de toute façon il se trouvait très affaibli par diverses choses. Et puis, sortant des mains des médecins pour se confier à celles de son vieil ami Francis, il lui apparut que pas un révolutionnaire ni un réformateur dans l'Histoire n'aurait pu manquer d'être démobilisé ou découragé par de telles méthodes. Il n'avait pas été facile de persister à vouloir regagner sa propre estime, sauf avec l'aide de Francis, et il avait demandé la permission de demeurer avec le couple. Il avait une petite amie qui s'était révélée secourable pendant sa maladie, ayant elle-même été malade. La famille de Nicky l'avait chassé (du moins le croyait-il — ils l'accueilleraient volontiers s'il revenait en fils paranoïaque repentant, mais uniquement dans ce cas), et il disait qu'il voulait vivre avec cette fille. Elle avait emménagé aussi. Il n'avait pas d'argent, et Francis l'entretenait donc. Aucun signe ne laissait prévoir que ce couple quitterait l'appartement de Francis et Jill.

« Ils sont tous tellement *tristes* », expliqua Lynda. « Mais je suppose qu'ils s'y sont usé les dents. Je m'y suis usé les dents aussi. Et peut-être que mon pauvre papa s'y est aussi usé les dents ? Il parlait sans arrêt de cette guerre... Mais ce n'est plus seulement Jill, à présent. Il y a Gwen. Gwen travaille comme serveuse " bunny " parce qu'elle dit que la sexualité l'écœure. Et Jill refuse de coucher avec Francis, elle dit qu'elle a horreur de tout ce qui est sexuel. Et elle dit que quelque chose l'envahit quand elle se trouve avec un homme dans un café, et puis elle tombe enceinte parce qu'elle n'emploie pas de contraceptifs.

— Pauvre Francis, soupira Martha.

— Et pauvre Mark, renchérit Lynda. Je suis une femme mauvaise, je le sais.

— Lynda, es-tu certaine de n'en avoir pas trop fait ?

— Comment pourrai-je jamais, *jamais*, en faire trop, après tous les désespoirs que j'ai créés autour de moi ? »

Martha alla chercher Lynda pour la convaincre de revenir se reposer à la maison : elle ne reconnaissait que trop bien la personne qui s'exprimait à travers Lynda.

Lynda se laissa ramener à la maison, mais en disant que c'était juste pour un moment. Si elle devait complètement craquer en demeurant exposée au monde, à travailler, eh bien, tant pis. Elle n'allait pas vivre toute sa vie dans des conditions où Mark ou bien Martha devraient toujours s'occuper d'elle. Elle était d'humeur violente, larmoyante, masochiste.

La tête hantée par le démon de Martha résonnait des échos de Lynda.

Elle ne tarda cependant pas à observer que parce qu'elle était occupée, parce qu'elle s'inquiétait tant pour Lynda, son propre démon reculait. Après avoir eu trop peur pour l'écouter de trop près, par crainte de le provoquer au pire, redoutant d'employer ou même de penser certains mots, certaines expressions qui risquaient de le « ramener » (comme une attaque de malaria), elle ne s'inquiétait plus de lui. Bientôt le démon, qui avait été théâtral, flamboyant, accusateur, violent, était devenu une petite voix sotte et ricanante, engloutie dans l'océan sonore — n'était plus qu'une petite voix parmi tant d'autres. Et bientôt après, tout fut terminé : Martha avait recouvré la totalité de son esprit.

Elle était aussi saine que n'importe qui.

Mais avant l'arrivée de Rita apparurent les Maynard, sous la forme d'une lettre que, maintenant encore, Martha ne pouvait s'empêcher de voir comme une sommation à les rejoindre pour le déjeuner du lendemain dans tel restaurant de Chelsea. La lettre provenait d'un hôtel : ample matière à réflexion, quand les Maynard avaient tant de famille en Angleterre. Et le choix du restaurant aussi : car c'était l'un des quelques restaurants très à la mode dans le Londres d'aujourd'hui.

Elle avait bien sûr eu des nouvelles, parfois, des Maynard, mais rien de plus que l'annonce de la mise à la retraite du juge Maynard, ou l'information que Binkie Maynard, resté marié à sa veuve de guerre, avait sombré ou presque dans l'alcoolisme, et qu'il dirigeait un important service gouvernemental.

Faits : 1. Ils devaient avoir largement dépassé les soixante-dix ans.

2. Il ne pouvait exister qu'une seule raison à leur désir de la voir : Rita. 3. Quoi qu'ils eussent pu apprendre sur son compte, ils ne pouvaient qu'être en désaccord.
Le restaurant s'appelait *La Mangeoire de Charlie et Johnny — Chez Charlie* pour abréger. En entrant, Martha reconnut les Maynard, deux vieillards installés à une mauvaise table. Ils regardaient dans sa direction sans la reconnaître. En effet, elle tirait parti de cette maigreur consécutive à sa retraite en arborant un fourreau de toile blanche, avec une masse de cheveux châtains et des lunettes noires.

Elle s'approcha d'eux, les salua, s'assit, en prenant un faux air d'être à son aise pour contrebalancer leur expression de... moins de surprise que d'offense, et Martha voyait bien que ce n'était pas tant elle, personnellement, qui les offensait, qu'un Londres si prodigue en phénomènes déplaisants.

Ils étaient évidemment fort vieux, et le paraissaient d'autant plus dans ce cadre conçu pour des jeunes ou des gens désireux de paraître jeunes, ou encore pour des gens qui voulaient se régaler des arômes de la jeunesse. Un charmant petit serveur vint prendre leur commande, revêtu d'une chemise de mousseline rose vif avec des volants au col et aux poignets, et dont le minuscule tablier de coton rayé dissimulait et révélait à demi ce qu'un pantalon blanc moulant cherchait à souligner. Tous les serveurs avaient de jolis petits derrières, de beaux cheveux brillants, et l'air de cocottes élevées dans une bonne maison.

Les plats du menu s'intitulaient : « le ragoût de Bobby », « pain de la maison », « la salade Nikki-oise », « la tarte de Tommy », et se révélèrent exquis quand ils arrivèrent.

Vieillards rétrécis dont les visages massifs s'étaient réduits à l'ossature, revêtus de vêtements qu'ils auraient tout aussi bien pu porter dans le Londres de cinquante ans auparavant, les Maynard regardaient tout cela de leur coin et n'y voyaient manifestement rien de réconfortant.

Ils mangèrent un steak et du fromage en buvant du rosé, et dirent fort peu de choses à Martha, à l'exception de quelques observations générales du type : « Voyagez-vous beaucoup ? » ou bien : « J'ai entendu dire qu'il avait fait un temps superbe. » En bref, ils avaient besoin de son aide pour se lancer, ce qui bien sûr la plongea dans la perplexité, car elle avait bien du mal à concevoir que ce fût possible.

Peut-être devrait-elle faire revivre « Matty », bien que ce fût difficile, après si longtemps ? Mais quand elle tenta une ou deux fois de donner une note de drôlerie insouciante à ses propos, elle se trouva confrontée à de longs regards peinés — non pas de critique, mais d'incompréhension.

« Bien entendu », déclarait Mme Maynard d'une voix irritée, « quand tout est pour les jeunes, on a l'impression qu'on ferait mieux d'aller se cacher dans un recoin pour mourir ».

Martha comprit qu'elle, la femme d'âge mûr, représentait à leurs yeux « les jeunes ».

Elle leur fit donc la conversation à propos de tout et de rien, en songeant qu'elle aurait aimé les serrer dans ses bras, eux, ses deux vieux ennemis. Oui, les voilà donc, ces gens qui avaient exercé sur elle une influence si puissante qu'en se tournant vers son passé, elle pouvait dire qu'ils avaient été les plus précieux de tous ses éducateurs. Lui, M. Maynard, lui avait rendu l'inestimable service de placer devant elle, de telle manière qu'elle ne pouvait s'y tromper, la plus mortelle des armes contre ce que toute personne jeune (pendant un certain temps du moins) veut, désire, souhaite : il lui avait montré l'incrédulité sous la forme d'une ironie accomplie et flétrissante ; il l'avait endurcie contre le ridicule. Elle, Mme Maynard, lui avait montré le pouvoir dans toute sa laideur, quand il s'exerce de manière indirecte, subtile, cachée, puisqu'elle savait si parfaitement, elle qui le maniait, qu'elle avait toujours raison et qu'elle ne doutait jamais d'elle-même.

Ah, mais quel bon travail le cuisinier ivre avait accompli sur les Maynard, dépouillés, démasqués, réduits à la vieillesse sans rien garder de toutes leurs années de puissance. En fait, on ne pouvait guère imaginer de situation plus amère et plus douloureuse pour eux.

Mme Maynard avait toujours gouverné, intrigué, dirigé, par la vertu du palais du gouverneur et de sa puissante famille demeurée en Angleterre. Mais la maison du gouverneur lui était devenue ennemie, désormais, nécessairement, car elle haïssait ce gouvernement de son pays qui ne se composait plus que de Zambéziens de la seconde et de la troisième génération, qu'elle méprisait et jugeait grossiers, inaptes aux responsabilités. Ils n'avaient plus rien de « chez nous », de l'Angleterre — ce « chez nous » que les Maynard avaient répudié quelques dizaines d'années auparavant et qui, quand ils revenaient aujourd'hui, avait tellement changé qu'ils n'y trouvaient plus rien à admirer ou apprécier. Quand leur pays (le leur, quand il était sous l'emprise de bons à rien, inaptes même à se gouverner eux-mêmes ?) s'était coupé de leur patrie (dirigée par des agitateurs socialistes sans scrupules qui ne comprenaient rien aux Noirs) ; quand, en examinant le continent entier de l'Afrique (chez eux), ils ne trouvaient pas un seul État, noir ou blanc, gouverné comme ils estimaient que devrait être gouverné un pays — ils s'étaient dit (mais brièvement, faiblement) que peut-être, quelque part en Angleterre (dans le Devon, par exemple, où ils avaient des cousins), ils découvriraient une terre hospitalière. Ils étaient donc venus voir un demi-frère, Richie Maynard, qui dirigeait une vaste ferme, et le premier week-end avait débarqué une de ses petites-filles, étudiante dans une de ces nouvelles universités, en compagnie d'un petit ami antillais avec qui (semblait-il) elle avait passé la nuit.

M. Maynard avait rabroué son demi-frère, qui avait répliqué que sa politique se résumait à ceci : on ne pouvait serrer les rênes que pour une course brève ; la fille s'en lasserait et s'établirait avec quelqu'un de sa race, et, fort heureusement, Peregrine (le fils), père de la fille, « avait le bon sens de comprendre cela ».

Cela revenait à placer un garçon de couleur, originaire d'un taudis à Trinidad, sur le même plan que lui, M. Maynard, vis-à-vis de Myra cinquante ans plus tôt. Vilain canard originaire d'une lointaine colonie, il avait courtisé Myra qui lui avait donné de la longe. Ils rentraient la semaine prochaine, annoncèrent-ils˜ à Martha.

« En vérité, déclara Mme Maynard avec un soupçon de son ancien pouvoir claironnant, les gens n'ont plus la moindre notion de service, à l'heure actuelle, ils ne pensent qu'à eux-mêmes. J'ai vu mes petites-nièces et mes petits-neveux. Ils ne songent pas le moins du monde à l'avenir ».

A présent, Martha se surprit à guetter M. Maynard, qui goûtait le vin rosé comme si cela non plus ne pouvait plus être comme autrefois : elle attendait, finalement, ce qu'elle avait toujours connu de lui, une courtoisie irréprochable, un besoin de rabaisser les choses.

Il s'était carré sur son siège, la tête baissée, les bajoues reposant sur sa poitrine, la main posée sur son verre.

« Nous ne sommes plus aussi jeunes qu'autrefois, commença Mme Maynard d'une voix décidée, mon mari doit faire attention à son cœur, par exemple.

— Oh, mais il ne va pas si mal, protesta-t-il d'une voix coléreuse.

— Non, mais tout de même, mon ami... » Elle avait les yeux fixés sur le verre de vin, et il se renfonça sur son siège, laissant le petit serveur emporter son verre avec la bouteille de vin encore à moitié pleine dans son panier d'osier.

« J'ai un soupçon d'arthrite », expliqua-t-elle à Martha sur un ton de confidence. « Mais je ne fais plus tant' de choses : je jardine. Le jardinage est mon seul exercice. »

Le repas était presque achevé.

« Comment va Maisie, la voyez-vous ? » s'enquit Martha.

Les deux vieillards échangèrent un regard.

« Elle est déplorable », répondit Mme Maynard, « mais nul n'attendait rien d'autre d'elle.

— Eh oui, eh oui », marmonna M. Maynard.

Avec un fond de culpabilité ? On l'aurait cru ; mais Martha n'en était pas certaine.

— Et Rita ?

— Mon mari la voit parfois, mais elle ne semble guère s'intéresser à moi, répliqua Mme Maynard.

— Voyons, Myra », protesta M. Maynard en dégonflant ses joues, protégeant quelque merveilleux secret.

« *Oui* », insista-t-elle. Puis : « Mais j'ai appris qu'elle allait séjourner chez vous ?

— Dans deux jours, acquiesça Martha.

— Oui, nous envisagions de revenir depuis déjà quelque temps, et nous avons pensé... »

Le regard qu'elle lança à Martha n'était que supplication. *Injuste!* songea Martha vieillie. Quel droit avait-elle ? Mais c'était peine perdue : Mme Maynard se pencha vers elle de cet ancien air autoritaire, ses cheveux blancs retombant en mèches autour de son visage, cependant que ses yeux noirs étincelants et ses lèvres tremblantes lui donnaient l'air d'une fille audacieuse et téméraire.

Elle plongeait une main couverte de bagues dans son sac. Des liasses de billets émergèrent.

Un serveur haussa le sourcil à la vue du tas de billets de cinq livres, et se mit à épousseter les miettes tout autour, dans un charmant petit jeu. La main de Mme Maynard s'étendit pour stabiliser les billets jusqu'à ce qu'il eût terminé.

« Mais comment va Rita ? s'étonna Martha.

— Là n'est pas la question. Elle n'a pas la moindre notion. Pas la moindre. Et cet accent... » La voix de Mme Maynard, que cinquante années de voyelles coloniales n'étaient pas parvenues à infléchir, se brisa.

Martha ne disait rien. Elle chercha du secours auprès de M. Maynard.

« Est-ce que Rita est au courant ? » demanda-t-elle, voyant que le vieil homme ne disait rien.

« Dieu seul sait ce qu'elle sait ! » s'exclama Mme Maynard avec un regard d'accusation pathétique et courageuse en direction de son mari. Il gonfla à nouveau ses joues pour les redégonfler, pop, pop, pop, avec ses lèvres. Dédaignant le subterfuge, son épouse le défiait du regard.

Il tendit la main vers son verre.

« Cognac », ordonna-t-il à Nikki, ou Colin, ou Bobby, enfin celui qui se trouvait le plus près, adossé au mur avec un autre, un jumeau. Tous deux suivaient la scène avec un intérêt franchement amusé.

« Tout de suite », s'exclama l'un d'eux ; « mais certainement », renchérit l'autre en brandissant une bouteille de cognac et des verres.

« Pour moi aussi », déclara Martha, faisant alliance avec lui ; tandis qu'elle, Mme Maynard, comme toujours sûre d'avoir raison, observait : « Si tu cherches à avoir une nouvelle attaque...

— L'alcool dilate les artères », répliqua-t-il fermement, puis il rejeta la tête en arrière et vida son verre. Bobby, ou Ivor, le lui remplit à nouveau.

« Ou bien, si elle ne veut pas faire d'études », reprit Mme Maynard, « vous pourriez peut-être... ». Elle poussa un tas de billets vers Martha.

Martha demanda : « Mais que veut-*elle* ?

— Ah, s'exclama M. Maynard, nous y voici. Mais Myra ne veut pas voir...

— Je vois très bien ! Mais nous sommes tous obligés de faire certaines choses qui nous rebutent, parfois. Enfin, quoi qu'*elle* décide de faire, il faut faire quelque chose pour elle. Ses vêtements, par exemple ! »

Là, elle jeta un regard à ceux de Martha, et se souvint qu'elle les avait toujours jugés extrêmement inadéquats. Mais c'était Martha ou rien.

« La vie qu'elle mène — c'est affreux, affreux, affreux », gémit-elle. « A danser toutes les nuits, et elle adore les garçons — affreux.

— Voyons, Myra, elle a plus de vingt ans », protesta son mari.

Les larmes ruisselaient sur le vieux visage de Mme Maynard. Nikki, ou Colin, qui se tenait là avec le cognac, fit tttttt avec sa langue et hocha la tête en soupirant pour exprimer sa compassion, tout en lui souriant avec un charme qui lui fit aussitôt redresser la tête et fou-droyer le garçon du regard.

« Eh bien, vraiment », déclara-t-il avec un accent de **B.B.C.**, « on ne sait plus que faire ! » Et il poursuivit avec l'accent des faubourgs : « Si c'est pas malheureux, quand même... »

Il s'éloigna d'un air très offensé.

« Ces gens sont extraordinaires », décréta Mme Maynard. « Et ils se trouvent partout où l'on va.

— Combien de temps êtes-vous restés ? interrogea Martha.

— Deux semaines. C'est plus qu'assez. Ce pays est... » Et mainte-nant, enfin, elle exprima ce qu'elle pensait.

« Mais enfin, que se passe-t-il ici ? Car ce ne sont pas uniquement les habits, j'imagine que dans ma jeunesse, j'ai porté des vêtements aussi. Les jeunes filles seront toujours des jeunes filles, mais on a l'impression que... et... et... et... » Cela dura plusieurs minutes et s'acheva sur ces mots : « Et quand on pense que vous alliez nous envahir. *Vous ! Nous* envahir !

— Peut-être encore maintenant ! ajouta M. Maynard.

— Cela m'étonnerait », rétorqua Martha.

Ils la dévisagèrent d'un air soupçonneux : peut-être avait-elle changé ? Tous trois prirent le parti de rester diplomates, et M. May-nard reprit vivement : « Mais nous sommes loin de tout cela. J'ai pris ma retraite, vous savez.

— Et ce n'est pas seulement ici », poursuivit Mme Maynard, les lèvres tremblantes. « C'est partout.

— Allons, prends un peu de cognac, cela te fera du bien, Myra », suggéra son mari. Il chercha un serveur des yeux, mais ne vit que des dos délibérément tournés.

« *Non* », déclara-t-elle, et elle rassembla ses affaires pour mettre fin à la possibilité du cognac.

« L'addition, s'il vous plaît », cria Martha à l'un des deux dos tour-nés. Il acquiesça, glacial : son charme, son vrai moi ayant été bafoué, il comptait bien persévérer dans sa bouderie.

Martha repoussa le tas de billets vers Mme Maynard.

« Non, gardez-le. Gardez-le pour elle.

— Nous pouvons le lui laisser par testament, observa M. May-nard.

— Oui, mais espérons qu'elle n'en bénéficiera pas tout de suite, répliqua Mme Maynard.

— Je suis sûre qu'elle trouvera un moyen de le dépenser », reprit M. Maynard en défiant sa femme qui le foudroya du regard à travers ses larmes.

Ils quittèrent le restaurant.

Dehors, Mme Maynard suggéra à Martha : « Peut-être aurez-vous la bonté de nous donner des nouvelles de Rita ? » C'était là une supplica-tion qu'elle détestait faire ; et elle la formula donc d'une voix péremp-toire, tandis que ses yeux imploraient et exprimaient la peine.

« Oui, bien sûr », répondit Martha bien décidée à s'y conformer.

Mme Maynard adressa un signe de tête à son mari, et ils firent demi-tour pour affronter la rue. Un soleil londonien orange déversait un chatoiement chaud dans l'abîme qui séparait les deux rangées d'immeubles, où l'on ne vendait que des perruques, des vêtements, de la nourriture, des bijoux, des meubles — dont chaque élément arborait le style du moment, qui consistait à ne pas se prendre au sérieux. Les deux vieillards tenaient les yeux fixés droit devant eux en se frayant un chemin parmi des meutes de jeunes gens qui étaient, soit des garçons parés avec drôlerie, soit des filles qui avaient le monde entier devant elles ; ou encore des exhibitionnistes sans goût, avec des cuisses trop grosses exposées à la vue, des mètres de faux cheveux, le visage dissimulé derrière d'énormes lunettes noires, ou des barbes, ou des favoris gigantesques — tout ce qui pouvait cacher. Selon la manière dont on considérait les choses.

Les deux ex-consuls ne regardaient pas : ils s'enfuyaient comme si tout ce qu'ils auraient pu voir risquait de les détruire.

Martha les observa s'éloigner puis disparaître, et rentra chez elle avec son sac distendu par tout l'argent qui s'y trouvait. Quand elle le compta, elle s'aperçut qu'il y avait là huit cents livres sterling pour l'éducation de Rita (Maynard).

CHAPITRE QUATRE

Demeurer dans une maison qui va être démolie, laissée à l'abandon, ou transformée d'une manière ou d'une autre, est la forme la plus étrange de la patience. Ici, où mon fémur et la poignée de la porte délimitent un plan, y aura-t-il une étagère ? La ligne qui va de ma tête à ma cheville gauche marquera-t-elle l'emplacement d'une cloison ? Ou bien, les sols montant et descendant comme ils le font, on marche sur l'air à dix centimètres au-dessous de ce plancher — plafond — qui existe à présent et disparaîtra sous forme de poussière et de gravats.
Surtout de poussière.
Une transcience fiévreuse. Voilà ce qui avait caractérisé ces dix-huit mois écoulés depuis l'arrivée de Rita Gale (Canfield ?) ; plus que jamais, et comme Martha se souvenait de l'avoir déjà ressenti (encore et toujours), sa vie ressemblait à un quai de gare desservant des trains rapides dans toutes les directions.
Alors qu'elle faisait des comptes pour Mark après un après-midi d'été, elle entendait aller et venir des gens dans toute la maison.
L'appartement du nord de Londres ayant été racheté par des spéculateurs, Jill et Francis venaient s'installer ici avec leur troupeau. Trois enfants. Gwen, le petit ami de Gwen. Nick. La petite amie de Nick. Un ancien ami à elle. Le bébé de la petite amie de l'ancien ami, la mère étant morte d'une overdose. Jill était enceinte à nouveau. Cette fois de Francis. Lynda avait déclaré à son fils : A moins que tu ne veuilles être le père d'au moins vingt enfants dont aucun ne sera de toi (puisque telle une femme de l'époque victorienne, Jill en produirait sans doute un par an jusqu'à la ménopause), tu ferais mieux d'être l'un de ces hommes avec qui elle couche sans plaisir. Francis y avait réfléchi à sa façon, c'est-à-dire qu'il avait commencé par accabler sa mère avec une sorte de grossièreté furieuse et angoissée, avant de conclure que, mise à part la formulation, il y avait une bonne part de vérité dans ses propos. Et il envisageait à présent de se marier. Surtout que Jill avait annoncé qu'elle aimait faire l'amour avec Francis bien plus qu'avec quiconque, et que peut-être elle ne s'opposerait pas à admettre qu'on pouvait trouver des arguments en faveur de cette activité. Jamais encore, expliquait-elle, elle n'avait eu de relation sexuelle avec un *ami*.
Bien que la maison eût été rachetée de force ou presque, les formalités semblaient devoir durer plusieurs mois, comme toujours, et Francis-Jill avait pensé qu'ils pourraient bien employer tout cet espace vide en attendant qu'il soit transformé en bureau pour le service des contributions ou de l'urbanisme municipal, ou encore démoli.
Ils pensaient tous que, quand ils devraient partir, ils partiraient

tous ensemble, comme une caravane, accumulant très certainement des éléments d'humanité par le fait de leur mouvance collective. En bref, de même que Paul, ils procuraient des lieux d'accueil, des havres, des refuges pour les tristes, les paumés, les malades, les rejetés, et ils constituaient donc des points d'appel, des points de rassemblement pour des gens qui n'arriveraient sans doute pas à grand-chose avant une maturité très tardive mais qui alors... mais il était encore beaucoup trop tôt pour pouvoir dire.

Paul et Francis, l'huile et l'eau, qui ne se retrouvaient jamais par plaisir, ni par amitié, ni en souvenir de leur enfance passée sous le même toit, se rencontraient désormais souvent car ils envisageaient d'acheter une ferme où leurs amis pourraient vivre en autarcie et sans plus de référence à la société qu'il ne serait strictement nécessaire. Ni l'un ni l'autre ne parlait de « socialisme », de « communauté », de « kibboutz » ou de « collectivité ».

Francis devait recevoir une part du prix de vente de la maison... environ cinq mille livres. Paul fournirait l'essentiel de l'argent. Vivant pour le plaisir de l'argent, de le gagner, de le manipuler, il était néanmoins prêt à tout risquer. Il n'habiterait pas la ferme : il n'était chez lui qu'à Londres ; mais il comptait vendre sa part d'une des maisons, une autre maison qui lui appartenait en entier, une boutique, et un salon de coiffure. Après tout, disait Paul, il avait le don de l'argent, et pas Francis ; et peu importait : il ne doutait pas un instant qu'il se retrouverait d'ici à cinq ans dans la même situation qu'aujourd'hui — probablement plus riche.

Au sous-sol, Lynda faisait ses bagages pour s'installer dans un appartement avec sa nouvelle amie Sandra, qui la choyait et la bousculait comme l'avait fait autrefois la pauvre Dorothy. Sandra, une grosse blonde qui soupirait beaucoup, couverte de taches de rousseur à la bonne franquette, et fort capable de se faire des petites nattes terminées par de gros nœuds en satin quand l'envie lui en prenait, était, comme l'expliqua à Mark le Dr Lamb, « très dérangée quand elle l'était, mais parfaitement adaptée à des objectifs normaux ». Adaptée ou dérangée, Mark la détestait, et tout le monde la trouvait embarrassante : non seulement elle croyait aux soucoupes volantes — après tout, presque tout le monde y croyait — mais elle correspondait télépathiquement avec un amant-démon qui en pilotait une. Elle réconfortait Lynda en lui disant « de ne pas s'inquiéter, Algavious (qu'elle appelait Al pour simplifier) l'emporterait, elle, Lynda, avec elle, Sandra, quand le moment viendrait ».

Lynda avait traversé une très mauvaise période. Elle avait quitté Mark et la maison pour s'installer dans la chambre libre de la maison de Paul, et voir si elle pouvait se débrouiller seule. Mark avait accusé le coup et sa désolation avait coïncidé avec l'arrivée de Rita. Là, Lynda avait trouvé non pas la solitude, mais beaucoup d'amis. Et comme elle aspirait à compenser une existence qu'elle jugeait totalement égoïste et mal investie, elle ne tarda pas à se retrouver débordée, entre le bébé d'Olive, les heurts de personnalité de Bob, et les dépressions nerveuses de Molly et de Rose. Elle craqua, non pas sous l'effet de la solitude, mais parce qu'elle s'épuisait. Par malheur, elle se trouva alors impliquée dans une crise de la vie de Paul. Il possédait cette maison par moitié avec un jeune homme d'affaires de bonne famille et de mœurs orthodoxes, qui avait flirté un moment avec le Londres jeune et à la mode, mais qui s'en était ensuite désolidarisé. Cette brève période l'avait mis en relation avec Paul. Il avait imaginé que la maison était louée suivant les termes classiques de la gérance. Il s'aperçut que la moitié des locataires vivaient là sans payer de loyer, et que les autres en payaient très peu. L'atmosphère de la maison le troubla fort, lorsqu'il y passa par surprise, un aprèsmidi. Tout d'abord, il découvrit Lynda qui, en proie à un accès difficile, assise par terre, se heurtait la tête contre le mur en chantonnant. Il diagnostiqua la drogue, et s'affola à l'idée que la police pourrait s'en mêler. Sommé de s'expliquer, Paul déclara que c'était sa belle-mère. Et ajouta que, si la maison ne rapportait guère de loyer en effet, du moins avait-elle doublé de valeur — alors de quoi Percy Dodlington se plaignait-il ? Percy le menaça de poursuites. Paul perdit la tête et écrivit une lettre : notre amitié... confiance... aux termes de notre contrat... poursuivrai si... comme il l'avait hélas déjà fait si souvent. Lynda se retrouva alors au cœur d'une querelle qui menaçait de finir au tribunal. Paul la découvrit au lit, sanglotant qu'elle gâchait la vie de tout le monde, qu'elle ne servait à rien, qu'elle ferait mieux de mourir. Martha s'était absentée pour aller proposer à Nanny Butts de s'occuper des trois bébés (Harold Butts était mort), et Mark était parti en voyage organisé avec Rita. Paul emmena Lynda chez le Dr Lamb. Le Dr Lamb la fit accepter dans l'aile neuve d'un vieil hôpital, et là Lynda fut bien malade. Le médecin, cette fois, appartenait à cette école flexible et non didactique qui refuse en bloc tout l'ancien jargon ; et il lui fit prendre un médicament qui, disait-il, était tout nouveau et faisait merveille. Lynda le prit très volontiers — elle ne souhaitait qu'une seule chose, redevenir normale, et le Dr Bentin lui assurait que ce médicament le lui permettrait. Elle commença à éprouver de nouveaux symptômes qui l'épouvantèrent. Interrogée, elle répondit qu'elle « voyait des choses ». On la calma et la rassura ; ce médicament ne lui convenait apparemment pas, lui dit-on, mais un autre lui conviendrait mieux. Les symptômes continuaient.

Vers cette époque, Martha revint de chez Nanny Butts, qui avait dit que rien ne lui plairait comme de s'occuper de ces chers petits bébés, mais qu'elle se sentait devenir vraiment trop vieille, ayant largement dépassé les soixante-dix ans : pouvait-elle suggérer plutôt sa nièce Pauline, qui était si gentille ? (Pauline vint s'installer dans l'appartement du nord de Londres, et s'occupa désormais des trois jeunes enfants, et de la petite amie du petit ami de Gwen, Gwen et lui s'étaient séparés.) Lynda se trouvait dans une vaste salle dont les murs, couleur de moutarde, mirent Martha mal à son aise, et regardait la télévision en compagnie d'une cinquantaine de patients et d'infirmières. Elle se montra brève et impatiente envers Martha. Martha lui demanda si elle pourrait la voir seule à seule ; de mauvaise grâce, Lynda alla s'asseoir sur son lit et tira les rideaux de drap blanc — pour être tranquilles. Lynda se comportait envers Martha comme si deux attitudes totalement différentes avaient été mêlées au point de presque se mélanger, comme les « gâteaux marbrés » de l'enfance. Tantôt elle l'ignorait d'un air maussade et méfiant, et tantôt, sans aucune transition, elle semblait implorer son aide et son pardon.

Le médecin avait prévenu Martha que Lynda souffrait de graves hallucinations.

Martha rappela à Lynda leurs expériences communes. La Lynda qui s'en souvenait était absente, ou bien craignait d'admettre sa présence.

Pendant plusieurs jours, Lynda avait eu une série de visions ou d'images (sur son écran intérieur), et des rêves qui semblaient des plans fixes de ces visions. Il y apparaissait des paysages tous connus de Lynda, comme ceux de chez Nanny Butts et de chez Margaret, ou encore de son enfance. Ils avaient l'air pris dans une sorte de gel, de sorte qu'elle s'était d'abord écriée : « L'Angleterre est empoisonnée, on dirait une souris morte dans un coin ». Car tout lui apparaissait dans une immobilité rigide et vaguement phosphorescente. On lui avait donné des doses plus fortes, on l'avait isolée dans une petite chambre pour qu'elle pût dormir deux ou trois jours profondément. Mais quand le sommeil s'était épuisé, elle s'était remise à rêver. L'Angleterre était empoisonnée, criait-elle ; un ennemi injectait à l'Angleterre une rosée brillante et mortelle.

Le jeune Dr Bentin s'était montré extrêmement gentil : il lui avait expliqué qu'elle projetait sa propre haine d'elle-même sur son pays. Lynda était toute disposée à accepter cette explication : Dieu seul savait combien elle se haïssait : elle savait combien elle était inutile, amoindrie, bonne à rien.

On diminua les doses : elle eut encore quelques jours d'hallucinations ; cette fois elle ne raconta rien, se souvenant du passé.

Mais elle avait décidé qu'elle voulait demeurer à l'hôpital. Elle avait rencontré Sandra qui (Lynda le savait fort bien) dépendait de Lynda tout en donnant l'impression de la protéger : sans Lynda, Sandra ne pouvait rien espérer d'autre qu'une chambre solitaire quelque part : elle n'avait pas d'argent, et ses enfants adultes ne l'aimaient pas. C'était là une histoire banale.

Lynda désirait rester à l'hôpital, avec Sandra pour compagne et amie. Mais il existait à présent de nouvelles orientations : nul n'était encouragé à rester dans les hôpitaux s'il pouvait sortir. Lynda et Sandra supplièrent, trichèrent, essayèrent tous les trucs qu'elles connaissaient pour pouvoir rester, mais sans prendre de médicaments. Mais non, le Dr Bentin leur fixa une limite, quatre semaines, pour s'en aller : il s'assurerait qu'on leur fournirait la quantité de médicaments nécessaires. Ce fut un drame.

Lynda ne voulait pas revenir à Radlett Street. Elle avait l'impression de recommencer le même cycle une fois de plus. Plus de quinze ans auparavant, elle était « rentrée à la maison » avec Dorothy et une ordonnance pour ses médicaments — différents, il était vrai. Elle ne croyait pas qu'elle parviendrait jamais à se libérer de ceux qu'elle prenait à présent. Et puis elle ne voulait plus « voir des choses ». Les entendre lui suffisait bien. Pendant un après-midi entier avec Martha, elle écouta donc en se cognant la tête avec des soupirs d'exaspération théâtrale, le visage détourné, et Martha lui fit observer que « voir des choses » ne devait pas nécessairement l'effrayer... Lynda avait-elle totalement oublié ? Non, elle n'avait pas oublié car, tout en boudant ou grinçant des dents à l'intention de Martha, elle tendit une main sale et la caressa timidement, comme pour dire : N'y fais pas attention, je suis là ; de même qu'un chat tend la patte pour demander : M'as-tu oublié ?

Et quand Martha déclara : « Tu as simplement plongé un petit peu, c'est tout », elle acquiesça vivement tandis que ses yeux s'emplissaient de larmes. Mais quelques instants plus tard, elle dardait un regard oblique et chargé d'une haine mélodramatique sur Martha.

Lynda était revenue, avec Sandra, s'installer au sous-sol moins de six mois après l'avoir quitté pour apprendre l'indépendance.

Elle faisait à nouveau ses bagages pour s'en aller.

Quand on l'interrogeait sur sa santé, elle répondait : « Je vais parfaitement bien, merci ! » avec un petit hochement de tête tremblant. Mais il semblait à Martha qu'elle était finalement vaincue. Elle ne parlait plus du tout de se passer de médicaments ; elle ne disait plus : « Je sais ce que je sais », et : « Il faut savoir se taire », ni ne faisait plus aucun de ses petits gestes par respect d'elle-même. Simplement, elle allait une fois par semaine, ainsi que Sandra, voir le Dr Bentin ou l'un de ses confrères, et de même qu'elle l'avait fait avec Dorothy, toutes deux formaient une alliance défensive très serrée que nul ne pouvait pénétrer. Leurs jours et leurs nuits étaient réglés par des médicaments, des sédatifs, des excitants, des somnifères.

De l'autre côté du palier, dans la chambre de Mark, Rita lui préparait ses bagages : ils partaient pour l'Afrique du Nord dans quelques jours. Martha avait écouté (en additionnant des pennies, des shillings, des livres, et — puisqu'il s'agissait de l'argent du nouveau programme Colridge-Esse-Perkins — des centaines de livres) Rita chanter, sur un air d'inépuisable ritournelle : « Fais ton sac et *pars*, Ferreira, fais ton sac et *va-t'en* ». Mais le silence s'était instauré pendant quelque temps ; et Martha en avait conclu qu'ils faisaient l'amour. Comme le disait assez souvent Rita : « On ne peut pas lui en vouloir ! Quand on pense que sa femme n'a jamais été vraiment sa femme ! »

Avant l'arrivée de Rita, Martha avait rêvé — elle ne pouvait pas prendre vraiment parti à ce sujet, bien que ce fût extrêmement vivant — qu'en entrant dans la chambre de Mark, elle trouvait Maisie assise nue dans le lit à côté de Mark endormi. C'était la Maisie d'avant la guerre, une fille fraîche et dodue avec des petites mèches blondes sur son cou moelleux. « Martha, déclarait cette jeune déesse couleur de blé, ton problème, c'est que tu n'as jamais donné à Mark ce qu'il désirait ». « Je le sais bien, Maisie, répondait simplement la Martha du rêve, mais ne comprends-tu pas que je devais tout maintenir en équilibre — ne le vois-tu pas ? » « Eh bien, c'est une chance que tu m'aies, non ? » poursuivait Maisie, alanguie sur des oreillers à volants roses (d'un goût affreux) et tendant un bras blanc et majestueux pour entourer Mark. « Oui, merci beaucoup », avait dit la Martha du rêve. Et puis elle s'était éveillée le cœur empli de cette peine sauvage que seul le rêve peut contenir, empli de souvenirs de Thomas.

A l'aéroport, c'était une grande fille brune et bien bâtie, coiffée de courtes boucles, qui avait franchi les barrières de la douane. Les yeux noirs directs et les épais sourcils des Maynard donnaient à Rita une beauté saisissante et assez inquiétante. Elle était beaucoup trop décidée d'allure pour les années soixante, où l'on ne voyait que poupées, chatons, bébés, écolières, princesses de l'espace, choses délicates. Paul le lui avait d'ailleurs dit dès le premier soir. « Tu ferais mieux de t'en remettre à moi », lui avait-il suggéré. Et elle s'en était étonnée : « Pourquoi donc ? »

Et en effet, pourquoi ? Et qu'était-ce donc, qui troublait ainsi Mme Maynard ? Si les vêtements de Rita choquaient à Londres, c'était bien parce qu'ils étaient douloureusement conventionnels, et trop longs, et dénués de toute fantaisie. Elle s'exprimait bien sûr avec un fort accent, mais le contraire eût été impossible. Elle n'était absolument pas élégante — mais les Maynard l'avaient-ils jamais été ? En bref, Martha se surprit à rêver (exactement comme dans sa jeunesse) aux critères personnels que les Maynard avaient dû se créer et que personne d'autre ne pouvait être appelé à partager — qui n'avaient absolument rien à voir avec la beauté, la gentillesse, le charme, l'intelligence, et qui, pour les Maynard, représentaient l'unique excellence qui comptât. Les Maynard ne pouvaient tout de même pas espérer faire de Rita une dame du monde ?

La critiquaient-ils de n'en être pas une ? Ce fut seulement en voyant Rita que Martha comprit la violence de cette obsession qu'elle se formulait personnellement ainsi : « Le sang des Maynard. » Car, depuis vingt-cinq ans, que de rêves, que d'espoirs encouragés, que de besoins et de manques ressentis, pour faire de Rita quelqu'un à améliorer d'urgence ?

Rita résolut le problème de Martha sur le protocole à adopter pour accueillir quelqu'un qu'elle n'avait plus revu depuis sa toute petite enfance en lâchant sa valise pour jeter ses bras autour du cou de Martha et l'embrasser. Elle aurait presque pu murmurer : « Me voici enfin revenue chez nous ! » Pendant le trajet jusqu'à la maison, elle bavarda, donnant des nouvelles après une longue séparation. Elle pénétra dans la maison avec un tel air de plénitude et de ravissement qu'il était impossible de lui révéler qu'on allait sans doute bientôt la démolir. Et en effet, quand elle apprit la nouvelle, il apparut à tous que c'était Rita qui en souffrirait le plus.

Mark se trouvait là lors du premier repas, mais totalement absorbé dans son désespoir, car il venait juste d'apprendre que Lynda le quittait. Il ne parla guère, et Rita ne parut guère s'intéresser particulièrement à lui.

Paul vint ce soir-là, beau et posé comme à l'accoutumée et, après qu'elle se fut étonnée : « Pourquoi ? », le dialogue suivant se déroula : « Parce que ce n'est pas possible telle que tu es.

— Qu'est-ce qui n'est pas possible ?
— Tu pourrais être absolument superbe, je t'assure ! »
Elle le dévisagea, et sur son visage apparut lentement l'expression d'une confiance sexuelle parfaitement pure et franche, comme dans un magazine de la presse du cœur. Il rougit et, maussade, répliqua d'une voix désobligeante : « Je suppose que tu dois être très sexy. »
— Merci », s'exclama Rita en riant de bon cœur ; car, comme elle l'expliqua par la suite à Martha, elle n'avait jamais rencontré personne comme lui.
« Eh bien, si tu ne changes pas de coiffure et de style, je ne te sortirai pas », menaça Paul.
Le tact retint Rita d'observer que, s'il ne la sortait pas, elle savait d'expérience qu'il se trouverait toujours bien quelqu'un pour s'en charger.
Il se méprit sur son silence souriant, et insista : « Je t'emmènerai demain chez Madeleine. Elle te coupera les cheveux. »
Madeleine tenait le deuxième meilleur salon de coiffure de tout Londres, et était une vieille amie de Paul.
Il observa qu'elle semblait embarrassée, à présent ; mais pour lui. Ce n'était pas qu'il n'eût jamais rencontré ce genre d'embarras délicat chez une fille — cela lui arrivait souvent. Mais chez Rita cela apparaissait ouvertement comme un reproche de Demeter ou d'une jeune Bodicée.
Il demeura face à elle, comme pour crier : Mais je suis l'épitomé de ce que désire toute fille sensée !
Et elle lui faisait face avec ce sourire qui disait : Tu es très beau mais...
Tous deux poursuivirent la soirée sur le même ton, mais elle finit gentiment par accepter de se laisser guider par lui — non, pas demain, parce qu'elle avait tant à faire « mais bientôt, je te promets ».
Francis et Jill vinrent faire sa connaissance et l'invitèrent à venir les voir. Elle était entrée dans la famille. Mark observa : « Ce n'est certes pas un reproche, bien au contraire, mais on jurerait qu'elle revient chez elle. »
Et c'était vrai ; quoi qu'elle dît ou fît, qu'elle bavardât avec Martha ou Mark ou qu'elle protégeât Paul, elle arborait toujours un air de confiance secrète et ravie, comme si elle avait porté un talisman incapable de jamais la trahir.
Martha pensa d'abord que cette façon, cette aisance chaleureuse et spontanée, était tout simplement celle de Maisie si elle avait reçu la possibilité de se développer dans un environnement harmonieux. Car grandir dans cette affreuse petite ville minière n'avait pas dû être bien drôle. Et il n'y avait pas de doute que, si elle ressemblait physiquement aux Maynard, elle avait hérité la nature de Maisie.
Mais Martha se trompait. Elle ne comprit pas tout d'abord à quel point, bien qu'elle eût même tenté quelque chose qu'elle évitait toujours (c'était comme d'écouter aux portes ou de lire des lettres adressées à d'autres !). Elle tenta d'entendre ce que pensait Rita. Et quand elle parvint à saisir quelques mots, on aurait dit le dialogue

d'un roman sentimental démodé, où il ne s'agissait que de « destinée secrète », de « se révéler », d'être « découverte » et ainsi de suite. Finalement, tout s'expliqua une nuit très tard, devant une tasse de chocolat, des biscuits et des cigarettes.

Rita avait été élevée par sa grand-mère jusqu'à l'âge de dix ans, dans la ville qui avait commencé en cité minière et en avait conservé le genre quand elle s'était développée en vraie « ville » de la colonie — cinq mille habitants blancs qu'elle connaissait chacun de nom ou de vue, et deux ou trois mille Noirs qu'elle ne voyait jamais. Tous tournait autour de la mine, et les seules distractions étaient les bars et les cinémas. Rita fréquentait alors l'école, et ne voyait guère sa mère qu'occasionnellement. Mais celle-ci avait ensuite fait une visite prolongée. Sans doute traversait-elle une période de vaches maigres, ou bien elle s'était découvert de l'amour pour sa fille. Mais elle était restée, et puis avait épousé un ingénieur de la mine et ils avaient vécu tous les quatre ensemble — la grand-mère, Rita, Maisie, et son nouveau mari, dans la minuscule baraque au toit de tôle ondulée d'où l'on ne voyait que les machines de la mine de l'autre côté d'une route sableuse, et un jardinet plein de zinnias et de balisiers. Puis la grand-mère était morte ; ce qu'avait éprouvé Rita apparaissait clairement sur son visage lorsqu'elle en parlait. Le mariage de Maisie n'était ni réussi ni particulièrement raté. Maisie buvait beaucoup, mais elle restait une brave femme, même si elle se laissait aller. L'ingénieur, lui, avait des accès de saoulerie, mais il était toujours gentil avec Rita, bien qu'il reprochât aigrement à Maisie d'être grosse et paresseuse. Une grande photo de Maisie trônait sur la coiffeuse de Rita : elle avait eu un œil infecté, ne s'en était pas soucié, et devait à présent porter en permanence un bandeau rose sur un œil. Elle avait également eu une petite attaque, et sa bouche s'était largement affaissée, ce qui lui conférait une expression maussade et amère. Mais Rita n'avait guère passé de temps dans la ville minière après l'âge de onze ans ; car les Maynard étaient apparus un beau jour, et avaient proposé d'envoyer Rita à leurs frais dans une pension religieuse en ville. Maisie n'avait pas opposé d'objections. Rita avait donc vécu huit ans en pension, ne passant avec sa mère que les vacances — et elle avait même été une fois en vacances chez les Maynard. Mais elle ne pouvait pas supporter Mme Maynard, expliquait-elle : une fois lui avait suffi.

Elle était sociable et aimée de ses camarades, travaillait suffisamment bien pour ne pas attirer l'attention, lisait d'énormes quantités de magazines sentimentaux, et sortait souvent avec M. Maynard pour prendre le thé ou bien aller au cinéma, et vers l'âge de quinze ans, elle avait compris l'évidence : M. Maynard devait être son père. Elle avait toujours senti (confia-t-elle à Martha) que son vrai père n'était pas l'aviateur McGrew. Quand elle avait bu, Maisie soupirait et pleurait et parlait des hommes dont elle se souvenait : pendant quelque temps, Rita avait eu l'impression que son père était « un communiste rouge de Grèce ; « *In vino veritas*, comme on dit », commenta-t-elle ; car sa mère lui avait un jour juré, croix de bois croix de fer si je mens je vais en enfer, que ce n'était pas Andrew.

Et quand Rita avait franchi le pas suivant, car il lui suffisait de regarder dans son miroir pour voir la vérité, et qu'elle avait dit à Maisie : « Je m'étonne que Mme Maynard ne soit pas vexée ! », Maisie s'était contentée de répondre : « Le sang est plus épais que l'eau ! » Et tout en était resté là.

Et pendant des années, Rita avait été entretenue, promenée, habillée, gâtée par M. Maynard, son père — ainsi voyait-elle les choses. Et elle ne voulait plus aller chez lui par délicatesse, afin de ne pas blesser Mme Maynard. Elle aimait beaucoup M. Maynard — un si gentil monsieur, disait-elle. Elle semblait imaginer l'incontrôlable passion d'un homme âgé disant adieu à sa jeunesse, et s'imaginer elle-même comme l'heureux fruit. Et d'autant plus heureux que son héritage était les Maynard, et ce qu'ils représentaient ou avaient représenté. Un jour arriverait une lettre, un message, un avis d'un notaire, une porte s'ouvrirait, une route se dessinerait — et voilà. En attendant, elle se trouvait chez la vieille amie de sa mère, et cette maison représentait son avenir.

Elle parla aussitôt de Binkie : il était un peu bête, à son avis. Pas du tout le genre de fils qu'il aurait fallu aux Maynard. Il ne s'entendait d'ailleurs pas avec eux. Ce devait être terriblement dur pour eux. Bien sûr, les hommes buvaient — elle le savait bien : sa jeunesse dans une ville minière lui avait enseigné bien des choses. Mais il y avait boire et boire. Et puis sa femme... « Tu l'as connue, Martha ? Bah, c'est le genre fonctionnaire, tu sais, et puis vraiment, ses deux fils », alors, elle, Rita, était sortie une fois avec l'un d'eux. Et cela lui avait amplement suffi. Mais elle n'aimait pas dire du mal des gens.

Et elle poursuivit. La fille de Maisie ne voulait pas dire carrément : « Je ne m'étonne pas qu'il me préfère, moi, la fille de sa joie, à un imbécile comme Binkie et aux enfants adoptifs mal élevés de Binkie », mais son sourire heureux montrait bien qu'elle comprenait et soutenait sa préférence, quand elle racontait comme il la sortait toujours et jamais eux, comme il pensait toujours à son anniversaire, et comme il ne laissait jamais passer Noël sans la gâter. Martha interrompit alors son récit pour exhiber les huit cents livres sterling en billets de cinq, à dépenser comme bon lui semblerait. Des larmes lui emplirent les yeux : pas des larmes de surprise, bien sûr, non : elle savait bien qu'elle attirerait toujours le bonheur et les bonnes choses. « Tu vois comme il est gentil, Martha, si seulement tu pouvais imaginer à quel point ! »

Martha repoussa le moment de vérité en songeant : Bah, je suis sûre que cela n'a aucune importance, si je le lui dis plus tard.

« Il est toujours gentil avec tout le monde. Caroline — tu ne m'en veux pas si je parle d'elle ? — Bon, je la voyais un peu à l'école, mais nous n'étions pas vraiment *amies*, tu comprends, ils sont plutôt du genre fonctionnaires, et ce n'est pas mon style. Mais un après-midi il nous a sorties ensemble, Caroline et moi, et de temps en temps on se voyait en copines. Il est très gentil avec elle aussi. Mais pas autant qu'avec moi. Il va beaucoup chez eux. Mais je pense que pour une personne au grand cœur comme lui, une maison sans enfants doit être bien terne. Cela me rend souvent triste, quand je pense à lui, comme il est gentil avec Caroline et moi. Mais si, je te le dis, Martha, franchement, c'est moi qu'il préfère. On ne peut pas s'empêcher de sentir ces choses-là. » Pour des gens déjà mûrs qui se sont toujours consacrés à des axiomes comme : La Vérité est le chemin de la Liberté — et ainsi de suite — des moments fort intéressants peuvent survenir, comme une rencontre avec Rita. Ce n'était pas que la fille de Maisie eût été choquée d'apprendre que M. Maynard, âgé de plus de soixante-dix ans, entretenait toujours sa liaison avec Mme Talbot alors même qu'elle était une vieille dame confinée au lit et sous la surveillance permanente d'une infirmière — elle radotait un peu, à présent, disaient les gens. Ou que M. Maynard éprouvait des émotions de deux ordres au sujet de Caroline — fille de Martha, et fille adoptive de la fille de sa maîtresse. Bien sûr que non. Elle trouverait tout cela fort touchant. Et ce l'était sans doute, c'était sûrement Martha qui avait tort. (Elle se souvenait d'avoir été amenée à le croire par Maisie, incapable de douter un instant que le cœur ne fût toujours préférable à une tête malveillante et critique.) Et qu'importait, après tout, que Binkie eût engendré Rita plutôt que M. Maynard, puisque Rita estimerait certainement, de même que les vieux Maynard, que le sang était tout. Et puis qui d'autre avait jamais trouvé M. Maynard adorable et généreux ? Et puis sang ou pas sang, qui voudrait avoir Binkie pour père quand elle pouvait avoir le juge Maynard ? Et c'est ainsi que la vérité ne sombra pas en fanfare devant Rita, mais s'effaça avec une sorte de sourire embarrassé. Martha sentait bien qu'elle aurait dû verser une larme ou deux pour Mme Maynard, si carrément volée de sa petite-fille, mais à qui la faute ?

Seule comptait Rita, qui semblait profondément bien dans sa peau, et Martha ne pouvait s'empêcher de s'interroger : où cette enfant portée par la chance et le hasard allait-elle trouver de quoi satisfaire ses espérances ?

En attendant, elle prit la maison en main sans qu'on le lui eût demandé ; elle semblait penser que, s'il fallait tenir une maison, c'était manifestement à elle de le faire. Elle se chargeait de la correspondance de Mark qui rebutait le plus Martha — car comme beaucoup d'autres écrivains, il se trouvait contraint de diriger une sorte de bureau de conseils pour résoudre des problèmes personnels. Mark refusait d'y toucher ; Martha souffrait et transpirait inutilement, car que pouvait-on dire à des gens persuadés que quelques mots sur une feuille de papier pourraient résoudre de tels enchevêtrements de désespoir ? Rita ne partageait pas ces inhibitions ridicules ; elle savait d'instinct que les gens malheureux avaient besoin d'attention, et elle écrivait des pages et des pages d'admirables conseils à quiconque en sollicitait. (« Vous dites que vous vous sentez déprimé quand vous pensez à votre vie gâchée ? Cela n'arrange rien ! Il faut redresser la tête et penser aux autres ! ») Elle se plaisait aussi beaucoup à Londres, mais à sa manière, qui annonçait aux observateurs qu'elle considérait tout cela comme un prélude à sa destinée. Elle s'accordait avec une extraordinaire variété de gens, car la fille de Maisie ne pouvait manquer de savoir, par exemple, que la drôlerie blessante de Graham Patten était due, comme la bougonnerie du vieux mineur Saul Baines, aux blessures de la vie. « Les gens comme lui ont souvent le cœur triste, en fin de compte. » Lynda, qu'on l'emmena visiter, était « exactement comme la femme du postier de Gokwe, il faut qu'elle parte à l'asile de temps en temps, quand la vie devient trop dure. C'est comme la bousculade de Noël ».

Elle sortit avec Paul. Il l'aimait. Elle le traitait avec une fermeté maternelle. Il annonça à tout le monde qu'il allait épouser Rita, qui était exactement ce qu'il lui fallait. Il l'emmena au théâtre, à des réceptions, à des avant-premières de cinéma, et elle y prenait un extrême plaisir : elle ne savait pas s'ennuyer. Et même, il commença à la sortir avant qu'elle eût décidé s'il avait bon goût en matière de vêtements, et quand elle s'en tenait encore à son propre style. Sans parler de ses cheveux. Menée chez Madeleine, le génie aux ciseaux, par Paul qui disait qu'elle devait au moins *essayer*, elle déclara non, qu'elle ne se ferait pas défriser les cheveux. Sensation ! Il n'y avait sans doute pas une seule fille à Londres, à l'exception de Rita, qui eût des cheveux courts et bouclés : bien pire que d'être laide ou infirme ! Assise devant un miroir et cramponnée à ses boucles (qui allaient devenir à la mode et pratiquement obligatoires deux ou trois ans plus tard), elle avait demandé comment il se faisait qu'au dîner, la veille au soir, elle eût compté sept femmes, entre dix-sept et soixante-dix ans, ayant exactement la même coupe de cheveux, la « coupe Madeleine ». Madeleine répliqua qu'un style de coiffure, de même qu'une mode, doit découler logiquement du style précédent. « Oui, approuva Rita, mais j'aime être moi-même. »

Devant cet acte de rébellion, Madeleine s'était renfrognée tandis que ses ciseaux avaient médité parmi les boucles de Rita. Puis elle avait appelé un jeune homme à travers la salle. « Carlos, désormais tu t'occuperas de Mlle... euh... quel est votre nom, déjà ? »

Rita se retrouva alors devant un autre miroir, avec Carlos dont les ciseaux s'apprêtaient déjà à tailler. « Faites-moi simplement ce que j'ai déjà, mais en mieux — après tout, vous devez quand même pouvoir faire mieux qu'à Gokwe ! » Les ciseaux restèrent paralysés un long moment tandis qu'il se débattait avec un problème de conscience, et puis il s'exclama qu'il lui était « impossible de couper en dehors du style qui se faisait en ce moment — ses ciseaux ne pourraient jamais s'y résoudre ». Et chaque fois que Rita entrait quelque part, des regards choqués et intrigués se détournaient pour contempler sa tête bouclée et elle y gagna aussitôt la réputation d'une grande force de caractère.

« Oui, répondait-elle modestement, mais je suis zambésienne, et nous sommes indépendants par nature. Mais je vois bien qu'à Londres tout le monde doit ressembler à tout le monde, vous avez sûrement été élevés comme ça, j'imagine ? » Ce genre de réflexions provoquait de furieuses contrariétés, mais elle savait très bien faire face. Comme elle le disait elle-même, la politique n'était pas son fort, bien qu'elle eût beaucoup réfléchi à la question raciale depuis toujours. Il était bien dommage que les Noirs et les Blancs n'eussent pas l'occasion de mieux se connaître, parce qu'ils auraient pu s'apprécier davantage, les gens s'entendaient mieux quand ils se connaissaient, n'est-ce pas ? Et elle avait parfois bien envie de botter le derrière à certaines personnes, non, elle ne dirait pas qui, mais quand on veut on peut, et elle était sûre que le bien finirait par l'emporter.

Étant entendu qu'elle était très originale, on invitait partout Paul avec elle. Il finit par la demander en mariage très cérémonieusement, lors d'une occasion méticuleusement préparée et organisée. Elle refusa, en prétendant que son cœur appartenait à un autre.

Paul le prit très mal : il ne lui était sans doute jamais rien arrivé de pire depuis la mort de sa mère. Il garda un visage serein, mais il fut très malade et s'en alla tout seul pour guérir au calme.

Pourtant, le refus de Rita contenait en vérité sa propre guérison. Depuis des années Paul vivait dans un mirage sexuel ou romantique. Cela arrive à beaucoup d'hommes, et c'est entièrement dû au bon cœur (ou à la lâcheté, comme on voudra) des femmes, car elles trouvent rarement le courage de dire : Non, tu es trop laid ; tu manques de finesse ; tu ronfles ; tu as mauvaise haleine ; tu ne sais pas faire l'amour ; ou : Je n'aime pas la façon dont tu parles de ta femme. Paul était très beau. L'amour, et surtout dans ce Londres (il n'en avait d'ailleurs jamais connu d'autre) où tout le monde était jeune et faisait l'amour, il savait que c'était une chose à faire ou sembler faire. (La fille avec qui il passait encore le plus de temps et vers qui il revenait toujours était Zena, qu'il ne sortait jamais, mais dans les bras de qui il pouvait passer de chastes nuits.) A part elle, mille femmes avaient couché avec lui une fois, mais avaient découvert qu'elles aimaient encore leur mari ou leur ancien amant ; ou venaient, précisément cette semaine, de se décider en faveur de la monogamie ou d'un amour régulier ; ou malencontreusement ne se sentaient pas très bien ; ou éprouvaient à son égard les sentiments d'une sœur. Ou bien, si elles connaissaient d'autres femmes qui avaient déjà couché avec lui, elles ne couchaient pas avec lui du tout — non, non, ce n'était pas qu'il ne fût pas beau comme cent princes charmants en un seul, mais les apparences étaient trompeuses et la rumeur mensongère — en vérité, elles étaient vierges.

Rita déclara : « Voyons, Paul, nous ne serions pas du tout accordés, tu comprends, car je ne voudrais pas épouser un homme qui n'aime pas les baisers et les câlins.

— Comment peux-tu savoir ce que j'aime ? répliqua Paul. Tu ne veux pas coucher avec moi !

— Ne sois pas idiot, Paul. Pourquoi me joues-tu la comédie ? Cela me fait vraiment de la peine, tu sais.

— Je ne comprends pas pourquoi tu dis cela.

— Oh, Paul, cela suffit. Ton problème, c'est que tu n'es pas réaliste, tu comprends ? C'est bête, parce qu'il n'en sortira rien d'autre que du malheur. Non, ce qu'il faut, c'est que tu trouves une gentille fille qui ait bon cœur, plus âgée que toi, ce serait une bonne idée, mais il ne faut pas qu'elle y soit trop portée, enfin, il y a beaucoup de filles à qui cela ne dit trop rien mais qui font semblant, parce qu'elles veulent qu'on pense du bien d'elles. Mais tu n'es pas passionné, Paul, tu comprends. Tu es affectueux, tu as bon cœur, mais tu n'es pas quelqu'un de passionné. Alors c'est cela que tu dois faire : trouve une fille qui cherche un homme très doux pour pouvoir être douce aussi, mais il ne faut pas qu'elle veuille trop faire l'amour, parce que cela ne te plairait pas, pas vraiment. »

Paul étant parti, Rita se retrouva sans chevalier servant : et seulement maintenant, il apparut qu'elle l'avait toujours considéré comme tel. Le pauvre Paul avait été exploité : les filles se servaient de lui. Et puis il avait servi de bouclier, car Rita n'accepta aucun des jeunes gens qui se présentèrent ensuite. Elle demeurait beaucoup avec la famille, véritable fille de la maison, et elle aidait considérablement Martha et Mark. Ou bien elle téléphonait à Lynda, dans la maison de Paul, et s'invitait à prendre le thé ; là, elle proposait de faire des courses car, comme elle le disait, elle aimait à se rendre utile.Pendant ce temps, elles — les femmes plus âgées — observaient sans commentaires ce merveilleux phénomène, la témérité obstinée de la femelle dans sa poursuite confiante et déterminée, même si les objectifs et la prise de conscience en étaient encore si éloignés sur des voies parallèles qu'elle semblait toute passivité, larmes et soupirs secrets, et spectaculaire perte de poids. (Comme elle avait besoin de maigrir, elle n'en était que plus belle.)

Il ne faut pas non plus croire que Mark ne l'avait pas remarquée. Bien au contraire. Il prétendait que la fille s'était amourachée de lui, et que c'était extrêmement flatteur pour un homme de son âge. Il disait aussi bien cela à Martha au lit, car il la réconfortait : la perspective de voir bientôt sa vie éclater vers de nouvelles formes dont elle n'avait pas idée la déprimait.

Mais cela lui exaspérait les nerfs, disait-il, de voir ces yeux éperdus d'amour fixés sur lui nuit et jour ; est-ce qu'on ne pouvait pas se débarrasser de la friponne, d'une manière ou d'une autre ? Il avait besoin de toutes ses énergies pour ses projets d'avenir, et cette fille allait se retrouver violée un de ces jours — il n'était qu'un être de chair, après tout, et s'il la trouvait encore une seule fois en nuisette étalée sur son lit, à lui repriser des chaussettes, il ne répondait plus des conséquences. Ils plaisantaient ainsi.

Graham Patten fut appelé à l'aide. En proie à la passion la plus vive envers sa première femme (ils allaient bientôt se remarier ensemble), il répondit qu'il ne pouvait pas personnellement voler à leur secours, mais qu'il allait étudier la question de savoir comment élargir le cercle d'intérêt de la demoiselle. Rita entra donc sur le territoire de Graham pendant quelque temps. Deux semaines plus tard, il téléphona pour dire que les femmes de la campagne étaient à la mode, certes, il le savait bien, mais que les paysans étaient malheureusement très réactionnaires sur le plan politique, et qu'il avait sa réputation de marxiste à protéger.

Voici ce qui s'était produit. Il va sans dire qu'à cette époque, les soirées brillantes ne comptaient que des progressistes préoccupés par la situation zambézienne. Une jeune femme s'était élancée vers Rita en criant qu'elle, Rita, devrait avoir honte, mais que « l'Histoire prendra bientôt sa revanche ». Rita avait aussitôt répliqué, par pur réflexe, avec une série de déclarations enflammées et moralisatrices, à base de Jefferson et de Wilberforce. La jeune femme l'avait alors serrée dans ses bras en l'appelant « combattante de la liberté », et l'avait invitée à venir prendre la parole dans un meeting le week-end suivant. Rita répondit non, mais se laissa convaincre : c'était une fille qui ne pouvait pas supporter de se laisser traiter d'irresponsable. Lors d'un meeting organisé par le Mouvement pour la Libération du Zambèze, Rita prononça une allocution beaucoup plus rhétorique sur la liberté, devant un public enchanté d'accueillir cette créature précieuse entre toutes : une Blanche libérale. Ils ne se rendirent compte que progressivement qu'elle soutenait en réalité le régime rebelle du Zambèze. Confusion, excuses de part et d'autre — prouvant ce qu'avait affirmé Rita, à savoir que les gens pouvaient s'apprécier... le problème était que l'éducation des jeunes Zambéziens libres n'incluait pas l'information (pour simplifier) qu'en 1938, un jeune nazi n'aurait jamais dit : « Je suis un raciste brutal qui réduira l'Europe à la ruine et à la misère, et qui mettra fin à la liberté de notre époque. » Tout au contraire, il aurait parlé comme Jefferson. Quant à Rita, elle avait entendu les jeunes Zambéziens blancs exposer leur position en termes hautement moraux et idéalistes, et ces sentiments l'avaient attirée. Elle les répétait donc, sur commande... cette expérience la décida plus que jamais à exclure la politique de sa vie, surtout quand les Zambéziens libres téléphonèrent à Graham Patten pour se plaindre de ses amis... Il pardonna à Rita, à la condition qu'elle ne recommencerait pas.

Cela conduisait à l'incident suivant, cette fois crucial. Rita se trouvait à une soirée fréquentée par la crème de la scène et de l'écran (récolte 1958 mûrie) et, attaquée cette fois encore comme fasciste, elle constata que la jeune femme qui l'agressait était en vérité un homme. Elle commença par marmonner quelque chose sur les coups de pied au derrière qui se perdaient dans un camp, blanc, comme dans l'autre, noir, reçut une réponse inintelligible, et partit s'asseoir dans un coin à l'écart pour observer le spectacle. Elle s'aperçut tout d'abord qu'il n'y avait pratiquement aucune femme présente, contrairement aux apparences. Puis elle se rendit compte que les convives étaient les acteurs des deux pièces qu'elle avait vues la veille et l'avant-veille — *Roméo et Juliette*, et *Othello*, toutes deux jouées exclusivement par des hommes. Comme ces pièces et ces acteurs étaient connus dans le monde entier, elle s'affola de juger le spectacle répugnant — car elle ne voulait pas apparaître vieux jeu. Elle chercha Graham qui, pour se consoler, faisait confusément la cour à une femme car il s'était disputé avec son épouse, et ils avaient quitté la soirée séparément.

Un homme (elle l'examina attentivement pour s'assurer qu'il en était bien un, et non pas seulement déguisé) vint à son secours, et lui

proposa d'aller prendre le café ailleurs pour se remonter le moral —
« il n'était pas politique non plus ». Rita, complètement dépassée par
la situation et prête à fondre en larmes, devina en lui un héros (car les
héros étaient gentils) et elle s'ouvrit à lui de tous ses doutes moraux.
Il était extrêmement spirituel. Rita savait qu'il avait de l'esprit et y
prenait plaisir, mais elle lui demanda : « S'il vous plaît, plaisantez plus
lentement — ce n'est pas que je ne comprenne pas, mais là d'où je
viens, les gens sont moins fins. » Il ralentit donc son débit. Il l'emmena souper dans le restaurant où Graham et son avant-dernière maîtresse se vengeaient de son ex-et-future épouse en se montrant
ensemble là où elle (l'épouse) serait certainement — c'était toujours
dans ce restaurant que se déroulaient leurs scènes conjugales. Rita
confia à son nouvel ami que, pour sa part, quand elle se marierait, ce
serait pour de bon. Il répondit qu'à son avis elle avait mille fois raison. Rita se laissa ensuite raccompagner chez lui par ce jeune homme
à l'intégrité si réconfortante, et là elle se trouva complètement
perdue. Il apparaissait clairement qu'ils allaient faire l'amour,
puisque même il le lui annonça ; et ils finirent par se mettre au lit,
où il recommença à multiplier les remarques amusantes, qui toutes
concernaient les poitrines et les derrières, et son inclination pour les
unes mais pas les autres. Finalement, après lui avoir dit que « malheureusement pour lui, elle avait trop des deux », il lui passa des
disques de Bach et quand ils s'éveillèrent, le matin, une jeune secrétaire aux gestes vifs leur apporta le petit déjeuner au lit sans paraître
le moins du monde s'étonner en voyant Rita couchée là. Lorsque son
hôte eut disparu dans la salle de bains et que Rita sortit du lit pour se
regarder dans le miroir (comme elle l'expliqua ensuite à Martha, elle
pouvait à peine croire que cela lui arrivait, à *elle*) elle aperçut,
alignées à côté du lit, quatre cravaches rangées par ordre de grosseur.
Ce n'était pas que Rita fût ignorante des mœurs de ce cher vieux
Londres ; après tout, elle y vivait depuis déjà plusieurs mois (mais
dans les milieux « pop » de la mode et de la télévision où, comme elle
le disait, elle avait cru que l'on était plus vieux jeu), mais elle trouvait
très difficile d'établir un lien entre des cravaches et elle-même. « Je
me disais : Mais je n'aime pas les chevaux. Je n'aime pas les hommes
qui ressemblent à des chevaux. » Finalement, quand la secrétaire
était entrée avec le *Times* pour lui annoncer que M. Bravington Poles-
Warren sortirait bientôt de son bain, Rita se rendit compte qu'elle
était assise sur une chaise dorée devant le miroir, tandis que la secrétaire rangeait les cravaches comme s'il se fût agi de classer des
papiers. Rita comprit alors que les fouets servaient exclusivement à
impressionner la secrétaire — une fille d'aspect parfaitement ordinaire. Mais peut-être était-ce une pauvre fille qui avait besoin d'un
salaire important pour subvenir aux besoins d'une vieille mère sans
ressources, ou quelque chose du même genre. Elle ne pouvait s'empêcher de songer à son compagnon de la nuit passée ; le pauvre, il avait
dû connaître une enfance malheureuse et arborait sûrement un sourire courageux par-dessus un cœur triste ; mais après s'être baignée,
elle dut absolument l'accompagner dans la confiserie située juste en

bas de chez lui, et où il se lança dans une série de bonjour ma chérie, bonjour Petronella, bonjour mon chou, bonjour George, aux vendeurs, en lui achetant une énorme boîte de chocolats d'importation. Là encore, Rita comprit que ce n'était pas pour elle mais bien plutôt pour le bénéfice des confiseurs.

Soudain, Rita craqua après avoir maintenu le plus grand tact et la meilleure humeur pendant une nuit et une matinée éprouvantes. Elle déclara devant tout le personnel de la boutique : « Tu m'achètes ces chocolats uniquement pour montrer à tout le monde que j'ai passé la nuit avec toi. Eh bien, si tu crois que les vrais hommes ont besoin de battre les filles, je te conseille d'en rencontrer un, un jour ! » Et sur ces mots elle était sortie, le visage ruisselant de larmes brûlantes.

En rentrant à la maison, elle déclara à Mark que les amis de Graham ne lui plaisaient pas du tout : et pourtant, elle avait l'esprit large ! Elle sanglotait. Elle était très abattue. Elle mettait ses bras autour du cou de Martha comme une petite fille et disait qu'elle ne savait pas pourquoi, mais elle avait envie de pleurer, pleurer, pleurer. Mark l'avait trouvée sur son lit à lui, occupée à lui recoudre des boutons de chemise, pâle et larmoyante, revêtue d'une chemise de nuit en crêpe bleu ciel ; elle lui avait raconté toute l'histoire et, une chose en amenant une autre...

Tout en additionnant des pennies avec des pennies, et des centaines de livres avec des centaines de livres, Martha réfléchissait en écoutant à demi le silence de la pièce voisine, où ils faisaient sans doute l'amour : « je me demande si Rita a pensé qu'elle ne trouverait sûrement pas de serviettes à jeter là-bas... » . Mais ils n'étaient pas absolument certains de l'endroit où ils allaient : un petit village en bordure du désert.

Le mémorandum de Mark à lui-même (toujours inachevé) se poursuivait :

6. Des groupes de gens conscients de cette situation devront donc entreprendre des préparatifs flexibles, fondés sur le fait que d'ici quelques (?) années, sans doute dix ou quinze, une, deux ou même trois régions du monde, *presque certainement parmi les plus peuplées* (voir cartes B et Ba, ainsi que les notes de Dorothy) deviendront inhabitables à titre définitif ou temporaire.

7. Tout préparatif devra tenir compte de l'hostilité inévitable des gouvernements, qui s'exprimera de manière détournée plutôt qu'ouvertement. Cela signifie que toute organisation devra se suffire à elle-même. Mais nous vivons une époque mercenaire — nous pourrons nous procurer ce dont nous aurons besoin.

8. Il faudra découvrir des emplacements dans des parties du monde moins vulnérables à la contamination par le vent, la pluie, etc., et adaptées à une forte densité de population.

9. Il faudra aussi prévoir des préparatifs militaires. S'il est une chose certaine, c'est bien que la panique régnera, car les rumeurs, contre-rumeurs et démentis gouvernementaux se multiplient toujours

en cas de catastrophe ou de presque catastrophe. La confusion dominera.
10. Le plus urgent consiste donc à trouver de l'argent.
11. Afin d'y parvenir, il nous faut... »
La promesse faite par Mark d'y consacrer les cinq mille livres de sa part de la maison avait constitué le premier élément du financement. Rita offrit ce qui restait de ses huit cents livres. Martha, qui avait continué à dépenser peu et gagner raisonnablement d'argent pendant toutes ces années, donna deux mille livres en songeant, comme font toujours les citoyens en ce genre de circonstances, qu'une somme aussi importante pour elle ne suffirait qu'à acheter des timbres pour l'organisation. Tout cela était extrêmement réconfortant, mais ne pouvait guère permettre de mettre en place l'important dispositif conçu par Mark pour sauver des foules immenses de la mort et du désastre. Cela permettait cependant de louer les services d'un conseiller technique, qui se révéla finalement être Jimmy Wood. Mark avait coupé toute relation avec lui en se retirant tout simplement de l'affaire : il avait vendu l'usine à quelqu'un d'autre et Jimmy en conservait la direction. Mark avait expliqué à Jimmy qu'il ne pouvait plus travailler avec lui. Jimmy avait répondu qu'il le regrettait. Une semaine plus tard, il débarquait à Radlett Street comme si de rien n'était, pour annoncer qu'il avait une idée formidable pour un engin nouveau qui... tout simplement, son nouvel employeur n'avait pas encore compris que Jimmy ne pouvait travailler qu'à condition d'être alimenté en paroles, et Jimmy venait donc trouver Mark pour, en quelque sorte, faire le plein. Ce fut alors, seulement, que Mark comprit vraiment, crut vraiment, que certaines personnes échappent à tout jugement moral. Elles ne sont pas responsables de leurs actions. Puisque Jimmy venait si fréquemment, on lui demandait son avis — mais on ne pouvait pas lui demander conseil sur tel ou tel problème concernant les armements bactériens, les retombées, la pollution de l'air, sauf en termes extrêmement vagues. Car il suffisait de dire à Jimmy : il paraît que tu t'occupes d'un projet révolutionnaire sur... et de parler suffisamment pour que Jimmy répondît — il ne pouvait pas s'en empêcher. Mark lui soumit donc un projet imaginaire de roman qui impliquait certaines possibilités, et Jimmy se montra infiniment obligeant dans ses conseils.

A présent, Jimmy était également une sorte de célébrité littéraire à sa façon : un jour que dans un bar, il parlait de son prochain roman avec des journalistes, il mentionna Mark Colridge et révéla qu'il préparait un nouveau livre sur tel et tel sujet. Interrogé par l'un des journalistes sur ce prochain ouvrage, Mark songea, et pourquoi pas ? C'est une bonne couverture, pour pouvoir enquêter et s'organiser. Il semblerait, poursuivit le gentil jeune homme (car les journalistes avaient complètement changé depuis la période noire : les atteintes à la vie privée, les mauvaises manières, les intimidations, tout cela était oublié depuis bien longtemps, démodé, depuis la nouvelle législation sur la presse) que ce doive être la suite d'*Une cité dans le désert*. En effet, convint Mark, ce pourrait bien être le cas. « Et avez-vous déjà un titre ? »

Mark répondit (mais tout le monde ne peut pas improviser de bonnes plaisanteries) : « Peut-être, Fils de la Cité. » « Ou, La Cité du Soleil ? », « Oui, pourquoi pas ? »

Il y eut un entrefilet dans une rubrique de potins mondains, et ce fut tout. Pas tout à fait. Quelques semaines plus tard, Mark reçut une lettre excitée d'un certain Wilhelm Esse Perkins, industriel américain, qui avait lu l'entrefilet (il aimait l'Angleterre et la culture britannique, et suivait toujours la presse anglaise) pendant un voyage d'affaires au Pérou. Il désirait rencontrer Mark, et se déclarait disposé à venir le voir à Londres si cela lui convenait. Il semblait que quelque chose dans l'entrefilet l'eût « touché ». En tout cas, M. Perkins avait acheté un exemplaire d'*Une cité dans le désert* et, dès son retour à New York, avant même de terminer sa lecture — mais Mark ne devait pas le juger impulsif pour autant —, il avait décidé que Mark était l'homme idéal pour l'aider à construire une cité idéale conçue sur les bases mêmes de son livre. Il avait toujours cru en un despotisme éclairé, expliquait-il. Sa tâche consisterait à fournir l'argent, et celle de Mark à concevoir et construire la cité. Ils créeraient ensuite une sorte de Conseil ou de Comité (élu par des gens intéressés et jugés adéquats, mais tous ces détails se régleraient plus tard) qui aurait pour fonction de sélectionner un despote éclairé. Ils lanceraient des appels de candidature par voie d'annonces dans la presse, comme on fait normalement, très ouvertement et sans ménager l'adversaire et, surtout, en prenant leur temps : car il fallait évidemment choisir l'homme qui conviendrait ; là résidait le point essentiel.

Tout cela, M. Perkins l'avait exposé à Mark dans la demi-heure suivant son arrivée à Londres — dès le lendemain du jour où lui parvint la lettre de Mark disant qu'il serait ravi de rencontrer M. Perkins dès son prochain séjour, etc.

Mais pourquoi Wilhelm Esse Perkins était-il si pressé de risquer tout son argent dans cette tentative philanthropique ? C'était simple : il se trouvait en proie à une de ces brusques conversions qui allaient caractériser les années soixante-dix. Ce qui l'avait atteint était la lecture, par hasard, d'un rapport confidentiel (tenu secret des propriétaires de l'usine par les chercheurs qu'ils employaient) sur les résultats de certaines recherches chimiques menées dans une usine où il détenait une grosse part d'actions. Il ne fallait certes pas s'imaginer que la modeste petite usine de Mark (au capital de 15 000 livres) ou que la production de cette usine (quelques appareils pour des hôpitaux, et quelques-uns pour la manipulation et la réorganisation ou l'oblitération de cerveaux humains ou animaux) pussent se comparer à la fortune et aux activités de M. Perkins, qui était multimillionnaire, et dont les laboratoires produisaient de quoi influer sur l'état de santé de tous les continents ; mais ce qui était arrivé à Mark était arrivé à M. Perkins — et de n'avoir découvert cela qu'en se rencontrant (comme attirés vers leur pareil) ne leur causa guère plus de surprise que l'on n'en éprouve dans ce genre de situation. Mark com-

mença par voir en M. Perkins un homme affligé d'un brusque accès
de moralité inappropriée (car ainsi nous apparaissent toujours les
efforts des autres en direction de la liberté), mais comprit bientôt
(Rita ne cessait de s'exclamer sur la quantité d'argent que cet homme
possédait) qu'après tout, il représentait la solution du problème. Malheureusement (tout au moins lors de leur première entrevue), ils ne
semblaient partager aucun objectif ; ils n'avaient en commun que la
cause de leurs remords. Cependant, à mesure qu'ils parlaient, et ce
toujours dans le bureau de Mark, qui devenait si persuasif dans les
discussions qui s'y déroulaient, il devint évident que leurs objectifs
n'étaient point si éloignés qu'ils l'avaient cru. M. Perkins devrait
renoncer à ses visions de cité florissante, puisque l'avenir ne semblait
guère devoir en comprendre ; Mark devrait accepter la notion de dictateur charitable — il se rendit compte qu'il l'avait en vérité déjà
acceptée ; il était tout disposé à consacrer le reste de sa vie (qu'il imaginait d'ailleurs fort brève) à réaliser ce projet. Ce dont M. Perkins
avait besoin, c'était de *faire le bien*, et la nature de ce bien lui importait fort peu, quand on en venait aux détails. Ce dont Mark avait
besoin, c'était d'argent.

Le temps que Mark passa en compagnie de M. Perkins dans son
bureau avait eu pour conséquence l'acquisition d'un vaste terrain de
sable malheureusement très sec en Tunisie. Ils n'en étaient pas propriétaires, tout au moins pas encore, mais avaient reçu l'autorisation
d'y construire. Ils se trouvaient en fausse position vis-à-vis du gouvernement, qui voyait en eux des spéculateurs particulièrement tor-
tueux ; car la raison pour laquelle on décidait de construire un village
de vacances dans un désert ne paraissait pas immédiatement claire.
Une armée d'espions et d'informateurs et de colporteurs de mœurs
en tous genres s'attela à la tâche de découvrir ce que mijotait réellement la société Colridge Perkins : personne ne les crut quand ils
expliquèrent ce qu'ils faisaient. Et qui consistait surtout, ils le reconnaissaient volontiers, en discussions. Mark se retrouvait une fois de
plus dans une nouvelle version du comité officieux.

Et dans trois jours, Mark et Rita allaient partir pour un petit village
de quelques centaines d'âmes en Afrique du Nord où, bientôt, Patty
Samuels et John Patten devaient les rejoindre. Tous deux avaient
décidé de se consacrer à cette œuvre. Dans les mois à venir, ils
allaient, avec Willy Perkins, ouvrir un bureau à Londres et un autre
en Amérique, tandis que Mark et Rita mettraient leur bébé au monde
fort loin de l'Angleterre (le divorce d'avec Lynda ne serait prononcé
que dans plusieurs mois), engageraient des indigènes compétents
(vivant sur place, ou du moins familiers de la région) et, d'une
manière générale, s'acclimateraient à ce que leur projet appelait le
Point A. Un Point B, sans doute sur la côte ouest d'Irlande, serait
ensuite développé. Et l'on parlait déjà d'un Point C.

L'argent allait bientôt affluer : la personne qui hériterait des responsabilités de Martha — Patty Samuels ? — additionnerait des millions de livres avec des millions de livres. Mais bien entendu l'entreprise serait si vaste qu'il leur faudrait le concours de véritables batail-

lons de comptables et d'avocats : Willy Perkins s'était déjà adjoint deux excellents avocats new-yorkais, qui n'avaient pour tâche que d'envisager toutes les difficultés possibles.

Cet après-midi et ce soir-là, sans doute parmi les derniers que passerait Martha en territoire Colridge, allaient certainement se révéler une apothéose de complications et de contradictions affectives. Quelques semaines auparavant, quand John Patten avait informé sa femme qu'il avait le sentiment de pouvoir se rendre utile à la réalisation du nouveau projet, Margaret avait répondu qu'il ne devait surtout pas s'inquiéter pour elle. Elle était sincère. La courtoise présence d'un mari aux abords de sa vie mondaine lui manquerait certainement, mais leur vie côte à côte, à tenter chacun de respecter les besoins impossibles à satisfaire de l'autre, les rendait tous deux malheureux. Il déclara qu'il lui laisserait la maison, et qu'elle pourrait en user à son gré ; pour sa part, il ne pensait pas se trouver souvent en Angleterre.

Désormais âgé, presque même un vieillard, qui depuis si longtemps impressionnait tout le monde par sa prudence feutrée qu'on en oubliait qu'il avait autrefois dû feutrer certaines choses, il avait soudain repris vie dans un tardif sursaut d'énergie, il apprenait l'arabe, et paraissait quinze ans de moins. Quant à Margaret, elle avait également rajeuni de quinze ans en apprenant qu'elle vivrait désormais seule : elle s'acheta des vêtements, et fit repeindre la maison. Ils se pardonnèrent l'un à l'autre la joie qu'ils éprouvaient à se séparer.

Margaret avait annoncé : « Nous ferons une grande fête d'adieu pour vous tous. » C'était généreux, car elle ne partageait ni même n'approuvait tout ce nouvel enthousiasme. Mais une fois engagée par sa promesse de fête, elle se mit à souffrir d'insomnies en songeant à tous les malheurs de sa famille — car qui allait-elle bien pouvoir inviter ?

Mark et — qui ? Margaret ne pouvait pas supporter Rita, mais voyait bien que le mariage s'imposait pour le salut de l'enfant à naître. Elle n'avait jamais aimé Lynda, mais se demandait s'il convenait d'inviter Lynda en même temps que Rita. Mark en fut contrarié — car *bien sûr* il fallait inviter Lynda.

Et en fin de compte, qui était donc Margaret, pour se permettre de désapprouver ? (elle concéda cela fort vite à quelqu'un, sans doute Francis, avant qu'il pût le lui objecter lui-même). Quand Oscar Enroyde venait en Angleterre, il séjournait avec sa femme actuelle chez Margaret ; et elle, ainsi que John et Oscar, trouvaient que le plaisir de se comporter en êtres civilisés valait largement un petit chagrin ou un sentiment de gêne. Bon, très bien, Lynda et Rita viendraient toutes les deux, et Martha aussi. Mais il y avait Sandra... non, c'était trop demander, là, Margaret tirait un trait. Dorothy avait été déplaisante; Sandra était abominable. Lynda fut donc invitée sans son amie, et répondit que sans son amie elle ne viendrait pas. Mark protesta auprès de Margaret, qui étendit finalement l'invitation à Sandra : peine perdue, elles ne voulaient plus venir ni l'une ni l'autre.

Francis fut invité avec Jill, mais Margaret ajouta qu'elle espérait bien que « la ménagerie tout entière ne trouverait pas le temps de venir ». Francis avait fait répondre que justement ils déménageraient ce jour-là, et que la ménagerie tout entière serait trop occupée pour venir. Plus tard, on apprit qu'il y aurait une grande fête dans la « chambre de Margaret », et qu'au moins cent jeunes gens y avaient été conviés.

En apprenant cela, Margaret en larmes avait téléphoné à Francis pour le lui reprocher. Francis avait volontiers reconnu qu'il était absurde d'organiser deux fêtes — peut-être pourrait-il amener ses amis chez elle ?

Il allait donc y avoir deux réceptions.

Hier, Margaret avait appelé pour leur dire de ne s'attendre à rien d'exceptionnel — ce serait une petite réception sans façon ; manifestement, personne n'avait vraiment envie d'y venir.

Il était bien naturel qu'elle se sentît triste et irritée : la rumeur circulait que « tout le monde » devait venir chez elle, ne fût-ce que pour y passer une heure.

Le premier chargement automobile se composait de Mark, Rita, Paul et Jill. Enceinte de six mois, Rita portait une robe de mousseline couleur magenta que Paul avait choisie. Paul choisissait tous ses vêtements. Tout le monde la trouvait superbe, et elle l'était vraiment.

Lynda quitta son sous-sol pour annoncer — et elle avait manifestement espéré le faire de manière plus publique — qu'elle ne viendrait pas. Elle trouva Martha dans sa chambre.

Martha lui laissa le temps d'adapter l'attitude qu'elle avait préparée, en ce qu'elle espérait être une tentative de se montrer sous son meilleur jour. Mais Lynda s'était épuisée à faire ses bagages, et n'avait pas dormi. Elle était montée dépeignée, les ongles déchirées et tachés de sang, et n'avait trouvé que Martha, qu'elle n'avait nul besoin de défier au sujet de Sandra, et à qui elle avait déjà dit tout ce qu'elle voulait dire.

Elle s'assit, et regarda Martha enfiler une robe assez terne, du genre qui « convient » pour toutes sortes d'occasions.

Martha n'était donc pas non plus au mieux de sa forme.

Dans le miroir, Martha voyait le visage de Lynda à l'oblique : elle contemplait dehors le sycomore.

Lynda s'enquit : « As-tu décidé ce que tu vas faire ? »

Sa voix semblait parfaitement raisonnable. Un chat noir, le successeur de l'ancien chat noir, apparut au coin de la porte et sauta sur ses genoux.

« Non, pas encore. »

Elles avaient déjà eu cette conversation : il ne s'agissait plus que de bavarder un peu.

« Je suppose que tu détestes Sandra, comme tout le monde, et que ce n'est pas la peine de te proposer d'habiter chez nous pendant que tu es en panne.

— La panne ne me fait pas peur. »

Plus de quinze ans auparavant, Martha avait débarqué à Londres sans la moindre idée de ce qu'elle allait faire, et tout s'était enchaîné naturellement.

Elle avait raconté à Lynda : « Je me suis lancée dans l'obscurité, à cette époque-là. Je le referai. Pourquoi pas ? Je me suis retrouvée avec vous tous. J'aurais pu tomber plus mal.

— Pas tellement », avait riposté Lynda, et puis elle avait ri.

Se souvenant de cette conversation, Lynda se reprit à rire, et Martha aussi.

« Mark veut que j'aille l'aider avec ses camps de réfugiés, reprit Lynda.

— Oui, je sais. Et moi aussi. J'irai peut-être — après tout, je suppose que ce serait utile.

— Pas vraiment.

— Qui sait ?

— Moi », répondit gravement Lynda. Mais comme Martha se détournait du miroir pour dévisager Lynda, celle-ci se leva hâtivement, avec un froncement de sourcils évasif, cherchai une cigarette dans le paquet de Martha, et observa : « Je serai navrée que Margaret s'offusque de mon absence, mais elle aura tellement de monde qu'elle ne s'en apercevra pas. »

Elle redescendit.

De sa porte (qui serait bientôt la porte de qui ?) Martha cria vers le dernier étage : « Francis, Francis, tu es prêt ?

— J'arrive. »

Mais il n'arriva pas. Elle descendit donc l'attendre dans le salon de Margaret, ainsi que les autres — Phœbe et Gwen les accompagnaient.

Dans la pièce de Margaret, un garçon au visage fin et une jolie fille noire installaient de grandes bouteilles de vin doré, rouge et rosé, pour la fête de ce soir.

Elle ne les avait jamais vus. Étaient-ils venus habiter ici aussi ?

Dans ce cas, où allaient-ils trouver la place de... mais ce n'était plus son affaire. Elle avait perdu la capacité de s'en préoccuper; oh oui, elle était vraiment prête à s'en aller. Cette maison ne dépendait plus d'elle, elle ne contribuait plus à rien, ne faisait plus rien tenir ensemble : l'opération de guidage était achevée depuis bien longtemps.

Un coup au cœur ? Oh, très léger.

Elle ne regretterait pas de partir.

Elle ne voyait pas d'objection à — que serait-ce ? Vivre à nouveau dans un studio meublé ? dans un petit hôtel ?

Non, rien de cela ne lui posait de problème, ne la troublait. Sa préoccupation secrète était (elle aurait pu la partager avec Lynda naguère, mais plus maintenant) qu'elle n'avait plus avancé depuis cette dernière « période », ou « séance », juste avant l'arrivée de Rita — tant de mois auparavant. Elle était redevenue épaisse et opaque. Ses rêves, fidèles mentors, la tenaient informée de ce qui se passait, mais c'était là un enregistrement assez terne. Ses autres sens étaient strictement utilitaires, et aucune surprise n'apparaissait plus nulle part.

Les autres aussi, apparaissaient épais et opaques ; leur compagnie n'était pas facile. Elle les regardait, et songeait : je sais que ce n'est pas vraiment toi, je le sais — mais alors qu'es-tu ? Ainsi, ce couple au bout de la pièce, occupé à disposer des rangées de verres auprès des bouteilles, ce garçon au visage blond et ouvert, et cette jolie fille — eh bien, voilà ce qu'ils étaient, aucun courant ne circulait.

Cependant, elle avait appris une chose, la plus importante : il fallait simplement continuer, faire un pas après l'autre ; ce processus tenait en lui-même sa propre solution. Et c'était ce processus qui, comme par le passé, la guiderait jusqu'au point où... elle se demandait continuellement, tout doucement, en retenant son souffle. Où ? Qu'est-ce ? Comment ? Qu'arrivera-t-il ensuite ? Où donc est l'homme ou la femme qui... elle se retrouverait seule avec elle-même. Bien sûr. Mais il y a des moments, vraiment, où placer sagement un pied devant l'autre semble plus dur que de se battre avec des démons ou défier des dangers qui, avec le recul, paraissent bien apprivoisés. Avait-elle donc oublié ? Oui, sa mémoire de la dernière fois s'était affadie. Elle se rappelait tout sauf comme elle avait eu peur. C'était une erreur, un danger en soi. Elle oubliait, elle avait oublié, on oubliait toujours...

Dans la pièce entra Francis, plus solide qu'autrefois, jeune homme à la carrure généreuse, au visage rond, aux cheveux en broussaille. Il assumait une forte charge de responsabilité, et cela se voyait.

« Martha, annonça-t-il, je suis prêt. » Et il ajouta tranquillement à l'adresse des deux inconnus : « Je reviendrai à huit heures. Vous pourriez faire cuire le riz dans du bouillon et préparer une soupe. Et puis, si vous alliez jeter un coup d'œil sur les bébés d'ici à une demi-heure ? Leslie doit s'en aller, et Claire dit qu'elle en a assez de toujours penser aux petits. »

Ils accueillirent très simplement ses instructions ; et il escorta Martha jusqu'à la voiture, où se trouvaient déjà Gwen et Phœbe. Mère et fille commencèrent à conserver avec les meilleures intentions du monde, mais le silence était retombé sur les quatre occupants de la voiture quand ils arrivèrent chez Margaret.

Il apparut aussitôt qu'une immense réception s'y déroulait.

De la maison déjà gagnée par la pénombre, des lumières éclairaient délicatement les pelouses où déambulait une foule parmi les roses qui ne révélaient leur présence que par leur parfum. Lorsque le groupe traversa la maison pour aller profiter du crépuscule, toutes les pièces, vivement éclairées, regorgeaient de monde.

Une maison chaude, brillante, animée, bruyante ; mais sur les versants qui glissaient vers la rivière, les voix s'assourdissaient et les visages se tournaient vers le ciel.

Si l'on est hôtesse, voilà comme on doit se comporter. La première et généreuse impulsion de Margaret avait envisagé des splendeurs pour fêter son fils et le nouveau projet de ce dernier. Mais la liste d'invités avait diminué au fil des anciennes irritations. Et à l'idée d'une réception restreinte, l'instinct se rebellait.

Il devait y avoir là deux ou trois cents personnes, et de la plus totale variété. On y croisait sans cesse des groupes inconnus, et la phrase la plus souvent répétée était la suivante : « Qui est-ce donc ? Le (la) connaissez-vous ? » Les invités de la première impulsion étaient les moins nombreux. La « famille » était à peine représentée, ou bien ne venait que pour repartir presque aussitôt.

Les Arts, comme toujours depuis déjà plusieurs années, prédominaient ; surtout le théâtre, sous toutes ses formes, avec le cinéma et la télévision. On pouvait également rencontrer des danseurs d'opéra, quelques chorégraphes, une nouvelle soprano originaire du pays de Galles.

Graham s'était assis dans un coin, en compagnie d'un cinéaste indien et d'un cinéaste polonais, d'un poète russe et d'un poète américain. Mais les vedettes de la réception n'étaient visiblement pas eux, mais deux vieux militants du mouvement pour la paix, qui rentraient juste du Nord Vietnam : le *Daily X*, dont Miles Tangin était rédacteur en chef, avait financé leur voyage. Ils discutaient avec deux jeunes gens, amis d'Oscar Enroyde, qui avaient terminé leur part de combats au Vietnam, l'un blessé à la hanche et l'autre entier. Tout en menant la conversation dans son propre groupe, Graham suivait l'autre en réfléchissant à la manière de les faire venir à la télévision pour répéter ou poursuivre leur discussion (cordiale) pour le bénéfice des téléspectateurs.

Dans un autre salon, Rosa Mellendip conversait avec l'un de ses clients, propriétaire d'une chaîne de clubs de vacances tout autour de la Méditerranée. Avec son visage ferme, ses cheveux blancs, et son tailleur blanc à la coupe décidée qui semblait être un uniforme, elle dominait la pièce — pleine de gens qui espéraient attirer son attention et obtenir un conseil gratuit, comme naguère avec les psychanalystes ; et elle faisait apparaître cet homme très riche et très compétent (parti du bas de l'échelle, et qui continuait à monter) comme un suppliant.

Mais ce n'était pas ici que les vrais observateurs rodés de Margaret cherchaient les augures.

Martha découvrit Mark assis sur un muret de pierre bordant un jardin en contrebas, et prit place à côté de lui. Rita flirtait maternellement avec Paul à quelques mètres de là. Gwen informait un jeune Américain, qui ne voulait pas partir se battre au Vietnam, qu'il y avait plein de place pour lui et ses amis dans la maison de Radlett Street. Phœbe expliquait à John Patten qu'il esquivait ses responsabilités en partant pour l'Afrique du Nord, quand il aurait dû militer au parti travailliste pour préparer l'élection partielle qui aurait lieu ce mois-ci dans sa circonscription.

Margaret était assise sous un grand chêne, auprès de deux évêques et d'un mini-prince, en compagnie de son ex-bourgeois de mari. Avec eux se trouvait Oscar Enroyde, ainsi que son associé pour ce côté-ci de l'Atlantique — un grand ponte de la Fédération des industries des îles Britanniques. Il y avait également là quelques personnes d'apparence discrètement puissante, parmi lesquelles Hilary Marsh, désormais retraité des Affaires étrangères, mais conseiller de certains industriels en matière d'affaires internationales délicates.

A quinze ou vingt mètres, ce groupe était à peine visible, et leurs voix ne formaient qu'un agréable murmure.

« Eh bien, soupira Mark, nous y voilà.

— J'en ai bien peur, oui », admit Martha.

De nombreuses années auparavant, dans l'un des comités officieux — lequel ? ah oui, c'était à l'époque où « tout le monde » se découvrait communiste —, la version britannique d'une phase fasciste avait été prévue avec une compétence aiguë. Et à présent elle montrait le bout du nez, prête à s'étaler, distinguée, neutre, vicieuse. Elle était là la grosse industrie soutenue par l'Église propriétaire et terrienne (mais elle apparaîtrait sous un air copain, moderne, argotique, tolérant) et la royauté, solidement et étroitement traditionnelle (sous un air détendu, aimable, chaleureux) recevant tous leurs ordres de l'Amérique — pas directement, bien sûr, toute chose ouverte et franche étant hostile à la mentalité de ces vieux partenaires, mais indirectement, par l'intermédiaire de banques internationales et de conseillers aux titres et aux fonctions mal définis.

Tandis qu'ils observaient la scène, Graham Patten sortit de la maison : il s'immobilisa un moment sur la terrasse pour contempler la disposition du jardin, puis descendit dans une tache d'ombre pour parvenir ensuite dans la demi-pénombre où se trouvait le groupe de Margaret. Il les rejoignit. Ils saisirent un bout de phrase (adressé à un évêque bien connu pour son attitude théologique progressiste) : « ... et si vous pouviez participer au débat, je suis sûr que... » A sa suite, une nuée de poètes et d'écrivains et d'artistes et de chanteurs populaires quitta la maison et vint s'installer sur l'herbe humide de rosée, autour de tous ces pics si joliment campés.

« Je n'en serais pas étonnée, observa Martha.

— Non, je le crains bien », acquiesça Mark.

Une grande vague violette se forma dans la pénombre, et Rita se glissa entre eux deux en les embrassant et les serrant contre elle.

« Je vais rentrer avec Paul, annonça-t-elle. Vous ne comptez pas partir encore, non ? »

D'un genou elle soutenait le bébé encore inconnu, et de ses deux bras solides elle se protégeait tendrement le ventre.

« Oh, j'en ai assez vu », déclara Mark en se levant. Martha regarda Francis rassembler les passagers de sa voiture, et Mark les siens. L'avaient-ils oubliée ? Non, Francis vint en courant lui demander si elle voulait rentrer maintenant. Martha répondit qu'elle trouverait sûrement à se faire reconduire plus tard. Elle parcourut les longues pelouses spongieuses sous les grands arbres, tandis que des groupes de gens la dépassaient pour regagner la maison. Les étoiles apparurent.

A présent, les voix et l'animation s'étaient effacées, et l'on pouvait entendre courir paisiblement la rivière. L'air s'était empli du parfum de l'eau et des fleurs.

Elle se promena en paix tandis que la maison commençait à s'animer : un orchestre venait de commencer à jouer. Elle longea la rivière, tandis que la musique trépidait, avec l'impression d'être une masse inerte et insensible. Imperméable, telle une planète vouée à demeurer toujours dans la nuit d'un côté, avec une visibilité réduite à l'avant, une torche myope, et même aveugle à l'exception du minuscule sentier à trois dimensions qui s'ouvrait directement sous ses yeux, et où le contour d'un arbre, d'une rose, émergeait pour aussitôt sombrer à nouveau dans la nuit. Elle songea, avec les voix de colombe de sa solitude : Où ? mais *où*. Qui ? Non, mais *où*, où... Puis le silence et la naissance d'une répétition. *Où ?* Ici. Ici ?

Ici, où d'autre pourrait-ce être, sotte que tu es, pauvre sotte, où d'autre cela a-t-il jamais été, jamais... ?

Angleterre. Juillet 1967/juillet 1968.
Officier de la R.A.F. « Victime d'un gaz agissant sur les nerfs au laboratoire militaire de Porton. »

Le ministère de la Défense a reconnu qu'un ancien lieutenant-pilote de la R.A.F., M. William Cockayne, âgé de cinquante ans, avait été victime des manipulations d'un gaz agissant sur les nerfs pendant son service à Porton Down.

La reconnaissance du fait fut établie la semaine dernière dans une lettre adressée au député de Lewisham West, M. James Dickens.

On y précise notamment : « Au cours de son service, il s'est présenté à deux reprises pour subir des soins à l'hôpital local. La première fois, le 5 août 1953, il souffrait de myosis (contraction des pupilles) provoqué par une exposition bénigne à un agent nerveux. Il fut alors traité à la codéine, et les troubles ne se reproduisirent plus. Cette exposition bénigne eut lieu lors d'expérimentations sur le terrain, visant à contrôler la vulnérabilité des tanks — expérimentations qui se déroulèrent, d'après les rapports, le 5 août 1953. Les accès de myosis bénin n'étaient alors pas inconnus à Porton, en cas de brèves expositions occasionnelles à des agents ; la disparition des symptômes survenait habituellement dans les heures suivantes sans aucun traitement d'aucune sorte. »

M. Dickens presse actuellement le ministère de la Sécurité sociale de permettre à un spécialiste des gaz nerveux de procéder à de nouveaux examens. M. Cocknaye tente depuis quatorze ans d'établir la cause d'une série de dépressions nerveuses. Il a tenté trois fois de se suicider.

Il a servi dans le département des armes secrètes des laboratoires chimiques et microbiologiques de Porton de 1952 à 1954. En 1952, Churchill demandait la création à Porton d'un département spécifique pour développer un système d'armes chimiques. D'après Cocknaye, ce département ne dépendait pas du ministère de la Défense, mais uniquement des services du Premier ministre.

« Le problème consistait à créer une arme qui pût couvrir la plus vaste superficie possible », affirme-t-il. « Un appareil à vaporiser par avion des produits sur les moissons ne couvre qu'une surface très limitée. Je n'avais rien à voir avec les tanks, à Porton. C'était l'affaire de l'Armée. »

La Cité promise

L'explication de Cocknaye sur les circonstances de l'accident est la suivante : un soir, au cours d'une petite fête au mess des officiers, il accepta d'accompagner un chercheur depuis le mess jusqu'à son laboratoire.

« Le chercheur avait un peu bu. En arrivant au labo, il a ouvert un bocal, dévissé le couvercle en verre (qui était fermé avec un couvercle en caoutchouc par-dessus) et déclaré : " Voilà cette saloperie ", ou des mots du même genre. " Il y en a assez dans ce bocal pour rayer Salisbury de la planète. Tiens, renifle ! "

« Comme un imbécile, je l'ai fait. Un geste involontaire, je suppose. Tout ce que je me rappelle ensuite, c'est que j'étais couché sur le chemin des courts de squash, et que j'ai dû regagner mon logement à quatre pattes. »

Bien qu'il n'y ait jusqu'à présent aucune preuve que l'exposition au gaz, quelles qu'en aient été les circonstances, soit à l'origine de la dépression nerveuse qui s'ensuivit, Cocknaye est un homme malade depuis ce jour, victime d'accès dépressifs inexplicables (symptôme de l'empoisonnement par le gaz nerveux).

Plusieurs médecins l'ont examiné sans pouvoir identifier la moindre explication spécifique à son état. Il a naguère été soigné pour alcoolisme.

Il a rencontré de vives difficultés à tenter de convaincre les gens de prendre au sérieux ce qui apparaissait à première vue comme un fantasme de malade.

La lettre du ministère précise : « Lorsqu'il a démissionné de la R.A.F. en 1954, il ne reste trace d'aucune plainte de sa part quant à d'éventuels troubles de santé dus à un empoisonnement par gaz nerveux. Il ne reste non plus aucune trace tendant à indiquer qu'il ait subi des effets secondaires durables de la faible dose d'empoisonnement par le gaz nerveux en 1953. »

APPENDICES

Divers documents, privés et officiels, datés entre 1995 et 2000, en la possession d'Amanda, belle-fille de Francis Colridge, détruits par elle avant la conquête de la zone nationale nord, ancienne Chine du Nord, par la zone nationale mongolienne.

I. APPEL

Les survivants de la zone détruite II (îles Britanniques) sont instamment priés de noter tout ce qu'ils peuvent se rappeler, *tel qu'ils l'ont personnellement vécu,* des événements conduisant à la catastrophe, des semaines de crise, et de leur évasion ultérieure. Il est clair que la destruction du matériel historique a été considérable, puisque tant de grands musées, de bibliothèques et d'archives dans le monde sont détruits, contaminés ou hors d'atteinte parce que fermés à titre définitif ou provisoire. Les gens partout se sont révélés merveilleusement coopératifs et généreux de leur temps. Mais le matériel actuellement disponible pour les trente dernières années est insuffisant, et dispersé. *Très important :* Ce qu'il faut, ce sont des souvenirs personnels, dans le plus grand détail possible, avec des noms, des dates, des lieux. Ces éléments devront être remis ou expédiés aux ambassades de la zone nationale mongolienne, en n'importe quelle ville du monde.

Signé : (illisible)
Pour le conservateur des études historiques
Zone nationale mongolienne.

II

De X30 (Francis Colridge, travaillant comme administrateur adjoint de la zone de reconstruction et de restauration, près de Nairobi) à X32 (Amanda née Colridge, épouse de Mao Yuan, travaillant comme employée de l'administration provisoire), comprenant le document I (ci-dessus).

Dans les lettres citées ci-dessous, des codes remplaçaient tous les noms de lieux, de personnes, et même les dates. Les noms ont été remis en place dans tous les cas où ils pouvaient être connus du lecteur.

Ma très chère Amanda,
Ces documents semblent traîner partout : à ma connaissance, à travers l'Afrique entière, et *je suppose* en Amérique du Nord et du Sud.

En Amérique, ils proviennent du gouvernement central du Mexique. Je te les envoie pour le cas où tu ne les aurais pas encore vus. Car si ce n'est encore fait, ce sera pour bientôt. Je *suppose* qu'il n'existe aucun contact officiel entre ton tiers de la Chine et la zone nationale mongolienne, ni entre toi et la zone nationale sud — ni entre ces deux zones. En bref, la plaisanterie selon laquelle la Chine reproduit les époques antérieures suivant un schéma de seigneurs de la guerre gouvernant des territoires aux frontières mouvantes est vraie? Et aussi que tout document écrit s'échange grâce à l'intervention de personnes plantées dans les diverses armées — puisqu'il n'y a que fort peu de mouvement, si l'on excepte la chose militaire? Fais donc en sorte que notre groupe, dans la zone nationale et dans la zone nationale mongolienne *(surtout ces deux-là)* soit averti qu'on cherche par cet appel à obtenir des noms et des renseignements afin de nous paralyser ou de nous exterminer. Les gens d'un certain âge n'auront guère besoin d'être mis en garde, mais les jeunes? N'est-il toujours pas vrai, même en dépit de l'expérience de ces dernières décennies, que l'espèce humaine ne peut rien apprendre par l'expérience?

Fais en sorte que les renseignements suivants soient répandus *et absorbés.*

La masse de l'espèce humaine n'a jamais eu de mémoire. L'histoire, les activités des historiens, n'ont jamais constitué qu'une sorte de mémoire de remplacement, une approximation des événements réels. A certaines époques, cette fausse mémoire s'est révélée assez proche des événements; à d'autres, très éloignée — *parfois à dessein.* Ainsi, des créations délibérées ont eu lieu quand les dirigeants de la jeune église chrétienne ont détruit, ou tout au moins déformé, ce qu'enseignaient réellement les premiers chrétiens; et ce qui reste des « comptes rendus » sur les activités de l'Inquisition (et en particulier les raisons officielles qui justifient le massacre des Albigeois), et la suppression de la sorcellerie. En ces époques-là, « l'histoire » devient une déformation délibérée au lieu de ce qu'elle est habituellement, c'est-à-dire la fumée sale qui s'attarde dans l'air après le feu des événements. Les faits réels sont réservés à la mémoire et transmis verbalement; ou bien notés et dissimulés, pour la seule information d'une petite élite. La création délibérée de la fausse histoire se déroule actuellement sur vos ordres dans la zone nationale de Mongolie; au Mexique; au Brésil; au Kenya (les nouveaux lieux de domination du monde) à cause de ce qui a émergé dans la connaissance humaine ordinaire — c'est-à-dire la conscience de l'homme de la rue, avant, et à l'époque de la destruction. Notre fonction consiste à mettre en garde contre ce qui pourrait se produire; et ce qui pourrait bien arriver, c'est que d'ici à un demi-siècle, si ce qui reste de l'espèce humaine ne s'est pas encore suicidé, il ne demeurera aucune trace authentique des événements de l'époque de la destruction, sauf dans quelques cerveaux humains soigneusement choisis, préparés et conservés pour transmettre méticuleusement à d'autres cerveaux similaires. Tu connais les Mémoires; et nous cherchons un ou deux emplacements sûrs pour l'entreposition de matériels écrits — nous n'avons pas encore trouvé. Cette lettre a donc pour but de te demander de faire comprendre ces données à ceux de notre groupe dont tu as la charge ; et de leur faire comprendre que tout ce qu'ils savent ou se rappellent personnellement doit être scrupuleusement consigné dans l'une des Mémoires, mais *jamais* sur le papier à moins que l'authenticité de la demande ne puisse faire l'objet d'aucun doute.

Et maintenant, en contribution personnelle à l'établissement des faits, je relate ici par écrit ce que je sais être vrai.

Je commence au moment où, avec nos amis, nous avons quitté Londres pour vivre à la campagne.

Vers la fin des années soixante, une trentaine d'entre nous avons quitté Londres pour le Wiltshire ; nos amis, ou les amis de Paul Colridge, ou leurs amis à eux. Nous n'avions rien en commun, pas même le désir exprimé de « vivre simplement » ou de « tout plaquer » — ni aucune autre des raisons pour lesquelles des groupes ou mouvements de jeunes quittaient la société traditionnelle, pour établir des communautés. Lorsque nous l'avons fait, nous n'avions aucun motif, aucune raison, aucune rationalisation : nous l'avons fait parce que cela paraissait raisonnable. A présent, en y songeant, je suis frappé par la manière dont tout cela s'est passé. D'abord, quelques années plus tard, ce furent ces gens-là et leurs familles et leurs amis qui purent échapper, avec bien peu d'autres. (Combien, à *ton* avis ? Je n'ai vu que les chiffres corrigés. Tous les chiffres publiés jusqu'à présent par les contrôles sont tellement faux, même d'après mon expérience personnelle — moitié moins de ce que Contrôle et moi-même estimons vraisemblable. D'après ces données, je présume qu'un nombre considérable de gens a déjà dû être détruit ou réduit à un état irréversible.)

Je m'interroge à présent sur des questions qui n'avaient alors guère d'importance, en m'efforçant d'isoler ce qui pourrait être significatif. L'un de ces faits est que, de notre groupe (tout au plus cinq ou six cents, quand notre « communauté » a connu son apogée), fort peu de personnes auraient été choisies suivant les critères en vigueur comme « bon matériel humain » — pour reprendre l'expression tellement employée par les autorités pendant la dernière phase. Peu même approchaient ce que l'on pouvait classer comme « moyen » ou « normal » ou même « souhaitable ». Bien entendu, à mesure que cette décennie s'avançait et que la folie générale s'approfondissait, même eux tendaient à employer ces termes de manière plus attentive ; mais il est certain que les gens attirés vers nous étaient par définition les « excentriques », les malades ou handicapés légers, ou simplement ceux qui ne pouvaient pas faire face aux exigences de cette société. Pour une raison ou une autre, aucun d'eux ne voulait ni ne pouvait vivre suivant les normes de l'époque — de plus en plus sauvagement défendues en tant que normes, à mesure que la société devenait plus folle.

Je le répète : ce sont là des pensées qui me viennent maintenant, et qui ne me seraient jamais venues sur le moment, non plus qu'à personne d'autre. Bien au contraire, ce que nous avions de remarquable était précisément cette spontanéité, cette inconscience de nous-mêmes. Peut-être parce que tant d'entre nous avaient été en contact avec la psychiatrie sous ses multiples formes ; peut-être s'agissait-il d'une extrême réaction. Et la plupart d'entre nous avaient eu un contact avec la politique : nous nous y étions usé les dents. Quelles qu'en aient été les raisons, ce fut seulement vers le milieu des années soixante-dix que nous comprîmes, à cause de l'intérêt qu'on nous portait, que notre caractéristique principale résidait dans l'absence d'idéologie, de programme, de constitution ou de philosophie. Nous avions mûri en communauté. Des gens avaient commencé à vivre ensemble. D'autres nous avaient rejoints. Nous sommes partis vivre à la campagne parce que c'était moins cher, et plus facile avec les enfants. Une façon typique dont les gens se joignaient à nous, par exemple, ce fut la visite de Martha, qui nous proposa de tenir la maison pendant que ta mère et moi partirions en vacances avec les enfants, et puis qui quitta définitivement Londres pour s'occuper du jardin d'enfants. (Incidemment, si tu n'as pas encore reçu cette information envoyée il y a déjà un an avec du matériel, je crois que Martha vit : elle vivait sûrement encore très récemment. Elle se trouve sur une île quelque part, mais elle ne veut pas révéler ses coordonnées *par peur d'être sauvée de là.* Je l'ai entendu à plusieurs reprises, mais l'écoute était mauvaise.)

Pour commencer, nous avons eu une ferme d'environ cinquante hectares, avec quelques dépendances. Nous les avons aménagées en habitations, et nous avons cultivé des légumes et des fruits et élevé quelques vaches. Certains d'entre nous possédaient de l'argent. D'autres n'en avaient pas. Certains travaillaient beaucoup, et d'autres non. Pourtant, il n'existait aucun sentiment de possession personnelle, ni de rancœur parce que certains se rendaient moins utiles que d'autres. (Pas au début, ni pendant quelque temps, parce que nous n'avions rien formulé, comprenant à peine ce qui se passait.) Nous ne vivions pas tous non plus au même endroit, car nous avons très vite dû nous développer. Ainsi, à la mort de Nanny Butts, nous avons repris sa maison et sa terre, et Gwen et son mari, qui avaient toujours voulu jardiner, ont poursuivi son œuvre : cultiver des plantes pour les vendre, et conseiller les gens en matière de jardins. Nous avons acheté d'autres terres. Cependant, le sentiment de communauté demeurait, même si nous vivions séparés. Cela ne s'exprimait pas de manière formelle, dans des réunions ou des débats. Pas pour commencer : par la suite, on instaura une réunion mensuelle, mais cela n'obligeait personne à rien de particulier. Je le répète : cela ne nous paraissait pas extraordinaire. Maintenant, je m'interroge. Dans toutes les histoires d'utopies ou de communautés idéales, en a-t-il existé une seule qui n'eût pas le moindre fondement religieux, politique ou théorique ? Je ne le pense pas. Et elles ont toutes connu une croissance, une prospérité, ou un déclin — conformément aux lois du changement. Et la nôtre aussi, bien sûr. Si nous n'avions pas eu ce choc brutal d'avoir à partir, je suis bien sûr que nous aurions déchanté ; nous nous serions séparés par suite de querelles, et puis désintégrés. Mais nous verrons cette question plus tard. On nous a depuis demandé (comme dans cette malheureuse émission télévisée) : « Comment expliquez-vous cette harmonie ? » Je l'ignore. Peut-être était-ce que nous ne demandions jamais rien à personne : chacun se proposait. Mais à présent, j'avance ce que je n'aurais pas su penser à cette époque — et que je n'aurais pas affirmé publiquement si je l'avais pensé : je crois qu'inconsciemment nous savions ce qui allait arriver, qu'une ombre de pressentiment était en nous; et que cela mettait hors jeu les lois ordinaires, ou du moins les affaiblissait. Et que cette ombre projetée par l'avenir était en chacun, affectait chacun : expliquait le caractère fantasque de cette décennie. Mais certaines personnes s'en trouvaient calmées et adoucies, se développaient plus vite.

Mais laissons de côté cette possibilité. Voici une autre pensée. J'ai un jour lu quelque chose sur une « communauté idéale » créée par un médecin viennois aux temps héroïques de la psychanalyse. Ce groupe renonçait à la jalousie, au sentiment de propriété, à l'envie — par un acte de volonté communautaire. Quand cette petite communauté se désagrégea, on expliqua que c'était parce que les couples commençaient à se marier pour le bien des enfants. « Nous pouvions surmonter la jalousie sexuelle, mais pas le sentiment de propriété à l'égard des enfants. » Eh bien, on aurait pu en dire autant de notre groupe. C'est-à-dire que, si notre « famille » avait été conçue sur les mêmes bases, nous aurions pu dire que nous étions menacés de discorde et de désintégration à l'époque où nous avions le plus de petits enfants. Mais supposons que nous ayons décidé : nous sommes pacifistes, et nous renonçons à la violence. Dans ce cas, nous aurions pu dire : notre période dangereuse intervint lorsque nous fûmes menacés par la violence, et que nous dûmes constituer une milice privée pour nous défendre.

C'est pour cela que je ne veux pas dire qu'un esprit de dissension et d'irritation s'est imposé quand les gens ont commencé à nous interroger sur nos fondements philosophiques ou religieux, et que nous-mêmes avons commencé à nous demander ce qui nous liait.

Je précise cette question car les théories sur la croissance, l'existence et les raisons d'échec des communautés utopiques ont toujours proliféré ; et quand l'espèce humaine sera suffisamment rétablie pour de tels luxes, elles prospéreront certainement à nouveau.

Pendant les deux ou trois premières années, nous avons tous connu une activité intense et un grand bonheur. (Un grand bonheur personnel : ta sœur est née à ce moment-là, notre cinquième enfant, ainsi que ta cousine, second enfant de Gwen; et ta mère trouvait ce travail simple dans la ferme parfaitement à son goût.) Mais notre labeur et notre joie nous rendirent aveugles à ce qui se passait au-dehors. J'ai déjà dit que nous réagissions excessivement. Nous continuâmes ainsi — comme Martha nous en avait prévenus. Ainsi que mon père, dans ses lettres et lors de ses visites. Ils nous jugeaient naïfs, et fous de ne pas nous préparer. Mais nous étions heureux d'avoir quitté Londres. Quand nous y allions, nous revenions en protestant que c'était affreux : c'était de plus en plus effrayant et affreux; aussi nous en tenions-nous le plus possible éloignés. Puis les choses commencèrent à changer dans les villes et les villages de province. Comment cela? Eh bien, il faudrait exprimer toute une ambiance! Tout d'abord, ce fut une atmosphère. Je peux uniquement suggérer qu'une Mémoire tente de « rassembler » une atmosphère — disons d'abord de 1970, et puis de 1975, en s'efforçant de transmettre une impression de changement. Avec le recul, je vois bien que, depuis mon accession à la conscience, et les gens âgés disent depuis bien plus longtemps, il a régné une obsession des dates, des décennies, des périodes, des temps. C'est parce que le « goût » de la vie a tant changé de décennie en décennie, même d'année en année. Et cela ne cessait d'accélérer. Nous nous sentions en proie à une sorte d'accélération effrayante. Mais c'est précisément cela que je ne parviens pas à rendre. Il faut que tu comprennes. Et ce sera peut-être difficile pour toi puisque les autres enfants et toi-même prétendez que ces années étaient bienheureuses, et que vous en gardez le souvenir d'une sorte de paradis d'avant la pomme.

En 1969 et 1970, la crise économique s'aggrava, masquée (comme il est devenu courant depuis lors) par des prêts considérables d'organismes internationaux dont l'exigence de « stabilité » conduisit au gouvernement national du début des années soixante-six. Cette crise ne nous a pas affectés immédiatement, pas économiquement. Les gens affectés furent tout d'abord ceux qui avaient déjà été touchés, les ouvriers, les personnes âgées, tous ceux qui percevaient des revenus fixes et modestes. Mais ce qui nous a atteints, ce qui a immédiatement atteint tout le monde, ce fut le resserrement de cette atmosphère si différente du laisser-aller des années soixante. Le nouveau gouvernement représentait l'ordre, la discipline, la religion, le conformisme, l'autorité. En Amérique, un nouvel âge « de piété et de fer » (annoncée par un Dr Spock accusé d'anticonformisme en 1968) démarra en 1969. En Grande-Bretagne, on lui emboîta le pas deux ans plus tard. Il y eut alors un gouvernement qui fit avaler aux Britanniques ce qu'aucun gouvernement n'avait jusqu'alors osé suggérer — ou plutôt, reconnaître. Car ce que l'on avait considéré comme de regrettables nécessités, et cherché à sous-estimer en s'excusant, fut soudain promu au rang de vertu nationale et civique. Dès les années cinquante, l'enrégimentation des êtres humains par le truchement d'écoutes téléphoniques, de surveillance du courrier et d'espionnage en tout genre avait été établi. Au cours des années soixante-dix, tout cela paraissait normal, et était même approuvé. (Tout ce qui menait à l'expansion des affaires et au « rétablissement de la nation » était bon; tout ce qui n'y menait pas, était mauvais; ces méthodes étaient censées encourager une atmosphère de discipline et d'ordre : elles étaient bonnes.) Bon également, le plus sinistre de tous les développements : la centralisation de tous les renseignements possibles concernant les citoyens, non pas par le gouvernement ou la police, mais par des entreprises privées (sur ordinateurs), et cette information servait au gouvernement et à la police. C'était là un développement logique, dans une société où les besoins de l'industrie passaient avant tout.

Mais c'était un gouvernement plein de paradoxes. Il se déclarait favorable à une campagne nationale contre la corruption et la décadence ; mais en pratique cela représentait les formes de comportement qui avaient été approuvées à la fin des années cinquante et pendant les années soixante — c'est-à-dire qu'il y eut un revirement en faveur du puritanisme, tout d'abord dans le domaine de la sexualité, puis en réaction contre les obsessions de nourriture, d'habillement, de meubles, et ainsi de suite. (Cela était en partie dû à la peur, à cause de la rancœur menaçante qu'exprimait la moitié du monde qui souffrait ou même mourait de faim.) Ce n'était pas que nous pensions moins à la nourriture, au décor, aux vêtements, etc. : un journal pouvait par exemple fort bien lancer une campagne pour « la simplicité et le sacrifice », mais changer de style représentait de lourdes dépenses d'argent aussi bien que de temps. Or, tandis que nous portions toute notre attention sur ces problèmes superficiels, la structure fondamentale de l'économie demeurait telle qu'elle avait été depuis sa consolidation, juste après la Seconde Guerre mondiale, dans un équilibre où elle recevait continuellement des subsides de fonds internationaux (en réalité américains) en échange de sa participation docile à la machine militaire américaine. Les classes laborieuses boudaient et se rebellaient. Mais dans l'ensemble, elles travaillaient : toutes les pressions de l'opinion publique, soutenue par la police et l'armée, étaient employées pour les faire travailler davantage et pour moins d'argent.

Je constate que mes explications sont trompeuses : la dernière partie décrit n'importe quel régime « fasciste » n'importe où — comme l'appellent ses adversaires. Mais cette époque de conformisme neutre, insulaire, avec ce vilain amalgame d'église, de royauté, d'industrie, d'arts respectables et d'arts antérieurement moins respectables (toutes les variétés de « pop »), ainsi que de science officielle et de médecine officielle, fut également une époque d'anarchie qui empirait chaque mois. C'était comme si, sur un paquebot en train de couler, le capitaine et les officiers s'étaient tenus au garde-à-vous sur le pont devant le drapeau, pendant que l'équipage et les passagers dansaient et buvaient, se révoltaient, et de temps à autre ébauchaient un simulacre de salut pour faire plaisir aux officiers impassibles et imbus de leur sacrifice. Mais comment rendre l'atmosphère ? Demande à une Mémoire d'essayer de « saisir » un de ces « appels » à la télévision, quand un symposium composé d'un duc, d'un directeur de chaîne de grands magasins, d'un banquier suisse en visite, d'un général de la Seconde Guerre mondiale, et d'un représentant de la Fédération des syndicats, parlait à la nation du redressement national. Ensuite, des kyrielles de chanteurs pop et d'idoles populaires en tout genre se levaient pour chanter *Terre d'Espérance et de Gloire* et *Jérusalem*. Dehors, dans les rues, le couvre-feu régnait à cause des émeutes provoquées par un incident comme l'annulation d'un match de foot ou simplement par une forte chaleur, ou parce qu'une bagarre avait éclaté entre les gardes armés de deux industriels importants. Car cette coexistence d'une classe dirigeante arborant un gant de velours et un sourire de dérision, avec une violence en éruption permanente, constituait l'ambiance de cette période précédant la catastrophe, comme un homme discourant sur la vertu civique devant un auditoire bien habillé, qui se retourne pour boire un verre d'eau et expose ainsi un derrière de singe à l'indécence flamboyante. Mais j'écris tout cela avec le recul : comprimé, accéléré, moins effrayant parce que compris. Nous ne saisissions que fort lentement ce qui se passait, car nous demeurions dans nos fermes et nous ne voulions pas nous mêler de politique.

Le tout premier symptôme de l'effondrement général fut classique : *plus rien ne marchait.* Je me rappelle le bureau de mon père (ton grand-père, Mark) juste avant l'expropriation de la maison : il a ôté tout ce qui recouvrait les murs, à l'exception d'une seule chose. (Le contenu de ce bureau, les faits, leur disposition avaient été répertoriés : cette clé se trouve en la possession de 7X40, qui aurait dû arriver à présent — elle a quitté Monbasa depuis déjà quatre mois.) Cette chose était la reproduction d'un satellite spatial, un miracle de précision, et une précision d'avant-garde qui plus est : il tua tous les astronautes qu'il transportait à cause d'un défaut électrique mineur, à l'échelon d'un interrupteur domestique banal. Ce fait, cet incident, fut la conclusion du résumé qu'établissait mon père de *son* époque. Je ne vois aucune raison de n'être pas d'accord.

Les choses ne marchaient plus. Qu'une voiture coûtant deux mille livres sterling perdît son brillant par faute d'une peinture de mauvaise qualité ; qu'il fallût deux jours entiers pour trouver une vis correspondant à un appareil ménager nouvellement acheté ; qu'une route toute neuve eût des ornières trois mois après sa mise en service ; que l'on ne pût jamais plus obtenir le service pour lequel on avait payé : il semblait que l'on ne pût rien y faire, et l'on ne tarda pas à s'en servir comme symbole d'intégrité nationale. Nous croyions choisir l'inconfort et la difficulté pour le bien de la nation. Dans nos fermes et nos villages, nous avons très tôt commencé à nous passer du superflu, bien que ce ne fût jamais décidé formellement. Nous menions une existence simple, bien que nous n'y fussions pas contraints, car nous avions des sources de revenus : nous n'avions pas « choisi la pauvreté ». C'était simplement que les appareils et les gadgets ne tardaient pas à nous encombrer plus qu'ils ne nous servaient ; et l'organisation quotidienne de notre vie devenait si compliquée, à cause de l'inefficacité des choses, qu'elle s'en trouva finalement simplifiée.

Je pense que la plupart des gens éprouvaient ceci : en montant un moteur, l'électricien maudissait inconsciemment son travail à cause de ce qu'il représentait ; et bien sûr l'appareil grillait très vite. Il ne savait pas ce qu'il avait fait. Similairement, toutes sortes d'accidents se multipliaient partout. C'était un genre de Luddite-isme émotionnel : un « non » inconscient à la manière dont il nous fallait vivre. Inconscient, non reconnu, clandestin, car si l'on avait dit à l'électricien, ou au mécanicien responsable de l'accident d'avion, ou aux hommes dont l'erreur avait provoqué l'incendie de l'usine : « Cherchez-vous à ruiner l'industrie nationale ? », ils auraient répondu : « Bien sûr que non ! » comme un seul homme, et l'auraient vraiment cru.

A moitié cru. Je pense qu'il se produisait le même type de phénomène que sous Hitler chez certains Allemands ; ils appelaient cela une « immigration intérieure ». C'était un genre de non-coopération, une suspension de la vie ordinaire. Quelque chose du même ordre se produisait sous certains régimes communistes, un avachissement dans la confusion où tout avait le droit d'aller de travers, mais sans que personne l'eût jamais vraiment décidé, ni même osé le comprendre. Quelle qu'en fût l'explication, l'ingrédient le plus caractéristique des années soixante-dix était que rien ne marchait, que tout se défaisait — je parle du point de vue de la vie quotidienne, où l'on prenait des trains et des bus, et où l'on postait des lettres. Ou plus exactement, certaines choses fonctionnaient avec une efficacité extrême et inhumaine dans des secteurs limités qui n'en recoupaient aucun autre ; une machine ou une institution pouvait marcher brillamment, mais uniquement dans l'isolement. La machine voisine ou l'institution sœur pouvait se révéler totalement anarchique. Pendant ce temps, le gouvernement ne parlait que de national par-ci, et britannique par-là, mais en employant le langage grandiose de l'impérialisme ou celui, émotionnel, des temps de guerre.

Pendant ce temps, nous vivions en paix, peu affectés dans l'ensemble, de même que diverses communautés du même type à travers le pays. Et nous aurions continué ainsi si ta grand-mère (la mère de ta mère) n'avait pas occupé un poste important au sein du gouvernement ; et si mon père n'avait pas été un personnage important à cause de son projet de Secours — ce qui faisait toujours comprendre de travers aux gens ce que nous faisions. Un parent indirect (par le mariage) nommé Graham Patten (il mourut dans la catastrophe, vraisemblablement dans un abri du gouvernement) suggéra à sa femme (il fut pendant deux ou trois ans secrétaire d'État pour les Arts dans le gouvernement national) de nous consacrer une émission de télévision. Sa femme avait hérité de son programme télévisé quand il était entré au gouvernement. Il s'agissait en vérité d'une sorte de geste amical : ils « voulaient bien faire ». L'idée ne nous enthousiasmait guère, mais nous nous jugions irrationnels. Après tout, nous savions que nos amis étaient heureux, quand fort peu de gens avaient cette chance. On nous accusa d'égoïsme parce que nous ne voulions pas partager notre formule. Nous acceptâmes donc, et le regrettâmes aussitôt. L'émission télévisée en elle-même fut embarrassante, et bête. Car nul à cette époque ne pouvait croire à la possibilité d'une chose inorganisée, non hiérarchisée, non doctrinaire : et nous n'avions pas prévu cela. L'émission mit donc l'accent sur tout ce qui ne présentait aucune importance à nos yeux — que nous n'avions ni constitution ni contrats juridiques ; que certains d'entre nous avaient de l'argent et d'autres non, etc. L'émission s'intitulait « Essai de communisme primitif », durait une heure et demie, et occupait une « case » mensuelle réservée à des programmes de haute volée morale et culturelle. Pour nous, ce fut un désastre. Martha et d'autres nous avaient mis en garde contre l'emploi du terme « communisme ». Dans les années soixante-dix, ce mot était aussi chargé que dans les années cinquante, mais d'une manière plus floue. Dans les années cinquante, il représentait tout simplement l'Union soviétique, et impliquait des notions de trahison et d'espionnage. Vingt ans plus tard, il évoquait n'importe quoi de mauvais — une sorte de mot fourre-tout dont les associations antipathiques et effrayantes n'étaient jamais vraiment définies. Après cette émission, le mot nous resta collé à la peau. Il en résulta deux conséquences désastreuses, l'une immédiate et l'autre durable. Tout d'abord, nous fûmes envahis par des gangs venus de Birmingham. Ils brisèrent presque toutes les vitres, incendièrent une grange couverte de chaume, volèrent des voitures — rien de pire. Assez peu, si l'on considère le genre de dégâts commis par la suite lors de « raids » similaires « pour rire ». Et puis, désormais, nous nous trouvions dénoncés à nos voisins comme des fous en puissance, et plus jamais l'attention de la police à notre égard ne s'est relâchée. Mais les vrais dégâts nous furent infligés à nous-mêmes. Pour la première fois, l'atmosphère se dégrada. Brusquement, les gens organisaient des « groupes de discussion », des « forums », des « débats », pour échafauder des théories sur nous et notre mode de vie. Certains partirent. L'un de ceux-là écrivit un article dans un journal régional : « Comment les Rouges m'ont mené en bateau » — pourtant, cinq minutes avant de partir il sanglotait en disant que plus jamais il ne serait heureux. Les autorités entreprirent des enquêtes. Pas grand-chose pour commencer : des inspecteurs du ministère de l'Éducation vinrent voir comment nous endoctrinions nos enfants. Il n'y avait rien à découvrir, mais ils ne voulaient pas le croire et surgissaient constamment sans prévenir : à l'époque, il allait de soi que c'était l'État et non les parents qui avait le dernier mot en matière d'éducation des enfants. Les assistantes sociales ne nous quittaient plus des yeux. La majorité d'entre nous était passée entre les mains d'assistantes sociales et de psychiatres à un moment ou un autre de notre existence (mais c'était vrai de presque tout le monde, de toute façon), et nous découvrîmes que l'on rouvrait des dossiers périmés pour les examiner. Ainsi, il y avait un couple dont le premier enfant était mort, vraisemblablement par suite de la brutalité du père — âgé de dix-huit ans à l'époque. Mais depuis lors, ils en avaient eu deux autres et se débrouillaient fort bien, sauf qu'il était dépressif quand il pensait qu'on le « rattraperait ». Une assistante sociale consciencieuse se mit à leur rendre visite. Il se laissa gagner par l'obsession qu'il lui faudrait aller en prison. Tous deux craquèrent, et ils s'enfuirent dans une institution catholique comme des criminels du Moyen Age demandant refuge. Ils ne laissèrent pas d'adresse — sans doute persuadés qu'ils nous simplifiaient ainsi les choses. Mais par la suite nous avons évidemment vu défiler des hordes d'enquêteurs à leur recherche.

Ce fut l'époque où Nicky et sa famille nous quittèrent. (Tous ont péri dans la catastrophe.) Son dossier le classait comme agitateur professionnel. (Références du Fichier des Consommateurs et des Employés à l'usage des Patrons, centralisées sur ordinateur.) La police cherchait à découvrir s'il employait la ferme comme base pour l'agitation des usines de Reading, où régnaient de graves troubles dans l'industrie. Les questions de la police nous amenèrent à nous interroger sur la politique : *fallait-il* vivre comme nous le faisions quand l'Angleterre brûlait ?

Il en résulta tant de querelles que nous résolûmes de retourner au temps d'avant l'émission. Nous décidâmes que les choses se tasseraient si nous refusions de nous laisser provoquer à émettre des déclarations de principes. Bon, la situation se calma, mais jamais complètement, et ce fut la fin de notre époque d'innocence.

Tout d'abord, nous fîmes comme tant d'organisations, de familles riches, ou de clubs : nous organisâmes notre propre protection. Nous constituâmes une milice avec nos jeunes gens. (Secrètement, bien sûr — nous n'avions jusqu'alors jamais eu de secrets.) Il fallait alors choisir entre sa propre protection et celle de la police. La police était demeurée « non armée » parce qu'en Angleterre cela avait toujours été ainsi, mais elle était équipée d'une grande variété d'armes comme les pistolets à bombes lacrymogènes, les fusils anti-émeute « humains », etc. La protection de la police était compliquée à obtenir. Elle était alors tout à la solde d'un syndicat du crime. Pas directement, bien sûr. A la campagne, cela fonctionnait ainsi : les gros fermiers, séparément ou en groupes, versaient de l'argent aux fonds des syndicats du crime. On ne parlait pas d'argent « d'assurance », car les syndicats d'alors ne commettaient pas de crimes. Les fonds pouvaient s'intituler : Gardiens de la Liberté britannique, et les syndicats étaient intégrés à l'industrie normale ; tous étaient liés aux réseaux de la Mafia et du vieux Ku Klux Klan, sur le modèle qui fonctionnait si bien en Amérique depuis tant d'années. Mais bien sûr, à l'humble niveau du comté anglais, cela signifiait simplement que les riches fermiers, qui protégeaient les fermiers moins riches en échange d'une participation aux fonds, faisaient protéger leurs propres fermes par la police, qui était payée par un groupe ou un autre. Ces groupes adverses pouvaient fort bien appartenir à la même organisation centrale ; mais le crime était fort joliment centralisé partout. Dans les villes, cela marchait de la même manière : des secteurs se trouvaient sous le patronage d'un personnage, habituellement fort respectable, qui se chargeait avec la police de protéger le district. Que cette protection s'exerçât sans doute contre les hommes de main du protecteur de la zone voisine, qui était son associé et même peut-être son ami personnel, cela n'a évidemment pas de sens ; mais cela avait un sens à l'époque où seuls comptaient le gain et la consommation. Car tout le monde donnait de l'argent à quelqu'un pour être protégé. Notre groupe payait la police, mais c'était pour qu'elle nous laisse tranquilles pendant que nous nous protégions nous-mêmes.

Mais il faut que je tente de décrire ce qu'était la violence d'alors : elle constituait un développement du type de celle des années soixante. Sa principale caractéristique était l'absurdité, sa gratuité, comme quand un groupe de fans du football démolissait un compartiment de train pour s'amuser, dans les années soixante, ou que des bandes de rue saccageaient les cabines téléphoniques, ou que des adolescents dévalaient les rues, la nuit, en fracassant des bouteilles de lait contre les maisons ou contre les voitures.

Depuis déjà bien longtemps, il n'était plus sûr de circuler à pied la nuit dans les rues d'Amérique, et même le jour dans certains quartiers. Depuis des années on ne s'y était déplacé que par la seule grâce d'une police paternelle ou brutale ; ou bien sous la protection d'un gang. (On ne s'aperçut que vers le milieu des années soixante-dix que depuis très longtemps les États-Unis étaient gouvernés par une conspiration à demi cachée, qui associait le crime, la machine militaire, les industries de guerre et le gouvernement.) Qu'il choisît d'être protégé par les hommes de main des groupes de gangsters, ou par la police, ou par la décision délibérée de s'installer dans un quartier sûr et respectable au sein duquel il vivait, comme autrefois les Juifs dans leurs ghettos, le citoyen américain s'était depuis longtemps habitué à la barbarie organisée. Cette situation s'étendit à l'Angleterre. Mais elle s'étendit lentement, et subtilement ; jamais rien ne s'appelait par son vrai nom : et il apparaissait toujours quelque bonne raison patriotique pour nous faire renoncer à une liberté après l'autre. Je te demande pardon ! Une génération s'excusant auprès de la suivante pour « le gâchis que nous avons fait », c'est finalement devenu une triste plaisanterie.

Je me souviens d'une scène ridicule. Je rendais visite à ton arrière-grand-mère, Margaret (elle a péri dans la catastrophe), à une époque où ton grand-père, Mark, essayait de me faire adhérer à son projet de sauvetage. A la gare, un chauffeur engagé parce qu'il faisait du karaté alla nous chercher ; au cours de l'après-midi, un voisin vint nous avertir qu'une bande originaire du sud de Londres saccageait le secteur, et que nous ferions bien de lâcher nos chiens de garde. Ton arrière-grand-mère fondit en larmes et s'excusa auprès de ton grand-père « pour le gâchis qu'ils avaient fait ». Mon père en fut très ému. Il s'excusa auprès de moi pour la délinquance de sa génération. Je me voyais comme l'innocent récipiendaire de la contrition de l'Histoire elle-même, puis je me rendis compte que tu te trouvais dans la pièce, forcée de rester jouer à l'intérieur à cause de tous les enlèvements qui se produisaient, et qu'il était grand temps de commencer à préparer mes phrases pour plus tard.

Mais qui donc menait toutes ces émeutes et toutes ces bagarres pour le plaisir de la bagarre ?

Parfois c'étaient des bandes de jeunes liés à une rue ou une usine, qui décidaient de prendre des voitures ou même de courir tous ensemble comme des meutes de loups pour aller saccager un autre territoire. Ou bien c'étaient des hommes et des femmes ensemble — mais ceux-ci se révoltaient habituellement à proximité de leur propre secteur d'habitation. Parfois il s'agissait d'étudiants. Parfois encore, la milice semi-organisée d'une grosse ferme ou d'une industrie décidait pour la soirée ou pour le week-end que l'attaque était bien plus divertissante que la défense. Mais les combats tendaient désormais à se dérouler étudiants contre étudiants, ouvriers contre ouvriers, un quartier contre un autre, un groupe d'hommes forts contre un autre ; et non plus entre la foule et la police — cette dernière commençait d'ailleurs à servir plutôt d'arbitre, quand elle n'était pas déchirée par des combats intérieurs, suivant l'appartenance de ses membres à des gangs adverses.

Mis à part les raids et les expéditions pour s'amuser, les combats se déroulaient fréquemment sous des slogans de haute portée. Ils étaient pour la plupart patriotiques et le contraire, car bien des divisions politiques s'y étaient laissé absorber. Les bagarres continuaient tout de même entre « fascistes » et « socialistes » — mais de moins en moins. Ce n'était pas qu'il y eût moins de gens à droite ou à gauche, mais les étiquettes étaient si habilement utilisées par des agitateurs lors des combats de rue que les vieilles bannières des manifestations socialistes et communistes s'en trouvaient ternies. Naguère, tout le monde avait plus ou moins su ce que signifiait le mot « socialiste ». A présent, pour beaucoup de gens il désignait le gang qui avait dévasté le terrain de cricket de Lord la semaine précédente. Les bagarres ressemblaient plutôt à celles des anciens westerns, entre les gentils et les méchants. A partir des années soixante-dix, des individus, ou des groupes, ou même des villes entières pouvaient brusquement tomber dans un état particulier, comme un enfant « promettant d'être sage ». Une université annonçait soudain sa « solidarité », ou son « obéissance », ou son « soutien » à la nation. Cela ressemblait aux vagues d'immolation volontaire et fervente qui se produisaient sous Staline. Mais presque toujours quand cela arrivait, il y avait une minorité à l'usine ou dans l'institution, ou une usine ou un syndicat adverse, qui « choisissait l'indépendance ». D'après leurs opposants, ils « parlaient le jargon syndical des années trente ». Sous le gouvernement national, cela revenait à affirmer que le groupe ou le syndicat concerné se montrait séditieux, anti-britannique, dangereux, et méritait donc des sanctions. Un groupe se chargeait donc des représailles, sous la surveillance de la police.

Il survenait aussi des émeutes raciales, mais pas aussi graves qu'on ne l'avait cru : Blancs et Noirs se tapaient dessus, dans le cadre du désordre général. Le gouvernement tendait à se montrer indulgent pour les bagarres. Mais il punissait sévèrement les atteintes à la propriété privée — ces vagues de saccages et d'incendies et de pillages qui devenaient de plus en plus fréquentes et de plus en plus violentes. Ces vagues pouvaient commencer dans une ville (habituellement en été, car l'été voyait toujours une aggravation de la violence à travers le monde) par des incendies et des mises à sac et des cambriolages, et puis se répandait dans tout le pays en l'espace d'un mois. Puis les choses semblaient s'apaiser : pendant que la nation suivait à la télévision et dans les journaux le récit de l'arrestation et du jugement des agitateurs et des meneurs. Notre système de punition s'était inversé : les sanctions pour le vol et l'atteinte à la propriété étaient plus fortes que pour l'agression ou le meurtre. Pendant toute cette période, une campagne se dessina en faveur de la restauration de la peine de mort par pendaison, de conditions de détention plus sévères, de peines de fouet. La peine du fouet fut restaurée pour l'atteinte à la propriété, la pendaison pour l'agression de certaines catégories de personnes, telles que les policiers ou les membres du gouvernement. Les citoyens commencèrent à prendre les choses en main quand les décisions de justice ne suivaient pas leurs vœux. D'étranges pendaisons se trouvèrent ainsi camouflées en suicides, des séances de flagellations sans témoins eurent lieu, et ainsi de suite.

Et j'avoue à ma grande honte que, pendant l'aggravation de cette situation, nous fîmes de notre mieux pour tout en ignorer. Cependant, j'affirme vigoureusement que le contraire n'aurait fait aucune différence ! Je n'ai pas commencé à y réfléchir sérieusement avant le départ de Nicky. Je suppose que mon état d'esprit devait être à peu près le suivant : les choses vont de mal en pis, mais il en a toujours été de même. Nicky partit, et ta mère et moi-même en fûmes tous deux bouleversés. Nous avions tous été étroitement liés entre nous depuis notre adolescence. Nous étions demeurés liés même quand nous avions eu un désaccord sur le plan politique. C'était avant notre départ de Londres. A la ferme, il ne s'intéressait plus à la politique. Je jure qu'il lisait à peine les journaux. Évidemment, fort peu d'entre nous les lisaient. Mais quand il regagna Londres avec sa famille, il reprit une vie politique active. Il répétait sa première prise de contact avec la politique, comme pour dire : « Vous me traitez d'agitateur ! Très bien, alors j'en serai un ! » La première fois que cela s'était produit, il était âgé de quinze ans, et déjà il plaisantait sur la manière dont il s'était trouvé jeté dans la politique. À présent, il avait dépassé la trentaine. J'allai le voir à Londres, mais ne pus lui parler : il était devenu un fanatique. Plus tard, il m'écrivit une lettre. Cela ne lui ressemblait pas du tout. Le ton en était, si je puis tenter une sorte de folle description, un hurlement de rire tout en me racontant l'accident qui avait tué toute sa famille. Cette lettre m'expliquait qu'il avait parié avec un ami qu'il pourrait démarrer une émeute ou une manifestation parmi n'importe quel public d'intellectuels sophistiqués (dans une université, par exemple) par la seule description des mécanismes bancaires, du fonctionnement des compagnies d'assurances, ou même en leur lisant simplement des extraits de ce vieux livre socialiste, *Le Philanthrope en haillons*. Il fallait que ce fût un public issu des classes moyennes : il considérait que l'éducation des classes moyennes comportait toujours un trou quant aux mécanismes qui régissaient leur propre pays — et de plus en plus, sous ce gouvernement. Un public ouvrier aurait réagi en criant : « Va dire à ta grand-mère de se faire cuire un œuf. » Le public instruit se soulèverait non pas sous l'effet de la colère causée par tous ces méfaits soudain révélés, mais sous l'effet de la colère causée par le sentiment de s'être fait berner : ce moment de l'existence était toujours explosif chez ces gens-là. Ayant ainsi exposé son point de vue, il était allé le prouver dans le Sussex, dans l'Essex, et à Reading. Il avait alors été inculpé de violence envers les forces de l'ordre, et condamné à cinq ans de prison. J'allai le voir. Je ne le reconnus pas. Il se comportait en chouchou de la classe, en élève irréprochable. Il ne parlait que de remise de peine pour bonne conduite : il avait déjà obtenu quelques privilèges. Il estimait avoir bien mérité la sentence, et se déclarait « reconnaissant envers le magistrat ».

Je rentrai chez moi, et me rendis compte que je pensais à lui comme à une personne droguée ou empoisonnée. Non pas à cause de sa conversion au conformisme. Mais de la rapidité de cette conversion. Je commençai à réfléchir à ce qui se passait réellement. Oui, bien sûr, j'aurais bien dû le faire avant. Mais quand finalement je m'arrêtai et songeai que j'avais été paresseux et aveugle, je m'aperçus qu'en vérité j'en savais déjà beaucoup. Ce brusque changement chez une personne n'était pas nouveau. Des choses de ce genre arrivaient constamment. Un ancien ami envoyait soudain une lettre folle et pleine d'accusations fausses ; une semaine plus tard, on le rencontrait : il avait littéralement oublié, ou bien il se comportait comme s'il avait eu un abcès ouvert, un abcès plein de haine générale, mais ce n'était vraiment pas de chance pour vous d'avoir reçu la décharge. Quelqu'un, que vous n'aviez jamais rencontré, vous adressait une lettre violente où il vous accusait d'avoir ruiné sa vie. Et jamais vous ne saviez pourquoi ni comment. Une femme que vous connaissiez pour une personne honorable et charmante, vous appreniez qu'elle avait commis un vol et qu'elle en rejetait la responsabilité sur quelqu'un d'autre, ou bien qu'elle lançait une campagne de calomnies contre quelqu'un. Et dans la vie publique aussi, c'était une époque de confessions abjectes, de nouveaux démarrages après de faux départs. Le gouvernement lançait un ordre d'expulsion retentissant contre une personne, ou bien interdisait une organisation — tout cela sans avertissement ni explication publique, et bien sûr au nom de la démocratie. Un mois plus tard, il reconnaissait qu'il avait commis une erreur.

Sans cesse les gens prenaient congé de leur raison et puis la retrouvaient un peu plus tard, tout interloqués. C'est pourquoi je pensai que la conversion de Nicky en docile admirateur de la police et en prisonnier modèle et reconnaissant ne durerait pas. Et cela, en effet, ne dura pas. Il s'évada de prison et se cacha je ne sais où. Je ne l'ai plus jamais revu.

Je me mis à lire et à étudier, pour tenter de comprendre ce qui se passait. Je me rendis à Londres, et consultai les archives des journaux. Je constatai alors que, dans ce qu'autrefois l'on avait appelé « l'opinion informée », notre situation se trouvait exposée depuis des années. Nous étions empoisonnés. Notre système nerveux était réduit en loques — surtout à cause du bruit qu'il nous fallait subir, dû à la circulation automobile et (plus particulièrement) au trafic aérien ; l'air que nous respirions était vicié, plein de substances toxiques ; nous étions malades à cause des drogues que nous consommions en grande quantité — l'aspirine, par exemple, que les gens prenaient aussi facilement qu'un bonbon ou une cigarette — et les purgatifs, les sédatifs, les somnifères. Notre nourriture était empoisonnée par les conservateurs et les substances toxiques que l'on employait pour protéger les moissons, ainsi que par les déchets atomiques déversés dans

la mer. L'air s'emplissait sans cesse davantage de matières radioactives — déjà dans les années soixante, on avait cessé de donner du lait
aux enfants dans certaines régions des États-Unis parce que les mal-
nourris n'en toléraient pas le niveau de radioactivité.
Tous ces faits étaient connus et faisaient l'objet de controverses.
Parfois survenait une protestation ou une vague d'agitation, et puis
tout s'apaisait. Les autorités niaient toujours le risque et refusaient
toute responsabilité. Elles affirmaient qu'il n'existait aucun danger.
Elles étaient de bonne foi. Prises séparément, toutes ces choses
étaient tolérables, et nous aurions pu les supporter. Mais quand on
les additionnait — tout simplement, nous nous rendions fous peu à
peu. L'espèce humaine cheminait vers la folie, et ces brusques explosions de violence gratuite chez des individus ou des groupes en
étaient les premiers symptômes. En quittant la ville et une partie du
bruit (mais pas le pire : les avions), et en cultivant des produits alimentaires moins contaminés que ceux que l'on pouvait trouver à
acheter, nous avions fait ce qu'il fallait pour les enfants. Les gens qui
vivaient dans nos fermes apparaissaient plus calmes, plus sains, plus
heureux, moins névrosés que la majorité des gens, et cela en dépit du
fait que tant d'eux avaient si mal démarré dans l'existence, rejetés par
la société traditionnelle — mais cela ne voulait pas dire grand-chose ;
car l'atmosphère nous affectait aussi. Soudain, nous dûmes faire face à
des accès de sauvagerie parmi nous. Cela se produisit au sein de notre
milice : ce qui est assez logique. Des crises d'hystérie se déclen-
chèrent chez les femmes, rapidement surmontées, mais effrayantes
quand elles survenaient, avec des menaces de suicide et des menaces
de tuer les enfants — quelle était l'utilité d'élever des enfants pour
qu'ils vivent honnêtement et décemment quand il apparaissait clairement que notre petite enclave de paix et de simplicité serait bientôt
détruite par des pressions internes aussi bien qu'externes ? Puis il
naquit plusieurs bébés malformés, tous vers la même époque, en
l'espace d'environ dix-huit mois. Notre médecin affirma qu'il s'agissait d'une coïncidence. Plusieurs d'entre nous furent atteints de
mononucléose (un dérèglement du sang) et ne s'en débarrassèrent
qu'à grand-peine. Une véritable épidémie de migraine se mit à sévir.
Des couples jusqu'alors heureux commençaient à se séparer... le
mien, entre autres.
Mais je me trouvais revenu à une atmosphère que j'avais vécue
dans ma petite enfance : on connaissait les faits, mais nul ne savait
comment réagir. Il n'était pas besoin de chercher des raisons extraordinaires aux émeutes et à la maladie et à l'hystérie : les raisons s'étalaient là, bien en vue, depuis des années ; mais les gens ne pouvaient
pas additionner deux et deux et, quand ils le pouvaient, le désespoir
les paralysait.
Ce fut également mon cas pendant quelque temps, à cause de ta
mère. Pour commencer, notre mariage n'en était pas vraiment un :
c'était plutôt une sorte d'alliance désolée contre ce que nous appe-
lions « le gâchis total de nos parents ». Par la suite nous fûmes heureux, lorsque nous eûmes quitté Londres. Et puis soudain ta mère

s'éprit violemment d'un nouveau venu dans notre communauté, et elle s'en alla vivre avec lui. Cela se produisit du jour au lendemain, littéralement ; elle fit sa connaissance un après-midi, et elle me quitta le lendemain matin. Nous ne pûmes pas même en parler : elle m'était devenue étrangère. Les enfants, dont toi-même, sont restés avec moi, dans la maisonnette que j'habitais. Jill avait perdu la raison, comme d'autres l'avaient fait, le faisaient, et le feraient encore.

De plus en plus, car une tension sans cesse accrue s'imposait à nous. Mais je pense que c'était aussi autre chose : c'était la connaissance instinctive que j'ai mentionnée plus haut : une sorte de désespoir dû à l'avenir. A l'avenir très proche.

Je traversai moi-même une crise à cette époque-là. J'aurais pu basculer dans cette maladie généralisée, quel qu'en fût le nom. Parce que j'en fus si proche, je crois que je l'ai comprise. Les brusques accès de déraison, d'absence de soi-même constituaient une manière de dire : je ne peux plus, c'en est trop, je ne veux plus prendre aucune responsabilité. Dans un hôpital psychiatrique, un patient aura un accès de violence et saccagera son lit et sa literie et son placard. Pourquoi ? Il a appris qu'il ne pouvait pas détruire le médecin ou l'infirmière ou le gardien-chef. Et de toute façon, pour quoi faire ? Depuis longtemps il sait qu'il est inutile de penser à casser la figure du maître ou de la vieille femme du sous-sol. Que voulait-il tuer ? Son père ? Sa mère ? Sa sœur ? Peu importe. Depuis déjà longtemps, une immense peine l'a envahi, il sait que quelque part en chemin il a perdu un droit vital, il a divergé de lui-même, il sera à jamais exclu de quelque douce vérité que naguère il respirait comme l'air par tous ses pores. En fait, il voudrait se tuer lui-même — mais il n'ose pas. Il marmonne avec rancœur : Ils me puniraient pour cela aussi, je les connais, ils m'attendraient juste là, à la frontière...

J'étais seul et malheureux. J'aimais ta mère, et elle se trouvait tout près de moi, dans la même exploitation, habitant juste en face de chez nous avec son nouvel amant. Et elle ne me voyait littéralement pas. Elle me disait : Bonjour Francis, comment vas-tu ? avec un charmant sourire. Mais seulement si je m'approchais d'elle pour lui rappeler que j'étais toujours là, que les enfants étaient toujours là. Surtout, je comprenais le désespoir que vous, les enfants, éprouviez à voir votre mère vous traiter en étrangers importuns. J'avais connu cela moi-même.

Mais par-dessus tout, notre impuissance me tourmentait — je veux parler de notre impuissance à tous. Je voyais l'espèce humaine, ou tout au moins nos concitoyens (contrairement à notre famille, je n'ai jamais pu me soucier du « monde », des autres pays), comme victimes d'un mauvais sort jeté par un magicien. J'avais l'impression d'être la dernière personne saine parmi des fous. J'ai vécu des mois et des mois ainsi. Des amis se chargèrent de mon travail à la ferme et au sein de la communauté, et je me fermai à tout sauf à vous, les enfants.

Pendant cette période, je fis de longues marches. Je parcourus le Wiltshire et le Somerset. Ce n'était pas facile. Il n'était déjà plus si facile de circuler à sa guise. Un peuple encore capable de dire non (rayon d'espoir que beaucoup d'entre nous ressentirent trop fortement) repoussa une tentative de nous imposer à tous le port d'une carte d'identité, mais l'on était sans cesse interpellé par des policiers, des gardes, des gens plus ou moins en uniforme, qui s'approchaient continuellement des barrières ou des limites au-delà desquelles on ne devait pas passer. Il fallait aussi éviter les groupes, surtout les groupes de jeunes : car le seul fait de former une foule suffisait à provoquer l'agression — de manière habituellement brutale et imprévisible.

Toute cette partie de l'Angleterre appartenait plus ou moins à l'armée. Une douzaine d'institutions militaires diverses y tenaient leurs quartiers généraux. Bien entendu, Salisbury Plains, antique source des lieux sacrés d'Angleterre, avait depuis déjà longtemps passé dans les mains militaires. Peu à peu, une part sans cesse croissante de l'Angleterre passait entre des mains militaires. Les centres de recherches concernant des armements à base de gaz, et de produits chimiques, et de bactéries, se multipliaient. On procédait à davantage d'entraînement et d'exercice militaires. Pourtant, on contestait moins l'armée. Tout cela se développait de manière moins ostensible. Un nouvel institut de recherche s'intégrait à une université ou à un hôpital, et l'on déguisait ses objectifs. Un exercice de l'armée passait plus inaperçu parce que y prenaient part moins d'hommes, mais plus spécialisés. L'espace était rempli d'armes ultra-secrètes en tout genre, mais peu de gens observaient le ciel, et ceux qui le faisaient croyaient voir des soucoupes volantes ou des vaisseaux spatiaux venus d'autres planètes — au grand soulagement des autorités.

A cette époque, les rumeurs proliféraient ainsi que les démentis de rumeurs. Tout le monde et personne croyait à ces rumeurs — qui étaient plus fantastiques encore que tu ne peux l'imaginer (mais bien moins que la vérité), et tout le monde, et personne, croyait aux démentis. Les gens se désintéressaient. Ou bien ils étaient devenus des créatures indifférentes, capables de croire et ne pas croire en même temps. Soucoupes volantes et visiteurs de l'espace, inoffensifs ou malveillants ; armées qui atterrissaient et repartaient dans des vaisseaux spatiaux transparents (ce qui expliquait pourquoi l'on avait tant de mal à les apercevoir), masses grouillantes d'animaux tapis dans l'attente de prendre possession de la terre ; civilisations extraordinairement belles et avancées qui prospéraient sur la face interne de la terre (creuse, comme l'intérieur d'une citrouille de la Toussaint) — tout et n'importe quoi était vrai et faux à la fois.

Notre gouvernement, agissant à l'accoutumée comme s'il se composait d'hommes sains gouvernant des hommes sains, publiait toujours des démentis et des explications solennels ou indignés à une populace boudeuse ou hilare, ou insurgée, ou occupée à mettre le feu partout. Cela ne veut pas dire que le gouvernement ne croyait pas à ses propres déclarations. En général, un gouvernement y croit. Ce gouvernement-là était particulièrement mal éclairé sur ses propres actions, en partie parce qu'il n'était somme toute que le délégué ou le domestique du système bancaire international, et en partie parce que l'essentiel de son activité était pris en main par d'obscurs techniciens dont les noms demeureront à jamais inconnus. Car cette stratification qui constitue le principe même du monde où nous vivons à présent existait déjà : une organisation horizontale, presque hors nation — bien que cela n'exclût évidemment pas, de même qu'aujourd'hui, des nationalismes fiévreux et virulents. Un seul petit exemple : je sais (vérifier Clé) que des chimistes d'instituts de recherche en Grande-Bretagne, en Union soviétique et aux États-Unis échangeaient des informations codées pour leur propre édification et dans l'intérêt de la science, à une époque où cette attitude, si on la découvrait, leur aurait valu des peines d'emprisonnement à vie (et même la peine de mort en Russie et en Amérique). Mais qui pouvait s'en apercevoir ? Les organisations d'espionnage, immenses et ruineuses, cherchaient des espions. Et elles trouvaient des espions en quantité. Mais sous leur nez, tout le temps, se poursuivait le paisible échange de ces hommes qui ne se laissaient pas contraindre à penser comme autrefois. Alors, quand un gouvernement publiait telle ou telle déclaration, avec toute l'autorité de ses bataillons rangés, de ses aigles, de ses trompettes, ce pouvait être ou ne pas être en toute bonne foi. Mais peu importait, car à présent le précipice était trop proche.

Au bord de ce précipice-là, pendant les quelques dernières années, ce fut... j'oublie que tu en étais aussi. Mais tu étais une enfant, et tu pouvais affirmer, même à la fin : Nous étions heureux. C'était l'âge d'or. Tu m'as dit que c'était encore vrai lorsque nous sommes partis, séparés, pour vivre une existence à demi cachée. Le monde peut s'agiter comme s'il avait la danse de Saint-Guy, on peut encore créer un âge d'or pour des enfants bien-aimés en choisissant une maison agréable, un bout de mer sous une fenêtre, et une prairie en pente. Nous vous avons protégés du monde, malgré les visites des inspecteurs, des assistantes sociales, de la police ; malgré les avions qui vrombissaient au-dessus de nos têtes et qui nous vrillaient les nerfs ; malgré tout. Mais à présent, quand je regarde en arrière, de ce pays encore à moitié vide où l'air est paisible et relativement pur, je me rends compte que j'étais, moi aussi, plus qu'un peu fou. Ma maladie était le désespoir.

Au pire de cette période noire, deux choses se produisirent la même semaine. L'une apparut sous la forme d'une lettre de mon père, où il me confiait qu'il se sentait devenir vieux et fatigué. Il n'avait pas encore soixante ans, mais il souhaitait que je reprenne son œuvre pour l'organisation de sauvetage. Et puis Martha vint me voir pour m'annoncer que ma mère, qui résidait alors dans un hôpital psychiatrique près de... tenait extrêmement à me voir et à me parler. Martha me donna quelques indications sur ce qu'elle voulait me dire : je réagis violemment. En vérité, j'avais eu ma part de fantastique. Je n'en voulais plus. Nous étions tous obligés de subir des histoires de visiteurs interplanétaires et d'hommes verts et de hordes d'animaux tapis dans l'ombre et prêts à bondir (imaginés comme des sortes de loups-garous), mais moi, je n'en voulais plus. Je me souviens d'avoir répliqué à Martha que je n'avais pas de temps à perdre avec l'occultisme des magazines féminins. Elle me répondit sèchement que ce serait « peut-être tant pis pour moi ». Nous nous irritions l'un l'autre, et prenions garde d'avoir du tact. Je déclarai que j'irais voir ma mère, mais que je n'écouterais aucune histoire de bonne aventure. Martha insista : « Je t'en prie, écoute Lynda. Écoute, au moins. » Je m'y engageai finalement, et allai voir mon père dans la maison de ton arrière-grand-mère : ce fut l'occasion de cette « scène de remords des générations » que je t'ai déjà décrite.

Mon père avait amené avec lui Rita et sa nouvelle famille. Ses enfants avaient à peu près le même âge que les miens. Cela me rendit triste, en pensant à ma mère. Je savais qu'elle n'avait nul besoin de cette tristesse, mais cela ne m'empêchait pas de l'éprouver. Mon père offrit de nous emmener tous dans un de ses camps. Il en avait trois qui fonctionnaient en diverses régions de l'Afrique du Nord. Il m'expliqua que nous n'avions, à son avis, plus aucune raison de rester en Grande-Bretagne, où n'étaient plus défendues aucune des valeurs qui tenaient au cœur de l'homme civilisé. Margaret se fâcha. Elle soutenait totalement le gouvernement, et demeurait encore fort active en dépit de ses quatre-vingts ans et plus. Elle lui reprocha son manque de patriotisme. Elle lui parlait comme s'il avait été personnellement responsable des quantités de gens qui quittaient le pays.

Entre parenthèses : il s'en allait alors plus de gens que jamais jusqu'alors en Grande-Bretagne — ils partaient pour le Canada, l'Australie, la Nouvelle-Zélande, et divers pays d'Afrique. Ce sont ces gens-là qui, emportant avec eux tant de meubles et d'objets typiquement anglais, ont établi partout des communautés appelées « Petite Angleterre », « Angleterre nouvelle », « Angleterre renée », et qui sont bien plus anglaises que l'Angleterre l'a jamais été. J'ai vu un village, à cinq cents kilomètres de Nairobi, la semaine dernière, où Nanny Butts aurait pu se promener sans voir la moindre différence. Et certaines régions d'Afrique, naguère si farouchement antibritanniques, s'offrent à présent le plaisir d'une nostalgie sentimentale à l'égard d'une Angleterre qui n'a jamais existé, et d'une race d'administrateurs qui n'a jamais existé non plus. Il y a, maintenant que l'Angleterre n'est plus, un archétype de l'Angleterre ; et un fonctionnaire tel que Kipling aurait pu l'imaginer dans un moment de romantisme débridé, personnifiant l'intégrité la plus haute et la plus incorruptible, alliée à la tendresse la plus délicate à l'égard des sentiments d'autrui.

Mais ce week-end de querelles et de larmes... mon père échangeait des paroles furieuses avec sa mère, comme toujours. Tous deux tentaient de faire pression sur moi, l'un pour que je parte et l'autre pour que je reste. Et maintenant je dois avouer que je faillis retourner vers nos amis pour leur conseiller de s'en aller. Les projets de Secours s'étaient apaisés. Ils faisaient désormais partie du gouvernement international. La Croix-Rouge, l'Unesco, les Nations Unies y avaient recours. Les troubles qui éclataient sans cesse au Proche-Orient remplissaient les camps de réfugiés et d'affamés, mais même s'il était heureux, avec ses amis, de réaliser quelque chose d'utile, ce n'était pas ce que mon père avait voulu faire. Et que je n'ai d'ailleurs jamais pu définir. S'il souhaitait venir en aide aux indigents, eh bien, c'était exactement ce qu'il faisait ; mais je suppose qu'il aurait voulu sauver davantage que simplement des gens. Quelque chose comme les communautés de « Petite Angleterre » et d' « Angleterre renée », mais à une échelle beaucoup plus vaste, et peut-être même élargi à l'esprit européen — quel que soit le sens de cette expression. Mais il rêvait d'une chose vague et merveilleuse, j'en suis certain. En tout cas, nous ne parvenions pas à nous entendre, ce week-end-là ; nous avions du mal à parler ensemble. Mais je me laissai toutefois tenter par une exploitation de plusieurs milliers d'hectares encore vierges en Libye, que d'après lui nous aurions pu mettre en culture.

Pendant que nous discutions, Lynda téléphona de son hôpital pour le supplier de revenir parler avec elle. Il apparut qu'il était allé la voir le matin même. Je compris alors son humeur — sèche, coupante, et triste. Rita l'incitait à retourner auprès de Lynda : c'est une femme bonne et généreuse, même si elle n'est pas très intelligente. Mais il éprouvait de la colère à l'encontre de Lynda : elle lui avait annoncé toutes sortes de désastres imminents. Elle lui avait dit qu'elle comptait également m'en avertir. Je n'étais guère heureux, et lui non plus, de constater que nous ne pouvions nous entendre que dans notre irritation à l'égard de Lynda. Je me souviens de mots qu'il prononça : « Elle décrit avec une extrême clarté le paysage de sa paranoïa. » Il me confia qu'il trouvait son état empiré, et ajouta qu'à son avis Martha exerçait une très mauvaise influence sur elle. Ce dernier argument était nouveau chez lui, et me bouleversa. Pendant les années de mon enfance, j'avais éprouvé une amertume intermittente à l'endroit de ce triangle : mon père, ma mère, Martha. Et par la suite, j'en étais devenu fier, à cause de sa bonté et de sa générosité. Ce soir-là, je compris que mon père se laissait aller à la colère contre Martha parce qu'il aimait encore ma mère au point de ne pouvoir accepter de la critiquer. Rita s'en rendit compte, et observa : « Mais tu dis toujours que Martha s'est montrée une remarquable amie pour Lynda. » Mon père poursuivit ; il était très malheureux. Rita monta se coucher. J'en fis autant, et laissai mon père seul. Ce fut vraiment une soirée affreuse. Pourtant, je décidai cette nuit-là d'insister pour que nous partions tous pour la Libye. Je faillis cependant choisir de ne pas m'en aller et d'aller voir ma mère en attendant que tout fût arrangé. Tu vois comme j'étais près de nous conduire tous à une mort certaine ou presque, car la peste bubonique emporta presque tous les gens de la ferme quelques années plus tard.

Je m'éveillai le lendemain, ayant décidé dans mon sommeil d'aller voir ma mère avant toute chose. Je retournai chercher Martha à la ferme, et nous partîmes ensemble. Lynda quitta son hôpital ; et nous prîmes des chambres dans un hôtel à... Ce furent les quelques jours les plus remarquables de mon existence. Je me trouvais évidemment dans une humeur extraordinaire, après tous ces mois de solitude et de désespoir quand je voyais ce qui arrivait même aux gens que j'aimais le plus.

Ce que j'ai écrit jusqu'ici répond sans doute mieux à un intérêt personnel de ta part qu'à l'usage général. Rien n'y concerne vraiment personne d'autre. Je l'enverrai par la route C. Si cela arrive avant la seconde partie, attends cette dernière par la route G. Quand tu l'auras lue et que tu l'auras fait absorber par une Mémoire, brûle-la.

Je termine en t'assurant de ma profonde tendresse et...

(Suivaient divers messages pour des membres de l'ancienne communauté qui étaient parvenus dans la zone nationale du Nord.)

III

Seconde partie de la lettre de Francis Colridge à sa belle-fille, comprenant les documents IV, V et VI.

Après le décès de son amie Sandra Hill, ma mère tomba gravement malade et se retrouva dans un hôpital psychiatrique où elle n'avait encore jamais séjourné, au 4 B sous la direction d'un Dr YN2 qui travaille à présent en Argentine avec un Dr YR14 (voir Clé). Elle décrivit ce médecin comme « l'homme que je cherche depuis quarante ans ». Et il cherchait quelqu'un comme elle : « Une patiente à l'intelligence vive, qui ait subi une variété de traitements nocifs, mais qui ait gardé suffisamment d'équilibre pour être objective. » Elle le citait avec humour. Ils commencèrent à travailler ensemble sous le prétexte de procéder à une psychothérapie. J'oubliais que tu ne sais vraisemblablement pas de quoi il s'agit. Lynda rassembla une quantité de matériel représentatif et le classa : la dernière fois que j'en ai entendu parler, il était déjà parvenu à Delhi. La thérapie, ou analyse, était un processus censé libérer des pulsions refoulées ou inconscientes chez des personnes névrosées. Un médecin s'engageait avec un patient dans une sorte de symbiose. Il pouvait en résulter n'importe quoi. En général, le patient devenait dépendant envers le médecin et ne pouvait plus se libérer du médecin ou, par la suite, d'une image d'autorité.

Une autre conséquence, également répandue, amenait le médecin à dépendre de son patient : comme s'il s'en nourrissait. Un médecin qui traitait un groupe de patients pendant des années créait, puis finissait par en faire lui-même partie, une sorte de groupe psychique où chacun dépendait de chaque autre. Souviens-toi qu'aucune interaction n'était admise entre les gens, autre que verbale (l'usage ou la retenue de mots) — intéressante contradiction, quand on songe aux prémisses de ce genre de thérapie. Aucune recherche n'avait été menée sur l'hypnose ou la télépathie involontaire dans ce type de situation. Quant à l'idée qu'un médecin, dans le rôle de pasteur d'un troupeau, pût être un bouc émissaire ou un amortisseur pour un collectif de psychologies individuelles diverses, cela n'était encore apparu à personne. La recherche dans ce domaine se poursuit officiellement et officieusement à Delhi — à l'Institut dans les deux cas.

Quoi qu'il en fût, le Dr YN2 put user de ce prétexte pour passer beaucoup de temps avec ma mère, ainsi qu'avec d'autres par la suite. C'était un mauvais hôpital : un de ces innombrables établissements qui consistaient en groupes de bâtisses vieillottes et impossibles à moderniser, et pleins de gens irrémédiablement atteints. Mais cet hôpital comportait une aile moderne. Ils ne tardèrent pas à y découvrir une vingtaine de personnes dont l'état correspondait à la définition que j'ai citée plus haut. Mais seulement cinq d'entre elles répondaient au critère essentiel, à savoir qu'on pourrait compter sur leur discrétion absolue même en cas de crise mentale. C'est ainsi que l'on créa cette unité. Ils trouvèrent par la suite une demi-douzaine d'hôpitaux (voir Clé) où, indépendamment les uns des autres, des médecins travaillaient dans la même direction, pour établir les premières lignes du diagnostic d'une maladie jusqu'alors incomprise, la schizophrénie. Tous ces médecins disposaient d'antennes pour s'informer des connaissances médicales particulières acquises dans certains hôpitaux ou par certains médecins, ces connaissances pouvant inclure ce que l'on avait appelé la « mystique » ou l'« ésotérique ». Ils continuèrent à travailler ainsi dans la clandestinité jusqu'à la catastrophe. Malheureusement, une bonne partie de ce travail fut détruite ; malgré tous nos efforts pour le sauvegarder. Lorsque nous tentâmes de le faire connaître, une partie de ce travail se trouva refusée par des médecins trop conditionnés pour voir quoi que ce fût hors de l'orthodoxie en vigueur ; d'autres s'y intéressèrent, mais craignaient leurs collègues : sans doute était-ce la profession la plus conservatrice et la plus hiérarchisée de toute l'Angleterre. Pour citer ma mère : « Depuis la naissance de la science moderne, toute personne ayant reçu une éducation conventionnelle s'est trouvée réduite à un état d'humilité abjecte, et contrainte à se récuser par ce seul reproche d'apparaître *superstitieux*. Ce mot seul a causé en notre siècle autant de dommages qu'en d'autres temps l'Inquisition... ce mot, et le ridicule. » J'ai trouvé cela dans des notes qu'elle préparait en vue d'un livre, mais qui se sont malheureusement perdues dans la catastrophe.

Néanmoins, les médecins approchaient partout de la vérité, vers la fin. Ce qui paraît extraordinaire maintenant, c'est qu'ils n'aient pas vu ce qu'ils avaient sous les yeux. Mais leur « méthode scientifique » les handicapait considérablement : conçue des siècles auparavant, elle était utile pour certaines choses et néfaste pour d'autres. Elle était cependant devenue sacrée, et entourée d'émotions religieuses : ils ne pouvaient pas s'en délester.

Ils souffraient également du même problème qu'un pape convaincu de devoir désormais faire accepter le contrôle des naissances à son troupeau. Des millions de femmes et leurs mères avaient subi des grossesses en nombre illimité pour plaire à Dieu et à la Vierge Marie. Il faudrait assurément un grand courage pour leur annoncer que leurs souffrances et leurs sacrifices étaient rendus périmés par la nouvelle encyclique.

Il aurait fallu bien du courage pour se dresser et annoncer tout simplement que des millions de gens sans véritables troubles avaient subi tous les mauvais traitements et les tortures possibles — mais voilà ! La profession avait brusquement vu la lumière.

Il fallait atténuer le coup.

La Cité promise

Pendant ce temps, les gens travaillaient paisiblement dans certaines régions des îles Britanniques ; et, fait typique de cette époque, alors même qu'ils avaient extrêmement conscience les uns des autres et qu'ils s'entraidaient, ils demeuraient inorganisés et employaient sans les formuler tous ces vieux concepts qui reparaîtront toujours en périodes de dogmatisme et de persécution : silence, dissimulation, ruse.

Voilà à peu près où je parvins, la première nuit de mon séjour avec ma mère et Martha à l'hôtel du Cerf Blanc... Bien que j'y inclue des choses apprises ultérieurement, survenues ultérieurement. Nous en parlâmes pendant le dîner, et nous bûmes ensuite du cognac ensemble. Je quittai ensuite les deux vieilles dames d'assez bonne heure en prétextant qu'elles avaient besoin d'une longue nuit de sommeil. En vérité, je voulais réfléchir à tout cela. Deux vieilles dames — je me revois tel que j'étais alors.

Je me couchai calmement, et songeai à tous ces renseignements qu'elles m'avaient donnés. Et je m'éveillai dans un état de fureur éberluée, à la fois contre elles et contre moi-même comme si elles avaient tenté de me duper et que je m'étais laissé faire. Je passai la journée dans ma chambre et leur fis savoir par la femme de chambre que je ne voulais pas les voir. Je me trouvais dans un état mental et physique d'extrême inconfort : comme si un irritant avait été dilué dans un liquide — le liquide étant moi normal. Et tout à présent formait un ferment de rejet rageur. Elles ne tentèrent pas de m'approcher, exprès bien sûr, comme nous en discutâmes par la suite. Elles avaient prévu ma réaction, pour en avoir elles-mêmes expérimenté des variations.

Dans la soirée, j'allai les rejoindre, maussade. Elles se montrèrent très patientes.

Nous bûmes du whisky tandis qu'elles « m'invitaient à imaginer » les réactions d'un gouvernement, de n'importe quel corps détenteur de l'autorité n'importe où (sur la base de mes expériences concernant la politique, les méthodes et les atmosphères politiques), en apprenant qu'une proportion importante de la population détenait divers types de pouvoirs extrasensoriels — non pas comme une possibilité théorique, mais comme un fait. Nous en discutâmes longuement, et cela devint presque un jeu. Fort amusant, de surcroît. Il n'existait alors pas de gouvernement (comme à présent) qui crût pouvoir gouverner sans s'appuyer sur une structure de contrôles compliqués. L'information était selon les cas donnée ou cachée aux citoyens et, sur les questions vitales, ces derniers ignoraient ce qui leur était dit et ce qui leur était caché. Tout mouvement organisé par des gens était contrôlé. Ainsi, le passeport n'était plus accordé de plein droit, mais en récompense pour une bonne conduite dont le gouvernement se réservait la définition. Il existait de vastes systèmes d'espionnage et de contre-espionnage qui se recoupaient — dans notre seul pays, il y avait sept organisations d'espionnage dont l'énergie s'usait en grande partie à s'espionner les uns les autres. Depuis la Seconde Guerre mondiale, on nous avait toujours prescrit combien d'argent nous pouvions dépenser en voyages et dans quels pays, et les conditions dans lesquelles nous étions autorisés à voyager devenaient sans cesse plus restrictives. On ouvrait le courrier, on mettait le téléphone sur écoutes, et les dossiers proliféraient. Imagine donc, dans une telle structure, la brèche qu'aurait pu ouvrir un groupe de gens dotés de pouvoirs télépathiques ordinaires — bon, ces notions te sont familières, mais je décris, pour le bénéfice des chercheurs également, les réactions de quelqu'un, il y a seulement vingt-cinq ans, en découvrant pour la première fois ces faits très évidents pour toi. Imaginer les possibilités de la télépathie ordinaire — je me souviens que cela nous divertit fort pendant le dîner. En buvant du café et du cognac, nous quittâmes le gouvernement pour passer à l'industrie, où l'on enferme à clé le brevet pour éviter que des firmes rivales ne les copient ; puis aux ordinateurs centralisés, sur lesquels se trouvaient enregistrées toutes nos coordonnées — vraies ou fausses, suivant le cas ou bien au hasard. Nous envisageâmes ensuite le cas de la Bourse et des courses de chevaux et des jeux de hasard où s'arrêtent habituellement la plupart des gens. Nous passâmes, enfin, aux recherches scientifiques ultra-secrètes qui se déroulent dans les laboratoires.

A la fin de la soirée, je baignais dans l'euphorie. Je ne me rappelle rien d'approchant, jamais. Toute ma vie j'avais regardé croître les pouvoirs du gouvernement, et décroître les libertés du peuple ; j'avais senti le lent resserrement du contrôle dans tous les secteurs de la vie. L'air devenait sans cesse plus sombre, plus oppressant, plus claustrophobisant. Ce gouvernement sous lequel nous vivions, dont tous les critères se fondaient sur l'argent, sur la manière de l'acquérir et de le dépenser, mais dont les slogans nous parlaient sans cesse de service public et de sacrifice, ce gouvernement, donc, avait créé un autoritarisme qui gouvernait autant par l'atmosphère dégagée que par ses lois — et là nous riions de bon cœur en imaginant comment se développaient chez les êtres humains (chaque jour plus vite, peut-être à cause des radiations et des poisons que nous nous infligions) des pouvoirs qui pourraient rendre les machines inutiles, démodées, périmées. Je me rappelle que la soirée s'acheva sur la pensée que toutes les formes de gouvernement étaient aussi arriérées que les dinosaures : le gouvernement par la dissimulation, le mensonge, la tricherie, et même la stupidité, était mort. Ce droit antique de la conscience individuelle, qui savait mieux que toute autorité séculaire ou religieuse, avait été restauré, mais à un niveau bien plus élevé, et sous une nouvelle forme que ne pouvait atteindre aucune formule juridique. Nous nous citions entre nous ces mots de Blake : « Ce qui existe aujourd'hui n'était naguère qu'imaginaire » — et pour une fois choisîmes de ne pas évoquer le mauvais côté de l'imagination humaine.

J'allai me coucher de bonne humeur, et rayonnant d'optimisme. Je m'éveillai comme la veille, maussade et furieux, tel un animal pris au piège. Ma propre réaction me stupéfia. Je me souvins de la veille, mais cela ne me servait à rien aujourd'hui. Je détestais ma mère et je détestais Martha, par vagues de pure haine rancunière qui semblait provenir de l'air, me recouvrir, et disparaître en laissant derrière elles mon habituelle affection grimaçante à leur égard. Les deux soirées précédentes semblaient des incursions dans la folie, et pourtant je ne parvenais pas à y voir des fantasmes, de « l'imagination », ou de la spéculation, car les deux vieilles femmes avaient dit et répété que c'était là ce dont elles voulaient que je parle. Mais ce fut seulement en manipulant et cajolant mon esprit pour lui faire admettre : « Bon, c'est une sorte de jeu divertissant », que je pus me libérer de la haine et poursuivre ce que je voulais faire — y réfléchir calmement. Je passais la majeure partie de mon temps à me battre ; la direction de notre communauté était assez dure, à cause des pressions extérieures qui s'exerçaient avec un autoritarisme sans cesse croissant ; et je gardais toujours derrière moi mon enfance, à laquelle maintenant encore je ne puis penser sans souffrance. Mais je savais très bien ce que voulaient Lynda et Martha. Et je ne voulais pas avoir à me battre, ni à m'exposer, ni à prendre des risques — oui, je suis sûr que tu souris en te remémorant ce qui se passa ensuite. Mais je leur en voulais terriblement de me rappeler qu'il fallait encore lutter, et je savais que c'était pour cela.

Je passai l'après-midi assis devant une fenêtre qui surplombait une douce prairie anglaise avec des ormes dressés au-dessus d'une rivière invisible. Sur la table où la femme de chambre avait déposé le plateau du thé, se trouvait un journal avec son lot habituel de sauvagerie, de violence et d'horreur. Il n'existait aucun rapport entre ce paysage anglais si doux et le journal, ou aucun que je pusse distinguer. Mais assis là, je me souvins que l'euphorique soirée de la veille avait commencé par leurs questions sur la réaction vraisemblable d'un gouvernement en découvrant qu'un certain nombre de citoyens possédaient des capacités mentales qui aussitôt périmaient (sans aller même plus loin) la notion de « secret officiel ». Elles ne m'avaient pas demandé de vivre une heure ou deux d'allégresse adolescente en imaginant le renversement et la déconfiture de l'autorité. Bien, je réfléchis donc. Et ce que je pus prévoir me terrifia.

Je retournai dîner avec elles dans un état de maussaderie. Elles en plaisantèrent. Nous discutâmes de mes réactions psychologiques de la veille, et de ce jour même, et de leurs raisons. Ma mère me fit observer qu'avant de pouvoir accepter l'évidence de ses propres sens dans un climat d'orthodoxie, elle avait ruiné sa santé et, à plusieurs reprises durant de longues périodes, sa santé mentale. Cela lui avait pris l'essentiel de son existence. Martha ajouta que, dans son propre cas, cela lui avait pris dix ans d'expérimentations sans autre guide que des soupçons et une constitution naturellement résistante. Mais elle s'estimait heureuse de ne pas s'être endommagée de manière permanente.

Je n'avais été soumis à des « pensées dangereuses » que pendant trois jours... Je vis qu'elles s'excusaient. Elles étaient tendres. Suppliantes avec humour — il ne restait guère de temps, me répétaient-elles. Du temps pour quoi ? Mais je ne « saisis » pas cet appel d'attention vers ce qu'elles désiraient réellement me dire. Et nous reprîmes donc notre entretien suivant les mêmes lignes que la veille, passant en revue les précédentes périodes de l'histoire où des gouvernements, des églises ou des cours pouvaient avoir supprimé certaines preuves. (Je le répète, ces idées te paraîtront banales : je te rappelle que vers le milieu des années soixante-dix, elles apparaissaient « révolutionnaires » à une personne « instruite »). Nous nous attardâmes sur la répression totale de la sorcellerie en Angleterre. Les vieilles dames avaient des choses fort intéressantes à dire sur cette question (voir Clé). Nous repartîmes dans un long fantasme sur ce qui se produirait si l'on choisissait une rue de Londres — ce devrait être une rue assez courte, où les gens se connaîtraient au moins de vue — et que l'on y répandait la rumeur que dans telle maison vivaient des gens capables d'entendre ce que pensaient les autres, de voir au travers des murs, de « savoir » quand on mentait. Je me souviens que nous en parlâmes comme s'il se fût agi d'un roman de mon père — s'il n'avait pas renoncé à en écrire. Notre conclusion était que ces gens ne tarderaient pas à comprendre qu'il leur fallait déménager, si même on ne les enfermait pas sous un prétexte quelconque — sans doute pour avoir troublé l'ordre public.

Je compris que mes deux mentors étaient satisfaites du tour qu'avait pris la conversation quand ma mère me demanda si je pensais qu'ils (elle et ses associés) avaient tort de travailler dans le secret. Je reconnus après réflexion qu'ils avaient raison ; sachant que sans le lent mûrissement des trois derniers jours, au cours desquels j'avais appris les choses progressivement et où mon organisme entier s'était pourtant révolté, j'aurais aussitôt commencé des discours sur l'irresponsabilité, sur le partage de l'information dans une optique de progrès, etc.

Cette nuit-là, elles m'expliquèrent qu'un certain chercheur, qui travaillait sur l'E.S.P. suivant la ligne orthodoxe, avait fait l'objet d'approches de la part de son gouvernement qui souhaitait employer des télépathes potentiels dans ses services d'espionnage. Et dès le début des années soixante, les Russes avaient commencé à parler de l'emploi d'astronautes dotés de pouvoirs télépathiques — légitimes, mais quel gouvernement allait s'arrêter à cela ?

Elles me racontèrent que « nous tous » — englobant non seulement les médecins et les gens qui travaillaient en silence dans les hôpitaux, mais des amis extérieurs — considéraient leur travail et leurs expériences sur eux-mêmes comme une sorte de fonds investi en eux au nom de l'humanité. Ni serment, ni vœu, ni promesse n'était exigé ni offert : mais il était admis entre eux que la nature de l'autorité contemporaine était telle qu'on ne pouvait lui accorder le bénéfice d'aucune tentative de cet ordre. Non seulement pour leur propre sécurité, mais pour protéger les autres (des gens qui pouvaient ne pas connaître leur propre potentialité) du danger, ils devaient se cacher, travailler dans le silence, le secret et la confiance, afin de protéger une capacité humaine en cours de développement d'une attention fatale.

C'était là un appel pour que je garde le secret. Je le compris ainsi. Je me souviens que j'aurais été heureux comme un enfant si elles m'avaient demandé une promesse, un serment, ce genre de choses. Elles me prièrent de considérer que tous les groupes et cultes secrets possibles et imaginables, sans parler des institutions comme les armées, les cours de justice, les religions, exigeaient des vœux et des promesses : le serment solennel implique la trahison. Les promesses n'avaient de valeur qu'entre amis, quand elles n'avaient nul besoin d'être faites ; pour être valable, un serment devait s'être déjà révélé inutile.

J'allai me coucher exalté ; je m'éveillai comme une bête harcelée par des guêpes. A présent, je m'attendais à cette réaction, et je l'étudiai. Mon cerveau regarda mes émotions s'enrager, comme il arrive quand on tombe dans un accès d'amour ou de haine, contre son propre gré.

Vers l'heure du crépuscule au-dessus des prairies détrempées, je retrouvai mes esprits et commençai à réfléchir à ce qui te paraîtra sans doute le plus intéressant de tout... que je n'avais posé aucune question, pas même celles qui s'imposaient avec violence. Elles m'avaient exposé en détail que, dans mon pays, sous mon nez, des groupes de gens, qui se chiffraient à présent par dizaines, expérimentaient sérieusement depuis des années ce que l'on avait coutume d'appeler « l'occulte ». Avaient-ils découvert quelque chose d'intéressant, par exemple ? D'autant plus qu'il ne se passait pas de semaine sans prédictions d'Armageddons ou de Paradis resplendissants.

Je n'avais rien demandé, parce que mon esprit se trouvait comme paralysé ou abruti par un excès d'information nouvelle : chaque rencontre avec ma mère et Martha constituait un parcours de montagnes russes au travers de nouvelles informations et de mes propres émotions.

Ce soir-là au dîner, je posai la question évidente, et ma mère me répondit simplement : eh bien, oui, il semble que notre pays doive subir un genre d'accident — sans doute bientôt, mais nous ignorons quand.

Nous en discutâmes pendant le reste de la soirée. Je me souviens (avec intérêt, pour ne pas dire plus) de mon état d'esprit. Je songeais : « Bon, il fallait bien que cela arrive quelque part, un jour. » Et : « Tout le monde s'attendait inconsciemment à quelque chose de ce genre. » Et aussi : « Bon, eh bien, dans ce cas, il faut... »

Pour autant qu'elle sût, ma mère avait été la première à prendre conscience de cette prémonition, sous forme d'une « vision ». Puis d'autres y avaient également accédé. Le problème était que, si les « visions » ou rêves semblaient nettement cohérents entre eux, le moment ne se révélait guère. « Cette région de l'esprit ne sait rien de notre échelle du temps. » Il apparaissait que la catastrophe impliquerait une radioactivité. Le pays deviendrait inhabitable pour un certain temps. Il y aurait d'importantes pertes humaines.

J'allai me coucher en échafaudant de vagues projets pour ma famille et mes amis, et m'éveillai le matin dans une humeur qui (contrairement aux matins précédents) n'avait rien à voir avec la colère ni la maussaderie ; mais qui était un effarement total. Je ne pouvais pas croire ce qui m'avait été révélé. Cela paraît simple à écrire. Je ne veux pas dire que je soupçonnais Lynda et Martha de mentir, ou de se tromper. Je veux dire très précisément que j'acceptais ce qu'elles me disaient, mais que je ne parvenais pas à l'assimiler. Les neuf dixièmes de moi-même au moins n'y croyaient pas, *parce qu'ils n'avaient pas entendu ce que Lynda disait, ni ce que je répondais.* Le souvenir du récit de Dostoïevski concernant l'homme qu'on allait pendre le lendemain matin m'aida beaucoup. Il dormait bien et rêvait agréablement. Il mangeait son petit déjeuner et se laissait emmener vers l'échafaud en contemplant le ciel et les rues, comme s'il avait eu devant lui tout le temps du monde. Il lui semblait avoir tout son temps. Et lorsqu'on le graciait, toutes les résolutions prises en route — vivre différemment, entretenir ce sentiment que le temps est précieux et chaque minute irremplaçable — s'évanouissaient. Il retournait aussitôt à l'habituel état de somnolence de l'humanité.

Certaines des personnes qui constituaient sa personnalité n'avaient jamais entendu la nouvelle qu'on allait le pendre. Sans doute auraient-elles continué à se divertir pendant que la trappe s'ouvrait.

Fait psychologique intéressant, je te signale que, pendant toute la journée qui suivit la révélation de Lynda — en qui j'avais confiance et que je croyais — qu'il ne restait au mieux que quelques années de survie à l'Angleterre, j'envisageais (depuis déjà plusieurs semaines) le moyen d'acquérir une maisonnette située juste en face de chez nous, de l'autre côté du chemin, pour agrandir le jardin d'enfants, et je réfléchissais que nous pourrions la meubler pour un prix modique en allant dans les ventes aux enchères.

En même temps, je songeais à ce que j'avais appris, et m'efforçais de le « digérer ».

Je n'y parvins pas avant un long moment. Je me répétais sans cesse : Ce que tu regardes maintenant sera bientôt aussi mort que le cadavre d'une souris empoisonnée — suivant l'expression de Lynda. Et en attendant, j'admirais allégrement un arbre, le ciel, les fleurs du vieux jardin des Butts quand j'allais rendre visite à ma cousine Gwen et à ses enfants. Je me surprenais à parler de l'élevage d'un nouveau troupeau de vaches dans une de nos fermes. Je me souviens d'avoir passé une matinée entière à fixer une attelle à une patte avant d'un chiot, puis soudain je me mis à pleurer. Une partie de moi-même avait « digéré ». Lentement, le coup portait à mesure que la nouvelle s'infiltrait dans toutes les régions de moi-même.

Ce fut ce problème-là que je repris. Avec Martha, qui m'avait informé que quatre personnes parmi nous travaillaient en secret, prêtes à partager la tâche de révéler à nos amis ce qui risquait fort de se produire, de manière à éviter la panique ou ce type de dérision qui est cousin de la panique et qui empêche les gens de réfléchir.

Nous ne choisîmes aucune des méthodes couramment admises alors, comme la convocation d'une assemblée ou l'envoi d'une circulaire. Car ce genre de chose ne correspondait pas à l'esprit de « mouvement », qui était multiple ; et auquel les gens adhéraient par affection envers l'un d'entre nous, en venant s'établir à proximité dans une maison collective. Après une période où nous ne savions que faire, nous fîmes comme nous l'aurions fait pour n'importe quel autre problème, et commençâmes à en parler avec nos amis. Je ne sais pas ce que j'attendais, ou ce que je redoutais. Peut-être une précipitation affolée, ou bien une révolte violente à l'égard du destin ? Mais rien ne se produisit. Très bientôt, nous parlions ouvertement d'une probable contamination de notre pays, de ce qu'il fallait faire, des moyens de sauver des gens. Mais toutes sortes de cultes et de mouvements actifs apparurent dans les derniers jours ; il y avait des « prophéties » et des « révélations » dans l'air, les unes justes et les autres non. Mais quand on parlait aux gens, on se rendait compte qu'ils étaient nombreux à s'attendre à quelque désastre, mais avec une sorte de confiance, et sans rien faire. Bon, que pouvait-on faire ? C'est-à-dire, si l'on s'efforçait de faire entendre la menace à plus de gens que juste ses propres amis.

Et puis il fallait penser aux autorités. Il est vraiment difficile de faire comprendre ce qu'étaient ces autorités. A présent, tout est si stratifié, codifié, dur — nécessairement, bien sûr, quand la moitié du monde n'est plus que friche, et qu'il faut faire vivre tant de millions d'êtres affamés, démunis, contaminés. A présent, nous avons une administration qui est exactement la même d'un pays à un autre, même si les divisions entre pays sont violentes et hostiles. L'administration apparaît privilégiée, et relativement libre. Les hordes de loques humaines ne peuvent compter sur rien d'autre que la charité. Mais nous savons tous plus ou moins ce que nous sommes. A cette époque-là, le gouvernement, ou toute autorité en place, devait se manœuvrer comme une personne hystérique ou faible d'esprit. Il était susceptible. Il s'offensait. Il accordait des faveurs et les reprenait ! S'il était une chose que l'on ne pouvait attendre d'un gouvernement, c'était la cohérence ou le bon sens.

Et puis avec les autorités (plus encore qu'avec soi-même ou avec un ami), on se trouverait confronté à cette réaction que j'avais moi-même eue, en continuant d'envisager l'achat de la maison voisine à un prix raisonnable et l'acquisition de meubles d'occasion, le lendemain du jour où j'avais appris la nouvelle du désastre. Cette réaction ne pouvait être que cent fois pire dans une institution, une autorité, qu'elle ne l'était chez des individus ou des groupes restreints. Et d'ailleurs, nous ne pouvions rien annoncer de plus précis que : il semble qu'un désastre doivent survenir d'ici cinq ou dix ans ; et ce sera affreux ; mais la date se précisera à mesure qu'elle approchera, car les éléments que les gens ont pu « rassembler » indiquent que nombreux seront ceux qui écouteront et s'enfuiront à temps avec leurs familles.

Dans la pratique et l'immédiat, nous voulions nous assurer que, sur la côte ouest d'Irlande, il y aurait des endroits où les gens pussent se réfugier le moment venu. A l'ouest, car les vents dominants vont d'ouest en est. Nous achetâmes un camp de vacances pour les enfants, et une famille partit s'y établir pour le tenir en état, tandis que nous cherchions d'autres refuges.

Et maintenant commença une période absurde et frustrante. Nous ne parvenions pas à faire bouger les gens, à leur faire faire autre chose que simplement parler. Le hasard nous aida, lors de l'achat de notre première maison en Irlande. Il y avait eu un désaccord entre nous et Paul. Rien de grave, mais notre entente s'en était trouvé affaiblie. Il lui arrivait de venir en week-end, et nous le voyions à Londres. Mais nous reconnaissions en plaisantant que nous nous étions éloignés. Je lui suggérai que, s'il passait plus de temps avec nous, il se sentirait moins exclu. Mais sa vie appartenait au Londres à la mode, où il voyait des dizaines et des dizaines de gens chaque semaine. Il avait épousé une petite amie d'enfance qui avait ensuite été prostituée, avant de devenir mannequin dans les années soixante et soixante-dix. Pas vraiment prostituée : le sexe n'était pas l'essence de ce qu'elle offrait ni de ce qu'on recherchait en elle. Les filles comme Zena étaient appréciées pour leur *style*, une caractéristique excessivement théâtrale et délibérée : « Je suis une âme perdue ». Ils erraient en exhibant leurs blessures psychologiques comme autant de médailles, comme pour dire : voilà ce que vous avez fait de moi. Mais je ne vous en veux pas. Frappez-moi encore, je vous en prie ! (tu peux voir que je ne l'aimais pas, que l'antipathie demeure tenace ! et envers une femme qui est morte... Paul est mort avec elle : il cherchait à la sortir d'une zone contaminée, mais elle ne voulait pas partir.) Une fois mariés, ils occupaient chacun une moitié de leur maison, et je ne pense pas qu'il se voyaient plus qu'avant leur mariage. Bien entendu, ils n'avaient pas d'enfants ! Paul l'emmenait dans de grandes « fêtes » et au théâtre ; leur photo paraissait dans les journaux : M. et Mme Paul Colridge. Ils étaient extraordinairement beaux, comme deux merveilleux papillons posés côte à côte sur une brindille. Quand il venait nous voir (toujours sans elle), il prétendait que notre simplicité lui manquait ; mais il regagnait toujours Londres après deux ou trois jours. Il était extrêmement riche.

Il s'était associé à mon père et à Willy Perkins dès le début, pour leurs entreprises de sauvetage Colridge — Esse — Perkins. Mais la philanthropie publique et l'enrichissement allaient de pair. Il donnait sans cesse son argent et l'argent lui revenait à flots. Je n'ai jamais connu personne qui fût aussi généreux. Il offrait de l'argent à des gens qui en manquaient sans même les connaître — il suffisait qu'il en eût entendu parler. Quand il venait en week-end, il distribuait des centaines de livres à nos amis, surtout quand ils avaient des enfants.

Et puis soudain je reçus une lettre de lui — folle. C'était une lettre folle. Je la montrai à Martha. Elle me conseilla de ne pas y attacher d'importance. Quelque chose en lui s'était déclenché, comme cela s'était toujours produit chez lui. Cela passerait. En attendant, il fallait que j'aille le voir. Avant que je pusse partir pour Londres, je reçus une seconde lettre. Il nous accusait de détourner de l'argent, des livres de cuisine, Dieu sait quoi. L'achat de la maison en Irlande se déroulait « derrière son dos ». Nous l'avions trahi. A Londres, je lui téléphonai : il me répondit avec une grossièreté hystérique. Je reçus une sommation d'huissier à l'hôtel. L'affaire devenait encore plus folle. Paul exigeait le remboursement de la moitié de l'argent qu'il nous avait donné au début. Sur ce montant, il avait prélevé des sommes arbitraires pour avoir séjourné avec nous « une quinzaine de jours en 1971 », et aussi pour la « fourniture de fruits et de crème fraîche en 1973 ». Ce genre de choses. En vérité, la somme qu'il nous réclamait ne représentait rien pour lui, il s'agissait de cinq mille livres sterling, toutes déductions faites. « 374 livres et 19 shillings et 6 pence pour avoir repeint la maison de mon vieil ami Jack Sumerson en 1970. » Fou. Je consultai un avocat, tout en sachant fort bien ce qu'il me dirait. Si l'affaire parvenait devant un tribunal, ce serait l'une de ces situations où tout le monde aurait l'air idiot. Nous n'avions jamais compté son argent à part — ni celui de personne d'autre, d'ailleurs. Ce n'était pas dans l'esprit du mouvement. Les gens mettaient de l'argent dans la caisse, et voilà tout.

Avant de regagner le Wiltshire, je parvins à le voir. Il n'était pas lui-même, mais n'était pas non plus la personne qui m'avait fait adresser cette sommation délirante. Il apparaissait abattu et maussade, comme les gens qui souffrent de migraine depuis plusieurs jours. Je compris qu'il était un nouvel exemple de ce phénomène — cette évasion de soi-même pour une heure, une journée, une semaine. Je savais qu'il guérirait. En effet. Il vint dans le Wiltshire, accablé, pour nous faire des excuses. En attendant, l'affaire se trouvait étalée dans tous les journaux. Paul était présenté comme un philanthrope à l'esprit élevé, en proie à une générosité impulsive et capricieuse qui l'avait conduit à se faire duper par sa bande de copains minables convaincue de l'imminence de la fin du monde, et occupée à répandre la panique et le désespoir à des fins privées et mal définies. Nous étions censés nous remplir les poches avec l'argent de nos victimes. Des journalistes vinrent nous harceler, ainsi que des détectives. Tout ceci n'était que calomnies courantes, rien de neuf ni de surprenant à cela. C'était également sans issue, car il ne s'agissait là que de médisances imprécises, auxquelles on ne pouvait guère répondre. Des accusations étaient lancées, retirées, relancées, modifiées — tout cela créa une atmosphère de méfiance et d'antipathies.

Tout aurait été plus facile si nous avions eu une étiquette, une définition quelconque. Mais ce qui entretenait les suspicions frénétiques des enquêteurs était précisément que nous n'en avions aucune. Nous vécûmes des semaines odieuses. Ce fut une véritable guerre des nerfs. Je la reconnus pour l'avoir déjà vécue dans mon enfance pendant la guerre froide — oubliée depuis bien longtemps. Ils comptaient ainsi nous effrayer. En Angleterre, le gouvernement s'est toujours affirmé par la menace dans les moments de tension. Et pas la menace de prison ou de mauvais traitements physiques — l'ostracisme social, la réprobation sociale ont toujours suffi. Ce qu'ils voulaient nous arracher, c'était une sorte de rétractation telle qu'il s'en était produit beaucoup depuis ces derniers temps. Nous aurions dû nous engager publiquement à bien nous comporter, abjurer toutes nos mauvaises pensées, ce genre de choses. Nous ne le fîmes pas. Soudain, le gouvernement donna l'ordre de nous faire disperser. Nous ne nous y étions pas attendus. Tout d'abord, cela leur aurait légalement imposé de se renseigner pour savoir qui nous étions. Nous le savions à peine nous-mêmes. Comment allaient-ils nous définir ? Tandis que nous étions encore occupés à absorber cet événement, ainsi que ses implications — l'ordre était signé par Phœbe Colridge, ta grand-mère —, la décision fut abolie tout aussi arbitrairement.

Nous décidâmes alors de partir — la décision intervint « d'instinct », sans même une réunion formelle. Les détectives qui assistaient alors à toutes nos discussions en furent d'autant plus déconcertés car pour leurs cerveaux stéréotypés, aucune décision n'avait été prise. On aurait cru des oiseaux migrateurs. Nous ne restâmes pas ensemble, tout au moins pas dans une même région. Plus rien ne nous cimentait pour rester ensemble. Tant d'autres groupes avaient décidé de ne pas se cimenter, et vivaient tranquillement ensemble en divers endroits ; si quelqu'un nous quittait, il quittait des individus, mais pas un mode de vie. Vivre simplement reste vivre simplement, c'est une affaire de tempérament. Environ cinquante personnes partirent vers d'autres lieux où elles avaient des amis, répandant ainsi l'information qu'il fallait s'attendre à un accident. Et tranquillement, des groupes et des familles émigrèrent vers la côte ouest de l'Irlande où ils poursuivirent la même existence qu'avant, sans histoires et sans manifester d'exigences particulières ni attirer l'attention. Lorsque nous partîmes, tu avais douze ou treize ans, et tu dois donc te souvenir aussi bien que moi de notre vie d'alors et de nos préparatifs. Ci-joint les noms de toutes les personnes dont je puis encore me souvenir, ainsi que leur lieu actuel de résidence, à l'exception de celles qui se trouvent avec toi dans la zone nationale du Nord. Je demanderai aux gens de Delhi de t'envoyer le matériel par Lynda, grâce au travail accompli par elle et son groupe, et par les groupes associés.

Les noms sont ainsi répartis : (a) Les gens qui se trouvaient avec nous pour une quelconque raison, y compris ceux qui arrivèrent au dernier moment parce que nous avions offert de protéger et sauver quiconque se réfugierait chez nous sur les côtes. Bien entendu, je ne dispose pas de tous les noms, car il régnait à la fin une confusion bien trop grande. (b) Le petit nombre ayant des capacités d'E.S.P., qui se trouvait réparti parmi les autres de telle manière que chaque groupe comprît un membre de secours spécifiquement qualifié. Ces noms ne devront pas être conservés par écrit, mais seulement mémorisés. (c) Ceux qui ont quitté l'Angleterre avant l'accident pour avertir les gens des autres pays des répercussions possibles. (d) Ceux qui trouvent peut-être encore dans l'Angleterre hermétiquement close d'aujourd'hui, soit dans un abri (comme tu le sais, cette éventualité est jugée possible), ou bien sur une île.

Mes amitiés à ton mari. J'ai été invité l'an dernier en zone nationale de Mongolie, en hôte fraternel de leur Conférence panasiatique. J'ai décliné l'offre afin de ne pas saborder mes chances d'être invité par ton gouvernement à la Conférence paneuropéenne et sur la Russie. Ai-je un espoir, à ton avis ? J'aimerais connaître ton mari. Tendrement à vous deux ainsi qu'aux enfants...

IV

Déclaration publique concernant l'Ordre de démantèlement et de dispersion notifié à la communauté de la Ferme du Sanglier Blanc et des environs. Signée par Phoebe Colridge en sa qualité de ministre.

Nous avons pris cette décision dans l'intérêt de la communauté dans son ensemble, et pour la préservation de la démocratie. Il s'agit d'une secte singulièrement déplaisante qui divise les familles, et prétend apporter un mode de vie « sain », alors qu'il inculque des principes hostiles à ceux que reconnaît la majorité des citoyens de notre pays, et, comme nous en avons désormais la preuve, financièrement malhonnête. Nous avons donc ordonné sa dispersion.

V

Extrait d'une lettre de Paul Colridge à Phœbe.

... tu me places dans une telle position ! Je me demande à quel point tout cela est ma faute. Les avocats ont pris le bâton par le mauvais bout. J'étais malade cette semaine-là, sans quoi je ne les aurais jamais laissés faire. Un inspecteur de police est venu me voir hier. Il m'a demandé si je voudrais témoigner contre eux au cas où l'affaire passerait en justice. J'ai dit non, bien sûr. Tu ne t'attendais tout de même pas... (une ligne barrée). Jill est (trois lignes barrées) plus heureuse que je ne l'aie *jamais vue*. Je *sais* que ce n'est pas *ta* façon de vivre, non plus que la mienne. Oui, je suis d'accord quand les gens disent que c'est affecté de leur part. La dernière fois que j'y suis allé, j'ai remarqué qu'ils s'éloignaient de plus en plus des problèmes des gens ordinaires. Mais j'ai des amis parmi eux. Pour certains d'entre eux je représente une sorte d'image paternelle. Oui, j'imagine que c'est drôle. Je trouve très dangereux de te dire, Phœbe (je ne *peux pas* croire que cela arrive *vraiment* !), que j'y ai investi de l'argent dès le début, et que pour ma part je rendais Francis libre de l'employer comme bon lui semblerait. Francis est extrêmement compétent. J'entends par là que je ne voudrais surtout pas qu'on pense que je le croie capable de détourner des fonds ! Oui, sans doute est-il parfois arbitraire, mais considère seulement ses responsabilités ! Tout le monde se décharge sur lui de tout, et puis on le critique dès qu'apparaît un problème — *vieille histoire, non, Phœbe ?* S'il te plaît, je t'en prie, je t'en supplie, peux-tu encore à présent faire quelque chose pour...

VI

Lettre de Phœbe à Paul, enveloppe marquée « Personnelle et confidentielle », portée par courrier spécial.

L'ordre a été annulé, comme tu le sais déjà sans doute. J'ai agi sur le conseil de mes collaborateurs. Bien entendu, ce que tu me dis dans ta lettre a compté. J'espère n'avoir pas besoin de te préciser que ta lettre et la mienne doivent demeurer strictement confidentielles. Je ferai parvenir un communiqué aux journaux pour leur indiquer que nous serions heureux de voir l'affaire retomber dans l'oubli.

J'estime personnellement que ces endroits de prétendu retour à la nature devraient être interdits. J'en vois évidemment l'attrait — qui ne le verrait pas ? Mais il s'agit d'un mode de vie extrêmement égoïste, qui détourne une main-d'œuvre compétente et particulièrement précieuse. Si seulement les agitateurs et les fauteurs de troubles pouvaient partir s'occuper dans des fermes ; mais non, il faut toujours que ce soit précisément des gens qui pourraient apporter quelque chose à la patrie s'ils n'étaient pas convaincus d'avoir autre chose à faire. Quand notre pauvre pays va si mal et que nous n'aurions pas trop de tous nos bras, je ne suis guère étonnée de voir l'opinion publique leur marquer autant d'hostilité. Le fait que mes filles aient choisi ce mode de vie n'a bien sûr rien à y voir. J'espère qu'à mon âge on admettra que je sois capable de séparer mes sentiments personnels de ma vie publique. Je dois dire que, si Gwen a la gentillesse de venir parfois me voir, je n'ai pas reçu même une carte postale de Jill depuis des années. Et Francis ne m'honore pas davantage de sa confiance. Je ne vois pas mes petits-enfants. Et toi, comment vas-tu ? Pourquoi n'as-tu pas plutôt demandé un rendez-vous, au lieu de m'écrire ? (Plus agréable, et aussi plus sûr !) Si seulement vous aviez pris la peine, tous tant que vous êtes, de maintenir le contact, d'expliquer, jamais ce malheureux incident ne se serait produit. Malheureux pour notre pauvre gouvernement, mais je suppose que cela vous indiffère. J'entends dire que tes efforts en faveur du cirque Colridge sont fort bien vus.

Bien affectueusement à toi,
Phœbe.

VII

Extrait d'une lettre de Martha Hesse adressée à Francis Colridge. Elle était écrite sur un vieux cahier d'écolier. Quand elle parvint entre les mains de Francis, il l'enveloppa dans du papier étanche extra-fort, et écrivit à l'extérieur du paquet : « Provenance de l'île contaminée de Faris, au-delà de la côte nord-ouest de l'Écosse. Matériel dangereux. »

Est-ce à toi que j'écris, Francis ? Je l'espère. Je vais bientôt mourir, et c'est pourquoi j'éprouve le besoin de noter les choses. Les mémoires sont sans doute devenues précieuses. Dans quelle mesure les jeunes le découvriront-ils quand ils s'en iront d'ici ? Je sais que tu as compris où nous sommes. J'ai compris où tu es. Je t'ai souvent entendu. Tu as vécu des moments difficiles ? J'ai entendu ton père. Il est très malheureux. J'ai essayé de lui parler — mais je n'ai jamais été très forte là-dessus. J'ai une ou deux fois cru te parler. Mais je craignais d'en dire trop, pour le cas où j'aurais été entendue par d'autres : seras-tu surpris d'apprendre que jamais un groupe relégué sur une île n'a été moins pressé de se laisser sauver ? Si cette lettre est pour toi, Francis, je n'ai besoin de commencer mon récit qu'au moment de la panique finale. Tu sais déjà le reste.

Je t'ai perdu de vue les trois dernières semaines. Et il m'a fallu trois ans pour savoir enfin que tu vivais sain et sauf très loin d'ici, avec tous les tiens. Mon problème était que je perdis Lynda. Nous avions prévu que chaque unité de secours comprendrait un « entendant » et un « voyant » compétents. Le nôtre était Lynda (qui réussissait alors les deux spécialités). Nous n'avions pas idée de la confusion qui régnerait. Tout d'abord, nous avions décidé que trop d'entre nous étaient liés à des hôpitaux psychiatriques et qu'il fallait y remédier ; cela ne fit aucune différence. (C'était en 1977, si tu t'en souviens.) Dans l'hystérie finale, on internait tout le monde et n'importe qui sous prétexte de folie. Lynda vivait hors de l'hôpital depuis déjà un certain temps, mais on l'arrêta et on l'enferma dans un établissement. On appelait ces arrestations « mettre les gens sous bonne garde pour leur propre sécurité ». Le paradoxe était que les gens déjà internés demeuraient libres d'aller et venir à leur guise. Mais pas ceux que l'on attrapa à la fin. Ainsi, au cours des dernières semaines, certains de nos meilleurs éléments disparurent malgré eux jusqu'à la dernière minute. Pour ceux qui eurent la chance d'en sortir. Ils ne purent donc nous aider quand nous avions le plus grand besoin d'eux. Ils furent les derniers à atteindre les lieux d'embarquement. J'ai entendu dire que Lynda était sortie, mais je ne l'ai plus revue.

A la fin, quand je me tenais à la pointe de la jetée et que je revoyais les six derniers mois, je songeai combien différemment nous aurions dû agir. (Six mois parce que nous savions que nous aurions de quatre à six mois de délai d'avertissement avant l'événement.) Le projet de simplement nous dresser pour annoncer, alerter et assumer les conséquences, dès que nous saurions définitivement, fut mal préparé. Notre erreur fut de n'avoir pas prévu l'hystérie de masse. Je suppose que c'était dû à tant d'années d'instabilité et de violence ; nous ne pouvions pas croire que la situation empirerait. Nous n'avions pas prévu que le pays entier tanguerait sous l'effet des rumeurs de désastre imminent. Beaucoup de gens dotés d'une potentialité qu'ils n'avaient jamais développée (et qui auraient même éprouvé de la colère et de la frayeur s'ils l'avaient su) « captaient » des éléments de l'avenir. Et la Grande-Bretagne n'en constituait qu'une partie. Il existait autant de rumeurs sur l'inondation de New York et du New Jersey, l'inondation partielle de la Virginie — étonnamment justes. Mais l'effet général fut un immense cri de désolation, poussé par des milliers de voix dont les nôtres et, quand ils ont peur, les gens deviennent cruels et idiots. C'est tout. Quand on prévoit des temps difficiles, où les gens connaîtront la terreur, je pense que l'essentiel est de prendre des précautions contre la panique et la cruauté.

Nous étions trop raisonnables. Nous passions des annonces dans les journaux qui voulaient bien les publier ; nous lancions des avertissements sur un ton banal et quotidien à la télévision ; et nous organisions des réunions. Une réunion à Caxton Hall coïncida avec une de ces soirées où les rues s'emplissaient de « danseurs ». Ils ressemblaient aux hordes d'autrefois, affligées de la danse de Saint-Guy. Nous prîmes place, et attendîmes l'arrivée des gens dans la salle. Une demi-douzaine de personnes entra en tournoyant, déclara en riant follement qu'elle se savait condamnée mais qu'elle s'en moquait, et ressortit en dansant toujours. C'étaient des gens d'âge mûr : des femmes ivres, des hommes ivres. Ou bien peut-être n'étaient-ils pas ivres : il était devenu difficile de déceler la différence chez les gens. Mais c'était ainsi que les choses se passaient à la fin. On aurait dit que les gens étaient damnés. Qu'ils ne se souciaient plus de ce qui pouvait arriver. En tout cas, le dernier matin avant l'embarquement de notre groupe sur la plage, nous comprîmes que presque tous ceux qui venaient avec nous avaient une relation personnelle avec l'un d'entre nous ; ils s'étaient décidés à cause d'une confiance ou d'une affection personnelle. Était-ce également vrai dans ton groupe, je me le demande ? Bien sûr, beaucoup de gens vinrent au dernier moment parce que nous avions distribué des tracts avec des adresses. Certains arrivaient en disant quelque chose comme : Je suis venu parce que j'ai pensé que c'était le bon endroit. Et les gens amenaient des enfants qu'ils avaient trouvés errant dans les rues, effrayés. Un homme noir s'approcha de moi avec son fils de dix ans, et me demanda : « Veillez sur lui. » Il repartit pour tenter de sauver davantage de gens. J'ignore ce qu'il est advenu de lui. Et puis beaucoup de gens, bien sûr, étaient partis avant le désastre parce que nous avions proclamé : « S'il se produit des événements qui vous donnent à penser que notre prévision d'un désastre à telle et telle date était juste, alors partez aussi vite que vous le pourrez. »

Croirais-tu que pendant plusieurs jours notre groupe ne sut pas avec certitude la forme qu'avait pris l'accident ?

Nous nous trouvions au nord-est et aidions notre groupe à progresser vers l'ouest, avec autant de gens qu'il voulait bien en venir. Le gouvernement démentait les rumeurs sur des fuites de gaz. Les gens prétendaient que le gaz des réserves de la mer du Nord s'échappait à cause du vandalisme, et qu'il recouvrait une vaste zone du nord-est de l'Angleterre, où il se trouvait retenu par un plafond d'air chaud. D'autres affirmaient que des missiles radioactifs transportés par un sous-marin soviétique disparu depuis plusieurs semaines avaient coulé, répandant leurs poisons dans la mer du Nord. Nous ne savions encore pas qu'il y avait du vrai dans ces rumeurs ! Mais quand nous sommes partis, les plages étaient couvertes de poissons pestilentiels, les oiseaux tombaient du ciel, morts, et sur des kilomètres vers l'intérieur des terres rampait la mort en provenance de la mer. Les autorités publiaient des communiqués, puis les démentaient. Les Russes en faisaient autant. Je puis sans doute en conclure qu'à l'époque personne ne connaissait la vérité. En tout cas, cette partie de l'Angleterre fut la première scellée, et nul ne pouvait y entrer ni en sortir à l'exception des équipes de décontamination. Et nous nous trouvions déjà sur nos lieux d'embarquement, sur les côtes. On annonça alors, et ce fut aussitôt contredit, qu'une aile du centre de recherche de Porton avait pris feu et que, dans la confusion, une sorte de gaz nerveux avait été libéré et affectait toute la population. Il fallait garder notre calme, et aller nous faire examiner à l'hôpital le plus proche. Pour autant que je sache, cela pouvait fort bien être vrai, et non pas l'une ou l'autre de toutes ces rumeurs qui couraient dans le pays comme un incendie ou une tempête. Le matin même où commença de circuler une rumeur selon laquelle un accident serait survenu à Aldermaston, condamnant déjà la moitié de l'Angleterre, on annonça à la radio qu'un avion chinois s'était écrasé dans l'Oxfordshire. Un pilote « choisissant la liberté » s'était emparé d'un appareil militaire chargé d'engins nucléaires particulièrement dangereux, et destinés aux armées rebelles du Brésil. Son atterrissage explosif était échu à l'Angleterre. Ce ne fut pas un représentant du gouvernement qui annonça la nouvelle, car tous les gens en place s'étaient réfugiés dans les abris anti-atomiques.

Certains d'entre eux s'y trouvent encore — je le crois sincèrement, Francis. Je sais que cela paraît absurde. Car si je sais (pour les avoir vues) qu'à intervalles réguliers les équipes de décontamination visitent la Grande-Bretagne pour voir si l'on peut commencer les travaux de reconstruction et d'assainissement, je sais également qu'il n'existe ni plan ni carte des abris souterrains qui se trouvent pourtant en réseau serré dans toute l'Angleterre. On connaît l'emplacement de certains, mais pas des autres. C'est le prix que l'on paye pour cet excès de secret, cette jalousie paranoïaque entre les diverses sections des services armés, qui ne voulaient pas partager ce type de renseignements. On peut concevoir que, plus de quinze ans après l'événement, les survivants continuent à vivre comme des taupes dans leurs tunnels de béton sans oser en sortir. Je pense que c'est le cas. J'ai vu beaucoup d'« images ». Mais peut-être sont-elles anciennes, et non pas récentes — je l'ignore.

A la fin, l'annonce de ce qui s'était passé a été faite essentiellement par des stations de radio privées, créées dans ce but. Les gens qui n'étaient ni morts, ni mourants, ni condamnés s'entendaient recommander de prendre le chemin des côtes ouest, et d'attendre là. Car aucun avion n'oserait atterrir à l'intérieur des terres britanniques infectées.

En notre refuge de la côte, nous avions rassemblé tous les instruments scientifiques et médicaux imaginables, ainsi que des gens habilités à les manier. Nous avions de l'argent, et toutes sortes d'objets susceptibles d'être troqués. Nous avions également accumulé de la nourriture, ainsi que des quantités de vêtements chauds, de couver-

tures, et de fourrures. Car, au cours de cette dernière guerre, et la plus
« sophistiquée », il demeurait plus que jamais vrai que la première
perte, en temps de conflit, c'est la chaleur.

Nous nous tenions immobiles au milieu de toutes ces choses entassées, et regardions des vagues d'avions arriver de tous les coins du
ciel. Ils atterrissaient où ils pouvaient, et embarquaient des charge-
ments de personnes pour les mener en des points du Canada, de
Terre-Neuve, des Antilles, avant de revenir en chercher d'autres. Des
navires convergeaient vers nous depuis l'horizon. Il semblait que le
monde entier se fût attelé à sa brave et généreuse mission de sauvetage, après que fut survenue une nouvelle horreur pourtant prévisible
et inévitable.

Il n'y avait aucune raison particulière pour que notre groupe partît
à ce moment-là plutôt qu'un autre. Je me souvins, à nous voir tous là
avec nos bébés et nos baluchons, d'une histoire qu'on m'avait
racontée sur la Seconde Guerre mondiale. Un homme se trouvait sur
« l'incoulable » navire de guerre *Repulse* quand il avait été coulé en
quelques minutes par les avions japonais. Cet homme était officier. Il
se tenait au pied de l'escalier qui était déjà en position perpendiculaire,
étant donné l'inclinaison du bateau. Les hommes passaient devant lui
pour monter, très vite, mais disciplinés, car ils savaient que le navire
n'avait plus que quelques minutes avant de sombrer, et que les derniers de la queue mouraient avant de pouvoir monter. Mon ami
demeurait là, et regardait. Un collègue officier passa devant lui et
s'étonna : « Tu ne viens pas ? » Cela le décida à se joindre au courant
d'hommes. Il avait mis une sorte de point d'honneur, ou simplement
de bonnes manières, à rester là pour laisser passer les autres quand
chaque seconde signifiait la vie ou la mort.

Pour nous, ce n'était pas une question de secondes, ou de minutes,
ou d'heures, ou même de jours. Nous savions qu'avec un vent souf-
flant fortement de la côte vers l'est, nous aurions un moment de répit.
Nous attendîmes tous en bloc pendant plusieurs heures, entourés de
gens qui pleuraient et suppliaient ; et de gens calmes et raisonnables ;
et de gens qui mouraient parce qu'ils étaient partis trop tard ; et d'enfants qui s'étaient trouvés séparés de leurs parents, et qui demeuraient seuls.

Notre groupe embarqua, tous ensemble, sur un petit bateau du genre
de ceux qui promenaient les touristes le long de la côte. Nous étions
une centaine, avec les enfants et beaucoup de bagages. A la fin, nous
renonçâmes hâtivement aux bagages qui contenaient les instruments
et les médicaments : nous allions bientôt nous retrouver de l'autre
côté de l'Atlantique, en mains sûres, et nous n'aurions plus aucun
besoin de ces choses.

La mer était assez calme. Lorsque la terre fut hors de vue, le vent
changea et l'océan se souleva ; nous traversâmes une mauvaise tempête. Nous pensions qu'après la tempête, nous serions ramassés par
un de ces énormes navires qui sillonnent toute cette partie de l'Atlantique. Mais notre bateau n'était pas conçu pour voyager plus que simplement d'un port à l'autre en eaux abritées. Il tint bon pendant vingt-

quatre heures, puis les moteurs tombèrent en panne. La tempête nous ballotta vers le nord pendant près d'une semaine. Nous ne pensions pas que le bateau tiendrait, tant les vagues étaient hautes. Plusieurs personnes moururent : de froid, d'épuisement dans ce tangage fou, et du mal de mer. Et puis nous fûmes jetés à la côte un matin de bonne heure sur cette île, dans l'obscurité sifflante et menaçante de la tempête. Le bateau se trouvait coincé entre des rochers, à un angle tel que nous étions tous empilés dans un angle comme des asticots dans un coin de boîte d'allumettes. Quand il fit jour, nous découvrîmes que c'était la marée basse, et que le sable commençait juste à la proue du bateau. D'autres personnes avaient péri. Nous fîmes rouler les corps sur la pente du pont jusque dans les flots, mais ils furent rejetés sur le sable par la suite, et nous les ensevelîmes. Nous vacillâmes jusqu'à terre par une matinée glaciale, avec le soleil dissimulé derrière un voile de nuages rouges furieux.

Il restait soixante-treize d'entre nous. Nous nous trouvions sur une île qui avait été habitée peu de temps auparavant. Il y avait encore une douzaine de maisons en pierre, en fort bon état. Nous y découvrîmes également des moutons et du bétail — tout à fait sauvages. Nous passâmes la première journée à sortir nos affaires du bateau quand les marées le permettaient. Nous pensions que notre embarcation se briserait en morceaux, mais cela ne se produisit point. Elle était bien calée entre les rochers. L'île mesure environ quatre-vingts kilomètres de long, et vingt de large. Nous supposons qu'elle doit être située au large de la côte ouest d'Irlande. Nous en ignorons le nom.

D'abord, les problèmes de survie physique.

La chaleur était demeurée le problème le plus aigu. Nous avions de bons vêtements chauds et des couvertures — il y a quinze ans. Nous avons ménagé nos animaux, et confectionné de bons vêtements en peau de mouton ; mais nous manquons toujours de matériel de chauffage. L'île est couverte d'une végétation broussailleuse, qui ne fait pas de très bon feu. Nous employons des algues séchées et du bois d'épave. Mais nous ne faisons de feu qu'au pire de l'hiver, et nous sommes donc devenus très résistants. Mais plusieurs vieillards ont succombé au froid des premiers hivers.

Ou bien peut-être aux radiations. Nous avons perdu trente autres personnes, au cours des trois premières années, décédées de maladies inconnues. Notre médecin figurait parmi eux. Les symptômes en étaient toujours des hémorragies — de la bouche, du nez, des yeux, de l'anus, du vagin, des oreilles. Ou bien la peau se léprosait, et tombait. Ou bien encore les gens souffraient de violents maux de tête comme des migraines, mais qui ne disparaissaient pas comme la migraine. Ne pouvant plus les supporter, ils finissaient par se suicider. Dès le début, les personnes atteintes de maladie quittaient les autres pour aller s'établir à l'autre extrémité de l'île, où elles construisaient des cabanons de pierre et y vivaient entre elles jusqu'à la fin.

Il y eut quelques cas de démence. Mais notre expérience nous freinait considérablement dans le diagnostic de folie. Nous dûmes attacher une femme qui voulait tuer les autres. Nous l'avons attachée avec de la corde. Puis elle est redevenue saine d'esprit, et nous l'avons libérée. Pendant tout le reste de sa vie, nous avons dû l'attacher ainsi comme un animal, pendant des semaines d'affilée, et la nourrir comme un bébé. Quand elle sentait monter la crise, elle venait demander qu'on l'attache. Nous ne savons pas de quelle maladie il s'agit. Lynda le saurait, ou bien quelqu'un d'autre ayant une aussi grande expérience des hôpitaux psychiatriques.

La nourriture ne nous a posé aucun problème. Nous avions heureusement emporté des graines — l'un de nous y avait pensé, « à tout hasard ». C'était ce que nous possédions de plus précieux, à l'exception des vêtements chauds. Nous tuons et mangeons les moutons, ainsi que le bétail, mais frugalement. Nous avons du lait pour les enfants. Nous pratiquons la pêche. Nous avons apprivoisé et élevé une variété de canard.

Nous avons construit beaucoup d'autres maisons en pierre, en trois lieux distincts. Nous employons comme mortier de l'argile mélangée à du sable et à des œufs de mouettes.

Nous avons parfois pensé en plaisantant qu'un touriste d'il y a vingt ans, à la recherche des derniers lieux de vie primitive et simple, aurait pu passer plusieurs jours parmi nous avant de remarquer qu'il y avait peut-être quelque chose de bizarre ! Nous disposons de tout le nécessaire. Mais avant ce désastre, combien de temps une communauté aurait-elle pu survivre sans un chien, sans un chat, sans un âne ; sans chèvres ni chevaux ni mulets ; sans même un canari dans une cage — sans tabac ni bonbons ni sucre ni thé ni café ?

Peut-être notre hypothétique visiteur épris de vie naturelle aurait-il pu avaler tout cela, mais comment aurait-il réagi à l'absence de radio, de voiture, de bicyclette, de moto, de machine à écrire ? Je suppose qu'il doit exister des communautés dépourvues d'électricité pour l'éclairage, le chauffage, le réfrigérateur ? Mais certainement pas de pétrole, j'en suis certaine. Nous nous éclairons avec des bougies de notre fabrication, à base de graisse de mouton, et nous confectionnons du savon avec de la graisse et du sable.

Nous manquons d'une chose qui nous apparaît regrettable : après tout, il aurait bien pu exister des abeilles, mais nous n'avons jamais pu en déceler une seule. Parmi les plus âgés d'entre nous, certains souffrent de n'avoir jamais la moindre sucrerie ; les plus jeunes ne connaissent guère en fait de « douceur » que le panais et la betterave, un goût parmi beaucoup d'autres. Ils sucent des petits cailloux encroûtés de sel. Nous leur expliquons la nourriture que l'on servait dans les maisons modernes, et les machines, et la production de masse des vêtements, la circulation automobile, les gratte-ciel, et les méthodes de guerre. Nous leur parlons des bibliothèques, nous leur récitons des poèmes et leur racontons les histoires de la littérature mondiale, nous leur décrivons un orchestre, un opéra, un ballet, un grand bal. Ils écoutent gravement, assimilant tout, sachant qu'un jour ils devront s'intégrer à tout cela. En attendant, ils portent des vêtements en peau de mouton, ou taillés dans de vieilles couvertures ; des chaussures en cuir de vache confectionnées à la main ; ils mangent ce que mangeaient les hommes de l'âge de pierre. Mais cuit à ciel ouvert dans des casseroles d'aluminium récupérées sur le bateau, et préparé avec les ustensiles d'une cuisine moderne.

C'est de ces enfants que je veux te parler.

En arrivant, nous avions une demi-douzaine de bébés dont deux sans parents, une douzaine d'enfants pour moitié sans parents, et quelques jeunes adultes qui ne tardèrent pas à s'unir entre eux, de même que les adultes mûrs et les gens âgés. Même les bébés que nous avons amenés deviennent à présent des adultes et commencent à former des couples à leur tour. Ils ont maintenant dix-sept, dix-huit ans, et ils reprennent l'amertume, de la bouche des anciens bébés devenus adultes, de notre civilisation morte. Ou peut-être vaudrait-il mieux pour ces enfants qu'ils demeurent ici ? Si l'on considère l'extrême petit nombre de gens qui ont débarqué ici avec nous, nous avons produit beaucoup d'enfants. Et aucun d'eux n'est mort. Ils ont une santé extrêmement robuste. Tout au moins le pensons-nous. Mais *nous n'en savons rien*. Souviens-toi que nous ne disposons d'aucun moyen pour interpréter certains faits. Nous n'avons pas de compteurs Geiger, ni aucune méthode de mesure des retombées ou de l'éventuelle pollution de la mer et de la terre. Nous n'avons pas même un pluviomètre, un thermomètre, ou un baromètre ; nous savons simplement que certains insectes préfèrent la sécheresse, d'autres l'humidité, que les nuages suivent certaines habitudes, et que les oiseaux se déplacent à certaines saisons. De même que nous constatons chez les insectes, les oiseaux et les poissons, une affreuse proportion d'anomalies. C'est-à-dire que nous, les plus âgés, nous les voyons ainsi. Les jeunes ont un point de vue différent : ce genre d'oiseau apparaît tantôt comme ceci, et tantôt comme cela. Chaque fois que naît un bébé, nous attendons avec impatience de l'apercevoir et, quand nous découvrons qu'il ressemble exactement à l'ancien modèle, nous avons l'impression d'avoir sauvé d'un holocauste quelque chose de sain et sauf. Nous n'avons jusqu'à présent eu aucune surprise. C'est-à-dire aucun choc physique : les membres, les yeux, les nez, tout est toujours à sa place.

J'ai vu hier une fille de seize ans enceinte de son premier enfant, qui se tenait à genoux sur le sable pour observer un poisson rejeté par la mer. Ce poisson apparaissait double — non, pas un poisson jumeau siamois. Il s'agissait d'un poisson à l'intérieur d'un autre, l'enveloppe extérieure étant d'une transparence délicate et fine ; et il était difficile de dire si le poisson emprisonné mourait des suites de son étouffement au sein de celui qui le contenait, ou si c'était le poisson délicat qui trouvait son fardeau interne trop pesant et qui en mourait.

Mais pour autant que nous sachions, ces poissons-là sont peut-être les habitants normaux des autres océans, où ils vivent fort bien, et peut-être ne meurent-ils que quand ils se perdent dans nos eaux nordiques et froides... tu crois sans doute que je plaisante ? Souviens-toi que, quand nous sommes arrivés ici, l'air et l'eau de l'Angleterre venaient d'être empoisonnés, ainsi que les mers qui l'entouraient.

Souviens-toi que les désastres de la côte est américaine étaient tout nouveaux. Nous ne savions pas à quel point le monde s'était lui-même blessé. Nous ne le savons toujours pas. Nous ne pouvons nous fier qu'à nos propres sens. Et il n'y a parmi nous que de médiocres « entendants » et « voyants » ! Tout d'abord quand nous écoutions (et ce fut vrai pendant des mois et des mois après le désastre), il ne nous parvenait qu'un tintamarre de hurlements et de pleurs et de gémissements comme si l'humanité entière avait imploré et supplié qu'on lui fasse grâce et qu'on la secoure. Et encore maintenant, il nous est hélas facile de nous brancher sur ce courant-là. Nous ne savions pas, et ne savons toujours pas, si l'événement survenu en Grande-Bretagne avait déclenché d'autres guerres ailleurs, et si peut-être il n'existait plus que deux camps malades. Nous ne savions pas si nous pouvions nous fier à l'air que nous respirions, à la mer qui nous entourait. Pendant des semaines, pendant des mois, nous sommes demeurés crispés dans un état de terreur tout juste contrôlée, quand chaque inspiration d'air pouvait nous tuer — sauvés de la panique uniquement parce qu'il y avait tant à faire pour pouvoir nous alimenter et nous tenir au chaud.

De petites rivières traversent l'île. Nous les avons examinées pour déceler l'état des poissons et des oiseaux. Nous surveillions la mer. Rien ne s'est produit. Mais nous savions que, même si les vents soufflaient presque toujours de l'ouest et du sud-ouest en direction de l'est et du nord-est, balayant les îles Britanniques, les vents ne tarderaient pas à mêler la radioactivité à l'air respiré par tous. Nous surveillions donc notre santé, minute par minute, celle de nos enfants, celle des nouveau-nés. Beaucoup de gens moururent — puis les décès cessèrent, et nous décidâmes qu'ils avaient sans doute été causés par l'immersion dans l'atmosphère à l'époque des explosions.

Alors qu'ils mouraient encore, nous découvrîmes un jour que toute la côte ouest et sud-ouest était recouverte de poissons et de phoques morts ou mourants. Après cela, nous ne touchâmes plus une seule goutte d'eau de mer, ne mangeâmes plus un seul poisson ni ne ramassâmes de bois d'épave ni même n'approchâmes le bord de la mer, jusqu'au jour où des enfants, après avoir regardé d'un surplomb qui dominait la mer à l'ouest, arrivèrent en courant pour annoncer qu'ils avaient vu des phoques jouer dans l'eau.

Cette année-là, nous touchâmes le fond de la terreur, dans un tel état de dépression et d'abattement que nous devions nous retenir de simplement nous enfoncer dans cette eau mortelle et nous y laisser mourir. Mais ce fut également cette année-là que nous prîmes conscience d'une douceur exquise et tendre quelque part, comme le son d'une flûte à peine perceptible. Nous le ressentions tous. Nous en parlions, et nous pensions que c'était le signe d'une mort prochaine. Il semblait que l'air fût le véhicule d'une merveilleuse promesse. De quoi, d'amour ? De joie ? Il semblait que le visage d'horreur du monde pût se retourner pour exhiber un sourire d'ange. Ce fut cette année-là qu'en nous promenant seuls ou par groupes le long des falaises ou des rivières intérieures, nous fûmes nombreux à rencontrer des gens qui n'appartenaient pas à notre groupe et ne ressemblaient à personne que nous ayons jamais connu — bien que certains d'entre nous eussent rêvé d'eux —, et à leur parler. On aurait dit que le voile séparant ce monde d'un autre s'était tellement affiné que les habitants de la terre et ceux du soleil pouvaient marcher ensemble et être amis. Lorsque cette période si terrible et si merveilleuse eut disparu, certains d'entre nous commencèrent à se demander si nous n'avions pas subi une hallucination collective. Mais nous savions bien que non. Ce fut à partir de là, et grâce à ce qu'on nous avait dit, que nous reprîmes courage et pûmes à nouveau croire dans l'avenir de notre espèce.

Et depuis ce moment-là, nous avons abandonné l'idée d'un sauvetage. Nous savions qu'il ne fallait guère y compter, mais à présent nous n'en voulons absolument plus. Nous savions que des avions survolaient la Grande-Bretagne pour voir si ce charnier silencieux reprenait vie — sous quelle forme ? Des arbres produisant des formes de feuillage et de fruits que nul n'avait jamais vues ? Des crapauds gros comme des bouledogues ? Des enfants nains ou géants, issus d'accouplements empoisonnés et désespérés pendant que l'Angleterre mourait ? Des cristaux portés par les flancs des montagnes, et qui se déplaceraient comme des humains ? Nous voyions parfois ces avions traverser le ciel en direction du sud. Nous savions que des navires passaient à peu de distance : nous apercevions leurs fumées.

Mais il n'y avait aucune raison que quelqu'un approche de notre île. Sur les cartes, elle apparaissait sans doute comme autrefois habitée mais à présent déserte. Il était fort possible que les cahutes de pierre aient été construites pendant la dernière guerre, comme avant-postes. En cas de survol, on n'aurait rien distingué à moins de guetter avec attention en volant très bas. Nos cheminées crachent de la fumée pendant trois mois, au plus froid de l'hiver, quand il y a justement des nuages bas. Nous faisons notre cuisine économiquement, pour la communauté entière, une fois par jour. Nous portons des peaux de mouton et vivons sur une terre grisâtre parsemée de rochers gris-blancs. Si l'on apercevait un homme dans un champ d'orge vert ou dans un potager, on le prendrait pour une pierre ou un mouton.

Si nous souhaitions être « sauvés », je peux affirmer que ce serait possible : nous pourrions brûler toutes nos réserves de combustible pour lancer des signaux. Ou bien je pourrais parler avec précision, au lieu de rester vague, à un homme avec qui je communique clairement au Canada. Il est trappeur, et mène une existence assez proche de la nôtre. Je suppose que c'est la raison pour laquelle je parviens à me brancher si facilement. Mais nous avons décidé d'élever nos enfants loin de ce qui se passe dans le monde. Nous considérons chaque année comme une année de grâce, qui les rendra plus forts et les préservera des gens qui voudraient leur faire du mal. Et puis on nous a dit qu'il y aurait des gens prêts à s'occuper d'eux quand on nous sauverait.

Certains d'entre eux sont extrêmement vulnérables — si le monde est toujours tel qu'il était ?

Tu te souviendras sûrement qu'il y a environ cinquante ans, quand tu étais enfant, un roman était paru où l'auteur décrivait des enfants tous nés en même temps et dotés de capacités sortant de l'ordinaire ? Eh bien, l'auteur s'était trompé en imaginant ces enfants nés tous exactement semblables entre eux, avec les mêmes pouvoirs, et communiquant par les mêmes moyens.

Nos enfants, et particulièrement les derniers-nés, deviennent de plus en plus divers. Lorsqu'un organisme se trouve brusquement en contact avec une dose de radiation (de même qu'on bombardait autrefois les atomes avec des neutrons, dans les laboratoires, pour en changer la structure), il peut tomber malade et saigner, devenir idiot, ou se développer d'une manière imprévue.

Trois de nos enfants sont débiles. Ou semblent l'être. Ils paraissent normaux, et dorment et mangent normalement. Mais à l'âge de six ans, ils ne parlent pas. Ils semblent pourtant communiquer entre eux. Ils s'en vont ensemble, s'asseyent au soleil, et jouent avec des cailloux ou des fleurs avec un air parfaitement satisfait – en silence. Quand l'heure vient de rejoindre leurs familles, ils obéissent sans protester. Mais on dirait que leurs familles – nous tous – leurs sont étrangères. Ils ne sont pas sourds, ni idiots : ils reconnaissent des mots. Nous les supposons au-dessous de la normale, mais qui peut savoir ?

Et puis il y en a qui « entendent » comme aucun de nous ni de ceux qui travaillaient avec nous – même Lynda – ne pouvait le faire. Quand ils étaient tout petits, ils semblaient souvent écouter de la musique. Une ou deux fois, j'en ai saisi un fragment à travers eux. Ils restaient immobiles et souriaient en écoutant. Ensuite, ils entendirent les hurlements de terreur et de désespoir qui sont devenus si forts, et ils pleuraient de peur. Par la suite, ils commencèrent à demander des explications. Et nous nous rendîmes alors compte qu'avant la catastrophe, tous les enfants humains s'habituaient, dès qu'ils atteignaient l'âge de comprendre un peu, au fait qu'ils étaient nés dans un monde d'animaux meurtriers. Mais on les dressait peu à peu, on les corrompait progressivement. Mais nos enfants ne peuvent pas comprendre cela. Il n'est pas vrai que les petits enfants aiment se faire mal entre eux, qu'ils se comportent spontanément comme les adultes. Il faut le leur enseigner. Ou bien alors ce sont les enfants d'ici qui sont autres. Il est très rare qu'ils bousculent et attaquent le petit garçon qui nous est « né différent » (leur expression) et qui se tenait toujours à l'écart parce qu'on ne le laissait pas faire ce qu'il voulait. Il a grandi avec les adultes : nous le considérons comme un cas récessif. Les enfants le voyaient comme un pauvre petit, né avec le besoin de se battre comme il aurait pu avoir un bec-de-lièvre.

D'autres enfants, quand ils étaient tout petits, fermaient les yeux de toutes leurs forces et riaient, sans vouloir les rouvrir. Ils regardaient des images sur leurs paupières. Cette aptitude s'atténua avec les années, mais sans disparaître complètement. Entre l'âge de six ou sept ans, et environ douze ans, ces particularités semblaient s'endormir, pour revenir ensuite si on ne les décourageait pas. Je me

La Cité promise

demande combien de petits enfants d'autrefois avaient ce don, mais le perdaient parce qu'on se moquait d'eux ou qu'on les grondait pour leurs « mensonges ».

Les enfants qui « voient » et ceux qui « entendent » forment des groupes séparés dans leur petite enfance. Par la suite, ils se regroupent tous ensemble et partagent ce qu'ils possèdent. Certains présentent les deux caractères, mais il y en a généralement un plus fort que l'autre.

Je note simplement ces choses. Je ne les explique ni ne les définis. Peut-être ce que j'expose n'est-il vrai que pour les enfants de cette île, en ce moment précis. L'air y est rare et fin, « d'altitude » si je puis dire. On dirait parfois que dans la lumière ordinaire scintille une autre sorte de brillance, mais extrêmement subtile et délicate. Et la texture de notre existence, quand nous mangeons, que nous dormons, que nous nous tenons ensemble, a quelque chose d'impossible à saisir, comme si nous étions tous les notes d'une symphonie jouée hors de portée, avec les icebergs et les forêts et les montagnes pour instruments. Il flotte un éclat cristallin et transparent.

Ce sont les enfants qui l'ont, qui y sont sensibles — avec eux, nous devons être vifs et perceptifs nous-mêmes, autant que nous le pouvons... pourtant, ces enfants ont pour un temps grandi sans livres ni aucun moyen d'apprendre à écrire.

Mais quand ils partiront d'ici pour retourner à la vie ordinaire, ils sauront assez bien lire et écrire, grâce aux acquisitions d'il y a quatre ans, pour ne pas paraître illettrés aux gens normalement instruits — s'il en existe encore.

J'ai dit plus haut que le bateau s'était coincé entre des rochers. Il commença à se briser lors des tempêtes d'hiver. A mesure qu'il se détériorait, nous récupérions les machines et le bois. Il y avait parmi nous trois hommes capables de construire un petit bateau à partir du gros. Mais il était très modeste, et ne pouvait guère servir qu'à longer la côte en ramant. Par un jour de beau temps qui semblait devoir durer, deux hommes partirent vers le sud-ouest, où ils voyaient des nuages s'amonceler comme au-dessus de la terre. Pendant leur absence, nous entretînmes un feu nuit et jour sur une hauteur pour guider leur retour : ils ne disposaient d'aucun instrument, car tous étaient cassés. Ils découvrirent une île, qui avait également été habitée, mais qui semblait avoir été désertée au moment de la catastrophe, car il restait toutes sortes d'objets et de meubles dans les maisons. Cette île s'appelle Huig — nous n'en avons jamais entendu parler. Ils trouvèrent un minuscule magasin, qui servait également de poste. Il s'y trouvait du papier et des crayons. Il y avait également des magazines et des livres, mais les livres ne valaient pas la peine d'être rapportés. Ils ne touchèrent pas aux produits alimentaires comme le sucre, la confiture, le thé, par crainte de la contamination. Certaines maisons étaient équipées de postes de radio, mais ils ne fonctionnaient plus. Des bicyclettes, une moto, une machine à écrire — finalement, ils décidèrent de ne rien prendre de tout cela, car les accessoires et les pièces de rechange faisaient défaut. Ils ne rapportèrent en fin de compte que des assiettes et des couverts, des pommes de terre devenues sauvages, car nous n'en avions pas et cela nous manquait; des poulets devenus sauvages mais sains. Enfin, ils rapportèrent également quelques vêtements, mais il n'y en avait pas beaucoup.

Ils empilèrent leur butin dans le bateau et repartirent en direction du nord-ouest, sur une mer bleue et lisse. Mais cela ne dura pas. Ils revinrent poussés par un grand vent qui soufflait dans leur voile minuscule et prévue pour une simple brise. Ils ne parvinrent qu'à grand-peine à aborder sur notre plage, près du feu que nous entretenions. Pendant une heure ou deux, nous avions tous craint qu'ils ne soient emportés au large de notre île vers l'océan Arctique. Nous avons envisagé de recommencer en été, par beau temps, et peut-être même d'utiliser Huig comme base d'une expédition plus lointaine. Mais nous ne l'avons pas encore tenté.

Nous avons donc appris à lire et à écrire à nos enfants (mais pas aux trois qui peuvent être sous- ou sur-doués). Ce sont là des arts qui leur paraissent inutiles. Nous leur disons qu'ils doivent apprendre pour plus tard, quand ils retourneront à la vie normale. Ils nous demandent ce que la lecture leur apportera. Souviens-toi que le bateau nous avait rapporté des magazines de Huig et que, même si nous étions très excités, nous voulions les cacher aux enfants : nous avions honte. Et les enfants se montrèrent extrêmement polis à ce sujet. J'ai gardé ceux que j'appelle « les nouveaux enfants » pour la fin. Ils sont sept, et sont âgés de quatre et cinq ans. Nous n'avons pas tout de suite remarqué comme ils étaient extraordinaires. Au contraire, ils sont extrêmement ordinaires, si je puis dire. Ils parlaient, marchaient, jouaient comme les enfants normaux. Tous « voient » et « entendent ». Comme nous comprenons ces qualités, nous savons les reconnaître : mais quels caractères présentent-ils que nous ne voyons pas ? Il y a trois filles et quatre garçons dont un noir − le premier enfant du garçon qui m'avait été confié le jour où nous attendions d'embarquer pour être sauvés. L'un est brun, peut-être arabe, ou avec des caractères similaires dans son hérédité : l'un de ses parents est portugais. Il y en a trois aux cheveux très blonds, et deux aux yeux bruns et aux cheveux châtains.

Bon, ce qui les distingue des autres ? Rien qui puisse se mesurer ou se compter, mais nous le ressentons tous, et surtout les autres enfants. Tout d'abord, ils sont mûrs − pas physiquement, bien sûr, mais mentalement, affectivement. On leur parle comme à des adultes − non, ce n'est pas cela; on leur parle comme s'ils nous étaient supérieurs... et ils le sont. Ils exercent tous une sorte d'autorité douce, mais forte. Ils n'ont pas besoin d'être protégés contre la réalité de ce qu'est l'espèce humaine en ce siècle − ils le savent. J'ignore comment ils le savent. On dirait − puis-je l'exprimer ainsi ? − des êtres qui portent cette histoire en eux, et qui la transcendent. Ils nous englobent dans une compréhension que nous ne pouvons pas même *commencer* d'imaginer. Ces sept enfants sont nos... mais nous ne trouvons pas de mot pour le dire. Le plus proche serait « gardiens ». Ils nous protègent.

Je pense à ces gens, encore des bébés en apparence, lâchés dans le monde, et je ne peux pas le supporter. Ils nous disent de ne pas avoir peur. Ils affirment que d'ici à trois ans la Grande-Bretagne sera rouverte, commencera à revivre. On fouillera les îles à proximité des côtes. Et nous, notre communauté... sera transportée en Amérique. Là, nous nous disperserons. Les sept ne demeureront pas ensemble, mais se répartiront à travers le monde. Je serai morte, à cette époque-là. La date exacte ne nous est pas familière, mais nous sommes en été 1997. L'hiver prochain sera sévère, et m'emportera. J'écris donc tout ce que je puis me rappeler et qui me paraît important. Joseph, l'enfant noir, rejoindra ton installation près de Nairobi, et tu le prendras sous ta protection. C'est ce qu'il affirme. Il dit que d'autres enfants comme eux naissent à présent en des lieux cachés du monde, et qu'un jour l'espèce humaine tout entière leur ressemblera. Les gens comme toi et moi ne sont que des modèles expérimentaux, et la nature ne veut plus de nous.

Eh bien, mon cher Francis, — après toutes ces années, je peux t'envoyer ce merveilleux enfant... Il te racontera tout bien mieux que je ne puis le faire.

Si tu es en contact avec Amanda, veux-tu s'il te plaît lui transmettre... (etc.)

VIII

De M'tuba Selinge, chef du 3ᵉ Centre de reconstitution et d'assainissement de Nairobi, à son supérieur, Francis Colridge.
Cher Francis,

Parmi un nouvel arrivage de cinquante « reconstitutions » en provenance de Petite-Angleterre (Los Angeles), se trouvent cinq survivants d'une île d'Écosse. *(Incroyable!)* Ainsi que quelques autres découverts dans des grottes, dans la région des lacs, quand les équipes de secours y sont allées l'an dernier. Ces derniers ne sont pas récupérables. Je les ai placés au camp de quarantaine n° 7. Parmi les cinq survivants d'Écosse, se trouve un gamin de huit ans qui déclare s'appeler Joseph. Nom de famille, Batts. Père noir, mère blanche. Il est classé trois quarts négroïde (sur apparence). Ses parents se trouvent actuellement en Petite-Angleterre (LA) pour passer les tests du premier degré. Il a demandé à être orienté sur vous. Il apparaît que sur l'île vivait une femme du nom de Martha Hesse (décédée), qui vous connaissait. Elle était liée d'amitié avec cet enfant. Les parents ont consenti à la séparation d'avec la famille. De toute façon, il semble peu probable que les parents puissent quitter le premier degré avant au moins quatre ans. Il a dû se produire *encore* un cafouillage administratif à la base. *Cet enfant a été autorisé à quitter la base de décontamination dans les trois mois suivant son arrivée!* Dieu seul sait ce qu'ils peuvent bien avoir en tête! Le Dr Kalinde l'a examiné.

Il le classe comme sous-normal pour la 7ᵉ, et inadapté à l'enseignement scolaire. Mais adapté à un travail du 3ᵉ degré. Peut-être pourriez-vous lui trouver du travail à la ferme potagère?

Amicalement, M'tuba.

P.S. Que diriez-vous d'une partie d'échec demain soir à 9 heures... Nous avons reçu du Brésil une caisse de sherry de Bristol!

IX

Notes trouvées parmi les papiers de Mark Colridge après son décès.

Quelle est donc cette irresponsabilité qui entraîne des gens, dont ce n'est pas le travail, dans l'administration? La semaine dernière, dans toute une cargaison d'ordures en provenance de Tel-Aviv et abandonnée sur les quais d'Alexandrie, j'ai trouvé un vieil exemplaire d'un livre que j'avais écrit vers l'âge de vingt ans. Il s'y trouvait tout ce dont j'avais besoin pour prédire tout ce qui s'est produit depuis que j'ai perdu la raison — et que je suis devenu administrateur. Cette explosion est due au fait qu'hier j'ai additionné tout l'argent qui nous était passé entre les mains depuis trente ans : un milliard et neuf cents millions de livres sterling. Bien sûr, de telles sommes ne signifient plus rien. C'était vrai avant la guerre mondiale. Tout de même, je ne puis m'empêcher de rêver à cette cité idéale, cette exquise petite cité agrémentée de jardins et de fontaines que l'on pourrait construire quelque part, avec tout cet argent. Et ce, bien que les villes soient devenues comme les personnes, des déchets à jeter dans l'incinérateur le plus proche.

Je siège dans une vallée couverte de tentes et de cahutes militaires déjà remplies, alors que l'épidémie de grippe asiatique les avait vidées il y a trois mois.

Supposons que Willie Perkins et moi-même ayons refusé tout cet argent international qui, dès le début, a fait de nous des prisonniers... mais nous avions projeté de créer dans le monde des refuges pour ces gens qui se retrouveraient démunis de tout par suite de désastres aisément prévisibles. C'est ce que j'ai fait. Ce ne pouvait guère être qu'une question d'échelle. Mais quelque part dans ma tête devait se tapir la prémonition de la mort qui visait l'Angleterre, et un besoin de protéger et de sauver — fantasme fou. Stupide; même à la fin, je me disais, bon, nous allons les emmener, nous allons les mettre en sécurité, nous allons les tenir au chaud et les nourrir, et ensuite nous les ramènerons et les redéposerons délicatement sur leur propre terre! Aimer un pays, c'est comme aimer une personne — le clair de lune et l'angoisse vous submergent. Qu'est-ce donc que l'on aime? Si l'on me dit : c'est l'histoire — cela signifie le courage et l'endurance d'une poignée d'hommes et de femmes. Ou bien : le paysage et l'odeur... mais le monde est plein de réfugiés qui ressuscitent pour eux-mêmes

606

le goût de leur air à eux, ou la sensation de leur soleil, grâce au soleil ou au vent de pays qui leur sont étrangers. Ou bien on peut dire : « Mes ancêtres ont foulé cette terre », et tenter de faire en sorte que ce soit vrai pour soi aussi : mais cette terre et ce qu'ils voyaient réellement a disparu depuis bien longtemps. Pourtant, le mot Angleterre, Angleterre, me cause une souffrance, me fait tendre les bras. Ils liront Shakespeare et donneront des récitals de poésie. Ils tenteront de recréer le jardin d'Harold Butts. Tous ces champs si beaux et ces gens si bons ne sont plus, et je ne puis m'empêcher de penser : Comment a-t-on pu les sauver, mais comment ? Et en attendant, ce meurtre date de vingt ans, et je suis toujours là, dans une vallée de tentes, sous un clair de lune chaud et poussiéreux, avec trente mille personnes à nourrir et vêtir — et la plupart d'entre eux ont moins de vingt ans. J'ai moi-même plus de quatre-vingts ans, et je devrais renoncer, je devrais être capable de renoncer. Je n'y arrive pas. Je souffre et j'enrage et je m'angoisse. Rien n'a été fait comme il le fallait, et je ne sais pas à qui je pourrais le faire comprendre. Lynda est morte, Martha est morte, et mon fils ne m'a pas pardonné de ne pas *lui* avoir pardonné, quand il a refusé de renoncer à ce que j'estimais être une crise d'excentricité d'amateur, avec ses amis fous de fumier, dans leur ferme biologique. Quand je suis allé le voir l'an dernier à Nairobi, il s'est montré poli. Oh oui, et même très gentil. Nous faisons le même genre de travail, lui et moi ; moi, parmi des tentes pleines de survivants des cataclysmes du Proche-Orient, et lui parmi les huttes en torchis peuplées de survivants britanniques.

Il affirme : « J'ai bon espoir dans l'avenir du monde. »

Et moi : « Convaincs-moi, je t'en prie. » Je sais que je ne m'y prends pas bien. J'entendais ma voix résonner, sèche, critique.

Nous avons joué aux échecs toute la nuit en buvant du cognac. « Contrôlé par la commission des produits alimentaires. » Quelle farce ! Toute la nourriture, tous les produits, toute l'humanité sont passés, filtrés, classés et sous-classés en degrés de pureté — alors que l'air et la terre du monde regorgent de poison et que bientôt il ne pourra plus exister de normes pour les plantes ni pour les gens ni même pour nos chiens et nos chats domestiques. Nous vivons parmi des baladins et des ratés et des morts vivants, gouvernés par des bureaucrates stratifiés selon une échelle mondiale de 119 divisions. Je suis l'un d'entre eux. Mark Colridge, administrateur, classe 13.

En qualité d'administrateur, je mange de la nourriture de première catégorie et je bois du « cognac » originaire des vignobles dont les plants datent tous de moins de cinq ans. Il existe à nouveau des modes. Centre mondial — le Brésil. Bah, ils ont toujours eu du flair... Farce, farce, farce. Mon fils a bon espoir pour l'avenir du monde. Il dit qu'il y a de l'espoir, que c'est positif — un nouveau départ. On croirait entendre les vieux slogans socialistes. Il dit que bientôt l'Angleterre reprendra vie, et qu'une nouvelle histoire commencera.

Il a survolé les îles Britanniques lors d'un des premiers vols de reconnaissance. Il ment, quand il me raconte ce qu'il a vu. De même que je mens quand on me demande : Qu'avez-vous vu, quand vous avez survolé les régions dévastées du Proche-Orient ? Toutes les villes anciennes, tous les oliviers, les vignobles, les champs, tout a disparu, fondant les civilisations antérieures sous un amas de verre, de sorte qu'en regardant la terre sous un soleil rageur et violent, on avait l'impression de contempler une mer de glace où se serait noyé puis glacé un monde.

Nous disions Ninive et Tyr, et Sodome et Gomorrhe, et Rome, et Carthage, et Balkh, et Cordoba — mais cela ne signifiait rien. Un désert qui était un cimetière devient un lieu où l'on ne construit pas de villes. C'est tout. Nous vivons à la bordure, ou dans les sillons fertiles du Sahara et de Gobi et des déserts d'Arabie, où avaient autrefois fleuri des jardins et des villes et des vergers. Nous disons : Il y eut autrefois des civilisations, ici.

Bientôt, des êtres nouveaux (avec deux têtes et cinquante doigts — je ne peux pas m'en empêcher, j'ai passé tout l'après-midi à l'hôpital parmi les enfants monstrueux) vivront en bordure du nouveau désert et commenceront à creuser une croûte de verre pour chaparder des objets dont ils rempliront les nouveaux musées du monde. J'ai entendu dire que les gens retournent clandestinement vivre dans les grands immeubles morts, près de l'endroit où coulait autrefois la Tamise. On dit que, depuis sa source jusqu'à la mer, elle est enlisée dans des herbes qui ressemblent à des algues géantes.

Et ensuite ? Oh, que le monde déborde donc d'amour fraternel, à présent ! Et comme nous nous sacrifions pour ces pauvres enfants ! Si seulement on avait dépensé le *centième* de tout cet amour et de tout cet argent *avant*, pour enseigner quelque chose d'aussi simple que : quand on allume la mèche, la bombe explose, alors...

Depuis vingt ans, le monde n'a plus connu de guerre, il n'y a plus de prisonniers ni d'armées. Seulement des armées de secouristes.

Nous n'avons plus d'ennemis. L'espèce humaine s'est enfin unie. Nous plaisantions autrefois, disant que jamais nous ne pourrions cesser de nous battre, à moins que quelqu'un invente un ennemi sur une autre planète — oh, quelle plaisanterie cela s'est révélé ! Une plaisanterie qui va tous nous obséder à guetter le visage du voisin, à l'affût d'un indice de *différence* ; je suppose que l'on peut y voir un grand pas en avant.

Nous sommes tous frères, à présent, sauf ceux qui pourraient se révéler n'en être pas.

Mais supposons que nous ayons compris, *avant*, que nous n'avions pas d'ennemis ? Même à cette époque, nos armées se composaient de mercenaires : aucun gouvernement n'a pu conscrire pour la dernière de nos « petites » guerres. Intitulées différemment (tout portait des faux noms), des armées mercenaires combattaient pour des enjeux dont le nom changeait tous les mois. Les mercenaires étaient les amateurs de mort du monde, ils savaient qu'ils aimaient la mort avant que les actions de l'humanité ne prouvent qu'en vérité nous l'aimions tous. Leurs officiers étaient des hommes dont l'occupation avait cessé — ils provenaient des grandes écoles anglaises, des écoles d'officiers américaines, des écoles militaires russes. Jamais nulle part on n'avait vu une pire race de sauvages, mais nous les supportions parce que nous étions ainsi laissés en paix, libérés de ce jeu absurde qui consistait à « faire l'ennemi ». L'ennemi était la Russie. Puis, quand nous découvrîmes que la Russie et l'Amérique étaient alliées (depuis très longtemps), l'ennemi devint la Chine. La Chine s'était morcelée en provinces adverses depuis longtemps, mais il fallait que nous eussions un ennemi, et la guerre au communisme (ou au capitalisme) engloutit donc toutes les richesses de l'humanité, ainsi que les psychopathes et les sadiques et tous ceux qui voulaient mourir avant leur temps. Et les autres poursuivirent leurs petites affaires ; et, avec quelques autres imbéciles, je jouai à Dieu-sauvant-quelques-poignées-de-malheureux-et-d'affamés, tout en laissant nos gouvernements assurer la mort de nations entières.

La nuit dernière, j'ai rêvé de Lynda. Mon fils rêve d'elle, et prétend qu'elle n'est pas morte. Je ne vais pas lui demander ce qu'il veut dire. Je ne peux pas supporter ce sale mélange d'ironie et de saint Jean de la Croix et des Nuits d'Arabie qu'ils ont tous (Lynda, Martha, Francis) adopté. Il dit que Martha vit. Il dit qu'il le « sent ». Je ne vais pas lui demander pourquoi ni comment ni où. S'ils trouvent réconfortante la pensée de fantômes rédempteurs, pourquoi pas ? Je ne peux pas parler avec lui.

A qui puis-je parler, avec qui puis-je partager ce que je ressens ? Ma jeune épouse ? Mais elle ne l'est pas, bien sûr, tout cela n'est que vanité de vieillard. C'est une femme de soixante ans qui passe son temps à s'occuper d'enfants sans parents, ses propres enfants étant morts. Les miens, bien sûr, mais jamais autant que... n'est-il pas terrible d'éprouver cela ? Il me semble que l'on devrait pouvoir agir sur ses sentiments. Je brûlerai cela, je le détruirai. Ce que j'éprouvais a toujours été absurde. Lynda, et puis Lynda, et encore Lynda. Lynda et l'Angleterre. Et maintenant, c'est toujours Lynda et l'Angleterre et Francis, mais il prétend que sa mère lui parle et qu'il croit à l'avenir glorieux de l'humanité.

Les enfants de Rita ont succombé à la peste bubonique *la même semaine que Lynda*. Dans le camp situé près d'Addis-Abeba, on est venu me dire que le fléau sévissait *à nouveau*. Nous avions cru que c'était fini. J'y suis allé voir les premières victimes. Comme c'était mon troisième contact avec la peste, je m'étais endurci. Comme je revenais parmi les rangées de tentes où tout le monde attendait en silence − priant sans doute −, Lynda surgit de derrière un camion. Cette fois, il s'agissait d'un Yéménite musulman âgé de vingt ans, qui avait son visage, ses grands yeux bleus, et son sourire.

Je lui ai donné de l'argent pour aller me chercher quelque chose au village.

Les holocaustes de la chair qui se sont produits pendant notre époque rendent difficile à croire qu'il puisse exister un rapport entre la forme d'un visage et l'esprit. Traverser un camp où s'empilent à vingt endroits différents les victimes de la peste − peut-on croire après cela qu'un Dieu veuille habiter une chair ainsi mutilée par sa propre faute ?

Le garçon revint avec des cigarettes et un peu de monnaie. J'observai en plaisantant que je voyais le sourire de Lynda.Il sortit et alla s'asseoir au clair de lune contre un mur. Son ombre était violette sur le sable clair. Le lendemain matin, il avait disparu. Je ne lui avais pas demandé son nom. Dans un camp de vingt mille personnes, je n'ai même pas cherché à me renseigner. La semaine suivante, comme je passais devant un puits prêt à recevoir les nouvelles victimes de la peste, je vis son corps empilé avec les autres. Mes enfants s'y trouvaient également.

Trente ans de vie avec Rita, que je n'ai jamais regretté d'avoir épousée, cela ne pouvait pas signifier pour moi ce que signifiait le sourire de ce garçon, tandis qu'il se tenait accroupi contre le mur de boue séchée — à cause de Lynda, qui est morte. Et je me tourmentais de même à l'idée que Martha, qui a élevé les enfants et tenu ma maison, et qui s'est toujours montrée bonne et sûre, ne signifiait pas autant pour moi que, quand elle se sentait mieux, les petites visites de Lynda là-haut, pour s'asseoir un peu parmi nous avant de redescendre dans cet abominable trou malsain sous nos pieds.

Tout cela est fou, je le sais.

Je ne vois pas l'intérêt d'en écrire davantage — quel intérêt cela a-t-il jamais présenté ? Pour qui ? Pour quoi ?

J'écris chaque nuit quand le camp s'endort et que Rita s'est couchée, mais je ne sais pas pourquoi ni pour qui. Pour Lynda, sans doute, ou pour Martha.

X

OFFICIEL, attaché aux documents ci-joints. De Tsien Pu (mari d'Amanda) à Francis Colridge, Nairobi.

Nous avons décidé d'étendre votre visa à la personne de votre employé, Joseph Batts. Vous comprendrez que, comme il est originaire de la zone contaminée B, il devra demeurer en quarantaine pendant le mois réglementaire avant de pouvoir pénétrer dans le pays. Il pourra inspecter les parcs et les jardins dans la limite de dix kilomètres autour de la ville. Aucun étranger n'est admis au-delà de cette limite. Il pourra également suivre des cours de jardinage. Je suppose, quand vous dites qu'il a dix ans, qu'il s'agit d'une erreur de transcription ?

Veuillez agréer, etc.

TABLE

Du même auteur
aux Éditions Albin Michel

LE CARNET D'OR

LES ENFANTS DE LA VIOLENCE

I

Martha Quest
Un mariage comme il faut

LES ENFANTS DE LA VIOLENCE

II

L'Écho lointain de l'orage
Prise au piège

Romans traduits de l'anglais
par Marianne Véron

La composition
et l'impression de ce livre ont été effectuées
par l'imprimerie Aubin à Ligugé
pour le C.P.V.

Achevé d'imprimer le 20 mars 1981
N° d'édition 4480. N° d'impression L 13382
Dépôt légal 2ᵉ trimestre 1981

Imprimé en France